Innehåll

Norstedts engelska fickordbok

Engelsk-svensk
Svensk-engelsk

NORSTEDTS

Norstedts engelska fickordbok har utarbetats av:

Redaktion
Andra upplagan: Inger Hesslin Rider, Mathias Thiel
Första upplagan: Maria Sjödin, Håkan Nygren,
Stieg Hargevik, Yvonne Martinsson-Visser,
David Minugh, Inger Hesslin Rider, Peter Beskow

Sättning
Stockholms fotosätteri

Typografi
Ingmar Rudman

Omslag
Lars E. Pettersson

Andra upplagan, femte tryckningen
ISBN 978-91-1-302786-9

www.norstedts.se

Tryckt hos L.E.G.O. S.p.A., Italien 2011

Norstedts ingår i
Norstedts Förlagsgrupp AB, grundad 1823

Innehåll

Förord

Norstedts engelska fickordbok är en modern ordbok som redovisar brittisk engelska vad gäller ordurval, översättning, stavning och uttal. I serien ingår även Norstedts amerikanska fickordbok som på motsvarande sätt redovisar amerikansk engelska.

Andra upplagan innebär att denna populära ordbok har reviderats och utökats. Ordboken innehåller 32 000 moderna, allmänspråkliga ord och fraser, med en liten tyngdpunkt på det ordförråd man kan behöva då man är på resa.

Varje ordboksartikel har utformats enkelt och tydligt så att man snabbt ska kunna hitta rätt bland delbetydelser, fraser och översättningar.

Uttal anges med ett förenklat system som inte förutsätter tidigare erfarenhet av fonetisk skrift.

I slutet av ordboken finns bl.a en användbar reseparlör. Denna är utökad med avsnittet ”Berätta om Sverige”.

Vi hoppas att alla som behöver en fullmatad engelsk ordbok i fickformat ska ha nytta och glädje av Norstedts engelska fickordbok.

Ordbokstecken

Krok ~

Krok står i exempel i stället för uppslagsordet:

allergisk ... **~ *mot ngt*** (= allergisk mot ngt)

Asterisk *

Asterisk används för att markera oregelbundna verb som finns upptagna i verblistan under avsnittet *Engelsk minigrammatik* i slutet av boken. När man stöter på en asterisk kan man alltså gå till verblistan för att få hjälp med böjningen av verbet.

Bindestreck -

Bindestreck används

a) vid svenska böjningsändelser. Om det svenska ordet har lodstreck ersätter bindestrecket den del av ordet som står före lodstrecket, annars ersätter det hela ordet:

annons -en -er (= annonsen, annonser)
affärsres|a -an -or (= affärsresan, affärsresor)

Detta är en hjälp för de användare som inte har svenska som modersmål. Utförligare information om användandet finns på engelska under avsnittet *Swedish Grammar in Brief* i slutet av boken.

b) vid avstavning av engelska eller svenska ord.

Lodstreck |

Lodstreck används i kombination med bindestreck (se Bindestreck).

Rund parentes ( )

Rund parentes används runt ord som kan ersätta närmast föregående:

bläddra ... ~ ***igenom (i) en bok***
(= bläddra igenom en bok, bläddra i en bok)

Punkter ...

Punkter används:

a) vid avbrutna exempel:

faktum; ~ ***är*** ...

b) för att markera ett ords placering:

skruva; ~ ***på*** t.ex. lock screw...on

Siffror

Romerska siffror används för uppdelning i ordklasser:

direkt I *adj* direct **II** *adv* straight, directly

Arabiska siffror används

a) för att ange homografer, d.v.s. ord med samma stavning, men med olika ursprung och betydelse. Homografer står som separata uppslagsord, och föregås av arabisk siffra:

1 diska *verb* rengöra wash up
2 diska *verb* diskvalificera disqualify

b) för att ange olika delbetydelser:
bud ... **1** budskap message; ... **2** anbud offer; ...

Förkortningslista

adj	adjektiv
adv	adverb
amer.	amerikansk
best art	bestämd artikel
bet.	betydelse
el.	eller
etc.	etcetera
förk.	förkortning; förkortas
imperf.	imperfekt
interj	interjektion
jfr	jämför
konj	konjunktion
m.m.	med mera
mus.	musik
ngn	någon
ngns	någons
ngt	något
o.	och
obest art	obestämd artikel
oböjl.	oböjligt
o.d.	och dylikt
osv.	och så vidare
perf. p.	perfekt particip
pl.	plural
prep	preposition

pron	pronomen
®	inregistrerat varumärke
resp.	respektive
räkn	räkneord
sb.	somebody
sb.'s	somebody's
sport.	sport, idrott
sth.	something
subst	substantiv
subst pl	substantiv i pluralform
sv.	svensk, svenska
tekn.	teknik
t.ex.	till exempel
ung.	ungefär
utt.	uttalas
vanl.	vanligen
vard.	i vardaglig stil
vulg.	vulgärt
äv.	även

Uttal

I den engelsk-svenska delen anges uttal till så gott som samtliga uppslagsord. Uttalet anges enligt ett mycket förenklat system, och vi har velat ge varje uppslagsord de uttalsangivelser som bäst visar hur just detta ord uttalas.

Ett förenklat system medför naturligtvis att vissa nyansskillnader försvinner, men är i gengäld mycket lättare att använda för den som är ovan vid fonetiskt skrift.

I engelskan uttalas de flesta konsonanter ungefär som på svenska. Skillnader finns dock, t.ex. **r**, som inte uttalas som svenskans tungspets- eller tungrots-r. Engelskans r-ljud liknar det r-ljud som kan förekomma i stockholmskan. Tungspetsen lyfts upp mot den bakre tandvallen, utan att röra vid den.

Engelskans **w** uttalas ungefär som ett kraftigt artikulerat svenskt *o*. Uttalet för **w** anges som *w*.

De engelska sje-ljuden anges i uttalsangivelserna aldrig med något annat än *sch, tch*, eller ʒ. Bokstavskombinationer av typen *sj, sk, ti* m.fl. som i svenska ord kan uttalas som ett sje-ljud ska i uttalsangivelserna alltid uttalas var för sig som s + j, s + k, t + i osv. I det engelska ordet **skin** t.ex., där uttalet anges som [**skinn**], ska inte *sk* uttalas som i svenskans *skina*, utan som i svenskans *skola*.

Vokalerna uttalas enligt följande:

a kort, som i svenskans *katt*
a: långt, som i svenskans *far*
e kort, som i svenskans *helg*
e: långt, som i svenskans *ner*
i kort, som i svenskans *mitt*
i: långt, som i svenskans *mil*
o kort, som i svenskans *bott*
o: långt, som i svenskans *kjol*
å kort, som i svenskans *gått*
å: långt, som i svenskans *får*
ä kort, som i svenskans *ärta*
ö: långt, som i svenskans *för*

Dessutom används följande fonetiska tecken eftersom vissa ljud saknar motsvarighet på svenska:

ə obetonat ö-ljud, som ett mellanting mellan e och ö.
θ läspljud
ʒ tonande sje-ljud
ð tonande läspljud

Tecknet ˈ anger betoning, och placeras framför den stavelse som är betonad:

['båːring]

Tecknet ˌ anger en svagare betoning, och förekommer endast i ord som även innehåller ˈ. Den stavelse som föregås av ˈ betonas alltså mest, och den som föregås av ˌ något mindre:

['nittingˌniːdl]

Norstedts engelska fickordbok

Engelsk-svensk

Aa

A, a [ej] *subst* A, a; ***A road*** ung. riksväg, huvudväg; ***he knows the subject from A to Z*** han kan ämnet utan och innan

a [ə] *obest art* **1** en, ett; någon, något **2** per

aback [ə'bäkk], ***be taken ~*** baxna, häpna

abandon [ə'bänndən] *verb* överge; ge upp

abate [ə'bejt] *verb* avta; mojna

abbey ['äbbi] *subst* kloster; klosterkyrka

abbot ['äbbət] *subst* abbot

abbreviation [əˌbriːvi'ejschən] *subst* förkortning

abdicate ['äbbdikejt] *verb* **1** abdikera **2** avsäga sig

abdomen ['äbbdəmən] *subst* buk, mage

abduct [äb'dakt] *verb* röva bort

aberration [ˌäbbə'rejschən] *subst* villfarelse; avvikelse

abeyance [ə'bejəns], ***be in ~*** vila, ligga nere, få anstå

abide [ə'bajd] *verb* **1** i nekande el. frågande satser tåla, stå ut med **2** foga sig efter

ability [ə'billəti] *subst* förmåga; skicklighet

abject ['äbdʒekt] *adj* usel, eländig; ynklig

ablaze [ə'blejz] *adv* o. *adj* **1** i brand **2** starkt upplyst

able ['ejbl] *adj* skicklig, duglig; ***be ~ to do sth.*** kunna göra ngt, vara i stånd att göra ngt

able-bodied [ˌejbl'båddidd] *adj* stark, arbetsför

ably ['ejbli] *adv* skickligt, dugligt

abnormal [äb'nåːməl] *adj* abnorm, onormal

aboard [ə'båːd] *adv* o. *prep* ombord, ombord på

abolish [ə'bållisch] *verb* avskaffa

aborigine [ˌäbə'riddʒini] *subst* urinvånare

abort [ə'båːt] *verb* **1** göra abort på **2** avbryta; misslyckas

abortion [ə'båːschən] *subst* abort; ***have an ~*** göra abort; ***spontaneous ~*** missfall

abortive [ə'båːtivv] *adj* bildl. dödfödd; misslyckad

abound [ə'baond] *verb* finnas i överflöd

about [ə'baot] **I** *prep*

1 omkring i (på) 2 på sig; hos, med 3 om; ***what ~...?*** el. ***how ~...?*** hur är det med...?; hur skulle det smaka med...?; ska vi...? **II** *adv* 1 omkring, runt 2 i omlopp; liggande framme 3 ungefär, nästan; ***that's ~ it!*** vard. ungefär så, ja!; det blir bra; så kan man säga 4 ***be ~ to*** stå i begrepp att, ska just

about-turn [ə͵baot'tö:n] *subst* helomvändning; kovändning

above [ə'bavv] **I** *prep* över högre än; ovanför; ***~ all*** framför allt; ***he is ~ suspicion*** han är höjd över alla misstankar **II** *adv* 1 ovan; ovanför 2 över, däröver

abrasive [ə'brejsivv] **I** *subst* slipmedel **II** *adj* 1 slip- 2 påstridig

abreast [ə'brest] *adv* i bredd, sida vid sida

abridge [ə'bridʒ] *verb* förkorta, korta av

abroad [ə'brå:d] *adv* utomlands

abrupt [ə'brappt] *adj* abrupt, tvär; brysk

abscess ['äbbsess] *subst* böld, bulnad

abscond [əb'skånd] *verb* avvika, rymma

absence ['äbbsəns] *subst* frånvaro

absent ['äbbsənt] *adj* frånvarande

absentee [͵äbsən'ti:] *subst* frånvarande; skolkare

absent-minded [͵äbsənt'majndidd] *adj* tankspridd

absolute ['äbbsəlo:t] *adj* absolut, fullständig

absolutely ['äbbsəlo:tli] *adv* absolut, fullständigt

absorb [əb'så:b] *verb* 1 absorbera, suga upp 2 uppsluka, helt uppta

abstain [əb'stejn] *verb*, ***~ from*** avstå från; avhålla sig från; ***~ from voting*** lägga ned sin röst

abstract ['äbbsträkt] **I** *adj* abstrakt **II** *subst* utdrag, kort referat

absurd [əb'sö:d] *adj* orimlig, absurd; dum

abuse I [ə'bjo:s] *subst* 1 missbruk 2 ovett **II** [ə'bjo:z] *verb* 1 missbruka 2 skymfa 3 misshandla

abusive [ə'bjo:sivv] *adj* ovettig; skymflig

abysmal [ə'bizməl] *adj* avgrundsdjup

abyss [ə'biss] *subst* avgrund

AC [͵ej'si:] (förk. för

alternating current)
växelström
academic [ˌäkkə'demmikk]
I *adj* **1** akademisk; ~ ***ability*** studiebegåvning **II** *subst* **1** akademiker
academy [ə'käddəmi] *subst* akademi; högskola; ***Academy award*** Oscar filmpris
accelerate [ək'sellərejt] *verb* accelerera
accelerator [ək'sellərejtə] *subst* gaspedal
accent ['äksənt] *subst* **1** betoning, tonvikt; ***with the ~ on*** med tonvikt på **2** accent, brytning
accept [ək'sept] *verb* acceptera; ta emot; godta
acceptable [ək'septəbl] *adj* godtagbar
access ['äksess] *subst* tillträde; tillgång; ~ ***road*** tillfartsväg till motorväg; ~ ***television*** ung. lokal-TV
accessible [ək'sessəbl] *adj* tillgänglig, åtkomlig
accessory [ək'sessəri] **I** *adj* åtföljande **II** *subst* **1** ***accessories*** tillbehör; accessoarer **2** medbrottsling
accident ['äksidənt] *subst* **1** tillfällighet; ***by ~*** av en händelse **2** olyckshändelse, olycka
accidental [ˌäksi'dentl] *adj* tillfällig, oavsiktlig
accidentally [ˌäksi'dentəli] *adv* av en händelse; oavsiktligt
accident-prone ['äksidəntprəon] *adj* olycksbenägen
accommodate [ə'kåmmədejt] *verb* **1** inhysa **2** anpassa
accommodating [ə'kåmmədejting] *adj* tillmötesgående
accommodation [əˌkåmmə'dejschən] *subst* **1** logi, inkvartering **2** anpassning
accompany [ə'kampəni] *verb* **1** följa med, göra sällskap med; ***accompanied with*** bildl. åtföljd av, förenad med **2** ackompanjera
accomplish [ə'kamplisch] *verb* utföra, uträtta
accomplishment [ə'kamplischmənt] *subst* **1** utförande; fullbordande **2** prestation; ***accomplishments*** talanger
accordance [ə'kå:dəns] *subst* överensstämmelse
according [ə'kå:ding], ~ ***to*** enligt, efter
accordingly [ə'kå:dingli] *adv*

1 i enlighet därmed
2 således, därför
accordion [ə'kå:diən] *subst* dragspel
accost [ə'kåst] *verb* **1** gå fram till och tilltala
2 antasta
account [ə'kaont] **I** *verb*, **~ *for*** redovisa för; svara för; ***that accounts for it*** det förklarar saken **II** *subst* **1** räkning, konto; ***keep accounts*** föra räkenskaper; ***open an ~ with*** öppna konto hos; ***on one's own ~*** för egen räkning; ***on no ~*** el. ***not on any ~*** på inga villkor
2 redovisning **3** berättelse; ***take into ~*** ta med i beräkningen; ta hänsyn till
accountancy [ə'kaontənsi] *subst* bokföring
accountant [ə'kaontənt] *subst* revisor
accumulate [ə'kjo:mjolejt] *verb* hopa sig, ackumuleras; samla på hög
accuracy ['äkjorəsi] *subst* precision; noggrannhet
accurate ['äkjorət] *adj* precis; noggrann
accusation [ˌäkjo:'zejschən] *subst* anklagelse
accuse [ə'kjo:z] *verb* anklaga
accustom [ə'kastəm] *verb* vänja; vänja sig
accustomed [ə'kastəmd] *adj* **1 ~ *to*** van vid **2** sedvanlig
ace [ejs] **I** *subst* **1** ess, äss; ***~ of hearts*** hjärteress **2** i tennis serveess **II** *adj* stjärn-, topp-
ache [ejk] **I** *verb* värka, göra ont **II** *subst* värk
achieve [ə'tchi:v] *verb* **1** åstadkomma, prestera
2 uppnå
achievement [ə'tchi:vmənt] *subst* utförande, prestation
acid ['ässidd] **I** *adj* sur **II** *subst* syra
acid rain [ˌässid'rejn] *subst* surt regn
acknowledge [ək'nållidʒ] *verb* erkänna, kännas vid
acknowledgement [ək'nållidʒmənt] *subst* erkännande; bekräftelse
acne ['äkkni] *subst* akne
acorn ['ejkå:n] *subst* ekollon
acoustic [ə'ko:stikk] *adj* akustisk
acoustics [ə'ko:stikks] *subst* akustik
acquaint [ə'kwejnt], ***be acquainted with*** vara bekant med; vara insatt i
acquaintance [ə'kwejntəns] *subst* **1** kännedom **2** bekant person

acquiesce [ˌäkwi'ess] *verb* samtycka
acquire [ə'kwajə] *verb* förvärva, skaffa sig
acquit [ə'kwitt] *verb* frikänna
acre ['ejkə] *subst* ung. tunnland (4 047 m^2)
acrid ['äkkridd] *adj* bitter, skarp; kärv, från äv. bildl.
acrobat ['äkrəbätt] *subst* akrobat
across [ə'kråss] **I** *adv* över; på tvären **II** *prep* över, tvärsöver, genom
acrylic [ə'krillikk] *subst* akryl
act [äkt] **I** *subst* **1** handling; ***caught in the ~*** tagen på bar gärning **2** beslut; lag **3** på teatern akt; nummer **II** *verb* **1** handla; agera; spela teater, äv. bildl. **2** ***~ as*** fungera som; verka som
acting ['äkting] *adj* tillförordnad
action ['äkschən] *subst* handling; agerande; ***take ~*** ingripa, vidta åtgärder
activate ['äktivejt] *verb* aktivera
active ['äktivv] *adj* aktiv; verksam
activity [äk'tivvəti] *subst* aktivitet, verksamhet
actor ['äktə] *subst* skådespelare
actress ['äktrəs] *subst* skådespelerska
actual ['äktchoəll] *adj* faktisk, verklig
actually ['äktchoəlli] *adv* **1** egentligen, i själva verket **2** faktiskt, verkligen
acute [ə'kjoːt] *adj* **1** akut **2** skarp, intensiv
AD [ˌej'diː] e. Kr.
ad [ädd] *subst* vard. kortform för *advertisement*
adamant ['äddəmənt] *adj* orubblig, benhård
adapt [ə'däppt] *verb* **1** anpassa **2** bearbeta, omarbeta
add [ädd] *verb* **1** tillägga; tillsätta **2** addera; ***it doesn't ~ up*** vard. det stämmer inte, det går inte ihop
adder ['äddə] *subst* huggorm; giftorm
addict ['äddikt] *subst* slav under arbete, passion o.d.; missbrukare
addiction [ə'dikschən] *subst* böjelse; missbruk
addictive [ə'diktivv] *adj* beroendeframkallande
addition [ə'dischən] *subst* **1** tillsats; ***in ~*** dessutom, därtill **2** addition

additional [ə'dischənl] *adj* ytterligare
additive ['ädditivv] *subst* tillsatsämne
address [ə'dress] **I** *verb* **1** tilltala; hålla tal till **2** adressera **II** *subst* **1** adress **2** offentligt tal
adept ['äddept] *adj* skicklig
adequate ['äddikwət] *adj* **1** tillräcklig **2** fullgod; adekvat
adhesive [əd'hiːsivv] **I** *adj* självhäftande **II** *subst* lim; häftplåster; ~ ***tape*** tejp; klisterremsa
adjective ['ädʒiktivv] *subst* adjektiv
adjoining [ə'dʒåjning] *adj* angränsande
adjourn [ə'dʒöːn] *verb* ajournera, flytta fram
adjust [ə'dʒast] *verb* **1** rätta till; justera **2** anpassa; anpassa sig
adjustable [ə'dʒastəbl] *adj* inställbar, reglerbar; ~ ***spanner*** skiftnyckel
adjustment [ə'dʒastmənt] *subst* **1** justering; inställning **2** anpassning
ad-lib [ˌädd'libb] *adj* improviserad
administer [əd'minnistə] *verb* sköta, administrera
administration [ədˌminni'strejschən] *subst* **1** skötsel, administrering **2** förvaltning
administrative [əd'minnistrətivv] *adj* administrativ
admiral ['ädmərəl] *subst* amiral
admire [əd'majə] *verb* beundra
admission [əd'mischən] *subst* **1** tillträde; inträde; intagning; ~ ***fee*** inträdesavgift; ~ ***free*** fritt inträde **2** medgivande
admit [əd'mitt] *verb* **1** släppa in; anta **2** medge
admittance [əd'mittəns] *subst* inträde, tillträde; ***no*** ~ tillträde förbjudet
admittedly [əd'mittiddli] *adv* erkänt, medgivet
admonish [əd'månnisch] *verb* förmana
ado [ə'doː] *subst* ståhej, väsen
adolescence [ˌäddə'lesns] *subst* ungdomstid, tonåren
adolescent [ˌäddə'lesnt] **I** *subst* ungdom, tonåring **II** *adj* tonårs-
adopt [ə'dåppt] *verb* **1** adoptera **2** anta, lägga sig till med åsikt, vana

adopted [ə'dåptidd] *adj* adoptiv-
adoption [ə'dåppschən] *subst* **1** adoption **2** antagande; införande
adore [ə'då:] *verb* dyrka; vard. avguda, älska
adorn [ə'då:n] *verb* pryda, smycka, utsmycka
Adriatic [,ejdri'ättikk], ***the ~ Sea*** Adriatiska havet
adrift [ə'drift] *adv* o. *adj* på drift; bildl. på glid
adult ['äddalt] *adj* o. *subst* vuxen; ***adults only*** endast för vuxna, barnförbjuden
adultery [ə'daltəri] *subst* äktenskapsbrott
advance [əd'va:ns] **I** *verb* **1** flytta fram; gå framåt; göra framsteg **2** avancera, bli befordrad **3** förskottera lån **II** *subst* **1** framryckning **2** framsteg, befordran **3** ***make advances*** göra närmanden **4** förskott **5** ***in ~*** i förväg; i förskott
advanced [əd'va:nst] *adj* **1** långt framskriden **2** avancerad
advantage [əd'va:ntidʒ] *subst* fördel äv. i tennis; ***take ~ of*** utnyttja
adventure [əd'ventchə] *subst* äventyr
adverb ['äddvö:b] *subst* adverb
adverse ['äddvö:s] *adj* ogynnsam
advertise ['äddvətajz] *verb* annonsera; göra reklam för
advertisement [əd'vö:tismənt] *subst* annons
advertiser ['äddvətajzə] *subst* annonsör
advertising ['äddvətajzing] *subst* reklam; reklambranschen; ***~ agency*** annonsbyrå, reklambyrå
advice [əd'vajs] *subst* råd
advisable [əd'vajzəbl] *adj* tillrådlig
advise [əd'vajz] *verb* råda; ***~ against*** avråda från
adviser [əd'vajzə] *subst* rådgivare
advisory [əd'vajzəri] *adj* rådgivande
advocate **I** ['ädvəkət] *subst* förespråkare **II** ['ädvəkejt] *verb* förespråka
aerial ['äəriəl] *subst* antenn
aerobics [äə'rəobikks] *subst* aerobics
aeroplane ['äərəplejn] *subst* flygplan
aesthetic [i:s'θettikk] *adj* estetisk
affair [ə'fäə] *subst*

1 angelägenhet, sak; ***public affairs*** offentliga angelägenheter 2 affär, historia

1 affect [ə'fekt] *verb* 1 beröra, påverka 2 göra intryck på

2 affect [ə'fekt] *verb* låtsas vara, spela

1 affected [ə'fektidd] *adj* 1 ~ ***with*** angripen av 2 ~ ***by*** upprörd av, rörd av 3 påverkad

2 affected [ə'fektidd] *adj* tillgjord

affection [ə'fekschən] *subst* ömhet, tillgivenhet

affectionate [ə'fekschənətt] *adj* tillgiven, öm

affinity [ə'finnəti] *subst* 1 släktskap 2 samhörighetskänsla

afflict [ə'flikkt] *verb* drabba, hemsöka

affluence ['äfloənns] *subst* rikedom, välstånd

affluent ['äfloənnt] *adj* rik, förmögen

afford [ə'få:d] *verb*, ***I can ~ it*** det har jag råd med

afloat [ə'fləot] *adv* o. *adj* flytande äv. bildl.

afraid [ə'frejd] *adj*, ***~ of*** rädd för; ***~ about*** (***for***) orolig för; ***I'm ~ not*** tyvärr inte

afresh [ə'fresch] *adv* ånyo, på nytt

Africa ['äffrikə] Afrika

African ['äffrikən] **I** *subst* afrikan; afrikanska **II** *adj* afrikansk

after ['a:ftə] **I** *adv* o. *prep* efter, bakom; efteråt, senare; ***~ all*** när allt kommer omkring; ändå; ***be ~ sth.*** vara ute efter ngt **II** *konj* sedan

aftermath ['a:ftəmäθ] *subst* efterdyningar

afternoon [ˌa:ftə'no:n] *subst* eftermiddag

afters ['a:ftəz] *subst pl* vard. efterrätt

afterwards ['a:ftəwədz] *adv* efteråt, sedan

again [ə'genn] *adv* 1 igen, en gång till; ***~ and ~*** el. ***time and ~*** gång på gång 2 å andra sidan

against [ə'gennst] *prep* mot, emot; vid, intill

age [ejdʒ] **I** *subst* 1 ålder 2 tid; period 3 ***for ages*** i (på) evigheter **II** *verb* åldras

aged *adj* 1 [ejdʒd] i en ålder av 2 ['ejdʒidd] ålderstigen

age-group ['ejdʒgro:p] *subst* åldersgrupp

agency ['ejdʒənsi] *subst* 1 agentur; byrå 2 medverkan

agenda [ə'dʒendə] *subst* dagordning
agent ['ejdʒənt] *subst* 1 agent, ombud 2 medel; verkande kraft
aggravate ['äggrəvejt] *verb* 1 förvärra 2 vard. reta, förarga
aggregate ['äggrigətt] *verb* hopa, hopa sig; samla
aggressive [ə'gressivv] *adj* 1 aggressiv 2 offensiv-; framåt
aggrieved [ə'gri:vd] *adj* sårad, kränkt
aghast [ə'ga:st] *adj* förskräckt, bestört
agitate ['ädʒitejt] *verb* uppröra, oroa; uppvigla
ago [ə'gəo] *adv* för ... sedan
agonizing ['äggənajzing] *adj* hjärtslitande
agony ['äggəni] *subst* vånda; svåra plågor
agree [ə'gri:] *verb* 1 samtycka; säga 'ja' 2 komma (vara) överens 3 passa, stämma
agreeable [ə'griəbl] *adj* angenäm, trevlig
agreed [ə'gri:d] *adj* avgjord, beslutad; **~?** är vi överens?; **~!** avgjort!, kör för det!
agreement [ə'gri:mənt] *subst* 1 överenskommelse, avtal 2 enighet i åsikter
agricultural [ˌäggri'kaltchərəl] *adj* jordbruks-
aground [ə'graond] *adv* o. *adj* på grund
ahead [ə'hedd] *adv* o. *adj* före; i förväg; framåt; bildl. kommande; ***straight ~*** rakt fram; ***be ~ of*** bildl. vara före
aid [ejd] **I** *verb* hjälpa, bistå **II** *subst* hjälp, bistånd
Aids o. **AIDS** [ejdz] *subst* aids
ailing ['ejling] *adj* krasslig, sjuk
ailment ['ejlmənt] *subst* krämpa, sjukdom
aim [ejm] **I** *verb* måtta, sikta med; ***~ at*** sikta på; syfta till; sträva efter **II** *subst* 1 sikte 2 mål, målsättning
aimless ['ejmləss] *adj* utan mål, planlös
ain't [ejnt] ovårdat el. dialektalt för *am (are, is) not*; *have not, has not*
1 air [äə] **I** *subst* 1 luft; ***the open ~*** fria luften; ***go by ~*** flyga; ***on the ~*** i radio (TV), i sändning 2 fläkt, drag **II** *verb* vädra, lufta
2 air [äə] *subst* 1 utseende; prägel 2 min; ***airs*** förnäm (viktig) min

air bed ['äəbedd] *subst* luftmadrass
airborne ['äəbå:n] *adj* luftburen
air-conditioned ['äəkən,dischənd] *adj* luftkonditionerad
air-conditioning ['äəkən,dischəning] *subst* luftkonditionering
aircraft ['äəkra:ft] *subst* flygplan
airfield ['äəfi:ld] *subst* flygfält
air force ['äəfå:s] *subst* flygvapen
airgun ['äəgann] *subst* luftgevär
air hostess ['äə,həostiss] *subst* flygvärdinna
air letter ['äə,lettə] *subst* aerogram
airlift ['äəlift] *subst* luftbro
airline ['äəlajn] *subst* 1 flyglinje 2 flygbolag; ***budget*** ~ lågprisflyg
airliner ['äə,lajnə] *subst* trafikflygplan
airmail ['äəmejl] *subst* flygpost
airplane ['äəplejn] *subst* flygplan
airport ['äəpå:t] *subst* flygplats
air-raid ['äərejd] *subst* flyganfall
air-sick ['äəsikk] *adj* flygsjuk
air terminal ['äə,tö:minl] *subst* flygterminal
airtight ['äətajt] *adj* lufttät
airy ['äəri] *adj* **1** luftig **2** tunn
aisle [ajl] *subst* **1** i kyrka sidoskepp; mittgång; ***walk down the*** ~ vard. gifta sig **2** i flygplan, buss etc. mittgång
ajar [ə'dʒa:] *adv* på glänt
akin [ə'kinn] *adj* släkt, besläktad
alarm [ə'la:m] **I** *subst* **1** larm **2** oro **II** *verb* **1** larma **2** oroa
alarm clock [ə'la:mklåkk] *subst* väckarklocka
alas [ə'läss] *adv* tyvärr
album ['älbəmm] *subst* **1** album **2** LP-skiva
alcohol ['älkəhåll] *subst* alkohol, sprit
alcoholic [,älkə'hållikk] **I** *adj* alkoholhaltig; alkohol- **II** *subst* alkoholist
ale [ejl] *subst* öl
alert [ə'lö:t] **I** *adj* alert, på alerten **II** *subst* flyglarm **III** *verb* larma, varna
algal bloom [,ällgəl'blo:m] *subst* algblomning
algebra ['äldʒibrə] *subst* algebra
alias ['ejliäss] *subst* o. *adv* alias

alibi ['ällibaj] *subst* alibi
alien ['ejljən] **I** *adj* utländsk; främmande **II** *subst* **1** främling; utlänning **2** rymdvarelse
alienate ['ejljənejt] *verb* stöta bort; alienera
alike [ə'lajk] **I** *adj* lik, lika **II** *adv* på samma sätt
alive [ə'lajv] *adj* vid liv; levande; ***come ~*** bildl. vakna till liv; ***no man ~*** ingen i hela världen; ***~ and kicking*** pigg och nyter
all [å:l] **I** *adj* o. *pron* all, allt, alla; ***not at ~*** inte alls; ***not at ~!*** ss. svar på tack el. ursäkt för all del!, ingen orsak!; ***~ in ~*** allt som allt; på det hela taget **II** *subst* allt, alltihop, allting; alla **III** *adv* alldeles, helt och hållet
allay [ə'lej] *verb* dämpa, lindra
allege [ə'ledʒ] *verb* uppge som ursäkt m.m.; påstå
allegedly [ə'ledʒidli] *adv* efter vad som påstås
allegiance [ə'li:dʒəns] *subst* lojalitet, trohet
allergic [ə'lö:dʒikk] *adj* allergisk
allergy ['ällədʒi] *subst* allergi
alleviate [ə'li:viejt] *verb* lätta, lindra
alley ['älli] *subst* **1** gränd; gång **2** vard., ***bowling ~*** bowlinghall
alliance [ə'lajəns] *subst* **1** förbindelse **2** förbund, allians
allied [ə'lajd] *adj* allierad
all-in [ˌå:l'inn] *adj* allt-i-ett; allt inkluderat
all-night [ˌå:l'najt] *adj* nattöppen, natt-
allocate ['älləokejt] *verb* tilldela, anslå
allot [ə'lått] *verb* fördela; tilldela
allotment [ə'låttmənt] *subst* **1** jordlott, koloni **2** tilldelning; andel
all-out [ˌå:l'aot] *adj* fullständig
allow [ə'lao] *verb* **1** tillåta, låta **2** bevilja **3** erkänna
allowance [ə'laoəns] *subst* underhåll; bidrag, understöd; ***make allowances for*** ta hänsyn till
alloy ['älåj] *subst* legering
all-rounder [ˌå:l'raondə] *subst* allround idrottsman (spelare etc.); mångsidig begåvning
all-time ['å:ltajm] *adj* vard. rekord-
ally ['ällaj] *subst* bundsförvant, allierad

almighty [å:l'majti] *adj* allsmäktig
almond ['a:mənd] *subst* mandel
almost ['å:lməost] *adv* nästan
alms [a:mz] *subst* allmosa, allmosor
alone [ə'ləon] **I** *adj* ensam **II** *adv* endast, enbart
along [ə'lång] **I** *prep* längs, utmed **II** *adv* **1** framåt, i väg **2** med sig (mig etc.); ***come ~!*** kom nu!, kom så går vi!; ***~ with*** tillsammans med
alongside I [əˌlång'sajd] *adv* vid sidan; på båt långsides **II** [ə'långsajd] *prep* vid sidan av; båt långsides med
aloof [ə'lo:f] *adj* reserverad
aloud [ə'laod] *adv* högt, med hög röst
alphabet ['älfəbett] *subst* alfabet
alphabetical [ˌälfə'bettikəl] *adj* alfabetisk
alpine ['älpajn] *adj* alpin; fjäll-, berg-
already [å:l'reddi] *adv* redan
Alsatian [äl'sejschjən] *subst* schäfer
also ['å:lsəo] *adv* också, även; dessutom
altar ['å:ltə] *subst* altare
alter ['å:ltə] *verb* ändra, förändra; förändras
alternate I [ˌå:l'tö:nətt] *adj* omväxlande, alternerande **II** ['å:ltənejt] *verb* växla, alternera
alternative [å:l'tö:nətivv] *subst* o. *adj* alternativ
although [å:l'ðəo] *konj* fastän, även om
altitude ['ältitjo:d] *subst* höjd
alto ['ältəo] *subst* alt; altstämma
altogether [ˌå:ltə'geðə] *adv* **1** helt och hållet, alldeles **2** sammanlagt
aluminium [ˌälə'minnjəm] *subst* aluminium
always ['å:lwejz] *adv* alltid, jämt
am [ämm], ***I am*** jag är; jfr äv. *be*
a.m. [ˌej'emm] på förmiddagen, f.m.
amalgamate [ə'mällgəmejt] *verb* slå samman (ihop) t.ex. två företag
amateur ['ämmətə] *subst* amatör
amateurish ['ämmətərisch] *adj* amatörmässig
amaze [ə'mejz] *verb* förvåna
amazement [ə'mejzmənt]

subst häpnad; ***much to my ~*** till min stora förvåning
amazing [ə'mejzing] *adj* häpnadsväckande
ambassador [äm'bässədə] *subst* ambassadör
amber ['ämbə] *subst* bärnsten
ambiguous [äm'biggjoəs] *adj* tvetydig
ambition [äm'bischən] *subst* **1** ärelystnad **2** ambition; framåtanda
ambitious [äm'bischəs] *adj* **1** ärelysten **2** ambitiös
amble ['ämbl] *subst* passgång; ***at an ~*** i sakta mak
ambulance ['ämmbjoləns] *subst* ambulans
ambush ['ämmbosch] **I** *subst* bakhåll **II** *verb* överfalla från bakhåll
amenable [ə'miːnəbl] *adj* mottaglig; medgörlig
amend [ə'mend] *verb* göra en ändring i lagförslag m.m.; ändra; förbättra
America [ə'merrikə] Amerika
American [ə'merrikənn] **I** *adj* amerikansk **II** *subst* amerikan, amerikanska kvinna
amiable ['ejmjəbl] *adj* vänlig, älskvärd
amicable ['ämmikəbl] *adj* vänskaplig, vänlig
amid [ə'midd] o. **amidst** [ə'middst] *prep* mitt i, mitt ibland
amiss [ə'miss] *adv* o. *adj* på tok, fel, galet
ammonia [ə'məonjə] *subst* ammoniak
ammunition [ˌämmjo'nischən] *subst* ammunition
amok [ə'måkk] *adv*, ***run ~*** löpa amok
among [ə'mang] o. **amongst** [ə'mangst] *prep* bland, ibland; ***~ themselves*** (***yourselves*** etc.) sinsemellan, inbördes; ***they had £100 ~ them*** de hade tillsammans hundra pund
amorous ['ämmərəs] *adj* amorös, kärleksfull
amount [ə'maont] **I** *verb*, ***~ to*** uppgå till; innebära **II** *subst* **1** belopp **2** mängd
ampere ['ämmpäə] *subst* ampere
ample ['ämmpl] *adj* **1** riklig; ***we have ~ time*** vi har gott om tid **2** fyllig, yppig
amplifier ['ämmplifajə] *subst* förstärkare i radio o.d.
amuse [ə'mjoːz] *verb* roa, underhålla

amusement [ə'mjoːzmənt] *subst* nöje; förströelse
an [ən] *obest art* se *a*
anaemic [ə'niːmikk] *adj* blodfattig, anemisk
anaesthetic [ˌännəs'θettikk] *subst* bedövningsmedel; bedövning
analogue ['ännəlågg] *subst* 1 motsvarighet 2 *~ clock* analog klocka
analyse ['ännəlajz] *verb* analysera
analysis [ə'nälləsiss] *subst* analys
analyst ['ännəlist] *subst* 1 analytiker 2 psykoanalytiker
anarchist ['ännəkist] *subst* anarkist
anarchy ['ännəki] *subst* anarki
anatomy [ə'nättəmi] *subst* anatomi
ancestor ['ännsəstə] *subst* stamfader; ***ancestors*** förfäder
anchor ['ängkə] **I** *subst* ankare; bildl. äv. stöd **II** *verb* förankra; ankra
anchovy ['äntchəvi] *subst* sardell
ancient ['ejnschənt] *adj* forntida, gammal; *~ Greece* det antika Grekland
and [ənd] *konj* och; *~ so on* el. *~ so forth* och så vidare, osv.
anew [ə'njoː] *adv* ånyo, på nytt; om igen
angel ['ejndʒəl] *subst* ängel
anger ['änggə] *subst* vrede, ilska
angina [än'dʒajnə] *subst*, *~ pectoris* kärlkramp
1 angle ['änggl] **I** *subst* vinkel; synvinkel **II** *verb* vinkla, tillrättalägga
2 angle ['änggl] *verb* meta
angler ['änggla] *subst* metare
Anglican ['änggliken] **I** *adj* anglikansk **II** *subst* medlem av anglikanska kyrkan
angling ['änggling] *subst* metning
Anglo- ['änggləo] i sammansättningar engelsk-, anglo-
angrily ['änggrəli] *adv* argt, ilsket
angry ['änggri] *adj* arg, ilsken
anguish ['änggwisch] *subst* kval, ångest
animal ['ännəməl] **I** *subst* djur **II** *adj* animalisk; djurisk
animate **I** ['ännimət] *adj* levande **II** ['ännimejt] *verb* ge liv åt; animera
ankle ['ängkl] *subst* vrist, ankel

annexe ['ännekks] *subst* annex
anniversary [ˌänni'vö:səri] *subst* årsdag; bröllopsdag
announce [ə'naons] *verb* tillkännage, meddela
announcement [ə'naonsmənt] *subst* tillkännagivande; annons om födelse etc.; ***announcements*** i tidning, ung. familjesidan
announcer [ə'naonsə] *subst* hallåa, programpresentatör
annoy [ə'nåj] *verb* förarga, reta, irritera
annoyance [ə'nåjəns] *subst* irritation, besvär; plåga
annoying [ə'nåjing] *adj* förarglig; besvärlig
annual ['ännjoəl] *adj* **1** årlig **2** ettårig
annul [ə'nal] *verb* annullera, upphäva
anonymous [ə'nånniməs] *adj* anonym
anorak ['ännəräkk] *subst* anorak, vindjacka
another [ə'naðə] *pron* **1** en annan **2** en till, en ny **3** ***one ~*** varandra
answer ['a:nsə] **I** *subst* svar; lösning **II** *verb* svara; bemöta; ***answering machine*** telefonsvarare; ***~ the door*** gå och öppna dörren; ***~ back*** svara emot, käfta emot; ***~ for*** ansvara för; stå till svars för
answerable ['a:nsərəbl] *adj* ansvarig
ant [änt] *subst* myra
antagonism [änn'täggənizəm] *subst* fiendskap; antagonism
antarctic [änt'a:ktikk] **I** *adj* antarktisk **II** ***the Antarctic*** Antarktis
anthem ['ännθəm] *subst* hymn; ***national ~*** nationalsång
anti-aircraft [ˌänti'äəkra:ft] *adj* luftvärns-
antibiotics [ˌäntibaj'åttikks] *subst pl* antibiotika
anticipate [än'tissipejt] *verb* förutse; vänta sig; föregripa
anticipation [änˌtissi'pejschən] *subst* förväntan; aning
anticlimax [ˌänti'klajmäkks] *subst* antiklimax
anticlockwise [ˌänti'klåkwajz] *adv* motsols
antifreeze ['änntifri:z] *subst* kylarvätska
antioxidant [ˌänti'åkksidənt] *subst* antioxidant
antiquated ['änntikwejtidd] *adj* föråldrad
antique [än'ti:k] **I** *adj* **1** antik

2 gammaldags **II** *subst* antikvitet
antiseptic [ˌänti'septikk] *adj* antiseptisk
antisocial [ˌänti'səoschəl] *adj* asocial; osällskaplig
anvil ['änvill] *subst* städ
anxiety [äng'zajəti] *subst* ängslan, oro; ångest
anxious ['ängkschəs] *adj* **1** ängslig, rädd **2** angelägen
any ['enni] **I** *pron* **1** någon, något, några **2** vilken (vilket, vilka) som helst, varje; **~ *one*** vilken som helst **II** *adv* något el. vanl. utan svensk motsvarighet; ***I can't stay ~ longer*** jag kan inte stanna längre
anybody ['enniˌbåddi] *pron* **1** någon **2** vem som helst
anyhow ['ennihao] *adv* **1** på något sätt; hur som helst **2** i alla (varje) fall; ändå
anyone ['enniwan] se *anybody*
anything ['enniθing] *pron* **1** något, någonting **2** vad som helst; allt; **~ *but pleasant*** allt annat än trevlig
anyway ['enniwej] se *anyhow*
anywhere ['enniwäə] *adv* **1** någonstans **2** var som helst, överallt
apart [ə'pa:t] *adv* avsides; var för sig; ifrån varandra; **~ *from*** bortsett från, utom
apartment [ə'pa:tmənt] *subst* gemak
ape [ejp] **I** *subst* stor svanslös apa **II** *verb* apa efter
aperitif [ə'perritif] *subst* aperitif
aperture ['äppətjoə] *subst* **1** öppning; glugg **2** bländare på kamera
apex ['ejpekks] *subst* spets, topp
apiece [ə'pi:s] *adv* per styck; vardera
apologetic [əˌpållə'dʒetikk] *adj* ursäktande; urskuldande
apologize [ə'pållədʒajz] *verb* be om ursäkt, ursäkta sig
apology [ə'pållədʒi] *subst* ursäkt
apostrophe [ə'påstrəfi] *subst* apostrof
appal [ə'på:l] *verb* förfära; ***appaling*** skrämmande, förfärlig
apparatus [ˌäppə'rejtəs] *subst* apparat; maskineri
apparent [ə'pärrənt] *adj* **1** uppenbar **2** skenbar
apparently [ə'pärrəntli] *adv* till synes; uppenbarligen
appeal [ə'pi:l] **I** *verb* vädja; överklaga; **~ *to*** vädja till; tilltala, falla i smaken

II *subst* **1** vädjan; överklagande **2** dragningskraft
appealing [ə'pi:ling] *adj* **1** tilltalande **2** vädjande
appear [ə'piə] *verb* **1** bli synlig; uppträda; om bok komma ut **2** förefalla
appearance [ə'piərəns] *subst* **1** framträdande; offentligt uppträdande **2** utseende; ***appearances*** yttre sken
appease [ə'pi:z] *verb* stilla, dämpa, lugna
appendicitis [əˌpendi'sajtiss] *subst* blindtarmsinflammation
appendix [ə'penndikks] *subst* bilaga; ***the ~*** blindtarmen
appetite ['äppətajt] *subst* aptit, matlust
appetizer ['äppətajzə] *subst* aptitretare
applaud [ə'plå:d] *verb* applådera
applause [ə'plå:z] *subst* applåd, applåder
apple ['äppl] *subst* äpple
appliance [ə'plajəns] *subst* apparat; hjälpmedel
applicable [ə'plikkəbl] *adj* tillämplig
applicant ['äpplikənt] *subst* sökande
application [ˌäppli'kejschən] *subst* **1** ansökan **2** tillämpning **3** ***for external ~ only*** för utvärtes bruk
applied [ə'plajd] *adj* tillämpad
apply [ə'plaj] *verb* **1** applicera **2** använda; praktiskt tillämpa **3** ansöka; ***~ for a post*** söka en plats
appoint [ə'påjnt] *verb* utnämna
appointment [ə'påjntmənt] *subst* **1** avtalat möte, träff; ***make an ~ with*** stämma träff med, beställa tid hos t.ex. läkare **2** utnämning
appraisal [ə'prejzəl] *subst* uppskattning
appreciate [ə'pri:schiejt] *verb* uppskatta; sätta värde på
appreciation [əˌpri:schi'ejschən] *subst* uppskattning
apprehensive [ˌäpri'hensivv] *adj* rädd, ängslig; misstänksam
apprentice [ə'prentiss] *subst* **1** lärling **2** nybörjare
approach [ə'prəotch] **I** *verb* **1** närma sig **2** ta kontakt med **II** *subst* **1** närmande; flygplans inflygning **2** infart, tillfart **3** infallsvinkel; syn;

his whole ~ to life hela hans livsinställning
appropriate [ə'prəopriət] *adj* lämplig, passande
approval [ə'pro:vəl] *subst* gillande; godkännande
approve [ə'pro:v] *verb* 1 godkänna 2 ~ ***of*** gilla; samtycka till
approximate [ə'pråkksimətt] *adj* ungefärlig
approximately [ə'pråkksiməttli] *adv* ungefär
apricot ['ejprikått] *subst* aprikos
April ['ejprəl] *subst* april
apron ['ejprən] *subst* förkläde
apt [äpt] *adj* lämplig; träffande
Aquarius [ə'kwäəriəs] *subst* Vattumannen stjärntecken
Arab ['ärrəb] **I** *subst* arab äv. om häst; arabiska kvinna **II** *adj* arabisk, arab-
Arabic ['ärrəbikk] **I** *adj* arabisk **II** *subst* arabiska språket
arbitrary ['a:bitrəri] *adj* 1 godtycklig 2 egenmäktig
arcade [a:'kejd] *subst* galleria täckt butiksgata
arch [a:tch] **I** *subst* 1 valv 2 hålfot; ~ ***support*** hålfotsinlägg **II** *verb* välva sig; ~ ***one's back*** om katt skjuta rygg
archaeologist [ˌa:ki'ållədʒist] *subst* arkeolog
archaeology [ˌa:ki'ållədʒi] *subst* arkeologi
archbishop [ˌa:tch'bischəpp] *subst* ärkebiskop
archery ['a:tchəri] *subst* bågskytte
architect ['a:kitekkt] *subst* arkitekt
architecture ['a:kitekktchə] *subst* arkitektur
archives ['a:kajvz] *subst pl* arkiv
arctic ['a:ktikk] **I** *adj* arktisk **II** *subst*, ***the Arctic*** Nordpolen
ardent ['a:dənt] *adj* ivrig, glödande
are [a:], ***you are*** du (ni) är; ***we*** (***they***) ~ vi (de) är; jfr äv. *be*
area ['äəriə] *subst* 1 yta; area 2 område; kvarter
aren't [a:nt] = *are not*
argue ['a:gjo:] *verb* 1 argumentera; resonera; påstå 2 gräla
argument ['a:gjomənt] *subst* 1 argument; resonemang 2 gräl

Aries ['äəri:z] *subst* Väduren stjärntecken
arise [ə'rajz] *verb* uppstå, uppkomma
aristocrat ['ärristəkrätt] *subst* aristokrat
arithmetic [ə'riθmətikk] *subst* räkning
ark [a:k] *subst* ark
1 arm [a:m] *subst* **1** arm **2** ärm
2 arm [a:m] **I** *subst*, ***arms*** vapen; ***small arms*** handeldvapen **II** *verb* beväpna; ***armed robbery*** väpnat rån
armchair ['a:mtchäə] *subst* fåtölj, länstol
armed [a:md] *adj* beväpnad, rustad
armour ['a:mə] *subst* rustningar; pansar; ***armoured car*** pansarbil
armpit ['a:mpitt] *subst* armhåla
armrest ['a:mrest] *subst* armstöd
army ['a:mi] *subst* armé
aroma [ə'rəomə] *subst* arom, doft
arose [ə'rəoz] imperf. av *arise*
around [ə'raond] **I** *adv*, ~ el. ***all*** ~ omkring, runt omkring; överallt; ***be*** ~ finnas, vara här (där) **II** *prep* runtom, runt omkring; ~ ***the clock*** dygnet runt
arouse [ə'raoz] *verb* väcka, väcka till liv; egga
arrange [ə'rejndʒ] *verb* ordna; arrangera; avtala
arrangement [ə'rejndʒmənt] *subst* arrangemang; uppgörelse
arrest [ə'resst] **I** *verb* anhålla; bildl. fängsla **II** *subst* arrestering
arrival [ə'rajvəl] *subst* ankomst; ***arrivals*** ankommande passagerare (flyg, tåg etc.)
arrive [ə'rajv] *verb* anlända
arrogant ['ärrəgənt] *adj* arrogant
arrow ['ärrəo] *subst* pil
arson ['a:sn] *subst* mordbrand
art [a:t] *subst* konst
artery ['a:təri] *subst* pulsåder
artful ['a:tfol] *adj* slug, listig
arthritis [a:'θrajtiss] *subst* reumatism
artichoke ['a:titchəok] *subst* kronärtskocka; ***Jerusalem*** ~ jordärtskocka
article ['a:tikl] *subst* **1** sak; artikel, vara **2** artikel i tidning o.d.
articulate I [a:'tikjolətt] *adj* **1** tydlig, klar **2**; vältalig

II [a:'tikjolejt] *verb* tala tydligt
artificial [ˌa:ti'fischəl] *adj* konstgjord, artificiell
artist ['a:tist] *subst* artist, konstnär
artistic [a:'tistikk] *adj* konstnärlig
as [äz] **I** *adv* så, lika **II** *adv* o. *konj* **1** jämförande som, liksom **2** såsom, till exempel **3** medgivande hur ... än, hur mycket ... än **4** tid just då, när **5** orsak eftersom **III** ***~ for*** vad beträffar; ***~ good ~*** så gott som, nästan; ***~ yet*** ännu så länge
asbestos [äz'besståss] *subst* asbest
ascend [ə'sennd] *verb* bestiga; stiga uppåt
ascent [ə'sennt] *subst* bestigning; uppfärd
ascertain [ˌässə'tejn] *verb* förvissa sig om
ascribe [ə'skrajb] *verb* tillskriva
1 ash [äsch] *subst* ask träd
2 ash [äsch] *subst*, ***ashes*** aska, stoft
ashamed [ə'schejmd] *adj* skamsen
ashen ['äschn] *adj* askgrå
ashore [ə'schå:] *adv* i (på) land
ashtray ['äschtrej] *subst* askkopp
Asia ['ejschə] Asien
Asian ['ejschən] **I** *adj* asiatisk **II** *subst* asiat
aside [ə'sajd] *adv* avsides, åt sidan
ask [a:sk] *verb* **1** fråga; ***~ for*** fråga efter **2** begära; be **3** bjuda
askance [ə'skänns], ***look ~ at sb.*** snegla misstänksamt på ngn
asleep [ə'sli:p], ***be ~*** sova
asparagus [ə'spärrəgəs] *subst* sparris
aspect ['äspekt] *subst* aspekt; sida
aspire [ə'spajə] *verb* sträva
aspirin ['äspərinn] *subst* aspirin
ass [äss] *subst* åsna; ***make an ~ of oneself*** skämma ut sig
assailant [ə'sejlənt] *subst* angripare
assassinate [ə'sässinejt] *verb* lönnmörda
assassination [əˌsässi'nejschən] *subst* lönnmord
assault [ə'så:lt] **I** *subst* **1** anfall, angrepp **2** överfall **II** *verb* **1** anfalla, angripa **2** överfalla

assemble [ə'sembl] *verb* sammankalla; samla, samlas
assembly [ə'sembli] *subst* **1** sammankomst, möte **2** montering
assembly line [ə'semblilajn] *subst* monteringsband, löpande band
assent [ə'sennt] **I** *verb* samtycka, instämma **II** *subst* bifall
assert [ə'sö:t] *verb* hävda, påstå
assess [ə'sess] *verb* **1** beskatta, taxera **2** värdera
assessment [ə'sessmənt] *subst* **1** beskattning, taxering **2** värdering
asset ['ässett] *subst* tillgång; ***assets*** tillgångar förmögenhet
assign [ə'sajn] *verb* tilldela, anslå
assignment [ə'sajnmənt] *subst* uppgift, uppdrag
assist [ə'sist] **I** *verb* hjälpa, hjälpa till, assistera **II** *subst* sport. målgivande passning
assistance [ə'sistəns] *subst* hjälp, assistans
assistant [ə'sistənt] *subst* medhjälpare, assistent; **~ *nurse*** undersköterska
associate I [ə'səoschiət] *subst* delägare, kompanjon **II** [ə'səoschiejt] *verb* förena; associera
association [ə,səosi'ejschən] *subst* **1** förbund, sällskap **2** association
assorted [ə'så:tidd] *adj* klassificerad; sorterad
assortment [ə'så:tmənt] *subst* sortiment; blandning t.ex. av karameller
assume [ə'sjo:m] *verb* **1** förutsätta **2** anta; ta på sig
assumption [ə'sampschən] *subst* antagande, förutsättning
assurance [ə'schoərəns] *subst* **1** försäkring; garanti **2** självsäkerhet
assure [ə'schoə] *verb* försäkra; övertyga; trygga
asthma ['ässmə] *subst* astma
astonish [ə'stånnisch] *verb* förvåna
astonishment [ə'stånnischmənt] *subst* förvåning
astound [ə'staond] *verb* slå med häpnad
astray [ə'strej] *adv* vilse
astride [ə'strajd] **I** *adv* grensle **II** *prep* grensle över
astrology [ə'strållədʒi] *subst* astrologi
astronaut ['ässtrənå:t] *subst* astronaut

astronomy [ə'strånnəmi] *subst* astronomi
astute [ə'stjoːt] *adj* skarpsinnig, listig
asylum [ə'sajləm] *subst* asyl
at [ätt] *prep* **1** på; vid; i; genom; till; åt; mot; med; ~ ***five o'clock*** klockan fem **2** för, till ett pris av, à
ate [ett] imperf. av *eat*
atheist ['ejθiist] *subst* ateist
Athens ['äθinz] Aten
athlete ['äθliːt] *subst* idrottsman
athletic [äθ'lettikk] *adj* idrotts-; atletisk
athletics [äθ'lettikks] *subst* friidrott
Atlantic [ət'läntikk] **I** *adj* atlant- **II** ***the*** ~ Atlanten
atlas ['ätləs] *subst* atlas, kartbok
atmosphere ['ätməˌsfiə] *subst* atmosfär
atom ['ättəm] *subst* atom
atomizer ['ättəomajzə] *subst* sprejflaska
atone [ə'təon] *verb*, ~ ***for*** sona, gottgöra
atrocious [ə'trəoschəs] *adj* ohygglig, vard. gräslig
at sign ['ättsajn] *subst* snabel-a
attach [ə'tättch] *verb* **1** fästa, sätta fast **2** bildl. binda; knyta
attaché case [ə'täschikejs] *subst* attachéväska
attachment [ə'tättchmənt] *subst* tillgivenhet
attack [ə'täkk] **I** *subst* anfall; attack **II** *verb* anfalla, attackera
attempt [ə'tempt] **I** *verb* försöka **II** *subst* försök
attend [ə'tend] *verb* bevista, delta i, närvara; ~ ***to*** ge akt på; ägna sig åt, sköta; se till; ***are you being attended to?*** i affär är det tillsagt?
attendance [ə'tenndəns] *subst* **1** närvaro **2** skötsel; vård
attendant [ə'tenndənt] *subst* vaktmästare; skötare
attention [ə'tennschən] *subst* uppmärksamhet; tillsyn
attentive [ə'tenntivv] *adj* uppmärksam
attest [ə'test] *verb* vittna om, visa; intyga
attic ['ättikk] *subst* vind, vindsvåning
attitude ['ättitjoːd] *subst* attityd
attorney [ə'töːni] *subst* befullmäktigat ombud
attract [ə'träkkt] *verb* dra till sig, attrahera

attraction [ə'träkkschən] *subst* **1** dragningskraft **2** attraktion, dragplåster; ***attractions*** nöjen, sevärdheter
attractive [ə'träkktivv] *adj* attraktiv, tilldragande
attribute I ['ättribjo:t] *subst* attribut; kännetecken **II** [ə'tribjo:t] *verb* tillskriva, tillräkna
aubergine ['əobəʒi:n] *subst* aubergine
auction ['å:kschən] *subst* auktion
auctioneer [ˌå:kschə'niə] *subst* auktionsförrättare
audience ['å:djəns] *subst* publik
audiovisual [ˌå:diəo'vizjoəl] *adj* audivisuell
audit ['å:ditt] **I** *subst* revision **II** *verb* revidera, granska
audition [å:'dischən] *subst* provsjungning, provspelning för engagemang o.d.
August ['å:gəst] *subst* augusti
aunt [a:nt] *subst* faster, moster; som tilltal tant
auntie o. **aunty** ['a:nti] *subst* smeksamt för *aunt*
au pair [ˌəo'päə] *subst* au pair
auspicious [å:'spischəs] *adj* gynnsam
Australia [å'strejljə] Australien
Australian [å'strejljən] **I** *adj* australisk **II** *subst* australier, australiensare
Austria ['åstriə] Österrike
Austrian ['åstriən] **I** *adj* österrikisk **II** *subst* österrikare
authentic [å:'θenntikk] *adj* autentisk, äkta
author ['å:θə] *subst* författare
authoritarian [ˌå:θåri'täəriən] *adj* auktoritär
authoritative [å:'θårittətivv] *adj* **1** auktoritativ **2** befallande
authority [å:'θårrəti] *subst* **1** myndighet; ***the authorities*** myndigheterna **2** befogenhet **3** auktoritet **4** källa
authorize ['å:θərajz] *verb* **1** auktorisera, bemyndiga **2** godkänna
autobiography [ˌå:təobaj'ågrəffi] *subst* självbiografi
autograph ['å:təgra:f] *subst* autograf
automatic [ˌå:tə'mättikk] **I** *adj* automatisk; ~ ***vending machine*** varuautomat **II** *subst* automat; automatvapen
automatically

[ˌå:tə'mättikkəli] *adv* automatiskt
autonomy [å:'tånnəmi] *subst* autonomi, självstyre
autumn ['å:təm] *subst* höst
auxiliary [å:g'ziljəri] *adj* hjälp-
avail [ə'vejl] **I** *verb* gagna **II** *subst* nytta
availability [əˌvejlə'billəti] *subst* tillgänglighet; anträffbarhet
available [ə'vejləbl] *adj* tillgänglig; anträffbar; ***be ~*** stå till förfogande; finnas att få
avalanche ['ävvəla:nsch] *subst* lavin
avenge [ə'vendʒ] *verb* hämnas
avenue ['ävvənjo:] *subst* allé; aveny
average ['ävvəridʒ] **I** *subst* genomsnitt **II** *adj* **1** genomsnittlig **2** ordinär
averse [ə'vö:s], ***be ~ to*** ogilla, tycka illa om
avert [ə'vö:t] *verb* avleda; förhindra
avocado [ˌävvəo'ka:dəo] *subst* avokado
avoid [ə'våjd] *verb* undvika, hålla sig ifrån
await [ə'wejt] *verb* vänta på, emotse
awake [ə'wejk] **I** *verb* vakna **II** *adj* vaken
awakening [ə'wejkning] *subst* uppvaknande mest bildl.
award [ə'wå:d] **I** *verb* tilldela; belöna med **II** *subst* tilldelat pris; belöning; stipendium
aware [ə'wäə] *adj* medveten; uppmärksam; ***be ~*** känna till, inse
awareness [ə'wäənəs] *subst* medvetenhet; uppmärksamhet
away [ə'wej] **I** *adv* **1** bort, i väg, sin väg; undan, åt sidan; ur vägen **2** borta **3** vidare, 'på **II** *subst* sport. bortamatch
awe [å:] *subst* vördnad; fruktan
awe-inspiring ['å:inˌspajəring] *adj* vördnadsbjudande
awesome ['å:səm] *adj* skräckinjagande; väldig
awful ['å:foll] *adj* **1** ohygglig, fruktansvärd **2** vard. hemsk, förfärlig
awfully ['å:folli] *adv* ohyggligt, hemskt
awhile [ə'wajl] *adv* en stund; en tid
awkward ['å:kwəd] *adj* **1** tafatt **2** bortkommen **3** besvärlig; pinsam

awoke [ə'wəok] imperf. o. perf. p. av *awake*
awoken [ə'wəokən] perf. p. av *awake*
awry [ə'raj] *adj* sned, på sned
axe [äkks] **I** *subst* yxa **II** *verb* vard. skära ned
ay [aj] *subst* jaröst

Bb

B, b [biː] *subst* B, b; ***B road*** ung. länsväg
babble ['bäbbl] **I** *verb* babbla; jollra **II** *subst* babbel; joller
baby ['bejbi] *subst* barn, spädbarn, baby
baby carriage ['bejbiˌkärridʒ] *subst* barnvagn
baby-sit ['bejbisitt] *verb* sitta barnvakt
baby-sitter ['bejbiˌsittə] *subst* barnvakt
bachelor ['bätchələ] *subst* ungkarl
back [bäkk] **I** *subst* **1** rygg; baksida **2** sport. back **II** *adj* **1** på baksidan, bak- **2** ~ ***taxes*** kvarskatt **III** *adv* bakåt; tillbaka; åter, igen **IV** *verb* **1** dra (skjuta o.d.) tillbaka; backa bil, båt etc. **2** ~ ***away*** backa; rygga; ~ ***down*** bildl. retirera, backa ur; ~ ***off*** rygga för, dra sig undan; ~ ***out*** bildl. backa ur, hoppa av; ~ ***up*** underbygga; backa upp, stödja; backa fram
backbone ['bäkkbəon] *subst* ryggrad; ***to the*** ~ ut i fingerspetsarna

backcloth ['bäkklåθ] *subst* fondkuliss
backdate [ˌbäkk'dejt] *verb* antedatera
backdrop ['bäkkdråpp] *subst* 1 fondkuliss 2 bildl. bakgrund
backfire [ˌbäkk'fajə] *verb* 1 baktända 2 bildl. slå slint
background ['bäkkgraond] *subst* bakgrund; miljö
backhand ['bäkkhänd] *subst* backhand i tennis o.d.
backhander ['bäkkˌhändə] *subst* 1 backhandslag 2 bildl. sidohugg
backing ['bäkking] *subst* 1 stöd, uppbackning 2 ackompanjemang, komp
backlash ['bäkkläsch] *subst* bakslag
back number [ˌbäkk'nambə] *subst* gammalt nummer av tidning
backpack ['bäkkpäkk] *subst* ryggsäck
backside [ˌbäkk'sajd] *subst* baksida
backstage [ˌbäkk'stejdʒ] *adv* bakom scenen; i kulisserna
backstroke ['bäkkstrəok] *subst* ryggsim
backup ['bäkkapp] *subst* stöd; förstärkning
backward ['bäkkwəd] *adj* 1 baklänges- 2 sent utvecklad
backwards ['bäkkwədz] *adv* bakåt; tillbaka
backwater ['bäkkˌwå:tə] *subst* 1 bakvatten 2 bildl. avkrok
backyard [ˌbäkk'ja:d] *subst* bakgård
bacon ['bejkən] *subst* bacon
bacterium [bäkk'tiəriəm] *subst* bakterie
bad [bäd] *adj* 1 dålig, usel; ***not*** ~ el. ***not so*** ~ vard. inte så illa; riktigt skaplig 2 onyttig, skadlig; rutten, skämd 3 sjuk, krasslig 4 tråkig, sorglig; ***that's too ~!*** vard. vad tråkigt! 5 illa till mods 6 omoralisk; elak 7 oäkta, falsk; ogiltig 8 ~ ***luck*** otur; ***have a ~ time of it*** ha det jobbigt; ***go*** ~ ruttna, bli skämd
bade [bäd] imperf. o. perf. p. av *bid*
badge [bäddʒ] *subst* märke, emblem; polis bricka
badger ['bäddʒə] **I** *subst* grävling **II** *verb* trakassera
badly ['bäddli] *adv* dåligt; svårt; ***be ~ off*** ha det dåligt ställt
badminton ['bäddmintənn] *subst* badminton

bad-tempered [ˌbädd'tempəd] *adj* vresig, sur

baffle ['bäffl] *verb* förbrylla

bag [bägg] *subst* påse; säck; bag; väska; ~ ***lady*** el. ~ ***man*** uteliggare

baggage ['bäggidʒ] *subst* bagage

baggy ['bäggi] *adj* påsig, säckig

1 bail [bejl] *verb*, ~ el. ~ ***out*** ösa; ösa läns

2 bail [bejl] *subst* borgen för anhållens inställelse inför rätta

bailiff ['bejliff] *subst* utmätningsman; delgivningsman

bait [bejt] **I** *verb* agna krok; locka **II** *subst* agn, bete

bake [bejk] **I** *verb* ugnssteka; baka; ***baked beans*** vita bönor i tomatsås **II** *subst* utomhusfest där ugnsstekt mat serveras

baker ['bejkə] *subst* bagare; ***baker's dozen*** tretton stycken

bakery ['bejkəri] *subst* bageri

baking ['bejking] *adj* stekhet, gassig

baking powder ['bejkingˌpaodə] *subst* bakpulver

balance ['bälləns] **I** *subst* 1 våg; vågskål 2 balans **II** *verb* 1 balansera 2 avväga

balanced ['bällənst] *adj* balanserad, i jämvikt; ~ ***diet*** allsidig kost

balcony ['bällkəni] *subst* balkong; altan

bald [bå:ld] *adj* flintskallig

1 bale [bejl] *subst* bal, packe

2 bale [bejl] *verb*, ~ ***out*** vard. rädda; klara sig ur

1 ball [bå:l] *subst* bal

2 ball [bå:l] *subst* boll; klot; kula; nystan

ballast ['bälləst] *subst* barlast, ballast

ballerina [ˌbällə'ri:nə] *subst* ballerina

ballet ['bällej] *subst* balett

ballet-dancer ['bällejˌda:nsə] *subst* balettdansör, balettdansös

balloon [bə'lo:n] *subst* ballong

ballot ['bällət] *subst* 1 röstsedel 2 omröstning; omröstningsresultat

ballot paper ['bällətˌpejpə] *subst* röstsedel

ballpoint ['bå:lpåjnt] *subst*, ~ el. ~ ***pen*** kulspetspenna

ballroom ['bå:lro:m] *subst*, ~ ***dance*** sällskapsdans

balm [ba:m] *subst* **1** balsam **2** bildl. tröst, lindring

balsamic vinegar [ˌbäl'sämmic'vinnigə] *subst* balsamvinäger

ban [bänn] **I** *subst* officiellt förbud **II** *verb* förbjuda; bannlysa

banana [bə'na:nə] *subst* banan

1 band [bänd] *subst* band; bindel; ~ ***conveyor*** transportband

2 band [bänd] *subst* **1** skara; gäng **2** mindre orkester, band; musikkår

bandage ['bändidʒ] **I** *subst* bandage **II** *verb* förbinda

bandwagon ['bändˌwäggən], ***climb on to the*** ~ ansluta sig till vinnarsidan

bandy ['bändi] **I** *verb* bolla med **II** *subst* bandy

bandy-legged ['bändileggd] *adj* hjulbent

bang [bäng] **I** *verb* smälla, slå **II** *subst* slag, smäll; brak; ***with a*** ~ bums, tvärt

banish ['bännisch] *verb* **1** förvisa **2** slå ur tankarna

banisters ['bännistəss] *subst pl* trappräcke, ledstång

1 bank [bängk] *subst* **1** strand vid flod el. kanal **2** sandbank

2 bank [bängk] **I** *subst* **1** bank; ~ ***manager*** bankkamrer **2** bank på kasino o.d.; ***break the*** ~ spränga banken **II** *verb* sätta in pengar på banken

banker ['bängkə] *subst* **1** bankir **2** på tipskupong säker match

bank holiday [ˌbängk'hållədej] *subst* bankfridag, allmän helgdag

banking ['bängking] *subst* bankväsen

banknote ['bängknəot] *subst* sedel

bankrate ['bängkrejt] *subst* ränta centralbanks räntefot

bankrupt ['bängkrapt] *adj* bankrutt; ***go*** ~ göra konkurs

banner ['bännə] *subst* baner, fana

banns [bännz] *subst pl* lysning

baptism ['bäpptizəm] *subst* dop

bar [ba:] **I** *subst* **1** stång, spak; ribba; ~ ***of chocolate*** chokladkaka **2** bom; regel; ***behind bars*** bakom lås och bom i fängelse **3** bar, bardisk **II** *verb* **1** regla; blockera **2** bildl. utesluta, avstänga

barbaric [ba:'bärrikk] *adj* barbarisk

barbecue ['ba:bikjo:] **I** *subst*

grillfest, barbecue **II** *verb* grilla utomhus; helsteka
barber ['ba:bə] *subst* frisör; ***barber's shop*** frisersalong
bar-code ['ba:kəod] **I** *subst* streckkod **II** *verb* streckkoda
bare [bäə] **I** *adj* bar, naken; kal **II** *verb* blotta
bareback ['bäəbäkk] *adv* barbacka
barefaced ['bäəfejst] *adj* skamlös, fräck
barefoot ['bäəfott] *adj* o. *adv* barfota
barely ['bäəli] *adv* nätt och jämnt, knappt
bargain ['ba:ginn] **I** *subst* köp; fynd **II** *verb* köpslå, pruta
barge [ba:dʒ] *subst* kanalpråm
1 bark [ba:k] *subst* bark
2 bark [ba:k] **I** *verb* **1** om djur skälla **2** om person ryta, skälla **II** *subst* **1** skall **2** rytande
barley ['ba:li] *subst* korn sädesslag
barley sugar ['ba:li,schoggə] *subst* bröstsocker
barmaid ['ba:mejd] *subst* barflicka, kvinnlig bartender
barman ['ba:mən] *subst* bartender
barn [ba:n] *subst* lada
barometer [bə'råmmitə] *subst* barometer
baron ['bärrən] *subst* baron; friherre
baroness ['bärrənəs] *subst* baronessa; friherrinna
barracks ['bärrəks] *subst pl* kasern; barack
barrel ['bärrəl] *subst* fat, tunna
barren ['bärrən] *adj* **1** karg **2** torftig
barricade [,bärri'kejd] **I** *subst* barrikad **II** *verb* barrikadera
barrier ['bärriə] *subst* barriär; bom; spärr
barring ['ba:ring] *prep* utom; bortsett från
barrister ['bärristə] *subst* överrättsadvokat medlem av engelska advokatsamfundet med rätt att föra parters talan vid överrätt
1 barrow ['bärrəo] *subst* skottkärra
2 barrow ['bärrəo] *subst* kummel, gravhög
bartender ['ba:,tendə] *subst* bartender
barter ['ba:tə] **I** *verb* pruta **II** *subst* byteshandel; byte
1 base [bejs] *adj* simpel, tarvlig
2 base [bejs] **I** *subst* bas i olika bet.; grundval **II** *verb*

1 basera, grunda 2 stationera trupper o.d.
baseball ['bejsbå:l] *subst* baseball, baseboll
basement ['bejsmənt] *subst* 1 källare 2 bottenplan
1 bases ['bejsiz] *subst* plural av *2 base I*
2 bases ['bejsi:z] *subst* plural av *basis*
bashful ['bäschfol] *adj* blyg, skygg
basic ['bejsikk] **I** *adj* bas-, grundläggande **II** ***get back to basics*** ta ngt från grunden
basically ['bejsikkəli] *adv* i grund och botten
basil ['bäzl] *subst* basilika
basin ['bejsn] *subst* 1 handfat; skål 2 hamnbassäng
basis ['bejsis] *subst* bas; grundval
bask [ba:sk] *verb* gassa
basket ['ba:skitt] *subst* korg; bildl. paket-; ***~ of currencies*** valutakorg
basketball ['ba:skittbå:l] *subst* basketboll
1 bass [bäss] *subst* havsabborre
2 bass [bejs] *subst* bas; basröst
bassoon [bə'so:n] *subst* fagott
bastard ['ba:stəd] **I** *subst* utomäktenskapligt barn; som skällsord skitstövel **II** *adj* oäkta; bastard-
1 bat [bätt] *subst* fladdermus
2 bat [bätt] *subst* slagträ; racket
batch [bätch] *subst* bak av samma deg; sats
bath [ba:θ] **I** *subst* 1 bad 2 badkar 3 ***baths*** badhus; kurort **II** *verb* bada
bathe [bejð] *verb* bada i det fria
bathing ['bejðing] *subst* badning; ***~ season*** badsäsong
bathing cap ['bejðingkäpp] *subst* badmössa
bathing costume ['bejðing,kåstjo:m] *subst* baddräkt
bathrobe ['ba:θrəob] *subst* badkappa
bathroom ['ba:θro:m] *subst* badrum; ***~ cabinet*** badrumsskåp
bath towel ['ba:θ,taoəl] *subst* badlakan
baton ['bätån] *subst* 1 batong 2 stafettpinne
1 batter ['bättə] *verb* slå, bulta på
2 batter ['bättə] *subst* vispad smet

3 batter ['bättə] *subst* slagman i kricket el. baseball
battered ['bättəd] *adj* illa medfaren; misshandlad
battery ['bättəri] *subst* 1 batteri i olika bet. 2 misshandel
battle ['bättl] **I** *subst* strid, fältslag **II** *verb* kämpa
battlefield ['bättlfiːld] *subst* slagfält
battleship ['bättlschipp] *subst* slagskepp
bawdy ['båːdi] *adj* oanständig
bawl [båːl] **I** *verb* vråla; tjuta **II** *subst* vrål; tjutande
1 bay [bej] *subst* lagerträd
2 bay [bej] *subst* bukt
3 bay [bej] *subst* alkov; burspråk
4 bay [bej] **I** *subst* skall **II** *verb* skälla, yla
5 bay [bej] **I** *adj* brun om häst **II** *subst* brun häst
bay leaf ['bejliːf] *subst* lagerblad
bazaar [bə'zaː] *subst* basar
BBC [ˌbiːbiː'siː] BBC radio- och TV-bolag
BC [ˌbiː'siː] f. Kr.
be* [biː] *verb* 1 vara; bli; ***there is, there are*** det är, det finns 2 vara; finnas till, existera; äga rum, ske; kosta; må, känna sig; ***how are you?*** hur mår du?; hur står det till?; ***that is*** det vill säga 3 ~ ***about*** handla om; hålla på med; ~ ***at*** ha för sig; vara på någon; ~ ***for*** förorda, vara för; ~ ***in on*** sth. vara med om ngt; ~ ***into*** sth. vard. vara intresserad av ngt, syssla med ngt; ~ ***off*** ge sig i väg (av); ~ ***on*** at sb. ligga efter ngn, tjata på ngn 4 bli, bliva; ***he was saved*** han räddades, han blev räddad 5 ***they are building a house*** de håller på och bygger ett hus 6 ***am*** (***are, is***) ***to*** ska, skall; ***was*** (***were***) ***to*** skulle; kunde
beach [biːtch] *subst* strand; ~ ***ball*** badboll
beacon ['biːkən] *subst* 1 mindre fyr 2 trafikljus som markerar övergångsställe
bead [biːd] *subst* pärla av glas o.d.; ***beads*** äv. pärlhalsband
beak [biːk] *subst* näbb
beaker ['biːkə] *subst* mugg
beam [biːm] **I** *subst* 1 bjälke 2 stråle, ljusstråle **II** *verb* utstråla, skina
bean [biːn] *subst* böna
1 bear [bäə] *subst* 1 björn 2 bildl. brumbjörn
2 bear [bäə] *verb* 1 bära, föra; ~ ***oneself*** föra sig;

uppföra sig **2** hålla **3** bildl. hysa; uthärda; ~ ***with sb.*** fördra ngn **4** föda; se vid. *born* **5** ***bring to*** ~ applicera; utöva
beard [biəd] *subst* skägg
bearded ['biədidd] *adj* skäggig, med skägg
bearer ['bäərə] *subst* bärare
bearing ['bäəring] *subst* **1** hållning, uppträdande **2** betydelse; ***have*** ~ ***on*** stå i samband med **3** ***have lost one's bearings*** ha tappat orienteringen
beast [biːst] *subst* **1** djur; best **2** bildl. kräk
beastly ['biːstli] *adj* djurisk, rå
beat [biːt] **I** *verb* **1** slå; bulta **2** vispa **3** besegra; ***there is nothing to*** ~ ***it*** ingenting går upp mot det; ~ ***up*** slå, misshandla **II** *subst* slag; takt **III** *adj* vard. utmattad, slagen
beating ['biːting] *subst* stryk
beautiful ['bjoːtəfəl] *adj* skön, vacker
beauty ['bjoːti] *subst* **1** skönhet **2** pärla, praktexemplar
beaver ['biːvə] *subst* bäver
became [bi'kejm] imperf. av *become*
because [bi'kåz] **I** *konj* därför att, eftersom **II** *adv*, ~ ***of*** för... skull, på grund av
beckon ['bekkən] *verb* göra tecken åt
become* [bi'kamm] **I** *verb* bli, bliva **II** *verb* passa, anstå, klä
becoming [bi'kamming] *adj* passande; klädsam
bed [bedd] **1** bädd; säng; ~ ***and breakfast*** rum inklusive frukost; ***go to*** ~ lägga sig **2** rabatt med blommor o.d.
bedclothes ['beddkləoðz] *subst pl* sängkläder
bedridden ['bedd,riddn] *adj* sängliggande
bedroom ['beddroːm] *subst* sovrum
bedside ['beddsajd], ***at the*** ~ vid sängkanten
bedsitter [,bedd'sittə] *subst* möblerat hyresrum
bedspread ['beddspredd] *subst* sängöverkast
bedtime ['beddtajm] *subst* läggdags
bee [biː] *subst* bi
beech [biːtch] *subst* bok
beef [biːf] *subst* oxkött, nötkött
beefburger ['biːf,böːgə] *subst* hamburgare
beefeater ['biːf,iːtə] *subst*

populär benämning på livgardist; vaktare i Towern
beehive ['bi:hajv] *subst* bikupa
been [bi:n] perf. p. av *be*
beer [biə] *subst* öl
beet [bi:t] *subst* beta rotfrukt
beetle ['bi:tl] *subst* skalbagge
beetroot ['bi:tro:t] *subst* rödbeta
before [bi'få:] **I** *prep* framför; före **II** *adv* framför, före; förut; förr **III** *konj* innan, förrän
beforehand [bi'få:händ] *adv* på förhand; i förväg
beg [begg] *verb* **1** tigga **2** be om
began [bi'gän] imperf. av *begin*
beggar ['beggə] *subst* tiggare
begin* [bi'ginn] *verb* börja; börja med; börja på
beginner [bi'ginnə] *subst* nybörjare
beginning [bi'ginning] *subst* början, begynnelse
behalf [bi'ha:f], ***on sb.'s*** ~ i ngns ställe; å ngns vägnar
behave [bi'hejv] *verb* uppföra sig, bete sig
behaviour [bi'hejvjə] *subst* uppförande; beteende
behead [bi'hedd] *verb* halshugga
behind [bi'hajnd] **I** *prep* bakom, efter; ***try to put it ~ you!*** försök att glömma det! **II** *adv* bakom; baktill; bakåt; efter sig; efter; kvar
beige [bejʒ] *adj* beige
being ['bi:ing] **I** ***for the time ~*** för närvarande; tillsvidare **II** *subst* **1** tillvaro **2** varelse
belated [bi'lejtidd] *adj* senkommen
belch [beltch] **I** *verb* rapa **II** *subst* rap
belfry ['belfri] *subst* klocktorn, klockstapel
Belgian ['beldʒən] **I** *adj* belgisk **II** *subst* belgare, belgier
Belgium ['beldʒəm] Belgien
belief [bi'li:f] *subst* tro; övertygelse
believe [bi'li:v] *verb* tro; ***~ in*** tro på; ***make ~*** låtsas
believer [bi'li:və] *subst* troende person
belittle [bi'littl] *verb* förringa
bell [bell] *subst* ringklocka
belligerent [bə'lidʒərənt] *subst* krigförande makt
bellow ['belləo] *verb* böla, råma
belly ['belli] *subst* buk; mage
belong [bi'lång] *verb* **1** ha sin plats, höra hemma **2** passa in

beloved [bi'lavd] **I** *adj* älskad **II** *subst* älskling

below [bi'ləo] *prep* o. *adv* nedanför, under; nedan; inunder

belt [belt] *subst* bälte i olika bet.; skärp

bench [bentsch] *subst* bänk; ***the*** ~ domarkåren

bend [bend] **I** *verb* böja, kröka; böja (kröka) sig **II** *subst* böjning; krök; kurva

beneath [bi'ni:θ] *adv* o. *prep* nedanför, under; nedan

benefactor ['bennifäkktə] *subst* välgörare

beneficial [ˌbenni'fischəl] *adj* välgörande, fördelaktig

benefit ['bennifitt] **I** *subst* **1** förmån, fördel **2** bidrag **II** *verb* gagna

benevolent [bi'nevvələnt] *adj* välvillig, generös

benign [bi'najn] *adj* **1** välvillig **2** godartad om tumör

bent [bent] **I** *subst* böjelse; fallenhet **II** imperf. av *bend* **III** *adj* böjd, krokig

bequest [bi'kwest] *subst* testamente

beret ['berrej] *subst* basker mössa

berry ['berri] *subst* bär

berserk [bə'sö:k], ***go*** ~ gå bärsärkagång

berth [bö:θ] *subst* **1** koj; hytt **2** kajplats

beset [bi'sett] *verb* **1** belägra **2** bildl. ansätta

beside [bi'sajd] *prep* bredvid, vid sidan av (om); ~ ***oneself*** ifrån sig

besides [bi'sajdz] **I** *adv* dessutom; för övrigt **II** *prep* förutom

besiege [bi'si:dʒ] *verb* **1** belägra **2** bildl. bestorma

best [best] **I** *adj* o. *adv* bäst **II** *subst* **1** det, den, de bästa; ***all the*** ~ lycka till!; ***at*** ~ i bästa fall; ***at one's*** ~ som mest till sin fördel **2** finkläder

bestow [bi'stəo] *verb* skänka, ge

bet [bett] **I** *subst* vad **II** *verb* slå vad; slå vad om

betray [bi'trej] *verb* förråda

betrayal [bi'trejəl] *subst* förräderi, svek

1 better ['bettə] **I** *adj* o. *adv* bättre **II** *subst*, ***so much the*** ~ el. ***all the*** ~ så mycket (desto) bättre; ***the sooner the*** ~ ju förr dess bättre **III** *verb* förbättra; bättra på

2 better ['bettə] *subst* vadhållare

betting ['betting] *subst* vadhållning
between [bi'twi:n] *prep* o. *adv* emellan
beverage ['bevvəridʒ] *subst* dryck
beware [bi'wäə], *~ of pickpockets!* varning för ficktjuvar!
beyond [bi'jånd] **I** *prep* o. *adv* bortom; på andra sidan **II** *subst*, *the ~* det okända, livet efter detta
bias ['bajəs] *subst* förutfattad mening
biased ['bajəst] *adj* partisk; fördomsfull
bib [bibb] *subst* haklapp
bible ['bajbl] *subst* bibel
bicker ['bikkə] *verb* gnabbas, kivas
bicycle ['bajsikl] **I** *subst* cykel **II** *verb* cykla
bid [bidd] **I** *verb* bjuda på auktion el. i kortspel **II** *subst* bud på auktion el. i kortspel
bidder ['biddə] *subst* person som bjuder på auktion el. i kortspel; *the highest* (*best*) *~* den högstbjudande
bidding ['bidding] *subst* bud på auktion; budgivning i kortspel
bide [bajd], *~ one's time* bida sin tid
big [bigg] *adj* stor, storväxt, kraftig; *Big Dipper* berg-och-dal-bana; *the Big Smoke* vard. beteckn. för *London*
bigot ['biggət] *subst* bigott person
bigoted ['biggətidd] *adj* bigott; trångsynt
bigotry ['biggətri] *subst* bigotteri; trångsynthet
bike [bajk] vard. förk. för *bicycle*
bikini [bi'ki:ni] *subst* bikini
bilingual [baj'linggwəl] *adj* tvåspråkig
1 bill [bill] *subst* näbb
2 bill [bill] *subst* **1** lagförslag **2** räkning, nota; *foot the ~* vard. betala kalaset räkningen **3** affisch
billiards ['billjədz] *subst* biljard
billion ['billjən] *subst* miljard
bin [binn] *subst* lår, binge; låda
bind [bajnd] *verb* binda, binda fast; binda ihop; reda sås o.d.
binge [bindʒ], *go on a ~* vard. vara ute och svira
bingo ['binggəo] *subst* o. *interj* bingo
biography [baj'åggrəfi] *subst* biografi

biological [ˌbajəo'låddʒikəl] *adj* biologisk
biology [baj'ållədʒi] *subst* biologi
birch [bö:tch] *subst* björk
bird [bö:d] *subst* fågel; ~ ***of prey*** rovfågel
bird flu *subst* ['bö:dˌflo:] fågelinfluensa
bird's-eye view [ˌbö:dzaj'vjo:] *subst* överblick
bird-watcher ['bö:dˌwåtchə] *subst* fågelskådare
birth [bö:θ] *subst* 1 födelse 2 börd, härkomst
birth certificate ['bö:θsəˌtiffikətt] *subst* födelseattest
birth control ['bö:θkənˌtrəol] *subst* födelsekontroll
birthday ['bö:θdej] *subst* födelsedag
birthplace ['bö:θplejs] *subst* födelseort
biscuit ['biskitt] *subst* kex; skorpa
bisexual [baj'sekksjoəl] *adj* bisexuell
bishop ['bischəpp] *subst* 1 biskop 2 i schack löpare
1 bit [bitt] *subst* egg, skär; borr
2 bit [bitt] *subst* bit i allm.
3 bit [bitt] imperf. av *bite*
bitch [bitch] *subst* hynda, tik
bite* [bajt] **I** *verb* 1 bita; bita i 2 svida **II** *subst* 1 bett; stick 2 tugga
bitter ['bittə] **I** *adj* bitter, besk **II** *subst* slags beskt öl; ***bitters*** bitter alkoholhaltig dryck
bitterness ['bittənəs] *subst* bitterhet
blab [bläbb] *verb* skvallra; babbla
black [bläkk] *adj* svart; mörk; ~ ***bread*** mörkt bröd; rågbröd; ~ ***coffee*** kaffe utan grädde (mjölk)
blackberry ['bläkkbərri] *subst* björnbär
blackbird ['bläkkbö:d] *subst* koltrast
blackboard ['bläkkbå:d] *subst* svart tavla
blackcurrant [ˌbläkk'karənt] *subst* svart vinbär
blacken ['bläkkən] *verb* 1 svärta 2 svärta ned
blackleg ['bläkklegg] *subst* strejkbrytare
blacklist ['bläkklist] *verb* svartlista
blackmail ['bläkkmejl] **I** *subst* utpressning **II** *verb* utöva utpressning mot
blackout ['bläkkaot] *subst*

1 mörkläggning; strömavbrott 2 blackout
blacksmith ['bläkksmiθ] *subst* smed; hovslagare
bladder ['bläddə] *subst* blåsa; urinblåsa
blade [blejd] *subst* blad på kniv, åra m.m.; skena på skridsko
blame [blejm] **I** *verb* klandra; lägga skulden på **II** *subst* skuld
blameless ['blejmləs] *adj* oskyldig, skuldfri
bland [bländ] *adj* förbindlig; blid, mild
blank [blängk] **I** *adj* ren, tom **II** *subst* **1** tomrum **2** oskrivet blad **3** nit i lotteri **4** löst skott
blanket ['blängkitt] *subst* filt
blast [bla:st] **I** *subst* **1** stark vindstöt **2** tryckvåg vid explosion **II** *verb* spränga
blatant ['blejtənt] *adj* flagrant; uppenbar
blaze [blejz] **I** *subst* flammande eld **II** *verb* stå i ljusan låga
blazer ['blejzə] *subst* klubbjacka; blazer
bleach [bli:tch] **I** *verb* bleka **II** *subst* blekmedel
1 bleak [bli:k] *adj* dyster
2 bleak [bli:k] *subst* löja
bleary-eyed ['bliəriajd] *adj* skumögd
bleat [bli:t] *verb* bräka, böla
bleed [bli:d] *verb* blöda; ~ ***white*** bildl. suga ut; skinna
bleeper ['bli:pə] *subst* personsökare
blemish ['blemmisch] *subst* fläck; skavank
blend [blend] **I** *verb* blanda; förena **II** *subst* blandning
bless [bless] *verb* välsigna
blessing ['blessing] *subst* välsignelse
blew [blo:] imperf. av *1 blow*
blight [blajt] *subst* bildl. pest, fördärv
blind [blajnd] **I** *adj* blind; ~ ***alley*** återvändsgränd **II** *subst* rullgardin; markis; ***Venetian*** ~ persienn, spjäljalusi **III** *verb* göra blind; blända
blindfold ['blajndfəold] **I** *verb* binda för ögonen på **II** *adj* med förbundna ögon **III** *subst* ögonbindel
blindness ['blajndnəs] *subst* blindhet
blink [blingk] **I** *verb* **1** blinka **2** blänka till **II** *subst* **1** glimt **2** blink
bliss [bliss] *subst* sällhet; lycka
blister ['blistə] *subst* blåsa; blemma

blizzard ['blizəd] *subst* häftig snöstorm
bloated ['bləotidd] *adj* plufsig; uppblåst
blob [blåbb] *subst* droppe; klick
block [blåkk] **I** *subst* **1** kloss, block **2** kvarter **3** stopp; blockering **II** *verb* **1** blockera; skymma **2** stoppa
blockade [blå'kejd] *subst* blockad
blockage ['blåkkidʒ] *subst* stopp; blockering
bloke [bləok] *subst* vard. karl, kille
blond [blånd] **I** *adj* blond **II** *subst* blond person
blonde [blånd] **I** *adj* blond, ljuslagd **II** *subst* blondin
blood [bladd] *subst* blod i div. bet.; ***in cold ~*** med berått mod
blood-donor ['bladd,dəonə] *subst* blodgivare
blood group ['bladdgro:p] *subst* blodgrupp
bloodhound ['bladdhaond] *subst* blodhund
blood-poisoning ['bladd,påjzning] *subst* blodförgiftning
blood pressure ['bladd,preschə] *subst* blodtryck
bloodshed ['bladdschedd] *subst* blodsutgjutelse
bloodshot ['bladdschått] *adj* blodsprängd
bloodstream ['bladdstri:m] *subst* blodomlopp
blood test ['bladdtest] *subst* blodprov
bloodthirsty ['bladd,θö:sti] *adj* blodtörstig
blood vessel ['bladd,vessl] *subst* blodkärl
bloody ['bladdi] *adj* **1** blodig **2** vard. jäkla
bloom [blo:m] **I** *subst* blomning **II** *verb* blomma
blossom ['blåssəm] **I** *subst* blomma **II** *verb* blomma; bildl. blomma upp
blot [blått] *subst* **1** plump **2** skamfläck
blotting-paper ['blåtting,pejpə] *subst* läskpapper
blouse [blaoz] *subst* blus
1 blow [bləo] *verb* **1** blåsa; blåsa i; blåsa ut t.ex. rök **2** spränga; ***the fuse has blown*** proppen har gått **3** ***~ out*** släcka; ***~ over*** gå över, lägga sig; ***~ up*** blåsa upp, förstora; spränga

2 blow [bləo] *subst* **1** slag, stöt **2** bildl. hårt slag
blow-dry ['bləodraj] *verb* föna håret
blowlamp ['bləolämp] *subst* blåslampa
blow-up ['bləoapp] *subst* **1** explosion **2** förstoring av foto
blue [blo:] *adj* **1** blå; **~ cheese** ädelost **2** vard. deppig
bluebottle ['blo:ˌbåttl] *subst* **1** spyfluga **2** blåklint
blueprint ['blo:print] *subst* **1** blåkopia **2** planritning
blues [blo:z] *subst pl* blues
bluff [blaff] **I** *verb* bluffa **II** *subst* bluff
blunder ['blandə] *subst* blunder, tabbe
blunt [blant] **I** *adj* **1** slö; trög **2** rättfram **II** *verb* trubba av
blur [blö:] **I** *subst* fläck, plump; ***a* ~** äv. något suddigt **II** *verb* göra suddig; flyta ihop
blurb [blö:b] *subst* baksidestext på bok
blush [blasch] **I** *verb* rodna **II** *subst* rodnad
boar [bå:] *subst* galt
board [bå:d] **I** *subst* **1** bräda **2** anslagstavla **3** kost; ***full* ~** helpension **4** ***on* ~** ombord på fartyg, flygplan **5** ***the boards*** teatern **II** *verb* gå ombord på
boarder ['bå:də] *subst* inneboende
boarding card ['bå:dingka:d] *subst* ombordstigningskort, boardingcard
boarding house ['bå:dinghaos] *subst* pensionat
boarding school ['bå:dingsko:l] *subst* internat
boardroom ['bå:drom] *subst* styrelserum
boast [bəost] *verb* skryta
boat [bəot] *subst* båt
1 bob [båbb] *subst* bob
2 bob [båbb] **I** *subst* knix; bockning **II** *verb* bocka; knixa
bobby ['båbbi] *subst* 'bobby'; brittisk polisman
bode [bəod] *verb* båda, varsla
bodily ['båddəli] *adj* kroppslig, fysisk
body ['båddi] *subst* **1** kropp; ***in a* ~** mangrant **2** lik
bodybuilder ['båddiˌbildə] *subst* kroppsbyggare
bodyguard ['båddiga:d] *subst* livvakt
bodywork ['båddiwö:k] *subst* kaross

bog [bågg] *subst* mosse, kärr
boggle ['båggl], ***the mind boggles*** tanken svindlar
bogus ['bəogəs] *adj* falsk, sken-, bluff-
1 boil [båjl] *subst* böld
2 boil [båjl] **I** *verb* koka; ~ ***down*** koka ihop; ***it all boils down to...*** det hela går i korthet ut på... **II** *subst* kokning
boiler ['båjlə] *subst* 1 ångpanna 2 varmvattenberedare
boiling point ['båjlingpåjnt] *subst* kokpunkt
boisterous ['båjstərəs] *adj* bullersam
bold [bəold] *adj* djärv; vågad; fräck
bollard ['båla:d] *subst* låg stolpe, trafikkon
bolster ['bəolstə] **I** *subst* lång underkudde **II** *verb* stödja
1 bolt [bəolt] **I** *subst* **1** bult **2** låskolv **II** *verb* **1** rusa i väg; skena **2** regla
2 bolt [bəolt] *verb* sikta mjöl
bomb [båmm] **I** *subst* bomb **II** *verb* bomba
bombastic [båmm'bässtikk] *adj* svulstig
bomber ['båmmə] *subst* bombplan; bombfällare
bombshell ['båmmschell] *subst* granat
bona fide [ˌbəonə'fajdi] *adj* o. *adv* bona fide, i god tro
bond [bånd] **I** *subst* **1** band bildl.; ***bonds*** äv. förpliktelser **2** obligation **II** *verb* förena
bondage ['båndidʒ] *subst* träldom
bone [bəon] **I** *subst* ben; ~ ***of contention*** tvistefrö; ***the bare bones of sth.*** ngts byggstenar **II** *verb* bena fisk
bone-idle [ˌbəon'ajdl] o. **bone-lazy** [ˌbəon'lejzi] *adj* urlat
bonfire ['bånnˌfajə] *subst* bål, brasa
bonnet ['bånnitt] *subst* **1** hätta **2** motorhuv
bonus ['bəonəs] *subst* bonus, premie
bony ['bəoni] *adj* benig
boo [bo:] **I** *subst* burop **II** *verb* bua, bua ut
booby trap ['bo:biträpp] *subst* **1** fälla **2** minfälla
book [bokk] **I** *subst* **1** bok; ***by the*** ~ efter reglerna **2** telefonkatalog **II** *verb* **1** boka, reservera **2** ***be booked*** i fotboll få en varning
bookcase ['bokkejs] *subst* bokhylla
booking-office

['bokking,åffiss] *subst* biljettkontor

bookkeeping ['bokk,ki:ping] *subst* bokföring

booklet ['bokklət] *subst* häfte, broschyr

bookmaker ['bokk,mejkə] *subst* bookmaker vadförmedlare

bookseller ['bokk,sellə] *subst* bokhandlare

bookshop ['bokkschåpp] *subst* bokhandel

bookstore ['bokkstå:] *subst* bokhandel

1 boom [bo:m] **I** *verb* dåna **II** *subst* dån

2 boom [bo:m] **I** *subst* boom; uppsving **II** *verb* få ett uppsving

boon [bo:n] *subst* välsignelse, förmån

boost [bo:st] **I** *verb* öka **II** *subst* lyft; puff

booster ['bo:stə] *subst* förstärkare i radio

boot [bo:t] *subst* **1** känga, läderstövel; ***boots*** äv. boots; ***skiing ~*** pjäxa **2** bagagelucka i bil

booth [bo:ð] *subst* **1** salustånd **2** bås avskärmad plats

booty ['bo:ti] *subst* byte, rov

booze [bo:z] vard. **I** *verb* dricka, kröka **II** *subst* sprit

border ['bå:də] **I** *subst* gräns **II** *verb*, ***~ on*** gränsa till

borderline ['bå:dəlajn] *subst* gränslinje

1 bore [bå:] imperf. av 2 *bear*

2 bore [bå:] **I** *subst* borrhål **II** *verb* borra

3 bore [bå:] **I** *subst* tråkmåns **II** *verb* tråka ut

boredom ['bå:dəm] *subst* långtråkighet

boring ['bå:ring] *adj* urtråkig, långtråkig

born [bå:n] *adj* född; ***a ~ liar*** en oförbätterlig lögnare; ***when were you ~?*** när är du född?

borne [bå:n] perf. p. av 2 *bear*

borough ['barrə] *subst* stad som administrativt begrepp

borrow ['bårrəo] *verb* låna från någon

bosom ['bozəm] *subst* barm; sköte bildl.

boss [båss] vard. **I** *subst* bas, chef **II** *verb* basa över; ***~ about*** köra med folk

bossy ['båssi] *adj* vard. dominerande

botany ['båttəni] *subst* botanik

botch [båttch] **I** *verb* schabbla bort **II** *subst* röra

both [bəoθ] *pron* båda, bägge, båda två; ***~ of us*** oss båda

bother ['båðə] **I** *verb* 1 besvära 2 besvära sig **II** *subst* besvär

bottle ['båttl] **I** *subst* flaska **II** *verb* buteljera

bottle bank ['båttlbängk] *subst* igloo för glasavfall

bottleneck ['båttlnekk] *subst* flaskhals mest bildl.

bottle-opener ['båttl,əopənə] *subst* kapsylöppnare

bottom ['båttəm] **I** *subst* 1 botten; underdel 2 bortända, slut 3 ***at ~*** i grund och botten; ***be at the ~ of*** ligga bakom **II** *adj* 1 lägsta, sista, understa 2 grund-

bottomless ['båttəmləs] *adj* utan botten; bottenlös

bough [bao] *subst* större trädgren; lövruska

bought [bå:t] imperf. o. perf. p. av *buy*

boulder ['bəoldə] *subst* stenblock

bounce [baons] **I** *verb* 1 studsa 2 vard. ej godkänna om check utan täckning **II** *subst* duns

bouncer ['baonsə] *subst* vard. 1 utkastare 2 ej godkänd check

1 bound [baond] **I** imperf. o. perf. p. av *bind* **II** *adj* bunden; inbunden; ***be ~ to*** vara tvungen; inte kunna undgå

2 bound [baond] *adj* destinerad; ***~ for*** på väg till

3 bound [baond] *verb* skutta

4 bound [baond] *subst*, ***bounds*** gräns, gränser; ***keep within bounds*** begränsa sig

boundary ['baondəri] *subst* gräns, gränslinje

boundless ['baondləs] *adj* gränslös

bout [baot] *subst* 1 dust 2 anfall, släng

1 bow [bao] **I** *verb* nicka **II** *subst* bugning

2 bow [bao] *subst*, ***bows*** bog; för, stäv

3 bow [bəo] *subst* 1 båge 2 pilbåge 3 stråke

1 bowl [bəol] *subst* 1 skål 2 bål dryck och skål

2 bowl [bəol] **I** *subst* klot; boll; ***bowls*** bowls spel **II** *verb* spela bowls; spela bowling

bow-legged ['bəoleggd] *adj* hjulbent

1 bowler ['bəolə] *subst* bowlare

2 bowler ['bəolə] *subst*, ***~ hat*** plommonstop

bowling ['bəoling] *subst* bowling
bowling alley ['bəoling,älli] *subst* bowlinghall
bowling green ['bəolinggri:n] *subst* gräsplan för bowls
bow tie [,bəo'taj] *subst* fluga
1 box [båkks] *subst* buxbom
2 box [båkks] *subst* **1** låda, kista; ask **2** bås; spilta **3** loge på teater
3 box [båkks] *verb* boxa, boxas
1 boxer ['båkksə] *subst* boxare
2 boxer ['båkksə] *subst* boxer hundras
boxing ['båkksing] *subst* boxning
Boxing Day ['båkksingdej] *subst* annandag jul
box office ['båkks,åffiss] *subst* biljettkontor för teater o.d.; ***be a ~ success*** vara en kassapjäs
boxroom ['båkksro:m] *subst* skrubb
boy [båj] *subst* pojke
boycott ['båjkått] **I** *verb* bojkotta **II** *subst* bojkott
boyfriend ['båjfrennd] *subst* pojkvän, kille
boyish ['båjisch] *adj* **1** pojkaktig; pojk- **2** barnslig
BR förk. för *British Rail*
bra [bra:] *subst* vard. bh, behå
brace [brejs] **I** *subst* **1** spänne; ***braces*** hängslen **2** tandställning **II** *verb* **1** spänna **2** ***~ oneself*** stärka sig
bracelet ['brejslət] *subst* armband
bracket ['bräkkitt] **I** *subst* parentes **II** *verb* sätta inom parentes
brag [brägg] **I** *verb* skrävla **II** *subst* skrävel
braid [brejd] *subst* o. *verb* fläta
brain [brejn] *subst* hjärna; ***brains*** begåvning
brainchild ['brejntchajld] *subst* idé
brainwash ['brejnwåsch] **I** *subst* hjärntvätt **II** *verb* hjärntvätta
brainwave ['brejnwejv] *subst* snilleblixt
braise [brejz] *verb* bräsera
brake [brejk] **I** *subst* broms **II** *verb* bromsa
brake fluid ['brejkflo:id] *subst* bromsvätska, bromsolja
brake light ['brejklajt] *subst* bromsljus
bran [bränn] *subst* kli

branch [bra:ntsch] *subst* 1 trädgren 2 filial
brand [bränd] **I** *subst* 1 sort, märke 2 bildl. stämpel **II** *verb* bildl. brännmärka
brand-new [ˌbränd'njo:] *adj* splitt ny
brandy ['brändi] *subst* konjak
brash [bräsch] *adj* framfusig
brass [bra:s] *subst* mässing
brassiere ['bräsiə] *subst* behå
brat [brätt] *subst* barnunge, snorvalp
brave [brejv] *adj* modig, djärv
bravery ['brejvəri] *subst* mod, tapperhet
brawl [brå:l] **I** *verb* bråka **II** *subst* bråk
bray [brej] **I** *verb* om åsna skria **II** *subst* åsnas skri
brazen ['brejzn] *adj* 1 av mässing 2 fräck
breach [bri:tch] **I** *subst* överträdelse; bildl. brytning **II** *verb* bryta
bread [bredd] **I** *subst* bröd; bildl. levebröd **II** *verb* bröa, panera
bread-and-butter [ˌbreddənd'battə] *adj* som klarar livhanken
breadbin ['breddbinn] *subst* brödburk
breadline ['breddlajn], ***on the*** ~ på existensminimum
breadth [breddθ] *subst* bredd, vidd
breadwinner ['bredd,winnə] *subst* familjeförsörjare
break* [brejk] **I** *verb* 1 bryta, bryta av, bryta sönder; slå sönder, gå sönder 2 knäcka, ruinera; bryta ner; om djur tämja 3 bryta mot regler o.d. 4 ~ ***loose*** om t.ex. djur slita sig; ~ ***open*** bryta upp; spränga; ***dawn is breaking*** det gryr; ***her waters have broken*** vattnet har gått vid födsel 5 ~ ***away*** slita sig lös; göra sig fri; ~ ***down*** bryta ner; bryta ihop; gå sönder och stanna; stranda; ~ ***in*** tämja, rida in; ~ ***into a house*** bryta sig in i ett hus; ~ ***into laughter*** brista ut i skratt; ~ ***off*** avbryta; ~ ***out*** bryta ut; ~ ***through*** bryta sig igenom; ~ ***up*** bryta upp; gå skilda vägar **II** *subst* avbrott; paus; ***without a*** ~ utan avbrott
breakdown ['brejkdaon] *subst* 1 sammanbrott 2 maskinhaveri; motorstopp
breaker ['brejkə] *subst* bränning
breakfast ['brekfəst] **I** *subst* frukost **II** *verb* äta frukost

break-in ['brejkinn] *subst* inbrott
break-out ['brejkaot] *subst* utbrytning, rymning
breakthrough ['brejkθro:] *subst* genombrott
break-up ['brejkapp] *subst* brytning; uppbrott
breakwater ['brejk,wå:tə] *subst* vågbrytare, pir
breast [brest] *subst* bröst
breast-feed ['brestfi:d] *verb* amma
breaststroke ['breststrəok] *subst* bröstsim
breath [breθ] *subst* andedräkt; andetag; ***a ~ of fresh air*** en nypa frisk luft
breathalyser o. **breathalyzer** ['breθəlajzə] *subst* alkotestapparat
breathe [bri:ð] *verb* andas
breather ['bri:ðə] *subst* vilopaus
breathing-space ['bri:ðingspejs] *subst* andrum
breathless ['breθləs] *adj* andfådd; andlös bildl.
breathtaking ['breθ,tejking] *adj* nervpirrande; hisnande
breed [bri:d] **I** *verb* **1** föda upp djur; odla **2** föröka sig **3** bildl. alstra **II** *subst* ras; släkte
breeding ['bri:ding] *subst* **1** avel **2** god uppfostran
breeze [bri:z] *subst* bris, lätt vind
breezy ['bri:zi] *adj* blåsig; frisk
brevity ['brevvəti] *subst* korthet
brew [bro:] **I** *verb* brygga **II** *subst* brygd
brewery ['bro:əri] *subst* bryggeri
bribe [brajb] *subst* o. *verb* muta
bribery ['brajbəri] *subst* bestickning
brick [brikk] *subst* tegelsten
bricklayer ['brikk,lejə] *subst* murare
bridal ['brajdl] *adj* brud-, bröllops-
bride [brajd] *subst* brud
bridegroom ['brajdgro:m] *subst* brudgum
bridesmaid ['brajdzmejd] *subst* brudtärna
1 bridge [bridʒ] *subst* bridge spel
2 bridge [bridʒ] **I** *subst* bro; brygga **II** *verb* bildl. överbrygga
bridle ['brajdl] **I** *subst* betsel **II** *verb* betsla

bridle path ['brajdlpa:θ] ridstig

brief [bri:f] **I** *subst*, ***briefs*** trosor; kalsonger **II** *adj* kortfattad, kortvarig; ***in ~*** kort sagt **III** *verb* instruera, briefa

briefcase ['bri:fkejs] *subst* portfölj

bright [brajt] **I** *adj* **1** klar, ljus **2** vaken, skärpt **II** *adv* klart

brighten ['brajtn] *verb* lysa upp; pigga upp

brilliance ['briljəns] *subst* briljans

brilliant ['briljənt] **I** *adj* briljant **II** *subst* briljant

brim [brim] **I** *subst* **1** brädd **2** brätte **II** *verb*, ***~ over*** rinna över

brine [brajn] *subst* saltvatten, saltlake

bring* [bring] *verb* **1** ha med sig; hämta **2** medföra; förmå **3** ***~ about*** få till stånd; ***~ along*** ha med sig; ***~ back memories*** väcka minnen till liv; ***~ down*** få ner; ***~ forward*** anföra; ***~ in*** införa; dra in pengar; ***~ off*** klara av; ***~ out*** bringa i dagen; ***~ round*** få att kvickna till; ***~ up*** föra på tal

brink [bringk] *subst* rand; ***be on the ~ of doing*** vara nära att göra

brisk [brisk] *adj* rask

Britain ['brittn] Storbritannien; ***North ~*** el. ***N.B.*** i adresser o.d. Skottland

British ['brittisch] **I** *adj* brittisk; engelsk **II** *subst*, ***the ~*** britterna, engelsmännen

Brittany ['brittəni] Bretagne

brittle ['brittl] *adj* spröd, bräcklig

broach [brəotch] *subst* stekspett

broad [brå:d] *adj* **1** bred; vid **2** generell

broadband ['brå:dbänd] *subst* bredband

broadcast ['brå:dka:st] **I** *verb* sända i radio el. TV **II** *subst* sändning i radio el. TV

broaden ['brå:dn] *verb* göra bredare; vidga

broadly ['brå:dli] *adv* brett, vitt; i största allmänhet

broad-minded [ˌbrå:d'majndidd] *adj* vidsynt

broccoli ['bråkkəli] *subst* broccoli

brochure ['brəoschə] *subst* broschyr

broil [bråjl] *verb* steka, halstra, grilla

broke [brəok] **I** imperf. o. perf. p. av *break* **II** *adj* vard. pank

broken ['brəokən] *adj* bruten; trasig
broken-hearted [ˌbrəokən'haːtidd] *adj* med brustet hjärta
broker ['brəokə] *subst* mäklare
bronchitis [brång'kajtiss] *subst* luftrörskatarr
bronze [brånz] **I** *subst* brons **II** *verb*, ***bronzed*** solbränd
brooch [brəotch] *subst* brosch
brood [broːd] *verb* ruva
broom [broːm, brom] *subst* kvast
broomstick ['broːmstikk] *subst* kvastskaft
broth [bråθ] *subst* buljong
brothel ['bråθl] *subst* bordell
brother ['braðə] *subst* bror, broder
brother-in-law ['braðərinlåː] *subst* svåger
brought [bråːt] imperf. o. perf. p. av *bring*
brow [brao] *subst* ögonbryn
brown [braon] **I** *adj* **1** brun **2** solbränd **II** *verb* bryna
brownie ['braoni] *subst* tomte
browse [braoz] *verb* **1** beta **2** ~ ***through*** botanisera bland
bruise [broːz] *subst* blåmärke
brunette [broː'nett] *subst* o. *adj* brunett
brush [brasch] **I** *subst* borste; pensel **II** *verb* **1** borsta; sopa **2** ~ ***against*** snudda vid; ~ ***up*** friska upp
brushwood ['braschwodd] *subst* småskog, snårskog
Brussels ['brasslz] Bryssel
brutal ['broːtl] *adj* brutal, rå
brute [broːt] **I** *adj* själlös, rå **II** *subst* brutal (rå) människa
bubble ['babbl] *subst* o. *verb* bubbla
bubble bath ['babblbaːθ] *subst* skumbad
bubble gum ['babblgamm] *subst* bubbelgum
buck [bakk] **I** *subst* bock, hanne av hjort, ren, kanin m. fl. **II** *verb* stånga
bucket ['bakkitt] *subst* hink; ***it was raining buckets*** regnet öste ner
buckle ['bakl] *subst* spänne; buckla
bud [badd] **I** *subst* knopp **II** *verb* knoppas
Buddhism ['boddizəm] *subst* buddism
budding ['badding] *adj* knoppande; bildl. spirande
budge [badʒ] *verb* vanl. med negation röra sig ur fläcken

budgerigar ['badʒəriga:] *subst* undulat

budget ['baddʒitt] **I** *subst* budget; lågpris- **II** *verb* göra upp en budget

buff [baff] **I** *subst* sämskskinn **II** *adj* mattgul

buffalo ['baffələo] *subst* buffel; bisonoxe

buffer ['baffə] *subst* buffert

1 buffet ['baffitt] *verb* knuffa omkring

2 buffet ['bofej] *subst* buffé möbel el. måltid

bug [bagg] *subst* vägglus

bugle ['bjo:gl] *subst* jakthorn

build* [bild] **I** *verb* bygga **II** *subst* kroppsbyggnad

builder ['bildə] *subst* byggare; byggmästare

building ['bilding] *subst* byggnad

building society ['bildingsə,sajəti] *subst* hypotekskassa

build-up ['bildapp] *subst* uppbyggnad

built [bilt] imperf. o. perf. p. av *build*

built-in [,bilt'in] *adj* inbyggd; bildl. inneboende

bulb [balb] *subst* **1** blomlök **2** glödlampa

bulge [baldʒ] **I** *subst* bula, buckla **II** *verb* bukta, bukta ut

bulk [balk] *subst* **1** volym **2** *in* ~ i stora partier

bulky ['balki] *adj* skrymmande

1 bull [boll] *subst* påvebulla

2 bull [boll] *subst* **1** tjur **2** hanne av elefant, val m. fl.

bulldog ['bolldågg] *subst* bulldogg

bulldozer ['boll,dəozə] *subst* bulldozer

bullet ['bollitt] *subst* kula till gevär o.d.

bulletin ['bollətinn] *subst* bulletin

bulletproof ['bollitpro:f] *adj* skottsäker

bullfight ['bollfajt] *subst* tjurfäktning

bullfighting ['boll,fajting] *subst* tjurfäktning

bullion ['bolljən] *subst* guldtacka, silvertacka

bullock ['bollək] *subst* stut, oxe

bullring ['bollring] *subst* tjurfäktningsarena

bull's-eye ['bollzaj] *subst* skottavlas prick; fullträff

bully ['bolli] **I** *subst* översittare **II** *verb* domdera

bumble-bee ['bamblbi:] *subst* humla
bump [bamp] **I** *subst* **1** törn, stöt **2** gupp; luftgrop **II** *verb* törna, köra; **~ *into*** äv. stöta på
bumper ['bampə] *subst* stötfångare på bil
bumpy ['bampi] *adj* om väg o.d. ojämn; om luft gropig
bun [bann] *subst* **1** bulle **2** hårknut
bunch [bantsch] *subst* klase; knippa, bunt
bundle ['bandl] *subst* bunt, knyte
bungalow ['banggələo] *subst* bungalow; stuga till uthyrning
bungle ['banggl] *verb* schabbla bort
bunion ['banjən] *subst* öm inflammerad knöl på stortån
bunk [bangk] **I** *subst* koj, brits **II** *verb* gå till kojs
bunker ['bangkə] *subst* bunker
bunny ['banni] *subst* barnspråk kanin
1 bunting ['banting] *subst* sparv
2 bunting ['banting] *subst* flaggdekorationer
buoy [båj] *subst* boj
buoyant ['båjənt] *adj* **1** flytande **2** hoppfull
burden ['bö:dn] **I** *subst* börda; ***be a ~ to*** ligga till last **II** *verb* belasta
bureau ['bjoərəo] *subst* **1** sekretär **2** ämbetsverk; byrå
bureaucracy [bjoə'råkrəssi] *subst* byråkrati
burglar ['bö:glə] *subst* inbrottstjuv; **~ *alarm*** tjuvlarm
burglary ['bö:gləri] *subst* inbrott
Burgundy ['bö:gəndi] Bourgogne
burial ['berriəl] *subst* begravning
burly ['bö:li] *adj* stor och kraftig
burn* [bö:n] **I** *verb* bränna; elda upp; brinna, brinna upp; **~ *for*** längta efter **II** *subst* brännskada, brännsår
burner ['bö:nə] *subst* brännare; låga på gasspis
burning ['bö:ning] *adj* brinnande
burrow ['barrəo] **I** *subst* djurs håla, lya **II** *verb* gräva
burst [bö:st] **I** *verb* **1** brista, spricka **2** **~ *into*** brista ut i **II** *subst* plötsligt utbrott
bury ['berri] *verb* begrava
bus [bass] *subst* buss

bush [bosch] *subst* **1** buske **2** vildmark
bushy ['boschi] *adj* buskig; yvig
business ['biznəs] *subst* **1** affärer, affärslivet; firma; ~ ***hours*** affärstid; kontorstid **2** ärende; sak; ***it's none of your*** ~ det angår dig inte
businesslike ['biznislajk] *adj* affärsmässig
businessman ['biznismän] *subst* affärsman
businesswoman ['biznis,womən] *subst* affärskvinna
busker ['baskə] *subst* gatumusikant
bus stop ['basståpp] *subst* busshållplats
bust [bast] *subst* byst
bus terminal ['bass,tö:minl] *subst* bussterminal
1 bustle ['bassl] *subst* turnyr
2 bustle ['bassl] **I** *verb* jäkta **II** *subst* fläng, jäkt
bustling ['bassling] *adj* livlig; jäktig
busy ['bizzi] **I** *adj* **1** sysselsatt, upptagen; ***be*** ~ äv. ha fullt upp att göra **2** livlig **II** *verb* sysselsätta
busybody ['bizzi,båddi] *subst* beskäftig människa
but [batt] **I** *konj* men, utan; utom; annat än **II** *adv* bara, blott
butcher ['botchə] **I** *subst* slaktare; ***the butcher's shop*** köttaffären **II** *verb* slakta
butler ['batlə] *subst* hovmästare
1 butt [batt] *subst* tunna för regnvatten o.d.
2 butt [batt] *subst* fimp
3 butt [batt] *subst* skottavla bildl.
4 butt [batt] *verb* knuffa
butter ['battə] **I** *subst* smör **II** *verb* smöra
butterfly ['battəflaj] *subst* fjäril; ~ ***stroke*** fjärilsim
button ['battn] **I** *subst* knapp **II** *verb* knäppa
buttress ['battrəs] *subst* strävpelare
buxom ['bakksəm] *adj* yppig
buy* [baj] *verb* köpa
buyer ['bajə] *subst* köpare
buzz [baz] **I** *subst* surr **II** *verb* surra
buzzer ['bazə] *subst* summer på radio o.d.
buzz word ['bazwö:d] *subst* vard. slagord
by [baj] **I** *prep* **1** vid, bredvid; intill; genom; via; med; ***travel*** ~ ***land*** resa till lands; ~ ***itself*** av sig själv; ~ ***the way***

apropå; förresten **2** till, senast klockan, vid, mot; ~ ***night*** nattetid **3** i, per **II** *adv* **1** i närheten, bredvid; förbi **2** ~ ***and large*** på det hela taget

bye-bye [ˌbaj'baj] *interj* vard. hejdå; ajö, ajö

by-election ['bajiˌlekschən] *subst* fyllnadsval

bygone ['bajgånn] *adj* svunnen

by-law ['bajlå:] *subst* lokal myndighets förordning

bypass ['bajpa:s] **I** *subst* bypassoperation **II** *verb* kringgå

by-product ['bajˌpråddakt] *subst* biprodukt; sidoeffekt

bystander ['bajˌständə] *subst* åskådare

byword ['bajwö:d] *subst* **1** visa **2** favorituttryck

Cc

C, c [si:] *subst* C, c

cab [käbb] *subst* taxi bil

cabaret ['käbbərej] *subst* kabaré

cabbage ['käbbidʒ] *subst* kål, vitkål

cabin ['käbbinn] *subst* **1** stuga **2** hytt; kabin

cabinet ['käbbinət] *subst* skåp med lådor el. hyllor

cable ['kejbl] *subst* **1** kabel **2** telegram

cable car ['kejblka:] *subst* linbanevagn

cable television [ˌkejbl'telliˌviʒən] *subst* kabel-TV

cackle ['käkkl] **I** *verb* kackla; pladdra **II** *subst* kackel

cactus ['käkktəs] *subst* kaktus

cadet [kə'dett] *subst* kadett

cadge [kädʒ] *verb* snylta; tigga

café ['käffej] *subst* kafé

cage [kejdʒ] *subst* bur

cajole [kə'dʒəol] *verb* lirka med

cake [kejk] *subst* tårta; mjuk kaka; bakelse

calculate ['kälkjolejt] *verb* beräkna, kalkylera
calculation [ˌkälkjo'lejschən] *subst* beräkning, kalkyl
calculator ['källkjolejtə] *subst* räknemaskin
calendar ['källəndə] *subst* almanacka; kalender
1 calf [ka:f] *subst* kalv
2 calf [ka:f] *subst* vad kroppsdel
calibre ['källibbə] *subst* kaliber
call [kå:l] **I** *verb* **1** kalla; ***be called*** heta, kallas för **2** kalla (ropa) på; ringa till **3** ~ ***back*** ringa upp senare; ~ ***off*** inställa; ~ ***on*** hälsa 'på **II** *subst* **1** rop **2** telefonsamtal; ***on*** ~ i beredskap; ***be on*** ~ äv. ha bakjour **3** kallelse **4** besök
callback ['kå:lbäkk] *subst* återuppringning
callbox ['kå:lbåkks] *subst* larmskåp; brandskåp
call girl ['kå:lgö:l] *subst* callgirl
calling ['kå:ling] *subst* levnadskall
callous ['källəs] *adj* känslokall
calm [ka:m] **I** *adj* o. *subst* lugn **II** *verb* lugna; ~ ***down*** lugna sig
Calor gas® ['källəgäss] *subst* gasol
calorie ['källəri] *subst* kalori
1 calves [ka:vz] *subst* pl. av *1 calf*
2 calves [ka:vz] *subst* pl. av *2 calf*
camber ['kämmbə] *subst* lätt välvning
camcorder ['kämmˌkå:də] *subst* videokamera med inbyggd bandspelare
came [kejm] imperf. av *come*
camel ['kämməl] *subst* kamel
camera ['kämmərə] *subst* kamera
cameraman ['kämmərəmän] *subst* kameraman
camera phone ['kämmərəˌfəon] *subst* kameramobil
camouflage ['kämməfla:ʒ] **I** *subst* kamouflage **II** *verb* kamouflera
camp [kämp] **I** *subst* läger **II** *verb* campa
campaign [käm'pejn] *subst* kampanj
camp bed [ˌkämp'bed] *subst* tältsäng
camper ['kämpə] *subst* **1** campare **2** husbil

camping ['kämping] *subst* camping, lägerliv
camp site ['kämpsajt] *subst* campingplats
campus ['kämpəs] *subst* universitetsområde, campus
1 can [känn] *verb* **1** kan; orkar **2** kan få, får
2 can [känn] **I** *subst* burk **II** *verb* konservera
Canada ['kännədə] Kanada
Canadian [kə'nejdjən] **I** *adj* kanadensisk **II** *subst* kanadensare; kanadensiska
canal [kə'näll] *subst* anlagd kanal
canary [kə'näəri] **I** *adj* kanariegul; ***the Canary Islands*** el. ***the Canaries*** Kanarieöarna **II** *subst* kanariefågel
cancel ['kännsəl] *verb* inställa; avbeställa
cancellation [ˌkänsə'lejschən] *subst* avbeställning
Cancer ['kännsə] *subst* Kräftan stjärntecken
cancer ['kännsə] *subst* cancer
candid ['känndidd] *adj* uppriktig; ~ ***camera*** dold kamera
candidate ['känndidət] *subst* kandidat, sökande
candle ['kändl] *subst* stearinljus
candlelight ['kändllajt] *subst* levande ljus; ~ ***dinner*** middag med levande ljus
candlestick ['kändlstikk] *subst* ljusstake
candour ['känndə] *subst* uppriktighet
candy ['känndi] *subst* kandisocker
candy floss ['känndiflåss] *subst* sockervadd
cane [kejn] *subst* rör; käpp
canned [kännd] *adj* konserverad; burk-
cannon ['kännən] *subst* kanon
cannot ['kännåt] kan (orkar, får) inte
canoe [kə'no:] **I** *subst* kanot **II** *verb* paddla kanot
canon ['kännən] *subst* kanon sångsätt
can-opener ['kännˌəopənə] *subst* konservöppnare
canopy ['kännəpi] *subst* baldakin; ~ ***bed*** himmelssäng
can't [ka:nt] se *cannot*
cantankerous [kän'tängkərəs] *adj* grälsjuk
canteen [kän'ti:n] *subst* lunchrum, matsal

canter ['käntə] **I** *subst* kort galopp **II** *verb* galoppera lätt
canvas ['känvəs] *subst* tältduk
canvass ['känvəs] *verb* värva röster
canyon ['känjən] *subst* kanjon djup trång floddal
cap [käpp] *subst* **1** mössa; keps **2** kapsyl, lock
capability [ˌkejpə'billəti] *subst* förmåga; duglighet
capable ['kejpəbl] *adj* duglig, skicklig
capacity [kə'pässəti] *subst* kapacitet; ***filled to ~*** fullsatt; ***in the ~ of*** i egenskap av
1 cape [kejp] *subst* udde, kap
2 cape [kejp] *subst* cape
1 caper ['kejpə] *subst*, ***capers*** kapris
2 caper ['kejpə] *verb* hoppa och skutta
capital ['käppitl] **I** *adj* **1** ~ ***punishment*** dödsstraff **2** stor **II** *subst* **1** huvudstad **2** kapital
capitalism ['käppitəlizəm] *subst* kapitalism
capitalize ['käppitəlajz] *verb*, ~ ***on*** dra fördel av
Capricorn ['käpprikå:n] *subst* Stenbocken stjärntecken
capsize [käpp'sajz] *verb* kapsejsa
capsule ['käppsjo:l] *subst* kapsel i olika bet.
captain ['käpptin] *subst* kapten
caption ['käppschən] *subst* rubrik; bildtext
captive ['käpptivv] **I** *adj* fångslad **II** *subst* fånge
capture ['käpptchə] *verb* ta till fånga; bildl. fånga
car [ka:] *subst* bil
caramel ['kärrəmell] *subst* kola; ~ ***custard*** brylépudding
caravan ['kärrəvänn] *subst* **1** husvagn; ~ ***site*** campingplats för husvagnar **2** karavan
carbohydrate [ˌka:bəo'hajdrejt] *subst* kolhydrat
carbon ['ka:bən] *subst* kol
carbon paper ['ka:bənˌpejpə] *subst* karbonpapper
carburettor [ˌka:bjo'rettə] *subst* förgasare
1 card [ka:d] *subst* o. *verb* karda
2 card [ka:d] *subst* kort; ***cards*** äv. kortspel
cardboard ['ka:dbå:d] *subst* papp, kartong
card game ['ka:dgejm] *subst* kortspel

cardiac ['ka:diäkk] *adj* hjärt-; **~ *arrest*** hjärtstillestånd
cardigan ['ka:digən] *subst* cardigan, kofta
cardinal ['ka:dinl] **I** *adj*, **~ *sin*** skämtsamt dödssynd **II** *subst* kardinal
card-index [ˌka:d'indekks] *subst* kortregister
care [käə] **I** omsorg; vård; **~ *instructions*** på plagg skötselråd; ***take ~*** vara försiktig; ***take ~!*** sköt om dig! **II** *verb* bry sig om; ***would you ~ for an ice cream?*** vill du ha en glass?
career [kə'riə] *subst* karriär
career woman [kə'riəˌwommən] *subst* yrkeskvinna
carefree ['käəfri:] *adj* bekymmerslös
careful ['käəfol] *adj* försiktig; aktsam
careless ['käələs] *adj* slarvig, vårdslös
carer ['käərə] *subst* ung. anhörigvårdare
caress [kə'ress] **I** *verb* smeka **II** *subst* smekning
caretaker ['käəˌtejkə] *subst* vaktmästare, portvakt
car ferry ['ka:ˌferri] *subst* bilfärja
cargo ['ka:gəo] *subst* skeppslast
car-hire ['ka:ˌhajə], **~ *service*** biluthyrning
Caribbean [ˌkäri'bi:ən], ***the ~*** Västindien
caring ['käəring] *adj* som bryr sig om
carnal ['ka:nl] *adj* köttslig
carnation [ka:'nejschən] *subst* nejlika
carnival ['ka:nivəl] *subst* karneval
carol ['kärəl] *subst*, ***Christmas ~*** julsång
1 carp [ka:p] *subst* karp
2 carp [ka:p] *verb* gnata
car park ['ka:pa:k] *subst* bilparkering
carpenter ['ka:pəntə] *subst* snickare
carpet ['ka:pitt] *subst* större mjuk matta
carpet-sweeper ['ka:pittˌswi:pə] *subst* mattsopare redskap
car phone ['ka:fəon] *subst* biltelefon
carriage ['kärridʒ] *subst* **1** vagn **2** frakt
carriageway ['kärridʒwej] *subst* körbana
carrier ['kärriə] *subst* bärare; bud

carrier bag ['kärriəbägg] *subst* bärkasse

carrot ['kärrət] *subst* morot

carry ['kärri] *verb* bära; bära på; ha med (på) sig; ~ ***away*** bildl. rycka med sig; ~ ***on*** fortsätta; ~ ***out*** utföra; genomföra

carrycot ['kärrikått] *subst* babylift bärkasse för spädbarn

carry-on ['kärriånn] *adj*, ~ ***baggage*** handbagage

cart [ka:t] *subst* tvåhjulig kärra

carton ['ka:tən] *subst* pappask

cartoon [ka:'to:n] *subst* tecknad serie (film)

cartridge ['ka:tridʒ] *subst* patron i olika bet.

carve [ka:v] *verb* skära, snida

carving-knife ['ka:vingnajf] *subst* förskärare

1 case [kejs] *subst* fall; sak, fråga; ***just in*** ~ för säkerhets skull; ***in*** ~ ***of*** i händelse av; ***in any*** ~ i varje fall

2 case [kejs] *subst* låda; monter

cash [käsch] *subst* kontanter; ~ ***purchase*** kontantköp; ***pay*** ~ betala kontant

cash card ['käschka:d] *subst* ung. bankomatkort, kontantkort

cashdesk ['käschdesk] *subst* kassa där man betalar

cash dispenser ['käschdis,pensə] *subst* bankautomat

cashier [kä'schiə] *subst* kassör, kassörska

cashmere [käsch'miə] *subst* kaschmir

cash register ['käsch,redʒistə] *subst* kassaapparat

casing ['kejsing] *subst* beklädnad; infattning

casino [kə'si:nəo] *subst* kasino

casserole ['käsərəol] *subst* gryta maträtt

cassette [kə'sett] *subst* kassett; ~ ***recorder*** kassettbandspelare

cast [ka:st] **I** *verb* **1** kasta **2** stöpa **II** *subst* rollista

castaway ['ka:stəwej] *subst* utstött varelse

casting vote [ˌka:sting'vəot] *subst* utslagsröst

cast-iron [ˌka:st'ajən] *subst* gjutjärn

castle ['ka:sl] *subst* slott, borg

cast-off ['ka:ståff] *adj* kasserad, avlagd

castor ['ka:stə] *subst* ströare; ~ ***sugar*** strösocker

castor oil [ˌka:stər'åjl] *subst* ricinolja
castrate [kä'strejt] *verb* kastrera
casual ['käʒjoəl] *adj* 1 tillfällig 2 otvungen; ~ ***dress*** ledig klädsel
casually ['käʒjoəli] *adv* tillfälligt; otvunget
casualty ['käʒjoəlti] *subst* 1 olycksfall; ~ ***ward*** akutmottagning på sjukhus 2 ***casualties*** döda och sårade
cat [kätt] *subst* katt; ***it's raining cats and dogs*** regnet står som spön i backen
catalogue ['kättəlågg] *subst* katalog
catalyst ['kättəlist] *subst* katalysator
catapult ['kättəpalt] *subst* katapult
catarrh [kə'ta:] *subst* katarr
catastrophe [kə'tässtrəffi] *subst* katastrof
catch* [kätch] **I** *verb* 1 fånga; gripa, ta fatt; ***get caught*** fastna 2 hinna i tid till; ~ ***up with*** hinna ifatt 3 få en sjukdom **II** *subst* 1 fångst 2 ***there is a ~ in it*** det finns en hake
catching ['kätching] *adj* smittande
catchphrase ['kätchfrejz] *subst* slagord, klyscha
catchy ['kätchi] *adj* klatschig, som slår
category ['kätəgəri] *subst* kategori; klass
cater ['kejtə] *verb* leverera mat; ~ ***for*** arrangera
catering ['kejtəring] *subst* catering
cathedral [kə'θi:drəl] *subst* katedral
Catholic ['käθəlikk] **I** *adj* katolsk **II** *subst* katolik
cattle ['kättl] *subst pl* boskap
caucus ['kå:kəs] *subst* lokal politisk valkommitté
caught [kå:t] imperf. o. perf. p. av *catch*
cauliflower ['kålliflaoə] *subst* blomkål
cause [kå:z] **I** *subst* 1 orsak 2 sak att kämpa för **II** *verb* orsaka
caution ['kå:schən] **I** *subst* försiktighet **II** *verb* varna
cautious ['kå:schəs] *adj* försiktig
cavalry ['kävvəlri] *subst* kavalleri
cave [kejv] *subst* grotta; källare
caveman ['kejvmən] *subst* grottmänniska

caviare ['käviaː] *subst* kaviar
CD [ˌsiː'diː] *subst* cd-skiva; ~ ***player*** cd-spelare
CD-ROM [ˌsiːdiː'råm] *subst* cd-rom
cease [siːs] *verb* upphöra; ~ ***work*** lägga ned arbetet
cease-fire [ˌsiːs'fajjə] *subst* kort vapenvila
ceaseless ['siːsləs] *adj* oupphörlig
cedar ['siːdə] *subst* ceder
ceiling ['siːling] *subst* tak i rum
celebrate ['selləbrejt] *verb* fira, högtidlighålla
celebrated ['selləbrejtidd] *adj* berömd
celebration [ˌsellə'brejschən] *subst* firande; fest
celery ['selləri] *subst* selleri
cell [sell] *subst* cell i olika bet.
cellar ['sellə] *subst* källare
cello ['tchelləo] *subst* cello
cellphone ['sellfəon] *subst* mobiltelefon
Celt [kelt] *subst* kelt
Celtic ['keltikk, fotbollslag 'seltikk] **I** *adj* keltisk **II** *subst* keltiska språket
cement [si'ment] **I** *subst* cement **II** *verb* cementera
cemetery ['semmətri] *subst* begravningsplats
censor ['sensə] **I** *subst* censor **II** *verb* censurera
censorship ['sennsəschipp] *subst* censur
censure ['sennschə] *subst* censur
census ['sennsəs] *subst* ung. mantalsskrivning
cent [sennt] *subst* cent mynt
centenary [senn'tiːnəri] *subst* hundraårsjubileum
centigrade ['senntigrejd] *adj*, ***20 degrees*** ~ 20 grader Celsius
centimetre ['sennti,miːtə] *subst* centimeter
centipede ['senntipiːd] *subst* tusenfoting insekt
central ['senntrəl] *adj* central i olika bet.; huvud-; ~ ***heating*** centralvärme
centre ['senntə] **I** *subst* centrum; ***arts*** ~ konstmuseum; ***business and shopping*** ~ affärscentrum **II** *verb* koncentrera
century ['senntschəri] *subst* sekel; ***in the 20th*** ~ på 1900-talet
ceramic hob [sə'rämmikk,håbb] *subst* glaskeramikhäll

ceramics [sə'rämmikks] *subst* keramik
cereal ['siəriəl] *subst* sädesslag; ***cereals*** äv. flingor
ceremony ['serəmənni] *subst* ceremoni
certain ['sö:tən] *adj* **1** säker **2** viss ej närmare bestämd
certainly ['sö:tənli] *adv* **1** säkert; förvisso **2** som svar ja visst; ***~ not!*** absolut inte!
certainty ['sö:tənti] *subst* säkerhet; ***a ~*** en given sak
certificate [sə'tiffikət] *subst* intyg; betyg; ***health ~*** friskintyg
certify ['sö:tifaj] *verb* intyga
cervix ['sö:vikks] *subst* livmoderhals
cf. [kəm'päə] jfr, jämför
CFC freon
chafe [tchejf] **I** *verb* gnida **II** *subst* skavsår
chain [tchejn] **I** *subst* kedja; ***chains*** bojor **II** *verb* kedja fast; fjättra
chain reaction [ˌtchejnri'äkschən] *subst* kedjereaktion
chain stores ['tchejnstå:s] *subst* butikskedja
chair [tchäə] *subst* stol
chair lift ['tchäəlift] *subst* sittlift
chairman ['tchäəmən] *subst* ordförande
chalet ['schälej] *subst* stuga i stugby o.d.
chalice ['tchäliss] *subst* nattvardskalk
chalk [tchå:k] *subst* krita
challenge ['tchäləndʒ] **I** *subst* utmaning **II** *verb* utmana
challenging ['tchäləndʒing] *adj* utmanande
chamber ['tchejmbə] *subst* kammare
chambermaid ['tchejmbəmejd] *subst* städerska på hotell
chamber music ['tchejmbəˌmjo:zikk] *subst* kammarmusik
champagne [ˌschäm'pejn] *subst* champagne
champion ['tchämmpjən] *subst* mästare
championship ['tchämmpjənschipp] *subst* mästerskap
chance [tcha:ns] **I** *subst* **1** tillfällighet; ***by ~*** av en slump **2** chans; ***take chances*** ta chanser (risker); ***the chances are against it*** allting talar mot det **II** *adj* oförutsedd
chancellor ['tcha:nsələ] *subst* kansler

chandelier [ˌschändəˈliə] *subst* ljuskrona

change [tchejndʒ] **I** *verb* **1** ändra; ~ ***one's mind*** ändra sig **2** byta; byta kläder; ~ ***trains*** byta tåg **3** växla pengar **II** *subst* **1** förändring; ~ ***of address*** adressändring **2** byte; ombyte **3** växel; ***keep the ~!*** det är jämna pengar!

changeable [ˈtchejndʒəbl] *adj* föränderlig

change-over [ˈtchejndʒˌəovə] *subst* **1** övergång **2** sport. sidbyte

changing [ˈtchejndʒing] *adj* växlande, föränderlig

changing-room [ˈtchejndʒingroːm] *subst* omklädningsrum

channel [ˈtchännl] **I** *subst* kanal i olika bet.; ***the Channel*** Engelska kanalen; ***the Channel Islands*** Kanalöarna **II** *verb* kanalisera

chant [tchaːnt] *verb* skandera, mässa

chaos [ˈkejås] *subst* kaos

chap [tchäpp] *subst* vard. karl; kille

chapel [ˈtchäppəl] *subst* kapell; kyrka

chaplain [ˈtchäpplin] *subst* präst

chapped [tchäppt] *adj* sprucken, narig

chapter [ˈtchäpptə] *subst* kapitel

char [tchaː] *verb* förkolna

character [ˈkärrəktə] *subst* karaktär; personlighet; ***judge of*** ~ människokännare

characteristic [ˌkärrəktəˈristikk] **I** *adj* karakteristisk **II** *subst* kännetecken

charcoal [ˈtchaːkəol] *subst* **1** träkol **2** grillkol

charge [tchaːdʒ] **I** *verb* **1** åtala **2** ta betalt; debitera **II** *subst* **1** åtalspunkt; ***bring a ~ against*** väcka åtal mot **2** pris, avgift; ***free of*** ~ gratis **3** ***man in*** ~ vakthavande; ***be in ~ of*** leda; ha vården om

charity [ˈtchärrəti] *subst* välgörenhet

charm [tchaːm] **I** *subst* **1** charm; behag **2** berlock **II** *verb* charma; förtrolla

charming [ˈtchaːming] *adj* förtjusande; charmig

chart [tchaːt] *subst* **1** diagram **2** ***the charts*** försäljningslistorna över musik o.d.

charter [ˈtchaːtə] **I** *subst* charter; ***air*** ~ charterflyg **II** *verb* chartra

chase [tchejs] **I** *verb* jaga **II** *subst* jakt
chasm ['käzəm] *subst* klyfta mest bildl.
chat [tchätt] **I** *verb* prata **II** *subst* pratstund
chatter ['tchättə] **I** *verb* pladdra; tjattra **II** *subst* pladder, tjatter
chatterbox ['tchättəbåkks] *subst* pratkvarn
chatty ['tchätti] *adj* pratsam, pratig
chauffeur ['schəofə] *subst* privatchaufför
chauvinist ['schəovinist] *subst* chauvinist
cheap [tchi:p] **I** *adj* **1** billig **2** vulgär **II** *adv* billigt
cheat [tchi:t] *verb* lura; bedra
check [tchekk] **I** *subst* kontroll **II** *verb* kolla; ***~ in*** anmäla sig; checka in; ***~ out*** betala sin hotellräkning; checka ut
checkmate ['tchekkmejt] *subst* schackmatt
check-out ['tchekkaot] *subst* **1** snabbköpskassa; ***express ~*** snabbkassa **2** utcheckning från hotell; ***~ is at 12 noon*** motsv. gästen ombeds lämna rummet senast kl. 12 avresedagen
checkpoint ['tchekkpåjnt] *subst* kontroll; vägspärr
check-up ['tchekkapp] *subst* undersökning
cheek [tchi:k] *subst* **1** kind **2** vard. fräckhet
cheekbone ['tchi:kbəon] *subst* kindben
cheeky ['tchi:ki] *adj* vard. uppkäftig
cheer [tchiə] **I** *subst* hurrarop; ***cheers!*** skål! **II** *verb* **1** ***~ up*** gaska upp sig **2** hurra
cheerful ['tchiəfol] *adj* glad, munter
cheerio [ˌtchiəri'əo] *interj* vard. hej då!
cheese [tchi:z] *subst* ost; ***~ spread*** bredbar ost; ***say ~!*** säg omelett! vid fotografering
cheeseboard ['tchi:zbå:d] *subst* ostbricka
chef [scheff] *subst* köksmästare på restaurang
chemical ['kemmikəl] **I** *adj* kemisk **II** *subst* kemikalie
chemist ['kemmist] *subst* **1** kemist **2** apotekare; ***chemist's shop*** ung. apotek som äv. säljer kosmetika, film m.m.
chemistry ['kemməstri] *subst* kemi

cheque [tchekk] *subst* check; ~ ***account*** checkkonto
cheque book ['tchekkbokk] *subst* checkhäfte
chequered ['tchekkəd] *adj* rutig
cherish ['tcherisch] hysa; vårda
cherry ['tcherri] *subst* körsbär
chess [tchess] *subst* schack spel
chessboard ['tchessbå:d] *subst* schackbräde
chest [tchest] *subst* **1** kista, låda; ~ ***of drawers*** byrå **2** bröstkorg
chestnut ['tchesnatt] *subst* kastanj
chew [tcho:] *verb* tugga
chewing-gum ['tcho:inggamm] *subst* tuggummi
chic [schi:k] *adj* chic, smakfull
chicken ['tchikkin] *subst* kyckling
chicken pox ['tchikkinpåks] *subst* vattenkoppor
chicory ['tchikkəri] *subst* endiv
chief [tchi:f] **I** *subst* chef, ledare **II** *adj* **1** i titlar chefs- **2** viktigast
chiefly ['tchi:fli] *adv* framför allt
chiffon ['schiffån] *subst* chiffong
chilblain ['tchillblejn] *subst* frostknöl
child [tchajld] *subst* barn; ~ ***labour*** barnarbete; ***children's pool*** barnbassäng; ***with ~*** gravid
childbirth ['tchajldbö:θ] *subst* förlossning
childhood ['tchajldhodd] *subst* barndom
childish ['tchajldisch] *adj* barnslig
childlike ['tchajldlajk] *adj* barnslig
childminder ['tchajld,majndə] *subst* dagmamma
children ['tchildrən] *subst* pl. av *child*
chill [tchill] **I** *subst* kyla; ***take the ~ off the wine*** temperera vinet **II** *verb* kyla
chilli ['tchilli] *subst* chilipeppar
chilly ['tchilli] *adj* kylig, kall
chime [tchajm] *subst* klockspel
chimney ['tchimni] *subst* skorsten
chimney-sweep ['tchimniswi:p] *subst* sotare

chimpanzee [ˌtchimpänn'ziː] *subst* schimpans
chin [tchinn] *subst* haka
China ['tchajnə] Kina
china ['tchajnə] *subst* porslin
Chinese [ˌtchaj'niːz] **I** *subst* 1 kines 2 kinesiska språket **II** *adj* kinesisk
1 chink [tchingk] *subst* spricka
2 chink [tchingk] *verb* klirra, skramla
chip [tchipp] **I** *subst* 1 flisa; ***chips*** pommes frites 2 spelmark **II** *verb* flisa; ***chipped*** äv. kantstött
chiropodist [ki'råpədist] *subst* fotvårdsspecialist
chirp [tchöːp] **I** *verb* kvittra **II** *subst* kvitter
chisel ['tchizl] **I** *subst* mejsel **II** *verb* mejsla
1 chit [tchitt] *subst* barnunge
2 chit [tchitt] *subst* skuldsedel
chit-chat ['tchittchätt] **I** *subst* småprat **II** *verb* småprata
chivalry ['schivəlri] *subst* höviskhet
chock-a-block [ˌtchåkkə'blåkk] *adj* fullpackad
chocolate ['tchåkkələt] *subst* choklad; ***a ~*** en fylld chokladbit; ***a bar of ~*** en chokladkaka
choice [tchåjs] **I** *subst* val; urval **II** *adj* utsökt
choir ['koajə] *subst* kör
choirboy ['koajəbåj] *subst* korgosse
choke [tchəok] **I** *verb* kväva; ***~ on sth.*** sätta ngt i halsen **II** *subst* 1 kvävning 2 choke
cholesterol [kə'lestərål] *subst* kolesterol; ***~ count*** kolesterolvärde
choose* [tchoːz] *verb* välja
choosy ['tchoːzi] *adj* vard. kinkig, kräsen
1 chop [tchåpp] **I** *verb* hugga **II** *subst* 1 hugg 2 kotlett
2 chop [tchåpp], ***~ and change*** ideligen ändra sig
chopper ['tchåppə] *subst* 1 köttyxa 2 vard. helikopter
choppy ['tchåppi] *adj* om sjö krabb
chops [tchåps] *subst pl* käft; käkar
1 chord [kåːd] *subst* bildl. sträng
2 chord [kåːd] *subst* mus. ackord
chore [tchåː] *subst* syssla; ***chores*** äv. hushållsbestyr
chortle ['tchåːtl] *verb* skrocka

chorus ['kå:rəs] *subst* korus; kör
chose [tchəoz] imperf. av *choose*
chosen ['tchəozn] perf. p. av *choose*
Christ [krajst] Kristus
christen ['krissn] *verb* **1** döpa **2** kalla
Christian ['kristchən] *adj* o. *subst* kristen; ***the ~ Democrats*** Kristdemokraterna
Christianity [ˌkristi'änəti] *subst* den kristna läran
Christmas ['kristməs] *subst* jul; ***~ Day*** juldagen; ***~ Eve*** julafton; ***~ present*** julklapp; ***~ tree*** julgran
chrome [krəom] *subst* krom
chronic ['krånnikk] *adj* kronisk
chronicle ['krånnikl] *subst* krönika
chronological [ˌkrånnə'lådʒikəl] *adj* kronologisk
chrysanthemum [kri'sänθəməm] *subst* krysantemum
chubby ['tchabbi] *adj* knubbig; trind
chuck [tchakk] *verb* kasta
chuckle ['tchakkl] **I** *verb* skrocka **II** *subst* skrockande skratt
chug [tchagg] *verb* puttra, dunka
chum [tchamm] *subst* vard. kompis
chunk [tchangk] *subst* stor bit
church [tchö:tch] *subst* kyrka; ***go to ~*** gå i kyrkan
churchyard ['tchö:tchja:d] *subst* kyrkogård kring kyrka
churn [tchö:n] *verb* kärna smör
chute [scho:t] *subst* sopnedkast
chutney ['tchattni] *subst* chutney
CID [ˌsi:aj'di:] kriminalpolisen i Storbr.
cider ['sajdə] *subst* cider
cigar [si'ga:] *subst* cigarr
cigarette [ˌsigə'rett] *subst* cigarett
cigarette end [ˌsigə'rettend] *subst* fimp
Cinderella [ˌsində'rellə] Askungen
cinecamera ['sinniˌkämmərə] *subst* filmkamera
cinema ['sinnəmə] *subst* bio; ***go to the ~*** gå på bio

cinnamon ['sinnəmən] *subst* kanel

circle ['sö:kl] **I** *subst* **1** cirkel i olika bet. **2** krets; ***in business circles*** i affärskretsar **II** *verb* kretsa

circuit ['sö:kitt] *subst* **1** strömkrets; ***short ~*** kortslutning **2** racerbana

circuitous [sə'kjo:itəs] *adj* kringgående

circular ['sö:kjolə] **I** *adj*, ***~ road*** kringfartsled; ***~ tour*** rundresa **II** *subst* cirkulär

circulate ['sö:kjolejt] *verb* cirkulera

circulation [ˌsö:kjo'lejschən] *subst* **1** cirkulation **2** spridning

circumvent [ˌsö:kəm'vent] *verb* kringgå

circus ['sö:kəs] *subst* cirkus

cistern ['sistən] *subst* cistern; tank

citizen ['sittizn] *subst* medborgare; invånare

citizenship ['sittiznschipp] *subst* medborgarskap

city ['sitti] *subst* stor stad; ***the City*** City Londons finans- och bankcentrum; ***in the City*** i Londons City; i affärsvärlden

civic ['sivvikk] *adj* medborgerlig; kommunal; ***~ centre*** kommunalhus

civil ['sivvl] *adj* artig; civiliserad; civil-; ***the Civil Service*** civilförvaltningen statsförvaltningen utom den militära o. kyrkliga

civilian [si'villjən] *adj* o. *subst* civil

civilization [ˌsivvəllaj'zejschən] *subst* civilisation

clad [klädd] *adj* klädd

claim [klejm] **I** *verb* **1** kräva **2** göra anspråk på **3** hävda **II** *subst* **1** krav; påstående **2** ***baggage ~*** på flygplats o.d. bagageutlämning

clairvoyant [kläə'våjənt] *adj* klärvoajant

clam [kläm] *subst* ätlig mussla

clamber ['klämbə] *verb* klättra

clammy ['klämmi] *adj* fuktig, klibbig

clamour ['klämmə] *subst* skrik; larm

clamp [klämp] *subst* krampa; klämma

clan [klänn] *subst* klan

clang [kläng] **I** *subst* skarp klang **II** *verb* klinga

clap [kläpp] *verb* klappa; klappa händer

claret ['klärrət] *subst* rödvin av bordeauxtyp

clarinet [ˌklärri'net] *subst* klarinett
clarity ['klärrəti] *subst* klarhet; skärpa
clash [kläsch] **I** *verb* kollidera; ***the colours ~*** färgerna skär sig **II** *subst* konflikt; ***cultural ~*** kulturkrock
clasp [klaːsp] **I** *subst* knäppe, spänne **II** *verb* hålla hårt
class [klaːs] **I** *subst* klass i olika bet. **II** *verb* klassa
classic ['klässikk] **I** *adj* klassisk **II** *subst* klassiker
classical ['klässikəl] *adj* klassisk; traditionell
classified ['klässifajd] *adj* **1** klassificerad; ***~ results*** sport. fullständiga matchresultat; ***~ telephone directory*** yrkesregister i telefonkatalogen **2** hemligstämplad
classmate ['klaːsmejt] *subst* klasskamrat
classroom ['klaːsroːm] *subst* klassrum
clatter ['klättə] **I** *verb* slamra **II** *subst* slammer
clause [klåːz] *subst* klausul; paragraf
claw [klåː] **I** *subst* klo i olika bet. **II** *verb* klösa
clay [klej] *subst* lera; ***~ court*** grusbana för tennis
clean [kliːn] **I** *adj* ren; ***a ~ record*** ett fläckfritt förflutet **II** *verb* tvätta; städa; ***~ up*** rensa upp i; städa
clean-cut [ˌkliːn'katt] *adj* skarpt skuren (tecknad)
cleaner ['kliːnə] *subst* **1** städare, städerska **2** rengöringsmedel
cleaning ['kliːning] *subst* städning; ***dry ~*** kemtvätt
cleanliness ['klennlinəs] *subst* renlighet
cleanse [klennz] *verb* rengöra; rensa; ***cleansing lotion*** ansiktsvatten
cleanser ['klennzə] *subst* rengöringsmedel
clean-shaven [ˌkliːn'schejvn] *adj* slätrakad
clear [kliə] **I** *adj* klar, ljus; tydlig **II** *subst*, ***in the ~*** utan skuld **III** *adv*, ***keep*** (***stay***) ***~ of*** hålla sig ifrån **IV** *verb* **1** klarna **2** rensa **3** ***~ through the customs*** förtulla **4** ***~ away*** duka av; ***~ out*** rensa ut; ***~ up*** göra rent i; klarna
clearance ['kliərəns] *subst* grönt ljus bildl.
clear-cut [ˌkliə'katt] *adj* skarpt skuren

clearing ['kliəring] *subst* glänta
clearing-bank ['kliəringbängk] *subst* clearingbank
clearly ['kliəli] *adv* **1** tydligt **2** tydligen
clearway ['kliəwej] *subst* väg med stoppförbud
clef [kleff] *subst* mus. klav
cleft [kleft] *subst* klyfta
clench [klentsch] **I** *verb* gripa hårt om; ***clenched fist*** knytnäve **II** *subst* tag, hårt grepp
clergy ['klö:dʒi] *subst* prästerskap
clergyman ['klö:dʒimən] *subst* präst
clerk [kla:k] *subst* kontorist; tjänsteman
clever ['klevvə] *adj* intelligent
click [klikk] **I** *verb* klicka till **II** *subst* klick
clickable ['klikkəbl] *adj* klickbar
client ['klajənt] *subst* kund
cliff [kliff] *subst* klippa
climate ['klajmət] *subst* klimat; ***change of ~*** klimatombyte
climax ['klajmäkks] *subst* klimax
climb [klajm] *verb* klättra
climb-down ['klajmdaon] *subst* bildl. reträtt
climber ['klajmə] *subst* klängväxt
clinch [klintsch] **I** *subst* i boxning clinch **II** *verb* ta hem
cling [kling] *verb* klänga sig fast
clinic ['klinnikk] *subst* klinik
clinical ['klinnikəl] *adj* klinisk
clink [klingk] **I** *verb* klirra **II** *subst* klirr
1 clip [klipp] *subst* gem, klämma
2 clip [klipp] **I** *verb* klippa **II** *subst* urklipp
cloak [kləok] **I** *subst* slängkappa **II** *verb* svepa in
cloakroom ['kləokro:m] *subst* **1** kapprum **2** toalett
clock [klåkk] *subst* klocka; ***round the ~*** dygnet runt; 12 (24) timmar i sträck
clockwise ['klåkkwajz] *adv* medurs
clockwork ['klåkkwö:k] *subst* urverk
clog [klågg] **I** *subst* träsko **II** *verb* täppa igen
cloister ['klåjstə] *subst* kloster
1 close [kləoz] **I** *verb*

1 stänga 2 sluta; ~ ***down*** slå igen; lägga ner; ~ ***in*** komma närmare **II** *subst* slut

2 close [kləos] **I** *adj* **1** nära **2** grundlig **II** *adv* tätt, nära; ~ ***at hand*** strax i närheten

closed [kləozd] *adj* stängd; ***a ~ car*** en täckt bil

close-knit [ˌkləos'nitt] *adj* sammansvetsad bildl.

closely ['kləosli] *adv* **1** nära, intimt **2** grundligt

closet ['klåzitt] *subst* skåp; garderob

close-up ['kləosapp] *subst* närbild

closure ['kləoʒə] *subst* stängning; slut

clot [klått] **I** *subst* klump **II** *verb* levra sig

cloth [klåθ] *subst* **1** tyg **2** trasa

clothe [kləoð] *verb* klä

clothes [kləoðz] *subst pl* kläder

clothes brush ['kləoðzbrasch] *subst* klädborste

clothes line ['kləoðzlajn] *subst* klädstreck

clothes peg ['kləoðzpegg] *subst* klädnypa

clothing ['kləoðing] *subst* kläder; ***men's ~*** herrkonfektion

cloud [klaod] **I** *subst* moln; ***on ~ nine*** (***seven***) i sjunde himlen **II** *verb* **1** mulna **2** bildl. fördunkla

cloudburst ['klaodbö:st] *subst* skyfall

cloudy ['klaodi] *adj* molnig; mulen

1 clove [kləov] *subst* klyfta av vitlök o.d.

2 clove [kləov] *subst* kryddnejlika

clover ['kləovə] *subst* klöver växt

clown [klaon] *subst* clown

cloying ['klåjing] *adj* sliskig

club [klabb] *subst* **1** klubba **2** ***clubs*** klöver i kortlek **3** klubb

clubhouse ['klabbhaos] klubbhus

cluck [klakk] **I** *verb* skrocka **II** *subst* skrockande

clue [klo:] *subst* ledtråd; ***I haven't a ~*** vard. det har jag ingen aning om

clump [klamp] **I** *subst* klump **II** *verb* klumpa ihop

clumsy ['klamzi] *adj* klumpig

clung [klang] imperf. o. perf. p. av *cling*

cluster ['klasstə] *subst* klunga

1 clutch [klatch] **I** *verb* gripa **II** *subst* **1** grepp, tag **2** ***clutches*** bildl. klor

2 clutch [klatch] *subst* äggrede
clutter ['klattə] *subst* virrvarr, röra
c/o (förk. för *care of*) på brev c/o
coach [kəotch] **I** *subst* 1 turistbuss, långfärdsbuss 2 tränare **II** *verb* träna ngn
coal [kəol] *subst* kol
coalfield ['kəolfi:ld] *subst* kolfält
coalition [ˌkəoə'lischən] *subst* koalition
coalmine ['kəolmajn] *subst* kolgruva
coarse [kå:s] *adj* grov; ohyfsad
coast [kəost] *subst* kust; ***the ~ is clear*** bildl. kusten är klar
coastal ['kəostl] *adj* kust-
coastguard ['kəostga:d] *subst*, ***the*** ~ kustbevakningen
coastline ['kəostlajn] *subst* kustlinje
coat [kəot] **I** *subst* rock; kappa **II** *verb* täcka; dragera
coat hanger ['kəot,hängə] *subst* klädgalge
coating ['kəoting] *subst* beläggning; överdrag
coax [kəoks] *verb* lirka med; truga
cob [kåbb] *subst* **1** svanhane **2** majskolv
cobbler ['kåbblə] *subst* skomakare
cobweb ['kåbbwebb] *subst* spindelnät
cocaine [kəo'kejn] *subst* kokain
cock [kåkk] *subst* tupp
cockerel ['kåkkərəl] *subst* ungtupp
cock-eyed ['kåkkajd] *adj* skelögd, vindögd
cockle ['kåkkl] *subst* hjärtmussla
cockney ['kåkkni] *subst* cockney londondialekt och person som talar den
cockpit ['kåkkpitt] *subst* cockpit, förarkabin
cockroach ['kåkkrəotch] *subst* kackerlacka
cocktail ['kåkktejl] *subst* cocktail; ***~ lounge*** cocktailbar
cocoa ['kəokəo] *subst* kakao; choklad som dryck
coconut ['kəokənatt] *subst* kokosnöt
COD [ˌsi:əo'di:] mot postförskott
cod [kådd] *subst* torsk
code [kəod] **I** *subst* kod; ***dialling*** ~ riktnummer **II** *verb* koda

cod-liver oil [ˌkåddlivvər'åjl] *subst* fiskleverolja
coercion [kəo'ö:schən] *subst* tvång
coffee ['kåffi] *subst* kaffe; ***black*** ~ kaffe utan grädde (mjölk); ***two coffees please!*** två kaffe, tack!; ***make*** ~ koka (brygga) kaffe
coffee bar ['kåffiba:] *subst* cafeteria
coffee break ['kåffibrejk] *subst* kafferast
coffee pot ['kåffipått] *subst* kaffekanna
coffee-table ['kåffiˌtejbl] *subst* soffbord
coffin ['kåffin] *subst* likkista
cog [kågg] *subst* kugge
cogent ['kəodʒənt] *adj* bindande
coil [kåjl] **I** *verb* ringla (slingra) sig **II** *subst* rulle; spiral
coin [kåjn] **I** *subst* slant, mynt; ***the other side of the*** ~ medaljens baksida **II** *verb* mynta
coinage ['kåjnidʒ] *subst* myntning
coincide [ˌkəoin'sajd] *verb* sammanfalla
coincidence [kəo'insidəns] *subst* slump, tillfällighet
coke [kəok] *subst* koks
colander ['kaləndə] *subst* durkslag
cold [kəold] **I** *adj* **1** kall; ~ ***buffet*** kall buffé; ~ ***snap*** köldknäpp; ***be*** ~ frysa **II** *subst* **1** kyla **2** förkylning; ***catch*** (***get***) ***a*** ~ bli förkyld; ~ ***sore*** munsår
cold-shoulder [ˌkəold'schəoldə] *verb* behandla som luft
coleslaw ['kəolslå:] *subst* vitkålssallad med majonnäsdressing
colic ['kållikk] *subst* kolik
collapse [kə'läpps] **I** *subst* kollaps **II** *verb* kollapsa
collapsible [kə'läppsəbl] *adj* hopfällbar
collar ['kållə] *subst* **1** krage **2** halsband t.ex. på hund
collar bone ['kålləbəon] *subst* nyckelben
collateral [kə'lättərəl] *adj* **1** parallell **2** på sidolinjen
colleague ['kålli:g] *subst* kollega, arbetskamrat
collect [kə'lekkt] *verb* samla ihop (in); samla på; ~ ***oneself*** ta sig samman
collection [kə'lekschən] *subst* **1** insamling **2** kollektion
collector [kə'lekktə] *subst* samlare

college ['kållidʒ] *subst* college
collide [kə'lajd] *verb* krocka; **~ *with*** äv. stå i strid med
collie ['kålli] *subst* collie hundras
colliery ['kålljəri] *subst* kolgruva
collision [kə'liʒən] *subst* kollision
colloquial [kə'ləokwiəl] *adj* talspråks-
1 colon ['kəolən] *subst* grovtarm
2 colon ['kəolən] *subst* kolon skiljetecken
colonel ['kö:nl] *subst* överste
colony ['kålləni] *subst* koloni
colour ['kallə] **I** *subst* **1** färg; ***the ~ magazines*** ung. den kolorerade veckopressen **2** ansiktsfärg; ***change ~*** bli blek (röd); ***get a ~*** få färg bli solbränd **3** ***colours*** t.ex. lags färger; flagga **II** *verb* **1** färga **2** rodna
colour bar ['kalləba:] *subst* rasdiskriminering
colour-blind ['kalləblajnd] *adj* färgblind
coloured ['kalləd] *adj* färgad
colourful ['kalləfol] *adj* färgstark
colouring ['kalləring] *subst* **1** färgning **2** färgmedel
colour scheme ['kalləski:m] *subst* färgschema
colt [kəolt] *subst* föl
column ['kålləm] *subst* **1** kolonn **2** kolumn
columnist ['kålləmnist] *subst* krönikör
coma ['kəomə] *subst* koma
comb [kəom] **I** *subst* kam **II** *verb* kamma
combat ['kåmmbätt] **I** *subst* kamp **II** *verb* bekämpa
combination [ˌkåmbi'nejschən] *subst* kombination
combine [kəm'bajn] *verb* förena; kombinera
come* [kam] *verb* **1** komma **2** ske; **~ *what may*** hända vad som hända vill **3 *to ~*** blivande; ***how ~?*** hur kommer det sig?; **~ *easy to sb.*** falla sig lätt för ngn; **~ *loose*** lossna **4 ~ *about*** inträffa, ske; **~ *across*** komma över; **~ *along*** ta sig; **~ *by*** komma förbi; **~ *forward*** träda fram; **~ *from*** komma från; komma sig av; **~ *into fashion*** komma på modet; **~ *into power*** komma till makten; **~ *off*** lossna; **~ *on*** närma sig; ***autumn is coming on*** det börjar bli höst; **~ *out*** komma ut; **~ *out badly*** klara

sig dåligt; **~ out the winner** sluta som segrare; **~ round** kvickna till; **~ through** klara sig; **~ to nothing** gå om intet; **how much does it ~ to?** hur mycket blir det?; **when it comes down to it** när det kommer till kritan; **~ up** komma på tal

comeback ['kambäkk] *subst* comeback

comedian [kə'mi:djən] *subst* komiker

comedy ['kåmmədi] *subst* komedi

come-on ['kammån] *subst* vard. lockbete; invit

come-uppance [ˌkamm'apəns] *subst*, **get one's ~** vard. få vad man förtjänar

comfort ['kamfət] **I** *subst* **1** tröst **2** välbefinnande **II** *verb* trösta

comfortable ['kamfətəbl] *adj* bekväm; trygg; **be ~** trivas

comfortably ['kamfətəbli] *adv* bekvämt; **be ~ off** ha det bra ställt

comic ['kåmmikk] **I** *adj* komisk; **~ opera** operett; **~ strip** tecknad serie **II** *subst* **1 the comics** seriesidan i tidning **2** komiker på varieté

coming ['kamming] *adj* kommande; framtids-

comma ['kåmmə] *subst* kommatecken

command [kə'ma:nd] **I** *verb* föra befäl **II** *subst* befallning; order

commander [kə'ma:ndə] *subst* befälhavare

commando [kə'ma:ndəo] *subst* kommandosoldat

commemorate [kə'memərejt] *verb* hedra minnet av

commence [kə'mens] *verb* börja

commend [kə'mend] *verb* berömma; anbefalla

commensurate [kə'menschərət] *adj* sammanfallande

comment ['kåmment] **I** *subst* kommentar **II** *verb*, **~ on** kommentera

commentary ['kåmməntəri] *subst* **1** kommentar **2** reportage

commentator ['kåmmentejtə] *subst* kommentator

commerce ['kåmməs] *subst* handel

commercial [kə'mö:schəl] **I** *adj* kommersiell, handels-; **~ television** reklam-TV; **~**

traffic yrkestrafik **II** *subst* reklaminslag i radio el. TV
commiserate [kə'mizərejt] *verb* ha medlidande med
commission [kə'mischən] **I** *subst* **1** uppdrag **2** kommission **II** *verb* ge i uppdrag
commissionaire [kə,mischə'näə] *subst* dörrvakt på t.ex. biograf, varuhus
commit [kə'mitt] *verb* **1** föröva, begå **2** *~ **oneself*** ta ställning; binda sig; ***committed*** engagerad
commitment [kə'mittmənt] *subst* engagemang
committee [kə'mitti] *subst* utskott; kommitté
commodity [kə'måddəti] *subst* handelsvara; ***household commodities*** husgeråd
common ['kåmmən] **I** *adj* **1** gemensam **2** allmän; vanlig; *~ **sense*** sunt förnuft **II** *subst* **1** ***right of*** *~* allemansrätt **2** ***in*** *~* gemensamt
common-law ['kåmmənlå:] *adj*, *~ **marriage*** samvetsäktenskap
commonly ['kåmmənli] *adv* vanligen, i allmänhet
commonplace ['kåmmənplejs] *subst* banalitet
commonsense [,kåmmən'sens] *adj* förnuftig, nykter
Commonwealth ['kåmmənwelθ] *subst*, ***the*** *~* Brittiska samväldet
commotion [kə'məoschən] *subst* tumult, väsen
communal ['kåmmjonl] *adj* gemensam; *~ **kitchen*** soppkök
commune ['kåmmjo:n] *subst* kollektiv
communicate [kə'mjo:nikejt] *verb* kommunicera
communication [kə,mjo:ni'kejschən] *subst* **1** meddelande **2** kommunikationer i olika bet.
Communion [kə'mjo:njən] *subst* nattvard
community [kə'mjo:nəti] *subst* **1** samhälle **2** *~ **centre*** ung. allaktivitetshus; *~ **radio*** närradio; *~ **service*** samhällstjänst
commute [kə'mjo:t] *verb* pendla mellan orter
commuter [kə'mjo:tə] *subst* pendlare

compact [kəm'päkkt] *adj* kompakt; tät, solid
companion [kəm'pännjən] *subst* följeslagare; sällskap
companionship [kəm'pännjənschipp] *subst* kamratskap
company ['kampəni] *subst* 1 sällskap 2 bolag
comparatively [kəm'pärrətivli] *adv* jämförelsevis
compare [kəm'päə] *verb* jämföra; ~ ***to*** jämföra med
comparison [kəm'pärrisn] *subst* jämförelse; ***without*** (***beyond all***) ~ utan jämförelse
compartment [kəm'pa:tmənt] *subst* kupé på tåg
compass ['kampəs] *subst* 1 kompass 2 ***compasses*** passare
compassion [kəm'päschən] *subst* medlidande
compassionate [kəm'päschənət] *adj* medlidsam
compatible [kəm'pättəbl] *adj* förenlig; ***they aren't*** ~ de passar inte ihop
compel [kəm'pell] *verb* tvinga, förmå
compelling [kəm'pelling] *adj* tvingande
compensate ['kåmpensejt] kompensera
compensation [ˌkåmpen'sejschən] *subst* kompensation
compere ['kåmpäə] *subst* konferencier
compete [kəm'pi:t] *verb* tävla, konkurrera
competent ['kåmpətənt] *adj* kompetent
competition [ˌkåmpə'tischən] *subst* 1 konkurrens 2 tävling
competitive [kəm'petətivv] *adj* 1 konkurrenskraftig 2 tävlingslysten
competitor [kəm'petitə] *subst* 1 tävlande 2 konkurrent
complain [kəm'plejn] *verb* klaga
complaint [kəm'plejnt] *subst* klagomål
complement ['kåmpliment] **I** *subst* komplement **II** *verb* komplettera
complementary [ˌkåmpli'mentəri] *adj* kompletterande
complete [kəm'pli:t] **I** *adj* fullständig **II** *verb* 1 avsluta 2 komplettera
completion [kəm'pli:schən] *subst* slutförande

complex ['kåmplekks] **I** *adj* sammansatt **II** *subst* komplex
complexion [kəm'plekkschən] *subst* hy
compliance [kəm'plajəns] *subst* medgörlighet
complicate ['kåmplikejt] *verb* komplicera
complicated ['kåmplikejtidd] *adj* komplicerad
complication [ˌkåmpli'kejschən] *subst* komplikation; ***complications*** äv. krångel
compliment ['kåmplimənt] *subst* komplimang; ***compliments*** hälsningar
complimentary [ˌkåmpli'mentəri] *adj* smickrande, artighets-
comply [kəm'plaj] *verb* ge efter, foga sig
compose [kəm'pəoz] *verb* **1** författa; komponera **2** ~ ***oneself*** samla sig
composed [kəm'pəozd] *adj* lugn, samlad
composer [kəm'pəozə] *subst* kompositör
composition [ˌkåmpə'zischən] *subst* **1** komposition **2** uppsatsskrivning
composure [kəm'pəoʒə] *subst* fattning
compound ['kåmpaond] *subst* sammansättning, förening
comprehend [ˌkåmpri'hend] *verb* fatta, begripa
comprehension [ˌkåmpri'henschən] *subst* fattningsförmåga
comprehensive [ˌkåmpri'hennsivv] *adj* uttömmande; ~ ***school*** ung. grund- och gymnasieskola för elever över 11 år
compress I [kəm'press] *verb* pressa ihop; komprimera **II** ['kåmpress] *subst* kompress
comprise [kəm'prajz] *verb* innefatta
compromise ['kåmprəmajz] **I** *subst* kompromiss **II** *verb* **1** kompromissa **2** kompromettera
compulsion [kəm'pallschən] *subst* tvång
compulsive [kəm'pallsivv] *adj* tvångsmässig; ***be a*** ~ ***eater*** ung. hetsäta
compulsory [kəm'pallsəri] *adj* obligatorisk
computer [kəm'pjoːtə] *subst* dator; ~ ***game*** dataspel
computerize

[kəm'pjo:tərajz] *verb* datorisera
conceal [kən'si:l] *verb* dölja, gömma
conceit [kən'si:t] *subst* inbilskhet
conceited [kən'si:tidd] *adj* inbilsk
conceive [kən'si:v] *verb* 1 tänka (föreställa) sig 2 bli gravid
concentrate ['kånnsəntrejt] **I** *verb* koncentrera; koncentrera sig **II** *subst* koncentrat
concentration [ˌkånnsən'trejschən] *subst* koncentration
concept ['kånnsept] *subst* begrepp; koncept
concern [kən'sö:n] **I** *verb* 1 angå, röra 2 oroa **II** *subst* 1 angelägenhet 2 oro
concerning [kən'sö:ning] *prep* angående
concert ['kånsət] *subst* konsert
concert hall ['kånsəthå:l] *subst* konsertsal
concerto [kən'tchäətəo] *subst* konsert musikstycke för soloinstrument och orkester
concession [kən'seschən] *subst* medgivande
conclude [kən'klo:d] *verb* 1 sluta; ***to ~*** till sist 2 dra slutsatsen
conclusion [kən'klo:ʒən] *subst* 1 avslutning; ***in ~*** slutligen 2 slutsats; ***jump to conclusions*** dra förhastade slutsatser
conclusive [kən'klo:sivv] *adj* avgörande
concoct [kən'kåkt] *verb* koka ihop
concoction [kən'kåkkschən] *subst* hopkok
concrete ['kånnkri:t] **I** *adj* 1 konkret 2 betong- **II** *subst* betong
concur [kən'kö:] *verb* vara ense
concussion [kən'kaschən] *subst* hjärnskakning
condemn [kən'demm] *verb* döma; fördöma
condensation [ˌkånden'sejschən] *subst* kondensering; imma
condense [kən'dens] *verb* 1 kondensera 2 koncentrera
condition [kən'dischən] *subst* 1 villkor; ***conditions*** förhållanden; ***on no ~*** på inga villkor 2 tillstånd; ***have a heart ~*** lida av hjärtbesvär
conditional [kən'dischənl] *adj* villkorlig

condom ['kånndåmm] *subst* kondom
condone [kən'dəon] *verb* överse med, tolerera
conduct I ['kånndakt] *subst* uppförande **II** [kən'dakkt] *verb* **1** föra, leda; **conducted party** guidad grupp; **~ oneself** uppföra (sköta) sig **2** dirigera orkester
conductor [kən'dakktə] *subst* **1** dirigent **2** konduktör
cone [kəon] *subst* **1** kon **2** strut
confectioner [kən'fekschənə] *subst*, **confectioner's shop** godisaffär
confectionery [kən'fekschnəri] *subst* godisaffär
confer [kən'fö:] *verb* förläna, tilldela
conference ['kånnfərəns] *subst* konferens; **be in ~** sitta i sammanträde
confess [kən'fess] *verb* bekänna
confession [kən'feschən] *subst* bekännelse
confetti [kən'fetti] *subst* konfetti
confide [kən'fajd] *verb* anförtro
confidence ['kånnfidəns] *subst* **1** förtroende **2** tillförsikt
confident ['kånnfidənt] *adj* säker; säker av sig
confidential [ˌkånnfi'denschəl] *adj* förtrolig
confine [kən'fajn] *verb* begränsa
confinement [kən'fajnmənt] *subst* fångenskap; isolering
confirm [kən'fö:m] *verb* bekräfta
confirmation [ˌkånnfə'mejschən] *subst* bekräftelse
confirmed [kən'fö:md] *adj* inbiten; obotlig
confiscate ['kånfiskejt] *verb* beslagta
conflict ['kånnflikkt] *subst* konflikt; motsättning; **~ of opinion** meningsskiljaktighet
conflicting [kən'flikkting] *adj* motsägande; stridande
conform [kən'få:m] *verb* anpassa sig
confound [kən'faond] *verb* förvirra
confront [kən'frant] *verb* konfrontera
confrontation [ˌkånfran'tejschən] *subst* konfrontation

confuse [kən'fjoːz] *verb* 1 förvirra 2 förväxla
confused [kən'fjoːzd] *adj* förvirrad
confusion [kən'fjoːʒən] *subst* förvirring
congeal [kən'dʒiːl] *verb* stelna; frysa till is
congenial [kən'dʒiːnjəl] *adj* behaglig; ~ ***task*** arbete som passar en
congestion [kən'dʒestchən] *subst* 1 blodstockning; ***nasal*** ~ nästäppa 2 stockning i trafik o.d.
congratulate [kən'grättjolejt] *verb* gratulera
congregate ['kånggrigejt] *verb* samlas
congregation [ˌkånggri'gejschən] *subst* församling
congress ['kånggres] *subst* kongress
conjunction [kən'dʒangkschən], ***in ~ with*** i samverkan med
conjure ['kandʒə] *verb* trolla fram
conjurer ['kandʒərə] *subst* trollkarl
connect [kə'nekt] *verb* förena, ansluta
connection [kə'nekschən] *subst* förbindelse; anslutning; ***have good connections*** ha försänkningar
connive [kə'najv] *verb* intrigera
conquer ['kångkə] *verb* erövra
conquest ['kångkoest] *subst* erövring
conscience ['kånschəns] *subst* samvete
conscientious [ˌkånschi'enschəs] *adj* samvetsgrann
conscious ['kånschəs] *adj* 1 medveten 2 vid medvetande
consciousness ['kånschəsnəs] *subst* medvetande; medvetenhet
conscript ['kånnskript] *adj* o. *subst* värnpliktig
consent [kən'sent] **I** *subst* medgivande **II** *verb* samtycka
consequence ['kånnsikwəns] *subst* 1 konsekvens; ***in ~*** som en följd av detta 2 ***it is of no ~*** det har ingen betydelse
consequently ['kånnsikwəntli] *adv* följaktligen
conservation [ˌkånsə'vejschən] *subst*

1 bevarande; konservering 2 naturvård
conservative [kən'sö:vətivv] *adj* o. *subst* konservativ
conservatory [kən'sö:vətri] *subst* drivhus
conserve [kən'sö:v] **I** *verb* bevara **II** *subst*, ***conserves*** sylt; fruktkonserver
consider [kən'siddə] *verb* 1 överväga; ***all things considered*** när allt kommer omkring 2 ta hänsyn till
considerable [kən'siddərəbl] *adj* betydande; ansenlig
considerably [kən'siddərəbli] *adv* betydligt
considerate [kən'siddərətt] *adj* hänsynsfull
consideration [kən,siddə'rejschən] *subst* 1 övervägande 2 hänsyn
considering [kən'siddəring] *prep* o. *konj* med tanke på
consignment [kən'sajnmənt] *subst* varuparti
consist [kən'sist] *verb* bestå
consistency [kən'sistənsi] *subst* 1 konsistens 2 följdriktighet
consistent [kən'sistənt] *adj* 1 förenlig 2 konsekvent
consolation [,kånsə'lejschən] *subst* tröst
1 console [kən'səol] *verb* trösta
2 console ['kånnsəol] *subst* konsol
consonant ['kånnsənənt] *subst* konsonant
conspicuous [kən'spikkjoəs] *adj* iögonfallande
conspiracy [kən'spirrəsi] *subst* sammansvärjning
constable ['kannstəbl] *subst*, ***police*** ~ polisassistent
constant ['kånstənt] *adj* konstant, oföränderlig
constantly ['kånstəntli] *adv* jämt och ständigt
constipation [,kånsti'pejschən] *subst* förstoppning
constituency [kən'stitjoənsi] *subst* valkrets
constituent [kən'stitjoənt] *subst* beståndsdel
constitution [,kånsti'tjo:schən] *subst* författning; grundlag
constitutional [,kånsti'tjo:schənl] *adj* grundlagsenlig
constraint [kən'strejnt] *subst* 1 tvång 2 restriktion
construct [kən'strakt] *verb* konstruera; bygga
construction [kən'strakschən] *subst*

konstruktion; anläggande; ~ ***worker*** byggnadsarbetare
constructive [kən'straktivv] *adj* konstruktiv
consul ['kånnsəl] *subst* konsul
consulate ['kånsjolət] *subst* konsulat
consult [kən'salt] *verb* rådfråga, konsultera
consultant [kən'saltənt] *subst* **1** läkare **2** konsult
consulting-room [kən'saltingroːm] *subst* mottagningsrum
consume [kən'sjoːm] *verb* förbruka; konsumera; ***consumed with*** uppfylld av
consumer [kən'sjoːmə] *subst* konsument; ~ ***guidance*** konsumentupplysning; ~ ***goods*** konsumtionsvaror
consummate [kən'samət] *adj* fulländad
consumption [kən'sampschən] *subst* konsumtion
contact ['kånntäkkt] **I** *subst* **1** kontakt, beröring **2** ***business contacts*** affärskontakter **II** *verb* kontakta
contact lenses ['kånntäkkt,lenziz] *subst pl* kontaktlinser
contagious [kən'tejdʒəs] *adj* smittsam
contain [kən'tejn] *verb* innehålla
container [kən'tejnə] *subst* **1** behållare **2** container
contaminate [kən'tämminejt] *verb* smitta; bildl. besmitta
contemplate ['kånntəmplejt] *verb* fundera på
contemporary [kən'tempərəri] *adj* samtida; nutida
contempt [kən'tempt] *subst* förakt
contemptuous [kən'temptjoəs] *adj* föraktfull
contend [kən'tend] *verb* hävda
contender [kən'tendə] *subst* tävlande; utmanare
1 content ['kånntent] *subst* innehåll
2 content [kən'tent] *adj* nöjd, belåten
contention [kən'tenschən] *subst* åsikt, argument
contents ['kånntents] *subst pl* innehåll
contest **I** ['kånntest] *subst* tävling **II** [kən'test] *verb* tävla

contestant [kən'testənt] *subst* tävlande
context ['kånntekst] *subst* sammanhang; kontext
continent ['kånntinənt] *subst* kontinent; ***the Continent*** kontinenten Europas fastland
continental [ˌkånti'nentl] *adj* kontinental; ***~ breakfast*** kontinental frukost med bröd, smör och marmelad
continual [kən'tinjoəl] *adj* ständig, ihållande
continuation [kənˌtinjo'ejschən] *subst* fortsättning
continue [kən'tinjo] *verb* fortsätta
continuity [ˌkånti'njoːəti] *subst* kontinuitet
continuous [kən'tinjoəs] *adj* kontinuerlig, fortlöpande
contort [kən'tåːt] *verb* förvränga
contour ['kånntoə] *subst* kontur
contraband ['kåntrəbänd] *subst* smuggelgods; smuggling
contraceptive [ˌkåntrə'septivv] *subst* preventivmedel
contract ['kånnträkt] *subst* kontrakt
contraction [kən'träkkschən] *subst* sammandragning
contractor [kən'träkktə] *subst* leverantör; entreprenör
contradict [ˌkåntrə'dikt] *verb* säga emot
contraption [kən'träpschən] *subst* apparat, grej
contrary ['kånntrəri] **I** *adj* motsatt; ***~ to*** äv. tvärtemot **II** *subst*, ***rather the ~*** snarare tvärtom; ***on the ~*** tvärtom
contrast I ['kånntraːst] *subst* kontrast; ***by ~*** el. ***in ~*** däremot, å andra sidan **II** [kən'traːst] *verb* jämföra
contravene [ˌkåntrə'viːn] *verb* överträda lag o.d.
contribute [kən'tribjoːt] *verb* bidra, medverka
contribution [ˌkåntri'bjoːschən] *subst* bidrag
contributor [kən'tribjotə] *subst* medarbetare i tidskrift o.d.
control [kən'trəol] **I** *subst* kontroll; ***passport ~*** passkontroll; ***be in ~*** ha makten; ***get out of ~*** tappa kontrollen över; ***at the controls*** vid spakarna **II** *verb* kontrollera

[kən'trəol,taoə] *subst* trafiktorn
controversial [,kåntrə'vö:schəl] *adj* kontroversiell
controversy [kən'tråvəsi] *subst* kontrovers, tvist
convalescence [,kånvə'lessans] *subst* tillfrisknande
convenience [kən'vi:njəns] *subst* bekvämlighet; ***public*** ~ offentlig toalett; ***all modern conveniences*** alla moderna bekvämligheter
convenient [kən'vi:njənt] *adj* lämplig, läglig
convent ['kånnvənt] *subst* nunnekloster
convention [kən'venschən] *subst* **1** konvention i olika bet. **2** konvent
conventional [kən'venschənl] *adj* konventionell
conversation [,kånvə'sejschən] *subst* samtal; ***make*** ~ kallprata
1 converse [kən'vö:s] *verb* samtala
2 converse ['kånnvö:s] *adj* omvänd, motsatt
conversely [,kån'vö:sli] *adv* omvänt
convert [kən'vö:t] *verb* omvandla; omvända
convertible [kən'vö:təbl] **I** *adj* som kan omvandlas (omsättas) **II** *subst* cabriolet bil
convey [kən'vej] *verb* förmedla
convict I [kən'vikkt] *verb* döma **II** ['kånnvikkt] *subst* fånge
conviction [kən'vikkschən] *subst* övertygelse
convince [kən'vins] *verb* övertyga
convoluted ['kånnvəlo:tidd] *adj* bildl. invecklad
convulsion [kən'valschən] *subst* kramp, skakning
coo [ko:] *verb* kuttra
cook [kokk] **I** *subst* kock; ***she is a good*** ~ hon lagar god mat **II** *verb* **1** laga mat **2** koka
cookbook ['kokkbokk] *subst* kokbok
cooker ['kokkə] *subst* spis
cookery ['kokkəri] *subst* kokkonst, matlagning
cookery book ['kokkəribokk] *subst* kokbok
cooking ['kokking] *subst* matlagning
cool [ko:l] **I** *adj* sval, kylig;

keep ~! ta det lugnt! **II** *verb* göra sval; lugna ner
co-op ['kəoåp] *subst* vard. konsumbutik
co-operate [kəo'åppərejt] *verb* samarbeta
co-operation [kəo,åppə'rejschən] *subst* samarbete
co-operative [kəo'åppərətivv] *adj* samarbetsvillig
co-ordinate [kəo'å:dinejt] *verb* koordinera, samordna
cop [kåpp] *subst* vard. snut
cope [kəop] *verb*, ***~ with*** klara; orka med
1 copper ['kåppə] *subst* vard. snut
2 copper ['kåppə] *subst* koppar
copy ['kåppi] **I** *subst* **1** kopia **2** exemplar av bok, tidning **II** *verb* kopiera; ta efter
coral ['kårrəl] *subst* korall; ***~ reef*** korallrev
cord [kå:d] *subst* rep, snöre
cordial ['kå:djəl] **I** *adj* hjärtlig **II** *subst* saft dryck
cordon ['kå:dn] *subst* avspärrningskedja; ***form a ~*** äv. bilda häck
corduroy ['kå:dəråj] *subst* manchester; ***corduroys*** manchesterbyxor
core [kå:] *subst* **1** kärnhus **2** bildl. kärna; ***to the ~*** helt och hållet; genom-
coriander [kårri'änndə] *subst* koriander
cork [kå:k] **I** *subst* kork ämne el. propp **II** *verb* korka
corkscrew ['kå:kskro:] *subst* korkskruv
1 corn [kå:n] *subst* säd; spannmål
2 corn [kå:n] *subst* liktorn
corner ['kå:nə] **I** *subst* hörn, hörna; ***cut corners*** bildl. ta genvägar **II** *verb* tränga in i ett hörn
cornerstone ['kå:nəstəon] *subst* hörnsten
cornet ['kå:nitt] *subst* **1** kornett **2** glasstrut
cornflakes ['kå:nflejks] *subst pl* cornflakes
cornflour ['kå:nflaoə] *subst* majsmjöl
Cornwall ['kå:nwəl] grevskap i England
corny ['kå:ni] *adj* vard. fånig, töntig
coronation [,kårrə'nejschən] *subst* kröning
1 corporal ['kå:pərəl] *subst* furir; korpral
2 corporal ['kå:pərəl] *adj* kroppslig

corporate ['kå:pərət] *adj* gemensam
corporation [ˌkå:pə'rejschən] *subst* bolag; ***municipal ~*** kommunstyrelse
corps [kå:] *subst* kår
corpse [kå:ps] *subst* lik
correct [kə'rekkt] **I** *verb* rätta; rätta till **II** *adj* **1** rätt **2** korrekt
correction [kə'rekschən] *subst* rättelse; korrigering
correspond [ˌkårri'spånd] *verb* **1** motsvara **2** brevväxla
correspondence [ˌkårri'spånndəns] *subst* korrespondens; ***~ column*** insändarspalt
correspondent [ˌkårri'spånndənt] **I** *subst* **1** brevskrivare **2** korrespondent; ***our special ~*** vår utsände medarbetare **II** *adj* motsvarande
corridor ['kårridå:] *subst* korridor
corrode [kə'rəod] *verb* fräta
corrupt [kə'rappt] **I** *adj* korrumperad **II** *verb* korrumpera; fördärva
corruption [kə'rapschən] *subst* korruption; fördärv
cosmetic [kåz'mettikk] **I** *adj* kosmetisk **II** *subst* skönhetsmedel; ***cosmetics*** äv. kosmetika
cosset ['kåssitt] *verb* klema med
cost* [kåsst] **I** *verb* kosta **II** *subst* kostnad, pris; ***the ~ of living*** levnadskostnaderna; ***at the ~ of*** bildl. på bekostnad av; ***at all costs*** till varje pris
co-star ['kəosta:] **I** *subst* motspelare **II** *verb*, ***~ with*** spela mot
cost-effective [ˌkåssti'fektivv] *adj* lönsam
costly ['kåsstli] *adj* dyr, kostsam
cost price [ˌkåsst'prajs] *subst* inköpspris; ***at ~*** äv. till självkostnadspris
costume ['kåsstjo:m] *subst* teaterkostym
cosy ['kəozi] *adj* hemtrevlig, mysig
cot [kått] *subst* spjälsäng
cottage ['kåttidʒ] *subst* stuga; ***~ cheese*** keso®; kvarg
cotton ['kåttn] *subst* bomull växt el. tyg
cotton wool [ˌkåttn'woll] *subst* bomullsvadd
couch [kaotch] *subst* soffa; divan
couchette [ko:'schett] *subst* liggvagnsplats på tåg

cough [kåff] **I** *verb* hosta **II** *subst* hosta

cough drop ['kåffdråpp] *subst* halstablett

could [kodd] imperf. av *1 can*

couldn't ['koddnt] = *could not*

council ['kaonsl] *subst* råd; ***town*** (***city***) ~ stadsfullmäktige; ~ ***houses*** kommunala bostäder

councillor ['kaonsəllə] *subst*, ***town*** (***city***) ~ stadsfullmäktig

counsel ['kaonsəl] **I** *subst* råd **II** *verb* råda ngn

counsellor ['kaonsəllə] *subst* rådgivare

1 count [kaont] *subst* icke-brittisk greve

2 count [kaont] **I** *verb* **1** räkna **2** räknas; ~ ***on*** lita på; räkna med **II** *subst*, ***keep ~ of*** hålla räkning på; ***be down for the*** ~ i boxning el. bildl. vara nere för räkning

countdown ['kaontdaon] *subst* nedräkning vid t.ex. start

countenance ['kaontənəns] *subst* ansikte

1 counter ['kaontə] *subst* i butik o.d. kassa, disk

2 counter ['kaontə] **I** *adj* mot-; kontra- **II** *verb* bemöta

counteract [ˌkaontər'äkkt] *verb* motarbeta

counterfeit ['kaontəfitt] **I** *adj* förfalskad **II** *subst* förfalskning **III** *verb* förfalska

counterfoil ['kaontəfåjl] *subst* talong; kvitto

countermand [ˌkaontə'maːnd] **I** *verb* annullera **II** *subst* annullering

counterpart ['kaontəpaːt] *subst* motsvarighet

countess ['kaontəs] *subst* **1** icke-brittisk grevinna **2** countess earls maka el. änka

countless ['kaontləs] *adj* otalig, oräknelig

country ['kantri] *subst* **1** land, rike **2** landsbygd; ~ ***life*** lantliv; ***in the*** ~ på landet

country house [ˌkantri'haos] *subst* lantgods

countryman ['kantrimən] *subst* landsman

countryside ['kantrisajd] *subst* landsbygd

county ['kaonti] *subst* grevskap; ***the Home Counties*** grevskapen närmast London

coup [koː] *subst* kupp

couple ['kappl] **I** *subst* par **II** *verb* bildl. förena

coupon ['ko:pån] *subst* kupong; rabattkupong
courage ['karridʒ] *subst* mod
courier ['koriə] *subst* **1** kurir **2** reseledare
course [kå:s] *subst* **1** lopp; bana **2** lärokurs **3** rätt; ***first ~*** förrätt; ***main ~*** huvudrätt
court [kå:t] *subst* **1** gårdsplan **2** sport. plan, bana **3** hov; ***at ~*** vid hovet **4** domstol; ***in ~*** inför rätta; i rätten
courtesy ['kö:təsi] *subst* artighet
court house ['kå:thaos] *subst* domstolsbyggnad
court-martial [ˌkå:t'ma:schəl] *subst* krigsrätt
courtroom ['kå:tro:m] *subst* rättssal
courtyard ['kå:tja:d] *subst* gårdsplan
cousin ['kazn] *subst* kusin
cove [kəov] *subst* liten vik
covenant ['kavvənənt] *subst* avtal; fördrag
cover ['kavvə] **I** *verb* **1** täcka i olika bet. **2** omfatta **3** ***~ up*** tysta ner **II** *subst* **1** täcke, överdrag **2** lock **3** omslag på bok o.d.
coverage ['kavvəridʒ] *subst* nyhetsbevakning
cover charge ['kavvətcha:dʒ] *subst* kuvertavgift på restaurang
covert ['kavvət] *adj* förstulen, hemlig
cover-up ['kavvərapp] *subst* mörkläggning
covet ['kavvitt] *verb* trakta efter, åtrå
cow [kao] *subst* ko
coward ['kaoəd] *subst* fegis
cowardice ['kaoədiss] *subst* feghet
cowardly ['kaoədli] *adj* feg
cowboy ['kaobåj] *subst* cowboy
coy [kåj] *adj* sipp; chosig
crab [kräbb] *subst* krabba
crab apple ['kräbbˌäppl] *subst* vildapel
crack [kräkk] **I** *verb* knaka; spricka; ***~ jokes*** vitsa **II** *subst* spricka
cracker ['kräkkə] *subst* smörgåskex
crackle ['kräkkl] *verb* knastra, spraka
cradle ['krejdl] *subst* vagga
craft [kra:ft] *subst* hantverk; yrke
craftsman ['kra:ftsmən] *subst* skicklig yrkesman
craftsmanship ['kra:ftsmənschipp] *subst* yrkesskicklighet

crafty ['kra:fti] *adj* listig, slug
crag [krägg] *subst* brant klippa
cram [krämm] *verb* proppa (packa) full; ***crammed with people*** fullproppat med folk
cramp [krämp] **I** *subst* kramp **II** *verb* bildl. hämma
cramped [krämpt] *adj* trång
cranberry ['krännbərri] *subst* tranbär
crane [krejn] *subst* **1** trana **2** lyftkran
crank [krängk] *subst* vev
crankshaft ['krängkscha:ft] *subst* vevaxel
cranny ['kränni] *subst* springa
crash [kräsch] **I** *verb* **1** gå i kras **2** krocka; krascha **II** *subst* krasch; krock
crash helmet ['kräsch,hellmitt] *subst* störthjälm
crash-landing ['kräsch,länding] *subst* kraschlandning
crashworthy ['kräsch,'wö:ði] *adj* krocksäker
crate [krejt] *subst* spjällåda; ***~ of beer*** back öl
crave [krejv] *verb* törsta efter, åtrå
crawl [krå:l] **I** *verb* **1** krypa **2** crawla **II** *subst* crawl
crayon ['krejən] *subst* färgkrita
craze [krejz] *subst* mani, fluga
crazy ['krejzi] *adj* tokig, galen
creak [kri:k] *verb* knarra
cream [kri:m] **I** *subst* **1** grädde **2** kräm i olika bet. **II** *adj* gräddfärgad
cream cheese [,kri:m'tchi:z] *subst* mjuk gräddost
creamy ['kri:mi] *adj* gräddig
crease [kri:s] **I** *subst* veck **II** *verb* skrynkla
create [kri'ejt] *verb* skapa
creation [kri'ejschən] *subst* skapelse
creative [kri'ejtivv] *adj* skapande, kreativ
creature ['kri:tchə] *subst* varelse
crèche [kresch] *subst* daghem
credence ['kri:dəns] *subst* trovärdighet
credentials [kri'denschəlz] *subst pl* vitsord, referenser
credit ['kredditt] **I** *subst* **1** kredit; ***on ~*** på kredit; ***~ account*** kundkonto i varuhus **2** ära, beröm; ***do sb. ~*** lända ngn till heder; ***take the ~*** ta åt sig äran **II** *verb*, ***~ sb. with sth.*** ge ngn äran av ngt

credit card ['kreddittka:d] *subst* kreditkort
creditor ['kreddittə] *subst* fordringsägare
creed [kri:d] *subst* trosbekännelse
creek [kri:k] *subst* långsmal vik
creep [kri:p] **I** *verb* krypa **II** *subst* vard. äckelpotta
creeper ['kri:pə] *subst* klätterväxt
creepy ['kri:pi] *adj* vard. läskig
cremate [kri'mejt] *verb* kremera
crematorium [ˌkremə'tå:riəm] *subst* krematorium
crepe o. **crêpe** [krejp] *subst* **1** kräpp **2** crêpe
crept [krept] imperf. o. perf. p. av *creep*
crescent ['krezznt] *subst* månskära
cress [kress] *subst* krasse
crest [krest] *subst* bildl. höjdpunkt
crestfallen ['krestˌfå:lən] *adj* slokörad, snopen
crevice ['krevviss] *subst* skreva, spricka
crew [kro:] *subst* besättning; ***ground*** ~ markpersonal; ***stage*** ~ scenarbetare
crew cut ['kro:katt] *subst* snagg
crewneck [ˌkro:'nekk] *subst* rund halsringning
crib [krib] *subst* spjälsäng
1 cricket ['krikkitt] *subst* insekt syrsa
2 cricket ['krikkitt] *subst* sport kricket
crime [krajm] *subst* brott; kriminalitet
criminal ['kriminl] **I** *adj* kriminell **II** *subst* brottsling
crimson ['krimzn] *adj* karmosinröd
cringe [krindʒ] *verb* krypa ihop liksom av rädsla
crinkle ['kringkl] **I** *verb* vecka, skrynkla **II** *subst* veck
cripple ['krippl] **I** *subst* krympling **II** *verb* göra till krympling
crisis ['krajsis] *subst* kris
crisp [krisp] *adj* knaprig, spröd; ***potato crisps*** potatischips
criss-cross ['krisskråss] **I** *adj* korsmönstrad **II** *verb* korsa varandra
criterion [kraj'tiəriən] *subst* kriterium
critic ['krittikk] *subst* kritiker
critical ['krittikkəl] *adj* kritisk

criticism ['krittisizəm] *subst* kritik

criticize ['krittisajz] *verb* kritisera

croak [krəok] **I** *verb* kraxa **II** *subst* kraxande

Croatia [krəo'ejschə] Kroatien

crochet ['krəoschej] **I** *subst* virkning **II** *verb* virka

crockery ['kråkkəri] *subst* porslin

crocodile ['kråkkədajl] *subst* krokodil

crocus ['krəokəs] *subst* krokus

crony ['krəoni] *subst* polare, kompis

crook [krokk] **I** *subst* **1** krok **2** vard. bov **II** *verb* kröka

crooked ['krokkidd] *adj* **1** krokig; sned **2** ohederlig

crop [kråpp] **I** *subst* skörd **II** *verb*, ***~ up*** dyka upp

cross [kråss] **I** *subst* kors; kryss **II** *adj* ond, arg **III** *verb* korsa; kryssa över; ***it crossed my mind*** det slog mig; det föll mig in

crossbar ['kråssba:] *subst* tvärslå; målribba

cross-country [ˌkråss'kantri] **I** *adj*, ***~ skiing*** längdåkning på skidor **II** *subst* terränglöpning

cross-examine [ˌkråssig'zämmin] *verb* korsförhöra

cross-eyed ['kråssajd] *adj* vindögd, skelögd

crossfire ['kråssfajə] *subst* korseld

crossing ['kråssing] *subst* korsning; övergångsställe

cross-section [ˌkråss'sekschən] *subst* tvärsnitt

crosswind ['kråsswind] *subst* sidvind

crossword ['kråsswö:d] *subst* korsord

crotch [kråttch] *subst* skrev, gren

crouch [kraotch] *verb* huka sig

1 crow [krəo] **I** *verb* gala **II** *subst* tupps galande

2 crow [krəo] *subst* kråka

crowbar ['krəoba:] *subst* kofot

crowd [kraod] **I** *subst* folkmassa; ***follow the ~*** följa med strömmen **II** *verb* skocka sig

crowded ['kraodidd] *adj* full av folk

crown [kraon] **I** *subst* krona; ***the Crown*** staten **II** *verb* kröna

crown prince [ˌkraon'prins] *subst* kronprins

crow's-feet ['krəozfi:t] *subst pl* vard. rynkor kring ögonen

crucial ['kro:schəl] *adj* avgörande, central

crucifix ['kro:sifikks] *subst* krucifix

crucifixion [ˌkro:si'fikschən] *subst* korsfästelse

crude [kro:d] *adj* rå, grov; ***the ~ facts*** kalla fakta; ***~ oil*** råolja

cruel [kroəl] *adj* grym; elak

cruelty ['kroəlti] *subst* grymhet

cruise [kro:z] **I** *verb* kryssa med båt; glida fram i bil **II** *subst* havskryssning

cruiser ['kro:zə] *subst* kryssare

crumb [kramm] *subst* smula

crumble ['krammbl] *verb* smula sönder; falla sönder

crumpet ['krammpitt] *subst* slags mjuk tekaka

crumple ['krammpl] *verb* knyckla ihop

crunch [krantsch] *verb* knapra

crunchy ['krantschi] *adj* knaprig

crusade [kro:'sejd] *subst* korståg

crush [krasch] *verb* krossa

crust [krast] *subst* **1** kant, skalk på bröd o.d. **2** skorpa på sår

crutch [kratch] *subst* **1** krycka; bildl. stöd **2** skrev

crux [krakks] *subst* krux; ***the ~ of the matter*** sakens kärna

cry [kraj] **I** *verb* **1** ropa; ***~ out for*** ropa på; kräva **2** gråta **II** *subst* rop, skrik

cryptic ['kripptikk] *adj* kryptisk

crystal ['kristl] *subst* kristall; kristallglas

crystal-clear [ˌkristəl'kliə] *adj* kristallklar

cub [kabb] *subst* unge t.ex. av björn, lejon, val

cubbyhole ['kabbihəol] *subst* vrå, krypin

cube [kjo:b] *subst* kub; tärning; ***~ sugar*** bitsocker

cubic ['kjo:bikk] *adj* kubik-

cubicle ['kjo:bikkl] *subst* omklädningshytt

cuckoo ['koko:] *subst* gök

cuckoo clock ['koko:klåkk] *subst* gökur

cucumber ['kjo:kambə] *subst* gurka

cuddle ['kaddl] *verb* krama, kela med

1 cue [kjo:] *subst* stickreplik

2 cue [kjo:] *subst* biljardkö

1 cuff [kaff] **I** *verb* slå till med handen **II** *subst* örfil

2 cuff [kaff] *subst* 1 manschett 2 ***off the ~*** på rak arm

cul-de-sac [ˌkoldə'säkk] *subst* återvändsgränd

culminate ['kallminejt] *verb* kulminera

culmination [ˌkallmi'nejschən] *subst* kulmen

culprit ['kallpritt] *subst* brottsling; ***the ~*** äv. den skyldige

cult [kallt] *subst* kult

cultivate ['kalltivejt] *verb* odla

cultivation [ˌkallti'vejschən] *subst* odling

cultural ['kalltchərəl] *adj* kulturell

culture ['kalltchə] *subst* kultur

cumbersome ['kambəsəm] *adj* besvärlig

cumin ['kammin] *subst* spiskummin

cunning ['kanning] *adj* slug, listig

cup [kapp] **I** *subst* 1 kopp 2 prispokal **II** *verb* kupa

cupboard ['kabbəd] *subst* skåp

cup tie ['kapptaj] *subst* cupmatch i fotboll

curator [ˌkjoə'rejtə] *subst* intendent vid museum o.d.

curb [kö:b] **I** *subst* bildl. tygel **II** *verb* tygla

cure [kjoə] **I** *subst* botemedel **II** *verb* bota

curfew ['kö:fjo:] *subst* utegångsförbud

curiosity [ˌkjoəri'åssəti] *subst* nyfikenhet

curious ['kjoəriəs] *adj* nyfiken

curl [kö:l] **I** *verb* locka sig **II** *subst* hårlock

curler ['kö:lə] *subst* hårspole

curly ['kö:li] *adj* lockig

currant ['karrənt] *subst* 1 korint 2 vinbär

currency ['karrənsi] *subst* valuta

current ['karrənt] **I** *adj* nuvarande; nu gällande; ***at the ~ rate of exchange*** till dagskurs **II** *subst* 1 ström 2 strömning

currently ['karrəntli] *adv* för närvarande

curriculum vitae [kəˌrikkjoləm'vi:taj] *subst* meritförteckning vid platsansökan o.d.

curry ['karri] *subst* curryrätt; ***~ powder*** curry pulver

curse [kö:s] **I** *subst* förbannelse; svordom **II** *verb* 1 förbanna 2 svära
cursory ['kö:səri] *adj* flyktig
curt [kö:t] *adj* kort till sättet
curtail [kö:'tejl] *verb* minska
curtain ['kö:tn] *subst* gardin; ***draw the curtains*** dra för gardinerna
curtsy ['kö:tsi] **I** *subst* nigning **II** *verb* niga
curve [kö:v] **I** *subst* kurva **II** *verb* böja (kröka) sig
cushion ['koschən] **I** *subst* kudde, dyna **II** *verb* dämpa
custard ['kastəd] *subst* slags äggkräm
custody ['kastədi] *subst* 1 vårdnad om barn 2 ***in ~*** anhållen; häktad
custom ['kastəm] *subst* 1 sed, vana 2 ***the Customs*** tullen; ***customs duties*** tullavgifter
customary ['kastəməri] *adj* vanlig, bruklig
customer ['kastəmə] *subst* kund
custom-made ['kastəmmejd] *adj* gjord på beställning
cut* [katt] **I** *verb* 1 skära, skära sig 2 klippa; ***have one's hair ~*** klippa håret 3 skära ner utgifter o.d.; förkorta 4 ***~ across*** bildl. skära tvärsöver; ***~ back*** bildl. skära ner på; ***~ down*** hugga ner; dra ner på; ***~ in*** tränga sig emellan; ***~ off*** skära av; stänga av; bryta telefonsamtal; ***be ~ out for*** vara som klippt och skuren för; ***~ through*** ta en genväg **II** *adj*, ***~ flowers*** snittblommor; ***~ glass*** slipat glas **III** *subst* 1 skåra, jack; skråma 2 klippning 3 minskning, nedskärning
cutback ['kattbäkk] *subst* minskning, nedskärning
cute [kjo:t] *adj* söt, gullig
cutlery ['kattləri] *subst* matbestick
cutlet ['kattlət] *subst* kotlett
cut-off ['kattåff] *subst* avbrytande
cut-out ['kattaot] *subst* klippdocka
cut-price ['kattprajs] *adj*, ***~ shop*** ung. lågprisaffär
cutthroat ['kattθrəot] *adj* bildl. mördande
cutting ['katting] **I** *adj* skarp **II** *subst* 1 urklipp 2 stickling
cyanide ['sajənajd] *subst* cyanid
cycle ['sajkl] **I** *subst* cykel; ***~ lane*** el. ***~ path*** cykelväg **II** *verb* cykla
cycling ['sajkling] *subst* cykling
cyclist ['sajklist] *subst*

cyklist; ***Cyclists' Touring Club*** ung. Cykelförbundet
cygnet ['signət] *subst* ung svan
cylinder ['sillində] *subst* cylinder
cynic ['sinnikk] *subst* cyniker
cynical ['sinnikəl] *adj* cynisk
cynicism ['sinnisizəm] *subst* cynism
cyst [sist] *subst* cysta
cystitis [sist'ajtiss] *subst* blåskatarr
Czech [tchekk] **I** *subst* tjeck **II** *adj* tjeckisk; ***the ~ Republic*** Tjeckien

Dd

D, d [diː] *subst* D, d
dab [däbb] *verb* badda
dabble ['däbbl] *verb*, ***~ in*** pyssla med
dad [dädd] o. **daddy** ['däddi] *subst* vard. pappa
daffodil ['däffədill] *subst* påsklilja
daft [daːft] *adj* vard. dum
dagger ['däggə] *subst* dolk
daily ['dejli] **I** *adj* daglig **II** *adv* dagligen **III** *subst* dagstidning
dainty ['dejnti] *adj* nätt, späd
dairy ['däəri] *subst* **1** mejeri **2** mjölkaffär
dais ['dejis] *subst* podium
daisy ['dejzi] *subst* tusensköna
dale [dejl] *subst* dal
1 dam [dämm] *subst* om djur moder
2 dam [dämm] **I** *subst* damm **II** *verb* dämma upp
damage ['dämmidʒ] **I** *subst* skada, skador; ***damages*** skadestånd **II** *verb* skada
damn [dämm] vard. **I** *interj* jäklar! **II** *adv* o. *adj* jäkla
damp [dämp] **I** *subst* fukt **II** *adj* fuktig

damson ['dämzən] *subst* krikon plommonsort
dance [da:ns] **I** *verb* dansa **II** *subst* dans
dance hall ['da:nshå:l] *subst* dansställe
dancer ['da:nsə] *subst* dansare; ***be a good ~*** dansa bra
dandelion ['dänndilajən] *subst* maskros
dandruff ['dänndraff] *subst* mjäll
danger ['dejndʒə] *subst* fara, risk; ***be in ~ of losing one's life*** sväva i livsfara
dangerous ['dejndʒərəs] *adj* farlig
dangle ['dänggl] *verb* dingla, dingla med
Danish ['dejnisch] **I** *adj* dansk **II** *subst* **1** danska språket **2** wienerbröd
dapper ['däppə] *adj* liten och prydlig
dare [däə] *verb* **1** våga **2** utmana
daredevil ['däə,devl] *subst* våghals
daring ['däəring] **I** *adj* djärv **II** *subst* djärvhet
dark [da:k] **I** *adj* mörk **II** *subst* mörker
darken ['da:kən] *verb* mörkna
darkness ['da:knəs] *subst* mörker
darkroom ['da:kro:m] *subst* mörkrum
darling ['da:ling] **I** *subst* älskling; ***you're a ~!*** vad du är rar! **II** *adj* gullig, söt
1 darn [da:n] *adv* o. *adj* vard. jäkla
2 darn [da:n] *verb* stoppa strumpor o.d.
dart [da:t] **I** *subst* pil; ***play darts*** spela dart **II** *verb* rusa
dartboard ['da:tbå:d] *subst* darttavla, pilkastningstavla
dash [däsch] **I** *verb* rusa **II** *subst* **1** ***make a ~*** rusa **2** ***a ~ of*** en skvätt
dashboard ['däschbå:d] *subst* instrumentbräda
dashing ['däsching] *adj* elegant; stilig
data ['dejtə] *subst* data, information
1 date [dejt] *subst* dadel
2 date [dejt] **I** *subst* **1** datum; ***out of ~*** omodern; ***up to ~*** à jour, med sin tid **2** vard. träff **II** *verb* **1** datera **2** vard. vara ihop med
dated ['dejtidd] *adj* gammalmodig
daub [då:b] *verb* kladda
daughter ['då:tə] *subst* dotter

daughter-in-law ['då:tərinlå:] *subst* svärdotter
dawdle ['då:dl] *verb* söla, såsa
dawn [då:n] **I** *verb* gry **II** *subst* gryning
day [dej] *subst* **1** dag; ***the ~ after tomorrow*** i övermorgon; ***the ~ before yesterday*** i förrgår; ***some ~*** en vacker dag; ***~ off*** ledig dag **2** ***days*** tid; glansperiod
daybreak ['dejbrejk] *subst* gryning
daydream ['dejdri:m] **I** *subst* dagdröm **II** *verb* dagdrömma
daylight ['dejlajt] *subst* dagsljus; gryning
day return [ˌdejri'tö:n] *subst* tur och returbiljett för återresa samma dag
daytime ['dejtajm] *subst* dag i motsats till natt; ***in*** (***during***) ***the ~*** på dagtid, om (på) dagen, om (på) dagarna
day-to-day [ˌdejtə'dej] *adj* daglig; ***~ loan*** dagslån
daze [dejz] *verb* bedöva; förvirra
dazzle ['däzl] *verb* blända
DC [ˌdi:'si:] (förk. för *direct current*) likström
dead [dedd] **I** *adj* död **II** *adv* **1** vard. döds- **2** tvärt
deaden ['deddn] *verb* dämpa
dead end [ˌdedd'end] *subst* återvändsgränd
deadline ['deddlajn] *subst* tidsgräns, deadline
deadlock ['deddlåkk] *subst* dödläge
deadly ['deddli] **I** *adj* dödlig **II** *adv* döds-
deaf [deff] *adj* döv
deafen ['deffn] *verb* göra döv
deaf-mute [ˌdeff'mjo:t] *subst* dövstum
deal [di:l] **I** *subst* **1** affär; avtal; ***make a ~*** göra en affär; göra upp **2** ***a great ~*** ganska mycket **II** *verb* **1** ***~ in*** handla med **2** ***~ with*** handskas med; ta itu med **3** ge i kortspel
dealer ['di:lə] *subst* handlare
dean [di:n] *subst* **1** domprost **2** dekanus
dear [diə] **I** *adj* kär; käre, kära **II** *subst* i tilltal kära du **III** *adv* kärt **IV** *interj*, ***oh ~!*** kära nån!
dearly ['diəli] *adv* innerligt
death [deθ] *subst* död; dödsfall
deathly ['deθli] *adj* dödlig; dödslik
death rate ['deθrejt] *subst* dödlighet
debar [di'ba:] *verb* utesluta
debase [di'bejs] *verb* försämra

debatable [di'bejtəbl] *adj* diskutabel

debate [di'bejt] **I** *verb* diskutera **II** *subst* debatt

debt [dett] *subst* skuld; ***be in*** ~ vara skuldsatt; stå i tacksamhetsskuld

debtor ['dettə] *subst* gäldenär

decade ['dekkejd] *subst* decennium

decadence ['dekkədəns] *subst* dekadans

decanter [di'känntə] *subst* karaff

decay [di'kej] **I** *verb* förfalla **II** *subst* förfall

deceased [di'si:st] *adj* avliden

deceit [di'si:t] *subst* bedrägeri; svek

deceive [di'si:v] *verb* bedra

December [di'sembə] *subst* december

decent ['di:snt] *adj* anständig

deception [di'seppschən] *subst* bedrägeri

deceptive [di'sepptivv] *adj* bedräglig

decide [di'sajd] *verb* bestämma; besluta sig för

decided [di'sajdidd] *adj* bestämd, avgjord

decimal ['dessiməl] **I** *adj* decimal- **II** *subst* decimalbråk

decipher [di'sajfə] *verb* dechiffrera

decision [di'siʒən] *subst* beslut

decisive [di'sajsivv] *adj* **1** avgörande **2** beslutsam

deck [dekk] *subst* **1** däck på båt; våning i buss o.d. **2** kortlek

deckchair ['dekktchäə] *subst* fällstol

declare [di'kläə] *verb* **1** tillkännage **2** förtulla

decline [di'klajn] **I** *verb* **1** bildl. avta **2** tacka nej **II** *subst* nedgång

decoder [ˌdi:'kəodə] *subst* dekoder

decorate ['dekkərejt] *verb* **1** dekorera; klä **2** inreda

decoration [ˌdekə'rejschən] *subst* dekoration

decorator ['dekkərejtə] *subst* målare hantverkare

decoy ['di:kåj] *subst* lockfågel

decrease [di'kri:s] *verb* minska

decree [di'kri:] *subst* dekret

dedicate ['deddikejt] *verb* **1** tillägna **2** ägna

dedication [ˌdeddi'kejschən]

subst **1** hängivenhet **2** tillägnan

deduce [di'djo:s] *verb* sluta sig till

deduct [di'dakt] *verb* dra (räkna) ifrån

deduction [di'dakkschən] *subst* **1** avdrag **2** slutsats

deep [di:p] **I** *adj* djup **II** *adv* djupt **III** *subst* havsdjup

deepen ['di:pən] *verb* fördjupa

deep-freeze [,di:p'fri:z] **I** *verb* djupfrysa **II** *subst* frys

deep-fry [,di:p'fraj] *verb* fritera

deep-seated [,di:p'si:tidd] *adj* djupt rotad

deer [diə] *subst* hjort; rådjur

deface [di'fejs] *verb* vanställa

default [di'få:lt] **I** *subst* försummelse **II** *verb* försumma

defeat [di'fi:t] **I** *subst* nederlag **II** *verb* besegra; ***be defeated*** äv. lida nederlag

defect ['di:fekt] *subst* brist; defekt

defective [di'fekktivv] *adj* bristfällig

defence [di'fenns] *subst* försvar

defenceless [di'fennsləs] *adj* försvarslös

defend [di'fennd] *verb* försvara

defendant [di'fenndənt] *subst* o. *adj* i domstol svarande

defender [di'fenndə] *subst* försvarare; sport. försvarsspelare

defer [di'fö:] *verb* skjuta upp

defiance [di'fajjəns] *subst* utmaning; trots

defiant [di'fajjənt] *adj* utmanande; trotsig

deficiency [di'fischənsi] *subst* bristfällighet

deficient [di'fischənt] *adj* bristfällig

defile [di'fajl] *verb* besudla

define [di'fajn] *verb* definiera

definite ['deffinət] *adj* bestämd

definitely ['deffinətli] *adv* absolut, definitivt

definition [,deffi'nischən] *subst* definition

deflate [di'flejt] *verb* **1** släppa luften ur **2** bildl. platta till

deflect [di'flekkt] *verb* avleda

deformed [di'få:md] *adj* vanställd

defraud [di'frå:d] *verb* bedra

defrost [ˌdiː'fråsst] *verb* tina upp fruset kött o.d.; frosta av
defroster [ˌdiː'fråsstə] *subst* defroster
deft [defft] *adj* flink, händig
defunct [di'fangkt] *adj* inte längre förekommande
defuse [ˌdiː'fjoːz] *verb* desarmera
defy [di'faj] *verb* **1** trotsa **2** utmana
degenerate [di'dʒennərejt] *verb* degenerera
degree [di'griː] *subst* grad; ***to a certain ~*** i viss mån
de-ice [ˌdiː'ajs] *verb* isa av
delay [di'lej] **I** *verb* **1** skjuta upp planer o.d. **2** försena **II** *subst* dröjsmål
delectable [di'lekktəbl] *adj* nöjsam, behaglig
delegate ['delligejt] *verb* delegera
delete [di'liːt] *verb* stryka ut
deliberate [di'libbərət] *adj* överlagd
deliberately [di'libbərətli] *adv* avsiktligt
delicacy ['dellikəsi] *subst* **1** finhet **2** delikatess
delicate ['dellikət] *adj* utsökt; delikat
delicatessen [ˌdellikə'tessn] *subst* delikatessaffär
delicious [di'lischəs] *adj* läcker, delikat
delight [di'lajt] **I** *subst* glädje **II** *verb*, ***~ in*** njuta av
delighted [di'lajtidd] *adj* glad, förtjust
delightful [di'lajtfoll] *adj* förtjusande
delirious [di'lirriəs] *adj* yrande
deliver [di'livvə] *verb* **1** leverera **2** förlösa
delivery [diˌlivvəri] *subst* **1** leverans; ***special ~*** expressbefordran **2** förlossning
delude [di'loːd] *verb* vilseleda
delusion [di'loːʒən] *subst* självbedrägeri
delve [delv] *verb*, ***~ into*** forska (gräva) i
demand [di'maːnd] **I** *verb* kräva **II** *subst* **1** krav **2** efterfrågan
demanding [di'maːnding] *adj* krävande
demeanour [di'miːnə] *subst* uppförande
demented [di'mentidd] *adj* sinnessjuk
demise [di'majz] *subst* frånfälle
demister [diː'mistə] *subst* defroster

democracy [di'måkkrəsi] *subst* demokrati
democrat ['demmәkrätt] *subst* demokrat
democratic [ˌdemә'krättikk] *adj* demokratisk
demolish [di'mållisch] *verb* rasera, riva
demonstrate ['demmәnstrejt] *verb* demonstrera
demonstration [ˌdemәn'strejschәn] *subst* demonstration
demonstrator ['demmәnstrejtә] *subst* demonstrant
demote [di'mәot] *verb* degradera
demure [di'mjoә] *adj* stillsam
den [denn] *subst* djurs håla, lya
denial [di'najәl] *subst* förnekande
denim ['dennim] *subst* denim jeanstyg; ***denims*** jeans
Denmark ['dennma:k] Danmark
denounce [di'naons] *verb* peka ut; fördöma
dense [dens] *adj* **1** tät **2** bildl. dum
densely ['densli] *adv* tätt, tät-
density ['densәti] *subst* täthet
dent [dennt] **I** *subst* buckla **II** *verb* buckla till
dental ['denntl] *adj*, ***~ care*** tandvård; ***~ floss*** tandtråd
dentist ['denntist] *subst* tandläkare
deny [di'naj] *verb* neka
deodorant [di'әodәrәnt] *subst* deodorant
depart [di'pa:t] *verb* om tåg o.d. avgå
department [di'pa:tmәnt] *subst* avdelning
department store [di'pa:tmәntstå:] *subst* varuhus
departure [di'pa:tchә] *subst* avresa; avgång; ***~ hall*** avgångshall; ***~ indicator*** avgångstavla
depend [di'pennd] *verb*, ***~ on*** bero på; vara beroende av
dependable [di'penndәbl] *adj* pålitlig
dependent [di'penndәnt] *adj* beroende
depict [di'pikkt] *verb* skildra
deport [di'på:t] *verb* utvisa ur land
deposit [di'påzzitt] **I** *verb* deponera **II** *subst* handpenning; depositionsavgift
depot ['deppәo] *subst* depå

depress [di'press] *verb* deprimera
depressed [di'presst] *adj* nere, deprimerad
depressing [di'pressing] *adj* deprimerande
depression [di'preschən] *subst* depression
deprive [di'prajv] *verb* beröva
deprived [di'prajvd] *adj* underprivilegierad, behövande
depth [depθ] *subst* djup; ***in ~*** ingående
deputize ['deppjotajz] *verb* vikariera
deputy ['deppjoti] *subst* **1** ställföreträdare **2** i titlar vice-
derail [di'rejl] *verb* om tåg o.d. spåra ur
Derby ['da:bi] *subst* Derby årlig hästkapplöpning i Epsom
derelict ['derrilikkt] *adj* förfallen, öde-
derive [di'rajv] *verb* härstamma
derogatory [di'råggətəri] *adj* nedsättande
descend [di'sennd] *verb* gå nedför, fara utför
descent [di'sennt] *subst* **1** nedfärd **2** härkomst
describe [di'skrajb] *verb* beskriva
description [di'skripschən] *subst* beskrivning
desecrate ['dessikrejt] *verb* vanhelga
desert I ['dezzət] *subst* öken **II** [di'zö:t] *verb* **1** överge; ***deserted*** folktom **2** desertera
deserter [di'zö:tə] *subst* desertör
deserve [di'zö:v] *verb* förtjäna, vara värd
deserving [di'zö:ving] *adj* förtjänt, värd
design [di'zajn] **I** *verb* formge **II** *subst* **1** formgivning **2** avsikt
designer [di'zajnə] *subst* formgivare, designer
desire [di'zajə] **I** *verb* begära; önska **II** *subst* begär; önskan
desk [desk] *subst* **1** skrivbord **2** kassa i butik; reception på hotell
desolate ['dessələt] *adj* **1** ödslig **2** bedrövad
despair [di'späə] **I** *subst* förtvivlan **II** *verb* förtvivla
desperate ['despərət] *adj* desperat, förtvivlad
desperation [ˌdespə'rejschən] *subst* desperation

despicable [di'spikkəbl] *adj* föraktlig
despise [di'spajz] *verb* förakta
despite [di'spajt] *prep* trots, oaktat
despondent [di'spånndənt] *adj* missmodig
dessert [di'zö:t] *subst* dessert, efterrätt
dessertspoon [di'zö:tspo:n] *subst* dessertsked
destination [ˌdesti'nejschən] *subst* destination
destiny ['desstini] *subst* öde
destitute ['desstitjo:t] *adj* utfattig
destroy [di'stråj] *verb* förstöra
destruction [di'strakschən] *subst* förstörelse
detach [di'tätch] *verb* ta loss, avskilja
detached [di'tätcht] *adj* **1** ~ ***house*** villa **2** fristående, saklig
detachment [di'tätchmənt] *subst* saklighet
detail ['di:tejl] *subst* detalj
detain [di'tejn] *verb* uppehålla; hålla kvar i häkte
detect [di'tekkt] *verb* upptäcka
detection [di'tekschən] *subst* upptäckt
detective [di'tekktivv] *subst* detektiv, kriminalare
detention [di'tenschən] *subst* internering
deter [di'tö:] *verb* avskräcka
detergent [di'tö:dʒənt] *subst* tvättmedel, diskmedel
deteriorate [di'tiəriərejt] *verb* försämras
determine [di'tö:min] *verb* bestämma; fastställa
determined [di'tö:mind] *adj* bestämd, fast besluten
deterrent [di'terrənt] **I** *adj* avskräckande **II** *subst* avskräckningsmedel; ***act as a*** ~ verka avskräckande
detonate ['detəonejt] *verb* detonera, explodera
détour o. **detour** ['di:toə] *subst* omväg
detriment ['dettrimənt] *subst* skada; nackdel
detrimental [ˌdetri'menntl] *adj* skadlig, menlig
devaluation [ˌdi:välljo'ejschən] *subst* devalvering
devastating ['devəstejting] *adj* förödande
develop [di'velləp] *verb* **1** utveckla; utveckla sig;

developing country u-land
2 framkalla film
developer [di'velləppə] *subst*, ***property* ~** ung. byggherre
development [di'velləpmənt] *subst* 1 utveckling; **~ *area*** stödområde 2 ***housing* ~** bostadsområde
device [di'vajs] *subst* 1 medel 2 apparat
devil ['devvl] *subst* djävul; sate; ***the Devil*** djävulen
devious ['di:vjəs] *adj* 1 bedräglig 2 **~ *ways*** omvägar
devise [di'vajz] *verb* hitta på
devoid [di'våjd] *adj*, **~ *of*** tom på; utan
devote [di'vəot] *verb* ägna
devoted [di'vəotidd] *adj* hängiven; tillgiven
devotee [ˌdevəo'ti:] *subst* hängiven person
devotion [di'vəoschən] *subst* tillgivenhet; hängivenhet
devour [di'vaoə] *verb* sluka
devout [di'vaot] *adj* from
dew [djo:] *subst* dagg
diabetes [ˌdajə'bi:ti:z] *subst* diabetes
diabetic [ˌdajə'bettikk] **I** *subst* diabetiker **II** *adj* för diabetiker
diabolical [ˌdajə'bållikkəl] *adj* vard. avskyvärd
diagnosis [ˌdajəg'nəosis] *subst* diagnos
diagonal [daj'äggənl] *adj* o. *subst* diagonal
diagram ['dajəgrämm] *subst* diagram
dial ['dajəl] **I** *subst* 1 urtavla 2 nummerskiva på telefon **II** *verb* slå telefonnummer
dialect ['dajəlekkt] *subst* dialekt
dialogue ['dajəlågg] *subst* dialog
diameter [daj'ämmitə] *subst* diameter
diamond ['dajəmənd] *subst* 1 diamant 2 ***diamonds*** ruter
diaphragm ['dajəfrämm] *subst* 1 mellangärde 2 pessar
diarrhoea [ˌdajə'riə] *subst* diarré
diary ['dajəri] *subst* dagbok; almanacka
dice [dajs] **I** *subst* tärning, tärningar; ***play* ~** spela tärning **II** tärna grönsaker o.d.
dictate I ['dikktejt] *subst* diktat **II** [dik'tejt] *verb* diktera; föreskriva
dictator [dik'tejtə] *subst* diktator
dictatorship

[dik'tejtəschipp] *subst* diktatur

dictionary ['dikkschənri] *subst* ordbok

did [didd] imperf. av *do*

didn't ['diddnt] = *did not*

die [daj] *verb* dö; ***I'm dying for a cup of coffee*** jag är fruktansvärt kaffesugen; ~ ***out*** dö ut

diesel ['di:zəl] *subst* diesel; ~ ***engine*** dieselmotor

diet ['dajət] *subst* diet; ***be on a*** ~ hålla diet; banta

differ ['diffə] *verb* skilja sig åt

difference ['diffrəns] *subst* olikhet; ***make a*** ~ göra skillnad; betyda något

different ['diffrənt] *adj* olik, annorlunda

differentiate [ˌdifə'renschiejt] *verb* skilja mellan (på)

difficult ['diffikəlt] *adj* **1** svår **2** besvärlig

difficulty ['diffikəlti] *subst* svårighet; ***difficulties*** äv. penningknipa

diffident ['diffidənt] *adj* osäker; försagd

dig [digg] *verb* gräva; böka

digest [daj'dʒest] *verb* smälta maten; smälta kunskaper o.d.

digestion [daj'dʒestchən] *subst* matsmältning

digit ['diddʒitt] *subst* **1** siffra **2** finger; tå

digital ['diddʒittl] *adj* digital; ~ ***camera*** digitalkamera; ~ ***clock*** digitalur; ***go*** ~ datorisera

dignified ['dignifajd] *adj* värdig

dignity ['diggnəti] *subst* värdighet

digress [daj'gress] *verb* göra en utvikning

digs [digz] *subst pl* vard. lya

dilapidated [di'läppidejtidd] *adj* fallfärdig

dilemma [di'lemmə] *subst* dilemma

diligent ['dillidʒənt] *adj* flitig

dilute [daj'lo:t] *verb* spä ut

dim [dimm] **I** *adj* dunkel; vag **II** *verb* fördunkla

dimension [daj'menschən] *subst* dimension

diminish [di'minnisch] *verb* förminska

diminutive [di'minnjotivv] *adj* mycket liten

dimple ['dimpl] *subst* smilgrop

din [dinn] *subst* dån, buller

dine [dajn] *verb* äta middag; ~ ***out*** äta middag ute

dinghy ['dinggi] *subst* jolle
dingy ['dindʒi] *adj* sjaskig
dining-car ['dajningka:] *subst* restaurangvagn på tåg
dining-room ['dajningro:m] *subst* matsal
dinner ['dinnə] *subst* middag måltid; ***for ~*** till middag
dinner jacket ['dinnə,dʒäkkitt] *subst* smoking
dinner party ['dinnə,pa:ti] *subst* middag bjudning
dinnertime ['dinnətajm] *subst* middagsdags
dint [dint], ***by ~ of*** med hjälp av, genom
dip [dipp] **I** *verb* **1** doppa **2** ***drive with dipped headlights*** köra på halvljus **II** *subst* **1** dopp, bad **2** dipsås
diploma [di'pləomə] *subst* diplom
diplomacy [di'pləoməsi] *subst* diplomati
diplomat ['dipləmätt] *subst* diplomat
diplomatic [,diplə'mättikk] *adj* diplomatisk
dipstick ['dippstikk] *subst* oljemätsticka
dipswitch ['dippswitch] *subst* avbländare på bil
dire ['dajə] *adj* hemsk; ödesdiger
direct [di'rekkt] **I** *verb* **1** rikta **2** dirigera; regissera **II** *adj* direkt i olika bet.; rak; rakt på sak
direction [di'rekschən] *subst* **1** riktning; ***~ indicator*** blinker på bil; ***sense of ~*** lokalsinne **2** regi **3** ***directions for use*** bruksanvisning
directly [di'rektli] *adv* direkt; rakt; genast
director [di'rektə] *subst* **1** ledare **2** regissör; dirigent **3** styrelsemedlem; ***board of directors*** bolagsstyrelse
directory [di'rektəri] *subst* telefonkatalog; ***~ inquiries*** nummerupplysningen
dirt [dö:t] *subst* smuts
dirty ['dö:ti] *adj* **1** smutsig **2** bildl. snuskig; ***a ~ trick*** ett fult spratt
disability [,dissə'billəti] *subst* handikapp
disabled [diss'ejbld] *adj* handikappad; ***toilet for the ~*** handikapptoalett
disadvantage [,dissəd'va:ntidʒ] *subst* nackdel
disagree [,dissə'gri:] *verb* vara oense; ***I ~*** äv. det håller jag inte med om
disagreeable [,dissə'gri:əbl] *adj* obehaglig

disagreement [ˌdissəˈgriːmənt] *subst* oenighet; gräl
disappear [ˌdissəˈpiə] *verb* försvinna
disappearance [ˌdissəˈpiərəns] *subst* försvinnande
disappoint [ˌdissəˈpåjnt] *verb* göra besviken; ***be disappointed*** vara (bli) besviken
disappointing [ˌdissəˈpåjnting] *adj* misslyckad; ***the film was ~*** filmen var en besvikelse
disappointment [ˌdissəˈpåjntmənt] *subst* besvikelse
disapproval [ˌdissəˈproːvəl] *subst* ogillande
disapprove [ˌdissəˈproːv] *verb*, ***~ of*** ogilla
disarmament [dissˈaːməmənt] *subst* nedrustning
disarray [ˌdissəˈrej] *subst* oreda
disaster [diˈzaːstə] *subst* katastrof
disband [dissˈbänd] *verb* upplösa
disbelief [ˌdissbiˈliːf] *subst* tvivel
disc [disk] *subst* rund skiva; bricka; ***parking ~*** P-skiva
discard [dissˈkaːd] *verb* kasta bort
discern [diˈssöːn] *verb* urskilja
discerning [diˈssöːning] *adj* omdömesgill
discharge [dissˈtchaːdʒ] **I** *verb* tömma; släppa ut **II** *subst* **1** utsläpp **2** frigivning från fängelse; utskrivning från sjukhus; hemförlovning
discipline [ˈdissiplinn] **I** *subst* disciplin **II** *verb* disciplinera
disc jockey [ˈdiskˌdʒåkki] *subst* diskjockey
disclaim [dissˈklejm] *verb* frånsäga sig
disclose [dissˈkləoz] *verb* avslöja
disclosure [dissˈkləoʒə] *subst* avslöjande
disco [ˈdisskəo] *subst* vard. disco
discomfort [dissˈkamfət] *subst* obehag
disconcert [ˌdisskənˈsöːt] *verb* förvirra
disconnect [ˌdisskəˈnekt] *verb* koppla ur, stänga av
discontent [ˌdisskənˈtent] *subst* missnöje
discontented

[ˌdisskən'tentidd] *adj* missnöjd
discontinue [ˌdisskən'tinjo] *verb* avbryta; sluta med
discord ['disskå:d] *subst* missämja
discotheque ['disskəotekk] *subst* diskotek
discount ['disskaont] **I** *subst* rabatt; ***cash*** ~ kassarabatt **II** *verb* bortse ifrån
discourage [diss'karridʒ] *verb* göra modfälld
discover [di'skavvə] *verb* upptäcka; finna
discovery [di'skavvəri] *subst* upptäckt
discreet [di'skri:t] *adj* diskret, taktfull
discrepancy [diss'kreppənsi] *subst* avvikelse
discretion [di'skreschən] *subst* omdömesförmåga; takt
discriminate [di'skrimminejt] *verb* **1** ~ ***between*** skilja på **2** ~ ***against*** diskriminera
discriminating [di'skrimminejting] *adj* kräsen
discrimination [diˌskrimmi'nejschən] *subst* **1** diskriminering **2** omdöme
discuss [di'skass] *verb* diskutera
discussion [di'skaschən] *subst* diskussion
disdain [diss'dejn] **I** *subst* förakt **II** *verb* förakta
disease [di'zi:z] *subst* sjukdom; bildl. ont
disembark [ˌdissim'ba:k] *verb* landsätta
disengage [ˌdissin'gejdʒ] *verb* lösgöra
disentangle [ˌdissin'tänggl] *verb* lösgöra
disfigure [diss'figgə] *verb* vanställa
disgrace [diss'grejs] **I** *subst* skamfläck **II** *verb* skämma ut
disgraceful [diss'grejsfoll] *adj* skamlig
disgruntled [diss'grantld] *adj* missnöjd
disguise [diss'gajz] **I** *verb* **1** ~ ***oneself*** förkläda sig **2** förställa **II** *subst* förklädnad; ***in*** ~ förklädd
disgust [diss'gast] **I** *subst* avsky **II** *verb*, ***be disgusted*** äcklas
disgusting [diss'gasting] *adj* äcklig
dish [disch] *subst* **1** fat; karott; ***dishes*** odiskad disk; ***do the dishes*** diska **2** maträtt **3** ***satellite*** ~ parabolantenn

dishcloth ['dischklåθ] *subst* disktrasa; kökshandduk
dishearten [diss'haːtn] *verb* göra modfälld
dishevelled [di'schevvəld] *adj* ovårdad
dishonest [diss'ånnist] *adj* oärlig
dishonour [diss'ånnə] *subst* o. *verb* vanära
dishonourable [diss'ånnərəbl] *adj* vanhedrande
dishwasher ['disch,oåschə] *subst* diskmaskin
disillusion [,dissi'loːʒən] *verb* desillusionera
disinfect [,dissin'fekkt] *verb* desinficera
disinfectant [,dissin'fekktənt] *subst* desinfektionsmedel
disintegrate [diss'intigrejt] *verb* sönderdela
disinterested [diss'intrəstidd] *adj* opartisk
disjointed [diss'dʒåjntidd] *adj* osammanhängande
diskette [di'skett] *subst* diskett
dislike [diss'lajk] **I** *verb* ogilla **II** *subst* motvilja; ***likes and dislikes*** sympatier och antipatier
dislocate ['dissləokejt] *verb* vricka, sträcka
dislodge [diss'lådʒ] *verb* flytta på
disloyal [diss'låjəl] *adj* illojal
dismal ['dizməll] *adj* dyster, trist
dismantle [diss'mäntl] *verb* montera ned
dismay [diss'mej] **I** *subst* bestörtning **II** *verb* göra bestört
dismiss [diss'miss] *verb* **1** avskeda **2** slå ur tankarna
dismissal [diss'missəl] *subst* **1** avsked **2** bildl. avvisande
dismount [,diss'maont] *verb* stiga av
disobedient [,dissə'biːdjənt] *adj* olydig
disobey [,dissə'bej] *verb* inte lyda
disorder [diss'åːdə] *subst* **1** oreda **2** störning, sjukdom
disorderly [diss'åːdəli] *adj* **1** oordentlig **2** oregerlig
disown [dis'əon] *verb* ta avstånd från
dispassionate [dis'päschənətt] *adj* lidelsefri
dispatch [di'spätch] **I** *verb* skicka i väg **II** *subst*, ***by ~*** med ilbud
dispel [di'spell] *verb* skingra

dispense [di'spenns] *verb* 1 dela ut, ge 2 ~ ***with*** avvara
dispenser [di'spennsə] *subst* varuautomat
disperse [di'spö:s] *verb* upplösa; sprida
dispirited [di'spirritidd] *adj* modfälld
displace [diss'plejs] *verb* förskjuta; ersätta
display [di'splej] **I** *verb* visa upp **II** *subst*, ***window ~*** fönsterskyltning
displease [diss'pli:z] *verb* misshaga; ***be displeased*** vara missnöjd
disposable [di'spəozəbl] *adj* engångs-; ~ ***napkin*** blöja
disposal [di'spəozəl] *subst* 1 avyttrande 2 ***be at sb.'s ~*** stå till ngns förfogande
dispose [di'spəoz] *verb*, ~ ***of*** göra sig av med
disposed [di'spəozd] *adj* benägen
disposition [ˌdisspə'zischən] *subst* 1 uppställning 2 läggning 3 benägenhet
disprove [ˌdiss'pro:v] *verb* vederlägga
dispute [di'spjo:t] **I** *verb* tvista om **II** *subst* dispyt
disqualify [diss'koållifaj] *verb* diskvalificera
disregard [ˌdissri'ga:d] **I** *verb* ignorera **II** *subst*, ***in ~ of*** utan att ta hänsyn till
disreputable [diss'reppjotəbl] *adj* illa beryktad
disrespectful [ˌdissri'spektfoll] *adj* respektlös
disrupt [dis'rappt] *verb* splittra; störa
dissatisfied [ˌdis'sättisfajd] *adj* missnöjd; otillfredsställd
dissect [di'sekkt] *verb* dissekera
dissent [di'sennt] *verb* ha en annan mening
dissertation [ˌdissə'tejschən] *subst* doktorsavhandling
disservice [ˌdis'sö:vis] *subst* björntjänst
dissimilar [ˌdi'ssimmilə] *adj* olik
dissipate ['dissipejt] *verb* 1 upplösa 2 slösa bort
dissolute ['dissəlo:t] *adj* utsvävande
dissolve [di'zålv] *verb* upplösa
distance ['distəns] *subst* 1 avstånd; ***within easy ~ of*** på bekvämt avstånd från 2 bildl. kyla; ***keep one's ~*** el. ***keep at a ~*** vara reserverad

distant ['distənt] *adj* avlägsen
distaste [ˌdiss'tejst] *subst* avsmak
distasteful [diss'tejstfoll] *adj* osmaklig
distil [di'still] *verb* destillera
distillery [di'stilləri] *subst* spritfabrik
distinct [di'stingkt] *adj* 1 tydlig 2 olik; ***be ~ from*** skilja sig från; ***as ~ from*** till skillnad från
distinction [di'stingkschən] *subst* 1 distinktion; ***without ~*** utan åtskillnad 2 ***a man of ~*** en framstående man
distinctive [di'stingktivv] *adj* utpräglad
distinguish [di'stinggwisch] *verb* 1 ***~ between*** skilja på 2 urskilja
distinguished [di'stinggwischt] *adj* 1 framstående 2 distingerad
distinguishing [di'stinggwisching] *adj* utmärkande
distort [di'stå:t] *verb* förvrida
distract [di'sträkkt] *verb* distrahera
distracted [di'sträkktidd] *adj* distraherad; förvirrad
distraction [di'sträkschən] *subst* 1 distraktion 2 avkoppling; ***to ~*** vanvettigt
distraught [di'strå:t] *adj* ifrån sig, utom sig
distress [di'stress] **I** *subst* 1 nöd 2 kval **II** *verb* plåga
distressing [di'stressing] *adj* plågsam
distribute [di'stribbjo:t] *verb* dela ut; distribuera
distribution [ˌdistri'bjo:schən] *subst* distribution
distributor [di'stribbjotə] *subst* distributör
district ['disstrikkt] *subst* distrikt; ***~ heating power plant*** fjärrvärmeverk; ***~ nurse*** distriktssköterska; ***~ visitor*** socialarbetare
distrust [dis'trast] *subst* o. *verb* misstro
disturb [di'stö:b] *verb* 1 störa 2 oroa
disturbance [di'stö:bəns] *subst* 1 störning 2 orolighet
disused [ˌdis'jo:zd] *adj* oanvänd
ditch [ditch] *subst* dike
dither ['diðə] *verb* tveka, vela
dive [dajv] **I** dyka **II** *subst* dykning
diver ['dajvə] *subst* dykare
diversion [daj'vö:schən]

subst 1 omläggning
2 förströelse
divert [daj'vö:t] *verb* avleda; dirigera (lägga) om
divide [di'vajd] **I** *verb* dela; fördela **II** *subst* bildl. klyfta
divine [di'vajn] **I** *adj* gudomlig **II** *verb* gissa sig till
diving ['dajving] *subst* dykning; sport. simhopp
diving-board ['dajvingbå:d] *subst* trampolin, svikt
divinity [di'vinnəti] *subst* gudomlighet
division [di'viʒən] *subst* 1 delning; division 2 avdelning
divorce [di'vå:s] **I** *subst* skilsmässa **II** *verb* skilja sig
divorcee [di,vå:'si:] *subst* frånskild
divorcée [di,vå:'si:] *subst* frånskild kvinna
DIY [,di:aj'oaj] förk. för *do-it-yourself*
dizzy ['dizzi] *adj* 1 yr 2 svindlande
do* [do:] 1 göra; utföra; bära sig åt; ***what can I ~ for you?*** vad kan jag stå till tjänst med?; till kund i butik vad får det lov att vara?; ***please, ~!*** var så god!, ja, gärna! 2 syssla med 3 må; ***how ~ you ~?*** hälsningsformel god dag 4 passa; vara nog; ***that'll ~*** det är bra 5 ***you saw it, didn't you?*** du såg det, eller hur?; ***~ come!*** kom för all del!; ***~ you like it?*** tycker du om det?; ***I don't dance*** jag dansar inte 6 ***~ away with*** få slut på; ***~ for*** duga till (som); ***~ with*** göra (ta sig till) med; ***have to ~ with*** ha att göra med; ***I could ~ with a drink*** det skulle smaka bra med en drink; ***let's have done with it*** låt oss få slut på det; ***~ without*** klara sig utan
dock [dåkk] **I** *subst* skeppsdocka; ***docks*** hamn; varv **II** *verb* docka
docker ['dåkkə] *subst* hamnarbetare
dockyard ['dåkkja:d] *subst* skeppsvarv
doctor ['dåkktə] *subst* läkare, doktor
document ['dåkkjomənt] *subst* dokument, handling
documentary [,dåkkjo'mentəri] *adj* o. *subst* dokumentär
dodge [dådʒ] *verb* väja undan för; undvika
doe [dəo] *subst* hind
does [dazz], ***he*** (***she, it***) ***~*** han (hon, det) gör; se vid *do*
doesn't ['dazznt] = *does not*

dog [dågg] **I** *subst* hund **II** *verb* förfölja
dog collar ['dågg,kållə] *subst* hundhalsband
dogged ['dåggidd] *adj* envis; hårdnackad
do-it-yourself [,do:itjə'self] *adj* gör-det-själv-; **~ *kit*** byggsats; **~ *store*** byggmarknad
doldrums ['dålldrəmz] *subst pl* stiltje
dole [dəol], ***be on the*** **~** gå och stämpla
doleful ['dəolfoll] *adj* sorgsen
doll [dåll] *subst* docka leksak; ***doll's house*** dockskåp
dollar ['dållə] *subst* dollar
dolphin ['dållfinn] *subst* delfin
dome [dəom] *subst* kupol
domestic [də'messtikk] *adj* **1** hushålls-; **~ *life*** hemliv **2** inrikes **3** **~ *animal*** husdjur; tamdjur
dominate ['dåmminejt] *verb* dominera
domineering [,dåmmi'niəring] *adj* dominerande
dominion [də'minnjən] *subst* herravälde
dominoes ['dåmminəos] *subst pl* domino spel
don [dånn] *subst* universitetslärare i synnerhet vid Cambridge el. Oxford
donate [dəo'nejt] *verb* skänka; donera
done [dann] **I** perf. p. av *do* **II** *adj*, ***well*** **~** genomstekt
donkey ['dångki] *subst* åsna
donor ['dəonə] *subst* donator; givare
don't [dəont] = *do not*
doodle ['do:dl] *subst* klotter, krumelurer
doom [do:m] **I** *subst* undergång **II** *verb*, ***be doomed*** vara dömd att misslyckas
doomsday ['do:mzdej] *subst* domedag
door [då:] *subst* dörr
doorbell ['då:bell] *subst* ringklocka på dörr
doorman ['då:mən] *subst* dörrvakt, vaktmästare
doormat ['då:mätt] *subst* dörrmatta
doorstep ['då:stepp] *subst* tröskel
doorway ['då:wej] *subst* dörröppning
dormant ['då:mənt] *adj* slumrande mest bildl.
dormitory ['då:mətri] *subst* sovsal

dormouse ['då:maos] *subst* sjusovare djur
dose [dəos] *subst* dos
dot [dått] **I** *subst* punkt; prick **II** *verb* pricka
dote [dəot] *verb*, ~ ***on*** vara mycket svag för
double ['dabbl] **I** *adj* dubbel **II** *adv* dubbelt **III** *subst* **1** dubbelgångare **2** i tennis o.d. ***men's doubles*** herrdubbel; ***women's doubles*** damdubbel **IV** *verb* fördubbla, dubblera
double bass [ˌdabbl'bejs] *subst* kontrabas
double-breasted [ˌdabbl'bresstidd] *adj* om plagg dubbelknäppt
double-cross [ˌdabbl'kråss] *verb* vard. lura
double-decker [ˌdabbl'dekkə] *subst* dubbeldäckare
double-glazing [ˌdabbl'glejzing] *subst* koll. tvåglasfönster
doubly ['dabbli] *adv* dubbelt
doubt [daot] **I** *subst* tvivel; ***no*** ~ otvivelaktigt; ***beyond*** ~ utom (höjd över) allt tvivel **II** *verb* tvivla
doubtful ['daotfoll] *adj* tvivelaktig
doubtless ['daotləss] *adv* utan tvivel
dough [dəo] *subst* deg
doughnut ['dəonatt] *subst* munk bakverk
douse [daos] *verb* släcka
dove [davv] *subst* duva
dovetail ['davvtejl] bildl. passa in i varandra
dowdy ['daodi] *adj* sjaskig, gammalmodig
1 down [daon] *subst* dun; ~ ***quilt*** duntäcke
2 down [daon] **I** *adv* o. *adj* **1** ned, ner; utför **2** ***be*** ~ bildl. vara nere; ***be ~ with the flu*** ligga sjuk i influensa **3** ~ ***payment*** handpenning **II** *prep* nedför, utför; längs med, utefter
down-and-out [ˌdaonən'aot] *adj* utslagen
downcast ['daonka:st] *adj* nedslagen
downfall ['daonfå:l] *subst* fall, fördärv
downhearted [ˌdaon'ha:tidd] *adj* nedstämd
downhill [ˌdaon'hil] **I** *adj* sluttande; ~ ***run*** (***skiing***) utförsåkning **II** *adv* nedför backen, utför; ***go*** ~ bildl. förfalla
download ['daonləod] *subst* nedladdning
downpour ['daonpå:] *subst* störtskur

downright ['daonrajt] *adv* riktigt; fullkomligt
downstairs [ˌdaon'stäəz] *adv* nedför trappan; i nedre våningen
downstream [ˌdaon'striːm] *adj* som går med strömmen
down-to-earth [ˌdaonto'öːθ] *adj* praktisk; jordnära
downtown [ˌdaon'taon] *subst* stads centrum
downward ['daonwəd] *adj* som går utför
downwards ['daonwədz] *adv* nedåt, utför
dowry ['daoəri] *subst* hemgift
doze [dəoz] **I** *verb* slumra **II** *subst* tupplur
dozen ['dazzn] *subst* dussin; ***dozens of*** dussintals
drab [dräbb] *adj* trist
draft [draːft] **I** *subst* utkast till tal, bok o.d. **II** *verb* **1** ta ut för särskilt uppdrag **2** skriva ett utkast till
drag [drägg] *verb* **1** släpa, dra **2** dragga
dragon ['dräggən] *subst* drake
dragonfly ['dräggənflaj] *subst* trollslända
drain [drejn] **I** *verb* **1** dränera **2** bildl. tömma **II** *subst* **1** avloppstrumma; avlopp **2** bildl. åderlåtning
drainage ['drejnidʒ] *subst* **1** dränering **2** avloppssystem
draining-board ['drejningbåːd] *subst* torkbräda på diskbänk
drainpipe ['drejnpajp] *subst* **1** stuprör **2** ***drainpipes*** stuprörsbyxor
drama ['draːmə] *subst* drama, skådespel
dramatic [drə'mättikk] *adj* dramatisk
dramatist ['drämmətist] *subst* dramatiker
dramatize ['drämmətajz] *verb* dramatisera
drank [drängk] imperf. av *drink*
drape [drejp] *verb* drapera
drastic ['drässtikk] *adj* drastisk
draught [draːft] *subst* **1** klunk **2** luftdrag **3** ***~ beer*** fatöl **4** ***draughts*** dam spel
draughtboard ['draːftbåːd] *subst* damspelsbräde
draughtsman ['draːftsmən] *subst* ritare
draw* [dråː] **I** *verb* **1** dra i olika bet.; dra till sig **2** rita **3** ta ut pengar **4** sport. spela oavgjort **5** ***~ near*** närma sig, nalkas **6** ***~ in*** om dagar bli kortare; ***~ into*** dra in i, delta; ***~ on*** (***upon***) bildl. dra växlar

på; ~ ***out*** om dagar bli längre; ~ ***up*** utarbeta **II** *subst* sport. oavgjord match; i schack remi

drawback ['drå:bäkk] *subst* nackdel

drawbridge ['drå:bridʒ] *subst* klaffbro

drawer [drå:] *subst* byrålåda

drawing ['drå:ing] *subst* ritning, teckning

drawing-board ['drå:ingbå:d] *subst* ritbord

drawing-pin ['drå:ingpinn] *subst* häftstift

drawing-room ['drå:ingro:m] *subst* salong rum

drawl [drå:l] **I** *verb* tala släpigt **II** *subst* släpigt tal

drawn [drå:n] **I** perf. p. av *draw* **II** *adj* **1** oavgjord **2** ~ ***curtains*** fördragna gardiner

dread [dredd] **I** *verb* frukta **II** *subst* fruktan

dreadful ['dreddfoll] *adj* förskräcklig

dream* [dri:m] **I** *subst* dröm; ***sweet dreams!*** sov gott! **II** *verb* drömma

dreamy ['dri:mi] *adj* drömmande

dreary ['driəri] *adj* dyster

dredge [dredʒ] *verb* bottenskrapa; muddra

drenched [drentscht] *adj* genomblöt

dress [dress] **I** *verb* **1** klä; klä sig, klä på sig **2** lägga om **II** *subst* klänning; ***full*** ~ gala; högtidsdräkt

dresser ['dressə] *subst* **1** skänk **2** ***he is a careful*** ~ han klär sig med stor omsorg

dressing ['dressing] *subst* **1** salladssås, dressing **2** förband för sår o.d.

dressing-gown ['dressinggaon] *subst* morgonrock

dressing-room ['dressingro:m] *subst* omklädningsrum; på teater o.d. klädloge

dressing-table ['dressing,tejbl] *subst* toalettbord

dressmaker ['dress,mejkə] *subst* sömmerska

dress rehearsal [,dressri'hö:səl] *subst* generalrepetition

drew [dro:] imperf. av *draw*

dribble ['dribbl] **I** *verb* **1** droppa **2** sport. dribbla **II** *subst* **1** droppe **2** sport. dribbling

drift [drift] **I** *subst* **1** driva

2 tendens **II** *verb* driva; **~ *apart*** glida ifrån varandra
driftwood ['driftwodd] *subst* drivved
drill [drill] **I** *verb* **1** borra **2** drilla **II** *subst* **1** borrmaskin **2** exercis
drink* [dringk] **I** *verb* dricka; supa; **~ *to sb.*** skåla för ngn **II** *subst* **1** klunk; glas, järn; ***a ~ of water*** ett glas vatten **2** dryck; sprit
drinker ['dringkə] *subst*, ***heavy ~*** storsupare
drinking-water ['dringking,oå:tə] *subst* dricksvatten
drip [dripp] **I** droppa **II** *subst* **1** droppe **2** dropp
drip-dry [,dripp'draj] *verb* dropptorka
dripping ['dripping] *adv* drypande
drive* [drajv] **I** *verb* **1** köra; köra bil **2** driva; **~ *sb. crazy*** göra ngn galen **II** *subst* **1** bilresa **2** kampanj, drive
drivel ['drivvl] *subst* dravel
driver ['drajvə] *subst* bilförare
driveway ['drajvwej] *subst* privat uppfartsväg
driving instructor ['drajvingin,strakktə] *subst* bilskollärare
driving licence ['drajving,lajsəns] *subst* körkort
driving school ['drajvingsko:l] *subst* bilskola
driving test ['drajvingtest] *subst* körkortsprov
drizzle ['drizzl] *subst* duggregn
drone [drəon] **I** *subst* **1** drönare hanbi **2** surr **II** *verb* surra
drool [dro:l] *verb* dregla
droop [dro:p] *verb* sloka
drop [dråpp] **I** *subst* **1** droppe **2** slags karamell **3** nedgång **II** *verb* **1** droppa **2** falla, sjunka **3** sluta med **4 ~ *me a line!*** skriv ett par rader! **5 ~ *by* (*in*)** titta 'in; **~ *off*** släppa av; **~ *out*** gå ur tävling, hoppa av studier
dropout ['dråppaot] *subst* avhoppare från studier o.d.
droppings ['dråppingz] *subst pl* spillning av djur
drought [draot] *subst* torka
drove [drəov] imperf. av *drive*
drown [draon] *verb* drunkna; dränka
drowsy ['draozi] *adj* dåsig
drudgery ['dradʒəri] *subst* slit och släp
drug [dragg] **I** *subst* drog,

läkemedel; ***drugs*** äv. narkotika; ***take drugs*** sport. dopa sig **II** *verb* droga

drug addict ['dragg,äddikt] *subst* narkoman

drum [dramm] *subst* o. *verb* trumma

drummer ['drammə] *subst* trumslagare

drunk [drangk] **I** perf. p. av *drink* **II** *adj* full berusad **III** *subst* fyllo

drunken ['drangkən] *adj* **1** full berusad; ***~ driving*** rattfylleri **2** fylle-

dry [draj] **I** torr **II** *verb* torka

dryer ['drajə] *subst* torkskåp, torktumlare

dryness ['drajnəs] *subst* torka; torrhet

dual ['djo:əl] *adj* tvåfaldig, dubbel

dubious ['djo:bjəs] *adj* tvivelaktig

duchess ['datchəs] *subst* hertiginna

duck [dakk] **I** *subst* anka; and **II** *verb* dyka; ducka

duckling ['dakkling] *subst* ankunge

duct [dakt] *subst* rörledning

due [djo:] **I** *adj* **1** förfallen till betalning **2** ***after ~ consideration*** efter moget övervägande; ***in ~ course*** i sinom tid **3** ***be ~*** väntas; ***be ~ to*** bero på **II** *subst*, ***membership dues*** medlemsavgift

duet [djo'et] *subst* duett, duo

1 dug [dagg] *subst* juver; spene

2 dug [dagg] imperf. o. perf. p. av *dig*

duke [djo:k] *subst* hertig

dull [dall] *adj* **1** matt; mulen **2** tråkig

duly ['djo:li] *adv* vederbörligen; i rätt tid

dumb [damm] *adj* stum

dummy ['dammi] *subst* skyltdocka

dump [damp] **I** *verb* tippa, dumpa **II** *subst* soptipp

dumpling ['dampling] *subst* slags klimp

dumpy ['dampi] *adj* kort och tjock

dunce [dans] *subst* dummerjöns

dune [djo:n] *subst* sanddyn

dung [dang] *subst* dynga

dungeon ['dandʒən] *subst* underjordisk fängelsehåla

duplex ['djo:plekks] *adj* tvåfaldig

duplicate ['djo:plikətt] **I** *adj* dubblett- **II** *subst* dubblett; ***in ~*** i två likalydande exemplar

durable ['djoərəbl] *adj* varaktig, bestående
duration [djoə'rejschən], ***for the ~*** så länge det (den) varar
duress [djoə'ress] *subst* olaga tvång
during ['djoəring] *prep* under, under loppet av
dusk [dask] *subst* skymning
dust [dast] **I** *subst* damm, stoft **II** *verb* damma
dustbin ['dastbinn] *subst* soptunna
duster ['dastə] *subst* dammtrasa, dammvippa
dustman ['dastmən] *subst* vard. sopgubbe
dusty ['dasti] *adj* dammig
Dutch [datch] **I** *adj* holländsk, nederländsk; ***go ~*** vard. betala var och en för sig **II** *subst* nederländska (holländska) språket
Dutchman ['datchmən] *subst* holländare, nederländare
Dutchwoman ['datch,wommən] *subst* holländska, nederländska kvinna
dutiful ['djo:tifoll] *adj* plikttrogen
duty ['djo:ti] *subst* **1** plikt **2** ***off ~*** inte i tjänst; ledig; ***on ~*** i tjänst; vakthavande **3** tull
duty-free [,djo:ti'fri:] *adj* tullfri
duvet ['djo:vej] *subst* duntäcke
DVD [,di:vi:'di:] *subst* dvd; ***~ player*** dvd-spelare
dwarf [doå:f] *subst* dvärg
dwell [doell] *verb*, ***~ on*** bre ut sig över
dwindle ['dwindl] *verb* krympa ihop
dye [daj] **I** *subst* färgmedel **II** *verb* färga hår, kläder o.d.
dying ['dajing] *adj* döende
dynamic [daj'nämmikk] *adj* dynamisk
dynamite ['dajnəmajt] *subst* dynamit
dynamo ['dajnəməo] *subst* generator

Ee

E, e [iː] E, e
each [iːtch] *pron* var för sig; varje; ~ ***other*** varandra
eager ['iːgə] *adj* ivrig, angelägen
eagle ['iːgl] *subst* örn
1 ear [iə] *subst* sädesax
2 ear [iə] *subst* öra; ***be all ears*** vara idel öra; ***have an ~ for music*** ha musiköra
earache ['iərejk] *subst* örsprång; ***have an ~*** äv. ha ont i öronen
eardrum ['iədramm] *subst* trumhinna
earl [öːl] *subst* brittisk greve
early ['öːli] **I** *adv* tidigt; för tidigt **II** *adj* tidig; för tidig; första; ***as ~ as*** redan; ~ ***tomorrow morning*** i morgon bitti; ***tomorrow at the earliest*** tidigast i morgon
earmark ['iəmaːk] *verb* sätta av, öronmärka
earn [öːn] *verb* tjäna, förtjäna
earnest ['öːnist] *adj* allvarlig
earnings ['öːningz] *subst pl* inkomst, inkomster
earring ['iəring] *subst* örhänge; örring
earshot ['iəschått] *subst* hörhåll
earth [öːθ] **I** *subst*, ***the ~*** jorden **II** *verb* jorda
earthenware ['öːθənoäə] *subst* lergods
earthquake ['öːθkoejk] *subst* jordbävning
earthy ['öːθi] *adj* **1** jordaktig **2** jordnära
ease [iːz] **I** *subst* **1** välbefinnande; ***at ~*** väl till mods; obesvärad; ***ill at ~*** illa till mods; besvärad **2** lätthet **II** *verb* **1** lindra **2** lätta på; minska
easel ['iːzl] *subst* staffli
easily ['iːzəli] *adv* lätt, med lätthet
east [iːst] **I** *subst* **1** öst **2** ***the East*** Orienten; ***the Middle East*** Mellanöstern **II** *adj* östra; ***the East End*** östra London med dock- och fabriksområden samt arbetarbostäder **III** *adv* österut
Easter ['iːstə] *subst* påsk
easterly ['iːstəli] *adj* östlig
eastern ['iːstən] *adj* **1** östlig; öst- **2** ***Eastern*** orientalisk
eastward ['iːstoəd] o. **eastwards** ['iːstoədz] *adv* mot (åt) öster
easy ['iːzi] *adj* **1** lätt, enkel **2** lugn, sorglös

easy chair ['i:zitchäə] *subst* länstol, fåtölj
easy-going ['i:zi,gəoing] *adj* lättsam
eat* [i:t] *verb* äta
eavesdrop ['i:vzdråpp] *verb* tjuvlyssna
ebb [ebb] **I** *subst* ebb; ~ ***and flow*** ebb och flod; bildl. uppgång och nedgång **II** *verb* bildl. ebba ut
ebony ['ebbəni] *subst* ebenholts
eccentric [ik'sentrikk] *adj* excentrisk
echo ['ekəo] **I** *subst* eko **II** *verb* eka
eclipse [i'klipps] *subst* förmörkelse, eklips
ecology [i:'kållədʒi] *subst* ekologi
economic [ˌi:kə'nåmmikk] *adj* ekonomisk
economical [ˌi:kə'nåmmikkəl] *adj* ekonomisk, sparsam
economics [ˌi:kə'nåmmikks] *subst* nationalekonomi
economize [i'kånnəmajz] *verb* spara, hushålla med
economy [i'kånnəmi] *subst* ekonomi; hushållning; ~ ***class*** t.ex. på flygplan ekonomiklass, turistklass
ecnomy-size [i'kånnəmisajz] *adj* i ekonomiförpackning (storpack)
ecstasy ['ekkstəsi] *subst* extas
ecstatic [ek'stättikk] *adj* extatisk; hänförd
ecu ['ekjo:] (förk. för *European currency unit*) ecu
eczema ['ekksəmə] *subst* eksem
edge [edʒ] *subst* **1** egg; ***on*** ~ på helspänn **2** kant, rand
edgeways ['edʒwejz] *adv* på tvären; ***get a word in*** ~ få en syl i vädret
edgy ['edʒi] *adj* nervös, lättretad
edible ['eddəbl] *adj* ätlig ej giftig
edict ['i:dikkt] *subst* påbud
edit ['edditt] *verb* redigera; klippa film
edition [i'dischən] *subst* upplaga
editor ['edditə] *subst* redaktör
editorial [ˌeddi'tå:riəl] **I** *adj* redaktionell **II** *subst* ledare i tidning
educate ['eddjokejt] *verb* utbilda
education [ˌeddjo'kejschən] *subst* utbildning; fostran
educational

[ˌeddjo'kejschənl] *adj* utbildnings-; fostrande

eel [iːl] *subst* ål

eerie o. **eery** ['iəri] *adj* kuslig

effect [i'ffekkt] **I** *subst* effekt i olika bet.; ***in* ~** i själva verket **II** *verb* verkställa

effective [i'ffekktivv] *adj* **1** effektiv **2** i kraft

effectively [i'ffekktivvli] *adv* **1** effektivt **2** i själva verket

effeminate [i'femminət] *adj* effeminerad, vek

effervescent [ˌeffə'vessnt] *adj* mousserande; bildl. upprymd; **~ *tablet*** brustablett

efficiency [i'fischənsi] *subst* effektivitet

efficient [i'fischənt] *adj* effektiv

effort ['effət] *subst* ansträngning

effortless ['effətləss] *adj* obesvärad

effusive [i'ffjoːsivv] *adj* översvallande

e.g. [ˌiː'dʒiː] t.ex.

1 egg [egg] *verb*, **~ *on*** egga

2 egg [egg] *subst* ägg; ***bad* ~** bildl. rötägg

egg cup ['eggkapp] *subst* äggkopp

egg plant ['eggplaːnt] *subst* aubergine

eggshell ['eggschell] *subst* äggskal

ego ['iːgəo] *subst* ego; självkänsla

egotism ['iːgəotizzəm] *subst* egoism

egotist ['iːgəotist] *subst* egoist

eiderdown ['ajdədaon] *subst* ejderdun

eight [ejt] *räkn* åtta

eighteen [ˌej'tiːn] *räkn* arton; ***18*** åldersgräns arton år på bio

eighth [ejtθ] *räkn* åttonde

eighty ['ejti] *räkn* åttio

Eire ['äərə] Eire Irländska republiken

either ['ajðə] **I** vilken (vilket) som helst **II** *adv* heller **III** *konj*, **~ *. . . or*** antingen . . . eller; varken . . . eller

eject [i'dʒekkt] *verb* skjuta (stöta) ut; kasta ut

eke [iːk] *verb*, **~ *out*** dryga ut; få att räcka till

elaborate [i'läbbərətt] *adj* i detalj utarbetad

elapse [i'läpps] *verb* förflyta, gå

elastic [i'lässtikk] **I** *adj*

elastisk **II** *subst* resår, gummiband
elated [i'lejtidd] *adj* upprymd
elation [i'lejschən] *subst* upprymdhet
elbow ['ellbəo] *subst* armbåge
1 elder ['elldə] *adj* äldre
2 elder ['elldə] *subst* fläder buske
elderly ['elldəli] *adj* äldre, litet till åren
eldest ['elldist] *adj* äldst
elect [i'lekkt] *verb* välja genom röstning; utse
election [i'lekkschən] *subst* val genom röstning; ***a general ~*** allmänna val
elector [i'lekktə] *subst* väljare
electorate [i'lekktərətt] *subst* väljarkår
electric [i'lekktrikk] *adj* 1 elektrisk, el-; ***~ bulb*** glödlampa; ***~ cooker*** elspis 2 bildl. laddad
electrician [ilekk'trischən] *subst* elektriker
electricity [ilekk'trissəti] *subst* elektricitet, ström
electrify [i'lekktrifaj] *verb* 1 elektrifiera 2 bildl. elda
electronic [ilekk'trånnikk] *adj* elektronisk
electronics [ilekk'trånnikks] *subst* elektronik
elegant ['elligənt] *adj* elegant
element ['ellimənt] *subst* beståndsdel; element; ***the human element*** den mänskliga faktorn
elementary [ˌeli'menntəri] *adj* elementär
elephant ['elləfənt] *subst* elefant
elevation [ˌelli'vejschən] *subst* upphöjelse
eleven [i'levvn] *räkn* elva
elevenses [i'levvnziz] *subst pl* vard. elvakaffe
eleventh [i'levvnθ] *räkn* elfte
elicit [i'lissitt] *verb* framkalla, väcka
eligible ['ellidʒəbl] *adj* berättigad, lämplig
elm [elm] *subst* alm
elope [i'ləop] *verb* rymma för att gifta sig
eloquent ['elləokoənt] *adj* vältalig
else [ells] *adv* 1 annars 2 annan, mer, fler, annat; ***everywhere ~*** på alla andra ställen; ***little ~*** inte mycket mer (annat); ***not anywhere ~*** inte någon annanstans
elsewhere [ˌells'oäə] *adv* någon annanstans

elude [i'lo:d] *verb* undslippa, undfly
elusive [i'lo:sivv] *adj* gäckande; ogripbar
e-mail ['i:mejl] *subst* e-post
emancipate [i'männsipejt] *verb* frigöra, emancipera
embark [im'ba:k] *verb* gå ombord
embarkation [ˌemba:'kejschən] *subst* ombordstigning
embarrass [im'bärrəss] *verb* göra generad
embarrassed [im'bärrəst] *adj* förlägen, generad
embarrassing [im'bärrəsing] *adj* pinsam
embarrassment [im'bärrəsmənt] *subst* förlägenhet
embassy ['emmbəsi] *subst* ambassad
embellish [im'bellisch] *verb* försköna
embezzle [im'bezzl] *verb* förskingra
embezzlement [im'bezzlmənt] *subst* förskingring
embody [im'båddi] *verb* ge uttryck åt
embrace [im'brejs] **I** *verb* krama **II** *subst* kram
embroider [im'bråjdə] *verb* brodera
embroidery [im'bråjdəri] *subst* broderi
emerald ['emmərəld] *subst* smaragd; ***the Emerald Isle*** den gröna ön Irland
emerge [i'mö:dʒ] *verb* uppstå; dyka upp
emergency [i'mö:dʒənsi] *subst* **1** ***in case of ~*** i ett nödläge **2** ***~ brake*** nödbroms; ***~ exit*** (***door***) nödutgång; ***~ ward*** akutmottagning på sjukhus
emergent [i'mö:dʒənt] *adj* frambrytande
emery board ['emməribå:d] *subst* sandpappersfil
emigrate ['emmigrejt] *verb* emigrera
eminent ['emminənt] *adj* framstående
emit [i'mitt] *verb* avge, utstöta
emotion [i'məoschən] *subst* känsla
emotional [i'məoschənl] *adj* känslomässig, emotionell
emotive [i'məotivv] *adj* känslobetonad
emperor ['emmpərə] *subst* kejsare
emphasis ['emmfəsiss] *subst* eftertryck, emfas

emphasize ['emmfəsajz] *verb* framhäva
emphatic [im'fättikk] *adj* eftertrycklig, bestämd
emphatically [im'fättikəlli] *adv* eftertryckligen
empire ['emmpajə] *subst* 1 kejsardöme 2 imperium
employ [im'plåj] *verb* 1 anställa 2 använda
employee [ˌemplåj'iː] *subst* arbetstagare
employer [im'plåjə] *subst* arbetsgivare
employment [im'plåjmənt] *subst* arbete; anställning; ***~ office*** (privat ***agency***) arbetsförmedling
empower [im'paoə] *verb* bemyndiga
empress ['emmprəss] *subst* kejsarinna
emptiness ['emptinəs] *subst* tomhet
empty ['empti] **I** *adj* tom i div. bet. **II** *verb* tömma
empty-handed [ˌempti'hänndidd] *adj* tomhänt
emulate ['emjolejt] *verb* söka efterlikna
enable [i'nejbl] *verb*, ***~ sb. to*** göra det möjligt för ngn att
enamel [i'nämməl] **I** *subst* 1 emalj 2 lack **II** *verb* emaljera
enamoured [i'nämməd] *adj* förälskad
enchant [in'tchaːnt] *verb* förtrolla; hänföra
enchanting [in'tchaːnting] *adj* bedårande
enclose [in'kləoz] *verb* 1 inhägna; omge 2 i brev o.d. bifoga
enclosure [in'kləoʒə] *subst* inhägnad
encompass [in'kampəs] *verb* 1 omge 2 omfatta
encore [ång'kåː] **I** *interj*, ***~!*** en gång till! **II** *subst* extranummer
encounter [in'kaontə] **I** *verb* möta, stöta på **II** *subst* möte
encourage [in'karridʒ] *verb* uppmuntra
encouragement [in'karridʒmənt] *subst* uppmuntran
encroach [in'krəotch] *verb* inkräkta
encyclopedia [enˌsajkləo'piːdjə] *subst* uppslagsverk
end [ennd] **I** *subst* 1 slut; ände; ***put an ~ to*** sätta stopp för; ***in the ~*** till slut; när allt kom (kommer) omkring; ***to the bitter ~*** in i det sista;

come to an ~ ta slut **2** mål, syfte; ***an ~ in itself*** ett självändamål **II** *verb* sluta, avsluta; göra slut på
endanger [in'dejndʒə] *verb* äventyra
endearing [in'diəring] *adj* älskvärd
endeavour [in'devvə] *subst* strävan
ending ['ennding] *subst* slut, avslutning
endive ['enndivv] *subst* frisésallat
endless ['enndləs] *adj* oändlig
endorse [in'då:s] *verb* skriva under på bildl.
endorsement [in'då:smənt] *subst* stöd bildl.
endow [in'dao] *verb* bildl. begåva
endure [in'djoə] *verb* uthärda
enemy ['ennəmi] *subst* fiende; ***make enemies*** skaffa sig fiender
energetic [ˌenə'dʒetikk] *adj* energisk
energy ['ennədʒi] *subst* energi
engage [in'gejdʒ] *verb* engagera; ***~ in*** ägna sig åt
engaged [in'gejdʒd] *adj* **1** upptagen **2** förlovad
engagement [in'gejdʒmənt] *subst* **1** förlovning **2** engagemang
engaging [in'gejdʒing] *adj* intagande
engine ['endʒin] *subst* motor
engine-driver ['endʒinˌdrajvə] *subst* lokförare
engineer [ˌendʒi'niə] *subst* ingenjör
England ['ingglənd] England
English ['ingglisch] **I** *adj* engelsk; ***~ breakfast*** engelsk frukost ofta med bacon och ägg m.m. **II** *subst* engelska språket
Englishman ['ingglischmən] *subst* engelsman
Englishwoman ['ingglischˌwommən] *subst* engelska kvinna
engraving [in'grejving] *subst* gravyr
enhance [in'ha:ns] *verb* förhöja
enjoy [in'dʒåj] *verb* **1** njuta av **2** åtnjuta
enjoyable [in'dʒåjəbl] *adj* njutbar
enjoyment [in'dʒåjmənt] *subst* njutning; nöje
enlarge [in'la:dʒ] *verb* förstora upp; ***~ on*** breda ut sig över
enlighten [in'lajtn] *verb* upplysa

enlightened [in'lajtnd] *adj* upplyst
enlightenment [in'lajtnmənt] *subst* upplysning
enlist [in'list] *verb* ta värvning
enmity ['ennməti] *subst* fiendskap
enormous [i'nåːməs] *adj* enorm
enough [i'naff] *adj* o. *pron* o. *adv* nog, tillräckligt
enrage [in'rejdʒ] *verb* göra rasande
enrol [in'rəol] *verb* skriva in sig
ensure [in'schoə] *verb* säkerställa; ~ ***that*** se till att
entail [in'tejl] *verb* medföra
enter ['enntə] *verb* **1** gå in i **2** anmäla sig till
enterprise ['enntəprajz] *subst* företag
enterprising ['enntəprajzing] *adj* företagsam
entertain [ˌentə'tejn] *verb* underhålla
entertainer [ˌentə'tejnə] *subst* underhållare
entertaining [ˌentə'tejning] *adj* underhållande
entertainment [ˌentə'tejnmənt] *subst* **1** underhållning **2** ~ ***allowance*** representationskonto
enthusiasm [in'θjoːziäzəm] *subst* entusiasm
enthusiast [in'θjoːziäst] *subst* entusiast
enthusiastic [inˌθjoːzi'ässtikk] *adj* entusiastisk
entice [in'tajs] *verb* locka, lura
entire [in'tajə] *adj* hel
entirely [in'tajəli] *adv* helt och hållet
entitle [in'tajtl] *verb* berättiga
entrance ['enntrəns] *subst* **1** ingång **2** inträde
entrance examination ['enntrəns igˌzämmi'nejschən] *subst* inträdesprov
entrance fee ['enntrənsfiː] *subst* **1** inträdesavgift **2** anmälningsavgift
entrepreneur [ˌaːntrəprə'nöː] *subst* företagare
entrust [in'trasst] *verb*, ~ ***sb. with sth.*** anförtro ngn ngt
entry ['enntri] *subst* inträde
entry phone ['enntrifəon] *subst* porttelefon
envelop [in'velləpp] *verb* svepa in

envelope ['ennvələop] *subst* kuvert
envious ['ennviəs] *adj* avundsjuk
environment [in'vajərənmənt] *subst* miljö
environmental [in,vajərən'mentl] *adj* miljö-; ~ ***party*** miljöparti
environment-friendly [in'vajərənmənt,frenndli] *subst* miljövänlig
envisage [in'vizzidʒ] *verb* föreställa sig
envoy ['ennvåj] *subst* sändebud
envy ['ennvi] **I** *subst* avund **II** *verb* avundas
epidemic [,epi'demmikk] *subst* epidemi
epilepsy ['eppileppsi] *subst* epilepsi
episode ['eppisəod] *subst* **1** episod **2** avsnitt av TV-serie
equal ['i:koəl] **I** *adj* lika; lika stor; jämlik **II** *subst* like; jämlike **III** *verb* kunna mäta sig med; vara lika med
equality [i'koålləti] *subst* jämlikhet
equalize ['i:koəlajz] *verb* utjämna
equally ['i:koəli] *adv* lika; likaså
equanimity [,ekoə'nimməti] *subst* jämnmod
equate [i'koejt] *verb* jämställa
equation [i'koejʒən] *subst* ekvation
equator [i'koejtə] *subst* ekvator
equilibrium [,i:kwi'libbriəm] *subst* jämvikt
equip [i'kwipp] *verb* utrusta
equipment [i'kwippmənt] *subst* utrustning
equivalent [i'kwivvələnt] **I** *adj* likvärdig **II** *subst* motsvarighet
equivocal [i'kwivvəkəl] *adj* tvetydig
era ['iərə] *subst* era, epok
eradicate [i'räddikejt] *verb* utrota
erase [i'rejz] *verb* radera
eraser [i'rejzə] *subst* radergummi
erect [i'rekkt] **I** *adj* upprätt **II** *verb* resa, uppföra
erection [i'rekschən] *subst* erektion
erode [i'rəod] *verb* **1** fräta bort **2** bildl. undergräva
erotic [i'råttikk] *adj* erotisk
err [ö:] *verb* fela
errand ['errənd] *subst* ärende
erratic [i'rättikk] *adj* planlös

error ['errə] *subst* fel; misstag
erupt [i'rappt] *verb* bryta ut
eruption [i'rapschən] *subst* utbrott
escalate ['eskəlejt] *verb* trappa upp
escalator ['eskəlejtə] *subst* rulltrappa
escapade [ˌeskə'pejd] *subst* eskapad
escape [i'skejp] **I** *verb* fly, rymma **II** *subst* rymning
escapism [i'skejpizəm] *subst* verklighetsflykt
escort ['esskå:t] *subst* **1** eskort **2** kavaljer
especially [i'speschəli] *adv* särskilt
espionage [ˌespiə'na:ʒ] *subst* spioneri
essay ['essej] *subst* essä; uppsats
essence ['essns] *subst* innersta väsen; ***in ~*** i huvudsak
essential [i'senschəl] *adj* väsentlig
essentially [i'senschəli] *adv* i huvudsak
establish [i'stäbblisch] *verb* **1** etablera **2** fastställa
established [i'stäbblischt] *adj* fastställd; vedertagen
establishment [i'stäbblischmənt] *subst* **1** företag; butik **2** ***the Establishment*** etablissemanget
estate [i'stejt] *subst* lantegendom; ***~ agent*** fastighetsmäklare; ***~ car*** herrgårdsvagn
esteem [i'sti:m] *subst* högaktning
estimate ['esstimət] *subst* **1** kostnadsförslag **2** uppfattning
etching ['etching] *subst* etsning
eternal [i'tö:nl] *adj* evig
eternity [i'tö:nəti] *subst* evighet
ethical ['eθikəl] *adj* etisk
ethics ['eθikks] *subst* etik
ethnic ['eθnikk] *adj* etnisk
etiquette ['ettikett] *subst* etikett, god ton
euro ['joərə] euro
Europe ['joərəpp] Europa
European [ˌjoərə'pi:ən] **I** *adj* europeisk; ***the ~ Union*** (förk. *EU*) Europeiska unionen **II** *subst* europé
evacuate [i'väkkjoejt] *verb* evakuera
evade [i'vejd] *verb* undvika
evaporate [i'väppərejt] *verb* dunsta bort
evasion [i'vejʒən] *subst* undvikande

eve [i:v] *subst*, ***on the ~ of*** kvällen (dagen) före
even ['i:vən] **I** *adj* jämn i olika bet. **II** *adv* även, också, till och med; ***not*** ~ inte ens; ~ ***if*** även om; ~ ***so*** trots det
evening ['i:vning] *subst* 1 kväll; ***this*** ~ i kväll; ***make an ~ of it*** göra sig en helkväll 2 ~ ***class*** kvällskurs
event [i'vennt] *subst* händelse; ***in the ~ of*** i händelse av
eventful [i'venntfoll] *adj* händelserik
eventual [i'venntchoəl] *adj* slutgiltig
eventuality [i,venntcho'älləti] *subst* eventualitet
eventually [i'venntchoəli] *adv* slutligen
ever ['evvə] *adv* någonsin; ***for*** ~ för alltid; ~ ***since*** ända sedan
evergreen ['evvəgri:n] *subst* vintergrön växt
everlasting [,evvə'la:sting] *adj* beständig
every ['evvri] *pron* varje, var, varenda; ~ ***two days*** varannan dag
everybody ['evvri,båddi] *pron* var och en, alla; ~ ***else*** alla andra
everyday ['evvridej] *adj* vardaglig
everyone ['evvrioann] *pron* se *everybody*
everything ['evvriθing] *pron* allt, allting; alltsammans; ~ ***but*** allt möjligt utom
everywhere ['evvrioäə] *adv* överallt
evict [i'vikkt] *verb* vräka
eviction [i'vikkschən] *subst* vräkning
evidence ['evvidəns] *subst* bevis
evident ['evvidənt] *adj* tydlig
evidently ['evvidəntli] *adv* tydligen
evil ['i:vl] **I** *adj* ond, elak **II** *subst* ondskan
evoke [i'vəok] *verb* väcka minnen o.d.
evolution [,i:və'lo:schən] *subst* utveckling
evolve [i'vålv] *verb* utvecklas
ewe [jo:] *subst* tacka får
ex- [ekks] *prefix* f. d., ex-
exact [ig'zäkkt] *adj* exakt; noggrann
exacting [ig'zäkkting] *adj* fordrande
exactly [ig'zäkktli] *adv* 1 exakt; ~***!*** just precis! 2 noga

exaggerate [ig'zäddʒərejt] *verb* överdriva
exaggeration [igˌzäddʒə'rejschən] *subst* överdrift
exalted [ig'zåːltidd] *adj* hänförd
exam [ig'zämm] *subst* vard. tenta
examination [igˌzämmi'nejschən] *subst* **1** undersökning **2** tentamen
examine [ig'zämmin] *verb* undersöka
examiner [ig'zämminə] *subst* examinator
example [ig'zaːmpl] *subst* exempel
exasperate [ig'zäspərejt] *verb* göra rasande (förtvivlad)
exasperation [igˌzäspə'rejschən] *subst* ursinne; förtvivlan
excavate ['ekkskəvejt] *verb* gräva ut
excavation [ˌekkskə'vejschən] *subst* utgrävning
exceed [ik'siːd] *verb* överskrida
excellent ['eksələnt] *adj* utmärkt
except [ik'seppt] *prep* o. *konj* utom, förutom
exception [ik'sepschən] *subst* undantag
exceptional [ik'sepschənl] *adj* ytterst ovanlig
excerpt ['ekksöːpt] *subst* utdrag
excess [ik'sess] *subst* **1** överdrift, excess **2** ~ ***luggage*** övervikt bagage
excessive [ik'sessivv] *adj* överdriven
exchange [iks'tchejndʒ] **I** *subst* **1** byte, utbyte **2** växlingskontor **II** *verb* byta, utbyta
excise ['eksajz] *subst* accis
excite [ik'sajt] *verb* tända, upphetsa
excitement [ik'sajtmənt] *subst* upphetsning
exciting [ik'sajting] *adj* spännande
exclaim [ik'sklejm] *verb* utropa
exclamation [ˌeksklə'mejschən] *subst* utrop
exclude [ik'skloːd] *verb* utesluta; undanta
exclusive [ik'skloːsivv] *adj* exklusiv
excruciating [ik'skroːschiejting] *adj* olidlig
excursion [ek'sköːschən]

subst utflykt; ~ ***ticket*** billigare utflyktsbiljett

excuse I [ik'skjo:z] *verb* ursäkta; ~ ***me!*** förlåt!, ursäkta! **II** [ik'skjo:s] *subst* ursäkt

ex-directory [ˌeksdi'rekktəri] *adj*, ~ ***number*** hemligt telefonnummer

execute ['ekksikjo:t] *verb* **1** avrätta **2** utföra

execution [ˌekksi'kjo:schən] *subst* **1** avrättning **2** utförande

executive [ig'zekkjotivv] **I** *adj* verkställande; chefs- **II** *subst* chef

exemplify [ig'zemplifaj] *verb* exemplifiera

exempt [ig'zempt] *adj* befriad, frikallad

exercise ['ekksəsajz] **I** *subst* träning; motion **II** *verb* träna; motionera

exercise book ['ekksəsajz bokk] *subst* skrivbok

exert [ig'zö:t] *verb* utöva

exhaust [ig'zå:st] **I** *verb* **1** uttömma **2** utmatta **II** *subst* avgasrör

exhausted [ig'zå:stidd] *adj* utmattad, slut

exhaustion [ig'zå:stchən] *subst* utmattning

exhaustive [ig'zå:stivv] *adj* uttömmande

exhibit [ig'zibbitt] *verb* **1** visa **2** ställa ut

exhibition [ˌekksi'bischən] *subst* utställning

exile ['ekksajl] *subst* exil

exist [ig'zist] *verb* existera; finnas till

existence [ig'zistəns] *subst* tillvaro, existens

existing [ig'zisting] *adj* befintlig

exit ['ekksitt] **I** *verb* gå ut **II** *subst* utgång; avfart från motorväg

exonerate [ig'zännərejt] *verb* rentvå

exotic [ig'zåttikk] *adj* exotisk

expand [ik'spänd] *verb* **1** utvidga **2** ~ ***on*** utveckla resonemang o.d.

expansion [ik'spänschən] *subst* expansion

expect [ik'spekkt] *verb* **1** förvänta sig **2** ***be expecting*** vänta barn

expectation [ˌekkspekk'tejschən] *subst* förväntan

expedient [ik'spi:djənt] **I** *adj* ändamålsenlig **II** *subst* medel

expedition [ˌekkspi'dischən] *subst* expedition

expel [ik'spell] *verb* utesluta; relegera från skola
expend [ik'spennd] *verb* lägga ner, använda
expenditure [ik'spennditchə] *subst* utgifter
expense [ik'spenns] *subst* utgift; ***travelling expenses*** resekostnader; ***at sb.'s ~*** på ngns bekostnad
expense account [ik'spennsə,kaont] *subst* representationskonto
expensive [ik'spennsivv] *adj* dyr
experience [ik'spiəriəns] **I** *subst* **1** erfarenhet **2** upplevelse **II** *verb* uppleva, erfara
experienced [ik'spiəriənst] *adj* erfaren
experiment [ik'sperrimənt] *subst* försök, experiment
expert ['ekkspö:t] *subst* expert, specialist
expertise [,ekspö:'ti:z] *subst* expertis
expire [ik'spajə] *verb* upphöra att gälla
expiry [ik'spajəri] *subst*, ***~ date*** förfallodatum; sista förbrukningsdag
explain [ik'splejn] *verb* förklara
explanation [,ekksplə'nejschən] *subst* förklaring
explanatory [ik'splännətəri] *adj* förklarande
explicit [ik'splissitt] *adj* tydlig, klar
explode [ik'spləod] *verb* explodera
1 exploit ['ekksplåjt] *subst* bedrift
2 exploit [ik'splåjt] *verb* exploatera
exploitation [,ekksplåj'tejschən] *subst* exploatering
explore [ik'splå:] *verb* utforska
explorer [ik'splå:rə] *subst* upptäcktsresande
explosion [ik'spləoʒən] *subst* **1** explosion **2** bildl. utbrott
explosive [ik'spləosivv] **I** *adj* explosiv **II** *subst* sprängämne
exponent [ekk'spəonənt] *subst* representant
export I [ekk'spå:t] *verb* exportera **II** ['ekkspå:t] *subst* export
exporter [ekk'spå:tə] *subst* exportör
expose [ik'spəoz] *verb* **1** utsätta **2** avslöja

exposé [ekk'spəozej] *subst* exposé
exposed [ik'spəozd] *adj* utsatt; oskyddad
exposure [ik'spəoʒə] *subst* 1 utsatthet 2 kort på filmrulle 3 avslöjande
express [ik'spress] **I** *adj* 1 uttrycklig 2 express-, il-; ~ ***letter*** expressbrev **II** *subst* 1 expressbefordran 2 expresståg **III** *verb* uttrycka
expression [ik'spreschən] *subst* yttrande; uttryck
expressly [ik'spressli] *adv* uttryckligen
exquisite [ekk'skoizzitt] *adj* utsökt, fin
extend [ik'stennd] *verb* sträcka sig; breda ut sig
extension [ik'stenschən] *subst* 1 förlängning 2 telefonanknytning
extensive [ik'stennsivv] *adj* vidsträckt; omfattande
extensively [ik'stennsivvli] *adv* i stor utsträckning
extent [ik'stennt] *subst* omfattning; ***to a great*** ~ till stor del; ***to some*** ~ i viss mån
exterior [ekk'stiəriə] **I** *adj* yttre **II** *subst* utsida
external [ik'stö:nl] *adj* yttre; extern; utvärtes
extinct [ik'stingkt] *adj* utdöd; utslocknad
extinguish [ik'stinggoisch] *verb* släcka
extinguisher [ik'stinggoischə] *subst* eldsläckare
extort [ik'stå:t] *verb* pressa
extortionate [ik'stå:schənət] *adj* utpressar-
extra ['ekkstrə] *adj* extra; ~ ***time*** i fotboll förlängning; övertid
extract [ik'sträkkt] *verb* dra ur; dra (ta) upp
extradite ['ekstrədajt] *verb* utlämna brottsling till annan stat
extramarital [ˌekstrə'märritl] *adj*, ~ ***relations*** utomäktenskapliga förbindelser
extraordinary [ik'strå:dənəri] *adj* märklig
extravagance [ik'strävvəgəns] *subst* överdåd; onödig lyx
extravagant [ik'strävvəgənt] *adj* extravagant
extreme [ik'stri:m] **I** *adj* 1 ytterst 2 extrem **II** *subst* ytterlighet
extremely [ik'stri:mli] *adv* ytterst; extremt

extricate ['ekkstrikejt] *verb* lösgöra, frigöra
extrovert ['ekkstrəvö:t] *adj* utåtriktad
eye [aj] *subst* öga; ***the naked ~*** blotta ögat; ***an ~ for colours*** färgsinne; ***have an ~ for*** ha blick (sinne) för; ***keep an ~ on*** hålla ett öga på; ***make eyes at*** flörta med
eyeball ['ajbå:l] *subst* ögonglob
eyebrow ['ajbrao] *subst* ögonbryn
eyelash ['ajläsch] *subst* ögonfrans
eyelid ['ajlidd] *subst* ögonlock
eyeliner ['aj,lajnə] *subst* eyeliner
eye-opener ['aj,əopnə] *subst* tankeställare; 'väckarklocka'
eyeshadow ['aj,schädəo] *subst* ögonskugga
eyesight ['ajsajt] *subst* syn, synförmåga
eyesore ['ajså:] *subst* anskrämlig syn
eyewitness ['aj,wittnəs] *subst* ögonvittne

Ff

F, f [eff] F, f
fable ['fejbl] *subst* fabel
fabric ['fäbbrikk] *subst* tyg, textil
fabrication [,fäbbri'kejschən] *subst* dikt, påhitt
fabulous ['fäbbjoləs] *adj* sagolik, vard. fantastisk
face [fejs] **I** *subst* ansikte; min; ***have the ~ to*** ha fräckheten att; ***lose ~*** förlora ansiktet **II** *verb* inse; klara av; ***be faced with*** stå inför
face cloth ['fejsklåθ] *subst* tvättlapp
face cream ['fejskri:m] *subst* ansiktskräm
face-lift ['fejslift] *subst* ansiktslyftning
face powder ['fejs,paodə] *subst* puder
face value ['fejs,väljo:] *subst* nominellt värde; ***take sth. at ~*** bildl. ta ngt för vad det är
facsimile [fäk'simməli] *subst* faksimil
fact [fäkt] *subst* faktum; ***as a matter of ~*** i själva verket; faktiskt
factor ['fäktə] *subst* faktor

factory ['fäktəri] *subst* fabrik
factual ['fäktchoəl] *adj* verklig, faktisk
faculty ['fäkəlti] *subst* förmåga; **~ *of hearing*** hörselförmåga; ***mental faculties*** själsförmögenheter
fad [fädd] *subst* modefluga
fade [fejd] *verb* blekna; **~ *away*** tona bort
fag [fägg] *subst* vard. cigg cigarett
fail [fejl] *verb* misslyckas
failing ['fejling] *subst* fel, brist
failure ['fejljə] *subst* **1** misslyckande; misslyckad person (sak) **2 *engine* ~** motorstopp; ***heart* ~** hjärtsvikt; ***power* ~** strömavbrott
faint [fejnt] **I** *adj* svag, vag **II** *verb* svimma
1 fair [fäə] *subst* **1** marknad; mässa **2** tivoli
2 fair [fäə] **I** *adj* **1** rättvis; sport. just **2** ganska stor; rimlig **3** ljushårig **II** *adv* rättvist
fairly ['fäəli] *adv* **1** rättvist **2** ganska
fairness ['fäənəs] *subst* rättvisa; ***in all* ~** i rättvisans namn
fairy ['fäəri] *subst* fe; älva
faith [fejθ] *subst* **1** tro; tillit; ***have* ~ *in*** tro (lita) på **2** troslära
faithful ['fejθfoll] *adj* trogen, trofast
faithfully ['fejθfolli] *adv* troget
fake [fejk] **I** *verb* **1** förfalska; fejka **2** låtsas **II** *subst* förfalskning; bluff
falcon ['få:lkən] *subst* falk
fall* [få:l] **I** *verb* **1** falla; ramla **2** stupa **3** störtas **4 ~ *apart*** gå sönder; bildl. rasa samman; **~ *back on*** bildl. falla tillbaka på; **~ *behind*** bli efter; **~ *for*** falla för; gå 'på; **~ *in*** störta in; **~ *out*** bli osams; **~ *over*** falla över ända; **~ *through*** gå om intet **II** *subst* fall; nedgång
fallacy ['fälləsi] *subst* villfarelse
fallout ['få:laot] *subst* radioaktivt nedfall
fallow ['fälləo] *adj* som ligger i träda
false [få:ls] *adj* falsk
falter ['få:ltə] *verb* **1** stappla **2** staka sig
fame [fejm] *subst* berömmelse
familiar [fə'milljə] *adj* **1** förtrolig; ***be* ~ *with*** äv. vara insatt i **2** välkänd

family ['fämməli] *subst* familj; ***a wife and ~*** hustru och barn; ***~ doctor*** husläkare; ***~ guidance*** familjerådgivning
famine ['fämmin] *subst* hungersnöd
famished ['fämmischt] *adj* utsvulten
famous ['fejməs] *adj* berömd
1 fan [fänn] *subst* **1** solfjäder **2** fläkt
2 fan [fänn] *subst* vard. fan; ***~ mail*** beundrarpost
fanatic [fə'nättikk] **I** *adj* fanatisk **II** *subst* fanatiker
fan belt ['fännbelt] *subst* fläktrem
fanciful ['fännsifoll] *adj* inbillad, fantasi-
fancy ['fännsi] **I** *subst* **1** fantasi **2** infall **3** lust; tycke **II** *adj* fin; snobbig **III** *verb* **1** inbilla sig **2** tycka om; fatta tycke för
fancy-dress [ˌfännsi'dress] *adj*, ***~ ball*** maskeradbal
fang [fäng] *subst* orms gifttand
fantastic [fänn'tässtikk] *adj* fantastisk
fantasy ['fänntəsi] *subst* fantasi
far [faː] **I** *adj* **1** avlägsen; ***the Far East*** Fjärran Östern **2** bortre **II** *adv* **1** långt; långt bort; ***as*** (***so***) ***~ as*** ända till; så vitt; ***so ~*** hittills **2** vida, mycket; ***~ too much*** alldeles för mycket
far-away ['faːrəwej] *adj* fjärran
farce [faːs] *subst* fars
farcical ['faːsikəl] *adj* komisk
fare [fäə] *subst* **1** biljettpris, taxa **2** kost
farewell [ˌfäə'well] *interj* o. *subst* farväl
farm [faːm] *subst* bondgård
farmer ['faːmə] *subst* lantbrukare
farmhand ['faːmhännd] *subst* lantarbetare
farmhouse ['faːmhaos] *subst* mangårdsbyggnad
farming ['faːming] *subst* jordbruk
far-reaching [ˌfaː'riːtching] *adj* långtgående
farther ['faːðə] **I** *adj* bortre **II** *adv* längre bort
farthest ['faːðist] **I** *adj* borterst **II** *adv* längst bort
fascinate ['fässinejt] *verb* fascinera
fashion ['fäschən] **I** *subst* **1** sätt, vis **2** mode; ***in ~*** på modet, inne; ***out of ~*** omodernt **II** *verb* **1** forma, göra

fashionable ['fäschənəbl] *adj* 1 som är på modet 2 fashionabel

1 fast [fa:st] *subst* o. *verb* fasta

2 fast [fa:st] **I** *adj* **1** snabb, hastig; ~ ***food*** snabbmat; ~ ***lane*** omkörningsfil **2** ***lead a ~ life*** leva rullan **II** *adv* fort; snabbt

fasten ['fa:sn] *verb* fästa, binda fast

fastening ['fa:sning] *subst* knäppning; spänne

fastidious [fə'stiddiəs] *adj* granntyckt

fat [fätt] **I** *adj* fet; tjock **II** *subst* fett; ***cooking ~*** matfett; ***deep ~*** flottyr

fatal ['fejtl] *adj* **1** dödlig 2 ödesdiger

fatality [fə'tälləti] *subst* dödsolycka

fate [fejt] *subst* ödet

father ['fa:ðə] *subst* fader; pappa; ***Father Christmas*** jultomten

father-in-law ['fa:ðərinlå:] *subst* svärfar

fatherly ['fa:ðəli] *adj* faderlig

fathom ['fäðəm] **I** *subst* famn mått **II** *verb* förstå

fatigue [fə'ti:g] *subst* trötthet

fatten ['fättn] *verb* göda

fatty ['fätti] *adj* fet; oljig

fatuous ['fättjoəs] *adj* enfaldig

fault [få:lt] *subst* **1** fel; ***find ~ with*** finna fel hos **2** tennis o.d. felserve

faulty ['få:lti] *adj* felaktig

fauna ['få:nə] *subst* fauna

faux pas [ˌfəo'pa:] *subst* fadäs, tabbe

favour ['fejvə] **I** *subst* ynnest; favör; ***in ~ of*** till förmån för **II** *verb* gynna

favourable ['fejvərəbl] *adj* gynnsam, bra

favourite ['fejvəritt] *subst* favorit

1 fawn [få:n] *subst* hjortkalv; kid

2 fawn [få:n] *verb* bildl. svansa, krypa

fax [fäkks] **I** *subst* fax **II** *verb* faxa

fear [fiə] **I** *subst* fruktan **II** *verb* frukta; vara rädd för

fearful ['fiəfoll] *adj* **1** rädd 2 fruktansvärd

fearless ['fiələs] *adj* orädd

feasible ['fi:zəbl] *adj* möjlig, görlig

feast [fi:st] **I** *subst* festmåltid; kalas **II** *verb* festa, kalasa

feat [fi:t] *subst* bragd

feather ['feðə] *subst* fjäder

feature ['fi:tchə] **I** *subst*

1 ***features*** anletsdrag 2 drag; inslag 3 långfilm **II** *verb* presentera ss. nyhet el. särskild attraktion
February ['febbroəri] *subst* februari
fed [fedd] imperf. o. perf. p. av *feed*
federal ['feddərəl] *adj* förbunds-, federal
fed up [ˌfedd'app] *adj*, ***be ~ with*** vard. vara trött (utled) på
fee [fiː] *subst* avgift
feeble ['fiːbl] *adj* svag
feed [fiːd] *verb* mata
feedback ['fiːdbäkk] *subst* gensvar
feeding-bottle ['fiːdingˌbåttl] *subst* nappflaska
feel* [fiːl] **I** *verb* 1 känna 2 känna sig, må; ***~ sorry for*** tycka synd om; ***~ ashamed*** skämmas; ***~ like*** känna sig som; ha lust med **II** *subst* känsla
feeler ['fiːlə] *subst* bildl. trevare
feeling ['fiːling] *subst* 1 känsel 2 känsla; ***hard feelings*** agg
feet [fiːt] *subst* pl. av *foot*
feign [fejn] *verb* låtsas
1 fell [fell] imperf. av *fall*
2 fell [fell] *verb* fälla träd
fellow ['felləo] *subst* 1 vard. karl 2 ***~ being*** medmänniska
fellowship ['felləoschipp] *subst* kamratskap
1 felt [fellt] imperf. o. perf. p. av *feel*
2 felt [fellt] *subst* filt tyg
female ['fiːmejl] *adj* kvinnlig
feminine ['femmininn] *adj* kvinnlig, feminin
feminist ['femminist] *subst* feminist
fence [fenns] **I** *subst* staket **II** *verb* 1 inhägna 2 fäkta
fencing ['fennsing] *subst* fäktning
fend [fennd] *verb*, ***~ off*** avvärja; parera
ferment [fə'mennt] *verb* jäsa
fern [föːn] *subst* ormbunke
ferocious [fə'rəoschəs] *adj* våldsam
ferret ['ferrət] *verb*, ***~ out*** luska reda på
ferry ['ferri] *subst* färja; ***~ service*** färjförbindelse
fertile ['föːtajl] *adj* 1 bördig 2 fertil
fertilizer ['föːtilajzə] *subst* gödningsmedel
fester ['festə] *verb* 1 vara sig 2 bildl. fräta
festival ['festəvəl] *subst* festival

festive ['festivv] *adj* festlig, fest-; ***the ~ season*** julen
festoon [fe'sto:n] *subst* girland
fetch [fetch] *verb* hämta
fete o. **fête** [fejt] *subst* basar
fetish ['fi:tisch] *subst* fetisch
feud [fjo:d] *subst* fejd
fever ['fi:və] *subst* feber
feverish ['fi:vərisch] *adj* **1** febrig **2** bildl. febril
few [fjo:] *adj* o. *pron* få; ***a ~*** några stycken; ***~ and far between*** tunnsådda, sällsynta
fewer ['fjo:ə] *adj* o. *subst* färre; ***no ~ than*** inte mindre än
fewest ['fjo:ist] *adj* o. *subst* fåtaligast, minst
fiancé [fi'ånsej] *subst* fästman
fib [fibb] vard. *subst* liten (oskyldig) lögn
fibre ['fajbə] *subst* fiber; tråd i t.ex. kött, nerv
fibreglass ['fajbəgla:s] *subst* glasfiber
fickle ['fikkl] *adj* ombytlig
fiction ['fikschən] *subst* skönlitteratur på prosa
fictional ['fikschənl] *adj* uppdiktad; skönlitterär
fictitious [fik'tischəs] *adj* påhittad
fiddle ['fiddl] *subst* fiol
fidget ['fiddʒitt] *verb* inte kunna sitta stilla
field [fi:ld] *subst* fält i olika bet.; ***football ~*** fotbollsplan
fieldwork ['fi:ldwö:k] *subst* fältarbete
fiend [fi:nd] *subst* **1** odjur, djävul **2** vard., ***football ~*** fotbollsdåre; ***be a golf ~*** vara golfbiten
fiendish ['fi:ndisch] *adj* ondskefull
fierce [fiəs] *adj* våldsam, häftig
fiery ['fajəri] *adj* glödande; eldig
fifteen [,fif'ti:n] *räkn* femton; ***15*** åldersgräns femton år på bio
fifth [fifθ] **I** *räkn* femte **II** *subst* femtedel
fifty ['fifti] *räkn* femtio
fig [figg] *subst* fikon
fight [fajt] **I** *verb* slåss; gräla; boxas **II** *subst* slagsmål; kamp
fighter ['fajtə] *subst* slagskämpe; fighter
fighting ['fajting] *subst* kamp; slagsmål
figment ['figgmənt] *subst*, ~

of the imagination fantasifoster
figurative ['figgjorətivv] *adj* **1** bildlig **2** figurativ
figure ['figgə] **I** *subst* **1** siffra **2** figur **II** *verb*, ~ ***out*** räkna ut; förstå
figurehead ['figgəhedd] *subst* bildl. galjonsfigur
1 file [fajl] **I** *subst* fil verktyg **II** *verb* fila
2 file [fajl] **I** *subst* arkiv; akt **II** *verb* **1** arkivera **2** lämna in skrivelse
3 file [fajl] *subst* rad, led; ***in Indian*** ~ i gåsmarsch
fill [fill] *verb* fylla; fyllas; ~ ***in*** (***out***) fylla i blankett o.d.; ~ ***in for*** vikariera; ~ ***up*** fylla i (på)
fillet ['fillitt] *subst* filé
filling ['filling] *subst* **1** fyllning **2** plomb
filling station ['filling,stejschən] *subst* bensinstation
film [film] **I** *subst* **1** hinna **2** film; filmrulle **II** *verb* filma
filter ['filtə] **I** *subst* filter **II** *verb* filtrera; sila
filter-tipped ['filtətippt] *adj* filter-
filth [filθ] *subst* **1** smuts **2** snusk
filthy ['filθi] *adj* **1** smutsig **2** snuskig
fin [finn] *subst* fena
final ['fajnl] **I** *adj* slutlig, sista **II** *subst*, ~ el. ***finals*** sport. final
finale [fi'na:li] *subst* final
finalize ['fajnəlajz] *verb* avsluta; slutligen fastställa
finally ['fajnəlli] *adv* slutligen
finance ['fajnänns] **I** *subst*, ***finances*** stats finanser; enskilds ekonomi **II** *verb* finansiera
financial [faj'nänschəl] *adj* ekonomisk
find* [fajnd] **I** *verb* **1** finna i div. bet.; hitta, få tid, tillfälle o.d.; tycka ngn (ngt) vara; ***be found*** finnas; påträffas; ~ ***out*** ta reda på; upptäcka; ~ ***sb. out*** genomskåda ngn **2** ~ ***sb. guilty*** förklara ngn skyldig **II** *subst* fynd
1 fine [fajn] **I** *subst* böter **II** *verb* bötfälla
2 fine [fajn] **I** *adj* fin; ***I feel*** ~ jag mår bra **II** *adv* fint
finery ['fajnəri] *subst* finkläder
finger ['finggə] **I** *subst* finger **II** *verb* fingra på
fingernail ['finggənejl] *subst* fingernagel
fingerprint ['finggəprint] *subst* fingeravtryck
fingertip ['finggətipp] *subst* fingerspets

finish ['finisch] **I** *verb* **1** sluta, avsluta; äta (dricka) upp **2** finputsa **II** *subst* **1** slut; sport. upplopp **2** finputs

finite ['fajnajt] *adj* begränsad

Finland ['finnlənd] Finland

Finn [finn] *subst* finne, finländare; finska kvinna

Finnish ['finnisch] **I** *adj* finsk, finländsk **II** *subst* finska språket

fir [fö:] *subst* gran; tall

fire ['fajə] **I** *subst* eld; eldsvåda; **~!** elden är lös! **II** *verb* **1** avlossa skott, skjuta; bildl. fyra av **2** vard. sparka avskeda

fire alarm ['fajərə,la:m] *subst* brandalarm

firearms ['fajəra:ms] *subst pl* skjutvapen

fire brigade ['fajəbri,gejd] *subst* brandkår

fire engine ['fajər,endʒin] *subst* brandbil

fire escape ['fajəri,skejp] *subst* brandstege

fire-extinguisher ['fajərik,stinggoischə] *subst* brandsläckare

fireman ['fajəmən] *subst* brandman

fireplace ['fajəplejs] *subst* eldstad, öppen spis

fire station ['fajə,stejschən] *subst* brandstation

firewood ['fajəwodd] *subst* ved

firing-squad ['fajəringskoådd] *subst* exekutionspluton

1 firm [fö:m] *subst* firma

2 firm [fö:m] *adj* o. *adv* fast

first [fö:st] **I** *adj* o. *räkn* första, förste; **~ name** förnamn; **at ~ sight** vid första anblicken **II** *adv* först; **~ of all** först och främst **III** *subst* första, förste; **at ~** först, i början

first-aid [,fö:st'ejd] *adj*, **~ kit** förbandslåda

first-class [,fö:st'kla:s] **I** *adj* förstaklass- **II** *adv* i första klass

first-hand [,fö:st'hännd] *adj* o. *adv* i första hand

firstly ['fö:stli] *adv* för det första

first-rate [,fö:st'rejt] *adj* o. *adv* förstklassig

fish [fisch] **I** *subst* fisk; **~ and chips** friterad fisk och pommes frites köps ofta för omedelbar förtäring **II** *verb* fiska

fisherman ['fischəmən] *subst* fiskare yrkesman

fish farm ['fischfaːm] *subst* fiskodling
fishing-line ['fischinglajn] *subst* metrev
fishing-rod ['fischingrådd] *subst* metspö
fishy ['fischi] *adj* **1** fisk- **2** skum
fist [fist] *subst* knytnäve
1 fit [fitt] *subst* anfall av sjukdom, skratt o.d.
2 fit [fitt] **I** *adj* **1** lämplig **2** spänstig; kry **II** *verb* passa
fitful ['fittfoll] *adj* ryckig, ojämn
fitness ['fittnəs] *subst* **1** kondition **2** lämplighet
fitter ['fittə] *subst* montör, installatör
fitting ['fitting] **I** *adj* passande, lämplig **II** *subst* **1** ~ ***room*** provrum **2** ***fittings*** tillbehör, inredning
five [fajv] *räkn* fem
fiver ['fajvə] *subst* vard. fempundssedel
fix [fikks] **I** *verb* **1** fästa **2** bestämma **3** ordna, fixa **II** *subst* knipa
fixation [fik'sejschən] *subst* fixering
fixed [fikst] *adj* bestämd; fast
fixture ['fikstchə] *subst* fast inventarium
fizzle ['fizzl] *verb* pysa; ~ ***out*** vard. rinna ut i sanden
fizzy ['fizzi] *adj* brusande, mousserande; ~ ***tablet*** brustablett
flabby ['fläbbi] *adj* fet och slapp
1 flag [flägg] *subst* flagga; fana
2 flag [flägg] *verb* bildl. börja dala
flagpole ['fläggpəol] *subst* flaggstång
flagship ['fläggschipp] *subst* flaggskepp
flair [fläə] *subst* väderkorn
flak [fläkk] *subst* luftvärn
flake [flejk] **I** *subst* flaga; flinga **II** *verb* flisa
flamboyant [flämm'båjjənt] *adj* **1** grann **2** översvallande
flame [flejm] *subst* flamma, låga
flammable ['flämməbl] *adj* lättantändlig
flan [flänn] *subst* pajdegsbotten; ***fruit*** ~ frukttårta
flank [flängk] **I** *subst* flank **II** *verb* flankera
flannel ['flännl] *subst* **1** flanell **2** tvättlapp
flap [fläpp] *verb* flaxa

flare [fläə] **I** *verb* flamma upp **II** *subst* låga; signalljus
flash [fläsch] **I** *verb* blixtra till; blinka **II** *subst* blixt till kamera; ~ ***of lightning*** åskblixt
flashbulb ['fläschballb] *subst* blixtljuslampa
flashcube ['fläschkjo:b] *subst* blixtkub
flashlight ['fläschlajt] *subst* blinkljus
flashy ['fläschi] *adj* vräkig
flask [fla:sk] *subst* plunta
1 flat [flätt] *subst* lägenhet; ***block of flats*** hyreshus
2 flat [flätt] **I** *adj* plan, platt; slät; ~ ***tyre*** punktering **II** *subst* b-förtecken
flatly ['flättli] *adv* **1** uttryckligen **2** avmätt
flat-screen television [ˌflättskri:n'telliˌviʒʒən] *subst* platt-tv
flatten ['flättn] *verb* göra (bli) plan
flatter ['flättə] *verb* smickra
flattering ['flättəring] *adj* smickrande
flattery ['flättəri] *subst* smicker
flaunt [flå:nt] *verb* briljera med
flavour ['flejvə] **I** *subst* smak **II** *verb* smaksätta
flavouring ['flejvəring] *subst* krydda; smaktillsats
flaw [flå:] *subst* fel; brist
flawless ['flå:ləs] *adj* felfri
flax [fläkks] *subst* lin
flaxen ['fläkksən] *adj* lin-; lingul
flea [fli:] *subst* loppa; ~ ***market*** loppmarknad
fleck [flekk] *subst* fläck, stänk
flee [fli:] *verb* fly, ta till flykten
fleece [fli:s] *subst* fårskinn
fleet [fli:t] *subst* flotta
fleeting ['fli:ting] *adj* hastig; flyktig
Flemish ['flemmisch] *adj* flamländsk
flesh [flesch] *subst* kött; ***in the*** ~ i egen hög person
flesh wound ['fleschwo:nd] *subst* köttsår
flew [flo:] imperf. av *1 fly*
flex [flekks] *subst* sladd
flexible ['flekksəbl] *adj* **1** smidig **2** flexibel; ~ ***working hours*** flextid
flick [flikk] *verb* snärta till
flicker ['flikkə] *verb* flämta, fladdra
1 flight [flajt] *subst* **1** flygning, flyg **2** ~ ***of stairs*** trappa

2 flight [flajt] *subst* flykt, flyende
flimsy ['flimmzi] *adj* tunn; svag
flinch [flintsch] *verb* rygga tillbaka
fling [fling] *verb* kasta, slänga
flint [flint] *subst* flinta
flip [flipp] *verb* knäppa iväg; slå upp (av, på, till)
flippant ['flippənt] *adj* nonchalant, lättsinnig
flipper ['flippə] *subst* grodmans, säls m.m. simfot
flirt [flö:t] **I** *verb* flörta **II** *subst* flört
flit [flitt] *verb* fladdra; flacka
float [fləot] **I** *verb* flyta **II** *subst* flotte; simdyna
flock [flåkk] **I** *subst* flock; hjord **II** *verb* flockas
flog [flågg] *verb* prygla
flood [fladd] **I** *subst* **1** högvatten, flod **2** översvämning **II** *verb* översvämma
floodlight ['fladdlajt] **I** *subst* strålkastare **II** *verb* belysa med strålkastare
floor [flå:] **I** *subst* **1** golv **2** våning våningsplan; ***the first ~*** en trappa upp **II** *verb* golva
floorboard ['flå:bå:d] *subst* golvtilja
floorshow ['flå:schəo] *subst* kabaré; krogshow
flop [flåpp] **I** *verb* **1** dimpa (dunsa) ner **2** vard. göra fiasko **II** *subst* vard. fiasko, flopp
floppy ['flåppi] *adj* som hänger och slänger; ***~ hat*** slokhatt
flora ['flå:rə] *subst* flora
floral ['flå:rəl] *adj* blomster-
florid ['flårridd] *adj* **1** bildl. blomsterrik **2** rödlätt
florist ['flårrist] *subst* blomsterhandlare; ***florist's shop*** blomsteraffär
flounce [flaons] *verb* rusa
1 flounder ['flaondə] *subst* flundra
2 flounder ['flaondə] *verb* sprattla
flour ['flaoə] *subst* mjöl, vetemjöl
flourish ['flarrisch] *verb* blomstra
flout [flaot] *verb* trotsa; strunta i
flow [fləo] **I** *verb* flyta; strömma **II** *subst* flöde
flowchart ['fləotcha:t] *subst* flödesschema
flower ['flaoə] **I** *subst* blomma **II** *verb* blomma; bildl. blomstra

flowerbed ['flaoəbedd] *subst* blomrabatt
flowerpot ['flaoəpått] *subst* blomkruka; ***hanging*** ~ ampel
flowery ['flaoəri] *adj* blommig
flown [fləon] perf. p. av *1 fly*
flu [flo:] *subst* vard. influensa
fluctuate ['flakktjoejt] *verb* gå upp och ned
fluent ['flo:ənt] *adj* ledig; flytande
fluff [flaff] **I** *subst* ludd, dammtuss **II** *verb* burra upp
fluffy ['flaffi] *adj* luddig; fluffig
fluid ['flo:id] **I** *adj* flytande **II** *subst* vätska
flung [flang] imperf. o. perf. p. av *fling*
fluoride ['floərajd] *subst* fluor
flurry ['flarri] *subst* **1** by; snöby **2** uppståndelse
flush [flasch] **I** *verb* **1** spola ner **2** rodna **II** *subst*, ***hot*** ~ blodvallning
flute [flo:t] *subst* flöjt
flutter ['flattə] **I** *verb* fladdra **II** *subst* **1** fladder **2** oro
flux [flakks] *subst* ständig förändring
1 fly* [flaj] **I** *verb* **1** flyga **2** ~ ***a flag*** flagga **II** *subst*, ~ el. ***flies*** gylf
2 fly [flaj] *subst* fluga
flying ['flajing] *adj* **1** flygande; flyg- **2** ~ ***visit*** snabbvisit; ~ ***squad*** piket
flyover ['flaj,əovə] *subst* planskild korsning
flysheet ['flajschi:t] *subst* yttertält
foal [fəol] **I** *subst* föl **II** *verb* föla
foam [fəom] **I** *subst* skum, fradga; ~ ***bath*** skumbad **II** *verb* skumma
focus ['fəokəs] **I** *subst* **1** fokus; ***out of*** ~ oskarp **2** bildl. medelpunkt **II** *verb* **1** fokusera **2** ställa in skärpan på kamera
fodder ['fåddə] *subst* torrfoder
fog [fågg] *subst* dimma
foggy ['fåggi] *adj* dimmig
fog lamp ['fågglämp] *subst* dimstrålkastare
foil [fåjl] *subst* folie
1 fold [fəold] *subst* fålla
2 fold [fəold] **I** *verb* vika; fälla ihop **II** *subst* veck
folder ['fəoldə] *subst* **1** mapp **2** broschyr
folding ['fəolding] *adj* hopfällbar; ~ ***chair*** fällstol; ~ ***roof*** soltak på bil
foliage ['fəoliidʒ] *subst* lövverk

folk [fəok] *subst* folk; ***my folks*** mina föräldrar
folklore ['fəoklå:] *subst* folklore
folk song ['fəoksång] *subst* folkvisa
follow ['fålləo] *verb* **1** följa; ***as follows*** på följande sätt; som följer **2** förfölja
follower ['fålləoə] *subst* anhängare
following ['fålləoing] **I** *adj* följande **II** *prep* till följd av
follow-up ['fålləoapp] *subst* uppföljning; efterbehandling
folly ['fålli] *subst* dårskap
fond [fånnd] *adj* öm; ***be ~ of*** tycka om
fondle ['fånndl] *verb* kela med
font [fånnt] *subst* dopfunt
food [fo:d] *subst* mat; ***~ poisoning*** matförgiftning
food processor ['fo:dˌprəosessə] *subst* matberedare
fool [fo:l] **I** *subst* dåre; ***make a ~ of oneself*** göra bort sig **II** *verb* lura
foolish ['fo:lisch] *adj* dåraktig, dum
foolproof ['fo:lpro:f] *adj* idiotsäker
foot [fott] fot; ***by ~*** till fots
football ['fottbå:l] *subst* fotboll; ***the Football League*** engelska ligan
footbrake ['fottbrejk] *subst* fotbroms
footbridge ['fottbridʒ] *subst* gångbro
foothold ['fotthəold] *subst* fotfäste
footing ['fotting] *subst* **1** fotfäste **2** ***be on an equal ~ with*** vara jämställd med
footman ['fottmən] *subst* betjänt
footnote ['fottnəot] *subst* fotnot nederst på sida
footprint ['fottprint] *subst* fotspår
footstep ['fottstepp] *subst* steg
footwear ['fottwäə] *subst* skodon
for [få:] *prep* **1** för, åt; för att få; på; till **2** ***as ~*** vad beträffar; ***as ~ me*** för min del; ***~ instance*** (***example***) till exempel; ***~ now*** för tillfället, tills vidare
foray ['fårej] *subst* räd
forbid [fə'bidd] *verb* förbjuda
forbidding [fə'bidding] *adj* avskräckande
force [få:s] **I** *subst* **1** styrka, kraft **2** ***by ~*** med våld **3** ***the***

Force polisen; ***air*** **~** flygvapen **II** *verb* tvinga
force-feed ['få:sfi:d] *verb* tvångsmata
forceful ['få:sfoll] *adj* kraftfull
forcibly ['få:səbli] *adv* med våld
ford [få:d] *subst* vadställe
fore [få:], ***come to the*** **~** bli aktuell
forearm ['få:ra:m] *subst* underarm
foreboding [få:'bəoding] *subst* ond aning
forecast ['få:ka:st] **I** *verb* förutsäga **II** *subst* prognos
forecourt ['få:kå:t] *subst* yttergård
forefinger ['få:ˌfinggə] *subst* pekfinger
forefront ['få:frant], ***be in the*** **~** ***of*** vara ledande inom
foreground ['få:graond] *subst* förgrund
forehead ['fårridd] *subst* panna
foreign ['fårrən] *adj* utländsk; utrikes; främmande; **~** ***exchange*** utländsk valuta
foreigner ['fårrənə] *subst* utlänning
foreleg ['få:legg] *subst* framben
foreman ['få:mən] *subst* förman
foremost ['få:məost] *adj* o. *adv* främst, först
forensic [fə'rennsikk] *adj* rättsmedicinsk
forerunner ['få:ˌrannə] *subst* förelöpare
foresee [få:'si:] *verb* förutse
foreseeable [få:'si:əbl] *adj* förutsebar
foreshadow [få:'schädəo] *verb* förebåda
foresight ['få:sajt] *subst* förutseende
forest ['fårrist] *subst* skog
forestall [få:'stå:l] *verb* förekomma
forestry ['fårrəstri] *subst* skogsvård
foretaste ['få:tejst] *subst* försmak
foretell [få:'tell] *verb* förutsäga
forever [fə'revvə] *adv* för alltid, evigt
foreword ['få:wö:d] *subst* förord
forfeit ['få:fitt] *verb* förverka
1 forge [få:dʒ] *verb*, **~** ***ahead*** kämpa (arbeta) sig fram
2 forge [få:dʒ] **I** *subst* smedja **II** *verb* **1** smida **2** förfalska

forger ['få:dʒə] *subst* förfalskare
forgery ['få:dʒəri] *subst* förfalskning
forget* [fə'gett] *verb* glömma
forgetful [fə'gettfoll] *adj* glömsk av sig
forget-me-not [fə'gettminått] *subst* förgätmigej
forgive* [fə'givv] *verb* förlåta
forgiveness [fə'givvnəs] *subst* förlåtelse
forgo [få:'gəo] *verb* avstå från
fork [få:k] *subst* gaffel
forlorn [fə'lå:n] *adj* **1** ödslig **2** ömklig
form [få:m] **I** *subst* **1** form i olika bet. **2** blankett **3** årskurs **II** *verb* bilda; forma
formal ['få:məl] *adj* formell; ~ ***dress*** högtidsdräkt
formally ['få:məli] *adv* formellt
format ['få:mätt] *subst* boks format
formation [få:'mejschən] *subst* utformning
formative ['få:mətivv] *adj* formande, danande
former ['få:mə] *adj* **1** tidigare **2** f.d., ex-
formerly ['få:məli] *adv* förut
formidable ['få:midəbl] *adj* **1** fruktansvärd **2** formidabel
formula ['få:mjolə] *subst* **1** formel **2** modersmjölksersättning
forsake [fə'sejk] *verb* överge
fort [få:t] *subst* fort, fäste
forte ['få:tej] *subst* stark sida
forth [få:θ] *adv* **1** fram, ut **2** ***back and*** ~ fram och tillbaka; ***and so*** ~ och så vidare
forthcoming [få:θ'kamming] *adj* kommande
forthright ['få:θrajt] *adj* rättfram
fortify ['få:tifaj] *verb* **1** befästa stad o.d. **2** stärka
fortitude ['få:titjo:d] *subst* tapperhet
fortnight ['få:tnajt] *subst* fjorton dagar
fortunate ['få:tchənət] *adj*, ***be*** ~ ha tur
fortunately ['få:tchənətli] *adv* lyckligtvis
fortune ['få:tcho:n] *subst* **1** öde; tur; ***try one's*** ~ pröva lyckan **2** förmögenhet
fortune-teller ['få:tcho:n,tellə] *subst* spåman; spåkvinna
forty ['få:ti] *räkn* fyrtio

forward ['få:wəd] **I** *adj* som för framåt, fram- **II** *subst* sport. forward **III** *adv* framåt, fram **IV** *verb* eftersända
forwards ['få:wədz] *adv* framåt; ***backwards and ~*** fram och tillbaka
fossil ['fåssl] *subst* fossil
foster ['fåstə] *verb* **1** fostra **2** stödja
foster-child ['fåstətchajld] *subst* fosterbarn
fought [få:t] imperf. o. perf. p. av *fight*
foul [faol] **I** *adj* **1** illaluktande; förpestad **2** ojust, regelvidrig **II** *subst* ojust spel
1 found [faond] imperf. o. perf. p. av *find*
2 found [faond] *verb* grunda
foundation [faon'dejschən] *subst* **1** stiftelse **2** grund; grundval
1 founder ['faondə] *subst* grundare
2 founder ['faondə] *verb* **1** sjunka om båt **2** bildl. stranda
foundry ['faondri] *subst* gjuteri
fountain ['faontən] *subst* fontän
fountain pen ['faontənpenn] *subst* reservoarpenna
four [få:] *räkn* fyra
four-poster [ˌfå:'pəostə] *subst* himmelssäng
foursome ['få:səm] *subst* sällskap på fyra personer
fourteen [ˌfå:'ti:n] *räkn* fjorton
fourth [få:θ] **I** *räkn* fjärde **II** *subst* fjärdedel
fowl [faol] *subst* fågel, fåglar
fox [fåkks] *subst* räv
foyer ['fåjej] *subst* foajé
fraction ['fräkschən] *subst* bråkdel
fracture ['fräktchə] *subst* benbrott
fragile ['fräddʒajl] *adj* bräcklig
fragment ['fräggmənt] *subst* fragment
fragrant ['frejgrənt] *adj* välluktande
frail [frejl] *adj* bräcklig, skör
frame [frejm] **I** *verb* rama in **II** *subst* **1** ram äv. på t.ex. cykel el. bilchassi **2** glasögonbågar
framework ['frejmwö:k] *subst* **1** stomme **2** bildl. ram
France [fra:ns] Frankrike
franchise ['fränntschajz] *subst*, ***the ~*** rösträtt
frank [frängk] *adj* uppriktig, ärlig
frankly ['frängkli] *adv* uppriktigt; uppriktigt sagt

frantic ['frännti kk] *adj* desperat

fraud [frå:d] *subst* **1** bedrägeri **2** bedragare

fraught [frå:t] *adj*, ~ ***with*** full av

fray [frej] *verb* bli nött

freak [fri:k] *subst* missfoster

freckle ['frekkl] *subst* fräkne

free [fri:] **I** *adj* **1** fri; ledig **2** ~ ***kick*** frispark **II** *verb* befria, frige

freedom ['fri:dəm] *subst* frihet; ~ ***of the press*** tryckfrihet; ~ ***of speech*** det fria ordet

freelance ['fri:la:ns] **I** *subst* frilans **II** *verb* frilansa

freely ['fri:li] *adv* fritt; obehindrat

freemason ['fri:ˌmejsn] *subst* frimurare

free-range ['fri:rejndʒ] *adj*, ~ ***eggs*** lantägg från sprätthöns

free trade [ˌfri:'trejd] *subst* frihandel

free-will [ˌfri:'will] *subst* fri vilja

freeze [fri:z] **I** *verb* **1** frysa **2** frysa in **II** *subst* **1** frost **2** bildl. frysning

freezer ['fri:zə] *subst* frys

freezing ['fri:zing] *adj* iskall

freezing-point ['fri:zingpåjnt] *subst* fryspunkt

freight [frejt] *subst* frakt, last

French [frentsch] **I** *adj* fransk **II** *subst* franska språket

Frenchman ['frentschmən] *subst* fransman

Frenchwoman ['frentsch,wommən] *subst* fransyska

frenzy ['frenzi] *subst* ursinne; vansinne

frequency ['fri:koənsi] *subst* frekvens

frequent ['fri:koənt] *adj* ofta förekommande

frequently ['fri:koəntli] *adv* ofta

fresh [fresch] *adj* **1** ny **2** färsk; fräsch

freshen ['freschn] *verb*, ~ ***up*** friska upp; snygga till sig

freshly ['freschli] *adv* nyligen

freshness ['freschnəs] *subst* fräschör

freshwater ['fresch,oå:tə] *adj* sötvattens-

fret [frett] *verb* gräma sig

friar ['frajə] *subst* tiggarmunk

friction ['frikschən] *subst* friktion

Friday ['frajdej] *subst* fredag; ***Good*** ~ långfredagen

fridge [friddʒ] *subst* vard. kylskåp
friend [frennd] *subst* vän, väninna; ***make friends*** skaffa sig vänner; bli vänner
friendly ['frenndli] **I** *adj* vänlig **II** *subst* vänskapsmatch
friendship ['frenndschipp] *subst* vänskap
fright [frajt] *subst* skräck; ***take*** ~ bli skrämd
frighten ['frajtn] *verb* skrämma ; ***frightened of*** rädd för
frightful ['frajtfoll] *adj* förskräcklig
frigid ['friddʒidd] *adj* frigid
frill [frill] *subst* krås
fringe [frindʒ] *subst* **1** frans; lugg hårfrisyr **2** utkant
frisk [frisk] *verb* skutta
fritter ['frittə] *subst* friterat bakverk, munk
frivolous ['frivvələs] *adj* lättsinnig
frog [frågg] *subst* groda
frogman ['fråggmən] *subst* grodman
frolic ['fråІlikk] **I** *subst* muntert upptåg **II** *verb* leka, skutta
from [fråmm] *prep* från; ur; av; på grund av; ~ ***above*** ovanifrån; ~ ***behind*** bakifrån; ~ ***within*** inifrån; ~ ***without*** utifrån
front [frant] **I** *subst* **1** framsida, främre del; fasad; ***in ~ of*** framför; inför **2** front i olika bet. **II** *adj* front-, första; ~ ***door*** ytterdörr; ~ ***room*** rum åt gatan **III** *verb* vetta mot
frontier ['frantiə] *subst* stats gräns
front-page ['frantpejdʒ] *adj*, ~ ***news*** förstasidesnyheter
frost [fråsst] *subst* frost
frostbite ['fråsstbajt] *subst* köldskada
frosty ['fråssti] *adj* frost-, kylig
froth [fråθ] **I** *subst* fradga **II** *verb* skumma
frown [fraon] **I** *verb* rynka pannan **II** *subst* rynkad panna
froze [frəoz] imperf. av *freeze*
frozen ['frəozn] **I** perf. p. av *freeze* **II** *adj* djupfryst
fruit [fro:t] *subst* frukt, bär
fruiterer ['fro:tərə] *subst* frukthandlare; ***fruiterer's shop*** fruktaffär
fruitful ['fro:tfoll] *adj* fruktbar
fruition [fro'ischən], ***come to*** ~ förverkligas
fruit machine

['fro:tmə,schi:n] *subst* spelautomat
frustrate [fra'strejt] *verb* 1 korsa 2 frustrera
1 fry [fraj] *verb* steka i panna
2 fry [fraj] *subst* yngel
frying-pan ['frajingpänn] *subst* stekpanna
ft. [fott] förk. för *foot* resp. *feet*
fudge [faddʒ] *subst* fudge slags mjuk kola
fuel [fjoəl] **I** *subst* bränsle; bildl. näring **II** *verb* **1** tanka **2** bildl. underblåsa
fugitive ['fjo:dʒətivv] *subst* flykting; rymling
fulfil [foll'fill] *verb* **1** uppfylla **2** ~ ***oneself*** förverkliga sig själv
fulfilment [foll'fillmənt] *subst* förverkligande; tillfredsställelse
full [foll] *adj* **1** full, fylld **2** ~ ***board*** helpension **3** fyllig
full-length [,foll'lengθ] *adj* hellång; oavkortad
full-scale ['follskejl] *adj* fullskalig
full-time ['folltajm] **I** *adj* heltids- **II** *adv* på heltid
fully ['folli] *adv* till fullo, helt; ~ ***automatic*** helautomatisk
fumble ['fammbl] *verb* fumla
fume [fjo:m] **I** *subst*, ***fumes*** rök; gaser **II** *verb* vara rasande
fun [fann] *subst* nöje; skoj; ***have*** ~ ha roligt
function ['fangkschən] **I** *subst* funktion, uppgift **II** *verb* fungera
functional ['fangkschənl] *adj* funktionell
fund [fand] **I** *subst* fond; ***raise funds*** samla in pengar **II** *verb* finansiera
fundamental [,fandə'mentl] *adj* grundläggande
funeral ['fjo:nərəl] *subst* begravning; ~ ***service*** jordfästning
funfair ['fannfäə] *subst* vard. nöjesfält
fungus ['fanggəs] *subst* svamp
funnel ['fannl] *subst* **1** tratt **2** skorsten på båt el. lok
funny ['fanni] *adj* **1** rolig, skojig **2** konstig
fur [fö:] *subst* päls äv. klädesplagg
furious ['fjoəriəs] *adj* rasande
furlough ['fö:ləo] *subst* permission
furnace ['fö:niss] *subst* smältugn

furnish ['fö:nisch] *verb* 1 förse 2 möblera
furniture ['fö:nitchə] *subst* möbler; ***a piece of ~*** en möbel t.ex. soffa; ***~ van*** flyttbil
furrow ['farrəo] *subst* 1 plogfåra 2 fåra i ansiktet
further ['fö:ðə] **I** *adj* bortre; ytterligare **II** *adv* längre, längre bort; ytterligare; ***~ on*** längre fram
furthermore [ˌfö:ðə'må:] *adv* dessutom
furthest ['fö:ðist] **I** *adj* borterst; ytterst **II** *adv* längst bort; ytterst
fury ['fjoəri] *subst* raseri
1 fuse [fjo:z] **I** *verb* 1 smälta samman 2 ***the lamp had fused*** proppen hade gått **II** *subst* säkring, propp
2 fuse [fjo:z] *subst* stubintråd
fuss [fass] **I** *subst* bråk, väsen **II** *verb* tjafsa; fjanta sig
fussy ['fassi] *adj* tjafsig; petig; kinkig
future ['fjo:tchə] **I** *adj* framtida **II** *subst* framtid
fuzzy ['fazzi] *adj* suddig; oredig

Gg

G, g [dʒi:] *subst* G, g
gabble ['gäbbl] **I** *verb* babbla **II** *subst* babbel
gable ['gejbl] *subst* gavel
gadget ['gäddʒitt] *subst* vard. grej, pryl
Gaelic ['gejlikk] **I** *adj* gaelisk **II** *subst* gaeliska språket
gag [gägg] *subst* 1 munkavle 2 vard. skämt, gag
gaiety ['gejəti] *subst* munterhet
gain [gejn] **I** *subst* vinst i allm. **II** *verb* 1 vinna 2 ***~ 2 kilos*** gå upp 2 kilo
gait [gejt] *subst* gång, sätt att gå
gale [gejl] *subst* hård vind
gallant ['gällənt] *adj* 1 tapper 2 ridderlig
gall bladder ['gå:lˌbläddə] *subst* gallblåsa
gallery ['gälləri] *subst* 1 galleri 2 läktare
galley ['gälli] *subst* kabyss
gallon ['gällən] *subst* gallon rymdmått för våta varor, = 4,546 liter
gallop ['gälləpp] **I** *verb* galoppera **II** *subst* galopp

gallstone ['gå:lstəon] *subst* gallsten
galore [gə'lå:] *adj* i massor
gambit ['gämmbitt] *subst* bildl. utspel
gamble ['gämmbl] **I** *verb* spela på hästar o.d.; chansa **II** *subst* chansning
gambler ['gämmblə] *subst* storspelare; chanstagare
gambling ['gämmbling] *subst* hasardspel
game [gejm] *subst* **1** spel; lek; ***games*** äv. idrott **2** match **3** villebråd
gamekeeper ['gejm,ki:pə] *subst* skogvaktare
gammon ['gämmən] *subst* rökt skinka
gamut ['gämmət] *subst* bildl. skala
gang [gäng] **I** *subst* gäng; liga **II** *verb*, ~ ***up*** gadda ihop sig
gangster ['gängstə] *subst* gangster
gangway ['gängwej] *subst* gång t.ex. mellan bänkrader
gaol [dʒejl] se *jail*
gap [gäpp] *subst* **1** hål, gap **2** bildl. lucka; klyfta
gape [gejp] *verb* gapa
gaping ['gejping] *adj* gapande
garage ['gärra:ʒ] *subst* garage; bilverkstad
garbage ['ga:biddʒ] *subst* skräp
garden ['ga:dn] *subst* trädgård; ***gardens*** offentlig park
gardener ['ga:dnə] *subst* trädgårdsmästare
gardening ['ga:dning] *subst* trädgårdsskötsel
gargle ['ga:gl] *verb* gurgla sig
garish ['gäərisch] *adj* gräll
garland ['ga:lənd] *subst* krans av blommor o.d.
garlic ['ga:likk] *subst* vitlök; ~ ***press*** vitlökspress
garment ['ga:mənt] *subst* klädesplagg
garrison ['gärrisn] *subst* garnison
garrulous ['gärroləs] *adj* pratsam
garter ['ga:tə] *subst* strumpeband runt benet
gas [gäss] *subst* gas i allm.
gas cooker ['gäss,kokkə] *subst* gasspis
gas fire ['gässfajə] *subst* gaskamin
gash [gäsch] **I** *verb* skära djupt i **II** *subst* jack
gasket ['gässkitt] *subst* tekn. packning

gasp [ga:sp] **I** *verb* flämta **II** *subst* flämtning
gastric ['gässtrikk] *adj* mag-; *~ **ulcer*** magsår
gate [gejt] *subst* port; grind; vid flygplats o.d. gate
gatecrash ['gejtkräsch] *verb* vard. våldgästa; smita in
gateway ['gejtwej] *subst* **1** port **2** bildl. nyckel
gather ['gäðə] *verb* samla; samla ihop; samlas
gathering ['gäðəring] **I** *subst* sammankomst **II** *adj* annalkande
gaudy ['gå:di] *adj* färggrann
gauge [gejdʒ] **I** *verb* **1** mäta **2** bildl. bedöma **II** *subst* **1** mätinstrument **2** bildl. måttstock
gaunt [gå:nt] *adj* utmärglad
gauntlet ['gå:ntlət] *subst* kraghandske
gauze [gå:z] *subst* gasväv; *~ **bandage*** gasbinda
gave [gejv] imperf. av *give*
gay [gej] *adj* o. *subst* homosexuell
gaze [gejz] **I** *verb* stirra **II** *subst* blick
GB [ˌdʒi:'bi:] förk. för *Great Britain*
gear [giə] *subst* **1** utrustning; grejer **2** bils, cykels växel; ***change** ~* växla; ***reverse** ~* back
gearbox ['giəbåkks] *subst* växellåda
gearlever ['giəˌli:və] *subst* växelspak
geese [gi:s] *subst* pl. av *goose*
gel [dʒell] *verb* bildl. ta fast form
gem [dʒemm] *subst* **1** ädelsten **2** bildl. pärla
Gemini ['dʒemminaj] *subst* Tvillingarna stjärntecken
gender ['dʒenndə] *subst* kön
general ['dʒennərəl] **I** *adj* allmän; generell; ***a** ~ **election*** allmänna val; *~ **practitioner*** allmänpraktiserande läkare **II** *subst* general
generally ['dʒennərəli] *adv* i allmänhet
generate ['dʒennərejt] *verb* alstra, framkalla
generation [ˌdʒennə'rejschən] *subst* **1** alstring **2** generation
generator ['dʒennərejtə] *subst* generator
generosity [ˌdʒennə'råssəti] *subst* generositet
generous ['dʒennərəs] *adj* generös
genetically [dʒə'nettikkli] *adv* genetiskt; *~ **modified*** genmodifierad

genetics [dʒə'nettikks] *subst* genetik
genial ['dʒiːnjəl] *adj* glad och vänlig
genitals ['dʒennitlz] *subst pl* genitalier
genius ['dʒiːnjəs] *subst* 1 geni 2 ande, genie
genteel [dʒen'tiːl] *adj* struntförnäm
gentle ['dʒentl] *adj* mild, blid
gentleman ['dʒentlmən] *subst* 1 herre; ***gentlemen's lavatory*** herrtoalett 2 gentleman
gently ['dʒentli] *adv* varsamt; vänligt
genuine ['dʒenjoinn] *adj* äkta
geography [dʒi'åggrəfi] *subst* geografi
geology [dʒi'ålədʒi] *subst* geologi
geometry [dʒi'åmmətri] *subst* geometri
geranium [dʒə'rejnjəm] *subst* 1 pelargonia 2 geranium
geriatric [ˌdʒerri'ättrikk] *adj* åldrings-
germ [dʒöːm] *subst* 1 bakterie 2 bildl. frö
German ['dʒöːmən] **I** *adj* tysk **II** *subst* 1 tysk; tyska 2 tyska språket
Germany ['dʒöːməni] Tyskland
gesture ['dʒestchə] **I** *subst* gest **II** *verb* visa med en gest
get* [gett] *verb* 1 få 2 skaffa sig; ordna 3 vard. uppfatta 4 ***have got to*** vara (bli) tvungen att 5 ~ ***going*** komma i gång 6 ~ ***across*** bildl. gå hem hos; ~ ***along*** dra jämnt; ~ ***at*** syfta på; ~ ***away*** komma undan; ~ ***behind*** komma (bli) efter; ~ ***by*** klara sig; ~ ***into*** råka (komma) i; komma in i; ~ ***off*** klara sig undan; ~ ***on*** dra jämnt; fortsätta; ~ ***out*** gå ur; komma ut; ~ ***over*** bildl. komma över; ~ ***through*** gå (ta sig) igenom; bildl. komma fram; ~ ***together*** samlas, träffas; ~ ***up*** resa sig; gå upp
getaway ['gettəwej] *subst* vard. flykt
geyser ['giːzə] *subst* varmvattenberedare
ghastly ['gaːstli] *adj* hemsk
gherkin ['göːkinn] *subst* liten inläggningsgurka
ghost [gəost] *subst* spöke; ***the Holy Ghost*** den Helige Ande
giant ['dʒajənt] **I** *subst* jätte **II** *adj* jättestor

gibberish ['dʒibbərisch] *subst* rappakalja
giblets ['dʒibləts] *subst pl* kycklings o.d. inkråm
giddy ['giddi] *adj* yr i huvudet
gift [gifft] *subst* **1** gåva; **~ voucher** presentkort **2** talang; **the ~ of speech** talets gåva
gifted ['gifftidd] *adj* begåvad
gigantic [dʒaj'gänntikk] *adj* gigantisk
giggle ['giggl] **I** *verb* fnissa **II** *subst* fnitter
gill [gill] *subst* gäl
gilt [gillt] **I** *adj* förgylld **II** *subst* förgyllning
gilt-edged ['gilltedʒd] *adj* med guldsnitt
gimmick ['gimmikk] *subst* jippo; grej
gin [dʒinn] *subst* gin
ginger ['dʒindʒə] *subst* ingefära
ginger beer [ˌdʒindʒə'biə] kolsyrad ingefärsdricka
gingerbread ['dʒindʒəbredd] *subst* pepparkaka
gingerly ['dʒindʒəli] *adv* ytterst försiktigt
gipsy ['dʒippsi] *subst* zigenare, zigenerska
giraffe [dʒi'ra:f] *subst* giraff
girder ['gö:də] *subst* balk ofta av järn
girdle ['gö:dl] *subst* gördel
girl [gö:l] *subst* flicka
girlfriend ['gö:lfrennd] *subst* flickvän; väninna
girlish ['gö:lisch] *adj* flickaktig
giro ['dʒajrəo] *subst* postgiro; bankgiro
girth [gö:θ] *subst* omkrets
gist [dʒist] *subst* kärnpunkt
give* [givv] *verb* **1** ge; räcka; överlåta **2** framföra hälsning **3** hålla tal o.d.; avge, lämna svar o.d. **4 ~ way** ge efter **5 ~ away** ge bort; avslöja; **~ back** ge tillbaka; **~ in** ge vika; **~ up** ge upp, sluta; **~ oneself up** överlämna sig till polisen
giveaway ['givvəwej] *subst* **1** avslöjande **2** presentartikel som reklam
given ['givvn] **I** perf. p. av *give* **II** *adj* **1 ~ to** fallen för **2** bestämd, given **III** *prep* o. *konj* förutsatt att
glacier ['glässjə] *subst* glaciär
glad [glädd] *adj* glad
gladly ['gläddli] *adv* med glädje
glamorous ['glämmərəs] *adj* glamorös
glamour ['glämmə] *subst* glamour

glance [gla:ns] **I** *verb* titta hastigt **II** *subst* ögonkast
gland [gländ] *subst* körtel
glare [gläə] **I** *verb* blänga **II** *subst* ilsken blick
glaring ['gläəring] *adj* påfallande; uppenbar
glass [gla:s] *subst* glas; ***glasses*** glasögon
glasshouse ['gla:shaos] *subst* växthus
glassware ['gla:soäə] *subst* föremål av glas
glaze [glejz] **I** *verb* **1** sätta glas i **2** glasera **II** *subst* glasyr; ***glazed earthenware*** fajans
glazier ['glejzjə] *subst* glasmästare
gleam [gli:m] *verb* skimra svagt
glean [gli:n] *verb* samla (skrapa) ihop
glee [gli:] *subst* glädje
glib [glibb] *adj* munvig; lättvindig
glide [glajd] *verb* glida
glider ['glajdə] *subst* segelflygplan
glimmer ['glimmə] **I** *verb* glimma **II** *subst* glimt; aning
glimpse [glimps] **I** *subst* skymt **II** *verb* se en glimt av
glisten ['glissn] *verb* glittra
glitter ['glittə] **I** *verb* glittra **II** *subst* glitter
gloat [gləot] *verb*, ~ ***over*** vara skadeglad över
global ['gləobəl] *adj* global
globe [gləob] *subst* jordglob; ***the*** ~ jordklotet
gloom [glo:m] *subst* **1** dunkel **2** dysterhet
gloomy ['glo:mi] *adj* **1** dunkel **2** dyster
glorious ['glå:riəs] *adj* strålande
glory ['glå:ri] *subst* ära
gloss [glåss] **I** *subst* glans **II** *verb*, ~ ***over*** släta över
glossary ['glåssəri] *subst* ordlista
glossy ['glåssi] *adj* glansig; ~ ***magazine*** modetidning på högglättat papper
glove [glavv] *subst* handske
glow [gləo] **I** *verb* glöda **II** *subst* glöd
glower ['glaoə] *verb* blänga ilsket
glue [glo:] **I** *subst* lim **II** *verb* limma
glum [glamm] *adj* trumpen
glut [glatt] *subst* överflöd
gluten ['glo:tən] *subst*, ~ ***allergy*** glutenallergi
glutton ['glattn] *subst* matvrak

gnarled [na:ld] *adj* knotig
gnat [nätt] *subst* mygga; knott
gnaw [nå:] *verb* gnaga
go* [gəo] **1** resa, åka, köra **2** gå i olika bet. **3** bli; ~ ***blind*** (***crazy***) bli blind (galen) **4** försvinna; gå över **5** ~ ***to*** om pengar o.d. gå (användas) till att **6** ~ ***about*** ta itu med; ~ ***against*** strida (vara) emot; ~ ***along with*** instämma med; ~ ***away*** gå bort, försvinna; ~ ***back*** gå (åka) tillbaka; ~ ***back on*** bryta, svika; ~ ***beyond*** gå utöver; ~ ***by*** döma (gå) efter; ~ ***down*** gå ner; sjunka; ~ ***for*** gå lös på; gälla för; ~ ***off*** explodera, om skott gå av; ~ ***on*** fortsätta; ~ ***out*** slockna; dö ut; ~ ***out with*** vard. träffa; vara ihop med; ~ ***over*** gå igenom, granska; ~ ***through*** gå igenom i div. bet.; ~ ***through with*** fullfölja; ~ ***together*** gå väl ihop; ~ ***under*** gå under, göra konkurs; ~ ***up*** gå upp, stiga; ~ ***with*** passa (gå) till; ~ ***without*** få vara (reda sig) utan
goad [gəod] *verb* bildl. egga, sporra
go-ahead ['gəoəhedd] **I** *adj* framåt av sig **II** *subst* vard. klarsignal
goal [gəol] *subst* mål; ***score a*** ~ göra mål
goalkeeper ['gəol,ki:pə] *subst* målvakt
goalpost ['gəolpəost] *subst* målstolpe
goat [gəot] *subst* get
gobble ['gåbbl] *verb*, ~ ***up*** (***down***) glufsa i sig
go-between ['gəobi,twi:n] *subst* mellanhand
god [gådd] *subst* gud; ***God*** Gud; ***for God's sake!*** för guds skull!
godchild ['gåddtchajld] *subst* gudbarn
goddaughter ['gådd,då:tə] *subst* guddotter
goddess ['gåddis] *subst* gudinna
godfather ['gådd,fa:ðə] *subst* gudfar
godforsaken ['gåddfəsejkn] *adj* gudsförgäten
godmother ['gådd,maððə] *subst* gudmor
godsend ['gåddsend] *subst* gudagåva
godson ['gåddsann] *subst* gudson
goggles ['gågglz] *subst pl* skyddsglasögon; ***ski*** ~ skidglasögon
going ['gəoing], ***it's*** ~ ***to rain*** det blir snart regn; ***be*** ~ ***to***

tänka, ämna; ***get*** ~ komma i gång; sätta i gång
gold [gəold] *subst* guld
golden ['gəoldən] *adj* guld-, gyllene; ~ ***oldie*** gammal goding
goldfish ['gəoldfisch] *subst* guldfisk
gold-plated ['gəold,plejtidd] *adj* guldpläterad
goldsmith ['gəoldsmiθ] *subst* guldsmed
golf [gålf] *subst* golf
golf club ['gålfklabb] *subst* **1** golfklubba **2** golfklubb
golf course ['gålfkå:s] *subst* golfbana
golfer ['gålfə] *subst* golfspelare
golf trolley ['gålf,trålli] *subst* golfvagn
gone [gånn] **I** perf. p. av *go* **II** *adj* borta, försvunnen
gong [gång] *subst* gonggong
good [godd] **I** *adj* **1** god, bra **2** nyttig **3** duktig **4** vänlig, snäll **5** moraliskt god, bra **6** ~ ***afternoon*** god middag; god dag; adjö; ~ ***day*** adjö; god dag; ~ ***evening*** god afton; god dag; adjö; ~ ***morning*** god morgon; god dag; adjö; ~ ***night*** god natt, god afton, adjö **7** ***make*** ~ gottgöra, ersätta **II** *subst* **1** det goda **2** ***for*** ~ för gott, för alltid
goodbye [godd'baj] *subst* o. *interj* adjö, farväl
good-looking [,godd'lokking] *adj* snygg
good-natured [,godd'nejtchəd] *adj* godmodig
goodness ['goddnəs] *subst* godhet
goods [goddz] *subst pl* varor
goodwill [,godd'will] *subst* god vilja, välvilja
goose [go:s] *subst* gås
gooseberry ['gozbərri] *subst* krusbär
gooseflesh ['go:sflesch] *subst* gåshud på huden
1 gore [gå:] *subst* levrat blod
2 gore [gå:] *verb* stånga
gorge [gå:dʒ] **I** *subst* trångt pass mellan branta klippor **II** *verb*, ~ ***oneself with*** proppa i sig
gorgeous ['gå:dʒəs] *adj* vard. underbar
gorilla [gə'rillə] *subst* gorilla äv. livvakt o.d.
gory ['gå:ri] *adj* blodig; bloddrypande
go-slow [,gəo'sləo] *subst* maskning vid arbetskonflikt

gospel ['gåsspəl] *subst* evangelium
gossip ['gåssipp] **I** *subst* 1 skvaller 2 skvallerbytta **II** *verb* skvallra
got [gått] imperf. o. perf. p. av *get*
gout [gaot] *subst* gikt
govern ['gavvən] *verb* styra, regera
governess ['gavvənəs] *subst* guvernant
government ['gavvnmənt] *subst* regering
governor ['gavvənə] *subst* 1 guvernör 2 ***board of governors*** styrelse; ledning
gown [gaon] *subst* finare långklänning
GP [ˌdʒiː'piː] förk. för *general practitioner*
grab [gräbb] *verb* hugga, gripa
grace [grejs] *subst* 1 behagfullhet, grace 2 nåd
graceful ['grejsfoll] *adj* behagfull, graciös
gracious ['grejschəs] *adj* älskvärd; ***good ~!*** du milde!, herre gud!
grade [grejd] **I** *subst* grad; rang **II** *verb* gradera; sortera
gradual ['gräddʒoəl] *adj* gradvis
gradually ['gräddʒoəli] *adv* gradvis, undan för undan
graduate ['gräddʒoət] **I** *subst* person med akademisk grundutbildning **II** *adj*, ***~ student*** forskarstuderande
graduation [ˌgräddjo'ejschən] *subst* avslutande av akademisk grundutbildning, utexaminering
graft [gra:ft] **I** *subst* 1 ympkvist 2 transplantat **II** *verb* 1 ympa 2 transplantera
grain [grejn] *subst* 1 sädeskorn; spannmål 2 bildl. uns
grammar ['grämmə] *subst* grammatik
grammar school ['grämməsko:l] *subst* gymnasium
grammatical [grə'mättikkəl] *adj* grammatisk
gramme [grämm] *subst* gram
grand [gränd] **I** *adj* 1 stor; storslagen 2 ***the Grand National*** berömd årlig hinderritt i Liverpool England **II** *subst* vard. tusen pund
granddad ['gränndädd] *subst* vard. farfar; morfar
granddaughter ['grännˌdå:tə] *subst* sondotter; dotterdotter

grandfather ['gränn,fa:ðə] *subst* farfar; morfar
grandma ['grännma:] *subst* vard. farmor; mormor
grandmother ['gränn,maððə] *subst* farmor; mormor
grandpa ['grännpa:] *subst* vard. farfar; morfar
grandson ['grännsan] *subst* sonson; dotterson
grandstand ['grännständ] *subst* sittplatsläktare
granite ['grännitt] *subst* granit
granny ['gränni] *subst* vard. farmor; mormor; gumma
grant [gra:nt] **I** *verb* **1** bevilja pengar **2** medge; ***granted*** (***granting***) ***that*** förutsatt att; ***take sb. for granted*** ta ngn för given **II** *subst* anslag, stipendium; ***government ~*** statsbidrag
grape [grejp] *subst* vindruva
grapefruit ['grejpfro:t] *subst* grapefrukt
graph [gra:f] *subst* diagram
graphic ['gräffikk] *adj* grafisk
graphics ['gräffikks] *subst pl* grafik
grapple ['gräppl] *verb*, ***~ with*** brottas med
grasp [gra:sp] **I** *verb* **1** gripa **2** begripa **II** *subst* **1** grepp; ***beyond*** (***within***) ***sb.'s ~*** utom (inom) räckhåll för ngn **2** förståelse
grasping ['gra:sping] *adj* girig
grass [gra:s] *subst* gräs; gräsmatta; ***~ court*** i tennis gräsbana
grasshopper ['gra:s,håppə] *subst* gräshoppa
grass roots [,gra:s'ro:ts] *subst pl*, ***the ~*** gräsrötterna
1 grate [grejt] *verb* **1** riva ost o.d. **2** gnissla
2 grate [grejt] *subst* spisgaller
grateful ['grejtfoll] *adj* tacksam
grater ['grejtə] *subst* rivjärn
gratifying ['grättifajing] *adj* tillfredsställande
grating ['grejting] *subst* galler
gratitude ['grättitjo:d] *subst* tacksamhet
gratuity [grə'tjo:əti] *subst* **1** drickspengar **2** gratifikation
1 grave [grejv] *adj* allvarlig
2 grave [grejv] *subst* grav
gravel ['grävvəl] *subst* grus
gravestone ['grejvstəon] *subst* gravsten
graveyard ['grejvja:d] *subst* kyrkogård

gravity ['grävvəti] *subst* 1 allvar 2 tyngdkraft
gravy ['grejvi] *subst* sky, sås
1 graze [grejz] **I** *verb* skrapa **II** *subst* skrubbsår
2 graze [grejz] *verb* beta
grease I [gri:s] *subst* **1** fett 2 smörjmedel **II** [gri:z] *verb* smörja, olja
greasy ['gri:zi] *adj* flottig; oljig
great [grejt] *adj* stor; viktig; framstående; väldig, vard. utmärkt; ***Great Britain*** Storbritannien
great-grandfather [ˌgrejt'gränn,fa:ðə] *subst* gammelfarfar; gammelmorfar
great-grandmother [ˌgrejt'gränn,maððə] *subst* gammelfarmor; gammelmormor
greatly ['grejtli] *adv* mycket, i hög grad
greatness ['grejtnəs] *subst* storhet
Greece [gri:s] Grekland
greed [gri:d] *subst* girighet
greedy ['gri:di] *adj* girig
Greek [gri:k] **I** *subst* **1** grek; grekinna **2** grekiska språket **II** *adj* grekisk
green [gri:n] **I** *adj* **1** grön 2 miljövänlig; ***the Green Party*** Miljöpartiet de Gröna 3 oerfaren **II** *subst* **1** gräsplan; bana **2** ***greens*** bladgrönsaker **3** ***the Greens*** de Gröna
greenery ['gri:nəri] *subst* grönska
greengrocer ['gri:n,grəosə] *subst* grönsakshandlare; ***greengrocer's shop*** frukt- och grönsaksaffär
greenhouse ['gri:nhaos] *subst* växthus; ***~ gas*** växthusgas
greenish ['gri:nisch] *adj* grönaktig
greet [gri:t] *verb* hälsa; ta emot gäst, nyhet o.d.
greeting ['gri:ting] *subst* hälsning
gregarious [gri'gäəriəs] *adj* sällskaplig; flock-
grenade [gri'nejd] *subst* handgranat
grew [gro:] imperf. av *grow*
grey [grej] **I** *adj* grå **II** *verb* gråna
greyhound ['grejhaond] *subst* vinthund
grid [gridd] *subst* galler
grief [gri:f] *subst* sorg
grievance ['gri:vəns] *subst* klagomål
grievous ['gri:vəs] *adj* sorglig, smärtsam

grill [grill] **I** *verb* grilla **II** *subst* grill
grille [grill] *subst* **1** galler omkring el. framför ngt **2** grill på bil
grim [grimm] *adj* hård; dyster
grimace [gri'mejs] *subst* grimas
grime [grajm] *subst* ingrodd svart smuts
grin [grinn] **I** *verb* flina **II** *subst* flin; grin
grind [grajnd] **I** *verb* **1** mala; krossa **2** gnissla **II** *subst* slit
grip [gripp] **I** *subst* grepp; ***take a ~ on*** få grepp om; ta kontroll **II** *verb* gripa
gripping ['gripping] *adj* gripande
grisly ['grizzli] *adj* kuslig
grit [gritt] **I** *subst* grus **II** *verb* **1** ***~ one's teeth*** skära tänder; bita ihop tänderna **2** sanda
groan [grəon] **I** *verb* stöna **II** *subst* stön
grocer ['grəosə] *subst* specerihandlare; ***grocer's shop*** speceriaffär, livsmedelsaffär
groin [gråjn] *subst* skrev
groom [gro:m] **I** *subst* **1** stalldräng **2** brudgum **II** *verb* rykta
groove [gro:v] *subst* fåra, spår
grope [grəop] *verb* treva
gross [grəos] **I** *adj* grov, plump **II** *subst* gross
grossly ['grəosli] *adv* grovt, starkt
grotto ['gråttəo] *subst* grotta
1 ground [graond] imperf. o. perf. p. av *grind*
2 ground [graond] **I** *subst* **1** mark; jord **2** område, plan; ***gain ~*** vinna terräng **3** grundval; orsak **II** *verb* grunda
ground floor [ˌgraond'flo:] *subst* bottenvåning
grounding ['graonding] *subst* grundkunskaper
groundless ['graondləs] *adj* ogrundad
groundsheet ['graondschi:t] *subst* liggunderlag
ground staff ['graondsta:f] *subst* markpersonal på flygplats
groundwork ['graondwö:k] *subst* förarbete
group [gro:p] **I** *subst* grupp **II** *verb* gruppera
1 grouse [graos] *subst* moripa
2 grouse [graos] *verb* knorra, klaga
grove [grəov] *subst* dunge; lund

grovel ['gråvvl] *verb* kräla i stoftet
grow* [grəo] *verb* **1** växa; ~ ***up*** växa upp; bli stor **2** odla
grower ['grəoə] *subst* odlare
growing ['grəoing] *adj* växande
growl [graol] *verb* morra; mullra
grown [grəon] **I** perf. p. av *grow* **II** *adj* vuxen
grown-up ['grəonapp] *adj* o. *subst* vuxen
growth [grəoθ] *subst* tillväxt
grub [grabb] *subst* vard. käk
grubby ['grabbi] *adj* smutsig
grudge [graddʒ], ***have a ~ against sb.*** hysa agg till ngn
gruelling ['groəling] *adj* vard. mycket ansträngande
gruesome ['gro:səm] *adj* hemsk
grumble ['grammbl] *verb* knota, klaga
grumpy ['grammpi] *adj* vresig
grunt [grannt] **I** *verb* grymta **II** *subst* grymtning
guarantee [ˌgärrən'ti:] **I** *subst* garanti; ***~ certificate*** garantibevis **II** *verb* garantera; gå i borgen för
guard [ga:d] **I** *verb* **1** bevaka **2** skydda **II** *subst* **1** vakt; väktare; ***be on*** ~ ha vakt; ***be on one's*** ~ vara på sin vakt **2** bevakning; skydd
guarded ['ga:didd] *adj* bevakad, skyddad
guardian ['ga:djən] *subst* **1** väktare **2** vårdnadshavare
guess [gess] **I** *verb* gissa **II** *subst* gissning
guesswork ['geswö:k] *subst* rena spekulationer
guest [gest] *subst* gäst
guest-house ['gesthaos] *subst* finare pensionat
guffaw [ga'ffå:] **I** *subst* gapskratt **II** *verb* gapskratta
guidance ['gajdəns] *subst* vägledning
guide [gajd] **I** *verb* **1** visa vägen; guida **2** vägleda **II** *subst* **1** guide, reseledare **2** handbok; resehandbok
guidebook ['gajdbokk] *subst* resehandbok
guide dog ['gajddågg] *subst* ledarhund för blinda
guild [gild] *subst* gille, skrå
guillotine [ˌgillə'ti:n] *subst* giljotin
guilt [gilt] *subst* skuld
guilty ['gilti] *adj* **1** skyldig **2** skuldmedveten
guinea pig ['ginnipigg] *subst* marsvin
guise [gajz] *subst* sken, mask

guitar [gi'ta:] *subst* gitarr
gulf [galf] *subst* **1** bukt **2** bildl. klyfta
gull [gall] *subst* mås
gullet ['gallitt] *subst* matstrupe
gullible ['galləbl] *adj* lättrogen
gully ['galli] *subst* ravin
gulp [galp] **I** *verb* stjälpa i sig **II** *subst* stor klunk
gum [gamm] *subst* **1** gummi **2** tuggummi
gumboots ['gammbo:ts] *subst pl* gummistövlar
gums [gamms] *subst pl* tandkött
gun [gann] **I** *subst* kanon; gevär; pistol **II** *verb*, ***~ down*** skjuta ner
gunfire ['gann,fajə] *subst* skottlossning
gunman ['gannmən] *subst* pistolman
gunpoint ['gannpåjnt], ***at ~*** under pistolhot
gunpowder ['gann,paodə] *subst* krut
gunshot ['gannschått] *subst* skott; skotthåll
gurgle ['gö:gl] *verb* **1** klucka **2** gurgla
gush [gasch] *verb* välla fram
gust [gast] *subst* vindil
gusto ['gastəo], ***with ~*** med stor förtjusning
gut [gatt] *subst* **1** ***guts*** inälvor **2** ***guts*** mod **3** ***~ feeling*** instinkt
gutter ['gattə] *subst* rännsten
guy [gaj] *subst* vard. karl, kille; tjej
guzzle ['gazl] *verb* vräka i sig
gym [dʒimm] *subst* **1** gymnastiksal; gym **2** gympa
gymnast ['dʒimnäst] *subst* gymnast
gymnastics [dʒim'nässtikks] *subst* gymnastik
gym slip ['dʒimmslipp] o.
gym suit ['dʒimmso:t] *subst* gymnastikdräkt
gynaecologist [,gajni'kållədʒist] *subst* gynekolog
gypsy ['dʒipsi] *subst* zigenare, zigenerska

Hh

H, h [eitch] *subst* H, h
haberdashery ['häbbədäschəri] *subst* sybehör
habit ['häbbitt] *subst* vana; ***a bad*** ~ en ovana
habitual [hə'bittjoəl] *adj* vanlig, vane-
1 hack [häkk] *verb* hacka
2 hack [häkk] *subst*, ~ el. ~ ***writer*** dussinförfattare
hackneyed ['häkknidd] *adj* sliten, banal
had [hädd] imperf. o. perf. p. av *have*
haddock ['häddəkk] *subst* kolja
hadn't ['häddnt] = *had not*
haemorrhage ['hemmərid3] *subst* inre blödning
haggle ['häggl] *verb* pruta
Hague [hejg], ***The*** ~ Haag
1 hail [hejl] **I** *subst* hagel **II** *verb* hagla
2 hail [hejl] *verb* kalla på; ropa till sig
hailstone ['hejlstəon] *subst* hagelkorn
hair [häə] *subst* hår
hairbrush ['häəbrasch] *subst* hårborste
haircut ['häəkatt] *subst* klippning; frisyr
hairdo ['häədoː] *subst* vard. frisyr
hairdresser ['häəˌdressə] *subst* frisör; hårfrisörska; ***hairdresser's*** herrfrisering, damfrisering
hairgrip ['häəgripp] *subst* hårklämma
hairpin ['häəpinn] *subst* hårnål
hair-raising ['häəˌrejzing] *adj* vard. hårresande
hairspray ['häəsprej] *subst* hårsprej
hairstyle ['häəstajl] *subst* frisyr
hairy ['häəri] *adj* hårig; luden
hake [hejk] *subst* kummel fisk
half [haːf] **I** *subst* halva **II** *adj* halv; ~ ***board*** halvpension **III** *adv* halvt; ***at*** ~ ***past five*** klockan halv sex
half-baked [ˌhaːf'bejkt] *adj* halvfärdig
half-hearted [ˌhaːf'haːtidd] *adj* halvhjärtad
half-mast [ˌhaːf'maːst], ***at*** ~ på halv stång
half-price [ˌhaːf'prajs] *adj* till (för) halva priset
half-term [ˌhaːf'töːm] *subst* mitterminslov

half-time ['ha:f'tajm] *subst* halvtid
halfway [ˌha:f'wej] *adv* halvvägs
hall [hå:l] *subst* 1 entré, hall 2 sal 3 ***town*** (***city***) ~ stadshus 4 ~ ***of residence*** studenthem
hallmark ['hå:lma:k] *subst* 1 kontrollstämpel på guld o.d. 2 kännetecken
hallucination [həˌlo:si'nejschən] *subst* hallucination
halo ['hejləo] *subst* gloria
1 halt [hå:lt], ***come to a*** ~ stanna
2 halt [hå:lt] *verb* halta om vers, jämförelse etc.
halve [ha:v] *verb* halvera
halves [ha:vz] *subst* pl. av *half*
1 ham [hämm] *subst* skinka
2 ham [hämm] *subst* buskis
hamburger ['hämmbö:gə] *subst* hamburgare
hamlet ['hämmlət] *subst* liten by
hammer ['hämmə] **I** *subst* 1 hammare 2 ***come*** (***go***) ***under the*** ~ gå under klubban på auktion **II** *verb* hamra, bulta
hammock ['hämmək] *subst* hängmatta
1 hamper ['hämpə] *subst* större korg
2 hamper ['hämpə] *verb* hindra
hamster ['hämstə] *subst* hamster
hand [hännd] **I** *subst* 1 hand; ***close at*** ~ för handen; till hands; ***by*** ~ för hand; ***in*** ~ till sitt förfogande; för händer; ***off*** ~ på rak arm; ***out of*** ~ ur kontroll 2 sida; ***on the one*** ~ ***... on the other*** ~ å ena sidan... å andra sidan; ***on the right*** ~ till höger 3 arbetare; sjöman **II** *verb* räcka, ge; ~ ***down*** lämna i arv; ~ ***in*** lämna in; ~ ***out*** dela ut
handbag ['hännbägg] *subst* handväska; ~ ***snatcher*** väskryckare
handbook ['hännbokk] *subst* handbok; resehandbok
handbrake ['hännbrejk] *subst* handbroms
handful ['hännfoll] *subst* handfull
handicap ['händikäpp] **I** *subst* handikapp **II** *verb* handikappa; ***handicapped*** handikappad
handicraft ['händikra:ft] *subst* hantverk
handiwork ['händiwö:k] *subst* skapelse; verk

handkerchief ['hängkətchif] *subst* näsduk

handle ['händl] **I** *verb* hantera; handskas med **II** *subst* handtag

handlebars ['händlbaːs] *subst pl* cykelstyre

handmade [ˌhänn'mejd] *adj* tillverkad för hand

handout ['händaot] *subst* **1** reklamlapp; stencil som delas ut **2** allmosa

handrail ['händrejl] *subst* ledstång

handshake ['hännschejk] *subst* handslag

handsome ['hännsəm] *adj* **1** snygg, stilig **2** ansenlig

handwriting ['händˌrajting] *subst* handstil

handy ['händi] *adj* **1** händig **2** till hands

handyman ['händimän] *subst* allt i allo

hang [häng] *verb* **1** hänga; hänga upp **2** sväva **3** *~ about* el. *~ around* stå och hänga; *~ on* klamra sig fast vid; *~ on a moment* vard. dröj ett ögonblick!; *~ out* vard. hålla till; *let it all ~ out* vard. slappna av; *~ up* lägga på luren

hangar ['hängə] *subst* hangar

hanger ['hängə] *subst* klädgalge

hanger-on [ˌhängər'ånn] *subst* vard. påhäng

hang-gliding ['hängˌglajding] *subst* hängflyg

hangover ['hängˌəovə] *subst* **1** kvarleva **2** baksmälla

hangup ['hängapp] *subst* vard. komplex

hanker ['hängkə] *verb*, *~ for* tråna efter

haphazard [ˌhäpp'häzzəd] *adj* slumpmässig

happen ['häppən] *verb* **1** hända; komma sig **2** råka

happening ['häppəning] *subst* **1** händelse **2** happening

happily ['häppəli] *adv* **1** lyckligt **2** lyckligtvis

happiness ['häppinəs] *subst* lycka

happy ['häppi] *adj* **1** lycklig; nöjd; ***Happy New Year!*** Gott nytt år! **2** lyckad

happy-go-lucky [ˌhäppigəo'lakki] *adj* som tar dagen som den kommer

harass ['härrəs] *verb* trakassera

harassment ['härrəsmənt] *subst* trakasseri

harbour ['haːbə] **I** *subst* hamn **II** *verb* **1** ge skydd åt **2** bildl. hysa

hard [haːd] **I** *adj* hård i olika bet.; svår **II** *adv* hårt; ***try*** ~ verkligen försöka
hardback ['haːdbäkk] *subst* inbunden bok
harden ['haːdn] *verb* hårdna; härdas
hard-headed [ˌhaːd'heddidd] *adj* kall, förslagen
hardly ['haːdli] *adv* knappast
hardship ['haːdschipp] *subst* vedermöda
hardware ['haːdwäə] *subst* järnvaror
hardwearing [ˌhaːd'wäring] *adj* slitstark
hard-working ['haːdˌwöːking] *adj* hårt arbetande
hardy ['haːdi] *adj* härdad, tålig
hare [häə] *subst* hare
hare-brained ['häəbrejnd] *adj* tanklös
harm [haːm] **I** *subst* skada, ont **II** *verb* skada
harmful ['haːmfoll] *adj* skadlig
harmless ['haːmləs] *adj* oskadlig; oförarglig
harmony ['haːməni] *subst* harmoni
harness ['haːniss] **I** *subst* sele **II** *verb* tämja
harp [haːp] *subst* harpa
harrowing ['häroing] *adj* upprörande
harsh [haːsch] *adj* hård, sträng
harvest ['haːvisst] **I** *subst* skörd **II** *verb* skörda
has [häzz], ***he*** (***she, it***) ~ han (hon, det) har; jfr äv. *have*
hash [häsch] *subst* slags stuvad pyttipanna
hasn't ['häzznt] = *has not*
hassle ['hässl] vard. **I** *subst* käbbel **II** *verb* trakassera
haste [hejst] *subst* hast
hasten ['hejsn] *verb* påskynda
hastily ['hejstəli] *adv* i största (all) hast
hasty ['hejsti] *adj* hastig; förhastad
hat [hätt] *subst* hatt; ibl. mössa
1 hatch [hätch] *subst* serveringslucka
2 hatch [hätch] *verb* kläcka
hatchback ['hätchbäkk] *subst* halvkombi
hatchet ['hätchitt] *subst* yxa
hate [hejt] **I** *subst* hat **II** *verb* hata
hateful ['hejtfoll] *adj* avskyvärd
hatred ['hejtridd] *subst* hat

haughty ['hå:ti] *adj* högdragen

haul [hå:l] *verb* hala, dra

haulier ['hå:ljə] *subst* åkare

haunch [hå:ntsch] *subst* höft, länd

haunt [hå:nt] *verb* **1** spöka i **2** om tankar o.d. förfölja

have* [hävv] **I** *verb* **1** tempusbildande ha **2** ha, äga; hysa **3 ~ *a bath* (*a drink*)** ta sig ett bad (ett glas); **~ *dinner*** äta middag **4 ~ *it made*** ha sitt på det torra, ha lyckats; **~ *it your own way!*** gör som du vill!; ***I won't ~ it*** jag tänker inte finna mig i det **5 ~ *to*** vara (bli) tvungen att; ***I ~ to go*** äv. jag måste gå **6 ~ *on*** ha kläder på sig **7 *you* (*I*) *had better*** det är bäst att du (jag) **II** *subst*, ***the haves and the have-nots*** de rika och de fattiga

haven ['hejvn] *subst* **1** hamn **2** bildl. tillflyktsort

haven't ['hävvnt] = *have not*

havoc ['hävvəkk] *subst* förstörelse

1 hawk [hå:k] *subst* hök

2 hawk [hå:k] *verb* bjuda ut t.ex. varor på gatan

hay [hej] *subst* hö

hay fever ['hej,fi:və] *subst* hösnuva

haystack ['hejstäkk] *subst* höstack

haywire ['hejoajə] *adj* vard. **1** trasig **2** knasig

hazard ['häzəd] **I** *subst* risk, fara **II** *verb* riskera

haze [hejz] *subst* dis, töcken

hazel nut ['hejzlnatt] *subst* hasselnöt

hazy ['hejzi] *adj* **1** disig **2** bildl. dunkel

he [hi:] *pron* han; om djur äv. den, det; om människan hon

head [hedd] **I** *subst* **1** huvud **2** chef; rektor; **~ *of state*** statsöverhuvud **3** person; antal; ***a*** **~** per man (styck) **4** övre ända **II** *adj* huvud-; främsta **III** *verb* **1** anföra, leda **2 ~ *for*** styra kosan mot; ***be heading for*** gå till mötes

headache ['heddejk] *subst* **1** huvudvärk **2** vard. huvudbry

headdress ['heddress] *subst* huvudbonad

heading ['hedding] *subst* rubrik

headland ['heddlənd] *subst* udde

headlight ['heddlajt] *subst*, ***drive with headlights on*** köra på helljus

headline ['heddlajn] *subst*

rubrik; ***headlines*** nyhetssammandrag
headlong ['heddlång] *adv* huvudstupa; i blindo
headmaster [ˌhedd'maːstə] *subst* rektor
headmistress [ˌhedd'misstrəss] *subst* kvinnlig rektor
head-on [ˌhed'ånn] *adj* frontal
headquarters [ˌhedd'koåːtəz] *subst* högkvarter; huvudkontor
headrest ['heddrest] *subst* nackstöd i bil
headroom ['heddroːm] *subst* på vägskylt fri höjd
headscarf ['heddskaːf] *subst* sjalett
headstrong ['heddstrång] *adj* halsstarrig
head waiter [ˌhedd'wejtə] *subst* hovmästare
headway ['heddwej] *subst* framsteg
headwind ['heddwind] *subst* motvind
heady ['heddi] *adj* bildl. berusande
heal [hiːl] *verb* bota; läka
health [helθ] *subst* hälsa; ~ ***hazard*** (***risk***) hälsorisk; ~ ***service*** hälsovård
health-food ['helθfoːd] *subst* hälsokost
healthy ['helθi] *adj* **1** frisk **2** hälsosam
heap [hiːp] **I** *subst* hög, hop **II** *verb* lägga i en hög
hear* [hiə] *verb* höra; få höra; ~ ***from*** höra 'av; ~ ***of*** höra talas om
hearing ['hiəring] *subst* **1** hörsel; ***be hard of*** ~ ha nedsatt hörsel **2** utfrågning, hearing
hearing aid ['hiəringejd] *subst* hörapparat
hearsay ['hiəsej] *subst* hörsägen
hearse [höːs] *subst* likvagn
heart [haːt] *subst* **1** hjärta i div. bet.; ***a*** ~ ***condition*** hjärtbesvär; ***at*** ~ i grund och botten; ***by*** ~ utantill **2** ***hearts*** hjärter
heartbeat ['haːtbiːt] *subst* hjärtslag pulsslag
heartbreaking ['haːtˌbrejking] *adj* förkrossande
heartbroken ['haːtˌbrəokən] *adj* förtvivlad
heartburn ['haːtböːn] *subst* halsbränna
heart failure ['haːtˌfejljə] *subst* hjärtsvikt

heartfelt ['ha:tfelt] *adj* djupt känd
hearth [ha:θ] *subst* härd
heartily ['ha:təli] *adv* 1 hjärtligt 2 med god aptit
hearty ['ha:ti] *adj* 1 hjärtlig 2 hurtfrisk
heat [hi:t] **I** *subst* 1 hetta, värme 2 sport. heat **II** *verb*, *~ **up*** värma upp
heated ['hi:tidd] *adj* livlig
heater ['hi:tə] *subst* värmeelement; varmvattensberedare
heath [hi:θ] *subst* hed
heather ['heðə] *subst* ljung
heating ['hi:ting] *subst* uppvärmning; ***central ~*** centralvärme
heatstroke ['hi:tstrəok] *subst* värmeslag
heat wave ['hi:toejv] *subst* värmebölja
heave [hi:v] *verb* 1 lyfta, häva 2 ***~ a sigh*** sucka
heaven ['hevvn] *subst* 1 ***heavens*** himmel konkret 2 himlen
heavenly ['hevvnli] *adj* himmelsk, vard. gudomlig
heavily ['hevvəli] *adv* 1 tungt; kraftigt 2 i hög grad
heavy ['hevvi] *adj* tung; kraftig; ***a ~ eater*** en storätare
heavyweight ['hevvioejt] *subst* 1 tungvikt 2 tungviktare
Hebrides ['hebbriddi:z], ***the ~*** Hebriderna
hectic ['hekktikk] *adj* hektisk
he'd [hi:d] = *he had* o. *he would*
hedge [hedʒ] *subst* häck
hedgehog ['hedʒhågg] *subst* igelkott
heed [hi:d], ***take ~ of*** lyssna till
heel [hi:l] **I** *subst* häl; klack **II** *verb* klacka
height [hajt] *subst* 1 höjd 2 höjdpunkt
heighten ['hajtn] *verb* höja; förhöja
heir [äə] *subst* arvinge
heiress ['äəriss] *subst* arvtagerska
held [held] imperf. o. perf. p. av *hold*
helicopter ['hellikåpptə] *subst* helikopter
hell [hel] *subst* helvetet; ***go to ~!*** dra åt helvete!
he'll [hi:l] = *he will* o. *he shall*
hellish ['hellisch] *adj* helvetisk
hello [ˌhe'lləo] *interj* o. *subst* hallå; hej

helmet ['hellmitt] *subst* hjälm
help [hellp] **I** *verb* **1** hjälpa; ~ ***yourself!*** var så god och ta!; ~ ***out*** hjälpa till **2** rå för **II** *subst* hjälp
helper ['hellpə] *subst* hjälpreda
helpful ['hellpfoll] *adj* hjälpsam
helping ['hellping] *subst* portion
helpless ['hellpləs] *adj* hjälplös
hem [hemm] *subst* fåll
hen [henn] *subst* höna
hence [henns] *adv* följaktligen
henceforth [ˌhenns'få:θ] *adv* hädanefter
henchman ['henntchmən] *subst* hejduk
her [hö:] *pron* **1** henne; om tåg, bil, land m.m. den, det **2** hennes; sin; dess
herald ['herrəld] **I** *subst* bildl. förebud **II** *verb* förebåda
heraldry ['herrəldri] *subst* heraldik
herb [hö:b] *subst* ört; örtkrydda
herd [hö:d] *subst* hjord, flock
here [hiə] *adv* här; hit; ~ ***you are!*** var så god!
hereby [ˌhiə'baj] *adv* härmed
hereditary [hi'redditərri] *adj* ärftlig
heresy ['herrəsi] *subst* kätteri
heritage ['herritidʒ] *subst* arv
hermit ['hö:mitt] *subst* eremit
hernia ['hö:njə] *subst* bråck
hero ['hiərəo] *subst* hjälte
heroin ['herrəoinn] *subst* heroin
heroine ['herrəoinn] *subst* hjältinna
heron ['herrən] *subst* häger
herring ['herring] *subst* sill
hers [hö:z] *pron* hennes; sin
herself [hə'self] *pron* sig, sig själv; hon själv, själv
he's [hi:z] = *he is* o. *he has*
hesitant ['hezzitənt] *adj* tveksam
hesitate ['hezzitejt] *verb* tveka
hesitation [ˌhezzi'tejschən] *subst* tvekan
heterosexual [ˌhetterəo'sekksjoəl] *adj* heterosexuell
hew [hjo:] *verb* hugga i ngt
heyday ['hejdej] *subst* glansdagar
hiatus [haj'ejtəs] *subst* paus
hibernate ['hajbənejt] *verb* gå i ide
1 hide [hajd] *subst* djurhud

2 hide [hajd] *verb* gömma; gömma sig
hide-and-seek [ˌhajdən'siːk] *subst* kurragömma
hide-away ['hajdəˌwej] *subst* vard. gömställe
hideous ['hidiəs] *adj* otäck
1 hiding ['hajding] *subst* stryk
2 hiding ['hajding], ***go into ~*** gömma sig
hierarchy ['hajəraːki] *subst* hierarki
high [haj] **I** *adj* **1** hög; högre **2** upprymd **II** *subst* rekord
highbrow ['hajbrao] *adj* kultursnobbig
high chair [ˌhaj'tchäə] *subst* hög barnstol
high jump ['hajdʒamp] *subst* höjdhopp
highlight ['hajlajt] **I** *subst* **1** höjdpunkt **2** ***highlights*** slingor i håret **II** *verb* framhäva
highly ['hajli] *adv* högst, i hög grad
highly-strung [ˌhajli'strang] *adj* överspänd
Highness ['hajnəs] *subst*, ***His*** (***Her, Your***) ~ Hans (Hennes, Ers) Höghet
high-pitched [ˌhaj'pitcht] *adj* gäll
high-rise ['hajrajz] *adj*, ~ ***building*** höghus
high street ['hajstriːt] *subst* huvudgata
hijack ['hajdʒäkk] *verb* kapa t.ex. flygplan
hijacker ['hajˌdʒäkkə] *subst* flygplanskapare
hike [hajk] **I** *subst* fotvandring **II** *verb* fotvandra
hiker ['hajkə] *subst* fotvandrare
hilarious [hi'läəriəs] *adj* dråplig
hill [hill] *subst* kulle, berg
hillside ['hillsajd] *subst* bergssluttning
hilly ['hilli] *adj* bergig
him [himm] *pron* honom
himself [himm'self] *pron* sig, sig själv; han själv, själv
1 hind [hajnd] *adj* bakre, bak-
2 hind [hajnd] *subst* hind
hinder ['hinndə] *verb* hindra
hindrance ['hinndrəns] *subst* hinder
hindsight ['hajndsajt] *subst* efterklokhet
Hindu [ˌhinn'doː] **I** *subst* hindu **II** *adj* hinduisk
hinge [hindʒ] **I** *subst* gångjärn **II** *verb*, ~ ***on*** bero på

hint [hint] **I** *subst* vink; ***hints*** äv. råd **II** *verb*, ~ ***at*** antyda

1 hip [hipp] *interj*, ~, ~, ***hurray!*** hipp hipp hurra!

2 hip [hipp] *subst* höft

hippopotamus [ˌhippəˈpåttəməs] *subst* flodhäst

hire [ˈhajə] **I** *subst* hyra; ***for*** ~ att hyra; på taxibil ledig; ~ ***car*** hyrbil; ***car*** ~ ***service*** biluthyrning **II** *verb* hyra

hire-purchase [ˌhajəˈpö:tchəs] *subst* avbetalning

his [hizz] *pron* hans; sin

hiss [hiss] *verb* **1** väsa **2** vissla ut

historic [hiˈstårrikk] *adj* historisk minnesvärd

historical [hiˈstårrikkəl] *adj* historisk som tillhör historien

history [ˈhisstəri] *subst* historia

hit* [hitt] **I** *verb* **1** slå; träffa **2** köra på; ~ ***and run*** smita från olycksplatsen **II** *subst* **1** träff **2** succé; hit

hitch [hitch] **I** *verb* fästa **II** *subst* hake, aber

hitchhike [ˈhitchhajk] **I** *verb* lifta **II** *subst* lift

HIV [ˌejtchajˈvi:] hiv

hive [hajv] *subst* bikupa

hoard [hå:d] **I** *subst* förråd **II** *verb* hamstra

hoarding [ˈhå:ding] *subst* affischplank

hoarse [hå:s] *adj* hes, skrovlig

hoax [həoks] *subst* bluff

hob [håbb] *subst* spishäll

hobble [ˈhåbbl] *verb* halta

hobby [ˈhåbbi] *subst* hobby

hobby-horse [ˈhåbbihå:s] *subst* bildl. käpphäst

hockey [ˈhåkki] *subst* landhockey

hog [hågg] *subst* svin

hoist [håjst] **I** *verb* hissa; lyfta upp **II** *subst* lyftanordning

hold* [həold] **I** *verb* **1** hålla, hålla i; hålla fast (kvar) **2** innehålla **3** inneha **4** ~ ***sth. against sb.*** lägga ngn ngt till last; ~ ***back*** hejda; ~ ***off*** hålla på avstånd; ~ ***on!*** vänta ett tag!; ~ ***on to*** hålla (klamra) sig fast vid; ~ ***out*** hålla ut; ~ ***together*** hålla ihop; ~ ***up*** försena **II** *subst* tag, grepp

holdall [ˈhəoldå:l] *subst* rymlig bag

holder [ˈhəoldə] *subst* innehavare

holding [ˈhəolding] *subst* aktieinnehav

hold-up [ˈhəoldapp] *subst* rånöverfall

hole [həol] *subst* **1** hål **2** håla
holiday ['hållədej] *subst* semester; lov
holiday-maker ['hållədej,mejkə] *subst* semesterfirare
Holland ['hållənd] Holland
hollow ['hålləo] *adj* ihålig
holly ['hålli] *subst* järnek
holster ['həolstə] *subst* pistolhölster
holy ['həoli] *adj* helig
homage ['håmmidʒ], ***pay ~ to sb.*** hylla ngn
home [həom] **I** *subst* hem; ***at ~*** hemma; hemmastadd **II** *adj* **1** hem-; hemma- **2** inrikes-
homeland ['həomländ] *subst* hemland
homeless ['həomləs] *adj* hemlös
homely ['həomli] *adj* enkel, anspråkslös
home-made [,həom'mejd] *adj* hemmagjord
Home Office ['həom,åffis] *subst*, ***the ~*** inrikesdepartementet
homesick ['həomsikk], ***be ~*** ha hemlängtan
homeward ['həomwəd] *adv* hemåt
homework ['həomwö:k] *subst* läxor
homosexual [,həomə'sekksjoəl] *adj* o. *subst* homosexuell
honest ['ånnist] *adj* ärlig
honestly ['ånnistli] *adv* **1** ärligt **2** uppriktigt sagt
honesty ['ånnisti] *subst* ärlighet
honey ['hanni] *subst* honung
honeycomb ['hannikəom] *subst* vaxkaka
honeymoon ['hannimo:n] *subst* smekmånad
honeysuckle ['hanni,sakkl] *subst* kaprifol
honk [hångk] *verb* tuta
honorary ['ånnərəri] *adj* heders-
honour ['ånnə] **I** *subst* ära, heder; ***~ killing*** hedersmord; ***in ~ of*** med anledning av **II** *verb* hedra
honourable ['ånnərəbl] *adj* hedervärd
hood [hodd] *subst* **1** kapuschong **2** huv
hoof [ho:f] *subst* hov
hook [hokk] **I** *subst* hake, krok; ***off the ~*** avlagd om telefonlur; ur knipan **II** *verb* kroka
hooligan ['ho:ligən] *subst* huligan
hooray [ho'rej] *interj* hurra

hoot [ho:t] *verb* **1** hoa **2** tuta
hooter ['ho:tə] *subst* tuta
Hoover® ['ho:və] **I** *subst* dammsugare **II** *verb*, ***hoover*** dammsuga
hooves [ho:vz] *subst* pl. av *hoof*
hop [håpp] **I** *verb* hoppa **II** *subst* skutt
hope [həop] **I** *subst* hopp **II** *verb* hoppas; ***I ~ so*** det hoppas jag
hopeful ['həopfoll] *adj* hoppfull
hopefully ['həopfolli] *adv* förhoppningsvis
hopeless ['həopləs] *adj* hopplös
hops [håpps] *subst pl* humle
horizon [hə'rajzn] *subst* horisont
horizontal [ˌhårri'zånntl] *adj* horisontal
horn [hå:n] *subst* **1** horn **2** tuta
horoscope ['hårrəskəop] *subst* horoskop
horrendous [hå'renndəs] *adj* fasansfull
horrible ['hårrəbl] *adj* fruktansvärd
horrid ['hårridd] *adj* avskyvärd
horrify ['hårrifaj] *verb*, ***horrified*** förfärad
horror ['hårrə] *subst* skräck; ***chamber of horrors*** skräckkammare
horse [hå:s] *subst* häst
horseback ['hå:sbäkk], ***on ~*** till häst
horse chestnut [ˌhå:s'tchesnatt] *subst* hästkastanj
horseman ['hå:smən] *subst* skicklig ryttare
horsepower ['hå:sˌpaoə] *subst* hästkraft
horse-racing ['hå:sˌrejsing] *subst* kapplöpningssport
horseradish ['hå:sˌräddisch] *subst* pepparrot
horseshoe ['hå:sscho:] *subst* hästsko
hose [həoz] *subst* slang
hospitable [hå'sspitəbl] *adj* gästvänlig
hospital ['hållspittl] *subst* sjukhus; ***go to ~*** åka in på sjukhus
hospitality [ˌhåsspi'tälləti] *subst* gästfrihet
1 host [həost] *subst*, ***a ~ of*** mängder med
2 host [həost] **I** *subst* **1** värd **2** programledare **II** *verb* vara värd för; i TV vara programledare för

hostage ['håsstiddʒ] *subst* gisslan
hostel ['håsstəl] *subst* härbärge
hostess ['həostiss] *subst* värdinna
hostile ['håsstajl] *adj* fientlig; ***~ towards immigrants*** invandrarfientlig
hostility [hå'stilləti] *subst* fientlighet
hot [hått] *adj* **1** het, varm; ***a ~ meal*** lagad mat **2** om krydda stark **3** hetsig
hotbed ['håttbedd] *subst* bildl. grogrund
hot dog [ˌhått 'dågg] *subst* korv med bröd
hotel [həo'tell] *subst* hotell
hot-headed [ˌhått'heddidd] *adj* hetlevrad
hothouse ['hátthaos] *subst* växthus
hotplate ['håttplejt] *subst* kokplatta
hound [haond] **I** *subst* jakthund **II** *verb* bildl. jaga
hour ['aoə] *subst* timme; ***hours*** äv. arbetstid; ***twenty-four hours*** ofta ett dygn
hourly ['aoəli] *adj* en gång i timmen; tim-
house I [haos] *subst* hus, vard. hem **II** [haoz] *verb* bo; härbärgera
house arrest [ˌhaosə'rrest] *subst* husarrest
houseboat ['haosbəot] *subst* husbåt
household ['haoshəold] *subst* hushåll
housekeeper ['haosˌkiːpə] *subst* hushållerska
housekeeping ['haosˌkiːping] *subst* hushållsskötsel
house-warming ['haosˌoåːming] *adj*, ***~ party*** inflyttningsfest
housewife ['haosoajf] *subst* hemmafru
housework ['haoswöːk] *subst* hushållsarbete
housing ['haozing] *subst* bostäder; ***~ estate*** bostadsområde; ***be on the ~ list*** stå i bostadskön
hovel ['håvvəl] *subst* skjul
hover ['håvvə] *verb* sväva
hovercraft ['håvvəkraːft] *subst* svävare
how [hao] *adv* **1** hur; ***~ do you do?*** god dag!; ***~ are you?*** hur står det till? **2** i utrop så, vad
however [hao'evvə] **I** *adv* hur ... än **II** *konj* emellertid
howl [haol] **I** *verb* yla **II** *subst* ylande

hub [habb] *subst* **1** nav **2** centrum
hubbub ['habbabb] *subst* tumult
hub-cap ['habbkäpp] *subst* navkapsel
huddle ['haddl] **I** *verb* kura ihop sig **II** *subst*, ***a ~ of*** en massa
hue [hjo:] *subst* nyans
hue and cry [ˌhjo:ən'kraj] *subst* ramaskri
hug [hagg] **I** *verb* krama **II** *subst* kram
huge [hjo:dʒ] *adj* väldig, mycket stor
hulk [halk] *subst* åbäke, hulk
hull [hall] *subst* fartygsskrov
hum [hamm] *verb* **1** surra **2** gnola
human ['hjo:mən] **I** *adj* mänsklig; ***~ being*** människa; ***~ rights*** de mänskliga rättigheterna **II** *subst* människa
humane [hjo'mejn] *adj* human
humanitarian [hjoˌmänni'täəriən] *subst* människovän
humanity [hjo'männəti] *subst* mänskligheten
humble ['hambl] *adj* ödmjuk
humbug ['hammbagg] *subst* slags pepparmyntskaramell
humdrum ['hammdramm] *adj* enahanda
humid ['hjo:midd] *adj* fuktig
humiliate [hjo'milliejt] *verb* förödmjuka
humiliation [hjoˌmilli'ejschən] *subst* förödmjukelse
humorous ['hjo:mərəs] *adj* humoristisk
humour ['hjo:mə] **I** *subst* **1** humor **2** humör **II** *verb* blidka
hump [hamp] *subst* puckel
hunch [hantsch], ***have a ~*** ha på känn
hunchback ['hantschbäkk] *subst* puckelrygg
hundred ['handrəd] *räkn* hundra; ***hundreds of*** hundratals
hung [hang] imperf. o. perf. p. av *hang*
Hungary ['hanggəri] Ungern
hunger ['hanggə] *subst* hunger
hungry ['hanggri] *adj* hungrig; ***be ~ for*** hungra efter
hunk [hangk] *subst* vard. tjockt stycke
hunt [hant] **I** *verb* jaga i Storbritannien särsk. om hetsjakt med hund **II** *subst* jakt; i Storbritannien särsk. rävjakt till

häst med hundar som dödar räven
hunter ['hantə] *subst* jägare
hunting ['hanting] *subst* jakt
hurdle ['hö:dl] *subst* **1** ***hurdles*** häck tävlingsgren **2** hinder
hurl [hö:l] *verb* slunga
hurrah [ho'rra:] o. **hurray** [ho'rrej] *interj* hurra
hurricane ['harrikən] *subst* orkan
hurried ['harridd] *adj* bråd
hurry ['harri] **I** *verb* skynda sig **II** *subst* brådska, jäkt; ***~ up!*** skynda dig!; ***be in a ~*** ha bråttom
hurt [hö:t] **I** *verb* **1** skada **2** göra ont **II** *subst* oförrätt
hurtful ['hö:tfoll] *adj* sårande
hurtle ['hö:tl] *verb* susa fram
husband ['hazzbənd] *subst* man, make
hush [hasch] *verb* hyssja; ***~ up*** tysta ner
husk [hask] *subst* skal, skida
husky ['haski] *adj* hes
hustle ['hassl] **I** *verb* knuffa **II** *subst*, ***~ and bustle*** liv och rörelse
hut [hatt] *subst* koja; hytt
hyacinth ['hajəsinθ] *subst* hyacint
hydrant ['hajdrənt] *subst* vattenpost
hydraulic [haj'drå:likk] *adj* hydraulisk
hydrofoil ['hajdrəfåjl] *subst* bärplansbåt
hydrogen ['hajdrədʒən] *subst* väte
hyena [haj'i:nə] *subst* hyena
hygiene ['hajdʒi:n] *subst* hygien
hymn [him] *subst* hymn, lovsång
hype [hajp] *subst* vard. reklam, hype
hypermarket ['hajpə,ma:kitt] *subst* stormarknad
hyphen ['hajfən] *subst* bindestreck
hypnotize ['hippnətajz] *verb* hypnotisera
hypocrisy [hi'ppåkrəssi] *subst* hyckleri
hypocrite ['hippəkritt] *subst* hycklare
hypocritical [,hippəo'krittikəl] *adj* hycklande
hypothesis [haj'påθəsis] *subst* hypotes
hysteria [hi'steriə] *subst* hysteri
hysterical [hi'sterrikəl] *adj* hysterisk

Ii

I, i [aj] *subst* I, i
I [aj] *pron* jag
ice [ajs] **I** *subst* is **II** *verb* **1** kyla ner **2** glasera
iceberg ['ajsbö:g] *subst* isberg; ~ ***lettuce*** isbergssallad
ice cream [ˌajs'kri:m] *subst* glass; ~ ***cone*** glasstrut; ~ ***parlour*** glassbar
ice cube ['ajskjo:b] *subst* istärning
ice hockey ['ajsˌhåkki] *subst* ishockey
Iceland ['ajslənd] Island
ice lolly ['ajsˌlålli] *subst* isglass pinne; glasspinne
icicle ['ajsikkl] *subst* istapp
icing ['ajsing] *subst* glasyr
icy ['ajsi] *adj* iskall; isig
I'd [ajd] = *I had, I would* o. *I should*
idea [aj'diə] *subst* idé
ideal [aj'diəl] **I** *adj* idealisk **II** *subst* ideal
identical [aj'denntikkəl] *adj* identisk
identification [ajˌdenntifi'kejschən] *subst* identifiering; identifikation
identify [aj'denntifaj] *verb* identifiera; ~ ***oneself*** legitimera sig; ~ ***with*** identifiera sig med
identity [aj'denntəti] *subst* identitet; ~ ***card*** ID-kort
ideology [ˌajdi'ållədʒi] *subst* ideologi
idiosyncrasy [ˌidiə'singkrəsi] *subst* egenhet
idiot ['iddiətt] *subst* idiot
idiotic [ˌiddi'åttikk] *adj* idiotisk
idle ['ajdl] *adj* sysslolös
idol ['ajdl] *subst* **1** avgud **2** idol
idolize ['ajdəolajz] *verb* dyrka
i.e. [ˌaj'i:] d.v.s.
if [iff] *konj* **1** om; även om; ***as*** ~ som om; ~ ***not*** om inte; annars; ~ ***only*** om bara **2** om, huruvida
ignite [igg'najt] *verb* tända
ignition [igg'nischən] *subst* tändning; ~ ***key*** startnyckel
ignorant ['iggnərənt] *adj* okunnig
ignore [igg'nå:] *verb* ignorera
I'll [ajl] = *I will* o. *I shall*
ill [ill] *adj* **1** sjuk; ***be taken*** ~ el. ***fall*** ~ bli sjuk **2** dålig
ill-advised [ˌilləd'vajzd] *adj* oklok

illegal [i'lli:gəl] *adj* illegal, olaglig

illegible [i'lleddʒəbl] *adj* oläslig

illegitimate [ˌilli'dʒittimət] *adj* utomäktenskaplig

ill-fated [ˌill'fejtidd] *adj* olycksalig

illiterate [i'llittərət] *adj* inte läs- och skrivkunnig

ill-mannered [ˌill'männəd] *adj* ohyfsad

illness ['illnəs] *subst* sjukdom

illuminate [i'llo:minejt] *verb* belysa

illumination [iˌllo:mi'nejschən] *subst* belysning

illusion [i'llo:ʒən] *subst* illusion; ***optical*** ~ synvilla

illustrate ['illəstrejt] *verb* illustrera

illustration [ˌillə'strejschən] *subst* illustration

ill-will [ˌill'will] *subst* illvilja

I'm [ajm] = *I am*

image ['immidʒ] *subst* **1** bild **2** image, profil

imagery ['immidʒəri] *subst* bildspråk

imaginary [i'mäddʒinəri] *adj* inbillad; fantasi-

imagination [iˌmäddʒi'nejschən] *subst* **1** fantasi **2** inbillning

imaginative [i'mäddʒinətivv] *adj* fantasirik

imagine [i'mäddʒin] *verb* föreställa sig

imbue [im'bjo:] *verb* genomsyra

imitate ['immitejt] *verb* imitera

imitation [ˌimi'tejschən] *subst* imitation

immaculate [i'mäkkjolət] *adj* obefläckad

immaterial [ˌimmə'tiəriəl] *adj* oväsentlig

immature [ˌimmə'tjoə] *adj* omogen bildl.

immediate [i'mi:djət] *adj* omedelbar

immediately [i'mi:djətli] **I** *adv* omedelbart **II** *konj* så snart som

immense [i'mens] *adj* ofantlig

immerse [i'mö:s] *verb* lägga i vätska; ***~ oneself in*** fördjupa sig i

immigrant ['immigrənt] **I** *subst* invandrare **II** *adj* invandrar-

immigration [ˌimmi'grejschən] *subst* invandring

imminent ['imminənt] *adj* nära förestående
immoral [i'mmårrəl] *adj* omoralisk
immortal [i'må:tl] *adj* odödlig
immune [i'mjo:n] *adj* immun
immunity [i'mjo:nəti] *subst* immunitet i olika bet.
impact ['immpäkkt] *subst* inverkan
impair [im'päə] *verb* försämra
impartial [im'pa:schəl] *adj* opartisk
impassable [im'pa:səbl] *adj* oframkomlig
impassive [im'pässivv] *adj* känslolös
impatience [im'pejschəns] *subst* otålighet
impatient [im'pejschənt] *adj* otålig
impeccable [im'pekkəbl] *adj* oklanderlig
impediment [im'peddimənt] *subst* hinder
impending [im'pending] *adj* hotande
imperative [im'perrətivv] *adj* absolut nödvändig
imperfect [im'pö:fikkt] *adj* ofullkomlig
imperial [im'piəriəl] *adj* **1** kejserlig **2** imperie-
impersonal [im'pö:sənl] *adj* opersonlig
impersonate [im'pö:sənejt] *verb* imitera
impertinent [im'pö:tinənt] *adj* näsvis
impervious [im'pö:vjəs] *adj* oemottaglig
impetuous [im'pettjoəs] *adj* impulsiv
impinge [im'pinndʒ] *verb* inkräkta
implement ['immpliment] *verb* förverkliga
implicit [im'plissitt] *adj* underförstådd
imply [im'plaj] *verb* **1** medföra **2** antyda
impolite [ˌimpə'lajt] *adj* oartig
import I ['immpå:t] *subst* import **II** [im'på:t] *verb* importera
importance [im'på:təns] *subst* betydelse
important [im'på:tənt] *adj* viktig
importer [im'på:tə] *subst* importör
impose [im'pəoz] *verb* införa; ~ ***sth. on sb.*** tvinga på ngn ngt
imposing [im'pəozing] *adj* imponerande

imposition [ˌimpə'zischən] *subst* införande
impossible [im'påssəbl] *adj* omöjlig
impotent ['immpətənt] *adj* 1 maktlös 2 impotent
impregnable [im'preggnəbl] *adj* ointaglig
impress [im'press] *verb* göra intryck på
impression [im'preschən] *subst* 1 intryck 2 imitation
impressionist [im'preschənist] *subst* imitatör
impressive [im'pressivv] *adj* imponerande
imprint ['immprint] *subst* avtryck; bildl. prägel
imprison [im'prizzn] *verb* sätta i fängelse
improbable [im'pråbbəbl] *adj* osannolik
improper [im'pråppə] *adj* opassande
improve [im'proːv] *verb* förbättra
improvement [im'proːvmənt] *subst* förbättring
improvise ['immprəvajz] *verb* improvisera
impudent ['immpjodənt] *adj* oförskämd
impulse ['immpalls] *subst* impuls, ingivelse
impulsive [im'pallsivv] *adj* impulsiv
in [inn] **I** *prep* **1** i, på, vid **2** ~ ***an hour*** om (inom) en timma; på en timma **II** *adv* **1** in **2** inne, hemma; framme; ***be ~ for*** kunna vänta sig; ***be ~ on*** vara med i (om)
inability [ˌinə'billəti] *subst* oförmåga
inaccurate [in'äkkjorət] *adj* felaktig
inadequate [in'äddikwət] *adj* bristfällig
inadvertently [ˌinəd'vöːtəntli] *adv* av misstag
inadvisable [ˌinəd'vajzəbl] *adj* inte tillrådlig
inane [i'nejn] *adj* idiotisk, fånig
inanimate [in'ännimət] *adj* inte levande
inappropriate [ˌinə'prəopriət] *adj* olämplig
inarticulate [ˌinaː'tikkjolət] *adj* oredig
inauguration [iˌnåːgjo'rejschən] *subst* **1** invigning **2** installation
inbred [ˌin'bredd] *adj* inavlad
incapable [in'kejpəbl] *adj* oduglig
incapacitate [ˌinkə'pässitejt] *verb* göra arbetsoförmögen

1 incense ['innsens] *subst* rökelse

2 incense [in'senns] *verb* reta upp

incentive [in'senntivv] *subst* sporre, motivation

incessant [in'sessnt] *adj* oavbruten

incessantly [in'sessntli] *adv* oavbrutet

inch [intsch] *subst* tum 2,54 cm; bildl. grand

incident ['innsidənt] *subst* händelse; incident

incidental [ˌinsi'denntl] *adj* tillfällig

incidentally [ˌinsi'denntəli] *adv* i förbigående

inclination [ˌinkli'nejschən] *subst* benägenhet

incline [in'klajn] *verb* **1** luta **2** ***inclined*** benägen

include [in'klo:d] *verb* inbegripa

including [in'klo:ding] *prep* inklusive

inclusive [in'klo:sivv] *adj* inberäknad; ~ ***terms*** t.ex. på hotell: fast pris med allt inberäknat

income ['inkamm] *subst* inkomst

income tax ['inkammtäkks] *subst* inkomstskatt;

income-tax return självdeklaration

incoming ['inˌkamming] *adj* inkommande

incompetent [in'kåmmpətənt] *adj* inkompetent

incomplete [ˌinkəm'pli:t] *adj* ofullständig

incongruous [in'kånggroəs] *adj* oförenlig

inconsiderate [ˌinkən'siddərət] *adj* obetänksam; taktlös

inconsistency [ˌinkən'sistənsi] *subst* inkonsekvens

inconsistent [ˌinkən'sistənt] *adj* inkonsekvent

inconspicuous [ˌinkən'spikkjoəs] *adj* föga iögonenfallande

incontinence [in'kånntinəns] *subst* inkontinens

inconvenience [ˌinkən'vi:njəns] *subst* olägenhet

inconvenient [ˌinkən'vi:njənt] *adj* oläglig

incorporate [in'kå:pərejt] *verb* införliva

incorrect [ˌinkə'rekkt] *adj* oriktig

increase I [in'kri:s] *verb* öka,

tillta **II** ['innkri:s] *subst* ökning; ***on the ~*** i tilltagande
increasing [in'kri:sing] *adj* tilltagande
increasingly [in'kri:singli] *adv* mer och mer; ***~ difficult*** svårare och svårare
incredible [in'kreddəbl] *adj* otrolig
incredulous [in'kreddjoləs] *adj* klentrogen
incubator ['innkjobejtə] *subst* kuvös
incur [in'kö:] *verb* ådra sig
indebted [in'dettidd] *adj*, ***be ~ to sb.*** vara ngn tack skyldig
indecent [in'di:snt] *adj* oanständig
indecisive [ˌindi'sajsivv] *adj* obeslutsam
indeed [in'di:d] *adv* verkligen, faktiskt
indefinitely [in'deffinətli] *adv* på obestämd tid
indemnity [in'demnəti] *subst* skadeersättning
independence [ˌindi'penndəns] *subst* självständighet
independent [ˌindi'penndənt] *adj* självständig
index ['indekks] *subst* index
index-finger ['indekksˌfinggə] *subst* pekfinger
India ['indjə] Indien
Indian ['indjən] **I** *adj* indisk; indiansk; ***~ corn*** majs; ***in ~ file*** i gåsmarsch; ***~ summer*** brittsommar **II** *subst* **1** indier **2** indian
indicate ['indikejt] *verb* visa (tyda) på
indication [ˌindi'kejschən] *subst* tecken
indicative [in'dikkətivv], ***be ~ of*** tyda på
indicator ['indikejtə] *subst* **1** ***~ of*** tecken på **2** blinker på bil **3** ***arrival ~*** ankomsttavla; ***departure ~*** avgångstavla
indices ['indisi:z] *subst* pl. av *index*
indictment [in'dajtmənt] *subst* åtal
indifferent [in'diffrənt] *adj* likgiltig
indigenous [in'diddʒinəs] *adj* infödd; inhemsk
indigestion [ˌindi'dʒestchən] *subst* dålig matsmältning
indignant [in'diggnənt] *adj* indignerad
indignity [in'diggnəti] *subst* skymf
indirect [ˌindi'rekkt] *adj* indirekt

indiscreet [ˌindi'skriːt] *adj* tanklös; taktlös
indiscriminate [ˌindi'skrimminət] *adj* urskillningslös
indisputable [ˌindi'spjoːtəbl] *adj* obestridlig
individual [ˌindi'viddjoəl]
I *adj* individuell, enskild
II *subst* individ
indoctrination [inˌdåkktri'nejschən] *subst* indoktrinering
indoor ['indåː] *adj* inomhus-
indoors [ˌin'dåːz] *adv* inomhus
inducement [in'djoːsmənt] *subst* motivation
indulge [in'daldʒ] *verb* **1** skämma bort **2** ~ ***in*** tillåta sig njutningen av
indulgent [in'daldʒənt] *adj* överseende
industrial [in'dastriəl] *adj* industriell, industri-; ~ ***action*** strejk
industrious [in'dastriəs] *adj* arbetsam
industry ['inndəstri] *subst* **1** flit **2** industri
inedible [in'edəbl] *adj* oätlig
ineffective [ˌini'fekktivv] *adj* ineffektiv
inefficient [ˌini'fischənt] *adj* ineffektiv
inequality [ˌini'koåləti] *subst* ojämlikhet
inescapable [ˌini'skejpəbl] *adj* oundviklig
inevitable [in'evvitəbl] *adj* oundviklig
inevitably [in'evvitəbli] *adv* oundvikligen
inexhaustible [ˌinig'zåːstəbl] *adj* outtömlig
inexperienced [ˌinik'spiəriənst] *adj* oerfaren
infallible [in'fälləbl] *adj* ofelbar
infamous ['innfəməs] *adj* ökänd
infancy ['innfənsi] *subst* **1** tidiga barnaår **2** bildl. barndom
infant ['innfənt] *subst* spädbarn
infant school ['innfəntskoːl] *subst* skola för elever mellan 5 - 7 år inom den obligatoriska skolan
infatuated [in'fätjoejtidd] *adj* förälskad
infatuation [inˌfätjo'ejschən] *subst* förälskelse
infect [in'fekkt] *verb* infektera
infection [in'fekkschən] *subst* infektion
infer [in'föː] *verb* sluta sig till

inferior [in'fiəriə] *adj* underordnad; mindervärdig
inferiority [in,fiəri'årrəti] *subst*, ~ ***complex*** mindervärdeskomplex
inferno [in'fö:nəo] *subst* helvete
infertile [in'fö:tajl] *adj* ofruktbar
infighting ['in,fajting] *subst* närkamp i boxning
infinite ['infinət] *adj* oändlig
infinity [in'finnəti] *subst* 1 oändlighet 2 oändligheten
inflammable [in'flämməbl] *adj* lättantändlig
inflammation [,inflə'mejschən] *subst* inflammation; ~ ***of the bladder*** blåskatarr
inflatable [in'flejtəbl] *adj* uppblåsbar
inflated [in'flejtidd] *adj* 1 uppblåst 2 inflaterad
inflation [in'flejschən] *subst* inflation
inflationary [in'flejschnəri] *adj* inflationsdrivande
inflict [in'flikkt] *verb* tillfoga
influence ['infloəns] **I** *subst* inflytande; ***driving under the*** ~ rattfylleri **II** *verb* ha inflytande på
influential [,inflo'enschəl] *adj* inflytelserik
influenza [,inflo'enzə] *subst* influensa
influx ['inflakks] *subst* tillströmning
inform [in'få:m] *verb* informera
informal [in'få:ml] *adj* informell
informality [,infå:'mälləti] *subst* informell karaktär
informant [in'få:mənt] *subst* källa person
information [,infə'mejschən] *subst* information; ~ ***desk*** informationen på varuhus o.d.
informative [in'få:mətivv] *adj* upplysande
informer [in'få:mə] *subst* angivare
infringe [in'frindʒ] *verb* överträda, kränka
infringement [in'frindʒmənt] *subst* överträdelse, kränkning
infuriating [in'fjoəriejting] *adj* fruktansvärt irriterande
ingenious [in'dʒi:njəs] *adj* fyndig; genialisk
ingenuous [in'dʒennjoəs] *adj* uppriktig; naiv
ingot ['ingətt] *subst* tacka av guld o.d.
ingrained [in'grejnd] *adj* bildl. inrotad

ingredient [in'gri:djənt] *subst* ingrediens; inslag
inhabit [in'häbbitt] *verb* bebo, befolka
inhabitant [in'häbbitənt] *subst* invånare
inhale [in'hejl] *verb* andas in; dra halsbloss
inherent [in'herrənt] *adj* inneboende; medfödd
inherit [in'herritt] *verb* ärva
inheritance [in'herritəns] *subst* arv
inhibit [in'hibbitt] *verb* hämma
inhibition [ˌinhi'bischən] *subst* hämning
inhuman [in'hjo:mən] *adj* omänsklig
initial [i'nischəl] **I** *adj* begynnelse-, initial- **II** *subst*, ***initials*** initialer **III** *verb* signera med initialer
initially [i'nischəlli] *adv* i början
initiate [i'nischiejt] *verb* **1** ta initiativet till **2** initiera
initiative [i'nischiətivv] *subst* **1** initiativ; ***on one's own ~*** på eget initiativ **2** initiativkraft
injection [in'dʒekkschən] *subst* injektion äv bildl.
injure ['indʒə] *verb* skada
injury ['indʒəri] *subst* skada; ***~ time*** i fotboll o.d. förlängning på grund av skada
injustice [in'dʒastis] *subst* orättvisa
ink [ingk] *subst* bläck
inkling ['ingkling] *subst* aning, hum
inlaid [ˌin'lejd] *adj* inlagd, mosaik-
inland ['inlənd] **I** *subst* inland **II** *adj* **1** inlands- **2** ***~ revenue*** statens skatteinkomster
inlet ['inlett] *subst* inlopp
inmate ['inmejt] *subst* intern, intagen på institution
inn [inn] *subst* värdshus
innate [ˌi'nejt] *adj* medfödd
inner ['innə] *adj* inre; inner-; ***~ city*** problemområde i innerstaden
innocent ['innəosnt] *adj* **1** oskuldsfull **2** oskyldig
innocuous [i'nåkkjoəs] *adj* oskadlig
innuendo [ˌinjo'enndəo] *subst* insinuation
innumerable [i'njo:mərəbbl] *adj* oräknelig
in-patient ['inˌpejschənt] *subst* sjukhuspatient
input ['inpott] *subst* **1** insats **2** in-, ingångs-
inquest ['inkoest] *subst* rättslig undersökning

inquire [in'koajə] *verb* fråga; ~ ***into*** undersöka, utreda
inquiry [in'koajəri] *subst* **1** förfrågan **2** efterforskning; utredning
inquisitive [in'koizzitivv] *adj* frågvis, nyfiken
insane [in'sejn] *adj* **1** sinnessjuk **2** sanslös
insanity [in'sännəti] *subst* **1** sinnessjukdom **2** vanvett
inscription [in'skripschən] *subst* inskription
inscrutable [in'skro:təbl] *adj* outgrundlig
insect ['innsekkt] *subst* insekt
insecticide [in'sekktisajd] *subst* insektsdödande medel
insecure [ˌinsi'kjoə] *adj* osäker, otrygg
insensitive [in'sennsətivv] *adj* okänslig
insert [in'sö:t] *verb* infoga
in-service ['inˌsö:vis] *adj*, ~ ***training*** internutbildning
inside [ˌin'sajd] **I** *subst* insida; ~ ***out*** med avigsidan ut **II** *adj* inre, inner-; intern; ~ ***lane*** innerfil **III** *adv* o. *prep* inuti, inne i, där inne
insight ['innsajt] *subst* insikt
insignificant [ˌinsig'niffikənt] *adj* betydelselös
insincere [ˌinsin'siə] *adj* falsk, hycklande
insinuate [in'sinnjoejt] *verb* insinuera
insist [in'sist] *verb* **1** insistera **2** vidhålla ståndpunkt
insistent [in'sistənt] *adj* envis, enträgen
insolent ['innsələnt] *adj* oförskämd
insolvent [in'sålvənt] *adj* insolvent
insomnia [in'såmniə] *subst* sömnlöshet
inspect [in'spekkt] *verb* inspektera, besiktiga
inspection [in'spekkschən] *subst* undersökning, besiktning
inspector [in'spekktə] *subst* inspektör
inspire [in'spajə] *verb* inspirera; besjäla
installation [ˌinstə'lejschən] *subst* installation
instalment [in'stå:lmənt] *subst* avbetalning
instance ['instəns] *subst* exempel; ***for*** ~ till exempel
instant ['instənt] **I** *adj* **1** omedelbar **2** ~ ***coffee*** snabbkaffe; ~ ***replay*** repris i slow-motion **II** *subst* ögonblick

instantly ['instəntli] *adv* omedelbart
instead [in'stedd] *adv* i stället; **~ *of*** i stället för
instep ['innstepp] *subst* vrist
instigate ['instigejt] *verb* anstifta
instinct ['instingkt] *subst* instinkt; ingivelse; ***act on ~*** handla instinktivt
institute ['institjo:t] *subst* institut
institution [ˌinsti'tjo:schən] *subst* institution
instruct [in'strakkt] *verb* **1** undervisa **2** instruera
instruction [in'strakkschən] *subst* instruktion; ***instructions*** äv. bruksanvisning
instructor [in'strakktə] *subst* lärare, instruktör
instrument ['innstromənt] *subst* instrument; redskap; ***~ panel*** instrumentbräda
instrumental [ˌinstro'mentl] *adj* **1** instrumental **2** ***be ~ in*** bidra (medverka) till
insufficient [ˌinsə'fischənt] *adj* otillräcklig
insular ['innsjolə] *adj* trångsynt
insulation [ˌinsjo'lejschən] *subst* isolering
insulin ['innsjolinn] *subst* insulin
insult I ['innsalt] *subst* förolämpning **II** [in'salt] *verb* förolämpa
insurance [in'schoərəns] *subst* försäkring; ***~ company*** försäkringsbolag; ***~ policy*** försäkringsbrev
insure [in'schoə] *verb* försäkra
intact [in'täkt] *adj* orörd, intakt
intake ['inntejk] *subst* **1** intag **2** intagning
integral ['inntigrəl] *adj* nödvändig, väsentlig
integrate ['inntigrejt] *verb* integrera
intellect ['inntəlekt] *subst* intellekt
intellectual [ˌintə'lektchoəl] *adj* o. *subst* intellektuell
intelligence [in'telidʒəns] *subst* **1** intelligens **2** ***~ service*** underrättelsetjänst
intelligent [in'telidʒənt] *adj* intelligent
intend [in'tend] *verb* avse, ämna
intended [in'tenndidd] *adj* avsedd, planerad
intense [in'tenns] *adj* intensiv; häftig

intensely [in'tennsli] *adv* intensivt
intensive [in'tennsivv] *adj* intensiv; ~ ***care unit*** (***ward***) intensivvårdsavdelning
intent [in'tennt] **I** *adj* spänt uppmärksam **II** *subst* avsikt
intention [in'tenschən] *subst* avsikt, syfte
intentional [in'tenschənl] *adj* avsiktlig
intently [in'tenntli] *adv* med spänd uppmärksamhet
interactiv [ˌintər'äkktivv] *adj* interaktiv
interchange ['intətchejndʒ] *subst* utbyte
interchangeable [ˌintə'tchejndʒəbl] *adj* utbytbar
intercom ['intəkåmm] *subst* snabbtelefon
intercourse ['intəkå:s] *subst* umgänge; ~ el. ***sexual*** ~ samlag
interest ['intrəst, 'intərest] **I** *subst* **1** intresse **2** ränta; ***take an*** ~ ***in*** intressera sig för **II** *verb* intressera
interesting ['intrəsting] *adj* intressant
interface ['intəfejs] *subst* gränsyta; bildl. kontaktyta
interfere [ˌintə'fiə] *verb* lägga sig i; störa
interference [ˌintə'fiərəns] *subst* inblandning; störning
interim ['intərim] *adj* interims-, gällande tillsvidare
interior [in'tiəriə] *adj* inre; invändig; inomhus-; ~ ***decoration*** heminredning
interjection [ˌintə'dʒekschən] *subst* **1** inkast **2** interjektion
interlude ['intəlo:d] *subst* mellanspel
intermediate [ˌintə'mi:djət] *adj* som utgör ett övergångsstadium; ~ ***landing*** mellanlandning
internal [in'tö:nl] *adj* inre; invärtes; inrikes; ~ ***medicine*** invärtes medicin
internally [in'tö:nəli] *adv* i det inre, invärtes
international [ˌintə'näschənl] **I** *adj* internationell **II** *subst* sport. landskamp
interplay ['intəplej] *subst* samspel
interpret [in'tö:pritt] *verb* tolka
interpreter [in'tö:prittə] *subst* tolk
interrogate [in'terrəogejt] *verb* förhöra
interrogation

[in,terrəo'gejschən] *subst* förhör
interrupt [,intə'rappt] *verb* avbryta
interruption [,intə'rappschən] *subst* avbrott
intersect [,intə'sekkt] *verb* skära, korsa
intersection [,intə'sekkschən] *subst* gatukorsning, vägkorsning
intersperse [,intə'spö:s] *verb* blanda in; blanda upp
intertwine [,intə'toajn] *verb* fläta samman
interval ['inntəvəl] *subst* **1** intervall **2** paus
intervene [,intə'vi:n] *verb* gå emellan
intervention [,intə'venschən] *subst* intervention
interview ['inntəvjo:] **I** *subst* intervju **II** *verb* intervjua
interviewer ['inntəvjo:ə] *subst* intervjuare
intestines [in'tesstins] *subst pl* tarmar; inälvor
intimacy ['inntiməsi] *subst* förtrolighet; intimitet
intimate ['inntimət] *adj* förtrolig, intim
into ['innto] *prep* in i; ned i; upp i; ut i; i
intolerant [in'tållərənt] *adj* intolerant
intoxicated [in'tåksikejtidd] *adj* berusad äv. bildl.
intoxication [in,tåksi'kejschən] *subst* **1** berusning äv. bildl. **2** förgiftning
intravenous [,intrə'vi:nəs] *adj* intravenös
intricate ['inntrikətt] *adj* bildl. invecklad
intrigue [in'tri:g] **I** *subst* intrig **II** *verb* **1** intrigera **2** väcka intresse
intriguing [in'tri:ging] *adj* fängslande
intrinsic [in'trinnsikk] *adj* inre; verklig
introduce [,intrə'djo:s] *verb* **1** introducera **2** presentera
introduction [,intrə'dakkschən] *subst* introduktion; inledning
introductory [,intrə'dakktəri] *adj* inledande, introduktions-
intrude [in'tro:d] *verb* inkräkta
intruder [in'tro:də] *subst* inkräktare
intuition [,intjo'ischən] *subst* intuition
invade [in'vejd] *verb* invadera

1 invalid ['innvəlidd] **I** *subst* sjukling; invalid **II** *adj* sjuklig; invalid-
2 invalid [in'vällidd] *adj* ogiltig
invaluable [in'väljoəbl] *adj* ovärderlig
invariably [in'väəriəbli] *adv* oföränderligt
invent [in'vent] *verb* **1** uppfinna **2** hitta på
invention [in'venschən] *subst* **1** uppfinning **2** ren dikt
inventive [in'venntivv] *adj* uppfinningsrik
inventor [in'venntə] *subst* uppfinnare
inventory ['invəntri] *subst* inventarieförteckning
invert [in'vö:t] *verb* vända upp och ned på
invest [in'vest] *verb* investera
investigate [in'vestigejt] *verb* undersöka; utreda
investigation [in,vesti'gejschən] *subst* utredning
investment [in'vestmənt] *subst* investering
investor [in'vestə] *subst* investerare
invisible [in'vizəbl] *adj* osynlig
invitation [,invi'tejschən] *subst* **1** inbjudan; ~ ***card*** inbjudningskort **2** invit
invite [in'vajt] *verb* **1** bjuda hem, på lunch o.d. **2** inbjuda till
inviting [in'vajting] *adj* inbjudande
invoice ['invåjs] *subst* faktura
involuntary [in'vållәntәri] *adj* ofrivillig
involve [in'vålv] *verb* **1** dra in, involvera **2** innebära
involved [in'vålvd] *adj* inblandad; engagerad
involvement [in'vålvmənt] *subst* engagemang
inward ['inwəd] **I** *adj* inre **II** *adv* inåt
inwards ['inwədz] *adv* inåt
iodine ['ajəodi:n] *subst* jod
iota [aj'əotə] *subst* bildl. jota
IQ [,aj'kjo:] (förk. för *intelligence quotient*) IQ
Iran [i'ra:n] Iran
Iraq [i'ra:k] Irak
Ireland ['ajələnd] Irland
iris ['ajəriss] *subst* iris
Irish ['ajərisch] **I** *adj* irländsk; ***the ~ Sea*** Irländska sjön **II** *subst* irländska språket
Irishman ['ajərischmən] *subst* irländare
Irishwoman

['ajərisch,wommən] *subst* irländska kvinna

iron ['ajən] **I** *subst* **1** järn **2** strykjärn **II** *adj* järn-; järnhård **III** *verb* stryka med strykjärn

ironic [aj'rånnikk] *adj* ironisk

ironing ['ajəning] *subst* strykning med strykjärn

ironing-board ['ajəningbå:d] *subst* strykbräde

irony ['ajərəni] *subst* ironi

irrational [i'räschənl] *adj* irrationell

irregular [i'reggjolə] *adj* oregelbunden

irrelevant [i'relləvənt] *adj* irrelevant

irresistible [,irri'zistəbl] *adj* oemotståndlig

irrespective [,irri'spektivv] *adj*, ~ ***of*** utan hänsyn till

irresponsible [,irri'spånnsəbl] *adj* ansvarslös

irrigate ['irrigejt] *verb* konstbevattna

irrigation [,irri'gejschən] *subst* konstbevattning

irritate ['irritejt] *verb* irritera, reta

irritating ['irritejting] *adj* irriterande

irritation [,irri'tejschən] *subst* irritation

is [izz], ***he*** (***she, it***) ~ han (hon, det) är; jfr äv. *be*

Islam ['izla:m] *subst* islam

island ['ajlənd] *subst* ö

islander ['ajləndə] *subst* öbo

isle [ajl] *subst* ö

isn't ['izznt] = *is not*

isolate ['ajsəlejt] *verb* isolera

isolated ['ajsəlejtidd] *adj* isolerad; enstaka

isolation [,ajsəo'lejschən] *subst* isolering; ~ ***block*** (***ward***) infektionsavdelning

issue ['ischo:] **I** *verb* utfärda **II** *subst* **1** fråga; ***make an ~ of sth.*** göra stor affär av ngt; ***the point at ~*** själva sakfrågan **2** upplaga, nummer

IT [,aj'ti:] (förk. för *information technology*) IT

it [itt] *pron* den, det; sig

Italian [i'täljən] **I** *adj* italiensk **II** *subst* **1** italienare; italienska kvinna **2** italienska språket

Italy ['ittəli] Italien

itch [itch] **I** *subst* klåda **II** *verb* klia

item ['ajtəm] *subst* punkt; ***news*** ~ notis i tidning

itinerary [aj'tinnərəri] *subst* reseguide; resplan

it'll ['ittl] = *it will*

its [itts] *pron* dess; sin
it's [itts] = *it is*
itself [it'self] *pron* sig, sig själv; själv; ***by*** ~ av sig själv, automatiskt; ***in*** ~ i sig själv
I've [ajv] = *I have*
ivory ['ajvəri] *subst* elfenben
ivy ['ajvi] *subst* murgröna

Jj

J, j [dʒej] *subst* J, j
jab [dʒäbb] *verb* sticka, stöta
jack [dʒäkk] *subst* **1** knekt i kortlek **2** domkraft
jackal ['dʒäkkå:l] *subst* sjakal
jackdaw ['dʒäkkdå:] *subst* kaja
jacket ['dʒäkkitt] *subst* **1** jacka; kavaj **2** skal; ~ ***potatoes*** ugnsbakad potatis
jack-knife ['dʒäkknajf] *subst* stor fällkniv
jackpot ['dʒäkkpått] *subst* jackpot
jaded ['dʒejdidd] *adj* trött, sliten
jagged ['dʒäggidd] *adj* tandad
jail [dʒejl] *subst* fängelse
1 jam [dʒämm] *subst* sylt, marmelad
2 jam [dʒämm] **I** *subst* **1** trafikstockning **2** stopp i maskin o.d. **II** *verb* blockera; hänga upp sig
jangle ['dʒänggl] **I** *verb* skramla **II** *subst* skrammel
janitor ['dʒännitə] *subst* dörrvakt
January ['dʒännjoəri] *subst* januari

1 jar [dʒa:] *subst* kruka; burk
2 jar [dʒa:] *verb* **1** gnissla **2** ~ ***on*** gå på nerverna
jargon ['dʒa:gən] *subst* jargong
jaundice ['dʒå:ndiss] *subst* gulsot
javelin ['dʒävvlin] *subst* spjut
jaw [dʒå:] *subst* käke
jay-walker ['dʒej,oå:kə] *subst* vard. oförsiktig fotgängare
jazz [dʒäzz] *subst* jazz
jealous ['dʒelləs] *adj* svartsjuk; avundsjuk
jealousy ['dʒelləsi] *subst* svartsjuka; avundsjuka
jeer [dʒiə] **I** *verb* håna **II** *subst* glåpord
jelly ['dʒelli] *subst* gelé; fruktgelé
jellyfish ['dʒellifisch] *subst* manet
jeopardy ['dʒeppədi] *subst* fara, risk
jerk [dʒö:k] **I** *subst* ryck **II** *verb* rycka till
jersey ['dʒö:zi] **1** stickad tröja **2** jersey tyg
jet [dʒett] *subst* **1** stråle **2** jetplan
jet-black [,dʒett'bläkk] *adj* kolsvart
jet-lag ['dʒettlägg] *subst* jet-lag, rubbad dygnsrytm efter längre flygning
jettison ['dʒettisn] *verb* göra sig av med
jetty ['dʒetti] *subst* angöringsbrygga
Jew [dʒo:] *subst* jude
jewel ['dʒo:əl] *subst* juvel; ***jewels*** äv. smycken
jeweller ['dʒo:ələ] *subst* juvelerare; ***jeweller's shop*** guldsmedsaffär
jewellery ['dʒo:əlri] *subst* smycken
Jewess ['dʒo:es] *subst* judinna
Jewish ['dʒo:isch] *adj* judisk
jigsaw ['dʒiggså:] *subst*, ~ el. ~ ***puzzle*** pussel
jilt [dʒilt] *verb* ge på båten
jingle ['dʒinggl] **I** *verb* pingla **II** *subst* melodisnutt i reklam
job [dʒåbb] *subst* jobb; göra; ***be out of a*** ~ vara arbetslös
jobcentre ['dʒåbb,sentə] *subst* arbetsförmedling lokal
jobless ['dʒåbbləs] *adj* arbetslös
jockey ['dʒåkki] **I** *subst* jockey **II** *verb* manipulera
jocular ['dʒåkkjolə] *adj* skämtsam
jog [dʒågg] *verb* **1** stöta till **2** jogga

jogging ['dʒågging] *subst* joggning
jogging track ['dʒågging,träkk] *subst* motionsslinga
join [dʒåjn] *verb* **1** förena **2** ansluta sig till; ~ ***in*** vara med; ~ ***up*** ta värvning
joint [dʒåjnt] **I** *subst* **1** fog, skarv **2** led i kroppen; ***out of*** ~ ur led; i olag **3** stek kött **II** *adj* gemensam
joke [dʒəok] **I** *subst* skämt **II** *verb* skämta
joker ['dʒəokə] *subst* **1** skämtare **2** joker
jolly ['dʒålli] **I** *adj* glad **II** *adv* vard. förbaskat
jolt [dʒəolt] **I** *verb* skaka; skaka om **II** *subst* skakning; omskakning
jostle ['dʒåssl] *verb* knuffas; ~ ***one's way*** armbåga sig fram
jot [dʒått] *verb*, ~ ***down*** krafsa ned
journal ['dʒö:nl] *subst* **1** tidskrift **2** dagbok
journalism ['dʒö:nəlizəm] *subst* journalistik
journalist ['dʒö:nəlist] *subst* journalist
journey ['dʒö:ni] *subst* o. *verb* resa
joy [dʒåj] *subst* glädje
joyful ['dʒåjfoll] *adj* glädjande; lycklig
joystick ['dʒåjstikk] *subst* styrspak
jubilant ['dʒo:bilənt] *adj* jublande
judge [dʒaddʒ] **I** *subst* domare **II** *verb* döma; bedöma
judgement ['dʒaddʒmənt] *subst* **1** dom **2** omdömesförmåga; ***against one's better*** ~ mot bättre vetande
judicial [dʒo'dischəl] *adj* rättslig
judo ['dʒo:dəo] *subst* judo
jug [dʒagg] *subst* kanna
juggernaut ['dʒaggənå:t] *subst* långtradare
juggle ['dʒaggl] *verb* jonglera
juggler ['dʒagglə] *subst* jonglör
juice [dʒo:s] *subst* saft; juice
juicy ['dʒo:si] *adj* saftig
July [dʒo'laj] *subst* juli
jumble ['dʒambl] *subst* röra; ~ ***sale*** loppmarknad på välgörenhetsbasar
jumbo ['dʒambəo] *adj* jätte-; ~ ***jet*** jumbojet
jump [dʒamp] **I** *verb* hoppa; hoppa till; ~ ***to conclusions*** dra förhastade slutsatser **II** *subst* **1** hopp; ~ ***the queue***

tränga sig före i kön
2 plötslig höjning
jumper ['dʒampə] *subst*
1 jumper 2 ~ ***cable*** startkabel
jumpy ['dʒampi] *adj* vard. nervös
junction ['dʒangkschən] *subst* järnvägsknut; vägkorsning
June [dʒo:n] *subst* juni
jungle ['dʒanggl] *subst* djungel
junior ['dʒo:njə] *adj* yngre; underordnad
junk [dʒangk] *subst* skräp; lump; ~ ***food*** skräpmat; ~ ***yard*** skroten
juror ['dʒoərə] *subst* juryledamot
jury ['dʒoəri] *subst* jury
just [dʒast] **I** *adj* rättvis **II** *adv*
1 just; precis 2 nyss; strax; ~ ***now*** just nu; alldeles nyss
3 bara
justice ['dʒasstiss] *subst* rättvisa; ***bring to*** ~ dra inför rätta
justify ['dʒasstifaj] *verb* försvara
jut [dʒatt] *verb* sticka ut
juvenile ['dʒo:vənajl] **I** *subst*, ***juveniles*** minderåriga; ungdomar; ***for juveniles*** barntillåten **II** *adj* ungdoms-; ~ ***delinquent*** ungdomsbrottsling

Kk

K, k [kej] *subst* K, k
kangaroo [ˌkängga'roː] *subst* känguru
karate [kə'raːti] *subst* karate
keel [kiːl] *subst* köl
keen [kiːn] *adj* skarp; ivrig; **~ on** pigg på
keep* [kiːp] **I** *verb* **1** hålla; hålla sig **2** behålla; förvara **3** försörja **4 ~ doing** fortsätta att göra; **~ away** hålla på avstånd; **~ back** hålla inne med; **~ down** hålla nere; **~ from** avhålla från; **~ off** stänga ute; **~ on** hålla i sig; fortsätta med; **~ out of** hålla sig borta ifrån; **~ to** hålla sig till **II** *subst* uppehälle
keeper ['kiːpə] *subst* djurskötare; intendent vid museum
keep-fit [ˌkiːp'fitt] *adj* motions-
keepsake ['kiːpsejk] *subst* minnesgåva
kennel ['kennl] *subst* hundkoja; **kennels** kennel
kerb [köːb] *subst* trottoarkant
kernel ['köːnl] *subst* kärna
kettle ['kettl] *subst* kanna att koka tevatten i; **electric ~** vattenkokare
key [kiː] *subst* **1** nyckel **2** tangent
keyboard ['kiːbåːd] *subst* klaviatur; tangentbord
keyhole ['kiːhəol] *subst* nyckelhål
keynote ['kiːnəot] *subst* grundton
key-ring ['kiːring] *subst* nyckelring
khaki ['kaːki] *subst* kaki
kick [kikk] **I** *verb* sparka; **~ off** sparka i gång; göra avspark; **be kicked out** bli utkastad; få sparken; **~ up a row** (**fuss**) ställa till bråk **II** *subst* spark; **free ~** frispark; **penalty ~** straffspark
kick-off ['kikkåff] *subst* avspark
1 kid [kidd] *subst* vard. barn, unge
2 kid [kidd] *verb* lura; **no kidding!** det är säkert!
kidnap ['kiddnäpp] *verb* kidnappa
kidnapper ['kiddnäppə] *subst* kidnappare
kidney ['kiddni] *subst* njure
kill [kill] **I** *verb* döda; bildl. ta död på; **be killed** äv. omkomma **II** *subst* jaktbyte

killer ['killə] *subst* mördare
killing ['killing] *subst* mord
kill-joy ['killdʒåj] *subst* glädjedödare
kiln [kiln] *subst* brännugn
kilo ['kiːləo] *subst* kilo
kilogram ['kiləogrämm] *subst* kilogram
kilometre ['kiləoˌmiːtə] *subst* kilometer
kilowatt ['kiləowått] *subst* kilowatt
kilt [kilt] *subst* kilt
1 kind [kajnd] *subst* **1** slag, sort; ~ ***of*** slags; liksom **2** ***in*** ~ in natura
2 kind [kajnd] *adj* vänlig, snäll
kindergarten ['kindəˌgaːtn] *subst* lekskola
kind-hearted [ˌkajnd'haːtidd] *adj* godhjärtad
kindle ['kindl] *verb* tända eld
kindly ['kajndli] *adj* vänlig
kindness ['kajndnəs] *subst* vänlighet
kindred ['kindrədd] *adj* besläktad
king [king] *subst* kung
kingdom ['kingdəm] *subst* **1** kungarike **2** bildl. rike; ~ ***come*** livet efter detta
king-size ['kingsajz] *adj* extra stor (lång)
kinky ['kingki] *adj* vard. bisarr; pervers
kiosk ['kiːåsk] *subst* kiosk
kipper ['kippə] *subst* 'kipper' röktorkad sill
kiss [kiss] **I** *verb* kyssa; kyssas **II** *subst* kyss, puss
kit [kitt] *subst* uppsättning; byggsats
kitchen ['kittchinn] *subst* kök
kitchen sink [ˌkittchin'singk] *subst* diskbänk
kite [kajt] *subst* drake av papper o.d.
kitten ['kittn] *subst* kattunge
kitty ['kitti] *subst* pott; kassa
knack [näkk], ***get*** (***have***) ***the*** ~ ***of*** få (ha) kläm på
knapsack ['näppsäkk] *subst* ryggsäck
knead [niːd] *verb* knåda
knee [niː] *subst* knä
kneecap ['niːkäpp] *subst* knäskål
kneel [niːl] *verb* falla (ligga) på knä
knew [njoː] imperf. av *know*
knickers ['nikkəz] *subst pl* underbyxor för damer
knife [najf] **I** *subst* kniv **II** *verb* knivhugga

knight [najt] **I** *subst* **1** riddare **2** häst i schack **II** *verb* adla
knit [nitt] *verb* sticka t.ex. strumpor
knitting ['nitting] *subst* stickning
knitting-needle ['nitting,ni:dl] *subst* sticka för stickning
knitwear ['nittoäə] *subst* stickade plagg
knives [najvz] *subst* pl. av *knife*
knob [nåbb] *subst* knopp, knapp
knock [nåkk] **I** *verb* knacka **1** slå, slå till **2** *~ **about*** misshandla; *~ **back*** vard. svepa i sig; *~ **down*** köra på; riva ned; *~ **off*** slå av på; *~ **out*** knocka; *~ **up*** slang göra på smällen **II** *subst* slag; knackning
knocker ['nåkkə] *subst* portklapp
knock-out ['nåkkaot] **I** *adj* knockout- **II** *subst* knockout
knot [nått] **I** *subst* **1** knut **2** knop i timmen **II** *verb* knyta en knut
knotty ['nåtti] *adj* kvistig
know* [nəo] *verb* **1** veta; *~ **about*** känna till **2** kunna **3** känna vara bekant med; ***get to*** *~* lära känna **4** uppleva, se
know-all ['nəoå:l] *subst* vard. besserwisser
know-how ['nəohao] *subst* vard. know-how, expertis
knowing ['nəoing] *adj* insiktsfull; menande
knowingly ['nəoingli] *adv* **1** medvetet **2** menande
knowledge ['nållidʒ] *subst* kunskap
knowledgeable ['nållidʒəbl] *adj* kunnig
known [nəon] perf. p. av *know*
knuckle ['nakkl] *subst* knoge

L, l [el] *subst* L, l; ***L*** övningskörning skylt på bil
label ['lejbl] **I** *subst* etikett **II** *verb* sätta etikett på
laboratory [lə'bårrətəri] *subst* laboratorium
labour ['lejbə] **I** *subst* **1** arbete **2** arbetskraft **3** ***Labour*** el. ***the Labour Party*** arbetarpartiet **4** värkar vid förlossning **II** *verb* anstränga sig
laboured ['lejbəd] *adj* överarbetad
labourer ['lejbərə] *subst* arbetare
lace [lejs] **I** *subst* **1** snöre **2** spets **II** *verb* **1** snöra **2** spetsa kaffe o.d.
lack [läkk] **I** *subst* brist **II** *verb* sakna
lacquer ['läkkə] **I** *subst* fernissa **II** *verb* lackera
lactose ['läkktəos] *subst*, ~ ***intolerance*** laktosintolerans
lad [lädd] *subst* grabb
ladder ['läddə] *subst* **1** stege **2** maska på strumpa o.d.
ladle ['lejdl] **I** *subst* slev **II** *verb* ösa med slev
lady ['lejdi] *subst* dam; ***ladies*** på skylt damer; ***ladies'*** ofta dam-
ladybird ['lejdibö:d] *subst* nyckelpiga
ladylike ['lejdilajk] *adj* elegant
1 lag [lägg] **I** *verb*, ~ ***behind*** ligga (sacka) efter **II** *subst* försening
2 lag [lägg] *verb* värmeisolera
lager ['la:gə] *subst* ljus lager
lagoon [lə'go:n] *subst* lagun
laid [lejd] imperf. o. perf. p. av *3 lay*
laid-back [ˌlejd'bäkk] *adj* vard. avspänd
lain [lejn] perf. p. av *2 lie*
lake [lejk] *subst* sjö; ***the Lake District*** sjödistriktet i nordvästra England
lamb [lämm] *subst* lamm; ***roast*** ~ lammstek
lame [lejm] *adj* **1** halt **2** bildl. lam
lamé ['la:mej] *subst* lamé
lament [lə'ment] *subst* veklagan
lamp [lämp] *subst* lampa
lamppost ['lämppəost] *subst* lyktstolpe
lampshade ['lämpschejd] *subst* lampskärm
lance [la:ns] *subst* lans
land [länd] **I** *subst* land; mark

II *verb* **1** landa; landsätta **2** ~ ***up in*** hamna i
landing ['länding] *subst* landning; ***emergency*** ~ nödlandning
landing-strip ['ländingstripp] *subst* landningsbana
landlady ['länd,lejdi] *subst* hyresvärdinna
landlocked ['ländlåkkt] *adj* omgiven av land
landlord ['ländlå:d] *subst* hyresvärd
landmark ['ländma:k] *subst* bildl. milstolpe
landowner ['länd,əonə] *subst* jordägare
landscape ['ländskejp] *subst* landskap; ~ ***window*** panoramafönster
landslide ['ländslajd] *subst* jordskred
lane [lejn] *subst* **1** smal väg **2** fil; sport. bana
language ['länggwidʒ] *subst* språk
lanky ['längki] *adj* lång och gänglig
lantern ['läntən] *subst* lanterna
1 lap [läpp] *subst* knä; ***on her lap*** i knät på henne
2 lap [läpp] sport. **I** *verb* varva **II** *subst* varv
3 lap [läpp] *verb* lapa; slicka i sig
lapel [lə'pell] *subst* slag på kavaj o.d.
lapse [läpps] *subst*, ***I have a ~ of memory*** minnet sviker mig; ***after a ~ of time*** efter en tid
laptop ['läpptåpp] *subst* portföljdator
larceny ['la:səni] *subst* stöld
larch [la:tch] *subst* lärkträd
lard [la:d] *subst* ister
larder ['la:də] *subst* skafferi
large [la:dʒ] **I** *adj* stor **II** *subst*, ***at*** ~ i stort **III** *adv*, ***by and*** ~ i stort sett
largely ['la:dʒli] *adv* till stor del
large-scale ['la:dʒskejl] *adj* storskalig
lark [la:k] *subst* lärka
laryngitis [,lärrin'dʒajtiss] *subst* strupkatarr
laser ['lejzə] *subst* laser
lash [läsch] **I** *verb* piska **II** *subst* piskrapp
lass [läss] *subst* tös
1 last [la:st] *adj* sist; senast; till sist; ~ ***evening*** i går kväll; ~ ***name*** efternamn; ~ ***time*** förra gången; ~ ***year*** i fjol
2 last [la:st] *verb* vara; räcka; hålla

lasting ['la:sting] *adj* bestående
lastly ['la:stli] *adv* till sist
last-minute ['la:st,minnitt] *adj* i sista minuten
latch [lätch] **I** *subst* dörrklinka **II** *verb* låsa
late [lejt] **I** *adj* **1** sen; försenad **2** framliden; förre, förra; före detta **II** *adv* sent; för sent
latecomer ['lejt,kammə] *subst* person som kommer för sent
lately ['lejtli] *adv* på sistone
later ['lejtə] *adj* o. *adv* senare
latest ['lejtist] *adj* o. *adv* senast, sist
lathe [lejð] *subst* svarv
lather ['la:ðə] *subst* lödder
Latin ['lättin] **I** *adj* latinsk **II** *subst* latin
Latin-American [,lättinə'merrikən] **I** *adj* latinamerikansk **II** *subst* latinamerikan
latitude ['lättitjo:d] *subst* breddgrad
latter ['lättə] *adj* sista, senare
latterly ['lättəli] *adv* på sista tiden
laudable ['lå:dəbl] *adj* lovvärd
laugh [la:f] **I** *verb* skratta **II** *subst* skratt
laughable ['la:fəbl] *adj* skrattretande
laughing-stock ['la:fingståkk] *subst* föremål för åtlöje
laughter ['la:ftə] *subst* skratt
1 launch [lå:ntsch] *verb* **1** sjösätta; skjuta upp **2** lansera
2 launch [lå:ntsch] *subst* större motorbåt
Launderette® [,lå:ndə'rett] *subst* tvättomat
laundry ['lå:ndri] *subst* tvätt; ***~ room*** tvättstuga
laureate ['lå:riət] *adj* lagerkrönt
laurel ['lårəl] *subst* lagerträd
lava ['la:və] *subst* lava
lavatory ['lävvətəri] *subst* toalett rum
lavender ['lävvəndə] *subst* lavendel
lavish ['lävvisch] **I** *adj* frikostig **II** *verb* slösa med
law [lå:] *subst* **1** lag; ***~ and order*** lag och ordning **2** juridik; ***court of ~*** domstol
law-abiding ['lå:ə,bajding] *adj* laglydig
law court ['lå:kå:t] *subst* domstol

lawful ['lå:foll] *adj* laglig
lawless ['lå:ləs] *adj* laglös
lawn [lå:n] *subst* gräsmatta
lawnmower ['lå:n,məoə] *subst* gräsklippare
lawn tennis ['lå:n,tennis] *subst* tennis på gräsplan
lawsuit ['lå:so:t] *subst* civilprocess
lawyer ['lå:jə] *subst* advokat
lax [läkks] *adj* slapp
laxative ['läkksətivv] *subst* laxermedel
1 lay* [lej] *adj* lekmanna-
2 lay [lej] imperf. av 2 *lie*
3 lay [lej] **1** lägga **2** duka **3** värpa **4** ~ ***by*** lägga bi; ~ ***down*** fastslå; ~ ***down the law*** tala om hur saker och ting skall vara; ~ ***off*** friställa; lägga av
layabout ['lejəbaot] *subst* vard. dagdrivare
lay-by ['lejbaj] *subst* parkeringsplats vid landsväg
layer ['lejə] *subst* lager, skikt
layman ['lejmən] *subst* lekman
lay-off ['lejåff] *subst* friställning
layout ['lejaot] *subst* **1** anläggning **2** layout
laze [lejz] *verb* lata sig
lazy ['lejzi] *adj* lat
lb. [paond] pund vikt = 454 gram
1 lead [ledd] *subst* **1** bly **2** blyerts
2 lead [li:d] **I 1** leda, föra; ~ ***astray*** föra vilse **2** ~ ***to*** leda till **3** leva **II** *subst* **1** ledning **2** ledtråd
leaden ['leddn] *adj* blytung
leader ['li:də] *subst* ledare
leadership ['li:dəschipp] *subst* ledning ledarskap
lead-free ['leddfri:] *adj* blyfri
leading ['li:ding] *adj* ledande; ~ ***part*** huvudroll
leaf [li:f] *subst* löv
leaflet ['li:flət] *subst* flygblad
leaf spinach ['li:f,spinnidʒ] *subst* bladspenat
league [li:g] *subst* **1** förbund **2** sport. serie; ***the League*** engelska ligan
leak [li:k] *subst* o. *verb* läcka
1 lean [li:n] *adj* smal; om kött mager
2 lean [li:n] *verb* luta, stödja
leaning ['li:ning] *subst* **1** lutning **2** böjelse
leap [li:p] **I** *verb* hoppa **II** *subst* hopp
leap year ['li:pjö:] *subst* skottår
learn [lö:n] *verb* **1** lära sig; ~

by heart lära sig utantill **2** få veta
learned ['lö:nidd] *adj* lärd
learner ['lö:nə] *subst* elev
learning ['lö:ning] *subst* bildning
lease [li:s] **I** *subst* uthyrning **II** *verb* hyra
leash [li:sch] *subst* hundkoppel; ***on the*** ~ i koppel
least [li:st] **I** *adj* o. *adv* minst **II** *pron*, ***the*** ~ det minsta; ***at*** ~ åtminstone
leather ['leððə] *subst* läder
leave* [li:v] **I** *verb* **1** lämna; lämna kvar **2** resa, avgå **3** överge; ge sig av; sluta **4** ~ ***aside*** bortse ifrån; ~ ***behind*** lämna för gott; ~ ***out*** utelämna **II** *subst* tjänstledighet
leaves [li:vz] *subst* pl. av *leaf*
lecherous ['lettchərəs] *adj* liderlig
lecture ['lekktchə] **I** *subst* föreläsning **II** *verb* föreläsa
lecturer ['lekktchərə] *subst* föreläsare
led [ledd] imperf. o. perf. p. av 2 *lead*
ledge [leddʒ] *subst* klippavsats
leech [li:tch] *subst* blodigel
leek [li:k] *subst* purjolök
leer [liə] **I** *subst* lömsk blick **II** *verb* snegla lömskt
leeway ['li:wej] *subst* vard. spelrum
1 left [left] imperf. o. perf. p. av *leave*
2 left [left] **I** *adj* vänster **II** *adv* till vänster **III** *subst* vänster sida; ***the Left*** Vänsterpartiet
left-handed [ˌleft'hänndidd] *adj* vänsterhänt
left-luggage [ˌleft'laggidʒ] *subst*, ~ ***office*** effektförvaring
left-wing ['leftwing] *adj* vänster-, radikal
leg [legg] *subst* ben lem
legacy ['leggəsi] *subst* arv
legal ['li:gəl] *adj* laglig; rättslig; ~ ***aid*** rättshjälp
legend ['leddʒənd] *subst* legend
legislation [ˌleddʒis'lejschən] *subst* lagstiftning
legislature ['leddʒislejtchə] *subst* lagstiftande församling
legitimate [li'dʒittimət] *adj* **1** legitim **2** befogad
legroom ['leggro:m] *subst* plats för benen
leisure ['leʒʒə] *subst* fritid
leisurely ['leʒʒəli] **I** *adj* lugn, maklig **II** *adv* utan brådska

lemon ['lemmən] *subst* citron
lemonade [ˌlemmə'nejd] *subst* läskedryck
lemon grass ['lemmən gra:s] *subst* citrongräs
lend* [lennd] *verb* låna ut
length [lengθ] *subst* **1** längd **2** *at* ~ länge; utförligt
lengthen ['lengθən] *verb* förlänga
lengthy ['lengθi] *adj* långvarig
lenient ['li:njənt] *adj* mild
lens [lennz] *subst* objektiv på kamera; ~ *cap* objektivskydd
Lent [lennt] *subst* fastan
lent [lennt] imperf. o. perf. p. av *lend*
lentil ['lenntl] *subst* lins baljväxt
Leo ['li:əo] *subst* Lejonet stjärntecken
leprosy ['lepprəsi] *subst* lepra
lesbian ['lezbiən] **I** *adj* lesbisk **II** *subst* lesbisk kvinna
less [less] *adj* o. *adv* mindre
lessen ['lessn] *verb* minska
lesser ['lessə] *adj* mindre
lesson ['lessn] *subst* **1** lektion **2** bildl. läxa
let* [lett] *verb* **1** låta, tillåta **2** hyra ut **3** ~ ***alone*** låta vara i fred; ~ ***loose*** släppa lös **4** ~ ***be*** låta bli; ~ ***go*** släppa taget; ~ ***down*** bildl. svika; ~ ***in*** släppa in; ~ ***into*** låta få veta; ~ ***off*** slippa undan; ~ ***out*** släppa ut; ge ifrån sig; ~ ***through*** släppa igenom
lethal ['li:θəl] *adj* dödlig
letter ['lettə] *subst* **1** bokstav **2** brev
letter bomb ['lettəbåmm] *subst* brevbomb
letterbox ['lettəbåkks] *subst* brevlåda
lettering ['lettəring] *subst* textning
lettuce ['lettiss] *subst* salladshuvud
leukaemia [lo'ki:miə] *subst* leukemi
level ['levvl] **I** *subst* nivå **II** *adj* **1** plan **2** i jämnhöjd **III** *verb* jämna; jämna ut
level-headed [ˌlevvl'heddidd] *adj* sansad
lever ['li:və] *subst* hävstång; spak
leverage ['li:vəridʒ] *subst* bildl. inflytande
levy ['levvi] **I** *subst* skatt **II** *verb* taxera
lewd [lo:d] *adj* liderlig
liability [ˌlajə'billəti] *subst* **1** ansvar **2** bildl. belastning
liable ['lajəbl] *adj* **1** ansvarig **2** benägen

liaison [li'ejzən] *subst* förbindelse

liar ['lajə] *subst* lögnare

libel ['lajbəl] *subst* ärekränkning

liberal ['libbərəl] *adj* **1** frikostig **2** frisinnad, liberal; ***the Liberal Party*** Folkpartiet

liberation [ˌlibbə'rejschən] *subst* befrielse

liberty ['libbəti] *subst* frihet

Libra ['liːbrə] *subst* Vågen stjärntecken

librarian [laj'bräəriən] *subst* bibliotekarie

library ['lajbrəri] *subst* bibliotek; ~ ***ticket*** lånekort

lice [lajs] *subst* pl. av *louse*

licence ['lajsəns] *subst* licens; tillstånd

license ['lajsəns] *verb* bevilja licens (tillstånd)

licensed ['lajsənst] *adj* med spriträttigheter

lick [likk] **I** *verb* slicka **II** *subst* slickning

lid [lidd] *subst* lock

1 lie [laj] **I** *subst* lögn **II** *verb* ljuga

2 lie* [laj] *verb* ligga i olika bet.; ~ ***about*** (***around***) ligga och skräpa; ~ ***down*** lägga sig och vila

lie-in [laj'inn] *subst*, ***have a*** ~ vard. ligga och dra sig

lieutenant [leff'tennənt] *subst* löjtnant

life [lajf] *subst* liv

life assurance ['lajf əˌschoərəns] *subst* livförsäkring

lifebelt ['lajfbelt] *subst* livbälte

lifeboat ['lajfbəot] *subst* livbåt

lifebuoy ['lajfbåj] *subst* livboj

lifeguard ['lajfgaːd] *subst* badvakt

life insurance ['lajf inˌschoərəns] *subst* livförsäkring

life jacket ['lajfˌdʒäkkitt] *subst* flytväst

lifeless ['lajfləs] *adj* livlös

lifelike ['lajflajk] *adj* verklighetstrogen

lifeline ['lajflajn] *subst* **1** livlina **2** räddningslina

lifelong ['lajflång] *adj* livslång

life sentence ['lajf ˌsenntəns] *subst* livstid ss. dom

life-size [ˌlajf'sajz] *adj* i naturlig storlek

life span ['lajfspänn] *subst* livslängd

lifestyle ['lajfstajl] *subst* livsstil
lifetime ['lajftajm] *subst* livstid
lift [lift] **I** *verb* lyfta **II** *subst* 1 lift skjuts 2 hiss; skidlift
1 light [lajt] **I** *subst* ljus; ***lights*** ofta trafikljus; ***can I have a ~?*** kan jag få lite eld? **II** *adj* ljus **III** *verb* tända
2 light [lajt] *adj* lätt; lätt- med låg halt av fett o.d.
light bulb ['lajtballb] *subst* glödlampa
1 lighten ['lajtn] *verb* lätta, göra lättare
2 lighten ['lajtn] *verb* ljusna, klarna
lighter ['lajtə] *subst* tändare
light-headed [ˌlajt'heddidd] *adj* yr i huvudet
light-hearted [ˌlajt'haːtidd] *adj* glad, sorglös
lighthouse ['lajthaos] *subst* fyr
lighting ['lajting] *subst* belysning
lightly ['lajtli] *adv* lätt; ***~ done*** lättstekt
lightness ['lajtnəs] *subst* lätthet
lightning ['lajtning] *subst* blixten; ***a flash of ~*** en blixt
lightning conductor ['lajtning kənˌdaktə] *subst* åskledare
lightweight ['lajtoejt] *subst* lättvikt; lättviktare
1 like [lajk] **I** *adj* lik; liknande **II** *prep* 1 som, såsom 2 likt 3 ***nothing ~*** inte alls; ***something ~*** ungefär
2 like [lajk] *verb* tycka om; vilja ha
likeable ['lajkəbl] *adj* sympatisk
likelihood ['lajklihodd] *subst* sannolikhet
likely ['lajkli] **I** *adj* trolig **II** *adv*, ***very*** ~ el. ***most ~*** troligtvis
likeness ['lajknəs] *subst* likhet
likewise ['lajkoajz] *adv* 1 likaledes 2 också
liking ['lajking] *subst* tycke
lilac ['lajlәkk] **I** *subst* syren **II** *adj* lila
lily ['lilli] *subst* lilja
lily of the valley [ˌlilli əv ðə 'välli] *subst* liljekonvalj
limb [limm] *subst* lem
1 lime [lajm] *subst* lime frukt
2 lime [lajm] *subst* lind
3 lime [lajm] *subst* kalk
limelight ['lajmlajt] *subst* bildl. rampljus

limestone ['lajmstəon] *subst* kalksten

limit ['limmitt] **I** *subst* gräns **II** *verb* begränsa

limited ['limmitidd] *adj* begränsad

1 limp [limp] *adj* slapp, lealös

2 limp [limp] *verb* linka

1 line [lajn] *subst* **1** linje i olika bet.; ledning **2** rad

2 line [lajn] *verb* fodra

1 lined [lajnd] *adj* linjerad

2 lined [lajnd] *adj* fodrad

linen ['linninn] *subst* linne

liner ['lajnə] *subst* linjefartyg

linesman ['lajnzmən] *subst* linjeman

line-up ['lajnapp] *subst* uppställning; startfält

linger ['linggə] *verb* dröja sig kvar

linguist ['linggwist] *subst* lingvist

linguistics [ling'gwistikks] *subst* språkvetenskap

lining ['lajning] *subst* foder

link [lingk] **I** *subst* länk; förbindelse **II** *verb* förbinda; ~ **up** länkas (kopplas) ihop

links [lingks] *subst pl* golfbana

lino ['lajnəo] *subst* vard. för *linoleum*

linoleum [li'nəoljəm] *subst* linoleum

lion ['lajən] *subst* lejon

lioness ['lajəness] *subst* lejoninna

lip [lipp] *subst* läpp

lip gloss ['lippglåss] *subst* läppglans

lip-read ['lippri:d] *verb* läsa på läpparna

lipsalve ['lippsälv] *subst* cerat

lip service ['lipp,sö:vis] *subst* tomma ord

lipstick ['lippstikk] *subst* läppstift

liqueur [li'kjoə] *subst* likör

liquid ['likkwidd] **I** *adj* flytande **II** *subst* vätska

liquidizer ['likkwidajzə] *subst* slags mixer

liquor ['likkə] *subst* starksprit

liquorice ['likkəriss] *subst* lakrits

lisp [lisp] *verb* läspa

list [list] *subst* o. *verb* lista

listen ['lissn] *verb* lyssna; ~ **to** lyssna på

listener ['lissnə] *subst* lyssnare

listless ['listləs] *adj* håglös

lit [litt] imperf. o. perf. p. av *1 light*

literacy ['littərəsi] *subst* läs- och skrivkunnighet

literal ['littərəl] *adj* bokstavlig
literally ['littərəli] *adv* bokstavligen
literary ['littərəri] *adj* litterär
literate ['littərət] *adj* läs- och skrivkunnig
literature ['littərətchə] *subst* litteratur
lithe [lajð] *adj* vig
litigation [ˌlitti'gejschən] *subst* rättstvist
litre ['li:tə] *subst* liter
litter ['littə] **I** *subst* skräp **II** *verb* skräpa ner
litterbin ['littəbinn] *subst* papperskorg på allmän plats
little ['littl] **I** *adj* liten; små **II** *adj* o. *adv* o. *pron* lite, litet; *~ by ~* litet i sänder
1 live [lajv] *adj* **1** levande **2** direktsänd
2 live [livv] *verb* **1** leva; *~ off* leva av (på); *~ on* leva på; leva vidare **2** bo
livelihood ['lajvlihodd] *subst* levebröd
lively ['lajvli] *adj* livlig
liver ['livvə] *subst* lever
lives [lajvz] *subst* pl. av *life*
livestock ['lajvståkk] *subst* kreatursbesättning
livid ['livvidd] *adj* blygrå
living ['livving] **I** *adj* levande; levnads- **II** *subst* liv; uppehälle
living room ['livving ro:m] *subst* vardagsrum
lizard ['lizəd] *subst* ödla
load [ləod] **I** *subst* last; börda **II** *verb* lasta
loaded ['ləodidd] *adj* **1** lastad **2** bildl. laddad
loaf [ləof] *subst* limpa
loan [ləon] *subst* lån
loath [ləoθ] *adj* ovillig
loathe [ləoð] *verb* avsky
loaves [ləovz] *subst* pl. av *loaf*
lobby ['låbbi] **I** *subst* **1** lobby i hotell o.d. **2** intressegrupp, lobby **II** *verb* bedriva korridorpolitik
lobster ['låbbstə] *subst* hummer
local ['ləokəl] **I** *adj* lokal, orts-; ***the ~ authorities*** de lokala myndigheterna, kommunen **II** *subst* ortsbo
locality [ləo'källəti] *subst* plats, ställe
locate [ləo'kejt] *verb* lokalisera
location [ləo'kejschən] *subst* läge, plats
loch [låkk] *subst* sjö
1 lock [låkk] *subst* lock av hår
2 lock [låkk] **I** *subst* lås **II** *verb*

låsa; ~ ***up*** låsa efter sig, stänga
locker ['låkkə] *subst* låsbart skåp; ~ ***room*** omklädningsrum
locket ['låkkitt] *subst* medaljong
lockout ['låkkaot] *subst* lockout
locksmith ['låkksmiθ] *subst* låssmed
lodge [lådʒ] **I** *subst* stuga **II** *verb* logera
lodger ['lådʒə] *subst* inneboende
loft [låfft] *subst* vind, loft
log [lågg] *subst* timmerstock; vedträ
logbook ['låggbokk] *subst* loggbok
logic ['låddʒikk] *subst* logik
logical ['låddʒikəl] *adj* logisk
loins [låjnz] *subst pl* länder kroppsdel
loiter ['låjtə] *verb* söla
loll [låll] *verb* ligga (sitta) och slappa
lollipop ['lållipåpp] *subst* slickepinne
London ['lanndən] London
Londoner ['lanndənə] *subst* londonbo
lone [ləon] *adj* ensam
loneliness ['ləonlinəs] *subst* ensamhet
lonely ['ləonli] *adj* ensam; enslig
1 long [lång] *verb* längta
2 long [lång] **I** *adj* lång; ~ ***jump*** längdhopp **II** *adv* länge **III** ***before*** ~ inom kort; ***for*** ~ på länge
long-distance [ˌlång'disstəns] *adj* långdistans-, fjärr-
longing ['långing] *subst* längtan
longitude ['låndʒitjoːd] *subst* längdgrad
long-range [ˌlång'rejndʒ] *adj* långsiktig
long-sighted [ˌlång'sajtidd] *adj* långsynt
long-standing ['långˌständing] *adj* mångårig
long-suffering [ˌlång'saffəring] *adj* tålmodig
long-term ['långtöːm] *adj* långsiktig
long-winded [ˌlång'windidd] *adj* långrandig
loo [loː] *subst*, ***the*** ~ vard. toa
look [lokk] **I** *verb* **1** se, titta **2** se ut, verka **3** vetta **4** ~ ***after*** se efter, passa; ~ ***at*** titta på; ~ ***back*** se (tänka)

tillbaka; ~ ***for*** leta efter; ~ ***into*** undersöka; ~ ***out!*** se upp!; ~ ***over*** se (gå) igenom; ~ ***round*** se sig omkring; ~ ***upon*** bildl. betrakta **II** *subst* **1** titt **2** utseende
lookout ['lokkaot] *subst* utkik i alla bet.
1 loom [lo:m] *subst* vävstol
2 loom [lo:m] *verb* hotfullt framträda
loony ['lo:ni] vard. **I** *adj* galen **II** galning
loop [lo:p] **I** *subst* ögla **II** *verb* **1** göra en ögla **2** cirkla
loophole ['lo:phəol] *subst* bildl. kryphål
loose [lo:s] *adj* **1** lös; slapp; ***come*** ~ lossna; ***set*** ~ släppa lös (fri) **2** lättfärdig
loosely ['lo:sli] *adv* löst, slappt
loosen ['lo:sn] *verb* **1** lossa, lossna **2** bildl. lätta på
loot [lo:t] **I** *subst* byte **II** *verb* plundra
lop-sided [ˌlåpp'sajdidd] *adj* sned, skev
lord [lå:d] *subst* herre; ***the Lord*** Herren; ***the House of Lords*** överhuset
lore [lå:] *subst* folksagor och sägner
lorry ['lårri] *subst* lastbil
lose* [lo:z] *verb* förlora; tappa
loser ['lo:zə] *subst* förlorare
loss [låss] *subst* **1** förlust **2** ***be at a*** ~ vara villrådig
lost [låsst] **I** imperf. av *lose* **II** *adj*, ***get*** ~ gå (köra) vilse
lot [lått] *subst* **1** lott i olika bet. **2** ***a*** ~ mycket; ***lots of*** el. ***a*** ~ ***of*** en massa
lottery ['lättəri] *subst* lotteri
loud [laod] **I** *adj* hög; högljudd **II** *adv* högt
loudly ['laodli] *adv* med hög röst
loudspeaker [ˌlaod'spi:kə] *subst* högtalare
lounge [laondʒ] **I** *verb* slöa **II** *subst* på hotell sällskapsrum; på flygplats vänthall
lounge suit [ˌlaondʒ'so:t] *subst* kostym
louse [laos] *subst* lus
lousy ['laozi] *adj* vard. urdålig
lout [laot] *subst* slyngel
lovable ['lavvəbl] *adj* älskvärd
love [lavv] **I** *subst* **1** kärlek; ***make*** ~ ***to*** älska (ligga) med; ***fall in*** ~ bli kär **2** hälsningar **3** i tennis o.d. noll **II** *verb* älska; tycka om
love affair ['lavv əˌfäə] *subst* kärlekshistoria

lovely ['lavvli] *adj* förtjusande
lover ['lavvə] *subst* älskare
loving ['lavving] *adj* kärleksfull, öm
low [ləo] **I** *adj* **1** låg i olika bet. **2** nere, deppig **II** *adv* lågt; ***lie ~*** vard. ligga lågt **III** *subst* bottenläge
low-alcohol [ˌləo'ällkəhåll] *adj*, ***~ beer*** lättöl
low-cut [ˌləokatt] *adj* urringad
low-energy [ˌləo'ennədʒi] *adj*, ***~ bulb*** lågenergilampa
lower ['ləoə] **I** *adj* o. *adv* lägre **II** *verb* sänka
low-fat [ˌləo'fätt] *adj* lätt-
loyalty ['låjəlti] *subst* lojalitet
lozenge ['låzindʒ] *subst* halstablett
Ltd. ['limmitidd] (förk. för *Limited*) AB
lubricant ['lo:brikənt] *subst* smörjmedel
lubricate ['lo:brikejt] *verb* smörja; olja
luck [lakk] *subst* tur; ***bad ~*** otur; ***good ~!*** lycka till!
luckily ['lakkəli] *adv* lyckligtvis
lucky ['lakki] *adj* som har tur; lyckosam
ludicrous ['lo:dikrəs] *adj* löjlig
luggage ['laggidʒ] *subst* bagage
luggage rack ['laggidʒ räkk] *subst* bagagehylla
lukewarm ['lo:kwå:m] *adj* ljum
lull [lall] *verb* vyssja
lullaby ['lalləbaj] *subst* vaggvisa
lumbago [lam'bejgəo] *subst* ryggskott
1 lumber ['lambə] *verb* lufsa
2 lumber ['lambə] *subst* bråte
luminous ['lo:minəs] *adj* lysande
lump [lamp] **I** *subst* **1** klump; ***a ~ of sugar*** en sockerbit **2** knöl utväxt **II** *verb*, ***~ together*** bunta ihop
lunar ['lo:nə] *adj* mån-
lunatic ['lo:nətikk] **I** *adj* vansinnig **II** *subst* galning
lunch [lantsch] **I** *subst* lunch **II** *verb* äta lunch
luncheon ['lantschən] *subst* lunch
lung [lang] *subst* lunga
lunge [landʒ] **I** *subst* utfall **II** *verb* göra ett utfall
lure [ljoə] **I** *subst* **1** lockbete **2** lockelse **II** *verb* locka

lurid ['ljoəridd] *adj* **1** gräll **2** makaber
lurk [lö:k] *verb* stå (ligga) på lur
luscious ['laschəs] *adj* läcker, delikat
lush [lasch] *adj* **1** frodig **2** lyxig
lust [last] **I** *subst* lusta **II** *verb*, *~ **for*** åtrå
lusty ['lasti] *adj* frisk och stark
Luxembourg ['lakksəmbö:g] Luxemburg
luxurious [lag'zjoəriəs] *adj* **1** luxuös **2** njutningsfylld
luxury ['lakkschəri] *subst* lyx
lying ['lajing] *adj* lögnaktig
lyrical ['lirrikəl] *adj* lyrisk

Mm

M, m [em] *subst* M, m
ma [ma:] *subst* vard. mamma
mac [mäkk] *subst* vard. (kortform av mackintosh) regnrock
macaroni [ˌmäkkə'rəoni] *subst* makaroner
machine [mə'schi:n] *subst* maskin; *~ **wash*** maskintvätt; *~ **washable*** tål maskintvätt
machine gun [mə'schi:ngann] *subst* kulspruta
machinery [mə'schi:nəri] *subst* **1** maskiner **2** maskineri
mackerel ['mäkkrəl] *subst* makrill
mackintosh ['mäkkintåsch] *subst* regnrock
mad [mädd] *adj* galen, tokig
madam ['mäddəm] *subst* frun, fröken ofta utan motsv. i sv.
mad cow disease [ˌmädd'kaodiˌzi:z] *subst* galna ko-sjukan
madden ['mäddn] *verb* göra rasande
made [mejd] imperf. o. perf. p. av *make*
made-to-measure

[ˌmejdtə'meʒʒə] *adj* måttbeställd
madman ['mäddmən] *subst* dåre
madness ['mäddnəs] *subst* vansinne
magazine [ˌmäggə'ziːn] *subst* veckotidning; månadstidning
maggot ['mäggət] *subst* fluglarv
magic ['mäddʒikk] **I** *adj* magisk; trolsk **II** *subst* magi; trolleri
magical ['mäddʒikəl] *adj* magisk; trolsk
magician [mə'dʒischən] *subst* trollkarl
magistrate ['mäddʒistrejt] *subst* fredsdomare
magnet ['mäggnət] *subst* magnet
magnetic [mägg'nettikk] *adj* magnetisk
magnificent [mägg'niffisnt] *adj* magnifik
magnify ['mäggnifaj] *verb* förstora; ***magnifying glass*** förstoringsglas
magnitude ['mäggnitjoːd] *subst* omfattning
magpie ['mäggpaj] *subst* skata
mahogany [mə'håggəni] *subst* mahogny
maid [mejd] *subst* hembiträde
maiden ['mejdn] *adj* bildl. jungfru-
1 mail [mejl] *subst* brynja
2 mail [mejl] **I** *subst* post försändelser **II** *verb* posta
mail-order ['mejlˌåːdə] *adj* postorder-
maim [mejm] *verb* lemlästa
main [mejn] **I** *adj* huvud- **II** *subst* huvudledning för vatten, gas, elektricitet
mainframe ['mejnfrejm] *subst* stordator
mainland ['mejnlənd] *subst* fastland
mainly ['mejnli] *adv* huvudsakligen
mainstay ['mejnstej] *subst* bildl. stöttepelare
mainstream ['mejnstriːm] **I** *subst* huvudströmning **II** *adj* konventionell
maintain [mejn'tejn] *verb* **1** upprätthålla **2** underhålla
maintenance ['mejntənəns] *subst* underhåll
maize [mejz] *subst* majs
majesty ['mäddʒisti] *subst* majestät
major ['mejdʒə] **I** *adj* större, viktigare **II** *subst* **1** major **2** dur

majority [mə'dʒårrəti] *subst* majoritet
make* [mejk] **I** *verb* **1** göra; tillverka; laga till, koka, brygga; sy; ~ ***the bed*** bädda; ~ ***a phone call*** ringa ett samtal **2** få att, tvinga att **3** tjäna; skaffa sig **4** bli, vara **5** ~ ***believe*** låtsas; ~ ***do*** klara sig; ~ ***it*** vard. hinna; lyckas **6** ~ ***out*** skriva ut; förstå; ~ ***up*** utgöra; hitta på; ~ ***oneself up*** måla sig; ~ ***it up*** bli sams igen; ~ ***up for*** ersätta; ta igen **II** *subst* märke fabrikat
make-believe ['mejkbi,li:v] *subst* inbillning; ***it is only*** ~ äv. det är bara spelat
maker ['mejkə] *subst* tillverkare
makeshift ['mejkschift] *adj* provisorisk
make-up ['mejkapp] *subst* **1** smink **2** beskaffenhet
making ['mejking], ***in the*** ~ i vardande; ***have the makings of...*** ha goda förutsättningar att bli...
malaria [mə'läəriə] *subst* malaria
male [mejl] **I** *adj* manlig; han- **II** *subst* **1** man **2** om djur hane
malevolent [mə'levvələnt] *adj* illvillig
malfunction [,mäll'fangkschən] *subst* tekniskt fel
malice ['mällis] *subst* illvilja
malicious [mə'lischəs] *adj* illvillig
malignant [mə'liggnənt] *adj* ondskefull
mall [må:l] *subst* **1** esplanad **2** köpcenter
mallet ['mällitt] *subst* klubba för krocket och polo
malpractice [,mäll'präkktiss] *subst* tjänstefel
malt [må:lt] *subst* malt
mammal ['mämməl] *subst* däggdjur
mammoth ['mämməθ] *adj* kolossal
man [männ] **I** *subst* **1** man, karl; ***men's*** vanl. herr- **2** människan **II** *verb* bemanna
manage ['männidʒ] *verb* **1** sköta, leda **2** klara sig
manageable ['männidʒəbl] *adj* hanterlig
management ['männidʒmənt] *subst* **1** förvaltning **2** direktion
manager ['männidʒə] *subst* **1** direktör **2** manager; lagledare
mandarin ['männdərin] *subst* mandarin frukt

mandatory ['männdətəri] *adj* obligatorisk
mane [mejn] *subst* man på djur
1 mangle ['mänggl] *subst* mangel
2 mangle ['mänggl] *verb* illa tilltyga
mango ['mänggəo] *subst* mango
mangy ['mejndʒi] *adj* skabbig
manhandle ['männ,händl] *verb* illa tilltyga
manhole ['männhəol] *subst* i gata o.d. inspektionsbrunn
manhood ['männhodd] *subst* manlighet
man-hour ['männ,aoə] *subst* mantimme
manhunt ['männhant] *subst* människojakt
mania ['mejnjə] *subst* mani
maniac ['mejniäkk] *subst* galning
manic ['männikk] *adj* manisk
manicure ['männikjoə] *subst* manikyr
manifest ['männifest] *verb* visa
manifesto [,männi'festəo] *subst* manifest
manipulate [mə'nippjolejt] *verb* manipulera
mankind [männ'kajnd] *subst* mänskligheten
manly ['männli] *adj* manlig
manner ['männə] *subst* **1** sätt **2** beteende; ***manners*** belevat sätt
mannerism ['männərizəm] *subst* manér
manor ['männə] *subst* gods lantegendom
manpower ['männ,paoə] *subst* arbetskraft
mansion ['mänschən] *subst* herrgårdshus
manslaughter ['männ,slå:tə] *subst* dråp
mantelpiece ['männtlpi:s] *subst* spiselhylla
manual ['männjoəl] **I** *adj* manuell **II** *subst* handbok
manufacture [,männjo'fäktchə] **I** *subst* tillverkning **II** *verb* tillverka
manufacturer [,männjo'fäktchərə] *subst* tillverkare
manure [mə'njoə] *subst* gödsel
manuscript ['männjoskrippt] *subst* manuskript
many ['menni] *adj* o. *pron* många; mycket; ***a great ~*** en massa, en hel del
map [mäpp] **I** *subst* karta **II** *verb*, ***~ out*** kartlägga

maple ['mejpl] *subst* lönn träd
mar [ma:] *verb* fördärva
marathon ['märrəθən] *subst* maraton
marble ['ma:bl] *subst* marmor
March [ma:tch] *subst* månaden mars
march [ma:tch] **I** *verb* marschera **II** *subst* marsch
mare [mäə] *subst* sto, märr
margarine [ˌma:dʒə'ri:n] *subst* margarin
margin ['ma:dʒin] *subst* marginal
marginal ['ma:dʒinəl] *adj* marginell
marigold ['märrigəold] *subst* ringblomma
marijuana [ˌmärri'joa:nə] *subst* marijuana
marina [mə'ri:nə] *subst* småbåtshamn
marine [mə'ri:n] **I** *adj* marin; havs- **II** *subst* marinsoldat
marital ['märritl] *adj* äktenskaps-
marjoram ['ma:dʒərəm] *subst* mejram
mark [ma:k] **I** *subst* **1** märke; tecken **2** betyg **II** *verb* **1** märka; markera **2** betygsätta
marker ['ma:kə] *subst* markör
market ['ma:kitt] **I** *subst* torg; marknad; ***the black ~*** svarta börsen **II** *verb* marknadsföra
market garden [ˌma:kitt'ga:dn] *subst* handelsträdgård
marketing ['ma:kitting] *subst* marknadsföring
marketplace ['ma:kittplejs] *subst* marknad
marksman ['ma:ksmən] *subst* skicklig skytt
marmalade ['ma:məlejd] *subst* marmelad av citrusfrukter
1 maroon [mə'ro:n] *adj* rödbrun
2 maroon [mə'ro:n] *verb* strandsätta
marquee [ma:'ki:] *subst* stort tält
marriage ['märridʒ] *subst* äktenskap; ***~ counselling*** (***guidance***) äktenskapsrådgivning; ***~ settlement*** äktenskapsförord
married ['märridd] *adj* gift
marrow ['märrəo] *subst* märg
marry ['märri] *verb* gifta sig
marsh [ma:sch] *subst* sumpmark

marshal ['maːschəl] *subst* marskalk
marshy ['maːschi] *adj* sumpig
martial art ['maːschəl'aːt] *subst* kampsport
martyr ['maːtə] *subst* martyr
martyrdom ['maːtədəm] *subst* martyrskap
marvel ['maːvəl] *subst* underverk
marvellous ['maːvələs] *adj* underbar
marzipan ['maːzipänn] *subst* marsipan
mascara [mä'skaːrə] *subst* mascara
masculine ['mässkjolinn] *adj* maskulin
mash [mäsch] *verb* mosa
mask [maːsk] **I** *subst* mask **II** *verb* maskera
mason ['mejsn] *subst* stenhuggare
masquerade [ˌmäskə'rejd] *verb*, ~ ***as*** uppträda som
Mass [mäss] *subst* mässa gudstjänst el. musik
mass [mäss] *subst* massa; ***the masses*** massorna
massacre ['mässəkə] **I** *subst* massaker **II** *verb* massakrera
massage ['mässaːʒ] **I** *subst* massage **II** *verb* massera
massive ['mässivv] *adj* massiv
mast [maːst] *subst* mast
master ['maːstə] **I** *subst* **1** mästare **2** djurs husse **3** lärare **II** *adj* mästar- **III** *verb* behärska
masterly ['maːstəli] *adj* mästerlig
mastermind ['maːstəmajnd] *verb* vara hjärnan bakom
masterpiece ['maːstəpiːs] *subst* mästerverk
mastery ['maːstəri] *subst* **1** herravälde **2** behärskande
mat [mätt] *subst* liten matta
1 match [mätch] *subst* tändsticka
2 match [mätch] **I** *subst* **1** sport. match **2** like **II** *verb* **1** kunna mäta sig med **2** matcha
matchbox ['mätchbåkks] *subst* tändsticksask
1 mate [mejt] *subst* matt i schack
2 mate [mejt] **I** *subst* vard. kompis **II** *verb* om djur para sig
material [mə'tiəriəl] **I** *adj* materiell **II** *subst* **1** material **2** tyg
maternal [mə'töːnl] *adj* moderlig
maternity [mə'töːnəti] *adj*, ~

leave mammaledighet; ~ ***ward*** BB-avdelning
mathematics [ˌmäθəˈmättikks] *subst* matematik
maths [mäθs] *subst* vard. matte matematik
matinée [ˈmättinej] *subst* matiné
matrimonial [ˌmättriˈməonjəl] *adj* äktenskaplig
matrimony [ˈmättrimənni] *subst* äktenskap
matron [ˈmejtrən] *subst* husmor på sjukhus o.d.
matt [mätt] *adj* matt
matted [ˈmättidd] *adj* tovig
matter [ˈmätə] **I** *subst* **1** ämne **2** sak; fråga; ***a ~ of fact*** ett faktum **3** ***no*** ~ det spelar ingen roll **II** *verb* vara av betydelse
matter-of-fact [ˌmättərəvˈfäkkt] *adj* torr och saklig
mattress [ˈmättrəs] *subst* madrass
mature [məˈtjoə] **I** *adj* mogen **II** *verb* mogna
maul [måːl] *verb* klösa
mausoleum [ˌmåːsəˈliːəm] *subst* mausoleum
mauve [məov] *adj* ljuslila
maximum [ˈmäkksiməm] **I** *subst* maximum **II** *adj* högst; maximal
May [mej] *subst* maj
may [mej] *verb* **1** kan kanske, kan tänkas **2** ~ ***I?*** får jag? **3** må, måtte
maybe [ˈmejbiː] *adv* kanske
May-Day [ˈmejdej] *adj* förstamaj-
mayhem [ˈmejhemm] *subst* förödelse
mayonnaise [ˌmejəˈnejz] *subst* majonnäs
mayor [mäə] *subst* borgmästare
maze [mejz] *subst* labyrint
MD (förk. för *Managing Director*) VD
me [miː] *pron* mig
meadow [ˈmeddəo] *subst* äng
meagre [ˈmiːgə] *adj* mager
meal [miːl] *subst* måltid; ~ ***ticket*** vard. födkrok
mealtime [ˈmiːltajm] *subst* måltid
1 mean [miːn] *adj* snål; gemen
2 mean* [miːn] *verb* **1** betyda **2** mena
meander [miˈänndə] *verb* snirkla sig fram
meaning [ˈmiːning] *subst* mening; betydelse

meaningful ['mi:ningfoll] *adj* meningsfull
meaningless ['mi:ninglәs] *adj* meningslös
meanness ['mi:nnәs] *subst* snålhet; gemenhet
means [mi:nz] *subst* **1** medel; ***by ~ of*** med hjälp av; ***by no ~*** inte alls **2** tillgångar förmögenhet
meant [mennt] imperf. o. perf. p. av 2 *mean*
meantime ['mi:ntajm] o.
meanwhile ['mi:noajl] *adv* under tiden
measles ['mi:zlz] *subst* mässling
measly ['mi:zli] *adj* vard. futtig
measure ['meʒʒә] **I** *subst* **1** mått **2** åtgärd **II** *verb* mäta
meat [mi:t] *subst* kött; ***cold ~*** kallskuret
meatball ['mi:tbå:l] *subst* köttbulle
mechanic [mә'kännikk] *subst* mekaniker
mechanical [mә'kännikkәl] *adj* mekanisk
mechanics [mә'kännikks] *subst* mekanik
mechanism ['mekkәnizәm] *subst* mekanism
medal ['meddl] *subst* medalj
medallion [mә'dälljәn] *subst* medaljong
medallist ['meddәlist] *subst* medaljör
meddle ['meddl] *verb* blanda (lägga) sig 'i
media ['mi:djә] *subst pl* media; ***mass ~*** massmedia
mediaeval [ˌmedi'i:vәl] *adj* medeltida
mediate ['mi:diejt] *verb* medla
medical ['meddikkәl] *adj* medicinsk; ***~ care*** läkarvård; ***~ certificate*** friskintyg; läkarintyg vid sjukdom; ***~ examination*** (***check-up***) hälsoundersökning
medication [ˌmeddi'kejschәn] *subst* medicin läkemedel
medicine ['meddsәn] *subst* medicin vetenskap el. läkemedel
medieval [ˌmeddi'i:vәl] *adj* medeltida
mediocre [ˌmi:di'әokә] *adj* medelmåttig
meditate ['medditejt] *verb* meditera, fundera
Mediterranean [ˌmedditә'rrejnjәn], ***the ~*** Medelhavet
medium ['mi:djәm] *subst* o. *adj* medium

medley ['meddli] *subst* potpurri
meek [mi:k] *adj* foglig
meet* [mi:t] **I** *verb* **1** möta; träffa **2** bemöta **II** *subst* sport. tävling
meeting ['mi:ting] *subst* möte; sammanträde
megaphone ['meggəfəon] *subst* megafon
melancholy ['mellənkəlli] *subst* melankoli
mellow ['melləo] **I** *adj* fyllig, djup **II** *verb* mildra
melody ['mellədi] *subst* melodi
melon ['mellən] *subst* melon
melt [mellt] *verb* smälta
meltdown ['melltdaon] *subst* härdsmälta
melting-pot ['melltingpått] *subst* smältdegel
member ['memmbə] *subst* medlem
membership ['memmbəschipp] *subst* medlemskap
memento [mi'menntəo] *subst* minnessak
memo ['memməo] *subst* PM
memorandum [,memmə'ränndəm] *subst* promemoria
memorial [mi'må:riəl] *subst* minnesmärke
memorize ['memmərajz] *verb* memorera
memory ['memməri] *subst* minne; ***loss of ~*** minnesförlust
men [menn] *subst* pl. av *man*
menace ['mennəs] **I** *subst* hot **II** *verb* hota
mend [mennd] *verb* laga, reparera
mending ['mennding] *subst* lagning
menial ['mi:njəl] *adj* enkel
meningitis [,mennin'dʒajtis] *subst* hjärnhinneinflammation
menopause ['mennəopå:z] *subst* klimakterium
menstruation [,mennstro'ejschən] *subst* menstruation
mental ['menntl] *adj* mental; ***~ disorder*** psykisk störning; ***~ state*** sinnestillstånd
mentality [menn'tälləti] *subst* mentalitet
mention ['mennschən] *verb* nämna; ***don't ~ it!*** ingen orsak!
menu ['mennjo:] *subst* meny
mercenary ['mö:sənərri] *subst* legosoldat
merchandise

['mö:tchəndajz] *subst* vara; varor
merchant ['mö:tchənt] *subst* grossist
merciful ['mö:sifoll] *adj* barmhärtig
merciless ['mö:siləs] *adj* obarmhärtig
mercury ['mö:kjorri] *subst* kvicksilver
mercy ['mö:si] *subst* nåd
mere [miə] *adj* blott
merely ['miəli] *adv* endast
merge [mö:dʒ] *verb* slå ihop (samman)
merger ['mö:dʒə] *subst* sammanslagning
meringue [mə'räng] *subst* maräng
merit ['merritt] **I** *subst* förtjänst, merit **II** *verb* förtjäna
mermaid ['mö:mejd] *subst* sjöjungfru
merry ['merri] *adj* munter; ***Merry Christmas!*** God Jul!
merry-go-round ['merrigəoraond] *subst* karusell
mesh [mesch] *subst* nät
mesmerize ['mezzmərajz] *verb* hypnotisera
mess [mess] **I** *subst* **1** röra; knipa **2** mäss **II** *verb*, ***~ about*** (***around***) slå dank; ***~ up*** stöka till; sabba; ***~ with*** djävlas med
message ['messidʒ] *subst* meddelande; budskap
messenger ['messindʒə] *subst* budbärare
messy ['messi] *adj* stökig
met [mett] imperf. o. perf. p. av *meet*
1 Met [mett], ***the ~*** kortform för *the Metropolitan Police* Londonpolisen
2 Met [mett], ***a ~ report*** en väderleksrapport
metal ['mettl] **I** *subst* metall **II** *adj* metall-
metallic [me'tällikk] *adj* metall-
meteorology [ˌmi:tjə'rållədʒi] *subst* meteorologi
meter ['mi:tə] *subst* mätare; taxameter
method ['meθθəd] *subst* metod
metre ['mi:tə] *subst* meter
metric ['mettrikk] *adj* meter-
metropolitan [ˌmettrə'pållitən] *adj* storstads-; i England ofta London-
mettle ['mettl] *subst* livlighet
mew [mjo:] **I** *verb* jama **II** *subst* jamande

mews [mjo:z] *subst* bakgård; bakgata
mice [majs] *subst* pl. av *mouse*
microchip ['majkrəotchipp] *subst* mikrochips
microphone ['majkrəfəon] *subst* mikrofon
microscope ['majkrəskəop] *subst* mikroskop
microwave ['majkrəowejv] *subst* **1** mikrovåg **2** mikro, mikrovågsugn
mid [midd] *adj* mitt-, i mitten av
midday ['middej] *subst* middag, kl. 12 på dagen
middle ['middl] **I** *adj* mellersta; ~ ***age*** medelålder; ***the Middle Ages*** medeltiden; ***the Middle East*** Mellersta Östern **II** *subst* **1** ***in the ~ of*** i mitten av (på) **2** midja
middle class [ˌmiddl'kla:s] *subst*, ***the*** ~ medelklassen
middleman ['middlmänn] *subst* mellanhand
middle-of-the-road [ˌmiddləvðə'rəod] *adj* moderat
middleweight ['middlwejt] *subst* mellanvikt; mellanviktare
midget ['middʒitt] *subst* dvärg
midnight ['middnajt] *subst* midnatt
midriff ['middriff] *subst* mellangärde
midsummer ['midd,sammə] *subst* midsommar
midway [ˌmidd'wej] *adv* halvvägs
midwife ['middoajf] *subst* barnmorska
midwinter [ˌmidd'wintə] *subst* midvinter
might [majt] *verb* **1** skulle kanske kunna **2** fick
mighty ['majti] *adj* mäktig
migraine ['mi:grejn] *subst* migrän
migrant ['majgrənt] *subst* person som flyttar (drar) från plats till plats
migrate [maj'grejt] *verb* flytta
mike [majk] *subst* vard. mick mikrofon
mild [majld] *adj* mild
mildly ['majldli] *adv* milt
mile [majl] *subst* engelsk mil = 1609 m
mileage ['majlidʒ] *subst* antal körda 'miles'
mileometer [maj'låmmitə] *subst* vägmätare
milestone ['majlstəon] *subst* milstolpe

militant ['millitənt] *subst* o. *adj* militant
military ['millitərri] **I** *adj* militär-; **~ service** militärtjänst **II** *subst*, **the ~** militären
militia [mi'llischə] *subst* milis
milk [milk] **I** *subst* mjölk; **~ allergy** laktosintolerans **II** *verb* mjölka
milkman ['milkmən] *subst* mjölkbud
milkshake [ˌmilk'schejk] *subst* milkshake
milky ['milki] *adj* mjölkaktig
mill [mill] *subst* kvarn
miller ['millə] *subst* mjölnare
milligram ['milligrämm] *subst* milligram
millimetre ['milliˌmiːtə] *subst* millimeter
million ['milljən] *subst* miljon
millionaire [ˌmilljə'näə] *subst* miljonär
mime [majm] **I** *subst* pantomim **II** *verb* mima
mimic ['mimmikk] **I** *subst* imitatör **II** *verb* härma
mince [minns] *verb* hacka fint; **minced meat** finskuret kött; köttfärs
mincemeat ['minnsmiːt] *subst* blandning av torkad frukt m.m. som fyllning i paj o.d.
mince pie [ˌminns'paj] *subst* paj med *mincemeat*
mincer ['minnsə] *subst* köttkvarn
mind [majnd] **I** *subst* sinne **II** *verb* bry sig om; **~ your head!** akta huvudet!; **I don't ~** gärna för mig; **never ~!** strunt i det!
mindful ['majndfoll] *adj* uppmärksam
mindless ['majndləs] *adj* meningslös
1 mine [majn] *pron* min
2 mine [majn] *subst* **1** gruva **2** mina
minefield ['majnfiːld] *subst* minfält; bildl. krutdurk
miner ['majnə] *subst* gruvarbetare
mineral ['minnərəl] *subst* mineral
mingle ['minggl] *verb* blanda, blanda sig
miniature ['minnjətchə] *subst* miniatyr
minibus ['minnibass] *subst* minibuss
minim ['minnimm] *subst* halvnot
minimal ['minniməl] *adj* minimal
minimize ['minnimajz] *verb* begränsa till ett minimum

minimum ['minniməm] *subst* minimum
mining ['majning] *subst* gruvdrift
miniskirt ['minniskö:t] *subst* kort-kort kjol
minister ['minnistə] *subst* minister
ministerial [ˌminni'stiəriəl] *adj* minister-
ministry ['minnistri] *subst* ministär, regering
mink [mingk] *subst* mink
minor ['majnə] **I** *adj* mindre, mindre betydande **II** *subst* **1** minderårig **2** moll
minority [maj'nårrəti] *subst* minoritet
1 mint [mint] *subst* **1** mynta; *~ **sauce*** myntsås **2** mintkaramell
2 mint [mint] **I** *subst* myntverk **II** *verb* mynta
minus ['majnəs] *subst* minus
1 minute [maj'njo:t] *adj* ytterst liten
2 minute ['minnitt] *subst* minut; ***just a ~!*** ett ögonblick bara!
miracle ['mirrəkl] *subst* mirakel
mirage ['mira:ʒ] *subst* hägring
mirror ['mirrə] **I** *subst* spegel **II** *verb* spegla
mirth [mö:θ] *subst* munterhet
misadventure [ˌmissəd'venntchə] *subst* missöde
misapprehension ['missˌäppri'henschən] *subst* missuppfattning
misbehave [ˌmissbi'hejv] *verb* bära sig illa åt
miscalculate [ˌmiss'källkjolejt] *verb* felbedöma
miscarriage [ˌmiss'kärridʒ] *subst* missfall
miscellaneous [ˌmissə'lejnjəs] *adj* blandad
mischief ['misstchiff] *subst* ofog
mischievous ['misstchivvəs] *adj* busig
misconception [ˌmisskən'seppschən] *subst* missuppfattning
misconduct [miss'kånndakt] *subst*, ***professional ~*** tjänstefel
misdemeanour [ˌmissdi'mi:nə] *subst* förseelse
miser ['majzə] *subst* girigbuk
miserable ['mizzərəbl] *adj* olycklig; bedrövlig
miserly ['majzəli] *adj* girig
misery ['mizzəri] *subst* elände; misär

misfire [ˌmiss'fajə] slå slint
misfit ['missfitt] *subst* missanpassad person
misfortune [miss'få:tchən] *subst* olycka
misgiving [miss'givving] *subst* farhåga; ***misgivings*** äv. onda aningar
misguided [ˌmiss'gajdidd] *adj* vilseförd
mishap ['misshäpp] *subst* missöde
misinform [ˌmissin'få:m] *verb* felunderrätta
misinterpret [ˌmissin'tö:pritt] *verb* feltolka
misjudge [ˌmiss'dʒaddʒ] *verb* felbedöma
mislay [miss'lej] *verb* förlägga
mislead [miss'li:d] *verb* vilseleda
mismanage [ˌmiss'männidʒ] *verb* misskötta
misplaced [ˌmiss'plejs] *adj* malplacerad; missriktad
misprint ['missprint] *subst* tryckfel
Miss [miss] *subst* **1** fröken före namn **2** skönhetsmiss
miss [miss] **I** *verb* **1** missa **2** sakna **II** *subst* miss
misshapen [ˌmiss'schejpən] *adj* missbildad
missile ['missajl] *subst* robot, missil
missing ['missing] *adj* saknad; ***be ~*** saknas
mission ['mischən] *subst* uppdrag
missionary ['mischənərri] *subst* missionär
mist [misst] **I** *subst* dis; imma **II** *verb* göra immig
mistake [mi'stejk] **I** *verb* ta miste på **II** *subst* misstag; ***make a ~*** missta sig, begå ett misstag
mistaken [mi'stejkən] *adj* felaktig
mister ['misstə] *subst* herr, herrn
mistletoe ['missltəo] *subst* mistel
mistress ['misstrəs] *subst* älskarinna
mistrust [ˌmiss'trast] *subst* o. *verb* misstro
misty ['missti] *adj* disig; immig
misunderstand [ˌmissandə'stännd] *verb* missförstå
misunderstanding [ˌmissandə'stännding] *subst* missförstånd
mitigate ['mittigejt] *verb* lindra; ***mitigating***

circumstances förmildrande omständigheter
mitten ['mittn] *subst* tumvante
mix [mikks] **I** *verb* **1** blanda; mixa **2** umgås **II** *subst* blandning; kakmix
mixed [mikkst] *adj* **1** blandad **2** gemensam, sam-
mixed-up [ˌmikkst'ap] *adj* **1** förvirrad **2** insyltad
mixer ['mikksə] *subst*, ***hand ~*** elvisp; ***food ~*** mixer
mixture ['mikkstchə] *subst* blandning
mix-up ['mikksapp] *subst* vard. förväxling
moan [məon] **I** *verb* jämra sig **II** *subst* jämmer
moat [məot] *subst* vallgrav
mob [måbb] **I** *subst*, ***the ~*** pöbeln **II** *verb* ansätta
mobile ['məobajl] *adj* rörlig; ***~ home*** husvagn ss. permanent bostad; ***~ library*** bokbuss; ***~ telephone*** mobiltelefon
mock [måkk] **I** *verb* driva med **II** *adj* falsk; sken-
mockery ['måkkəri] *subst* hån
mock-up ['måkkapp] *subst* modell
mode [məod] *subst* sätt; ***~ of payment*** betalningssätt
model ['måddl] **I** *subst* modell; fotomodell **II** *adj* mönster-; perfekt **III** *verb* forma
modem ['məodem] *subst* modem
moderate I ['måddərət] *adj* måttlig; moderat; ***the Moderate Party*** Moderaterna **II** ['måddərejt] *verb* mildra, dämpa
modern ['måddən] *adj* modern
modernize ['måddənajz] *verb* modernisera
modest ['måddist] *adj* anspråkslös
modesty ['måddisti] *subst* anspråkslöshet
modify ['måddifaj] *verb* modifiera
moguls ['məogəls] *subst pl* puckelpist
mohair ['məohäə] *subst* mohair
moist [måjst] *adj* fuktig
moisten ['måjsn] *verb* fukta
moisture ['måjstchə] *subst* fuktighet
moisturizer ['måjstchərajzə] *subst* fuktkräm
molar ['məolə] *subst* oxeltand
molasses [məo'lässiz] *subst* melass
1 mole [məol] *subst* födelsemärke

2 mole [məol] *subst* mullvad
molest [məo'lesst] *verb* antasta
mollycoddle ['mållikåddl] *verb* pjoska med
molten ['məoltən] *adj* smält
moment ['məomənt] *subst* ögonblick; ***just a ~*** ett ögonblick; ***at the ~*** för tillfället; ***in a ~*** om ett ögonblick
momentary ['məoməntərri] *adj* en kort stunds
momentous [məo'mentəs] *adj* mycket viktig
momentum [məo'menntəm] fart; styrka
Monaco ['månnəkəo] Monaco
monarch ['månnək] *subst* monark
monarchy ['månnəki] *subst* monarki
monastery ['månnəstəri] *subst* munkkloster
Monday ['manndej] *subst* måndag; ***Easter ~*** annandag påsk
monetary ['mannitəri] *adj* penning-; ***~ policy*** valutapolitik
money ['manni] *subst* pengar; ***~ in hand*** reda pengar
mongrel ['manggrəl] *subst* byracka
monitor ['månnitə] **I** *subst* monitor **II** *verb* övervaka
monk [mangk] *subst* munk
monkey ['mangki] *subst* apa
monkey wrench ['mangkirentsch] *subst* skiftnyckel
monopoly [mə'nåppəli] *subst* monopol
monotonous [mə'nåttənəs] *adj* monoton
monsoon [mån'so:n] *subst* monsun
monster ['månnstə] *subst* monster
monstrous ['månnstrəs] *adj* monstruös; ohygglig
month [mannθ] *subst* månad; ***by the ~*** månadsvis
monthly ['mannθli] *adj* månatlig; ***~ salary*** månadslön
monument ['månnjomənt] *subst* monument; ***ancient ~*** fornminne
moo [mo:] **I** *verb* säga 'mu' **II** *subst* mu
mood [mo:d] *subst* sinnesstämning; ***be in the ~*** ha lust
moody ['mo:di] *adj* lynnig
moon [mo:n] *subst* måne; ***full ~*** fullmåne; ***new ~*** nymåne
moonlight ['mo:nlajt] **I** *subst*

månsken **II** *verb* vard. extraknäcka

moonlighting ['mo:n,lajting] *subst* vard. extraknäck

moonlit ['mo:nlitt] *adj* månbelyst

1 moor [moə] *subst* hed

2 moor [moə] *verb* förtöja

moorland ['moələnd] *subst* ljunghedar

moose [mo:s] *subst* amerikansk älg

mop [måpp] **I** *subst* mopp **II** *verb* moppa

mope [məop] *verb* tjura

moped ['məopedd] *subst* moped

moral ['mårrəl] **I** *adj* moralisk **II** *subst* **1** sensmoral **2** ***morals*** moral

morale [må'ra:l] *subst* moral, kampanda

morality [mə'rälləti] *subst* moral

morass [mə'räss] *subst* träsk

more [må:] *adj, pron* o. *adv* **1** mer, mera; ***no*** ~ el. ***not any*** ~ inte mer **2** fler, flera **3** ytterligare; ***once*** ~ en gång till

moreover [må:'rəovə] *adv* dessutom

morning ['må:ning] *subst* morgon, förmiddag; ***this*** ~ i morse, i förmiddags

moron ['må:rån] *subst* vard. idiot

morsel ['må:səl] *subst* munsbit; smula

1 mortar ['må:tə] *subst* mortel

2 mortar ['må:tə] *subst* murbruk

mortgage ['må:giddʒ] **I** *subst* inteckning **II** *verb* inteckna

mortuary ['må:tjoərri] *subst* bårhus

mosaic [məo'zejikk] *subst* mosaik

mosque [måssk] *subst* moské

mosquito [mə'ski:təo] *subst* mygga

moss [måss] *subst* mossa

most [məost] **I** *adj* o. *pron* mest, flest, den (det) mesta, de flesta **II** *adv* mest

mostly ['məostli] *adv* mestadels

MOT [,eməo'ti:], ~ ***test*** vard. kontrollbesiktning av fordon

motel [məo'tell] *subst* motell

moth [måθθ] *subst* mal, mott

mothball ['måθθbå:l] *subst* malkula

mother ['maððə] **I** *subst* moder, mamma; ~ ***tongue*** modersmål **II** *verb* vara som en mor för

motherhood ['maððəhodd] *subst* moderskap
mother-in-law ['maððərinlå:] *subst* svärmor
motherly ['maððəli] *adj* moderlig
mother-of-pearl [ˌmaððərəv'pö:l] *subst* pärlemor
motion ['məoschən] *subst* rörelse; ***in*** ~ i rörelse, i gång
motionless ['məoschənləs] *adj* orörlig
motive ['məotivv] *subst* motiv
motley ['måttli] *adj* brokig
motor ['məotə] *subst* motor
motorbike ['məotəbajk] *subst* motorcykel
motorboat ['məotəbəot] *subst* motorbåt
motorcar ['məotəka:] *subst* bil
motorcycle ['məotəˌsajkl] *subst* motorcykel
motorcyclist ['məotəˌsajklist] *subst* motorcyklist
motoring ['məotəring] *adj* bil-, trafik-
motorist ['məotərist] *subst* bilist
motorway ['məotəwej] *subst* motorväg
motto ['måtəo] *subst* motto
1 mould [məold] *subst* mögel
2 mould [məold] **I** *subst* form **II** *verb* gjuta, stöpa
mouldy ['məoldi] *adj* möglig
moult [məolt] *verb* fälla hår; ömsa skal
mound [maond] *subst* hög, kulle
mount [maont] *verb* **1** montera; sätta upp **2** sitta upp på häst
mountain ['maontinn] *subst* berg
mountainbike ['maontənbajk] *subst* terrängcykel
mountaineer [ˌmaonti'niə] *subst* bergsbestigare
mountaineering [ˌmaonti'niəring] *subst* bergsbestigning
mountainous ['maontinnəs] *adj* ofantlig
mountainside ['maontinnsajd] *subst* bergssluttning
mourn [må:n] *verb* sörja
mourner ['må:nə] *subst* sörjande
mourning ['må:ning] *subst* sorg; ***in*** ~ sorgklädd
mouse [maos] *subst* mus

mousetrap ['maosträpp] *subst* råttfälla
mousse [mo:s] *subst* mousse
moustache [mə'sta:sch] *subst* mustasch
mousy ['maosi] *adj* råttliknande
mouth [maoθ] *subst* **1** mun; ***shut your ~!*** håll mun! **2** mynning
mouthful ['maoθfoll] *subst* munfull
mouth organ ['maoθ,å:gən] *subst* munspel
mouthpiece ['maoθpi:s] *subst* **1** munstycke **2** språkrör
mouthwash ['maoθoåsch] *subst* munvatten
mouth-watering ['maoθ,oå:təring] *adj* aptitretande
movable ['mo:vəbl] *adj* flyttbar
move [mo:v] **I** *verb* **1** flytta, flytta på; ***~ house*** flytta, byta bostad **2** röra sig **3** göra rörd; ***be moved*** bli rörd **II** *subst* **1** flyttning **2** bildl. drag; ***a wrong ~*** ett feldrag
movement ['mo:vmənt] *subst* rörelse
movie ['mo:vi] *subst* vard. film; ***~ star*** filmstjärna
moviecamera ['mo:vi,kämmərə] *subst* filmkamera
moving ['mo:ving] *adj* **1** rörlig **2** rörande
mow [məo] *verb* slå; klippa
mower ['məoə] *subst* slåttermaskin; gräsklippare
MP [,em'pi:] *subst* parlamentsledamot
MP3-player [,empi'θri:,plejə] *subst* MP3-spelare
mph (förk. för *miles per hour*) 'miles' i timmen; jfr *mile*
Mr ['misstə] hr, herr före namn
Mrs ['missizz] fru före namn
Ms [məzz] titel som ersätter Miss el. Mrs före namn
much [match] *adj* o. *adv* o. *pron* mycket; ***how ~ is this?*** vad kostar den här?; ***thank you very ~*** tack så mycket
muck [makk] **I** *subst* gödsel, vard. skit **II** *verb*, ***~ up*** vard. röra till
mud [madd] *subst* gyttja
muddle ['maddl] **I** *verb* **1** röra ihop **2** förvirra **II** *verb* oreda
muddy ['maddi] *adj* lerig; gyttjig
mudguard ['maddga:d] *subst* stänkskärm på bil
muffin ['maffin] *subst* slags tebröd som äts varma med smör

muffle ['maffl] *verb* dämpa
mug [magg] **I** *subst* mugg **II** *verb* vard. överfalla och råna
mugging ['magging] *subst* vard. rånöverfall
muggy ['maggi] *adj* kvav
mule [mjo:l] *subst* mula
multiple ['malltipl] *adj* mångfaldig; ~ ***collision*** seriekrock
multiplication [ˌmalltipli'kejschən] *subst* multiplikation
multiply ['malltiplaj] *verb* **1** multiplicera **2** öka
multistorey [ˌmallti'stå:ri] *adj* flervånings-
1 mum [mamm] *subst* mamma
2 mum [mamm] *adj* vard. tyst
mumble ['mammbl] **I** *verb* mumla **II** *subst* mummel
1 mummy ['mammi] *subst* mumie
2 mummy ['mammi] *subst* barnspråk mamma
mumps [mammps] *subst* påssjuka
munch [mantsch] *verb* mumsa
mundane ['manndejn] *adj* vardaglig
municipal [mjo'nissipəl] *adj* kommunal; stads-; ~ ***council*** kommunfullmäktige
murder ['mö:də] **I** *subst* mord **II** *verb* mörda
murderer ['mö:dərə] *subst* mördare
murderous ['mö:dərəs] *adj* mordisk
murky ['mö:ki] *adj* mörk, skum
murmur ['mö:mə] **I** *subst* mummel **II** *verb* mumla
muscle ['massl] *subst* muskel
muscular ['masskjolə] *adj* muskulös
1 muse [mjo:z] *subst* musa
2 muse [mjo:z] *verb* fundera
museum [mjo'ziəm] *subst* museum
mushroom ['maschromm] *subst* svamp; champinjon
music ['mjo:zikk] *subst* musik
musical ['mjo:zikkəl] **I** *adj* musikalisk; musik- **II** *subst* musikal
musician [mjo'zischən] *subst* musiker
Muslim ['mozzləm] **I** *subst* muslim **II** *adj* muslimsk
muslin ['mazzlin] *subst* muslin
mussel ['massl] *subst* mussla
must [masst] *verb* måste, är

tvungen att; ~ ***not*** får inte, bör inte
mustard ['masstəd] *subst* senap
muster ['masstə] *verb* uppbåda
mustn't ['massnt] = *must not*
mute [mjo:t] *adj* stum
mutiny ['mjo:tinni] *subst* myteri
mutter ['mattə] *verb* muttra
mutton ['mattn] *subst* fårkött
mutual ['mjo:tchoəl] *adj* ömsesidig
mutually ['mjo:tchoəlli] *adv* ömsesidigt
muzzle ['mazzl] *subst* **1** nos **2** munkorg
my [maj] *pron* min
myself [maj'self] *pron* mig, mig själv; jag själv, själv
mysterious [mi'stiəriəs] *adj* mystisk
mystery ['misstəri] *subst* mysterium
mystify ['misstifaj] *verb* förbrylla
myth [miθθ] *subst* myt
mythology [mi'θålləd͡ʒi] *subst* mytologi

Nn

N, n [änn] *subst* N, n
nag [nägg] *verb* tjata
nagging ['nägging] *adj* tjatig
nail [nejl] **I** *subst* **1** nagel **2** spik **II** *verb* spika
nail brush ['nejlbrasch] *subst* nagelborste
nail file ['nejlfajl] *subst* nagelfil
nail polish ['nejl,pållisch] *subst* nagellack
nail scissors ['nejl,sizzəz] *subst pl* nagelsax
nail varnish ['nejl,va:nisch] *subst* nagellack
naive [naj'i:v] *adj* naiv
naked ['nejkidd] *adj* naken; ***the ~ eye*** blotta ögat
name [nejm] **I** *subst* namn; ***the ~ of the game*** vard. vad det handlar om **II** *verb* **1** kalla för; ~ ***after*** uppkalla efter **2** namnge; nämna
nameless ['nejmləs] *adj* namnlös
namely ['nejmli] *adv* nämligen
namesake ['nejmsejk] *subst* namne
nanny ['nänni] *subst* barnsköterska

nap [näpp] *subst* tupplur
nape [nejp] *subst* nacke
napkin ['näppkinn] *subst* 1 servett 2 blöja
nappy ['näppi] *subst* blöja
narcissus [naː'sissəs] *subst* pingstlilja
narcotic [naː'kåttikk] *subst* narkotiskt preparat; ***narkotics*** äv. narkotika
narrative ['närrətivv] *subst* berättelse
narrow ['närrəo] **I** *adj* **1** smal, trång **2** ***have a ~ escape*** undkomma med knapp nöd **II** *verb* smalna av; ***~ down*** begränsa
narrowly ['närrəoli] *adv* med knapp nöd
narrow-minded [ˌnärrəo'majndidd] *adj* trångsynt
nasal spray ['nejzəlˌsprej] *subst* nässpray
nasty ['naːsti] *adj* otäck; elak; besvärlig
nation ['nejschən] *subst* nation
national ['näschənl] *adj* nationell; ***~ anthem*** nationalsång; ***~ hero*** folkhjälte; ***~ holiday*** nationaldag
nationalism ['näschənəlizzəm] *subst* nationalism
nationalist ['näschənəlist] **I** *subst* nationalist **II** *adj* nationalistisk
nationality [ˌnäschə'nälləti] *subst* nationalitet
nationalize ['näschənəlajz] *verb* förstatliga
nationwide ['nejschənoajd] *adj* landsomfattande
native ['nejtivv] **I** *adj* **1** födelse- **2** infödd **II** *subst* infödd
natural ['nättchrəl] **I** *adj* naturlig; ***~ science*** naturvetenskap **II** *subst* vard. naturbegåvning
naturalized ['nättchrəlajzd] *adj* naturaliserad
naturally ['nättchrəlli] *adv* naturligtvis
nature ['nejtchə] *subst* natur; ***by ~*** av naturen
naughty ['nåːti] *adj* **1** om barn stygg **2** oanständig
nausea ['nåːsjə] *subst* kväljningar
nauseate ['nåːsiejt] *verb* kvälja; äckla
naval ['nejvəl] *adj* marin-
nave [nejv] *subst* nav
navel ['nejvəl] *subst* navel
navigate ['nävvigejt] *verb* navigera

navigation [ˌnävvi'gejschən] *subst* navigering
navy ['nejvi] *subst*, ***the ~*** flottan
navy-blue [ˌnejvi'bloː] *adj* marinblå
near [niə] *adj* o. *adv* o. *prep* nära; ***come*** (***get***) ~ närma sig
nearby I ['niəbaj] *adj* närbelägen **II** [niə'baj] *adv* i närheten
nearly ['niəli] *adv* nästan
near-sighted [ˌniə'sajtidd] *adj* närsynt
neat [niːt] *adj* ordentlig; prydlig
necessarily ['nessəsərəlli] *adv* nödvändigtvis
necessary ['nessəsərri] *adj* nödvändig
necessity [nə'sessiti] *subst* nödvändighet; ***the necessities of life*** livets nödtorft
neck [nekk] *subst* hals; ***back of the*** ~ nacke; ***save one's ~*** rädda skinnet
necklace ['nekkləs] *subst* halsband
neckline ['nekklajn] *subst* halsringning
necktie ['nekktaj] *subst* slips
need [niːd] **I** *subst* behov **II** *verb* behöva
needle ['niːdl] *subst* **1** nål **2** kanyl
needless ['niːdləs] *adj* onödig
needlework ['niːdlwöːk] *subst* handarbete
needn't ['niːdnt] = *need not*
needy ['niːdi] *adj* behövande
negative ['neggətivv] *adj* o. *subst* negativ
neglect [ni'glekkt] **I** *verb* försumma **II** *subst* försummelse
negligee ['neggliʒej] *subst* negligé
negotiate [ni'gəoschiejt] *verb* förhandla
negotiation [niˌgəoschi'ejschən] *subst* förhandling
Negro ['niːgrəo] *subst* neger
neigh [nej] *verb* gnägga
neighbour ['nejbə] *subst* granne
neighbourhood ['nejbəhodd] *subst* grannskap; kvarter
neighbouring ['nejbəring] *adj* grann-
neighbourly ['nejbəli] *adj* som det anstår en god granne
neither ['najðə] **I** *pron* ingen **II** *konj* inte heller; ***~ she nor me*** varken hon eller jag

neon ['ni:ən] *subst* neon; **~ *sign*** neonskylt
nephew ['neffjo] *subst* brorson, systerson
nerve [nö:v] *subst* **1** nerv **2** mod
nerve-racking ['nö:v,räkking] *adj* nervpåfrestande
nervous ['nö:vəs] *adj* nervös; ***a ~ breakdown*** ett nervsammanbrott
nest [nest] *subst* rede; näste
nest egg ['nestegg] *subst* bildl. sparad slant
nestle ['nessl] *verb* trycka; hålla ömt
1 net [nett] **I** *subst* nät **II** *verb* göra mål; i tennis o.d. slå bollen i nät
2 net [nett] *adj* netto
netball ['nettbå:ll] *subst* **1** korgboll **2** i tennis o.d. nätboll
Netherlands ['neðələndz], ***the ~*** Nederländerna
nettle ['nettl] *subst* nässla
network ['netwö:k] *subst* **1** nätverk **2** TV-bolag
neurotic [,njoə'råttikk] *adj* neurotisk
neuter ['njo:tə] **I** *adj* könlös **II** *verb* kastrera
neutral ['njo:trəl] *adj* neutral
neutralize ['njo:trəlajz] *verb* neutralisera
never ['nevvə] *adv* aldrig; **~ *again*** aldrig mera
nevertheless [,nevvəðə'less] *adv* likväl, ändå
new [njo:] *adj* **1** ny **2** färsk
newborn ['njo:bå:n] *adj* nyfödd
newcomer ['njo:,kammə] *subst* nykomling
newfangled [,njo:'fänggld] *adj* nymodig
newly ['njo:li] *adv* nyligen
newly-weds ['njo:lioedz] *subst pl*, ***the ~*** vard. de nygifta
news [njo:z] *subst* nyheter; ***there is no ~ from him*** han har inte hört av sig
news agency ['njo:z,ejdʒənsi] *subst* nyhetsbyrå
newsagent's ['njo:z,ejdʒənts] *subst* tobaksaffär; tidningskiosk
newscaster ['njo:z,ka:stə] *subst* nyhetsuppläsare
newsflash ['njo:zfläsch] *subst* extra nyhetssändning
newsletter ['njo:z,lettə] *subst* informationsblad
newspaper ['njo:s,pejpə] *subst* tidning

newsreader ['njoːzˌriːdə] *subst* nyhetsuppläsare
newsreel ['njoːzriːl] *subst* journalfilm
newsstand ['njoːzständ] *subst* tidningskiosk
newt [njoːt] *subst* vattenödla
New Year [ˌnjoː'jiə] *subst* nyår; ***New Year's Day*** nyårsdagen; ***New Year's Eve*** nyårsafton
next [nekkst] **I** *adj* o. *subst* nästa; ***the girl ~ door*** en alldeles vanlig flicka; ~ ***Sunday*** nu på söndag **II** *adv* **1** därefter **2** näst
next-door [ˌnekks'dåː] **I** *adj* närmast **II** *adv*, ***live ~ to*** vara granne med
next-of-kin [ˌnekkstəv'kinn] *subst* närmaste anhörig
nib [nibb] *subst* stift på reservoarpenna
nibble ['nibbl] *verb* knapra på; nafsa
nice [najs] *adj* trevlig; snäll; skön
nicely ['najsli] *adv* utmärkt
nick [nikk] **I** *subst* hack **II** *verb* vard. knycka
nickel ['nikkl] *subst* nickel
nickname ['nikknejm] *subst* smeknamn
niece [niːs] *subst* brorsdotter, systerdotter
night [najt] *subst* natt; ***first ~*** premiär; ***last ~*** i går kväll; i natt; ***make a ~ of it*** vard. göra sig en helkväll; ***by ~*** nattetid
nightcap ['najtkäpp] *subst* vard. sängfösare
nightclub ['najtklabb] *subst* nattklubb
nightdress ['najtdress] *subst* nattlinne
nightfall ['najtfåːl] *subst* mörkrets inbrott
nightgown ['najtgaon] *subst* nattlinne
nightie ['najti] *subst* nattlinne
nightingale ['najtinggejl] *subst* näktergal
nightly ['najtli] *adj* nattlig
nightmare ['najtmäə] *subst* mardröm
night porter ['najtˌpåːtə] *subst* nattportier
nightschool ['najtskoːl] *subst* aftonskola
nightshift ['najtschift] *subst* nattskift
night-time ['najttajm], ***in the ~*** nattetid
night watchman [ˌnajt'oåtchmən] *subst* nattvakt
nil [nill] *subst* ingenting; noll
nimble ['nimbl] *adj* kvick, flink

nine [najn] *räkn* nio
nineteen [ˌnajn'tiːn] *räkn* nitton
ninety ['najnti] *räkn* nitti
ninth [najnθ] *räkn* nionde
nip [nipp] *verb* nypa; nafsa
nipple ['nippl] *subst* bröstvårta
nitrogen ['najtrədʒən] *subst* kväve
1 no [nəo] *adj* ingen, inte någon; ~ ***one*** ingen, inte någon; ~ ***man's land*** ingenmansland; ~ ***parking*** (***smoking***) parkering (rökning) förbjuden; ~ ***way!*** vard. aldrig i livet!
2 no [nəo] *adv* nej
nobility [nəo'billəti] *subst* **1** adel **2** ädelhet
noble ['nəobl] *adj* **1** adlig **2** ädel
nobody ['nəobədi] *pron* ingen, inte någon
nod [nådd] **I** *verb* nicka **II** *verb* nick
noise [nåjz] *subst* ljud; oljud
noisy ['nåjzi] *adj* bullrig, bråkig
nominate ['nåmminejt] *verb* utnämna
nominee [ˌnåmmi'niː] *subst* kandidat
non-alcoholic ['nånnˌälkə'hållikk] *adj* alkoholfri
non-committal [ˌnånnkə'mittl] *adj* till intet förpliktande
nondescript ['nånndiskrippt] *adj* obestämbar
none [nann] *pron* ingen, inte någon
nonentity [nå'nenntəti] *subst* obetydlig person
nonetheless [ˌnannðə'less] *adv* likväl, ändå
non-existent [ˌnånnig'zisstənt] *adj* obefintlig
non-fiction [ˌnånn'fikschən] *subst* sakprosa
nonsense ['nånnsəns] *subst* nonsens
non-smoker [ˌnånn'sməokə] *subst* icke-rökare
non-stick [ˌnånn'stikk] *adj* teflonbehandlad
non-stop [ˌnånn'ståpp] *adj* o. *adv* utan uppehåll
nook [nokk] *subst* vrå
noon [noːn] *subst* klockan tolv på dagen
noose [noːs] *subst* snara
nor [nåː] *konj* och inte heller; ***neither she*** ~ ***me*** varken hon eller jag
Nordic ['nåːdikk] *adj* nordisk;

~ ***walking*** stavgång; ~ ***walking poles*** gåstavar

norm [nå:m] *subst* norm

normal ['nå:məl] *adj* normal

normally ['nå:məlli] *adv* normalt sett

north [nå:θ] **I** *subst* norr **II** *adj* nordlig **III** *adv* norrut

north-east [ˌnå:θ'i:st] *subst* nordost

northerly ['nå:ðəli] *adj* nordlig

northern ['nå:ðən] *adj* **1** nordlig; ~ ***lights*** norrsken **2** nordisk

northward ['nå:θwəd] *adv* norrut

north-west [ˌnå:θ'oest] *subst* nordväst

Norway ['nå:wej] Norge

Norwegian [nå:'wi:dʒən] **I** *adj* norsk **II** *subst* **1** norrman; norska kvinna **2** norska språket

nose [nəoz] *subst* näsa

nose-bleed ['nəozˌbli:d] *subst* näsblod

nosedive ['nəozdajv] *subst* störtdykning

nosey ['nəozi] *adj* vard. nyfiken

nostalgia [nå'ställdʒiə] *subst* nostalgi

nostril ['nåsstrəl] *subst* näsborre

nosy ['nəozi] *adj* vard. nyfiken

not [nått] *adv* inte; ~ ***until then*** först då

notably ['nəotəbli] *adv* i synnerhet

notch [nåtch] *subst* hack, skåra

note [nəot] **I** *subst* **1** anteckning; ***make a ~ of*** anteckna **2** mus. not **II** *verb* lägga märke till

notebook ['nəotbokk] *subst* anteckningsbok

noted ['nəotidd] *adj*, ~ ***for*** känd för

notepaper ['nəotˌpejpə] *subst* brevpapper

nothing ['naθθing] *pron* ingenting, inget; ~ ***but*** ingenting annat än; ~ ***much*** inte särskilt mycket; ***for*** ~ till ingen nytta

notice ['nəotiss] **I** *subst* **1** meddelande **2** uppmärksamhet **II** *verb* märka

noticeable ['nəotissəbl] *adj* märkbar

notice board ['nəotissbå:d] *subst* anslagstavla

notification [ˌnəotifi'kejschən] *subst*

1 tillkännagivande 2 anmälan, sjukanmälan

notify ['nəotifaj] *verb* 1 tillkännage 2 anmäla

notion ['nəoschən] *subst* uppfattning

notorious [nəo'tå:riəs] *adj* ökänd

nought [nå:t] *subst* noll, nolla

noun [naon] *subst* substantiv

nourish ['narrisch] *verb* ge föda åt

nourishing ['narrisching] *adj* närande

nourishment ['narrischmənt] *subst* näring, föda

novel ['nåvvəl] **I** *adj* ny **II** *subst* roman

novelist ['nåvvəlist] *subst* romanförfattare

novelty ['nåvvəlti] *subst* nyhet

November [nəo'vemmbə] *subst* november

now [nao] **I** *adv* nu; ***every ~ and then*** då och då; ***by ~*** vid det här laget; ***for ~*** tillsvidare **II** *konj* nu då, när

nowadays ['naoədejz] *adv* nuförtiden

nowhere ['nəwäə] *adv* ingenstans

nozzle ['nåzzl] *subst* munstycke, pip

nuclear ['njo:kliə] *adj* kärn-; atom-; ***~ bomb*** atombomb; ***~ family*** kärnfamilj; ***~ power*** kärnkraft; ***~ power plant*** kärnkraftverk

nude [njo:d] *adj* naken

nudge [naddʒ] *verb* knuffa, puffa

nudist ['njo:dist] *subst* nudist

nuisance ['njo:sns] *subst* otyg, elände

null [nall] *adj* ogiltig

numb [namm] **I** *adj* domnad **II** *verb* förlama bildl.

number ['nammbə] **I** *subst* 1 antal 2 nummer; ***~ one*** en själv; ***~ plate*** nummerplåt **II** *verb* numrera

numerical [njo'merrikəl] *adj* siffer-

numerous ['njo:mərəs] *adj* talrik

nun [nann] *subst* nunna

nurse [nö:s] **I** *subst* sjuksköterska **II** *verb* sköta barn el. sjuka

nursery ['nö:səri] *subst* barnkammare; ***~ school*** förskola

nursing ['nö:sing] *subst* sjukvård

nursing home ['nö:singhəom] *subst* sjukhem

nut [natt] *subst* nöt

nutmeg ['nattmegg] *subst* muskotnöt
nutritious [njo'trischəs] *adj* näringsrik
nuts [natts] *adj* vard. knäpp
nutshell ['nattschell] *subst* nötskal
nylon ['najlən] *subst* nylon

Oo

O, o [əo] *subst* O, o
oak [əok] *subst* ek
oar [å:] *subst* åra
oasis [əo'ejsiss] *subst* oas
oath [əoθ] *subst* ed
oatmeal ['əotmi:l] *subst* havregryn
obedience [ə'bi:djəns] *subst* lydnad
obedient [ə'bi:djənt] *adj* lydig
obey [əo'bej] *verb* lyda
obituary [ə'bittchoəri] *subst* dödsruna
object I ['åbbdʒikt] *subst* föremål; objekt
II [əb'dʒekkt] *verb* invända
objection [əb'dʒekkschən] *subst* invändning
objective [əb'dʒekktivv] **I** *adj* objektiv **II** *subst* mål syfte
obligation [ˌåbbli'gejschən] *subst* förpliktelse
oblige [ə'blajdʒ] *verb* förpliktiga
obliging [ə'blajdʒing] *adj* tjänstvillig
oblique [əo'bli:k] *adj* **1** sned **2** indirekt

obliterate [ə'blittərejt] *verb* utplåna
oblivion [ə'blivviən] *subst* glömska
oblivious [ə'blivviəs] *adj* omedveten
obnoxious [əb'nåkkschəs] *adj* motbjudande
obscene [əb'si:n] *adj* oanständig
obscure [əb'skjoə] *adj* dunkel
observant [əb'zö:vənt] *adj* uppmärksam
observation [ˌåbbzə'vejschən] *subst* 1 observation 2 anmärkning
observatory [əb'zö:vətri] *subst* observatorium
observe [əb'zö:v] *verb* 1 observera 2 iaktta
observer [əb'zö:və] *subst* observatör
obsess [əb'sess] *verb*, ***be obsessed with*** vara besatt av
obsessive [əb'sessivv] *adj* tvångsmässig
obsolete ['åbbsəli:t] *adj* föråldrad
obstacle ['åbbstəkl] *subst* hinder
obstinate ['åbbstinət] *adj* envis
obstruct [əb'strakkt] *verb* 1 blockera 2 hindra
obtain [əb'tejn] *verb* lyckas få
obtainable [əb'tejnəbl] *adj* som kan fås
obvious ['åbbviəs] *adj* tydlig
occasion [ə'kejʒən] *subst* tillfälle; ***on ~*** då och då
occasional [ə'kejʒənl] *adj* enstaka
occasionally [ə'kejʒnəlli] *adv* emellanåt
occupation [ˌåkkjo'pejschən] *subst* 1 ockupation 2 yrke
occupy ['åkkjopaj] *verb* 1 ockupera 2 sysselsätta 3 ***be occupied*** vara upptagen
occur [ə'kkö:] *verb* inträffa
occurrence [ə'karrəns] *subst* förekomst
ocean ['əoschən] *subst* ocean
o'clock [ə'klåkk] *adv*, ***it is ten ~*** klockan är tio
October [åkk'təobə] *subst* oktober
octopus ['åkktəpəs] *subst* bläckfisk
odd [ådd] *adj* 1 udda 2 enstaka 3 underlig
oddity ['åddəti] *subst* underlighet
oddly ['åddli] *adv*, ***~ enough*** konstigt nog

odds [åddz] *subst* odds; ***against the ~*** mot alla odds
odour ['əodə] *subst* doft; odör
of [åvv] *prep* om; av; från; med; ***a cup ~ tea*** en kopp te; ***a boy ~ ten*** en pojke på tio år
off [åff] **I** *adv* o. *adj* **1** bort; av **2** ***be ~*** vara av; ha lossnat; ge sig av; vara ledig **II** *prep* borta från
offal ['åffəl] *subst* inälvsmat
off-colour [ˌåff'kallə] *adj* lite krasslig
offence [ə'fenns] *subst* **1** förseelse **2** anstöt
offend [ə'fennd] *verb* stöta; förolämpa
offender [ə'fenndə] *subst* lagbrytare
offensive [ə'fennsivv] **I** *adj* **1** anfalls- **2** stötande **II** *subst* offensiv
offer ['åffə] **I** *verb* erbjuda **II** *subst* erbjudande
off-hand [ˌåff'hännd] *adv* på rak arm
office ['åffiss] *subst* **1** kontor; ***~ hours*** kontorstid **2** ämbete
officer ['åffissə] *subst* officer
office-worker ['åffissˌwö:kə] *subst* kontorist
official [ə'fischəl] *adj* officiell
officiate [ə'fischiejt] *verb* förrätta gudstjänst
officious [ə'fischəs] *adj* beskäftig
offing ['åffing], ***in the ~*** bildl. under uppsegling
off-licence ['åffˌlajsəns] *subst* spritbutik
off-peak ['åffpi:k] *adj* låg-; ***at ~ hours*** vid lågtrafik
offputting ['åffˌpotting] *adj* frånstötande om person
off-season ['åffˌsi:zn] *adj* lågsäsong-
offset ['åffsett] *verb* uppväga
offshoot ['åffscho:t] *subst* bildl. sidoskott
offshore [ˌåff'schå:] *adj* o. *adv* utanför kusten
offside [ˌåff'sajd] *subst* offside
offspring ['åffspring] *subst* avkomma
offstage [ˌåff'stejdʒ] *adj* o. *adv* utanför scenen
off-white [ˌåff'oajt] *adj* benvit
often ['åffn] *adv* ofta
ogle ['əogl] *verb* glo
oil [åjl] *subst* olja
oilfield ['åjlfi:ld] *subst* oljefält
oil painting ['åjlˌpejnting] *subst* oljemålning
oily ['åjli] *adj* oljig
ointment ['åjntmənt] *subst* salva

OK [ˌəoˈkej] vard. **I** *adj* o. *adv* OK **II** *verb* godkänna
old [əold] *adj* gammal; ~ ***people's home*** ålderdomshem
old-fashioned [ˌəoldˈfäschənd] *adj* gammalmodig
olive [ˈållivv] *subst* oliv
olive oil [ˌållivˈåjl] *subst* olivolja
Olympic [əoˈlimmpikk] *adj*, ***the ~ Games*** de olympiska spelen
omelette [ˈåmmlət] *subst* omelett
omen [ˈəomen] *subst* omen
ominous [ˈåmminəs] *adj* illavarslande
omit [əoˈmitt] *verb* utelämna
on [ånn] **I** *prep* på; vid; i; om; ***this is ~ me*** vard. det är jag som bjuder **II** *adv* o. *adj* **1** på sig **2** på, vidare **3** ***be*** ~ vara på; spelas
once [oanns] *adv* en gång; ***at*** ~ med detsamma
oncoming [ˈånnˌkamming] *adj* förestående
one [oann] **I** *räkn* en, ett **II** *pron* man; ~ ***another*** varandra
one-man [ˌoannˈmänn] *adj* enmans-
one-off [ˈoannåff] *adj* enstaka
oneself [oannˈsellf] *pron* sig; sig själv; själv; en själv
one-sided [ˌoannˈsajdidd] *adj* ensidig
one-upmanship [oannˈappmənschipp] *subst* konsten att psyka ngn
one-way [ˈoannwej] *adj* **1** enkelriktad **2** ~ ***ticket*** enkel biljett
ongoing [ˈånnˌgəoing] *adj* pågående
onion [ˈannjən] *subst* lök
on-line [ˈånnlajn] *adj* direktansluten
onlooker [ˈånnˌlokkə] *subst* åskådare
only [ˈəonli] **I** *adj* enda **II** *adv* **1** bara **2** först; senast
onset [ˈånnsett] *subst* början
onshore [ˌånnˈschåː] *adj* o. *adv* på kusten
onslaught [ˈånnslåːt] *subst* våldsamt angrepp
onto [ˈånnto] *prep* på
onward [ˈånnwəd] *adj* framåt-
onwards [ˈånnwədz] *adv* framåt, vidare
ooze [oːz] *verb* sippra fram
opaque [əoˈpejk] *adj* ogenomskinlig
open [ˈəopən] **I** *adj* öppen i olika bet.; öppen för; ***in the ~ air*** i det fria **II** *verb* **1** öppna;

öppna sig **2** börja; ha premiär

opening ['əopəning] **I** *adj* öppnings-; ~ ***hours*** öppettid; ~ ***night*** premiär **II** *subst* öppning; premiär

openly ['əopənli] *adv* öppet

open-minded [ˌəopən'majndidd] *adj* öppen för nya idéer

opera ['åppərə] *subst* opera

operate ['åppərejt] *verb* **1** verka **2** operera **3** sköta

operation [ˌåppə'rejschən] *subst* **1** operation **2** ***be in ~*** vara i gång

operative ['åppərətivv] *adj* verkande

operator ['åppərejtə] *subst* telefonist

opinion [ə'pinnjən] *subst* åsikt; ~ ***poll*** opinionsundersökning

opinionated [ə'pinnjənejtidd] *adj* envis

opponent [ə'pəonənt] *subst* motståndare

opportunity [ˌåppə'tjoːnəti] *subst* tillfälle, chans

oppose [ə'pəoz] *verb* motsätta sig

opposite ['åppəzitt] **I** *adj* o. *adv* o. *prep* mitt emot **II** *subst* motsats

opposition [ˌåppə'zischən] *subst* motstånd

oppress [ə'press] *verb* förtrycka

oppressive [ə'pressivv] *adj* förtryckande

opt [åppt] *verb* välja

optical ['åpptikəl] *adj* optisk; syn-

optician [åpp'tischən] *subst* optiker

optimist ['åpptimist] *subst* optimist

optimistic [ˌåppti'mistikk] *adj* optimistisk

option ['åppschən] *subst* val

optional ['åppschənl] *adj* valfri

or [åː] *konj* eller; ~ ***else*** annars så

oral ['åːrəl] *adj* muntlig

orange ['årrindʒ] *subst* apelsin

orchard ['åːtchəd] *subst* fruktträdgård

orchestra ['åːkisstrə] *subst* orkester

orchid ['åːkidd] *subst* orkidé

ordain [åː'dejn] *verb* prästviga

ordeal [åː'diːl] *subst* eldprov

order ['åːdə] **I** *subst* **1** ordning; ***out of ~*** ur

funktion; opassande **2** order **II** *verb* **1** beordra **2** beställa
orderly ['å:dəli] **I** *adj* välordnad **II** *subst* manligt sjukvårdsbiträde
ordinary ['å:dnri] *adj* vanlig
ore [å:] *subst* malm
organ ['å:gən] *subst* **1** organ **2** orgel
organic [å:'gännikk] *adj* **1** organisk **2** biodynamisk
organization [ˌå:gənaj'zejschən] *subst* organisation
organize ['å:gənajz] *verb* organisera
organizer ['å:gənajzə] *subst* organisatör
orgasm ['å:gäzzəm] *subst* orgasm
oriental [ˌå:ri'entl] *adj* österländsk
origin ['årridʒinn] *subst* ursprung
original [ə'riddʒənl] **I** *adj* **1** ursprunglig **2** originell **II** *subst* original
originally [ə'riddʒənəlli] *adv* ursprungligen
originate [ə'riddʒənejt] *verb* härröra
ornament ['å:nəmənt] *subst* ornament; prydnad
ornamental [ˌå:nə'menntl] *adj* prydnads-
ornate [å:'nejt] *adj* utsirad
orphan ['å:fən] *subst* föräldralöst barn
orthopaedic [ˌå:θəo'pi:dikk] *adj* ortopedisk
ostensibly [å'stennsəbli] *adv* till synes
ostentatious [ˌåstenn'tejschəs] *adj* prålig
ostracize ['åsstrəsajz] *verb* frysa ut
ostrich ['åsstritch] *subst* struts
other ['aððə] *pron* annan, annat, andra; ***the ~ day*** häromdagen; ***every ~ week*** varannan vecka; ***among ~ things*** bland annat
otherwise ['aððəoajz] *adv* **1** annorlunda, på annat sätt **2** annars
otter ['åttə] *subst* utter
ought [å:t] *verb* bör, borde
ounce [aons] *subst* uns = 28,35 gram
our ['aoə] *pron* vår
ours ['aoəz] *pron* vår
ourselves [ˌaoə'sellvz] *pron* oss, oss själva; vi själva, själva
out [aot] *adv* o. *adj* **1** ute, borta; ut, bort **2** ***be ~ after*** vara ute efter; ***~ of*** ut ur; borta från; utav; ***~ with it!*** ut med språket!

out-and-out [ˌaotnd'aot] *adj* vard. tvättäkta
outboard ['aotbå:d] *adj* utombords-
outbreak ['aotbrejk] *subst* utbrott
outburst ['aotbö:st] *subst* utbrott, anfall
outcast ['aotka:st] *subst* utstött person
outcome ['aotkamm] *subst* utgång resultat
outcry ['aotkraj] *subst* ramaskri
outdated [ˌaot'dejtidd] *adj* omodern
outdo [ˌaot'do:] *verb* överträffa
outdoor ['aotdå:] *adj* utomhus-; ***~ clothes*** ytterkläder
outdoors [ˌaot'då:z] *adv* utomhus
outer ['aotə] *adj* yttre; ***~ lane*** ytterfil
outfit ['aotfitt] *subst* kläder
outgoing ['aotˌgəoing] *adj* **1** utgående **2** utåtriktad
outgrow [ˌaot'grəo] *verb* växa ifrån; växa ur kläder
outhouse ['aothaos] *subst* uthus
outing ['aoting] *subst* utflykt
outlandish [ˌaot'länndisch] *adj* besynnerlig
outlaw ['aotlå:] *subst* bandit
outlet ['aotlett] *subst* utlopp
outline ['aotlajn] **I** *subst* **1** kontur **2** utkast **II** *verb* skissera
outlive [ˌaot'livv] *verb* överleva
outlook ['aotlokk] *subst* utsikt; bildl. sätt att se; ***~ on life*** livsinställning
outlying ['aotˌlajing] *adj* avlägsen
outmoded [ˌaot'məodidd] *adj* omodern
outnumber [ˌaot'nammbə] *verb* överträffa i antal
out-of-date [ˌaotəv'dejt] *adj* omodern
out-of-the-way [ˌaotəvðə'wej] *adj* avlägsen
out-patient ['aotˌpejschənt] *subst* dagpatient
outpost ['aotpəost] *subst* utpost
output ['aotpott] *subst* produktion
outrage ['aotrejdʒ] **I** *subst* **1** skandal **2** indignation **II** *verb* chockera
outrageous [ˌaot'rejdʒəs] *adj* skandalös
outright ['aotrajt] *adj* fullständig, total

outset ['aotsett] *subst* början
outside [ˌaot'sajd] **I** *subst* utsida **II** *adj* utvändig, yttre; utomhus- **III** *adv* ute; ut **IV** *prep* utanför
outsider [ˌaot'sajdə] *subst* outsider
outskirts ['aotsköːts] *subst pl* utkanter av stad
outspoken [ˌaot'spəokən] *adj* frispråkig
outstanding [ˌaot'stännding] *adj* framstående
outstrip [ˌaot'stripp] *verb* distansera
outward ['aotwəd] **I** *adj* **1** utgående **2** yttre **II** *adv* utåt
outwardly ['aotwədli] *adv* till det yttre
outweigh [ˌaot'wej] *verb* uppväga
outwit [ˌaot'witt] *verb* överlista
oval ['əovəl] *adj* oval
ovary ['əovəri] *subst* äggstock
oven ['avvn] *subst* ugn
ovenproof ['avvnproːf] *adj* ugnseldfast
over ['əovə] **I** *prep* **1** över; ovanför **2** på andra sidan **3** ~ ***the years*** genom åren **II** *adv* **1** över **2** slut **3** ~ ***and*** ~ om och om igen
overall ['əovəråːl] **I** *subst*, ***overalls*** blåställ, overall **II** *adj* helhets-
overbearing [ˌəovə'bäəring] *adj* högdragen
overboard ['əovəbåːd] *adv* överbord
overcast [ˌəovə'kaːst] *adj* mulen
overcharge [ˌəovə'tchaːdʒ] *verb* ta för höga priser
overcoat ['əovəkəot] *subst* överrock
overcome [ˌəovə'kamm] **I** *verb* övervinna **II** *adj* överväldigad
overcrowded [ˌəovə'kraodidd] *adj* överbefolkad
overdo [ˌəovə'doː] *verb* överdriva
overdose I ['əovədəos] *subst* överdos **II** [ˌəovə'dəos] *verb* överdosera
overdraft ['əovədraːft] *subst* övertrassering
overdrawn [ˌəovə'dråːn] *adj* övertrasserad
overdue [ˌəovə'djoː] *adj* **1** förfallen till betalning **2** försenad
overestimate [ˌəovər'esstimejt] *verb* övervärdera
overflow [ˌəovə'fləo] *verb*

svämma över; bildl. svalla över
overgrown [ˌəovə'grəon] *adj* igenvuxen
overhaul ['əovəhå:l] *subst* översyn
overheads ['əovəheddz] *subst pl* fasta utgifter
overhear [ˌəovə'hiə] *verb* råka få höra
overheat [ˌəovə'hi:t] *verb* överhetta
overjoyed [ˌəovə'dʒåjd] *adj* utom sig av glädje
overland [ˌəovə'länd] *adv* o. *adj* till lands
overlap [ˌəovə'läpp] *verb* överlappa varandra
overload [ˌəovə'ləod] *verb* överbelasta
overlook [ˌəovə'lokk] *verb* **1** ha utsikt över **2** förbise
overnight [ˌəovə'najt] *adv* **1** över natten **2** över en natt
overpowering [ˌəovə'paoəring] *adj* överväldigande
overrate [ˌəovə'rejt] *verb* övervärdera; ***an overrated film*** en överreklamerad film
override [ˌəovə'rajd] *verb* köra över bildl.
overrule [ˌəovə'ro:l] *verb* ogilla, upphäva
overrun [ˌəovə'rann] *verb* invadera
overseas ['əovəsi:z] **I** *adj* utländsk **II** *adv* utomlands
overshadow [ˌəovə'schäddəo] *verb* överskugga
oversight ['əovəsajt] *subst* förbiseende
oversleep [ˌəovə'sli:p] *verb* försova sig
overstate [ˌəovə'stejt] *verb* överdriva
overstep [ˌəovə'stepp] *verb* överskrida
overt [əo'vö:t] *adj* öppen
overtake [ˌəovə'tejk] *verb* köra om
overthrow [ˌəovə'θrəo] *verb* störta, fälla
overtime ['əovətajm] *subst* övertid
overtone ['əovətəon] *subst* överton
overture ['əovətjoə] *subst* ouvertyr
overturn [ˌəovə'tö:n] *verb* välta; bildl. störta
overweight ['əovəoejt] *subst* övervikt
overwhelm [ˌəovə'oelm] *verb* överväldiga
overwhelming [ˌəovə'oelming] *adj* överväldigande

overwork [ˌəovə'wö:k] **I** *subst* för mycket arbete **II** *verb* arbeta för mycket
overwrought [ˌəovə'rå:t] *adj* överspänd
owe [əo] *verb* vara skyldig
owl [aol] *subst* uggla
own [əon] **I** *verb* äga **II** *adj* egen; ***on one's ~*** ensam; själv
owner ['əonə] *subst* ägare
ownership ['əonəschipp] *subst* äganderätt
ox [åkks] *subst* oxe
oxtail ['åkkstejl] *subst* oxsvans
oxygen ['åkksidʒən] *subst* syre
oyster ['åjstə] *subst* ostron
oz. [aons] förk. för *ounce*

Pp

P, p [pi:] *subst* P, p
p förk. för *penny, pence*
pa [pa:] *subst* vard. pappa
pace [pejs] **I** *subst* **1** steg **2** tempo **II** *verb* gå av och an i
Pacific [pə'siffikk], ***the ~ Ocean*** Stilla havet
pack [päkk] **I** *subst* **1** packe **2** hop **3** ***a ~ of cards*** en kortlek **II** *verb* packa
package ['päkkidʒ] *subst* paket
packet ['päkkitt] *subst* mindre paket
packing ['päkking] *subst* packning
packing-case ['päkkingkejs] *subst* packlår
pact [päkkt] *subst* fördrag
pad [pädd] *subst* **1** anteckningsblock **2** ***shoulder ~*** axelvadd
padding ['pädding] *subst* vaddering
1 paddle ['päddl] **I** *subst* paddelåra **II** *verb* paddla
2 paddle ['päddl] *verb* vada
paddock ['päddək] *subst* paddock

padlock ['päddlåkk] *subst* hänglås
paediatrics [ˌpiːdi'ättrikks] *subst* pediatrik
paedophile [ˌpiːdəfajl] *subst* pedofil
pagan ['pejgən] **I** *subst* hedning **II** *adj* hednisk
1 page [pejdʒ] *subst* sida
2 page [pejdʒ] *verb* söka med personsökare o.d.
pageant ['päddʒənt] *subst* historiskt festspel
pageantry ['pädʒəntri] *subst* pompa och ståt
pager ['pejdʒə] *subst* personsökare mottagare
paid [pejd] imperf. o. perf. p. av *pay*
pail [pejl] *subst* spann
pain [pejn] **I** *subst* **1** värk **2** ***pains*** besvär **II** *verb* smärta
painful ['pejnfoll] *adj* smärtsam
painkiller ['pejnˌkillə] *subst* smärtstillande medel
painless ['pejnləs] *adj* smärtfri
painstaking ['pejnzˌtejking] *adj* noggrann
paint [pejnt] **I** *subst* målarfärg; ***mind the ~!*** nymålat! **II** *verb* måla
paintbrush ['pejntbrasch] *subst* målarpensel
painter ['pejntə] *subst* målare
painting ['pejnting] *subst* tavla
pair [päə] *subst* par
palace ['pällis] *subst* slott
palatable ['pällətəbl] *adj* smaklig
palate ['pällət] *subst* gom
1 pale [pejl] *subst* påle
2 pale [pejl] **I** *adj* blek; ***~ ale*** ljust öl **II** *verb* blekna
palette ['pällət] *subst* palett
1 pall [påːl] *verb* förlora sin dragningskraft
2 pall [påːl] *subst* bår kista vid begravning
pallid ['pällidd] *adj* blek
1 palm [paːm] *subst* handflata
2 palm [paːm] *subst* palm
palpable ['pällpəbl] *adj* påtaglig
paltry ['påːltri] *adj* futtig
pamper ['pämmpə] *verb* dalta med
pamphlet ['pämmflət] *subst* broschyr
pan [pänn] *subst* stekpanna
pancake ['pännkejk] *subst* pannkaka
pandemonium

[ˌpänndiˈməonjəm] *subst* tumult
pander [ˈpänndə] *verb*, **~ *to*** ge efter för
pane [pejn] *subst* glasruta
panel [ˈpännl] *subst* **1** panel **2** instrumentbräda
panelling [ˈpännəling] *subst* träpanel
pang [päng] *subst* sting; kval; ***pangs of conscience*** samvetskval
panic [ˈpännikk] **I** *subst* panik **II** *verb* gripas av panik
panic-stricken [ˈpännikkˌstrikkən] *adj* panikslagen
pansy [ˈpännzi] *subst* pensé växt
pant [pännt] *verb* flämta
pantihose [ˈpänntihəoz] *subst* strumpbyxor
pantomime [ˈpänntəmajm] *subst* pantomim
pantry [ˈpänntri] *subst* skafferi
pants [pännts] *subst pl* kalsonger; trosor
paper [ˈpejpə] *subst* **1** papper **2** tidning
paperback [ˈpejpəbäkk] *subst* paperback
paper clip [ˈpejpəklipp] *subst* gem
paperweight [ˈpejpəoejt] *subst* brevpress
paperwork [ˈpejpəwöːk] *subst* pappersarbete
par [paː], ***on a ~ with*** lika (jämställd) med
parable [ˈpärrəbl] *subst* liknelse
parachute [ˈpärrəschoːt] *subst* fallskärm
parade [pəˈrejd] **I** *subst* parad **II** *verb* paradera
paradise [ˈpärrədajs] *subst* paradis
paradox [ˈpärrədåkks] *subst* paradox
paraffin [ˈpärrəfinn] *subst* fotogen
paragliding [ˈpärrəglajding] *subst* skärmflygning
paragon [ˈpärrəgən] *subst* förebild
paragraph [ˈpärrəgraːf] *subst* paragraf
parallel [ˈpärrəlell] *adj* parallell
paralyse [ˈpärrəlajz] *verb* förlama; lamslå
paralysis [pəˈrälləsiss] *subst* förlamning
paramount [ˈpärrəmaont] *adj* ytterst viktig
paranoid [ˈpärrənåjd] *adj* paranoid

paraphernalia [ˌpärrəfə'nejljə] *subst* grejer
parasol ['pärrəsåll] *subst* parasoll
paratrooper ['pärrəˌtroːpə] *subst* fallskärmsjägare
parcel ['paːsl] *subst* paket
parch [paːtch] *verb* sveda
parchment ['paːtchmənt] *subst* pergament
pardon ['paːdn] **I** *subst*, ~ el. ***I beg your ~!*** förlåt!; hur sa? **II** *verb* förlåta
parent ['pärrənt] *subst* förälder
parental leave [pə'renntlˌliːv] *subst* föräldraledighet; ***on ~*** föräldraledig
parish ['pärrisch] *subst* kyrklig församling
park [paːk] **I** *subst* park **II** *verb* parkera
parking ['paːking] *subst* parkering; ***No Parking*** Parkering förbjuden; ***~ disc*** p-skiva; ***~ meter*** parkeringsautomat; ***~ space*** parkeringsplats; ***~ ticket*** parkeringsböter lapp
parliament ['paːləmənt] *subst* parlament; ***the Houses of Parliament*** parlamentshuset i London
parliamentary [ˌpaːlə'menntərri] *adj* parlamentarisk
parochial [pə'rəokjəl] *adj* församlings-
parody ['pärrədi] *subst* parodi
parole [pə'rəol] *subst* villkorlig frigivning
parrot ['pärrət] *subst* papegoja
parry ['pärri] *verb* parera
parsley ['paːsli] *subst* persilja
parsnip ['paːsnipp] *subst* palsternacka
parson ['paːsn] *subst* kyrkoherde
part [paːt] **I** *subst* **1** del; ***private parts*** könsdelar **2** roll **3** ***take ~*** deltaga **II** *verb* **1** skiljas åt **2** dela
part-exchange [ˌpaːtikks'tchejndʒ] *subst* dellikvid
partial ['paːschəl] *adj* partisk
participate [paː'tissipejt] *verb* delta
participation [paːˌtissi'pejschən] *subst* deltagande
particle ['paːtikkl] *subst* partikel
particular [pə'tikkjolə] *adj* **1** särskild; ***in ~*** i synnerhet **2** nogräknad
particularly [pə'tikkjolәlli] *adv* särskilt

parting ['pa:ting] *subst* 1 avsked 2 bena
partisan [,pa:ti'zänn] *subst* partisan
partition [pa:'tischən] *subst* skiljevägg
partly ['pa:tli] *adv* delvis
partner ['pa:tnə] *subst* kompanjon; partner
partnership ['pa:tnəschipp], ***enter into a [registered] ~*** ingå [registrerat] partnerskap
partridge ['pa:tridʒ] *subst* rapphöna
part-time ['pa:ttajm] *adj* deltids-
party ['pa:ti] *subst* 1 parti 2 fest; ***birthday ~*** födelsedagskalas
party line ['pa:tilajn] *subst* partilinje
pass [pa:s] **I** *verb* 1 passera, gå (fara osv.) förbi 2 om tid o.d. gå 3 godkänna; klara examen 4 tillbringa 5 sport. passa 6 ***~ away*** dö; ***~ by*** gå (fara) förbi; ***~ on*** skicka vidare; ***~ out*** svimma; ***~ round*** skicka runt **II** *subst* 1 godkännande i examen 2 sport. passning 3 bergspass
passable ['pa:səbl] *adj* framkomlig
passage ['pässidʒ] *subst* 1 överfart 2 passage; korridor
passenger ['pässindʒə] *subst* passagerare
passer-by [,pa:sə'baj] *subst* förbipasserande
passing ['pa:sing] *adj* övergående
passion ['päschən] *subst* passion
passionate ['päschənət] *adj* passionerad
passive ['pässivv] *adj* passiv
passport ['pa:spå:t] *subst* pass
password ['pa:swö:d] *subst* lösenord
past [pa:st] **I** *adj* förfluten **II** *subst*, ***the ~*** det förflutna; ***in the ~*** förr i världen **III** *prep* förbi; bortom; om tid o.d. över; ***at half ~ one*** klockan halv två **IV** *adv* förbi
pasta ['pässtə] *subst* pasta spaghetti o.d.
paste [pejst] *subst* 1 deg 2 bredbar pastej
pastille ['pässtəl] *subst* tablett
pastime ['pa:stajm] *subst* tidsfördriv
pastry ['pejstri] *subst* 1 konditorikaka 2 smördeg
pasture ['pa:stchə] *subst* betesmark

pasty I ['pässti] *subst* pirog **II** ['pejsti] *adj* blekfet
pat [pätt] **I** *subst* klapp **II** *verb* klappa
patch [pättch] **I** *subst* lapp **II** *verb* lappa
patchy ['pättchi] *adj* ojämn
pâté ['pättej] *subst* paté
patent ['pättənt] **I** *subst* patent **II** *verb* patentera
patent leather [ˌpejtənt'leððə] *subst* lackskinn
paternal [pə'tö:nl] *adj* faderlig
path [pa:θ] *subst* stig
pathetic [pə'θettikk] *adj* patetisk
pathological [ˌpäθə'låddʒikəl] *adj* patologisk
pathos ['pejθås] *subst* patos
pathway ['pa:θwej] *subst* stig
patience ['pejschəns] *subst* tålamod
patient ['pejschənt] **I** *adj* tålmodig **II** *subst* patient
patriotic [ˌpättri'åttikk] *adj* patriotisk
patrol [pə'trəol] **I** *subst* patrull; ~ ***car*** polisbil **II** *verb* patrullera
patron ['pejtrən] *subst* mecenat
patronize ['pättrənajz] *verb* behandla nedlåtande
1 patter ['pättə] **I** *verb* smattra **II** *subst* smattrande
2 patter ['pättə] *subst* svada
pattern ['pättən] *subst* mönster
paunch [på:ntsch] *subst* vard. ölmage
pause [på:z] **I** *subst* paus **II** *verb* göra en paus
pave [pejv] *verb* belägga med sten m.m.; ~ ***the way for*** bana väg för
pavement ['pejvmənt] *subst* trottoar
pavilion [pə'villjən] *subst* ung. klubbhus
paving-stone ['pejvingstəon] *subst* gatsten
paw [på:] *subst* djurs tass
1 pawn [på:n] *subst* bonde i schack
2 pawn [på:n] **I** *subst* pant **II** *verb* pantsätta
pawnbroker ['på:nˌbrəokə] *subst* pantlånare
pawnshop ['på:nschåpp] *subst* pantbank
pay* [pej] **I** *verb* **1** betala **2** löna sig **3** få sota för **4** ~ ***back*** betala tillbaka; bildl. ge igen; ~ ***off*** betala färdigt; bildl. löna sig **II** *subst* lön

payable ['pejəbl] *adj* om växel o.d. att betalas
payee [pej'iː] *subst* betalningsmottagare
payment ['pejmənt] *subst* betalning; ***down ~*** handpenning
payoff ['pejåff] *subst* **1** betalning **2** utdelning
pay packet ['pej,päkkitt] *subst* lönekuvert
payphone ['pejfəon] *subst* telefonkiosk
payroll ['pejrəol] *subst* lönelista
payslip ['pejslipp] *subst* lönebesked
pay television ['pej,tellivizʒən] o. **pay-TV** ['pej,tiːviː] *subst* betal-TV
pea [piː] *subst* ärta
peace [piːs] *subst* fred; lugn
peaceful ['piːsfoll] *adj* fridfull; fredlig
peach [piːtch] *subst* persika
peacock ['piːkåkk] *subst* påfågel
peak [piːk] *subst* **1** bergstopp **2** höjdpunkt; ***at ~ hours*** under högtrafik
peal [piːl] **I** *subst* klockspel **II** *verb* runga
peanut ['piːnatt] *subst* jordnöt; ***~ butter*** jordnötssmör
pear [päə] *subst* päron
pearl [pöːl] *subst* pärla
peasant ['pezzənt] *subst* bonde
peat [piːt] *subst* torv
pebble ['pebbl] *subst* småsten
peck [pekk] *verb* **1** om fåglar picka **2** kyssa lätt
peckish ['pekkisch] *adj* vard. hungrig
peculiar [pi'kjoːljə] *adj* märklig, egendomlig
pedal ['peddl] *subst* pedal
pedantic [pi'dänntikk] *adj* pedantisk
peddler ['peddlə] *subst* langare
pedestal ['peddistl] *subst* piedestal
pedestrian [pə'desstriən] **I** *adj*, ***~ crossing*** övergångsställe; ***~ street*** gågata **II** *subst* fotgängare
pedigree ['peddigriː] *subst* stamträd
pee [piː] *verb* vard. kissa
peek [piːk] **I** *verb* kika **II** *subst* titt
peel [piːl] **I** *subst* skal på frukt o.d. **II** *verb* skala
1 peep [piːp] *subst* knyst
2 peep [piːp] **I** *verb* kika; ***peeping Tom*** smygtittare **II** *subst* titt

peep hole ['piːphəol] *subst* titthål
1 peer [piə] *verb* kisa
2 peer [piə] *subst* **1** jämlike **2** pär
peg [pegg] *subst* **1** klädnypa **2** hängare
Pekinese [ˌpiːki'niːz] *subst* pekines hund
pellet ['pellitt] *subst* liten kula av papper, bröd osv.
pelt [pellt] *verb* **1** bombardera **2** om regn vräka
pelvis ['pellviss] *subst* bäckenben
1 pen [penn] *subst* fålla, kätte
2 pen [penn] *subst* penna
penal ['piːnl] *adj* straff-; fångvårds-; **~ *code*** brottsbalk
penalize ['piːnəlajz] *verb* straffa
penalty ['pennlti] *subst* straff
penance ['pennəns] *subst* bot
pence [penns] *subst* pl. av *penny*
pencil ['pennsl] *subst* blyertspenna
pencil case ['pennslkejs] *subst* pennfodral
pencil-sharpener ['pennslˌschaːpənə] *subst* pennvässare
pendant ['penndənt] *subst* hängsmycke
pendulum ['penndjoləm] *subst* pendel
penetrate ['pennətrejt] *verb* tränga igenom
pen friend ['pennfrennd] *subst* brevvän
penguin ['penggwin] *subst* pingvin
penicillin [ˌpenə'sillinn] *subst* penicillin
peninsula [pə'ninnsjolə] *subst* halvö
penis ['piːnis] *subst* penis
penknife ['pennajf] *subst* pennkniv
pen name ['pennejm] *subst* pseudonym
penniless ['pennilǝs] *adj* utan ett öre
penny ['penni] *subst* penny; eng. mynt = 1/100 pund; ***look at every ~*** se på slantarna
pen pal ['pennpäll] *subst* brevvän
pension ['pennschən] **I** *subst* pension **II** *verb*, **~ *off*** avskeda med pension
pensioner ['pennschənə] *subst* pensionär
penthouse ['pennthaos] *subst* lyxig takvåning
pent-up ['penntapp] *adj* undertryckt

penultimate [pə'nalltimət] *adj* näst sista
people ['pi:pl] **I** *subst* folk **II** *verb* befolka
pep [pepp] *verb* vard., **~ up** pigga (elda) upp
pepper ['peppə] **I** *subst* 1 peppar 2 paprika **II** *verb* peppra
peppermint ['peppəmənt] *subst* pepparmint
per [pö:] *prep* per; **~ cent** procent
perceive [pə'si:v] *verb* uppfatta
percentage [pə'senntidʒ] *subst* procent
perception [pə'seppschən] *subst* uppfattningsförmåga
perceptive [pə'sepptivv] *adj* insiktsfull
1 perch [pö:tch] *subst* abborre
2 perch [pö:tch] **I** *subst* pinne för höns o.d. **II** *verb* sitta uppflugen
percolator ['pö:kəlejtə] *subst* kaffebryggare
perennial [pə'rennjəl] **I** *adj* evig **II** *subst* perenn flerårig växt
perfect ['pö:fekt] *adj* 1 perfekt 2 fullkomlig
perforate ['pö:fərejt] *verb* perforera
perforation [ˌpö:fə'rejschən] *subst* perforering
perform [pə'få:m] *verb* 1 utföra 2 uppträda
performance [pə'få:məns] *subst* 1 föreställning 2 prestation
performer [pə'få:mə] *subst* artist
perfume ['pö:fjo:m] *subst* parfym
perfunctory [pə'fangktərri] *adj* oengagerad
perhaps [pə'häpps] *adv* kanske
perimeter [pə'rimmitə] *subst* omkrets
period ['piəriəd] *subst* 1 period 2 menstruation
periodic [ˌpiəri'åddikk] *adj* periodisk
periodical [ˌpiəri'åddikkəl] *subst* tidskrift
peripheral [pə'riffərəl] *adj* perifer
perish ['perrisch] *verb* gå under
perishable ['perrischəbl] *adj* lättförstörbar
perjury ['pö:dʒəri] *subst* mened; ***commit*** **~** begå mened
1 perk [pö:k] *verb*, **~ up** piggna till

2 perk [pö:k] *subst* vard. löneförmån

perky ['pö:ki] *adj* pigg

1 perm [pö:m] **I** *subst* permanent; ***have a ~*** permanenta sig **II** *verb* permanenta hår

2 perm [pö:m] *subst* vard. system vid tippning

permanent ['pö:mənənt] *adj* bestående

permeate ['pö:miejt] *verb* tränga in i; bildl. genomsyra

permissible [pə'missəbl] *adj* tillåtlig

permission [pə'mischən] *subst* tillåtelse

permissive [pə'missivv] *adj* tolerant; släpphänt

permit I [pə'mitt] *verb* tillåta **II** ['pö:mitt] *subst* tillstånd; ***work ~*** arbetstillstånd

perplex [pə'plekks] *verb* förbrylla

persecute ['pö:sikjo:t] *verb* förfölja

persevere [ˌpö:si'viə] *verb* framhärda

persist [pə'sisst] *verb* fortsätta, bestå

persistent [pə'sisstənt] *adj* ihärdig

person ['pö:sn] *subst* person; ***in ~*** personligen

personal ['pö:sənl] *adj* personlig; privat

personality [ˌpö:sə'nällətti] *subst* personlighet

personally ['pö:snəlli] *adv* personligen

personnel [ˌpö:sə'nell] *subst* personal

perspective [pə'spekktivv] *subst* perspektiv

Perspex® ['pö:spekks] *subst* plexiglas

perspiration [ˌpö:spə'rejschən] *subst* svett

persuade [pə'soejd] *verb* **1** övertyga **2** övertala

persuasion [pə'soejʒən] *subst* övertalning

peruse [pə'ro:z] *verb* läsa igenom

pervade [pə'vejd] *verb* genomsyra

perverse [pə'vö:s] *adj* egensinnig

pervert I [pə'vö:t] *verb* förvränga **II** ['pö:vö:t] *subst* pervers person

pessimist ['pessimisst] *subst* pessimist

pessimistic [ˌpessi'misstikk] *adj* pessimistisk

pest [pesst] *subst* plåga

pester ['pesstə] *verb* plåga; tjata på

pet [pett] **I** *subst* **1** sällskapsdjur; ~ ***shop*** zoologisk affär **2** favorit; ~ ***name*** smeknamn **II** *verb* kela med
petal ['pettl] *subst* blomblad
petite [pə'ti:t] *adj* liten och nätt om kvinna
petition [pə'tischən] *subst* petition
petrol ['pettrəl] *subst* bensin; ~ ***station*** bensinmack
petroleum [pə'trəoljəm] *subst* petroleum
petticoat ['pettikəot] *subst* underkjol
petty ['petti] *adj* obetydlig
petulant ['pettjolənt] *adj* retlig
pew [pjo:] *subst* kyrkbänk
pewter ['pjo:tə] *subst* tenn
phantom ['fänntəm] *subst* spöke
pharmacy ['fa:məsi] *subst* apotek
phase [fejz] *subst* fas
pheasant ['fezznt] *subst* fasan
phenomenon [fə'nåmminən] *subst* fenomen
philosophical [ˌfilə'såffikəl] *adj* filosofisk
philosophy [fi'låssəfi] *subst* filosofi
phobia ['fəobiə] *subst* fobi
phone [fəon] **I** *subst* telefon **II** *verb* ringa till
phone box ['fəonbåkks] *subst* telefonkiosk
phonecard ['fəonka:d] *subst* telefonkort; ***prepaid*** ~ kontantkort till mobiltelefon
phone-in ['fəonin] *subst* telefonväktarprogram
phonetics [fəo'nettikks] *subst* fonetik
phoney ['fəoni] vard. **I** *adj* falsk **II** *subst* bluff
photo ['fəotəo] *subst* vard. foto
photocopier ['fəotəoˌkåppiə] *subst* kopieringsapparat
photocopy ['fəotəoˌkåppi] **I** *subst* fotokopia **II** *verb* fotokopiera
photograph ['fəotəgra:f] *subst* fotografi
photographer [fə'tåggrəffə] *subst* fotograf
photography [fə'tåggrəffi] *subst* fotografi ss. konst
phrase [frejz] **I** *subst* fras; ***set*** ~ stående uttryck **II** *verb* formulera
phrase book ['frejzbokk] *subst* parlör
physical ['fizzikəl] **I** *adj* fysisk; kroppslig **II** *subst* vard. hälsokontroll

physician [fi'zzischən] *subst* läkare
physicist ['fizzisisst] *subst* fysiker
physics ['fizzikks] *subst* fysik vetenskap
physiotherapy [ˌfizziəo'θerrəpi] *subst* sjukgymnastik
physique [fi'ziːk] *subst* fysik kroppsbyggnad
pianist ['pjännist] *subst* pianist
piano [pi'ännəo] *subst* piano; ***grand ~*** flygel
pick [pikk] **I** *verb* **1** plocka **2** välja **3** ***~ out*** handplocka; ***~ up*** plocka upp; lägga sig till med **II** *subst*, ***take your ~!*** varsågod och välj!
picket ['pikkitt] *subst* strejkvakt
pickle ['pikkl] **I** *subst*, ***pickles*** pickles **II** *verb* sylta; marinera
pickpocket ['pikkˌpåkkitt] *subst* ficktjuv
pick-up ['pikkapp] *subst* varubil, pickup
picnic ['pikknikk] **I** *subst* picknick **II** *verb* picknicka
picture ['pikktchə] **I** *subst* **1** bild **2** film **II** *verb* föreställa sig
picture book ['pikktchəbokk] *subst* bilderbok
picturesque [ˌpikktchə'resk] *adj* pittoresk
pie [paj] *subst* paj
piece [piːs] **I** *subst* bit, stycke; del; ***a ~ of advice*** ett råd; ***a ~ of furniture*** en enstaka möbel; ***come*** (***go***) ***to pieces*** gå i kras **II** *verb*, ***~ together*** laga (lappa) ihop
piecemeal ['piːsmiːl] *adv* o. *adj* gradvis
piecework ['piːswöːk] *subst* ackordsarbete
pie chart ['pajtchaːt] *subst* tårtdiagram
pier [piə] *subst* pir
pierce [piəs] *verb* genomborra, pierca; ***have one's ears pierced*** göra hål i öronen; ***have one's navel pierced*** pierca naveln
pig [pigg] *subst* gris
pigeon ['piddʒən] *subst* duva
pigeonhole ['piddʒənhəol] **I** *subst* postfack i hylla o.d. **II** *verb* bildl. placera i ett fack
piggy bank ['piggibängk] *subst* spargris
piglet ['pigglətt] *subst* spädgris
pigskin ['piggskinn] *subst* svinläder

pigsty ['piggstaj] *subst* svinstia
pigtail ['piggtejl] *subst* hårfläta
pike [pajk] *subst* gädda
pilchard ['pilltchəd] *subst* större sardin
1 pile [pajl] **I** *subst* hög, stapel **II** *verb* stapla; **~ *up*** hopa sig; dra på sig
2 pile [pajl] *subst* lugg på tyg o.d.
piles [pajlz] *subst pl* hemorrojder
pile-up ['pajlapp] *subst* seriekrock
pilgrim ['pillgrimm] *subst* pilgrim
pill [pill] *subst* piller; ***be on the* ~** äta p-piller
pillage ['pillidʒ] **I** *subst* plundring **II** *verb* plundra
pillar ['pillə] *subst* **1** pelare **2** bildl. stöttepelare
pillar box ['pilləbåkks] *subst* brevlåda
pillow ['pilləo] *subst* kudde; **~ *case*** örngott
pilot ['pajlət] *subst* pilot
pilot light ['pajlətlajt] *subst* tändlåga på gasspis o.d.
pimp [pimp] *subst* hallick
pimple ['pimpl] *subst* finne
PIN [pinn] o. **PIN code** ['pinnkəod] PIN-kod, personlig kod till t.ex. kreditkort
pin [pinn] **I** *subst* knappnål **II** *verb* **1** nåla fast **2** **~ *down*** försöka fastställa; **~ *up*** sätta upp
pinafore ['pinnəfå:] *subst* förkläde plagg
pinball ['pinnbå:l] *subst* flipperspel
pincers ['pinnsəz] *subst pl* kniptång
pinch [pintsch] **I** *verb* **1** nypa **2** vard. sno **II** *subst* nypa
pincushion ['pinn,koschən] *subst* nåldyna
1 pine [pajn] *verb* **1** **~ *away*** tyna bort **2** tråna
2 pine [pajn] *subst* tall
pineapple ['pajn,äppl] *subst* ananas
ping [ping] *subst* pling
ping-pong ['pingpång] *subst* pingpong
pink [pingk] *adj* skär
pinpoint ['pinnpåjnt] *verb* precisera
pint [pajnt] *subst* ung. halvliter
pioneer [ˌpajə'niə] **I** *subst* pionjär **II** *verb* bana väg för
pious ['pajəs] *adj* from

1 pip [pipp] *subst* kärna i apelsin, äpple o.d.

2 pip [pipp] *subst* i tidssignal o.d. pip

pipe [pajp] *subst* **1** ledning **2** pipa

pipe-cleaner ['pajp,kli:nə] *subst* piprensare

pipe dream ['pajpdri:m] *subst* önskedröm

pipeline ['pajplajn] *subst* pipeline

piper ['pajpə] *subst* säckpipblåsare

pique [pi:k] *subst* förtrytelse

pirate ['pajərət] **I** *subst* pirat **II** *verb* piratkopiera

Pisces ['pajsi:z] *subst* Fiskarna stjärntecken

pissed [pist] *adj* vard. **1** asfull **2** skitförbannad

pistol ['pisstl] *subst* pistol

piston ['pisstən] *subst* pistong

pit [pitt] *subst* **1** grop **2** avgrund

pitch [pitch] **I** *verb* **1** sätta upp **2** kasta **II** *subst* **1** tonläge **2** sport. plan

pitch-black [,pitch'bläkk] *adj* kolsvart

pitfall ['pittfå:l] *subst* fallgrop

pithy ['piθθi] *adj* bildl. kärnfull

pitiful ['pittifoll] *adj* ömklig

pitiless ['pittiləs] *adj* skoningslös

pittance ['pittəns] *subst* torftig lön

pity ['pitti] **I** *subst* medlidande; ***what a ~!*** så (vad) synd! **II** *verb* tycka synd om

pizza ['pi:tsə] *subst* pizza

placard ['pläkka:d] *subst* plakat

placate [plə'kejt] *verb* blidka

place [plejs] **I** *subst* ställe, plats; ***in ~ of*** i stället för; ***out of ~*** inte på sin plats; olämplig **II** *verb* placera

plague [plejg] *subst* pest; farsot

plaice [plejs] *subst* rödspätta

plaid [plädd] *subst* pläd

plain [plejn] **I** *adj* **1** tydlig **2** enkel; alldaglig **II** *subst* slätt; jämn mark

plain-clothes ['plejnkləoðz] *adj* civilklädd

plaintiff ['plejntiff] *subst* kärande

plait [plätt] *verb* o. *subst* fläta

plan [plänn] **I** *subst* plan **II** *verb* planera

1 plane [plejn] *subst* plan

2 plane [plejn] **I** *subst* hyvel **II** *verb* hyvla
planet ['plännitt] *subst* planet
plank [plängk] *subst* planka
planner ['plännə] *subst* planerare
planning ['plänning] *subst* planering
plant [pla:nt] **I** *subst* **1** planta **2** fabrik **II** *verb* plantera
plasma screen ['pläzzmə,skri:n] *subst* plasmaskärm
plaster ['pla:stə] *subst* **1** murbruk **2** gips
plastered ['pla:stəd] *adj* packad berusad
plastic ['plässtikk] **I** *adj* **1** plast- **2** ~ ***surgery*** plastikkirurgi **II** *subst* plast
plate [plejt] **I** *subst* **1** tallrik **2** platta **II** *verb* plätera
plateau ['plätəo] *subst* platå
plate glass [,plejt'gla:s] *subst* spegelglas
platform ['plättfå:m] *subst* plattform; ~ ***shoe*** platåsko
platinum ['plättinəm] *subst* platina
plausible ['plå:zəbl] *adj* rimlig
play [plej] **I** *verb* **1** leka **2** spela i olika bet. **3** ~ ***along with*** gå med på; ~ ***down*** tona ner; ~ ***on*** spela på bildl. **II** *subst* **1** lek **2** pjäs
player ['plejə] *subst* spelare
playful ['plejfoll] *adj* lekfull
playground ['plejgraond] *subst* lekplats
playgroup ['plejgro:p] *subst* lekskola
playing-card ['plejingka:d] *subst* spelkort
playing-field ['plejingfi:ld] *subst* idrottsplan
playmate ['plejmejt] *subst* lekkamrat
play-off ['plejåff] *subst* omspel
playpen ['plejpenn] *subst* lekhage
plaything ['plejθing] *subst* leksak mest bildl.
playtime ['plejtajm] *subst* lekstund
playwright ['plejrajt] *subst* dramatiker
plea [pli:] *subst* vädjan
plead [pli:d] *verb* vädja
pleasant ['plezznt] *adj* angenäm
please [pli:z] *verb* **1** behaga **2** ***coffee,*** ~ kan jag få kaffe, tack; ***yes*** ~ ja tack; ***come in,*** ~***!*** var så god och kom in!
pleased [pli:zd] *adj* belåten, glad

pleasing ['pli:zing] *adj* behaglig
pleasure ['pleʒʒə] *subst* nöje; njutning; ***with*** ~ gärna
pleat [pli:t] *subst* veck
pledge [pleddʒ] **I** *subst* löfte **II** *verb* lova
plentiful ['plentifoll] *adj* riklig
plenty ['plenti] *subst* massor; ~ ***of*** gott om
pliable ['plajəbl] *adj* böjlig
pliers ['plajəz] *subst* tång
plight [plajt] *subst* svår situation
plod [plådd] *verb* lunka
1 plonk [plångk] *verb* ställa ner med en duns
2 plonk [plångk] *subst* vard. enklare vin
1 plot [plått] *subst* liten jordbit
2 plot [plått] **I** *subst* 1 komplott 2 handling i roman o.d. **II** *verb* konspirera
plough [plao] **I** *subst* plog **II** *verb* plöja
ploy [plåj] *subst* trick
pluck [plakk] *verb* plocka
plug [plagg] **I** *subst* 1 gummipropp 2 stickkontakt **II** *verb* plugga igen
plum [plamm] *subst* plommon
plumber ['plammə] *adj* rörmokare
plumbing ['plamming] *subst* rör i hus
plummet ['plammitt] *verb* sjunka kraftigt
plump [plamp] *adj* knubbig
plunder ['planndə] *subst* plundring
plunge [planndʒ] **I** *verb* störta; dyka ner **II** *subst*, ***take the*** ~ våga språnget
plunger ['planndʒə] *subst* vaskrensare sugklocka med skaft
plural ['ploərəl] *subst* plural
plus [plass] *subst* o. *prep* plus
plush [plasch] *adj* vräkig, lyxig
ply [plaj] *verb* trafikera
plywood ['plajwodd] *subst* plywood
p.m. [ˌpi:'em] på eftermiddagen, e.m.
pneumonia [njo'məonjə] *subst* lunginflammation
1 poach [pəotch] *verb* pochera
2 poach [pəotch] *verb* tjuvjaga, tjuvfiska
poacher ['pəotchə] *subst* tjuvskytt; tjuvfiskare

pocket ['påkkitt] *subst* ficka
pocketknife ['påkkittnajf] *subst* pennkniv
pocket money ['påkkitt,manni] *subst* veckopeng
pod [pådd] *subst* skida, balja
podgy ['påddʒi] *adj* vard. knubbig
poem ['pəoim] *subst* dikt
poet ['pəoitt] *subst* poet
poetic [pəo'ettikk] *adj* poetisk
poetry ['pəoətri] *subst* poesi
poignant ['påjnənt] *adj* gripande
point [påjnt] **I** *subst* **1** punkt **2** tidpunkt **3** spets **4** poäng; ***the ~ is that*** saken är den att; ***get the ~*** förstå vad saken gäller; ***what's the ~?*** vad är det för mening med det? **II** *verb* peka
point-blank [,påjnt'blängk] *adj* o. *adv* rakt på sak
pointed ['påjntidd] *adj* spetsig
pointer ['påjntə] *subst* fingervisning
pointless ['påjntləs] *adj* meningslös
poise [påjz] *subst* värdighet
poison ['påjzn] **I** *subst* gift **II** *verb* förgifta
poisonous ['påjzənəs] *adj* giftig
poke [pəok] *verb* **1** peta **2** röra om eld o.d.
1 poker ['pəokə] *subst* poker
2 poker ['pəokə] *subst* eldgaffel
poky ['pəoki] *adj* kyffig
Poland ['pəolənd] Polen
polar ['pəolə] *adj* polar
Pole [pəol] *subst* polack
1 pole [pəol] *subst* stolpe
2 pole [pəol] *subst* pol
pole-vault ['pəolvå:lt] *subst* stavhopp
police [pə'li:s] *subst* polis; ***~ force*** poliskår; ***~ officer*** polis person; ***~ station*** polisstation
policeman [pə'li:smən] *subst* polis person
policewoman [pə'li:swommən] *subst* kvinnlig polis
1 policy ['pållisi] *subst* politik; policy
2 policy ['pållisi] *subst* försäkringsbrev
Polish ['pəolisch] **I** *adj* polsk **II** *subst* polska språket
polish ['pållisch] **I** *subst* polermedel; polish **II** *verb* polera
polished ['pållischt] *adj* bildl. förfinad

polite [pə'lajt] *adj* artig
politeness [pə'lajtnəs] *subst* artighet
political [pə'littikəl] *adj* politisk; ~ ***science*** statsvetenskap
politician [ˌpålli'tischən] *subst* politiker
politics ['pållitikks] *subst* politik
poll [pəol] *subst* **1** ***the polls*** politiskt val **2** opinionsundersökning
pollen ['pållən] *subst* pollen
polling-day ['pəolingdej] *subst* valdag
polling-station ['pəolingˌstejschən] *subst* vallokal
pollute [pə'lo:t] *verb* förorena
pollution [pə'lo:schən] *subst* miljöförstöring; ***air ~*** luftförorening
polo ['pəoləo] *subst* polo sport
polyester [ˌpålli'estə] *subst* polyester
polytechnic [ˌpålli'tekknikk] *subst* ung. högskola
pomegranate ['påmmiˌgrännitt] *subst* granatäpple
pomp [påmmp] *subst* pomp
pompous ['påmmpəs] *adj* uppblåst
pond [pånnd] *subst* damm vatten
ponder ['pånndə] *verb* begrunda
pong [pång] vard. **I** *verb* stinka **II** *subst* stank
pony ['pəoni] *subst* ponny
pony-tail ['pəonitejl] *subst* hästsvans frisyr
poodle ['po:dl] *subst* pudel
1 pool [po:l] *subst* **1** pöl **2** bassäng
2 pool [po:l] *subst* **1** pool slags biljard **2** ***the pools*** tipset
poor [poə] *adj* fattig
poorly ['poəli] *adv* illa
1 pop [påpp] **I** *subst* **1** smäll **2** vard. läsk **II** *verb* **1** smälla **2** kila **3** ~ ***up*** dyka upp
2 pop [påpp] *subst* pop; ~ ***music*** popmusik
pope [pəop] *subst*, ***the Pope*** påven
poplar ['påpplə] *subst* poppel
popper ['påppə] *subst* tryckknapp
poppy ['påppi] *subst* vallmo
Popsicle® ['påppsikəl] *subst* isglass pinne
popular ['påppjolə] *adj* populär
population [ˌpåppjo'lejschən] *subst* befolkning

porcelain ['på:sәlinn] *subst* finare porslin

porch [på:tch] *subst* förstukvist

porcupine ['på:kjopajn] *subst* piggsvin

1 pore [på:] *subst* por

2 pore [på:] *verb*, ~ ***over*** hänga med näsan över

pork [på:k] *subst* griskött

pornography [på:'någgrәffi] *subst* pornografi

porridge ['pårriddʒ] *subst* havregröt

1 port [på:t] *subst* portvin

2 port [på:t] *subst* hamn

3 port [på:t] *subst* babord

portable ['på:tәbl] *adj* bärbar

1 porter ['på:tә] *subst* vaktmästare

2 porter ['på:tә] *subst* bärare vid järnvägsstation o.d.

portfolio [ˌpå:t'fәoljәo] *subst* portfölj

porthole ['på:thәol] *subst* hyttventil

portion ['på:schәn] **I** *subst* 1 del 2 portion **II** *verb*, ~ ***out*** fördela

portrait ['på:trәt] *subst* porträtt

portray [på:'trej] *verb* porträttera

portrayal [på:'trejәl] *subst* framställning

Portugal ['på:tjogәl] Portugal

Portuguese [ˌpå:tjo'gi:z] **I** *adj* portugisisk **II** *subst* 1 portugis 2 portugisiska språket

pose [pәoz] **I** *subst* pose; ställning **II** *verb* 1 posera 2 utgöra

posh [påsch] *adj* vard. flott, fin

position [pә'zischәn] **I** *subst* 1 position 2 befattning **II** *verb* placera

positive ['påzzәtivv] *adj* positiv

possess [pә'zess] *verb* äga, ha

possession [pә'zeschәn] *subst*, ***possessions*** ägodelar

possibility [ˌpåssә'billәti] *subst* möjlighet

possible ['påssәbl] *adj* möjlig; ***as far as*** ~ så långt som möjligt

possibly ['påssәbli] *adv* möjligtvis

1 post [pәost] *subst* stolpe

2 post [pәost] *subst* befattning

3 post [pәost] **I** *subst* post brev o.d. **II** *verb* posta

postage ['pəostidʒ] *subst* porto
postbox ['pəostbåkks] *subst* brevlåda
postcard ['pəostka:d] *subst* vykort
postcode ['pəostkəod] *subst* postnummer
poster ['pəostə] *subst* affisch
postgraduate [ˌpəost'gräddjoət] *subst* forskarstuderande
posthumous ['påsstjoməs] *adj* postum
postman ['pəostmən] *subst* brevbärare
postmark ['pəostma:k] *subst* poststämpel
postmortem [ˌpəost'må:təm] *subst* obduktion
post office ['pəostˌåffiss] *subst* post kontor
postpone [pəost'pəon] *verb* skjuta upp i tiden
posture ['påsstchə] *subst* kroppsställning
postwar [ˌpəost'oå:] *adj* efterkrigs-
posy ['pəozi] *subst* liten bukett
pot [pått] *subst* burk; kruka; gryta; kanna
potato [pə'tejtəo] *subst* potatis; ~ ***wedges*** klyftpotatis
potent ['pəotənt] *adj* mäktig
potential [pəo'tenschəl] **I** *adj* potentiell **II** *subst* potential
pot-hole ['påtthəol] *subst* grop i väg
pot-holing ['påttˌhəoling] *subst* grottforskning
potted ['påttidd] *adj* planterad i kruka
1 potter ['påttə] *verb*, ~ ***about*** pyssla
2 potter ['påttə] *subst* krukmakare
pottery ['påttəri] *subst* keramik; lergods
potty ['pått i] *adj* vard. knasig
pouch [paotch] *subst* pung påse
poultry ['pəoltri] *subst* fjäderfä
pounce [paons] *verb* slå ner på
1 pound [paond] *subst* **1** vikt pund = 454 gram **2** myntvärde pund = 100 pence
2 pound [paond] *verb* dunka, bulta
pour [på:] *verb* **1** hälla **2** strömma; ***in pouring rain*** i ösregn
pout [paot] *verb* pluta med munnen
poverty ['påvvəti] *subst* fattigdom

poverty-stricken ['påvvəti,strikkn] *adj* utfattig
powder ['paodə] **I** *subst* 1 pulver 2 puder **II** *verb* pudra
powder puff ['paodəpaff] *subst* pudervippa
powder room ['paodəro:m] *subst* damrum
power ['paoə] *subst* 1 makt; ***be in ~*** sitta vid makten 2 kraft
power cut ['paoəkatt] *subst* strömavbrott
power failure ['paoə,fejljə] *subst* strömavbrott
powerful ['paoəfoll] *adj* mäktig
powerless ['paoələs] *adj* maktlös
power point ['paoəpåjnt] *subst* vägguttag
power station ['paoə,stejschən] *subst* kraftverk
practical ['präkktikəl] *adj* praktisk
practicality [,präkkti'källəti] *subst* praktiskhet
practically ['präkktikkli] *adv* så gott som
practice ['präkktiss] *subst* 1 praktik; ***in ~*** i praktiken 2 träning; ***out of ~*** otränad
practise ['präkktiss] *verb* 1 praktisera 2 öva
prairie ['präəri] *subst* prärie
praise [prejz] **I** *verb* berömma **II** *subst* beröm
praiseworthy ['prejz,oö:ði] *adj* lovvärd
pram [prämm] *subst* barnvagn
prance [pra:ns] *verb* kråma sig
prank [prängk] *subst* upptåg
prawn [prå:n] *subst* räka
pray [prej] *verb* be en bön
prayer [präə] *subst* bön
preach [pri:tch] *verb* predika
precaution [pri'kå:schən] *subst* försiktighet
precede [pri'si:d] *verb* föregå
precedent ['pressidənt] *subst* precedensfall
precinct ['pri:singkt] *subst*, ***shopping ~*** bilfritt shoppingcenter
precious ['preschəs] *adj* dyrbar; ***~ stone*** ädelsten
precipitate [pri'sippitət] *verb* påskynda
precise [pri'sajs] *adj* exakt
precisely [pri'sajsli] *adv* exakt
precocious [pri'kəoschəs] *adj* brådmogen
precondition

[ˌpriːkən'dischən] *subst* förutsättning
predecessor ['priːdisessə] *subst* företrädare
predicament [pri'dikkəmənt] *subst* besvärlig situation
predict [pri'dikkt] *verb* förutsäga
predictable [pri'dikktəbl] *adj* förutsägbar
pre-empt [pri'empt] *verb* i förväg lägga beslag på
preen [priːn] *verb* om fågel putsa
prefab ['priːfäbb] *subst* elementhus
preface ['prefəs] *subst* förord
prefect ['priːfekkt] *subst* ordningsman
prefer [pri'föː] *verb* föredra
preferably ['prefferəbbli] *adv* helst
preference ['prefferəns] *subst*, ***have a ~ for*** föredra; ***in ~ to*** hellre än
preferential [ˌprefə'rennschəl] *adj* förmåns-
pregnancy ['preggnənsi] *subst* graviditet
pregnant ['preggnənt] *adj* gravid
prehistoric [ˌpriːhi'stårrikk] *adj* förhistorisk
prejudice ['preddʒodiss] *subst* fördom, fördomar
prejudiced ['preddʒodist] *adj* fördomsfull
premarital [pri'märritl] *adj* föräktenskaplig
premature [ˌpremmə'tjoə] *adj* för tidig
premier ['premmjə] *subst* premiärminister
première ['premmiäə] *subst* premiär
premise ['premmiss] *subst* antagande
premium ['priːmjəm] *subst* försäkringspremie
premonition [ˌpriːmə'nischən] *subst* förvarning
preoccupied [pri'åkkjopajd] *adj* helt upptagen
prepaid [ˌpriː'pejd] *adj* på svarsbrev o.d. frankerat
preparation [ˌprepə'rejschən] *subst* förberedelse
preparatory [pri'pärrətərri] *adj* förberedande
prepare [pri'päə] *verb* förbereda
preposition [ˌpreppə'zischən] *subst* preposition
preposterous [pri'påsstərəs] *adj* befängd

prep school ['preppsko:l] *subst* i Storbr. privat skola för elever mellan 6-13 år
prerequisite [ˌpri:'rekkwizitt] *subst* förutsättning
prescribe [pri'skrajb] *verb* ordinera
prescription [pri'skrippschən] *subst* recept; ***on*** ~ receptbelagd
presence ['prezzns] *subst* närvaro
1 present ['prezznt] *adj* 1 närvarande 2 nuvarande
2 present I ['prezznt] *subst* present **II** [pri'zennt] *verb* 1 presentera 2 lägga fram
presentation [ˌprezzən'tejschən] *subst* presentation
present-day ['prezzntdej] *adj* nutidens
presenter [pri'zenntə] *subst* presentatör
presently ['prezzntli] *adv* snart; kort därefter
preservative [pri'zö:vətivv] *subst* konserveringsmedel
preserve [pri'zö:v] **I** *verb* 1 bevara 2 konservera **II** *subst*, ***preserves*** sylt; marmelad
president ['prezzidənt] *subst* president
press [press] **I** *subst* 1 tryckning 2 ***the*** ~ pressen **II** *verb* pressa; trycka
press conference ['press ˌkånnfərəns] *subst* presskonferens
pressing ['pressing] *adj* brådskande
press stud ['presstadd] *subst* tryckknapp
pressure ['preschə] **I** *subst* tryck **II** *verb* pressa
pressure cooker ['preschəˌkokkə] *subst* tryckkokare
pressure gauge ['preschəgejdʒ] *subst* tryckmätare
pressure group ['preschəgro:p] *subst* påtryckningsgrupp
prestige [pre'sti:ʒ] *subst* prestige
presumably [pri'zjo:məbli] *adv* antagligen
presume [pri'zjo:m] *verb* förmoda
pretence [pri'tenns] *subst* förespegling
pretend [pri'tennd] *verb* låtsas
pretext ['pri:tekkst] *subst* förevändning
pretty ['pritti] **I** *adj* söt **II** *adv* vard. rätt; ~ ***much*** så gott som

prevail [pri'vejl] *verb* vara rådande
prevailing [pri'vejling] *adj* rådande
prevalent ['prevvələnt] *adj* rådande
prevent [pri'vennt] *verb* förhindra
preventive [pri'venntivv] *adj* förebyggande; ~ ***medicine*** profylax
preview ['pri:vjo:] *subst* förhandsvisning
previous ['pri:vjəs] *adj* föregående
previously ['pri:vjəsli] *adv* förut
prewar [,pri:'oå:] *adj* förkrigs-
prey [prej] *subst* rov; ***bird of*** ~ rovfågel
price [prajs] *subst* pris; ***at any*** ~ till varje pris
priceless ['prajsləs] *adj* ovärderlig
price list ['prajslist] *subst* prislista
prick [prikk] **I** *subst* stick **II** *verb* sticka hål i
prickle ['prikkl] **I** *subst* tagg **II** *verb* knottra sig
prickly ['prikkli] *adj* taggig
pride [prajd] *subst* stolthet
priest [pri:st] *subst* präst
priesthood ['pri:sthodd] *subst* prästerskap
prim [primm] *adj* pryd
primarily ['prajmərəli] *adv* först och främst
primary ['prajməri] *adj* **1** huvud- **2** ~ ***school*** i Storbritannien 6-årig grundskola för åldrarna 5-11
prime [prajm] **I** *adj* främsta; ~ ***minister*** premiärminister; ~ ***time*** bästa sändningstid i TV **II** *subst*, ***in one's*** ~ i sina bästa år
primeval [praj'mi:vəl] *adj* urtids-, ur-
primitive ['primmitivv] *adj* primitiv
primrose ['primmrəos] *subst* primula
prince [prins] *subst* prins; ***Prince Charming*** drömprinsen
princess [prin'sess] *subst* prinsessa
principal ['prinsəpəl] **I** *adj* huvudsaklig, huvud- **II** *subst* rektor
principle ['prinsəpl] *subst* princip
print [print] **I** *subst* tryck; ***in*** ~ i tryck; ***out of*** ~ utgången på förlaget **II** *verb* trycka
printer ['printə] *subst* **1** tryckeri **2** skrivare

print-out ['printaot] *subst* utskrift
prior ['prajə] *adj* tidigare
priority [praj'årrəti] *subst* prioritet
prise [prajz] *verb* bända
prison ['prizzn] *subst* fängelse
prisoner ['prizznə] *subst* fånge; ***~ of war*** krigsfånge
privacy ['privvəsi] *subst* avskildhet
private ['prajvət] **I** *adj* privat; enskild **II** *subst* menig
privatize ['prajvətajz] *verb* privatisera
privilege ['privvəlidʒ] *subst* privilegium
prize [prajz] **I** *subst* pris **II** *adj* prisbelönt
prize-giving ['prajz,givving] *subst* prisutdelning
prizewinner ['prajz,winə] *subst* pristagare
1 pro [prəo] *subst*, ***the pros and cons*** för- och nackdelarna
2 pro [prəo] *subst* vard. proffs
probability [,pråbə'billəti] *subst* sannolikhet
probable ['pråbbəbl] *adj* trolig
probably ['pråbbəbli] *adv* sannolikt
probation [prə'bejschən] *subst* skyddstillsyn; ***released on ~*** villkorligt frigiven
probe [prəob] **I** *subst* sond **II** *verb* sondera
problem ['pråbləm] *subst* problem
procedure [prə'si:dʒə] *subst* procedur
proceed [prə'si:d] *verb* fortsätta
proceeds ['prəosi:dz] *subst pl* intäkter
process ['prəosess] **I** *subst* process; ***be in ~*** pågå **II** *verb* behandla
procession [prə'seschən] *subst* procession
proclaim [prə'klejm] *verb* proklamera
procure [prə'kjoə] *verb* skaffa
prod [prådd] **I** *verb* stöta till **II** *subst* stöt
prodigy ['pråddidʒi] *subst* underbarn
produce [prə'djo:s] *verb* producera
producer [prə'djo:sə] *subst* producent
product ['pråddakkt] *subst* produkt
production [prə'dakkschən] *subst* produktion
productivity

[ˌpråddakk'tivvəti] *subst* produktivitet
profession [prə'feschən] *subst* yrke; ***by ~*** till yrket
professional [prə'feschənl] **I** *adj* **1** yrkes- **2** professionell **II** *subst* yrkesman; proffs
professor [prə'fessə] *subst* professor
proficiency [prə'fischənsi] *subst* färdighet
profile ['prəofajl] *subst* **1** profil; ***keep a low ~*** ligga lågt **2** porträtt levnadsbeskrivning
profit ['pråffitt] *subst* vinst
profitable ['pråffittəbl] *adj* vinstgivande
profound [prə'faond] *adj* djup bildl.
profuse [prə'fjoːs] *adj* riklig
prognosis [prəg'nəosis] *subst* prognos
programme ['prəogrämm] **I** *subst* program **II** *verb* programmera
programmer ['prəogrämmə] *subst* programmerare
progress I ['prəogress] *subst* framsteg; ***be in ~*** pågå **II** [prə'gress] *verb* göra framsteg
progressive [prə'gressivv] *adj* progressiv
prohibit [prə'hibbitt] *verb* förbjuda
project I [prə'dʒekkt] *verb* **1** projektera **2** projicera **II** *subst* projekt
projection [prə'dʒekkschən] *subst* projektering; projektion
projector [prə'dʒekktə] *subst* projektor
prolong [prə'lång] *verb* förlänga
promenade [ˌpråmmə'naːd] *subst* strandpromenad
prominent ['pråmminənt] *adj* framstående
promiscuous [prə'misskjoəs] *adj* promiskuös
promise ['pråmmiss] **I** *subst* löfte **II** *verb* lova; ***show ~*** se lovande ut
promising ['pråmmissing] *adj* lovande
promote [prə'məot] *verb* **1** främja **2** ***be promoted*** bli befordrad
promoter [prə'məotə] *subst* promotor
promotion [prə'məoschən] *subst* **1** befordran **2** marknadsföring
prompt [pråmpt] **I** *adj* snabb **II** *adv* på slaget **III** *verb* mana
prone [prəon] *adj* benägen; hemfallen

prong [prång] *subst* på gaffel o.d. klo
pronoun ['prəonaon] *subst* pronomen
pronounce [prə'naons] *verb* uttala
pronunciation [prə,nannsi'ejschən] *subst* uttal
proof [proːf] *subst* bevis
prop [pråpp] **I** *subst* stöd **II** *verb*, ~ ***up*** stötta upp
propaganda [,pråppə'ganndə] *subst* propaganda
propel [prə'pell] *verb* driva framåt
propeller [prə'pellə] *subst* propeller
propensity [prə'pennsəti] *subst* benägenhet
proper ['pråppə] *adj* **1** rätt, riktig **2** ***in a ~ sense*** i egentlig betydelse
properly ['pråppəli] *adv* riktigt; ordentligt
property ['pråppəti] *subst* egendom
prophecy ['pråffəsi] *subst* profetia
prophet ['pråffitt] *subst* profet
proportion [prə'påːschən] *subst* proportion; ***out of ~*** oproportionerlig
proportional [prə'påːschənl] *adj* proportionell
proposal [prə'pəozəl] *subst* **1** förslag **2** frieri
propose [prə'pəoz] *verb* **1** föreslå **2** ~ ***to*** fria till
proposition [,pråppə'zischən] *subst* förslag
propriety [prə'prajəti] *subst* anständighet
prose [prəoz] *subst* prosa
prosecute ['pråssikjoːt] *verb* åtala
prosecution [,pråssi'kjoːschən] *subst* åtal; ***the ~*** åklagarsidan
prosecutor ['pråssikjoːtə] *subst* åklagare; ***public ~*** allmän åklagare
prospect I ['pråsspekkt] *subst* utsikt bildl. **II** [prə'spekkt] *verb*, ~ ***for*** leta efter guld, olja o.d.
prospective [prə'spekktivv] *adj* eventuell
prospectus [prə'spekktəs] *subst* broschyr
prosperity [prå'sperrəti] *subst* välstånd
prostitute ['pråsstitjoːt] *subst* prostituerad
protect [prə'tekkt] *verb* skydda
protection [prə'tekkschən] *subst* skydd

protective [prə'tekktivv] *adj* skydds-
protein ['prəotiːn] *subst* protein
protest I ['prəotest] *subst* protest **II** [prəo'tesst] *verb* protestera
Protestant ['pråttistənt] *subst* protestant
protrude [prə'troːd] *verb* sticka fram (ut)
proud [praod] *adj* stolt; **~ *of*** stolt över
prove [proːv] *verb* bevisa; **~ *oneself*** visa vad man duger till
proverb ['pråvvöːb] *subst* ordspråk
provide [prə'vajd] *verb* skaffa, sörja för; **~ *for*** försörja
provided [prə'vajdidd] o. **providing** [prə'vajding] *konj*, **~ *that*** förutsatt att
province ['pråvvinns] *subst* provins; ***the provinces*** landsorten
provincial [prə'vinnschəl] *adj* 1 regional 2 provinsiell
provision [prə'viʒʒən] *subst* 1 anskaffande 2 ***provisions*** proviant
provisional [prə'viʒʒənl] *adj* provisorisk
proviso [prə'vajzəo] *subst* förbehåll
provocative [prə'våkkətivv] *adj* provocerande
provoke [prə'vəok] *verb* provocera
prow [prao] *subst* för
prowl [praol] *verb* stryka omkring
proxy ['pråkksi] *subst*, **by ~** genom fullmakt (ombud)
prudent ['proːdənt] *adj* klok, försiktig
1 prune [proːn] *subst* torkat katrinplommon
2 prune [proːn] *verb* beskära
pry [praj] *verb* snoka
psalm [saːm] *subst* psalm i Psaltaren
pseudo- ['sjoːdəo] *prefix* pseudo-, kvasi-
pseudonym ['sjoːdənimm] *subst* pseudonym
psyche ['sajki] *subst* psyke
psychiatrist [saj'kajətrist] *subst* psykiater
psychic ['sajkikk] *adj* 1 psykisk 2 ***be*** **~** vara synsk
psychoanalyst [ˌsajkəo'ännəlist] *subst* psykoanalytiker
psychological [ˌsajkə'låddʒikəl] *adj* psykologisk

psychologist [saj'kålləd3ist] *subst* psykolog
psychology [saj'kålləd3i] *subst* psykologi
pub [pabb] *subst* pub
public ['pabblikk] **I** *adj* 1 offentlig, allmän; ~ ***convenience*** offentlig toalett; ~ ***opinion*** den allmänna opinionen; ~ ***school*** 'public school' exklusivt privatinternat; ~ ***services*** offentliga sektorn 2 börsnoterad; ~ ***limited company*** börsnoterat aktiebolag **II** *subst* allmänhet
publican ['pabblikkən] *subst* pubägare
publicity [pabb'lissəti] *subst* publicitet
publicize ['pabblisajz] *verb* offentliggöra
publish ['pabblisch] *verb* publicera; ge ut
publisher ['pabblischə] *subst* bokförläggare
publishing ['pabblisching] *subst* förlagsbranschen; ~ ***house*** bokförlag
pucker ['pakkə] *verb* rynka
pudding ['podding] *subst* pudding
puddle ['paddl] *subst* pöl
puff [paff] **I** *subst* puff; bloss **II** *verb* 1 pusta 2 bolma på
puffy ['paffi] *adj* pösig
pull [poll] *verb* 1 dra 2 sträcka en muskel 3 ~ ***down*** riva; ~ ***in*** köra in; ~ ***off*** vard. greja; ~ ***out*** köra ut; bildl. backa ur; ~ ***through*** klara sig igenom krisen; ~ ***oneself together*** ta sig samman
pulley ['polli] *subst* trissa
pull-out ['pollaot] *subst* löstagbar bilaga
pullover ['poll,əovə] *subst* pullover
pulp [pallp] **I** *subst* 1 mos 2 fruktkött **II** *verb* mosa
pulpit ['pollpitt] *subst* predikstol
pulsate [pall'sejt] *verb* pulsera
pulse [palls] *subst* puls
pump [pamp] **I** *subst* pump **II** *verb* pumpa
pumpkin ['pampkinn] *subst* pumpa
pumps [pamp] *subst pl* gymnastikskor
pun [pann] *subst* ordlek
1 punch [pantsch] **I** *subst* hålslag **II** *verb* slå hål i, klippa
2 punch [pantsch] **I** *subst* knytnävsslag **II** *verb* klippa till
3 punch [pantsch] *subst* bål dryck

punch line ['pantschlajn] *subst* poäng i rolig historia
punch-up ['pantschapp] *subst* vard. slagsmål
punctual ['pangktjoəl] *adj* punktlig
punctuation [ˌpangktjo'ejschən] *subst* interpunktion
puncture ['pangktchə] **I** *subst* punktering **II** *verb* punktera
pundit ['panditt] *subst* vard. förståsigpåare
pungent ['panndʒənt] *adj* skarp, frän
punish ['pannisch] *verb* straffa
punishment ['pannischmənt] *subst* straff
punt [pannt] *subst* stakbåt
punter ['panntə] *subst* spelare på trav o.d.
puny ['pjoːni] *adj* ynklig
pup [papp] *subst* hundvalp
1 pupil ['pjoːpl] *subst* elev
2 pupil ['pjoːpl] *subst* pupill
puppet ['pappitt] *subst* marionett
puppy ['pappi] *subst* hundvalp
purchase ['pöːtchəs] **I** *subst* köp **II** *verb* köpa
purchaser ['pöːtchəsə] *subst* köpare
pure [pjoə] *adj* ren; *~ **wool*** helylle
purely ['pjoəli] *adv* rent, bara
purge [pöːdʒ] *verb* rensa, rena
purple ['pöːpl] *adj* mörklila
purport [pə'påːt] *verb* påstå sig; påstås
purpose ['pöːpəs] *subst* syfte, avsikt; ***on ~*** med avsikt (flit); ***it's to no ~*** det är till ingen nytta
purposeful ['pöːpəsfoll] *adj* målmedveten
purr [pöː] *verb* spinna
purse [pöːs] *subst* portmonnä
purser ['pöːsə] *subst* purser
pursue [pə'sjoː] *verb* **1** sträva efter **2** fortsätta
pursuit [pə'sjoːt] *subst* strävan
push [posch] **I** *verb* **1** skjuta; trycka på; ***~ sb. around*** vard. köra med ngn **2** pressa; tvinga; ***don't ~ it!*** utmana inte ödet! **II** *subst* knuff
pushchair ['poschtchäə] *subst* sulky för barn
pusher ['poschə] *subst* vard. knarklangare
pushover ['poschˌəovə] *subst* vard. barnlek
push-up ['poschapp] *subst* armhävning från golvet

pushy ['poschi] *adj* vard. gåpåig
puss [poss] *subst*, **~, ~!** kiss! kiss!
pussy ['possi] o. **pussy-cat** ['possikätt] *subst* kissekatt
put* [pott] *verb* **1** lägga, sätta, ställa **2** säga; ***to ~ it briefly*** för att fatta mig kort **3** ***~ aside*** lägga ifrån sig; lägga undan; ***~ back*** skjuta upp; försena; ***~ by*** spara; ***~ down*** slå ned; ***~ forward*** föreslå; ***~ in*** lägga ner tid o.d.; ***~ off*** skjuta upp; få att tappa lusten; ***~ on*** ta på sig; sätta på; ***~ on weight*** gå upp i vikt; ***~ out*** släcka; ***~ through*** koppla telefonsamtal; ***~ together*** lägga ihop; ***~ up*** sätta upp; betala; ***~ up with*** stå ut med
putt [patt] **I** *verb* putta **II** *subst* putt
putting-green ['pattinggri:n] *subst* inslagsplats
putty ['patti] *subst* spackel
puzzle ['pazzl] **I** *verb* förbrylla **II** *subst* **1** gåta **2** pussel
puzzling ['pazzling] *adj* förbryllande
pyjamas [pə'dʒa:məz] *subst pl* pyjamas; ***a pair of ~*** en pyjamas
pyramid ['pirrəmidd] *subst* pyramid

Qq

Q, q *subst* Q, q
1 quack [koäkk] **I** *verb* snattra **II** *subst* snatter
2 quack [koäkk] *subst* kvacksalvare
quadrangle ['koåddränggl] *subst* fyrhörning
quadruple ['koåddroppl] *adj* fyrfaldig
quagmire ['koäggmajə] *subst* gungfly
1 quail [koejl] *subst* vaktel
2 quail [koejl] *verb* rygga tillbaka
quaint [koejnt] *adj* lustig
quake [koejk] **I** *verb* skaka **II** *subst* skalv
qualification [ˌkoållifi'kejschən] *subst* kvalifikation
qualified ['koållifajd] *adj* kvalificerad
qualify ['koållifaj] *verb* kvalificera
quality ['koålləti] *subst* kvalitet
qualm [koaːm] *subst* skrupel
quandary ['koånndərri] *subst* bryderi
quantity ['koånntətti] *subst* kvantitet
quarantine ['koårrəntiːn] *subst* karantän
quarrel ['koårrəl] **I** *subst* gräl; ***pick a ~*** mucka gräl **II** *verb* gräla
quarrelsome ['koårrəlsəm] *adj* grälsjuk
1 quarry ['koårri] *subst* villebråd
2 quarry ['koårri] *subst* stenbrott
quarter ['koåːtə] *subst* 1 fjärdedel 2 kvart; ***~ past ten*** kvart över tio
quarterfinal [ˌkoåːtə'fajnl] *subst* kvartsfinal
quarterly ['koåːtəli] **I** *adj* kvartals- **II** *subst* kvartalstidskrift
quartet [koåː'tett] *subst* kvartett
quartz [koåːts] *subst* kvarts
quaver ['koejvə] **I** *verb* darra **II** *subst* skälvning
quay [kiː] *subst* kaj
queasy ['kwiːzi] *adj* kväljande
queen [kwiːn] *subst* 1 drottning i olika bet. 2 dam i kortlek
queer [kwiə] **I** *adj* konstig **II** *subst* vard. bög
quench [koentsch] *verb* släcka

querulous ['koerroləs] *adj* grinig
query ['kwiəri] *subst* fråga, förfrågan
quest [koest] *subst* sökande
question ['koestchən] **I** *subst* fråga i olika bet.; ***it is out of the ~*** det kommer aldrig på fråga **II** *verb* **1** fråga **2** ifrågasätta
questionable ['koestchənəbl] *adj* tvivelaktig
question mark ['koestchənma:k] *subst* frågetecken
questionnaire [ˌkoestchə'näə] *subst* frågeformulär
queue [kjo:] **I** *subst* kö **II** *verb*, ***~ up*** köa
quibble ['kwibbl] *verb* gnabbas
quick [kwikk] *adj* snabb
quicken ['kwikkən] *verb* påskynda
quickly ['kwikkli] *adv* snabbt
quicksand ['kwikksänd] *subst* kvicksand
quid [kwidd] *subst* vard. pund
quiet ['koajjət] **I** *adj* lugn, tyst; ***be ~!*** var tyst! **II** *subst* tystnad
quieten ['koajjətn] *verb* få tyst på
quietly ['koajjətli] *adv* lugnt
quietness ['koajjətnəs] *subst* stillhet
quilt [kwilt] **I** *subst* täcke; ***~ cover*** påslakan; ***continental ~*** duntäcke **II** *verb* vaddera; ***quilted jacket*** täckjacka
quirk [kwö:k] *subst* besynnerlighet
quit [kwitt] *verb* sluta; lägga av
quite [koajt] *adv* **1** helt, helt och hållet **2** ganska
quits [kwitts] *adj* kvitt
quiver ['kwivvə] *verb* darra
quiz [kwizz] *subst* frågesport
quotation [koəo'tejschən] *subst* citat; ***~ mark*** citationstecken
quote [koəot] **I** *verb* citera **II** *subst* citat

Rr

R, r [a:r] *subst* R, r
rabbi ['räbbaj] *subst* rabbin
rabbit ['räbbitt] *subst* kanin
rabbit hutch ['räbbitthatch] *subst* kaninbur
rabble ['räbbl] *subst* larmande folkhop
rabies ['rejbi:z] *subst* rabies
1 race [rejs] *subst* ras; ***the human*** ~ människosläktet
2 race [rejs] **I** *subst* lopp; kapplöpning, kappkörning o.d. **II** *verb* springa (köra, rida, o.d.) i kapp
racecourse ['rejskå:s] *subst* kapplöpningsbana
racehorse ['rejshå:s] *subst* kapplöpningshäst
racetrack ['rejsträkk] *subst* racerbana
racial ['rejschəl] *adj* ras-, folk-
racing ['rejsing] *subst* tävlings-, racer-
racism ['rejsizəm] *subst* rasism
racist ['rejsist] *subst* rasist
rack [räkk] **I** *subst* diskställ; bagagehylla **II** *verb*, ~ ***one's brains*** bråka sin hjärna
1 racket ['räkkitt] *subst* racket; ***rackets*** sport liknande squash
2 racket ['räkkitt] *subst* oväsen
racy ['rejsi] *adj* mustig, pikant
radar ['rejda:] *subst* radar
radial ['rejdjəl] *subst* radialdäck
radiant ['rejdjənt] *adj* strålande
radiate ['rejdiejt] *verb* stråla
radiation [ˌrejdi'ejschən] *subst* **1** strålning **2** radioaktivitet
radiator ['rejdiejtə] *subst* värmeelement
radical ['räddikkəl] *subst* o. *adj* radikal
radio ['rejdiəo] *subst* radio
radioactive [ˌrejdiəo'äkktivv] *adj* radioaktiv
radish ['räddisch] *subst* rädisa
raffle ['räffl] *subst* lotteri
raft [ra:ft] *subst* flotte
rafter ['ra:ftə] *subst* taksparre
rag [rägg] *subst* trasa
rage [rejdʒ] **I** *subst* raseri **II** *verb* vara rasande
ragged ['räggidd] *adj* trasig; klädd i trasor

raid [rejd] **I** *subst* **1** räd **2** razzia **II** *verb* göra en räd (razzia)
rail [rejl] *subst* **1** ledstång **2** ***go by*** ~ ta tåget
railing ['rejling] *subst*, ~ el. ***railings*** järnstaket
railway ['rejlwej] *subst* järnväg
rain [rejn] **I** *subst* regn **II** *verb* regna
rainbow ['rejnbəo] *subst* regnbåge
raincoat ['rejnkəot] *subst* regnrock
raindrop ['rejndråpp] *subst* regndroppe
rainfall ['rejnfå:l] *subst* nederbörd
rain forest ['rejn,fårrist] *subst* regnskog
rainy ['rejni] *adj* regnig
raise [rejz] *verb* **1** resa upp **2** höja **3** uppfostra **4** samla ihop
raisin ['rejzn] *subst* russin
rake [rejk] *subst* o. *verb* kratta
rally ['rälli] **I** *verb* samla ihop **II** *subst* **1** massmöte **2** rally
ram [rämm] **I** *subst* bagge **II** *verb* ramma
ramble ['rämmbl] **I** *verb* **1** ströva omkring **2** ~ ***on*** pladdra på **II** *subst* vandring utan mål
rambler ['rämmblə] *subst* klängväxt
rambling ['rämmbling] *adj* **1** virrig **2** klätter-
ramp [rämmp] *subst* ramp
rampage ['rämmpejdʒ] **I** *subst*, ***go on the*** ~ leva rövare **II** *verb* härja
rampant ['rämmpənt] *adj*, ***be*** ~ frodas
ramshackle ['rämm,schäkkl] *adj* fallfärdig
ran [ränn] imperf. av *run*
rancid ['rännsidd] *adj* härsken
rancour ['rängkə] *subst* hätskhet
random ['ränndəm], ***at*** ~ på måfå
randy ['ränndi] *adj* vard. kåt
rang [räng] imperf. av *1 ring*
range [rejndʒ] **I** *subst* räckvidd **II** *verb* sträcka sig
ranger ['rejndʒə] *subst* kronojägare
1 rank [rängk] **I** *subst* **1** led; ***close ranks*** sluta leden **2** rang **II** *verb* ranka
2 rank [rängk] *adj* fullkomlig, ren
rankle ['rängkl] *verb* ligga och gnaga i sinnet

ransack ['rännsäkk] *verb* söka igenom

ransom ['rännsəm] *subst* lösensumma

rant [rännt] *verb* orera

rap [räpp] **I** *subst* knackning **II** *verb* knacka på

1 rape [rejp] **I** *verb* våldta **II** *subst* våldtäkt

2 rape [rejp] *subst* raps

rapid ['räppidd] **I** *adj* hastig **II** *subst*, ***rapids*** fors

rapist ['rejpist] *subst* våldtäktsman

rapport [rä'ppå:] *subst* god relation

rapture ['räpptchə] *subst* hänryckning

1 rare [räə] *adj* sällsynt

2 rare [räə] *adj* blodig om kött

rascal ['ra:skəl] *subst* rackare

1 rash [räsch] *subst* hudutslag

2 rash [räsch] *adj* överilad

rasher ['räschə] *subst* baconskiva

raspberry ['ra:zbərri] *subst* hallon

rat [rätt] *subst* råtta

rate [rejt] **I** *subst* **1** takt; tal; ***at any ~*** i alla fall **2** sats; ***~ of interest*** ränta **II** *verb* räkna, anse

rather ['ra:ðə] *adv* **1** ganska **2** ***I'd ~ not*** helst inte

rating ['rejting] *subst* **1** ranking **2** ***ratings*** tittarsiffror

ratio ['rejschiəo] *subst* förhållande

ration ['räschən] **I** *subst* ranson **II** *verb* ransonera

rational ['räschənl] *adj* rationell

rationalize ['räschnəlajz] *verb* rationalisera

rat race ['rättrejs] *subst* vard. karriärjakt

rattle ['rättl] **I** *subst* skallra **II** *verb* **1** skramla **2** ***~ on*** pladdra 'på

raucous ['rå:kəs] *adj* hes

rave [rejv] *verb* yra

raven ['rejvn] *subst* korp

ravenous ['rävvənəs] *adj* hungrig som en varg

ravine [rə'vi:n] *subst* ravin

raving ['rejving] **I** *adj* yrande **II** *subst*, ***ravings*** galna fantasier

ravishing ['rävvisching] *adj* hänförande

raw [rå:] *adj* rå

ray [rej] *subst* stråle

raze [rejz] *verb*, ***~ to the ground*** jämna med marken

razor ['rejzə] *subst* rakhyvel; rakapparat
razor blade ['rejzəblejd] *subst* rakblad
reach [ri:tch] **I** *verb* **1** sträcka **2** räcka; nå **II** *subst* räckhåll; ***out of*** ~ utom räckhåll
react [ri'äkkt] *verb* reagera
reaction [ri'äkkschən] *subst* reaktion
reactor [ri'äkktə] *subst* reaktor
read* [ri:d] *verb* läsa; ~ ***between the lines*** läsa mellan raderna
readable ['ri:dəbl] *adj* läsbar
reader ['ri:də] *subst* läsare
readership ['ri:dəschipp] *subst* läsekrets
readily ['reddəli] *adv* **1** gärna **2** med lätthet
readiness ['reddinəs] *subst* beredvillighet
reading ['ri:ding] *subst* läsning
ready ['reddi] *adj* färdig, redo; ~ ***cash*** reda pengar; ***get*** ~ göra sig i ordning
ready-made [ˌreddi'mejd] **I** *adj* färdiggjord; konfektionssydd **II** *subst* konfektion
real [riəl] *adj* verklig; ***the*** ~ ***thing*** vard. äkta vara
realistic [riə'lisstikk] *adj* realistisk
reality [ri'älləti] *subst* verklighet; ***in*** ~ i verkligheten
realization [ˌriəlaj'zejschən] *subst* **1** förverkligande **2** insikt
realize ['riəlajz] *verb* **1** inse **2** förverkliga
really ['riəlli] *adv* verkligen
realm [rellm] *subst* bildl. sfär
reap [ri:p] *verb* skörda
reappear [ˌri:ə'piə] *verb* åter visa sig
1 rear [riə] *verb* uppfostra
2 rear [riə] *subst* **1** baksida **2** vard. bak
rearguard ['riəga:d] *subst* eftertrupp
reason ['ri:zn] **I** *subst* **1** orsak; ***without*** ~ utan anledning **2** förnuft **II** *verb* resonera
reasonable ['ri:zənəbl] *adj* **1** förnuftig **2** rimlig
reasonably ['ri:zənəbli] *adv* skäligen
reasoning ['ri:zəning] *subst* tankegång
reassurance [ˌri:ə'schoərəns] *subst* uppmuntran
reassure [ˌri:ə'schoə] *verb* uppmuntra

rebate ['ri:bejt] *subst* återbäring
rebel I ['rebbl] *subst* rebell **II** [ri'bell] *verb* göra uppror
rebellious [ri'belljəs] *adj* upprorisk
rebound ['ri:baond], ***on the ~*** som plåster på såren
rebuff [ri'baff] **I** *subst* avsnäsning **II** *verb* snäsa av
rebuke [ri'bjo:k] *verb* tillrättavisa
rebut [ri'batt] *verb* vederlägga
recall [ri'kå:l] *verb* erinra sig
recant [ri'kännt] *verb* ta tillbaka sina ord
recede [ri'si:d] *verb* avta; försvinna
receipt [ri'si:t] *subst* kvitto
receive [ri'si:v] *verb* ta emot
receiver [ri'si:və] *subst* mottagare
recent ['ri:snt] *adj* nyare, senare
recently ['ri:sntli] *adv* nyligen
receptacle [ri'sepptəkl] *subst* förvaringskärl
reception [ri'seppschən] *subst*, ***~ desk*** reception på hotell
receptionist [ri'seppschənist] *subst* receptionist
recess [ri'sess] *subst* **1** uppehåll **2** vrå
recession [ri'seschən] *subst* konjunkturnedgång
recipe ['ressipi] *subst* recept
recipient [ri'sippiənt] *subst* mottagare
recital [ri'sajtl] *subst* recitation
recite [ri'sajt] *verb* recitera
reckless ['rekkləs] *adj* hänsynslös; ***~ driving*** vårdslöshet i trafik
reckon ['rekkən] *verb* **1** räkna **2** räkna med, anta
reckoning ['rekkəning] *subst* beräkning
reclamation [ˌrekkləmejschən] *subst* återvinning; ***waste ~*** sopåtervinning
recline [ri'klajn] *verb* luta sig tillbaka
recluse [ri'klo:s] *subst* ensling
recognition [ˌrekkəg'nischən] *subst* **1** erkännande **2** igenkännande; ***beyond ~*** till oigenkännlighet
recognize ['rekəgnajz] *verb* **1** känna igen **2** erkänna

recoil [ri'kåjl] *verb* rygga tillbaka
recollect [ˌrekə'lekkt] *verb* erinra sig
recollection [ˌrekə'lekkschən] *subst* hågkomst
recommend [ˌrekkə'mend] *verb* rekommendera
reconcile ['rekkənsajl] *verb* försona; ~ ***oneself to*** finna sig i
recondition [ˌriːkən'dischən] *verb* renovera
reconnoitre [ˌrekkə'nåjtə] *verb* rekognoscera
reconstruct [ˌriːkən'strakt] *verb* rekonstruera
record I ['rekkåːd] *subst* 1 register; ***records*** äv. arkiv 2 ngns förflutna 3 rekord **II** [ri'kåːd] *verb* 1 registrera 2 spela in
recorder [ri'kåːdə] *subst* inspelningsapparat
recording [ri'kåːding] *subst* inspelning
recount ['riːkaont] *subst* omräkning
recoup [ri'koːp] *verb* gottgöra
recourse [ri'kåːs], ***have ~ to*** tillgripa
recover [ri'kavvə] *verb* återhämta sig
recovery [ri'kavvərri] *subst* tillfrisknande
recreation [ˌrekkri'ejschən] *subst* fritidssysselsättning; ~ ***ground*** fritidsområde
recreational [ˌrekkri'ejschənl] *adj* fritids-
recruit [ri'kroːt] **I** *subst* rekryt **II** *verb* värva
rectangle ['rekktänggl] *subst* rektangel
rectangular [rekk'tänggjolə] *adj* rektangulär
rectify ['rekktifaj] *verb* rätta till
rector ['rekktə] *subst* kyrkoherde
recuperate [ri'kjoːpərejt] *verb* återfå krafterna
recur [ri'köː] *verb* återkomma
recurrence [ri'karrəns] *subst* återkomst
recurrent [ri'karrənt] *adj* återkommande
recyclable [ˌriː'sajkləbl] *adj* återvinningsbar
recycle [ˌriː'sajkl] *verb* återvinna
red [redd] **I** *adj* röd; ***the Red Cross*** Röda korset; ~ ***herring*** villospår; ~ ***pepper*** rödpeppar; röd paprika **II** *subst*, ***be in the*** ~ ha övertrasserat

redcurrant [ˌredd'karrənt] *subst* rött vinbär
reddish ['reddisch] *adj* rödaktig
redeem [ri'di:m] *verb* gottgöra, sona
redeploy [ˌri:di'plåj] *verb* gruppera om
red-handed [ˌred'hänndidd] *adj*, ***catch sb.*** ~ ta ngn på bar gärning
redhead ['reddhedd] *subst* vard. rödhårig person
red-hot [ˌredd'hått] *adj* glödhet
redirect [ˌri:di'rekkt] *verb* dirigera om
red-light ['reddlajt] *adj*, ~ ***district*** glädjekvarter
redo [ˌri:'do:] *verb* göra om
redolent ['reddəolənt] *adj* doftande; ~ ***of*** som påminner om
redress [ri'dress] **I** *verb* gottgöra **II** *subst* gottgörelse
red-tape [ˌredd'tejp] *subst* vard. byråkrati
reduce [ri'djo:s] *verb* reducera; skära ned
reduction [ri'dakkschən] *subst* reducering
redundancy [ri'danndənsi] *subst* arbetslöshet
redundant [ri'danndənt] *adj* **1** överflödig **2** friställd
reed [ri:d] *subst* vasstrå; ***reeds*** vass
reef [ri:f] *subst* rev
reek [ri:k] **I** *subst* stank **II** *verb* stinka
reel [ri:l] **I** *subst* rulle, spole **II** *verb* ragla
ref [reff] *subst* vard. sport. domare
refectory [ri'fekktəri] *subst* matsal i skola o.d.
refer [ri'fö:] *verb* hänvisa till; syfta på
referee [ˌrefə'ri:] *subst* sport. domare
reference ['reffərəns] *subst* **1** hänvisning **2** referens
refill I [ˌri:'fill] *verb* fylla på **II** ['ri:fill] *subst* påfyllning
refine [ri'fajn] *verb* raffinera
refined [ri'fajnd] raffinerad
reflect [ri'flekkt] *verb* **1** reflektera **2** ~ ***on*** begrunda
reflection [ri'flekkschən] *subst* reflexion
reflex ['ri:flekks] *subst* reflex
reform [ri'få:m] **I** *verb* reformera **II** *subst* reform
reformation [ˌreffə'mejschən] *subst* reformation
1 refrain [ri'frejn] *subst* refräng

2 refrain [ri'frejn] *verb* avhålla sig
refresh [ri'fresch] *verb* friska upp; ***refreshed*** äv. utvilad
refreshing [ri'fresching] *adj* uppfriskande
refrigerator [ri'friddʒərejtə] *subst* kylskåp
refuel [ˌriː'fjoəl] *verb* tanka
refuge ['refjoːdʒ] *subst* tillflykt
refugee [ˌrefjo'dʒiː] *subst* flykting; ~ ***camp*** flyktingläger
refund ['riːfannd] *subst* återbetalning
refurbish [ˌriː'föːbisch] *verb* snygga upp
refusal [ri'fjoːzəl] *subst* vägran
refuse I [ri'fjoːz] *verb* vägra **II** ['reffjoːs] *subst* avfall; ~ ***dump*** soptipp
regain [ri'gejn] *verb* återfå
regal ['riːgəl] *adj* kunglig
regard [ri'gaːd] **I** *verb* **1** anse **2** ***as regards*** vad... beträffar **II** *subst* **1** aktning **2** ***regards*** hälsningar
regarding [ri'gaːding] *prep* beträffande
regardless [ri'gaːdləs], ~ ***of*** oavsett
regime [rej'ʒiːm] *subst* regim
regiment ['reddʒimənt] *subst* regemente
regimental [ˌreddʒi'mentl] *adj* regements-
region ['riːdʒən] *subst* region
regional ['riːdʒənl] *adj* regional
register ['reddʒistə] **I** *subst* register **II** *verb* **1** registrera **2** ***registered letter*** rekommenderat brev
registrar [ˌreddʒi'straː] *subst* registrator
registration [ˌreddʒi'strejschən] *subst* **1** ung. folkbokföring **2** ~ ***number*** bils registreringsnummer
registry ['reddʒistri] *subst*, ~ ***office*** folkbokföringsmyndighet; ***marry at the ~ office*** gifta sig borgerligt
regret [ri'grett] **I** *verb* ångra **II** *subst* ånger
regretfully [ri'grettfolli] *adv* ångerfullt
regular ['reggjolə] **I** *adj* regelbunden **II** *subst* stamkund
regularly ['reggjoləlli] *adv* regelbundet
regulate ['reggjolejt] *verb* reglera
regulation [ˌreggjo'lejschən] *subst* regel

rehabilitation ['riːəˌbilli'tejschən] *subst* rehabilitering
rehearsal [ri'höːsəll] *subst* repetition; ***dress ~*** generalrepetition
rehearse [ri'höːs] *verb* repetera
reign [rejn] **I** *subst* regeringstid **II** *verb* regera
reimburse [ˌriːim'böːs] *verb* återbetala
rein [rejn] *subst* tygel
reindeer ['rejndiə] *subst* ren
reinforce [ˌriːin'fåːs] *verb* förstärka
reinstate [ˌriːin'stejt] *verb* återinsätta
reject [ri'dʒekkt] *verb* förkasta
rejection [ri'dʒekkschən] *subst* förkastande
rejuvenate [ri'dʒoːvənejt] *verb* föryngra
relapse [ri'läpps] **I** *verb* återfalla **II** *subst* återfall
relate [ri'lejt] *verb*, ***~ to*** relatera till; sätta i samband med
related [ri'lejtidd] *adj* besläktad
relation [ri'lejschən] *subst* relation; samband
relationship [ri'lejschənschipp] *subst* förhållande
relative ['rellətivv] **I** *adj* relativ **II** *subst* släkting
relatively ['rellətivvli] *adv* förhållandevis
relax [ri'läkks] *verb* koppla av; ***relaxed*** avslappnad
relaxation [ˌriːläkk'sejschən] *subst* avkoppling
relaxing [ri'läkksing] *adj* avkopplande
relay ['riːlej] *subst* **1** ~ el. ***~ race*** stafett **2** relä
release [ri'liːs] **I** *subst* **1** frigivning **2** utsläppande **II** *verb* **1** frige **2** släppa ut
relegate ['relləgejt] *verb* degradera
relentless [ri'lentləs] *adj* obeveklig
relevant ['relləvənt] *adj* relevant
reliable [ri'lajəbl] *adj* pålitlig
reliably [ri'lajəbli] *adv* pålitligt
relic ['rellikk] *subst* **1** relik **2** kvarleva
relief [ri'liːf] *subst* **1** lättnad **2** bistånd
relieve [ri'liːv] *verb* lätta, lugna
religion [ri'liddʒən] *subst* religion

religious [ri'liddʒəs] *adj* religiös
relish ['rellisch] **I** *subst* **1** välbehag **2** slags pickles **II** *verb* njuta av
relocate [ˌriːləo'kejt] *verb* omlokalisera
reluctance [ri'lakktəns] *subst* motvillighet
reluctant [ri'lakktənt] *adj* motvillig
remain [ri'mejn] *verb* återstå; förbli
remainder [ri'mejndə] *subst* återstod
remains [ri'mejnz] *subst pl* kvarlevor
remark [ri'maːk] **I** *subst* anmärkning **II** *verb* säga
remarkable [ri'maːkəbl] *adj* anmärkningsvärd
remedy ['remmidi] *subst* botemedel
remember [ri'memmbə] *verb* minnas
remembrance [ri'memmbrəns] *subst* minne
remind [ri'majnd] *verb* påminna
reminder [ri'majndə] *subst* påminnelse
reminisce [ˌremmi'niss] *verb* minnas
reminiscent [ˌremmi'nissnt] *adj*, ~ ***of*** som påminner om
remiss [ri'miss] *adj* försumlig
remission [ri'mischən] *subst* straffeftergift
remit [ri'mitt] *verb* remittera pengar
remittance [ri'mittəns] *subst* remissa
remnant ['remnənt] *subst* rest
remorse [ri'måːs] *subst* samvetskval
remorseful [ri'måːsfoll] *adj* ångerfull
remorseless [ri'måːsləs] *adj* samvetslös
remote [ri'məot] *adj* avlägsen; ~ ***control*** fjärrkontroll
remotely [ri'məotli] *adv* avlägset
remould [ˌriː'məold] *verb* stöpa om
removable [ri'moːvəbl] *adj* **1** flyttbar **2** löstagbar
removal [ri'moːvəl] *subst* **1** avlägsnande **2** ~ ***van*** flyttbil
remove [ri'moːv] *verb* ta bort; ta av
render ['renndə] *verb* återge t.ex. roll
rendering ['renndəring] *subst* tolkning
rendezvous ['rånndivoː] *subst* rendezvous

renew [ri'njo:] *verb* förnya
renewal [ri'njo:əl] *subst* förnyelse
renounce [ri'naons] *verb* avsäga sig
renovate ['rennəovejt] *verb* renovera
renown [ri'naon] *subst* rykte
renowned [ri'naond] *adj* berömd
rent [rennt] *subst* o. *verb* hyra
rental ['renntl] *adj* uthyrnings-
repair [ri'päə] **I** *verb* reparera **II** *subst* reparation
repatriate [ri:'pättriejt] *verb* repatriera
repay [ri:'pej] *verb* betala tillbaka
repayment [ri:'pejmənt] *subst* återbetalning
repeal [ri'pi:l] *verb* upphäva
repeat [ri'pi:t] **I** *verb* **1** repetera **2** reprisera **II** *subst* repris
repeatedly [ri'pi:tiddli] *adv* upprepade gånger
repel [ri'pell] *verb* verka motbjudande
repellent [ri'pellənt] *adj* motbjudande
repent [ri'pennt] *verb* ångra
repentance [ri'penntəns] *subst* ånger
repertory ['reppətəri] *subst* repertoar
repetition [ˌreppə'tischən] *subst* upprepning
repetitive [ri'pettətivv] *adj* enformig
replace [ri'plejs] *verb* ersätta
replacement [ri'plejsmənt] *subst* **1** ersättande **2** ersättare
replay I [ˌri:'plej] *verb* spela om **II** ['ri:plej] *subst* omspel; ***action*** **~** repris i slow-motion
replenish [ri'plennisch] *verb* fylla på
replica ['repplikə] *subst* kopia
reply [ri'plaj] **I** *verb* svara **II** *subst* svar
report [ri'på:t] **I** *verb* rapportera **II** *subst* **1** rapport **2** terminsbetyg
reporter [ri'på:tə] *subst* reporter
repose [ri'pəoz] *subst* vila
represent [ˌreppri'zennt] *verb* representera
representation [ˌrepprizenn'tejschən] *subst* representation
representative [ˌreppri'zenntətivv] **I** *adj* representativ **II** *subst* representant
repress [ri'press] *verb*

undertrycka; ***repressed*** äv. hämmad
repression [ri'preschən] *subst* repression
reprieve [ri'pri:v] **I** *verb* ge uppskov **II** *subst* uppskov
reprisal [ri'prajzəl] *subst* vedergällning; ***reprisals*** repressalier
reproach [ri'prəotch] **I** *subst* förebråelse **II** *verb* förebrå
reproachful [ri'prəotchfoll] *adj* förebrående
reproduce [ˌri:prə'djo:s] *verb* **1** reproducera **2** fortplanta sig
reproduction [ˌri:prə'dakschən] *subst* **1** reproduktion **2** fortplantning
reproof [ri'pro:f] *subst* förebråelse
reptile ['reptajl] *subst* reptil
republic [ri'pabblikk] *subst* republik
republican [ri'pabblikən] **I** *adj* republikansk **II** *subst* republikan
repudiate [ri'pjo:diejt] *verb* förkasta
repulsive [ri'pallsivv] *adj* frånstötande
reputable ['reppjotəbl] *adj* aktningsvärd
reputation [ˌreppjo'tejschən] *subst* rykte
reputedly [ri'pjo:tiddli] *adv* enligt allmänna omdömet
request [ri'koest] **I** *subst* begäran **II** *verb* anhålla om
require [ri'koajə] *verb* kräva; ***required*** nödvändig
requirement [ri'koajəmənt] *subst* krav
requisite ['rekkwizitt] *adj* erforderlig
rescue ['reskjo:] **I** *verb* rädda **II** *subst* räddning; ***~ party*** räddningsmanskap
research [ri'sö:tch] **I** *subst* forskning **II** *verb* forska
resemblance [ri'zemmbləns] *subst* likhet
resemble [ri'zemmbl] *verb* likna
resent [ri'zennt] *verb* bli förbittrad över
resentful [ri'zenntfoll] *adj* harmsen
resentment [ri'zentmənt] *subst* förtrytelse
reservation [ˌrezzə'vejschən] *subst* **1** reservation **2** ***make a ~*** beställa plats (rum, bord)
reserve [ri'zö:v] **I** *verb* reservera **II** *subst* **1** reserv; ***~ team*** B-lag **2** reservat

reserved [ri'zö:vd] *adj* reserverad
reshuffle [ˌri:'schaffl] **I** *verb* blanda om **II** *subst* omblandning
residence ['rezzidəns] *subst* 1 bostad; ***place of*** ~ hemvist 2 ~ ***permit*** uppehållstillstånd
resident ['rezzidənt] *subst* bosatt person
residential [ˌrezzi'denschəl] *adj*, ~ ***area*** bostadsområde
residue ['rezzidjo:] *subst* rest
resign [ri'zajn] *verb* 1 avgå 2 resignera från tjänst o.d.
resignation [ˌrezzig'nejschən] *subst* 1 avskedsansökan 2 resignation
resilient [ri'zilliənt] *adj* bildl. som har lätt för att återhämta sig
resist [ri'zist] *verb* göra motstånd; motstå
resistance [ri'zistəns] *subst* motstånd
resolution [ˌrezzə'lo:schən] *subst* beslutsamhet
resolve [ri'zållv] **I** *verb* besluta sig **II** *subst* beslut
resort [ri'zå:t] **I** *verb*, ~ ***to*** tillgripa **II** *subst*, ***seaside*** ~ badort
resound [ri'zaond] *verb* genljuda
resource [ri'så:s] *subst*, ***resources*** resurser; ***natural resources*** naturtillgångar
resourceful [ri'så:sfoll] *adj* rådig
respect [ri'spekkt] **I** *subst* respekt **II** *verb* respektera
respectable [ri'spekktəbl] *adj* respektabel
respectful [ri'spekktfoll] *adj* aktningsfull
respite ['respajt] *subst* respit
resplendent [ri'splenndənt] *adj* praktfull
respond [ri'spånnd] *verb* svara
response [ri'spånns] *subst* svar; gensvar
responsibility [risˌpånnsə'billəti] *subst* ansvar; ***on one's own*** ~ på eget ansvar
responsible [ri'spånnsəbl] *adj* ansvarig; ansvarsfull
responsive [ri'spånnsivv] *adj* mottaglig, lyhörd
1 rest [resst] **I** *verb* förbli **II** *subst*, ***the*** ~ resten
2 rest [resst] **I** *subst* vila **II** *verb* vila, vila sig
restaurant ['resstərånnt] *subst* restaurang
restaurant car ['resstrånntka:] *subst* restaurangvagn

restful ['resstfoll] *adj* vilsam
restless ['resstləs] *adj* rastlös
restoration [ˌresstə'rejschən] *subst* 1 återupprättande; ***the Restoration*** restaurationen monarkins återupprättande i Storbritannien 1660 med Karl II 2 renovering
restore [ri'stå:] *verb* 1 återställa 2 restaurera
restrain [ri'strejn] *verb* hindra
restrained [ri'strejnd] *adj* återhållen
restraint [ri'strejnt] *subst* inskränkning
restrict [ri'strikkt] *verb* inskränka
restriction [ri'strikkschən] *subst* restriktion
result [ri'zallt] **I** *verb* vara (bli) resultatet **II** *subst* resultat
resume [ri'zjo:m] *verb* återuppta
resumption [ri'zampschən] *subst* återupptagande
resurgence [ri'sö:dʒəns] *subst* återuppblomstring
resurrection [ˌrezə'rekkschən] *subst* återuppståndelse
resuscitate [ri'sassitejt] *verb* återuppliva
retail ['ri:tejl] **I** *subst* detaljhandel **II** *adj*, ***~ price*** detaljhandelspris; ***recommended ~ price*** rekommenderat cirkapris
retain [ri'tejn] *verb* behålla
retaliate [ri'tälliejt] *verb* vedergälla
retaliation [riˌtälli'ejschən] *subst* vedergällning
retch [retch] *verb* försöka kräkas
retentive [ri'tenntivv] *adj* säker
retina ['rettinə] *subst* ögats näthinna
retire [ri'tajə] *verb* gå i pension
retired [ri'tajəd] *adj* pensionerad
retirement [ri'tajəmənt] *subst* pensionering; ***early ~*** förtidspension
retiring [ri'tajəring] *adj* tillbakadragen
retort [ri'tå:t] *verb* svara skarpt
retrace [ri'trejs] *verb* följa tillbaka spår m.m.
retract [ri'träkkt] *verb* ta tillbaka ord o.d.
retread ['ri:tredd] *subst* regummerat bildäck
retreat [ri'tri:t] **I** *subst* reträtt **II** *verb* retirera

retribution [ˌrettri'bjoːschən] *subst* vedergällning
retrieval [ri'triːvəl] *subst* återvinnande
retrieve [ri'triːv] *verb* återfå
retriever [ri'triːvə] *subst* retriever hundras
retrospect ['rettrəspekkt] *subst*, ***in*** ~ i efterhand
retrospective [ˌrettrə'spekktivv] *adj* **1** retrospektiv **2** retroaktiv
return [ri'töːn] **I** *verb* **1** återvända **2** returnera **3** besvara **II** *subst* **1** återkomst **2** återgång **3** sport. retur
reunion [ˌriː'joːnjən] *subst* återförening
reunite [ˌriːjoː'najt] *verb* återförena
Rev. (förk. för *Reverend*) pastor i titel
reveal [ri'viːl] *verb* avslöja
revealing [ri'viːling] *adj* avslöjande
revel ['revvl] *verb*, ~ ***in*** frossa i
revenge [ri'venndʒ] **I** *verb* hämnas **II** *subst* hämnd
revenue ['revvənjoː] *subst* statsinkomster
reverberate [ri'vöːbərejt] *verb* genljuda
reverence ['revvərəns] *subst* vördnad
Reverend ['revvərənd] pastor i titel
reversal [ri'vöːsəl] *subst* omkastning
reverse [ri'vöːs] **I** *adj* motsatt **II** *subst* **1** motsats **2** baksida **3** ***put the car in*** ~ lägga i backen **III** *verb* **1** vända på **2** backa
revert [ri'vöːt] *verb* återgå
review [ri'vjoː] **I** *subst* recension **II** *verb* recensera
reviewer [ri'vjoːə] *subst* recensent
revile [ri'vajl] *verb* smäda
revise [ri'vajz] *verb* omarbeta
revision [ri'viʒʒən] *subst* omarbetning
revival [ri'vajvəl] *subst* återupplivning
revive [ri'vajv] *verb* återuppliva
revoke [ri'vəok] *verb* återkalla
revolt [ri'vəolt] **I** *verb* revoltera **II** *subst* revolt
revolting [ri'vəolting] *adj* motbjudande
revolution [ˌrevvə'loːschən] *subst* revolution
revolutionary

[ˌrevvə'loːschənərri] *subst* o. *adj* revolutionär
revolve [ri'vållv] *verb* rotera
revolver [ri'vållvə] *subst* revolver
revolving [ri'vållving] *adj* roterande; ~ ***chair*** kontorsstol; ~ ***door*** svängdörr
revulsion [ri'vallschən] *subst* motvilja
reward [ri'oåːd] **I** *subst* belöning **II** *verb* belöna
rewarding [ri'oåːding] *adj* givande
rewind ['riːoajnd] *verb* spola tillbaka band m.m.
rewire [ˌriː'oajə] *verb* dra nya ledningar i
rheumatism ['roːmətizzəm] *subst* reumatism
rhinoceros [raj'nåssərəs] *subst* noshörning
rhubarb ['roːbaːb] *subst* rabarber
rhyme [rajm] **I** *subst* rim; ***nursery*** ~ barnramsa **II** *verb* rimma
rhythm ['riðəm] *subst* rytm
rib [ribb] *subst* revben
ribbon ['ribbən] *subst* band hårband o.d.
rice [rajs] *subst* ris; ***brown*** ~ råris
rich [rittch] *adj* rik
riches ['rittchizz] *subst pl* rikedomar
richly ['rittchli] *adv* rikt; rikligt
rickety ['rikkətti] *adj* skraltig
rid [ridd], ***get*** ~ ***of*** göra sig av med
riddle ['riddl] *subst* gåta
ride [rajd] **I** *verb* **1** rida **2** köra **II** *subst* ridtur; åktur; lift
rider ['rajdə] *subst* ryttare
ridge [riddʒ] *subst* bergkam
ridicule ['riddikjoːl] **I** *subst* åtlöje **II** *verb* förlöjliga
ridiculous [ri'dikkjoləs] *adj* löjlig
riding ['rajding] *subst* ridning
riding-school ['rajdingskoːl] *subst* ridskola
rife [rajf] *adj* utbredd
riff-raff ['riffräff] *subst* slödder
1 rifle ['rajfl] *verb* plundra, länsa
2 rifle ['rajfl] *subst* gevär
rift [rifft] *subst* spricka
1 rig [rigg] *verb* göra upp på förhand
2 rig [rigg] *subst* rigg
right [rajt] **I** *adj* **1** rätt, riktig **2** höger **II** *adv* precis; strax; ~ ***away*** med detsamma; ~ ***now*** just nu **III** *subst* **1** rätt

2 rättighet **3** höger sida; ***the Right*** högern
righteous ['rajtchəs] *adj* rättfärdig
rightful ['rajtfoll] *adj* rättmätig
right-handed [ˌrajtˈhänndidd] *adj* högerhänt
rightly ['rajtli] *adv* med rätta
right of way [ˌrajtəvˈwej] *subst* förkörsrätt
right-wing ['rajtwing] *adj* höger-
rigid ['riddʒidd] *adj* rigid; sträng
rigmarole ['riggmərəol] *subst* svammel
rigorous ['riggərəs] *adj* sträng
rile [rajl] *verb* vard. reta
rim [rimm] *subst* kant
rind [rajnd] *subst* kant, skalk
1 ring [ring] **I** *verb* ringa; ~ ***back*** ringa upp igen **II** *subst* ringning
2 ring [ring] *subst* **1** ring i div. bet. **2** liga
ringing ['ringing] *adj* klingande
ringleader ['ringˌliːdə] *subst* ligaledare
ring road ['ringrəod] *subst* kringfartsled
rink [ringk] *subst* ishall; hall för rullskridskoåkning
rinse [rinns] *verb* skölja
riot ['rajjət] *subst* upplopp
riotous ['rajjətəs] *adj* tygellös
rip [ripp] **I** *verb* riva, slita sönder **II** *subst* reva
ripe [rajp] *adj* mogen
ripen ['rajpən] *verb* mogna
ripple ['rippl] **I** *verb* krusa sig **II** *subst* krusning
rise [rajz] **I** *verb* **1** resa sig **2** stiga; tillta **II** *subst* ökning; löneförhöjning
rising ['rajzing] *adj* stigande
risk [risk] **I** *subst* risk; ***be at*** ~ vara i farozonen; ***at one's own*** ~ på egen risk **II** *verb* riskera
risky ['riski] *adj* riskabel
rissole ['risəol] *subst* krokett
rite [rajt] *subst* rit
ritual ['rittchoəl] **I** *adj* rituell **II** *subst* ritual
rival ['rajvəl] **I** *subst* rival **II** *adj* rivaliserande **III** *verb* tävla med
rivalry ['rajvəlri] *subst* rivalitet
river ['rivvə] *subst* flod
rivet ['rivvitt] **I** *subst* tekn. nit **II** *verb* nita fast
road [rəod] *subst* väg; ***Road***

Up på skylt vägarbete pågår; ***one for the*** ~ vard. en färdknäpp
roadblock ['rəodblåkk] *subst* vägspärr
roadhog ['rəodhågg] *subst* vard. bildrulle
roadmap ['rəodmäpp] *subst* vägkarta
road safety ['rəod,sejfti] *subst* trafiksäkerhet
roadside ['rəodsajd] *subst* vägkant
roadsign ['rəodsajn] *subst* trafikskylt
roadway ['rəodwej] *subst* väg
roadworks ['rəodwö:ks] *subst pl* vägarbete
roadworthy ['rəod,wö:ði] *adj* trafikduglig
roam [rəom] *verb* ströva omkring
roar [rå:] **I** *subst* rytande **II** *verb* ryta
roast [rəost] **I** *verb* steka i ugn el. på spett; rosta **II** *subst* stek
rob [råbb] *verb* råna
robber ['råbbə] *subst* rånare
robbery ['råbbəri] *subst* rån
robe [rəob] *subst* **1** badkappa **2** ***robes*** ämbetsdräkt
robust [rəo'basst] *adj* robust
1 rock [råkk] *subst* klippa; ***whisky on the rocks*** whisky med is
2 rock [råkk] *verb* vagga
3 rock [råkk] *subst*, ~ ***music*** rockmusik
rock-and-roll [,råkkn'rəol] *subst* rock'n'roll
rock-bottom [,råkk'båttəm] *subst* vard. absoluta botten
rockery ['råkkərri] *subst* stenparti
1 rocket ['råkkitt] *subst* raket
2 rocket ['råkkitt] *subst* rucola
rocking-chair ['råkkingtchäə] *subst* gungstol
rocking-horse ['råkkinghå:s] *subst* gunghäst
rocky ['råkki] *adj* klippig
rod [rådd] *subst* käpp; stång
rode [rəod] imperf. av *ride*
rodent ['rəodənt] *subst* gnagare
1 roe [rəo] *subst* fiskrom
2 roe [rəo] *subst* rådjur
rogue [rəog] *subst* skurk
role [rəol] *subst* roll
roll [rəol] **I** *subst* **1** rulle **2** småfranska **II** *verb* rulla
rollator [,rəol'ejtə] *subst* rullator
roll call ['rəolkå:l] *subst* upprop

roller ['rəolə] *subst* hårspole
roller-coaster ['rəolə,kəostə] *subst* berg- och dalbana
rolling ['rəoling] *adj* rullande
rolling-pin ['rəolingpinn] *subst* brödkavel
rolling-stock ['rəolingståkk] *subst* rullande materiel; vagnpark
Roman ['rəomən] *adj*, ~ ***Catholic*** katolsk; katolik; ~ ***numerals*** romerska siffror
romance [rəo'männs] *subst* **1** romantik **2** romans
Romania [rəo'mejnjə] Rumänien
Romanian [rəo'mejnjən] **I** *adj* rumänsk **II** *subst* **1** rumän; rumänska **2** rumänska språket
romantic [rəo'männtikk] *adj* romantisk
romp [råmmp] *verb* stoja
roof [ro:f] *subst* tak; ***have a ~ over one's head*** ha tak över huvudet
roof box ['ro:fbåkks] *subst* takbox på bil
roofing ['ro:fing] *subst* taktäckningsmaterial
roof rack ['ro:fräkk] *subst* takräcke på bil
1 rook [rokk] *subst* råka
2 rook [rokk] *subst* torn i schack
room [ro:m] *subst* **1** rum **2** plats
roommate ['ro:mmejt] *subst* rumskamrat
room service ['ro:m,sö:viss] *subst* rumservice
roomy ['ro:mi] *adj* rymlig
rooster ['ro:stə] *subst* tupp
1 root [ro:t] **I** *subst* rot; ***put down roots*** rota sig **II** *verb*, ***rooted*** rotad; inrotad
2 root [ro:t] *verb* rota runt
rope [rəop] *subst* rep; ***know the ropes*** vard. känna till knepen
rosary ['rəozəri] *subst* radband
1 rose [rəoz] imperf. av *rise*
2 rose [rəoz] **I** *subst* ros **II** *adj* rosa
rosebud ['rəozbadd] *subst* rosenknopp
rosemary ['rəozməri] *subst* rosmarin
roster ['råsstə] *subst* tjänstgöringslista
rostrum ['råsstrəm] *subst* podium
rosy ['rəozi] *adj* rosenröd
rot [rått] **I** *verb* ruttna **II** *subst* röta
rota ['rəotə] *subst* tjänstgöringslista
rotary ['rəotəri] *adj* roterande

rotate [rəo'tejt] *verb* rotera
rote [rəot], ***by ~*** utantill
rotten ['råttn] *adj* rutten; ***~ to the core*** genomrutten
rotund [rəo'tannd] *adj* rund
rough [raff] *adj* grov; rå; obehandlad; ***have a ~ time*** ha det svårt
roughage ['raffidʒ] *subst* kostfibrer
rough-and-ready [ˌraffnd'reddi] *adj* halvfärdig
roughly ['raffli] *adv* **1** grovt **2** på ett ungefär
roulette [ro'lett] *subst* roulett
round [raond] **I** *adj* rund **II** *adv* o. *prep* runt, omkring **III** *subst* rond, runda; ***buy a ~ of drinks*** bjuda laget runt
roundabout ['raondəbaot] *subst* **1** karusell **2** rondell
rounders ['raondəz] *subst* rounders slags brännboll
roundly ['raondli] *adv* rent ut
round-shouldered [ˌraond'schəoldəd] *adj* kutryggig
roundup ['raondapp] *subst* sammandrag
rouse [raoz] *verb* väcka; egga
rousing ['raozing] *adj* eldande
rout [raot] **I** *subst* nederlag **II** *verb* fullständigt besegra
route [roːt] *subst* rutt, väg; linje för trafik
routine [roː'tiːn] **I** *subst* rutin **II** *adj* rutinmässig
1 row [rəo] *subst* rad; ***in a ~*** i följd
2 row [rəo] *verb* ro
3 row [rao] *subst* gräl, bråk
rowdy ['raodi] *adj* bråkig
rowing-boat ['rəoingbəot] *subst* roddbåt
royal ['råjjəl] *adj* kunglig; ***the ~ family*** kungahuset
royalty ['råjjəlti] *subst* **1** kungligheter **2** royalty
RSVP på bjudningskort o.s.a
rub [rabb] *verb* gnida; polera; ***~ out*** sudda ut
rubber ['rabbə] *subst* **1** gummi **2** radergummi
rubber band [ˌrabbə'bännd] *subst* gummiband
rubbish ['rabbisch] *subst* skräp
rubble ['rabbl] *subst* spillror
ruby ['roːbi] *subst* rubin
rucksack ['rakksäkk] *subst* ryggsäck
rudder ['raddə] *subst* roder
ruddy ['raddi] *adj* röd
rude [roːd] *adj* ohyfsad; grov

ruffle ['raffl] **I** *verb* rufsa till **II** *subst* krås, krus
rug [ragg] *subst* liten matta
rugby ['raggbi] *subst* rugby
rugged ['raggidd] *adj* ojämn; oländig
rugger ['raggə] *subst* vard. rugby
ruin ['ro:in] **I** *subst* ruin **II** *verb* **1** förstöra **2** ruinera
rule [ro:l] **I** *subst* regel; ***as a ~*** i regel **II** *verb* **1** regera **2** ***~ out sth.*** utesluta ngt
ruler ['ro:lə] *subst* härskare
ruling ['ro:ling] **I** *adj* härskande **II** *subst* domstolsutslag
rum [ramm] *subst* rom dryck
rumble ['rammbl] **I** *verb* mullra **II** *subst* mullrande
rummage ['rammidʒ] *verb* leta, rota
rumour ['ro:mə] **I** *subst* rykte **II** *verb*, ***it is rumoured that*** det ryktas att
rump [rammp] *subst* bakdel, rumpa
rumpsteak [ˌrammp'stejk] *subst* rumpstek
rumpus ['rammpəs] *subst* vard. bråk
run* [rann] **I** **1** springa; löpa **2** fly **3** om maskin, tid, buss o.d. gå; ***it runs in the family*** det ligger i släkten **4** rinna; tappa; ***~ high*** bildl. svalla **5** driva; leda **6** ***~ about*** (***around***) springa omkring; ***~ away*** rymma; ***~ down*** köra i botten; ***~ into*** kollidera med; stöta 'på; ***~ on*** fortsätta; ***~ out*** gå ut; hålla på att ta slut; ***~ over*** köra över; ***~ through*** genomsyra; ***~ up*** dra på sig skulder; ***~ up against*** stöta på **II** *subst* **1** löpning **2** resa **3** serie; ***in the long ~*** i det långa loppet
runaway ['rannəwej] **I** *subst* rymling **II** *adj* skenande bildl.
run-down ['ranndaon] *adj* **1** slutkörd **2** förfallen
1 rung [rang] perf. p. av *1 ring*
2 rung [rang] *subst* pinne på stege
runner ['rannə] *subst* löpare
runner-up [ˌrannər'app] *subst* andra plats i tävling
running ['ranning] **I** *adj* **1** rinnande **2** fortlöpande **II** *subst* löpning
runny ['ranni] *adj* vard. rinnande
run-of-the-mill [ˌrannəvðə'mill] *adj* ordinär
runt [rannt] *subst* puttefnask
run-through ['rannθro:] *subst* snabbgenomgång
runway ['rannwej] *subst* landningsbana

rupture ['rapptchə] **I** *subst* bristning; bildl. brytning **II** *verb* brista
rural ['roərəl] *adj* lantlig
1 rush [rasch] *subst* säv
2 rush [rasch] **I** *verb* **1** rusa **2** skynda (jäkta) 'på; ***don't ~ me!*** jäkta mig inte! **II** *subst* **1** rusning **2** ***no ~*** ingen brådska
rush hour ['rasch,aoə] *subst* rusningstid
rusk [rassk] *subst* skorpa bakverk
Russia ['raschə] Ryssland
Russian ['raschən] **I** *adj* rysk **II** *subst* **1** ryss; ryska **2** ryska språket
rust [rasst] **I** *subst* rost **II** *verb* rosta
rustic ['rasstikk] *adj* lantlig
rustle ['rassl] **I** *verb* rassla **II** *subst* rassel
rustproof ['rasstpro:f] *adj* rostfri
rusty ['rassti] *adj* **1** rostig **2** ringrostig
rut [ratt] *subst* hjulspår
ruthless ['ro:θləs] *adj* hänsynslös
rye [rajj] *subst* råg

Ss

S, s [äss] *subst* S, s
Sabbath ['säbbəθ] *subst* sabbat
sabotage ['säbbəta:ʒ] **I** *subst* sabotage **II** *verb* sabotera
saccharin ['säkkərinn] *subst* sackarin
sachet ['säschej] *subst* portionspåse för te, kaffe m.m.
sack [säkk] **I** *subst* **1** säck **2** ***get the ~*** få sparken; ***give sb. the ~*** sparka ngn **II** *verb* sparka
sacking ['säkking] *subst* säckväv
sacrament ['säkkrəmənt] *subst* sakrament
sacred ['sejkridd] *adj* helig
sacrifice ['säkkrifajs] **I** *subst* offer **II** *verb* offra
sad [sädd] *adj* **1** ledsen **2** sorglig
saddle ['säddl] **I** *subst* sadel **II** *verb* sadla
saddlebag ['säddlbägg] *subst* **1** sadelficka **2** cykelväska
sadistic [sə'disstikk] *adj* sadistisk
sadly ['säddli] *adv* sorgset
sadness ['säddnəs] *subst* sorgsenhet

safe [sejf] **I** *adj* **1** säker; ofarlig; ***to be on the ~ side*** för säkerhets skull **2** ***~ and sound*** välbehållen **II** *subst* kassaskåp

safe conduct [ˌsejf'kånndakkt] *subst* fri lejd

safe-deposit ['sejfdiˌpåzzitt] *subst*, ***~ box*** bankfack

safeguard ['sejfga:d] **I** *subst* garanti **II** *verb* skydda

safe-keeping [ˌsejf'ki:ping] *subst* säkert förvar

safely ['sejfli] *adv* säkert; lyckligt och väl

safety ['sejfti] *subst* säkerhet

safety belt ['sejftibellt] *subst* säkerhetsbälte

safety pin ['sejftipinn] *subst* säkerhetsnål

safety valve ['sejftivällv] *subst* säkerhetsventil

sag [sägg] *verb* svikta; hänga

1 sage [sejdʒ] *subst* salvia

2 sage [sejdʒ] *subst* vis man

Sagittarius [ˌsäddʒi'täəriəs] *subst* Skytten stjärntecken

said [sedd] imperf. o. perf. p. av *say*

sail [sejl] **I** *subst* segel **II** *verb* segla

sailing ['sejling] *subst* segling

sailing-boat ['sejlingbəot] *subst* segelbåt

sailing-ship ['sejlingschipp] *subst* segelfartyg

sailor ['sejlə] *subst* sjöman; ***be a bad ~*** ha lätt för att bli sjösjuk; ***be a good ~*** tåla sjön bra

saint [sejnt] *subst* helgon

sake [sejk], ***for the ~ of sth.*** för ngts skull; ***for safety's ~*** för säkerhets skull

salad ['sälləd] *subst* sallad ss. rätt

salad dressing ['sälləd,dressing] *subst* salladsdressing

salary ['sälləri] *subst* månadslön

sale [sejl] *subst* **1** försäljning; ***for ~*** till salu **2** rea

saleroom ['sejlzro:m] *subst* försäljningslokal

salesman ['sejlzmən] *subst* säljare för firma

saleswoman ['sejlzˌwommən] *subst* kvinnlig säljare för firma

1 sallow ['sälləo] *subst* sälg

2 sallow ['sälləo] *adj* gulblek, om hy

salmon ['sämmən] *subst* lax

salmonella [ˌsällmə'nellə] *subst* salmonella

saloon [sə'lo:n] *subst*, ***the ~***

bar i pub den 'finaste' avdelningen
salt [så:lt] **I** *subst* salt **II** *verb* salta
saltcellar ['så:lt,sellə] *subst* saltkar
salty ['så:lti] *adj* salt
salute [sə'lo:t] **I** *subst* honnör **II** *verb* göra honnör
salvage ['sällviddʒ] **I** *subst* bärgning **II** *verb* bärga, rädda
salvation [säll'vejschən] *subst* frälsning; ***the Salvation Army*** Frälsningsarmén
same [sejm] *adj* o. *adv* o. *pron*, ***the ~*** samma; samma sak; likadan; ***the ~ to you!*** tack detsamma!
sample ['sa:mpl] *subst* prov; varuprov
sanctimonious [,sängkti'məonjəs] *adj* skenhelig
sanction ['sängkschən] **I** *subst* **1** tillstånd **2** ***sanctions*** sanktioner **II** *verb* sanktionera
sanctity ['sängktəti] *subst* okränkbarhet
sanctuary ['sängktjoəri] *subst* fristad
sand [sännd] *subst* sand; ***sands*** dyner
sandal ['sänndl] *subst* sandal
sandbox ['sänndbåkks] *subst* sandlåda för barn
sandcastle ['sännd,ka:sl] *subst* barns sandslott
sandpaper ['sännd,pejpə] *subst* sandpapper
sandstone ['sänndstəon] *subst* sandsten
sandwich ['sännwiddʒ] *subst* engelsk lunchsmörgås
sandy ['sänndi] *adj* **1** sandig **2** rödblond
sane [sejn] *adj* vid sina sinnens fulla bruk
sang [säng] imperf. av *sing*
sanitary ['sännitərri] *adj* hygienisk
sanitation [,sänni'tejschən] *subst* sanitär utrustning
sanity ['sännəti] *subst* mental hälsa
sank [sängk] imperf. av *sink*
Santa Claus ['sänntəklå:z] *subst* jultomten
1 sap [säpp] *subst* sav
2 sap [säpp] *verb* bildl. tära på
sapling ['säppling] *subst* ungt träd
sapphire ['säffajə] *subst* safir
sarcasm ['sa:käzəm] *subst* sarkasm
sardine [sa:'di:n] *subst* sardin
1 sash [säsch] *subst* skärp

2 sash [säsch] *subst* fönsterram
sat [sätt] imperf. o. perf. p. av *sit*
satchel ['sättchəl] *subst* axelväska
satellite ['sättəlajt] *subst* satellit; **~ *broadcast*** satellitsändning; **~ *TV*** satellit-tv
satin ['sättin] *subst* satin
satire ['sättajə] *subst* satir
satisfaction [ˌsättis'fäkschən] *subst* tillfredsställelse
satisfactory [ˌsättis'fäktəri] *adj* tillfredsställande
satisfy ['sättisfaj] *verb* tillfredsställa
satisfying ['sättisfajjing] *adj* tillfredsställande
Saturday ['sättədej] *subst* lördag
sauce [så:s] *subst* sås
saucepan ['så:spənn] *subst* kastrull
saucer ['så:sə] *subst* tefat
saucy ['så:si] *adj* vard. uppnosig
sauna ['så:nə] *subst* bastu
saunter ['så:ntə] *verb* flanera
sausage ['såssidʒ] *subst* korv
sausage roll [ˌsåssidʒ'rəol] *subst* slags korvpirog
savage ['sävvidʒ] **I** *adj* vild; grym **II** *subst* vilde
save [sejv] *verb* **1** rädda **2** spara
saving ['sejving] *subst* besparing
savings account ['sejvingzəˌkaont] *subst* sparkonto
savings bank ['sejvingzbängk] *subst* sparbank
saviour ['sejvjə] *subst* **1** frälsare **2** räddare
savour ['sejvə] *verb* njuta av
savoury ['sejvəri] *adj* välsmakande
1 saw [så:] imperf. av *see*
2 saw [så:] **I** *subst* såg **II** *verb* såga
sawdust ['så:dasst] *subst* sågspån
sawmill ['så:mill] *subst* sågverk
sawn-off ['så:nåff] *adj*, **~ *shotgun*** avsågat gevär
saxophone ['säkksəfəon] *subst* saxofon
say* [sej] *verb* säga; ***to ~ the least*** minst sagt; ***that is to ~*** det vill säga; ***you can ~ that again!*** det kan du skriva upp!; ***when all is said and done*** när allt kommer omkring

saying ['sejjing] *subst* saying
scab [skäbb] *subst* strejkbrytare
scaffold ['skäffəld] *subst* schavott
scaffolding ['skäffəlding] *subst* byggnadsställning
scald [skå:ld] *verb* skålla
1 scale [skejl] *subst* vågskål; ***a pair of scales*** en våg
2 scale [skejl] **I** *subst* skala i olika bet. **II** *verb* **1** klättra uppför **2** ~ ***down*** trappa ner
3 scale [skejl] *subst* fjäll på fisk m.m.
scallop ['skålləp] *subst* kammussla
scalp [skällp] *subst* huvudsvål
scamper ['skämmpə] *verb* kila, skutta
scampi fritti ['skämmpi'fritti] scampi fritti
scan [skänn] *verb* granska; avsöka
scandal ['skänndl] *subst* skandal
Scandinavian [ˌskänndi'nejvjən] **I** *adj* skandinavisk, nordisk; ***the ~ languages*** de nordiska språken **II** *subst* skandinav; nordbo
scant [skänt] o. **scanty** ['skännti] *adj* knapp
scapegoat ['skejpgəot] *subst* syndabock
scar [ska:] *subst* ärr
scarce [skäəs], ***be*** ~ vara ont om
scarcely ['skäəsli] *adv* knappast
scarcity ['skäəsəti] *subst* brist
scare [skäə] **I** *verb* skrämma; ~ ***away*** (***off***) skrämma bort; ~ ***the life*** (***hell***) ***out of sb.*** vard. skrämma slag på ngn **II** *subst* panik; hot; ***get*** (***have***) ***a*** ~ bli skrämd (rädd)
scarecrow ['skäəkrəo] *subst* fågelskrämma
scared [skäəd] *adj* rädd; ~ ***stiff*** livrädd
scarf [ska:f] *subst* halsduk
scarlet ['ska:lət] *adj* scharlakansröd; ~ ***fever*** scharlakansfeber
scary ['skäəri] *adj* vard. hemsk
scathing ['skejðing] *adj* dräpande
scatter ['skättə] *verb* sprida; strö ut
scatterbrained ['skättəbrejnd] *adj* virrig
scavenger ['skävvindʒə]

subst person som letar bland sopor
scene [si:n] *subst* scen; ***change of ~*** miljöombyte; ***the ~ of the crime*** brottsplatsen
scenery ['si:nəri] *subst* landskap
scenic ['si:nikk] *adj* naturskön
scent [sennt] **I** *verb* vädra byte o.d. **II** *subst* **1** doft **2** parfym
sceptical ['skepptikəl] *adj* skeptisk
schedule ['scheddjo:l] **I** *subst* tidtabell; plan; ***on ~*** enligt tidtabell; som planerat; ***be ahead of ~*** ha hunnit längre än beräknat; ***be behind ~*** vara försenad **II** *verb*, ***be scheduled*** planeras; ***scheduled flights*** reguljärt flyg
scheme [ski:m] **I** *subst* plan; ***the ~ of things*** tingens ordning **II** *verb* intrigera
scheming ['ski:ming] *adj* intrigerande
scholar ['skållə] *subst* forskare vanl. inom humaniora
scholarly ['skålləli] *adj* akademisk
scholarship ['skålləschipp] *subst* stipendium
1 school [sko:l] *subst* skola; ***go to ~*** gå i skolan
2 school [sko:l] *subst* stim, flock
schoolboy ['sko:lbåj] *subst* skolpojke
schoolgirl ['sko:lgö:l] *subst* skolflicka
schooling ['sko:ling] *subst* bildning
schoolmaster ['sko:l,ma:stə] *subst* lärare
schoolmistress ['sko:l,misstriss] *subst* lärarinna
sciatica [saj'ättikkə] *subst* ischias
science ['sajjəns] *subst* vetenskap; naturvetenskap
science fiction [,sajjəns'fikkschən] *subst* science fiction
scientific [,sajjən'tiffikk] *adj* vetenskaplig
scientist ['sajjəntist] *subst* forskare vanl. inom naturvetenskaperna
scissors ['sizzəz] *subst* sax; ***a pair of ~*** en sax
1 scoff [skåff] *verb* vard. sätta i sig
2 scoff [skåff] *verb* hånskratta
scold [skəold] *verb* skälla på (ut)

scone [skånn] *subst* scone
scoop [sko:p] **I** *subst* **1** skopa; glasskopa **2** scoop **II** *verb* skopa, skeda; ~ ***out*** gröpa ur
scooter ['sko:tə] *subst* skoter
scope [skəop] *subst* omfattning
scorch [skå:tch] *verb* sveda, bränna
score [skå:] **I** *subst* sport. o.d. ställning; resultat **II** *verb* göra succé; sport. o.d. få poäng, göra mål
scoreboard ['skå:bå:d] *subst* resultattavla
scorn [skå:n] **I** *subst* förakt **II** *verb* håna
Scorpio ['skå:piəo] *subst* Skorpionen stjärntecken
Scot [skått] *subst* skotte
Scotch [skåttch] **I** *adj* skotsk **II** *subst* skotsk whisky
scot-free [ˌskått'fri:] *adj* oskadd
Scotland ['skåttlənd] Skottland; ~ ***Yard*** Scotland Yard Londonpolisens högkvarter
Scots [skåtts] **I** *adj* skotsk **II** *subst* skotska dialekten
Scotsman ['skåttsmən] *subst* skotte
Scotswoman ['skåttsˌwommən] *subst* skotska kvinna
Scottish ['skåttisch] *adj* skotsk
scoundrel ['skaondrəl] *subst* skurk
scour ['skaoə] *verb* leta igenom
scourge [skö:dʒ] *subst* gissel
scout [skaot] **I** *subst* **1** spanare **2** pojkscout **II** *verb* spana
scrabble ['skräbbl] *verb* krafsa
scram [skrämm] *verb* vard. sticka, dra
scramble ['skrämmbl] *verb* **1** kravla **2** förvränga tal i telefon **3** ***scrambled eggs*** äggröra
1 scrap [skräpp] **I** *subst* bit, lapp; ***scraps*** rester **II** *verb* kassera
2 scrap [skräpp] *subst* vard. gräl
scrapbook ['skräppbokk] *subst* minnesalbum
scrape [skrejp] *verb* **1** skrapa; ~ ***up*** (***together***) skrapa ihop **2** snåla
scrap heap ['skräpphi:p] *subst* skrothög
scrappy ['skräppi] *adj* fragmentarisk
scratch [skrättch] **I** *verb* klia; riva **II** *subst* **1** skrubbsår

2 ***from*** ~ från början; från ingenting
scrawl [skrå:l] *verb* klottra
scrawny ['skrå:ni] *adj* tanig
scream [skri:m] **I** *verb* skrika **II** *subst* skrik
screech [skri:tch] **I** *verb* gallskrika; tjuta **II** *subst* gallskrik
screen [skri:n] **I** *subst* 1 bildskärm; ***television*** ~ bildruta 2 ***the*** ~ filmen **II** *verb* skyla
screenplay ['skri:nplej] *subst* filmmanus
screw [skro:] **I** *subst* skruv; ***put the screws on*** bildl. dra åt tumskruvarna **II** *verb* 1 skruva 2 ~ ***up*** vard. misslyckas
screwdriver ['skro:ˌdrajjvə] *subst* skruvmejsel
scribble ['skribbl] **I** *verb* klottra **II** *subst* kladd
script [skrippt] *subst* manus
scripture ['skripptchə] *subst* helig skrift; ***the Scripture*** Bibeln
scroll [skrəol] *subst* skriftrulle
scrounge [skraondʒ] *verb* vard. tigga till sig
scrounger ['skraondʒə] *subst* vard. snyltare
1 scrub [skrabb] *verb* skura
2 scrub [skrabb] *subst* busksnår
scruff [skraff] *subst*, ***by the ~ of the neck*** i nackskinnet
scruffy ['skraffi] *adj* vard. sjaskig
scrum [skramm] o. **scrummage** ['skrammidʒ] *subst* i rugby klunga
scruples ['skro:plz] *subst pl* skrupler; ***have no ~ about*** inte dra sig för
scrutiny ['skro:tənni] *subst* granskning
scuff [skaff] *verb* hasa sig fram
scuffle ['skaffl] **I** *verb* slåss **II** *subst* handgemäng
sculptor ['skallptə] *subst* skulptör
sculpture ['skallptchə] *subst* skulptur
scum [skamm] *subst* bildl. avskum
scurrilous ['skarriləs] *adj* plump, grov
scurry ['skarri] *verb* kila, rusa
scuttle ['skattl] *verb* rusa, kila
scythe [sajð] *subst* lie
sea [si:] *subst* hav; ***at*** ~ till sjöss (havs); ***by*** ~ sjöledes; ***by the*** ~ vid kusten
seaboard ['si:bå:d] *subst* strandlinje; kust

seafood ['si:fo:d] *subst* fisk och skaldjur; **~ *restaurant*** fiskrestaurang
seafront ['si:frannt] *subst* strandpromenad; **~ *hotel*** strandhotell
seagull ['si:gall] *subst* fiskmås
1 seal [si:l] *subst* säl
2 seal [si:l] **I** *subst* sigill **II** *verb* försegla
sea level ['si:ˌlevvl] *subst* vattenstånd i havet
seam [si:m] *subst* söm
seaman ['si:mən] *subst* sjöman
seance ['sejj˜ɑ:ns] *subst* seans
seaplane ['si:plejn] *subst* sjöflygplan
search [sö:tch] **I** *verb* **1** söka **2** kroppsvisitera **II** *subst* sökande
searching ['sö:tching] *adj* forskande
searchlight ['sö:tchlajt] *subst* strålkastarljus
search party ['sö:tchˌpa:ti] *subst* skallgångskedja
search warrant ['sö:tchˌoårrənt] *subst* husrannsakningsorder
seashore ['si:schå:] *subst* havsstrand
seasick ['si:sikk] *adj* sjösjuk
seaside ['si:sajd] *subst* kust; **~ *resort*** badort
season ['si:zn] **I** *subst* **1** årstid **2** säsong; ***be in ~*** vara säsong för; ***out of ~*** under lågsäsong **II** *verb* krydda
seasonal ['si:zənl] *adj* säsong-
seasoning [si:zəning] *subst* krydda
season ticket ['si:znˌtikkitt] *subst* periodkort
seat [si:t] **I** *subst* sittplats; ***take a ~!*** sitt ned! **II** *verb* sätta sig
seat belt ['si:tbelt] *subst* bilbälte
seaweed ['si:wi:d] *subst* sjögräs
seaworthy ['si:ˌwö:ði] *adj* sjöduglig
sec [sek] *subst* vard. ögonblick
secluded [si'klo:didd] *adj* avskild
seclusion [si'klo:ʒən] *subst* avskildhet
1 second ['sekkənd] **I** *adj* andra, andre **II** *subst*, ***seconds*** andrasortering
2 second ['sekkənd] *subst* sekund; ögonblick
secondary ['sekkəndərri] *adj* underordnad; **~ *school***

obligatorisk skola för elever mellan 11 och 16 (18) år

second-class [ˌsekkənd'kla:s] *adj* andraklass-

second-hand [ˌsekkənd'hännd] **I** *adj* begagnad, second hand **II** *adv* i andra hand

secondly ['sekkəndli] *adv* för det andra

second-rate [ˌsekkənd'rejt] *adj* andra klassens

secrecy ['si:krəssi] *subst* förtegenhet

secret ['si:krətt] **I** *adj* hemlig; ~ ***service*** underrättelsetjänst **II** *subst* hemlighet

secretary ['sekkrətərri] *subst* **1** sekreterare **2** minister

secretive ['si:krətivv] *adj* hemlighetsfull

sectarian [sekk'täəriən] *adj* sekteristisk

section ['sekkschən] *subst* del; sektion

sector ['sekktə] *subst* sektor; ***the public*** ~ den offentliga sektorn

secular ['sekkjolə] *adj* världslig

secure [si'kjoə] **I** *adj* säker **II** *verb* befästa; säkra

security [si'kjoərətti] *subst* **1** trygghet; säkerhet; ~ ***control*** säkerhetskontroll; ~ ***risk*** säkerhetsrisk **2** ***securities*** värdepapper

sedative ['seddətivv] **I** *adj* lugnande **II** *subst* lugnande medel

seduce [si'djo:s] *verb* förföra

seduction [si'dakkschən] *subst* förförelse

seductive [si'dakktivv] *adj* förförisk

see* [si:] *verb* **1** se; titta på; ~ ***about*** ordna; ~ ***off*** vinka av; ~ ***through*** genomskåda; ~ ***to*** ta hand om **2** förstå **3** besöka; ~ ***you!*** vard. vi ses!

seed [si:d] *subst* frö

seedling ['si:dling] *subst* planta

seedy ['si:di] *adj* sjaskig

seeing ['si:ing] *konj*, ~ ***that*** eftersom

seek [si:k] *verb* söka

seem [si:m] *verb* verka, förefalla

seemingly ['si:mingli] *adv* till synes

seen [si:n] perf. p. av *see*

seep [si:p] *verb* sippra

seesaw ['si:så:] **I** *subst* gungbräde **II** *verb* bildl. pendla

seethe [si:ð] *verb* sjuda bildl.

see-through ['si:θro:] *adj* genomskinlig
segment ['seggmənt] *subst* segment
segregate ['seggrigejt] *verb* segregera, åtskilja
seize [si:z] *verb* gripa, ta; ~ ***the opportunity*** ta tillfället i akt
seizure ['si:ʒə] *subst* övertagande
seldom ['selldəm] *adv* sällan
select [sə'lekkt] **I** *adj* utvald **II** *verb* välja
selection [sə'lekkschən] *subst* urval
self [sellf] *subst* o. *pron* jag
self-assured [ˌsellfə'schoəd] *adj* självsäker
self-catering [ˌsellf'kejtəring] *adj* med självhushåll
self-centred [ˌsellf'senntəd] *adj* självupptagen
self-confidence [ˌsellf'kånnfidəns] *subst* självförtroende
self-conscious [ˌsellf'kånnschəs] *adj* förlägen, osäker
self-contained [ˌsellfkən'tejnd] *adj* komplett; självständig
self-control [ˌsellfkən'trəol] *subst* självbehärskning
self-defence [ˌsellfdi'fenns] *subst* självförsvar
self-discipline [ˌsellf'dissiplinn] *subst* självdisciplin
self-employed [ˌsellfim'plåjd] *adj*, ***be*** ~ vara sin egen
self-evident [ˌsellf'evvidənt] *adj* självklar
self-governing [ˌsellf'gavvəning] *adj* självstyrande
self-indulgent [ˌsellfin'dalldʒənt] *adj* njutningslysten
self-interest [ˌsellf'inntrəst] *subst* egennytta
selfish ['sellfisch] *adj* självisk
selfishness ['sellfischnəs] *subst* själviskhet
selfless ['sellfləs] *adj* osjälvisk
self-pity [ˌsellf'pitti] *subst* självömkan
self-possessed [ˌsellfpə'zesst] *adj* behärskad
self-preservation ['sellfˌprezə'vejjschən] *subst* självbevarelse
self-respect [ˌsellfri'spekkt] *subst* självaktning
self-righteous [ˌsellf'rajtchəs] *adj* självrättfärdig

self-satisfied [ˌsellf'sättisfajd] *adj* självbelåten
self-service [ˌsellf'sö:viss] *subst* självbetjäning, självservering; **~ store** snabbköp butik
self-sufficient [ˌsellfsə'fischənt] *adj* självförsörjande
self-taught [ˌsellf'tå:t] *adj* självlärd
sell* [sell] *verb* sälja; **sold out** utsåld
seller ['sellə] *subst* försäljare
Sellotape® ['sellətejp] *subst* tejp
selves [sellvz] *subst* pl. av *self*
semblance ['semmbləns] *subst* yttre sken
semen ['si:mən] *subst* sädesvätska
semester [sə'messtə] *subst* termin
semicolon [ˌsemmi'kəolən] *subst* semikolon
semidetached [ˌsemmidi'tättcht] *adj*, **a ~ house** ett parhus
semifinal [ˌsemmi'fajnl] *subst* semifinal
seminar ['semmina:] *subst* seminarium
seminary ['semminərri] *subst* prästseminarium
semiskilled [ˌsemmi'skilld] *adj*, **~ worker** kvalificerad tempoarbetare
senator ['sennəttə] *subst* senator
send* [sennd] *verb* sända, skicka; **~ for** skicka efter; **~ off** skicka iväg; **~ on** eftersända
senior ['si:njə] *adj* äldre; högre i rang; **~ citizen** pensionär
seniority [ˌsi:ni'årrətti] *subst* rang, betydelse
sensation [senn'sejschən] *subst* **1** känsla **2** sensation
sensational [senn'sejschənl] *adj* sensationell
sense [senns] **I** *subst* **1** sinne; **a sixth ~** ett sjätte sinne; **come to one's senses** sansa sig **2** känsla; **~ of duty** pliktkänsla **3** förstånd **4** betydelse; **it makes ~** det låter vettigt **II** *verb* känna på sig
senseless ['sennsləs] *adj* meningslös
sensible ['sennsəbl] *adj* vettig
sensitive ['sennsətivv] *adj* känslig
sensual ['sennsjoəl] *adj* sensuell

sensuous ['sennsjoəs] *adj* sinnlig
sent [sennt] imperf. o. perf. p. av *send*
sentence ['senntəns] **I** *subst* **1** dom **2** mening **II** *verb* döma
sentiment ['senntimənt] *subst* känsla; känslosamhet
sentimental [ˌsennti'menntl] *adj* sentimental
sentry ['senntri] *subst* vaktpost
separate I ['seppərət] *adj* skild, separat **II** ['sepparejt] *verb* skilja; separera
separately ['sepprəttli] *adv* separat; var för sig
separation [ˌseppə'rejschən] *subst* skilsmässa; separation
September [sepp'temmbə] *subst* september
septic ['sepptikk] *adj* infekterad
sequel ['si:koəl] *subst* uppföljare
sequence ['si:koəns] *subst* ordningsföljd; sekvens
sequin ['si:kwin] *subst* paljett
serene [sə'ri:n] *adj* stilla, fridfull
sergeant ['sa:dʒənt] *subst* sergeant
serial ['siəriəl] *subst* följetong; serie
series ['siəri:z] *subst* serie
serious ['siəriəs] *adj* allvarlig; ***are you ~?*** menar du allvar?
seriously ['siəriəsli] *adv* allvarligt; ***take ~*** ta på allvar
sermon ['sö:mən] *subst* predikan
servant ['sö:vənt] *subst* tjänare
serve [sö:v] **I** *verb* **1** tjäna **2** fungera som **3** servera **4** serva i tennis o.d. **II** *subst* serve i tennis o.d.
service ['sö:viss] *subst* **1** tjänst **2** servering; service; ***~ area*** rastplats vid motorväg med bensinstation, restaurang m.m. **3** servis **4** gudstjänst
serviceman ['sö:vismän] *subst* militär
serviette [ˌsö:vi'ett] *subst* servett
session ['seschən] *subst* sammanträde
set [sett] **I** *verb* **1** sätta, ställa **2** bestämma **3** gå ner om sol **4** stelna **5** ***~ about*** ta itu med; ***~ aside*** bortse från; avsätta; ***~ back*** försena; ***~ in*** inträda; ***~ off*** ge sig i väg; ***~ on*** hetsa; ***~ out*** ge sig av; föresätta sig; ***~ up*** upprätta, inrätta **II** *adj* fast; bestämd; ***be ~ on*** vara fast besluten **III** *subst*

1 uppsättning, sats **2** apparat **3** i tennis o.d. set
setback ['settbäkk] *subst* motgång
settee [se'tiː] *subst* mindre soffa
setting ['setting] *subst* scen, bakgrund
settle ['settl] *verb* **1** slå sig ner; ~ ***down*** stadga sig **2** klara upp; göra upp **3** fastställa; ~ ***for*** bestämma sig för
settlement ['settlmənt] *subst* **1** uppgörelse **2** nybygge
settler ['settlə] *subst* nybyggare
set-up ['settapp] *subst* uppbyggnad
seven ['sevvn] *räkn* sju
seventeen [ˌsevvn'tiːn] *räkn* sjutton
seventh ['sevvnθ] *räkn* sjunde
seventy ['sevvnti] *räkn* sjuttio
sever ['sevvə] *verb* avskilja; klippa av
several ['sevvrəl] *adj* o. *pron* åtskilliga
severe [si'viə] *adj* **1** sträng **2** svår
sew [səo] *verb* sy
sewage ['soːidʒ] *subst* avloppsvatten
sewer ['soːə] *subst* kloak
sewing ['səoing] *subst* sömnad
sewing-machine ['səoingməˌschiːn] *subst* symaskin
sewn [səon] perf. p. av *sew*
sex [sekks] *subst* **1** kön **2** sex, det sexuella
sexist ['sekksist] **I** *subst* sexist **II** *adj* sexistisk
sexual ['sekksjoəl] *adj* sexuell; ~ ***harassment*** sexuella trakasserier
sexy ['sekksi] *adj* vard. sexig
shabby ['schäbbi] *adj* sjabbig
shack [schäkk] *subst* skjul; kåk
shade [schejd] *subst* **1** skugga **2** nyans
shadow ['schäddəo] *subst* skugga
shadowy ['schäddəwi] *adj* skuggig
shady ['schejdi] *adj* **1** skuggig **2** vard. skumrask-
shaft [schaːft] *subst* schakt; trumma
shaggy ['schäggi] *adj* lurvig
shake [schejk] **I** *verb* skaka; ~ ***hands*** skaka hand; ~ ***off*** skaka av sig **II** *subst* skakning

shaken ['schejkən] perf. p. av *shake*
shake-up ['schejkapp] *subst* omvälvning
shaky ['schejki] *adj* skakig; osäker
shall [schäll] *verb* ska, skall
shallow ['schälləo] *adj* 1 grund 2 ytlig
sham [schämm] **I** *subst* bluff, sken **II** *adj* sken-; falsk
shambles ['schämmblz] *subst* röra, soppa
shame [schejm] *subst* skam; ***what a ~!*** så synd!
shamefaced ['schejmfejst] skamsen
shameful ['schejmfoll] *adj* skamlig
shameless ['schejmləs] *adj* skamlös
shampoo [schämm'po:] *subst* schampo
shandy ['schänndi] *subst* blandning av öl och sockerdricka
shan't [scha:nt] = *shall not*
shanty town ['schäntitaon] *subst* kåkstad
shape [schejp] **I** *subst* 1 form; gestalt 2 ***in good*** (***bad***) ~ i bra (dålig) form **II** *verb* forma
shapeless ['schejpləs] *adj* formlös
shapely ['schejpli] *adj* välformad
share [schäə] **I** *subst* 1 del 2 aktie **II** *verb* dela
shareholder ['schäə,həoldə] *subst* aktieägare
shark [scha:k] *subst* haj
sharp [scha:p] **I** *adj* 1 skarp 2 smart **II** *subst* halvt tonsteg uppåt **III** *adv* på slaget
sharpen ['scha:pən] *verb* skärpa
sharpener ['scha:pnə] *subst* pennvässare
shatter ['schättə] *verb* förstöra; krossa
shave [schejv] *verb* raka sig
shaver ['schejvə] *subst* rakapparat
shaving ['schejving] *adj* rak-
shawl [schå:l] *subst* sjal
she [schi:] **I** *pron* hon; om land m.m. den, det **II** *adj* vid djurnamn hon-, -hona
sheaf [schi:f] *subst* kärve
shear [schiə] *verb* klippa
shears [schiəz] *subst pl* trädgårdssax
sheath [schi:θ] *subst* slida, balja
she'd [schi:d] = *she had* o. *she would*
1 shed [schedd] *subst* skjul
2 shed [schedd] *verb* fälla

sheen [schi:n] *subst* lyster
sheep [schi:p] *subst* får
sheepdog ['schi:pdågg] *subst* fårhund
sheepish ['schi:pisch] *adj* fåraktig
sheepskin ['schi:pskinn] *subst* fårskinn
sheer [schiə] *adj* **1** ren, idel **2** skir
sheet [schi:t] *subst* **1** lakan **2** pappersark; ***a clean*** ~ ett fläckfritt förflutet
shelf [schelf] *subst* hylla
shell [schell] *subst* **1** skal; snäcka **2** granat
she'll [schi:l] = *she will* o. *she shall*
shellfish ['schellfisch] *subst* skaldjur
shelter ['schelltə] **I** *subst* skydd **II** *verb* skydda
shelve [schellv] *verb* lägga på hyllan bildl.
shelves [schellvz] *subst* pl. av *shelf*
shepherd ['scheppəd] *subst* herde
shepherd's pie [ˌscheppədz'paj] *subst* slags köttpudding med potatismos
sheriff ['scherriff] *subst* i Storbritannien sheriff ämbetsman i ett grevskap
sherry ['scherri] *subst* sherry
she's [schi:z] = *she is* o. *she has*
shield [schi:ld] **I** *subst* sköld i div. bet. **II** *verb* skydda
shift [schifft] **I** *verb* skifta; flytta **II** *subst* **1** skifte **2** arbetsskift
shifty ['schiffti] *adj* opålitlig
shilly-shally ['schilliˌschälli] *adj* velande
shimmer ['schimmə] **I** *verb* skimra **II** *subst* skimmer
shin [schinn] *subst* skenben
shine [schajn] *verb* skina, lysa
shingle ['schinggl] *subst* klappersten
shingles ['schingglz] *subst* bältros
shiny ['schajni] *adj* glänsande
ship [schipp] **I** *subst* skepp, fartyg **II** *verb* skeppa
shipment ['schippmənt] *subst* skeppslast
shipper ['schippə] *subst* speditör
shipping ['schipping] *subst* sjöfart; ~ ***company*** rederi
shipwreck ['schipprekk] *subst* skeppsbrott
shipyard ['schippja:d] *subst* skeppsvarv
shire ['schajə] *subst* grevskap

shirk [schö:k] *verb* dra sig undan
shirt [schö:t] *subst* skjorta; sport. tröja
shit [schitt] vulgärt **I** *subst* skit; *~!* fan! **II** *verb* skita
shiver ['schivvə] **I** *verb* darra **II** *subst* skälvning
shoal [schəol] *subst* fiskstim
shock [schåkk] **I** *subst* **1** chock **2** stöt **II** *verb* chockera
shock-absorber ['schåkkəbb,så:bə] *subst* stötdämpare
shocking ['schåkking] *adj* chockerande
shoddy ['schåddi] *adj* slarvig; sjaskig
shoe [scho:] *subst* sko
shoelace ['scho:lejs] *subst* skosnöre
shoestring ['scho:string] *adj* med knappa medel
shone [schånn] imperf. o. perf. p. av *shine*
shoo [scho:] *verb* schasa iväg
shook [schokk] imperf. av *shake*
shoot [scho:t] **I** *verb* **1** skjuta; *~ **down*** skjuta ner; *~ **up*** ränna i höjden **2** jaga **3** filma **II** *subst* **1** skott planta **2** jakt
shooting ['scho:ting] *subst* skottlossning
shooting-star ['scho:tingsta:] *subst* stjärnfall
shoot-out ['scho:taot] *subst* eldstrid
shop [schåpp] **I** *subst* **1** affär **2** verkstad **II** *verb* handla, shoppa
shop assistant ['schåppə,sisstənt] *subst* expedit
shopfloor [,schåpp'flå:] *subst*, ***on the ~*** på verkstadsgolvet
shopkeeper ['schåpp,ki:pə] *subst* butiksinnehavare
shoplifting ['schåpp,liffting] *subst* snatteri
shopper ['schåppə] *subst* shoppande person
shopping ['schåpping] *subst* inköp; *~ **bag*** shoppingväska; *~ **centre*** shoppingcenter
shopsoiled ['schåppsåjld] *adj* butiksskadad
shop steward [,schåpp'stjoəd] *subst* fackligt ombud
shopwindow [,schåpp'windəo] *subst* skyltfönster
shore [schå:] *subst* strand; kust
shorn [schå:n] perf. p. av *shear*
short [schå:t] **I** *adj* **1** kort; *~ **cut*** genväg; *~ **story*** novell

2 brysk 3 ***be ~ of*** ha ont om **II** *adv*, ***cut*** ~ avbryta; ***run*** ~ börja få ont om; ***in*** ~ kort sagt
shortage ['schå:tidʒ] *subst* brist
shortbread ['schå:tbredd] o. **shortcake** ['schå:tkejk] *subst* mördegskaka
short-circuit [ˌschå:t'sö:kitt] *subst* kortslutning
shortcoming [ˌschå:t'kamming] *subst* brist, fel
shorten ['schå:tn] *verb* förkorta
shortfall ['schå:tfå:l] *subst* brist
shorthand ['schå:thännd] *subst* stenografi
short-list ['schå:tlist] *subst* slutlista
short-lived [ˌschå:t'livvd] *adj* kortlivad
shortly ['schå:tli] *adv* **1** kort; inom kort **2** kortfattat
shorts [schå:ts] *subst pl* shorts
short-sighted [ˌschå:t'sajjtidd] *adj* närsynt
short-staffed [ˌschå:t'sta:ft] *adj* underbemannad
short story ['schå:tˌstå:ri] *subst* novell
short-tempered [ˌschå:t'temmpəd] *adj* lättretad
short-term ['schå:ttö:m] *adj* kortsiktig
short-wave ['schå:twejv] *subst* kortvåg
shot [schått] **I** imperf. o. perf. p. av *shoot* **II** *subst* **1** skott **2** foto **3** spruta injektion **4** ***have a ~ at sth.*** försöka sig på ngt
shotgun ['schåttgann] *subst* hagelgevär
should [schod] *verb* skulle; borde, bör; torde
shoulder ['schəoldə] *subst* skuldra, axel
shoulder bag ['schəoldəbägg] *subst* axelremsväska
shoulder blade ['schəoldəblejd] *subst* skulderblad
shoulder strap ['schəoldəsträpp] *subst* axelband
shouldn't ['schoddnt] = *should not*
shout [schaot] **I** *verb* skrika **II** *subst* skrik
shouting ['schaoting] *subst* skrikande
shove [schavv] **I** *verb* knuffa, fösa **II** *subst* knuff

shovel ['schavvl] **I** *subst* skyffel **II** *verb* skyffla, skotta
show* [schəo] **I** *verb* visa; synas; ~ ***off*** briljera, glänsa; ~ ***up*** vard. komma **II** *subst* **1** utställning; show; ***on*** ~ utställd **2** ***for*** ~ för syns skull
show business ['schəo,bizznəs] *subst* nöjesbranschen
showdown ['schəodaon] *subst* kraftmätning
shower ['schaoə] **I** *subst* **1** dusch **2** skur **II** *verb* duscha
showerproof ['schaoəpro:f] *adj* vattentät
showing ['schəoing] *subst* visning
show-jumping ['schəo,dʒammping] *subst* hinderhoppning
shown [schəon] perf. p. av *show*
showroom ['schəoro:m] *subst* utställningslokal
shrank [schrängk] imperf. av *shrink*
shrapnel ['schräppnəl] *subst* granatsplitter
shred [schredd] **I** *subst* remsa; ***no*** ~ ***of*** inte en tillstymmelse till **II** *verb* strimla; riva
shredder ['schreddə] *subst* **1** rivjärn **2** dokumentförstörare
shrewd [schro:d] *adj* listig, smart
shriek [schri:k] **I** *verb* skrika **II** *subst* gallskrik
shrill [schrill] *adj* gäll
shrimp [schrimp] *subst* räka
shrine [schrajn] *subst* helgedom
shrink* [schringk] *verb* krympa; ~ ***away*** rygga tillbaka; ~ ***from*** dra sig för
shrinkage ['schringkiddʒ] *subst* krympning; ***allowance for*** ~ krympmån
shrivel ['schrivvl] *verb* skrumpna
shroud [schraod] **I** *subst* svepning **II** *verb*, ***be shrouded in*** vara höljd i
shrub [schrabb] *subst* buske
shrubbery ['schrabbəri] *subst* buskage
shrug [schragg] **I** *verb*, ~ ***one's shoulders*** rycka på axlarna **II** *subst* axelryckning
shrunk [schrangk] perf. p. o. ibl. imperf. av *shrink*
shudder ['schaddə] **I** *verb* rysa **II** *subst* rysning
shuffle ['schaffl] **I** *verb* **1** hasa **2** blanda kortlek **II** *subst* hasande

shun [schann] *verb* undvika, sky

shunt [schannt] *verb* vard. fösa omkring

shut [schatt] **I** *verb* stänga; ~ ***one's eyes*** blunda; ~ ***one's eyes to*** blunda för; ~ ***your mouth!*** håll käft!; ~ ***down*** lägga ner; ~ ***out*** utestänga; ~ ***up*** vard. hålla mun **II** *adj* stängd

shutdown ['schattdaon] *subst* nedläggning

shutter ['schattə] *subst* **1** fönsterlucka **2** slutare i kamera

shuttle ['schattl] *subst* pendel tåg, båt el. flyg

shuttlecock ['schattlkåkk] *subst* badmintonboll

shy [schaj] *adj* blyg

sibling ['sibbling] *subst* syskon

sick [sikk] *adj*, ***be*** ~ kräkas; ***feel*** ~ må illa; ***report*** ~ göra sjukanmälan

sick bay ['sikkbej] *subst*, ***the*** ~ sjukan

sicken ['sikkən] *verb* äckla

sickening ['sikkəning] *adj* vämjelig

sickle ['sikkl] *subst* skära skörderedskap

sick leave ['sikkli:v], ***be on*** ~ vara sjukskriven

sickly ['sikkli] *adj* sjuklig

sickness ['sikknəs] *subst* **1** sjukdom; ~ ***benefit*** sjukpenning **2** kräkningar

sick pay ['sikkpej] *subst* sjuklön

side [sajd] **I** *subst* sida; ***at*** (***by***) ***sb.'s*** ~ vid ngns sida; ~ ***by*** ~ sida vid sida; ***on the*** ~ vid sidan om **II** *verb*, ~ ***with*** ta parti för

sideboard ['sajdbå:d] *subst* skänk, sideboard

side effect ['sajdi,fekkt] *subst* biverkan

sidelight ['sajdlajt] *subst* sidomarkeringsljus på fordon

sideline ['sajdlajn] *subst* **1** sidlinje **2** bisyssla

sidelong ['sajdlång] *adj* o. *adv* från sidan

side-saddle ['sajd,säddl] *adv* i damsadel

sideshow ['sajdschəo] *subst* stånd på nöjesfält o.d.

sidestep ['sajdstepp] *verb* sidsteppa; undvika

side street ['sajdstri:t] *subst* sidogata

sidetrack ['sajdträkk] **I** *subst* sidospår **II** *verb* bildl. leda in på ett sidospår

sideways ['sajdwejz] **I** *adv* från sidan; åt sidan **II** *adj* sido-

siding ['sajding] *subst* stickspår
sidle ['sajdl] *verb* smyga sig
siege [si:dʒ] *subst* belägring
sieve [sivv] **I** *subst* sil, sikt **II** *verb* sikta, sila
sift [sifft] *verb* sålla
sigh [saj] **I** *verb* sucka **II** *subst* suck
sight [sajt] **I** *subst* **1** syn; ***at first*** ~ vid första anblicken; ***be in*** ~ kunna ses; ***be out of*** ~ vara utom synhåll **2** sevärdhet **II** *verb* bli sedd
sightseeing ['sajt,si:ing] *subst* sightseeing
sign [sajn] **I** *subst* **1** tecken **2** skylt **II** *verb* underteckna; ~ ***on*** anmäla sig; ta värvning
signal ['siggnəl] **I** *subst* signal **II** *verb* signalera
signalman ['siggnəlmən] *subst* signalist
signature ['siggnətchə] *subst* signatur
signet ring ['siggnittring] *subst* klackring
significance [sigg'niffikəns] *subst* betydelse
significant [sigg'niffikənt] *adj* betydande
signpost ['sajnpəost] *subst* vägskylt
silence ['sajləns] **I** *subst* tystnad **II** *verb* tysta ned
silencer ['sajlənsə] *subst* ljuddämpare
silent ['sajlənt] *adj* tyst; ***be*** ~ äv. tiga; ~ ***film*** stumfilm
silhouette [,silo'ett] *subst* silhuett
silk [sillk] *subst* silke; siden
silky ['sillki] *adj* silkeslen
silly ['silli] *adj* dum, fånig
silt [sillt] *subst* bottenslam
silver ['sillvə] *subst* silver; ~ ***wedding*** silverbröllop
silver-plated [,sillvə'plejjtidd] *adj* pläterad
silvery ['sillvəri] *adj* silverglänsande
similar ['simmilə] *adj* lik, liknande
similarly ['simmiləli] *adv* likaledes
simile ['simmili] *subst* liknelse
simmer ['simmə] *verb* puttra, sjuda
simple ['simmpl] *adj* enkel
simplicity [simm'plissəti] *subst* enkelhet
simply ['simmpli] *adv* helt enkelt
simultaneous [,simməl'tejjnjəs] *adj* samtidig

sin [sinn] **I** *subst* synd **II** *verb* synda

since [sinns] **I** *adv* sedan, för ... sedan; ***ever*** ~ alltsedan dess **II** *konj* eftersom

sincere [sinn'siə] *adj* uppriktig

sincerely [sinn'siəli] *adv* uppriktigt; ***Yours*** ~ i brevslut med vänlig hälsning

sinew ['sinnjoː] *subst* sena

sinful ['sinnfoll] *adj* syndig

sing* [sing] *verb* sjunga

singe [sindʒ] **I** *verb* sveda **II** *subst* lätt brännskada

singer ['singə] *subst* sångare; sångerska

singing ['singing] **I** *adj* sång- **II** *subst* sjungande

single ['singgl] **I** *adj* **1** enda, enstaka **2** ensamstående **3** enkel; ~ ***room*** enkelrum **II** *subst* **1** ***singles*** singel i tennis o.d. **2** enkel biljett **III** *verb*, ~ ***out*** välja ut

single-breasted [ˌsinggl'bresstidd] *adj* enkelknäppt

single-handed [ˌsinggl'hänndidd] *adv* på egen hand

single-minded [ˌsinggl'majndidd] *adj* enkelspårig

singly ['singgli] *adv* **1** en och en **2** på egen hand

singular ['singgjolə] **I** *adj* enastående **II** *subst* singular

sinister ['sinnistə] *adj* olycksbådande

sink [singk] **I** *verb* sjunka; sänka **II** *subst* diskho

sinner ['sinnə] *subst* syndare

sip [sipp] **I** *verb* smutta på **II** *subst* smutt

siphon ['sajfən] *subst* hävert; ***soda*** ~ sifon

sir [söː] *subst* i tilltal herrn, sir vanl. utan motsvarighet i svenska; ***Sir*** adlig titel sir

siren ['sajərən] *subst* siren

sirloin ['söːlåjn] *subst*, ~ ***steak*** utskuren biff

sissy ['sissi] *subst* vard. mes, fjolla

sister ['sisstə] *subst* syster

sister-in-law ['sisstərinnlåː] *subst* svägerska

sit* [sitt] *verb* sitta; sätta sig; ~ ***down*** sätta sig; ~ ***in on*** närvara vid; ~ ***up*** sitta uppe

sitcom ['sittkåmm] *subst* komediserie

sit-down ['sittdaon] *adj*, ~ ***strike*** sittstrejk

site [sajt] *subst* plats

sit-in ['sittin] *subst* sittstrejk; ockupation

sitting ['sitting] *subst* sittning
sitting-room ['sittingro:m] *subst* vardagsrum
situated ['sittjoejtidd] *adj* belägen
situation [ˌsittjo'ejschən] *subst* **1** situation **2** anställning; ***situations vacant*** som rubrik lediga platser
sit-up ['sittapp] *subst* sit-up
six [sikks] *räkn* sex; ~ ***months*** äv. ett halvår
sixteen [ˌsikks'ti:n] *räkn* sexton
sixth [sikksθ] *räkn* sjätte
sixty ['sikksti] *räkn* sextio
size [sajz] *subst* storlek
sizeable ['sajzəbbl] *adj* ganska stor
sizzle ['sizzl] *verb* fräsa
skate [skejt] **I** *subst* skridsko; rullskridsko **II** *verb* åka skridskor; åka rullskridskor
skateboard ['skejtbå:d] *subst* rullbräda
skater ['skejtə] *subst* skridskoåkare; rullskridskoåkare
skating ['skejting] *subst* skridskoåkning; rullskridskoåkning
skating-rink ['skejtingringk] *subst* skridskobana; rullskridskobana
skeleton ['skellitn] *subst* skelett
sketch [sketch] **I** *subst* **1** skiss **2** sketch **II** *verb* skissera
sketchbook ['sketchbokk] *subst* skissblock
sketchy ['sketchi] *adj* skissartad
skewer [skjoə] *subst* steknål; stekspett, grillspett
ski [ski:] **I** *subst* skida; ~ ***goggles*** skidglasögon; ~ ***run*** (***track***) skidspår **II** *verb* åka skidor
skid [skidd] **I** *subst* slirning **II** *verb* slira
skier ['ski:ə] *subst* skidåkare
skiing ['ski:ing] *subst* skidåkning
ski jump ['ski:dʒammp] *subst* backhoppning
skilful ['skillfoll] *adj* skicklig
skilift ['ski:lift] *subst* skidlift
skill [skill] *subst* skicklighet
skilled [skilld] *adj* **1** skicklig **2** yrkesutbildad
skim [skimm] *verb* skumma
skimp [skimmp] *verb* snåla med
skimpy ['skimmpi] *adj* knapp; för liten

skin [skinn] **I** *subst* hud; skinn **II** *verb* flå; skala
skin-deep [ˌskinn'di:p] *adj* ytlig
skindiving ['skinnˌdajving] *subst* sportdykning
skinny ['skinni] *adj* bara skinn och ben
skintight [ˌskinn'tajt] *adj* åtsittande
1 skip [skipp] *verb* skutta; bildl. hoppa över
2 skip [skipp] *subst* avfallscontainer
skipper ['skippə] *subst* 1 skeppare 2 lagkapten
skipping-rope ['skippingrəop] *subst* hopprep
skirmish ['skö:misch] *subst* skärmytsling
skirt [skö:t] *subst* kjol
skirting-board ['skö:tingbå:d] *subst* golvlist
skittle ['skittl] *subst* kägla
skulk [skallk] *verb* hålla sig undan
skull [skall] *subst* skalle
skunk [skangk] *subst* skunk
sky [skaj] *subst* himmel
skylight ['skajlajt] *subst* takfönster
skyscraper ['skajˌskrejpə] *subst* skyskrapa
slab [släbb] *subst* platta; skiva
slack [släkk] *adj* slö, slapp
slacken ['släkkən] *verb* minska; slakna
slag heap ['slägghi:p] *subst* slagghög
slalom ['sla:ləm] *subst* slalom; ***~ boot*** slalompjäxa
slam [slämm] *verb* slå (smälla) igen
slander ['sla:ndə] **I** *subst* förtal **II** *verb* förtala
slang [släng] *subst* slang; ***~ word*** slangord
slant [sla:nt] **I** *verb* **1** slutta **2** vinkla **II** *subst* vinkling
slap [släpp] **I** *verb* smälla 'till **II** *subst* smäll; ***a ~ in the face*** ett slag i ansiktet
slapdash ['släppdäsch] *adv* vard. hafsigt
slapstick ['släppstikk] *subst* filmfars, slapstick
slash [släsch] *verb* skära sönder; slitsa upp
slat [slätt] *subst* spjäla i persienn o.d.
slate [slejt] *subst* skiffer
slaughter ['slå:tə] **I** *subst* slakt **II** *verb* slakta
slaughterhouse ['slå:təhaos] *subst* slakteri

slave [slejjv] **I** *subst* slav **II** *verb* slava
slavery ['slejjvərri] *subst* slaveri
slavish ['slejjvisch] *adj* slavisk
sleazy ['sli:zi] *adj* vard. sjaskig; sliskig
sledge [sleddʒ] *subst* släde
sleek [sli:k] *adj* slät; elegant
sleep* [sli:p] **I** *verb* sova; ~ ***with*** ligga med **II** *subst* sömn; ***go to ~*** somna
sleeper ['sli:pə] *subst* **1** sovvagn **2** ***be a heavy ~*** sova tungt
sleeping bag ['sli:pingbägg] *subst* sovsäck
sleeping car ['sli:pingka:] *subst* sovvagn
sleeping partner [ˌsli:ping'pa:tnə] *subst* passiv delägare
sleeping pill ['sli:pingpill] *subst* sömnpiller
sleepless ['sli:pləs] *adj* sömnlös
sleepwalker ['sli:pˌoå:kə] *subst* sömngångare
sleepy ['sli:pi] *adj* sömnig
sleet [sli:t] *subst* snöblandat regn
sleeve [sli:v] *subst* ärm
sleigh [slej] *subst* släde
sleight of hand ['slajt əv 'hännd] *subst* fingerfärdighet; trick
slender ['slenndə] *adj* smärt, slank
slept [sleppt] imperf. o. perf. p. av *sleep*
slice [slajs] **I** *subst* skiva; del **II** *verb* skiva
slick [slikk] *adj* glättig; hal
slide [slajd] **I** *verb* glida; slinka **II** *subst* **1** rutschkana **2** diabild
sliding ['slajding] *adj* glid-; skjut-
slight [slajt] **I** *adj* ringa, liten; ***not in the slightest*** inte det minsta **II** *verb* ringakta
slightly ['slajtli] *adv* lätt, något
slim [slimm] **I** *adj* smal **II** *verb*, ***be slimming*** banta
slime [slajm] *subst* slem
sling [sling] **I** *verb* slunga, slänga **II** *subst* mitella
slip [slipp] **I** *verb* glida; halka **II** *subst* **1** misstag **2** underklänning
slipper ['slippə] *subst* toffel
slippery ['slippərri] *adj* hal
sliproad ['slipprəod] *subst* påfartsväg, avfartsväg
slipshod ['slippschådd] *adj* hafsig

slip-up ['slippapp] *subst* vard. tabbe
slit [slitt] **I** *verb* sprätta upp **II** *subst* **1** snitt **2** slits
slither ['sliðə] *verb* hasa sig fram
sliver ['slivvə] *subst* flisa; strimla
slob [slåbb] *subst* vard. slashas
slog [slågg] vard. **I** *verb* knoga **II** *subst* slit
slogan ['slәogәn] *subst* slagord
slop [slåpp] *verb* spilla
slope [slәop] **I** *subst* sluttning **II** *verb* slutta
sloppy ['slåppi] *adj* vard. slarvig, slapp
slot [slått] *subst* springa; myntinkast
sloth [slәoθ] *subst* lättja
slot machine ['slåttmә,schi:n] *subst* **1** varuautomat **2** spelautomat
slouch [slaotch] *verb* sloka, hänga
slovenly ['slavvnli] *adj* ovårdad
slow [slәo] **I** *adj* långsam **II** *adv* sakta **III** *verb*, ***~ down*** (***up***) sakta in; slå av på takten
slowly ['slәoli] *adv* långsamt, sakta
slow-motion [,slәo'mәoschәn] *subst* slow motion
sludge [sladdʒ] *subst* gyttja
slug [slagg] *subst* snigel utan skal
sluggish ['slaggisch] *adj* trög
sluice [slo:s] *subst* sluss
slum [slamm] *subst* slum
slump [slammp] **I** *subst* plötsligt prisfall **II** *verb* rasa
slung [slang] imperf. o. perf. p. av *sling*
slur [slö:] *verb* sluddra
slush [slasch] *subst* snöslask
slut [slatt] *subst* slampa
sly [slaj] *adj* slug; skälmsk
smack [smäkk] **I** *subst* smäll **II** *verb* **1** smälla till **2** smacka med **III** *adv* vard. rakt, rätt
small [små:l] *adj* liten; små; ***~ change*** växel pengar; ***~ talk*** kallprat
smallholder ['små:l,hәoldә] *subst* småbrukare
smallpox ['små:lpåkks] *subst* smittkoppor
smart [sma:t] **I** *adj* skicklig; smart; snygg **II** *verb* svida
smash [smäsch] **I** *verb* **1** slå sönder **2** i tennis o.d. smasha **II** *subst* **1** krock **2** jättesuccé
smashing ['smäsching] *adj* vard. jättefin, pang-

smattering ['smättəring] *subst* ytlig kännedom
smear [smiə] **I** *subst* fläck **II** *verb* smeta ner; smörja
smear campaign ['smiəkämm,pejn] *subst* förtalskampanj
smell [smell] **I** *verb* lukta; ~ ***good*** (***bad***) lukta gott (illa) **II** *subst* lukt
smile [smajl] **I** *verb* le **II** *subst* leende
smirk [smö:k] **I** *verb* hånflina **II** *subst* flin
smock [småkk] *subst* skyddsrock
smog [smågg] *subst* smog rökblandad dimma
smoke [sməok] **I** *subst* rök **II** *verb* röka
smoker ['sməokə] *subst* rökare
smoke screen ['sməokskri:n] *subst* rökridå
smoking ['sməoking] *subst* rökning; ***no*** ~ rökning förbjuden
smoky ['sməoki] *adj* rökig
smooth [smo:ð] **I** *adj* slät; len; lugn **II** *verb* släta 'till; ~ ***over*** släta över
smother ['smaððə] *verb* kväva
smoulder ['sməoldə] *verb* pyra
smudge [smaddʒ] **I** *subst* smutsfläck **II** *verb* kladda ner
smug [smagg] *adj* självbelåten
smuggle ['smaggl] *verb* smuggla
smuggler ['smagglə] *subst* smugglare
smuggling ['smaggling] *subst* smuggling
snack [snäkk] *subst* matbit
snack bar ['snäkkba:] *subst* snackbar
snag [snägg] *subst* krux
snail [snejl] *subst* snigel
snake [snejk] *subst* orm
snap [snäpp] **I** *verb* **1** snäsa **2** gå av **3** knäppa med **II** *subst* **1** knäpp **2** ***ginger snaps*** ung. hårda pepparkakor **III** *adj* snabb-
snappy ['snäppi] *adj* kvick
snapshot ['snäppschått] *subst* kort, snapshot
snare [snäə] **I** *subst* snara **II** *verb* snärja
snarl [sna:l] *verb* morra
snatch [snättch] *verb* rycka till sig
sneak [sni:k] **I** *verb* smyga **II** *adj*, ~ ***preview*** förhandsvisning
sneakers ['sni:kəz] *subst pl* gymnastikskor

sneer [sniə] **I** *verb* hånle **II** *subst* hånleende
sneeze [sni:z] **I** *verb* nysa **II** *subst* nysning
sniff [sniff] **I** *verb* **1** sniffa **2** fnysa **II** *subst* snörvling; fnysning
sniffer dog ['sniffədågg] *subst* knarkhund
snigger ['sniggə] **I** *verb* flina **II** *subst* flin
snip [snipp] *verb* klippa (knipsa) 'av
sniper ['snajpə] *subst* krypskytt
snivel ['snivvəl] *verb* snörvla
snob [snåbb] *subst* snobb
snobbish ['snåbbisch] *adj* snobbig
snooker ['sno:kə] *subst* snooker slags biljard
snoop [sno:p] *verb* snoka
snooty ['sno:ti] *adj* snorkig
snooze [sno:z] *subst* vard. tupplur
snore [snå:] **I** *verb* snarka **II** *subst* snarkning
snorkel ['snå:kəl] *subst* snorkel
snort [snå:t] **I** *verb* fnysa **II** *subst* fnysning
snout [snaot] *subst* nos, tryne
snow [snəo] **I** *subst* snö; ***Snow White*** Snövit **II** *verb* snöa; ***be snowed in*** (***up***) vara insnöad
snowball ['snəobå:l] *subst* snöboll
snowboard ['snəobå:d] *subst* snowboard
snow-bound ['snəobaond] *adj* insnöad
snowdrift ['snəodrift] *subst* snödriva
snowdrop ['snəodråpp] *subst* snödroppe
snowfall ['snəofå:l] *subst* snöfall
snowflake ['snəoflejk] *subst* snöflinga
snowman ['snəomän] *subst* snögubbe
snowplough ['snəoplao] *subst* snöplog
snowstorm ['snəostå:m] *subst* snöstorm
snub-nosed ['snabbnəozd] *adj* trubbnäst
snuff [snaff] *subst* luktsnus
snug [snagg] *adj* varm och skön
snuggle ['snaggl] *verb* krypa ihop
so [səo] **I** *adv* **1** så **2** på detta sätt **II** *konj* så; ***~ as*** för att; ***~ that*** så att
soak [səok] *verb* **1** lägga i blöt **2** ***be soaked*** vara genomvåt

soap ['səop] *subst* tvål
soapflakes ['səopflejks] *subst pl* tvålflingor
soap opera ['səop,åppərə] *subst* tvålopera
soapy ['səopi] *adj* tvål-
soar [så:] *verb* sväva högt
sob [såbb] **I** *verb* snyfta **II** *subst* snyftning
sober ['səobə] **I** *adj* **1** nykter **2** saklig **II** *verb*, ~ ***up*** nyktra till
so-called [,səo'kå:ld] *adj* så kallad
soccer ['såkkə] *subst* fotboll i motsats till amerikansk fotboll
social ['səoschəl] *adj* **1** social; ~ ***science*** samhällsvetenskaperna; ***be on ~ security*** ha socialbidrag; ~ ***services*** socialtjänsten; ~ ***worker*** socialarbetare **2** sällskaplig; ~ ***life*** sällskapsliv
socialism ['səoschəlizzəm] *subst* socialism
socialist ['səoschəlist] **I** *subst* socialist; ***Socialist*** ofta socialdemokrat **II** *adj* socialistisk; ***Socialist*** ofta socialdemokratisk
socialize ['səoschəlajz] *verb* umgås
society [sə'sajjəti] *subst* **1** samhälle **2** förening
sociology [,səoschi'ållədʒi] *subst* sociologi
sock [såkk] *subst* strumpa, socka
socket ['såkkitt] *subst* sockel; uttag
soda ['səodə] *subst* sodavatten
sodden ['såddn] *adj* genomblöt
sofa ['səofə] *subst* soffa
soft [såfft] *adj* mjuk; ~ ***drink*** alkoholfri dryck; ***have a ~ spot for*** vara svag för
soften ['såffn] *verb* mjukna
software ['såfftwäə] *subst* programvara
soggy ['såggi] *adj* blöt
1 soil [såjl] *subst* jord, jordmån
2 soil [såjl] *verb* smutsa ner
solace ['sålləs] **I** *subst* tröst **II** *verb* trösta
solar ['səolə] *adj* sol-
sold [səold] imperf. o. perf. p. av *sell*
solder ['sålldə] *verb* löda
soldier ['səoldʒə] *subst* soldat
1 sole [səol] *subst* **1** sula **2** sjötunga
2 sole [səol] *adj* enda
solemn ['såləm] *adj* högtidlig
solicit [sə'lissitt] *verb* enträget be

solicitor [sə'lissitə] *subst* advokat som förbereder mål för *barrister*
solid ['sållidd] *adj* fast; solid
solidarity [,sålli'därrəti] *subst* solidaritet
solitary ['sållitərri] *adj* ensam; **~ confinement** isoleringscell
solo ['səoləo] **I** *subst* solo **II** *adv* ensam
soloist ['səoləoist] *subst* solist
soluble ['sålljobl] *adj* upplösbar
solution [sə'lo:schən] *subst* lösning
solve [sållv] *verb* lösa
solvent ['sållvənt] *adj* solvent
some [samm] *pron* någon, något, några, en; lite; **~ *people*** somliga
somebody ['sammbəddi] *pron* någon
somehow ['sammhao] *adv* på något sätt
someone ['sammoan] *pron* någon
somersault ['samməså:lt] *subst* kullerbytta
something ['sammθing] **I** *pron* o. *subst* något, någonting; ***there is ~ in that*** det ligger något i det **II** *adv* något, litet
sometime ['sammtajm] *adv* någon gång
sometimes ['sammtajmz] *adv* ibland
somewhat ['sammoått] *adv* något, ganska
somewhere ['sammwäə] *adv* någonstans; **~ *else*** någon annanstans
son [sann] *subst* son
song [sång] *subst* sång; visa
son-in-law ['sanninnlå:] *subst* svärson, måg
soon [so:n] *adv* snart, strax
sooner ['so:nə] *adv* **1 ~ *or later*** förr eller senare; ***the ~ the better*** ju förr dess bättre **2 *I would ~*** jag vill hellre
soot [sott] *subst* sot
soothe [so:ð] *verb* lugna; lindra
sophisticated [sə'fisstikejtidd] *adj* sofistikerad
sopping ['såpping] *adv*, **~ *wet*** genomblöt
soppy ['såppi] *adj* vard. fånig
soprano [sə'pra:nəo] *subst* sopran
sorcerer ['så:sərə] *subst* trollkarl
sore [så:] *adj* öm; ***a ~ point*** en öm punkt
sorrow ['sårrəo] *subst* sorg

sorry ['sårri] *adj* **1** ***I'm ~*** jag beklagar; ***I'm ~!*** förlåt!; ***feel ~ for*** tycka synd om **2** bedrövlig
sort [så:t] **I** *subst* sort **II** *verb* sortera; ***~ out*** ordna upp
so-so ['səosəo] *adj* skaplig
sought [så:t] imperf. o. perf. p. av *seek*
soul [səol] *subst* **1** själ **2** soulmusik
soul-destroying ['səoldi,stråjjing] *adj* själsdödande
soulful ['səolfoll] *adj* själfull
1 sound [saond] *adj* frisk, sund
2 sound [saond] **I** *subst* ljud **II** *verb* låta
3 sound [saond] *verb* sondera, pejla
4 sound [saond] *subst* sund
sound barrier ['saond,bärriə] *subst* ljudvall
soundproof ['saondpro:f] *adj* ljudisolerad
soundtrack ['saondträkk] *subst* filmmusik
soup [so:p] *subst* soppa; ***thick ~*** redd soppa
sour ['saoə] *adj* sur; ***~ cream*** gräddfil, crème fraiche; ***go ~*** surna
source [så:s] *subst* källa
south [saoθ] **I** *subst* söder, syd **II** *adj* södra **III** *adv* söderut
south-east [,saoθ'i:st] *subst* sydost
southerly ['saððəli] *adj* sydlig
southern ['saððən] *adj* sydlig; syd-
southward ['saoθwəd] o. **southwards** ['saoθwədz] *adv* mot (åt) söder
south-west [,saoθ'oesst] *subst* sydväst
souvenir [,so:və'niə] *subst* souvenir, minne
sovereign ['såvvrən] **I** *adj* suverän **II** *subst* monark
1 sow [səo] *verb* så
2 sow [sao] *subst* sugga
sown [səon] perf. p. av *1 sow*
soya ['såjjə] *subst* soja
spa [spa:] *subst* brunnsort, spa
space [spejs] *subst* **1** rymden; ***time and ~*** tid och rum **2** utrymme; ***living ~*** livsrum
spacecraft ['spejskra:ft] *subst* rymdskepp
spaceman ['spejsmän] *subst* rymdfarare
spaceship ['spejsschipp] *subst* rymdskepp

1 spade [spejd] *subst*, ***spades*** spader
2 spade [spejd] *subst* spade
Spain [spejn] Spanien
span [spänn] **I** *subst* 1 spännvidd 2 tid **II** *verb* spänna (sträcka sig) över
Spaniard ['spännjəd] *subst* spanjor; spanjorska
spaniel ['spännjəl] *subst* spaniel hundras
Spanish ['spännisch] **I** *adj* spansk **II** *subst* spanska språket
spank [spängk] *verb* smiska
spanner ['spännə] *subst* skruvnyckel
spar [spaː] *verb* sparra
spare [späə] **I** *adj* extra, reserv-; ~ ***bed*** extrasäng; ~ ***parts*** reservdelar; ~ ***time*** fritid **II** *verb* 1 avvara 2 skona
sparing ['späəring] *adj* sparsam
sparingly ['späəringli] *adv* sparsamt
spark [spaːk] *subst* gnista
sparking-plug ['spaːkingplagg] *subst* tändstift
sparkle ['spaːkl] *verb* 1 gnistra; bildl. sprudla 2 om vin moussera
spark plug ['spaːkplagg] *subst* tändstift
sparrow ['spärrəo] *subst* sparv
sparse [spaːs] *adj* gles
spartan ['spaːtən] *adj* spartansk
spasm ['späzzəm] *subst* kramp
spasmodic [späzz'måddikk] *adj* bildl. ryckvis
spastic ['spässtikk] *adj* spastisk
spat [spätt] imperf. o. perf. p. av 2 *spit*
spate [spejt] *subst* bildl. flod, skur
spatter ['spättə] *verb* stänka ned; stänka
spawn [spåːn] *verb* lägga rom (ägg)
speak* [spiːk] *verb* tala; ***so to*** ~ så att säga; ***speaking of*** på tal om; ~ ***up*** tala högre; höja sin röst
speaker ['spiːkə] *subst* 1 talare 2 högtalare
spear [spiə] **I** *subst* spjut **II** *verb* spetsa
spearhead ['spiəhedd] *subst* spjutspets
special ['speschəl] **I** *adj* speciell, särskild **II** *subst*, ***today's*** ~ dagens rätt på matsedel

specialist ['speschəlist] *subst* specialist
speciality [ˌspeschi'älətti] *subst* specialitet
specialize ['speschəlajz] *verb* specialisera; specialisera sig
specially ['speschəlli] *adv* särskilt, speciellt
species ['spi:schi:z] *subst* art; arter; ***the human ~*** människosläktet
specific [spə'siffikk] *adj* specificerad; specifik
specifically [spə'siffikkli] *adv* särskilt
specification [ˌspessifi'kejjschən] *subst* specificering
specimen ['spessimən] *subst* exemplar
speck [spekk] *subst* fläck
speckled ['spekkld] *adj* prickig
specs [spekks] *subst pl* brillor
spectacle ['spekktəkl] *subst* **1** skådespel **2** ***spectacles*** glasögon
spectacular [spekk'täkkjolə] *adj* imponerande
spectator [spekk'tejtə] *subst* åskådare
spectrum ['spekktrəm] *subst* spektrum; skala
speculation [ˌspekkjo'lejschən] *subst* spekulation
speech [spi:tch] *subst* tal; ***freedom of ~*** yttrandefrihet
speechless ['spi:tchləs] *adj* mållös
speed [spi:d] **I** *subst* fart, hastighet **II** *verb* köra för fort
speedboat ['spi:dbəot] *subst* racerbåt
speeding ['spi:ding] *subst* fortkörning
speed limit ['spi:dˌlimmitt] *subst* hastighetsbegränsning
speedometer [spi'dåmmittə] *subst* hastighetsmätare
speedway ['spi:doej] *subst* speedway
speedy ['spi:di] *adj* hastig
1 spell [spell] *verb* stava
2 spell [spell] *subst* förtrollning; ***be under a ~*** vara trollbunden
3 spell [spell] *subst* period
spellbound ['spellbaond] *adj* trollbunden
spelling ['spelling] *subst* stavning
spend* [spennd] *verb* **1** göra av med **2** tillbringa
spendthrift ['spendθrifft] *subst* slösare

sperm [spö:m] *subst* spermie; sperma

spew [spjo:] *verb* spy

sphere [sfiə] *subst* sfär

spice [spajs] **I** *subst* krydda; kryddor **II** *verb* krydda

spick-and-span [ˌspikkən'spänn] *adj* skinande ren

spicy ['spajsi] *adj* kryddstark

spider ['spajdə] *subst* spindel

spike [spajk] **I** *subst* pigg, spets **II** *verb* vard. spetsa dryck

spill [spill] *verb* spilla

spin [spinn] **I** *verb* **1** spinna **2** snurra; skruva boll **II** *subst* skruv på boll

spinach ['spinnidʒ] *subst* spenat

spinal ['spajnl] *adj* ryggrads-; *~ cord* ryggmärg

spindly ['spinndli] *adj* spinkig

spin drier ['spinnˌdrajjə] *subst* centrifug för tvätt

spine [spajn] *subst* ryggrad

spineless ['spajnləs] *adj* ryggradslös

spinning-wheel ['spinningwi:l] *subst* spinnrock

spin-off ['spinnåff] *subst* spin-off, biprodukt

spiral ['spajərəl] **I** *adj* spiralformad **II** *subst* spiral

spire ['spajə] *subst* tornspira

spirit ['spirritt] *subst* **1** ande **2** anda **3** liv; ***high spirits*** gott humör **4** ***spirits*** sprit drycker

spirited ['spirritidd] *adj* livlig

spiritual ['spirritjoəl] *adj* andlig

1 spit [spitt] *subst* grillspett

2 spit [spitt] **I** *verb* spotta **II** *subst* spott

spite [spajt] **I** *subst* illvilja; ***in ~ of*** trots **II** *verb* reta

spiteful ['spajtfoll] *adj* illvillig

spittle ['spittl] *subst* saliv

splash [spläsch] **I** *verb* skvätta; plaska **II** *subst* **1** plask **2** skvätt

spleen [spli:n] *subst* mjälte

splendid ['splenndidd] *adj* lysande

splint [splinnt] *subst* spjäla, skena

splinter ['splinntə] **I** *verb* flisa sig **II** *subst* flisa; ***splinters*** äv. splitter

split [splitt] **I** *verb* splittra; dela; ***~ up*** skiljas; skiljas åt **II** *subst* spricka

splutter ['splattə] *verb* spotta och fräsa

spoil [spåjl] *verb* **1** förstöra **2** skämma bort
spoilsport ['spåjlspå:t] *subst* vard. glädjedödare
1 spoke [spəok] imperf. av *speak*
2 spoke [spəok] *subst* eker i hjul
spoken ['spəokən] perf. p. av *speak*
spokesman ['spəoksmən] *subst* talesman
sponge [spanndʒ] *subst* **1** tvättsvamp **2** ~ ***cake*** slags sockerkaka
sponge bag ['spanndʒbägg] *subst* toalettväska
sponsor ['spånnsə] **I** *subst* sponsor **II** *verb* sponsra
sponsorship ['spånnsəschipp] *subst* sponsring
spontaneous [spånn'tejnjəs] *adj* spontan
spooky ['spo:ki] *adj* vard. kuslig
spool [spo:l] *subst* spole
spoon [spo:n] *subst* sked
spoonfeed ['spo:nfi:d] *verb* bildl. servera färdiga lösningar åt
spoonful ['spo:nfoll] *subst* sked ss. mått
sport [spå:t] *subst* sport; idrott; ***sports ground*** idrottsplats
sporting ['spå:ting] *adj* sport-, idrotts-
sportsman ['spå:tsmən] *subst* idrottsman
sportsmanship ['spå:tsmənschipp] *subst* sportsmannaanda
sportswear ['spå:tswäə] *subst* sportkläder
sportswoman ['spå:ts,wommən] *subst* idrottskvinna
sporty ['spå:ti] *adj* vard. sportig
spot [spått] **I** *subst* **1** fläck **2** ställe; ***on the*** ~ på platsen; genast **3** utslag; finne **II** *verb* få syn på, se
spot-check [,spåt'tchekk] *subst* stickprovskontroll
spotless ['spåttləs] *adj* skinande ren
spotlight ['spåttlajt] *subst* strålkastare; ***be in the*** ~ stå i rampljuset
spotted ['spåttidd] *adj* prickig
spotty ['spåtti] *adj* finnig
spouse [spaos] *subst* äkta make (maka)
spout [spaot] **I** *verb* spruta **II** *subst* pip

sprain [sprejn] **I** *verb* vricka **II** *subst* vrickning
sprang [spräng] imperf. av *spring*
sprawl [språ:l] *verb* sträcka (breda) ut sig
1 spray [sprej] *subst* blomklase
2 spray [sprej] **I** *subst* sprej **II** *verb* spreja, spruta
spread [spredd] **I** *verb* 1 sprida; sprida sig 2 breda **II** *subst* 1 spridning 2 bredbart pålägg
spree [spri:], ***go on the ~*** gå ut och festa
sprightly ['sprajtli] *adj* pigg
spring [spring] **I** *verb* hoppa **II** *subst* 1 vår 2 källa
springboard ['springbå:d] *subst* språngbräda
spring-clean [ˌspring'kli:n] *verb* vårstäda
springtime ['springtajm], ***in the ~*** på (under) våren
sprinkle ['springkl] *verb* strö, stänka
sprinkler ['springklə] *subst* vattenspridare; sprinkler
sprint [sprinnt] sport. **I** *verb* spurta **II** *subst* sprinterlopp
sprout [spraot] **I** *verb* gro **II** *subst* skott; grodd
1 spruce [spro:s] *adj* prydlig, fin
2 spruce [spro:s] *subst* gran
sprung [sprang] perf. p. av *spring*
spry [spraj] *adj* pigg
spun [spann] imperf. o. perf. p. av *spin*
spur [spö:] **I** *subst* sporre; ***on the ~ of the moment*** utan närmare eftertanke **II** *verb* sporra
spurious ['spjoəriəs] *adj* falsk
1 spurt [spö:t] **I** *verb* spurta **II** *subst* spurt
2 spurt [spö:t] *verb* spruta
spy [spaj] **I** *verb* spionera **II** *subst* spion
squabble ['skoåbbl] **I** *subst* käbbel **II** *verb* käbbla
squad [skoådd] *subst* rotel; ***~ car*** polisbil
squadron ['skoåddrən] *subst* division inom flyget
squalid ['skoållidd] *adj* snuskig, smutsig
squall [skoå:l] *subst* kastby
squalor ['skoållə] *subst* snusk; elände
squander ['skoånndə] *verb* slösa bort
square [skoäə] **I** *subst* 1 fyrkant; ***we are back to ~ one*** vi är tillbaka där vi började 2 torg **II** *adj* fyrkantig; kvadrat

squarely ['skoäəli] *adv* rakt; rakt på sak

1 squash [skoåsch] **I** *verb* mosa **II** *subst* **1** saft **2** squash sport

2 squash [skoåsch] *subst* squash grönsak

squat [skoått] **I** *verb* **1** sitta på huk **2** ockupera hus **II** *adj* satt

squatter ['skoåttə] *subst* husockupant

squawk [skoå:k] **I** *verb* skria **II** *subst* skri

squeak [skwi:k] **I** *verb* gnissla; knarra **II** *subst* pip; gnissel

squeal [skwi:l] *verb* skrika

squeamish ['skwi:misch] *adj* blödig

squeeze [skwi:z] **I** *verb* krama; pressa **II** *subst* tryckning; ***put the ~ on*** sätta press på

squelch [skoeltsch] *verb* klafsa

squid [skwidd] *subst* tioarmad bläckfisk

squiggle ['skwiggl] *subst* krumelur

squint [skwinnt] *verb* skela

squirm [skwö:m] *verb* skruva på sig

squirrel ['skwirrəl] *subst* ekorre

squirt [skwö:t] *verb* spruta

stab [stäbb] **I** *verb* sticka ned; ***~ to death*** knivmörda **II** *subst* sting; knivhugg; ***a ~ in the back*** bildl. en dolkstöt i ryggen

1 stable ['stejbl] *adj* stabil; stadig

2 stable ['stejbl] *subst* stall

stack [stäkk] **I** *subst* trave; hög; ***stacks of*** vard. massor med **II** *verb* stapla upp

stadium ['stejdjəm] *subst* stadion

staff [sta:f] *subst* personal

stag [stägg] *subst* **1** kronhjort hanne **2** ***~ night*** (***party***) svensexa

stage [stejdʒ] **I** *subst* **1** scen **2** skede **II** *verb* sätta upp, iscensätta

stagger ['stäggə] *verb* vackla, ragla

staggering ['stäggəring] *adj* häpnadsväckande

stagnate [stägg'nejt] *verb* stagnera

stain [stejn] **I** *verb* fläcka ned **II** *subst* fläck

stair [stäə] *subst* trappsteg; ***stairs*** trappa

staircase ['stäəkejs] *subst* trappa inomhus

stake [stejk] **I** *subst* intresse;

stakes insats; ***be at*** ~ stå på spel **II** *verb* riskera, satsa
stale [stejl] *adj* unken, avslagen
stalemate ['stejlmejt] *subst* 1 pattställning i schack 2 dödläge
stalk [stå:k] *subst* stjälk
1 stall [stå:l] *verb*, ~ ***for time*** försöka vinna tid
2 stall [stå:l] *subst* 1 saluстånd 2 ***in the stalls*** på parkett
stallion ['ställjən] *subst* avelshingst
stalwart ['stå:loәtt] *adj* trogen, plikttrogen
stamina ['stämminə] *subst* uthållighet
stammer ['stämmə] *verb* stamma
stamp [stämmp] **I** *verb* 1 stampa 2 stämpla **II** *subst* 1 frimärke 2 stämpel
stamp album ['stämmp,ällbəm] *subst* frimärksalbum
stampede [stämm'pi:d] **I** *subst* vild flykt **II** *verb* fly i panik
stance [stänns] *subst* inställning
stand* [stännd] **I** *verb* 1 stå; ~ ***up*** resa sig 2 stå sig; stå ut med 3 ~ ***trial*** stå inför rätta 4 ~ ***by*** ligga i beredskap; ~ ***by sb.*** stå vid ngns sida; ~ ***down*** träda tillbaka; ~ ***for*** stå för; kandidera till; ~ ***in for*** vikariera för; ~ ***on*** hålla på; ~ ***out*** framhäva; utmärka sig; ~ ***up for*** försvara **II** *subst* 1 ståndpunkt; ***take a*** ~ ta ställning 2 ställ, hållare 3 stånd; kiosk
standard ['stänndəd] **I** *subst* mått; standard, nivå; ~ ***of living*** levnadsstandard **II** *adj* standard-
standard lamp ['stänndədlämmp] *subst* golvlampa
standby ['stänndbaj] *subst* reserv
stand-in ['stänndinn] *subst* vikarie
standing ['stännding] **I** *adj* stående **II** *subst* anseende
stand-offish [,stännd'åffisch] *adj* reserverad
standpoint ['stänndpåjnt] *subst* ståndpunkt
standstill ['stänndstill], ***come to a*** ~ stanna av; köra fast
stand-up ['stänndapp] *adj*, ~ ***comedian*** ståuppkomiker
stank [stängk] imperf. av *stink*
1 staple ['stejpl] *subst* häftklammer
2 staple ['stejpl] *adj* bas-

stapler ['stejplə] *subst* häftapparat
star [sta:] **I** *subst* stjärna **II** *verb* ha huvudrollen
starboard ['sta:bəd] *subst* styrbord
starch [sta:tch] *subst* stärkelse
stare [stäə] *verb* stirra
stark [sta:k] **I** *adj* kal; kall **II** *adv*, ~ ***naked*** spritt naken
starling ['sta:ling] *subst* stare
starry ['sta:ri] *adj* stjärnklar
starry-eyed ['sta:riajd] *adj* full av illusioner
start [sta:t] **I** *verb* börja, starta; ~ ***on one's own*** starta eget; ***to ~ with*** till en början **II** *subst* början, start; ***make a fresh ~*** börja om från början
starter ['sta:tə] *subst* förrätt
starting-point ['sta:tingpåjnt] *subst* utgångspunkt
startle ['sta:tl] *verb* skrämma
startling ['sta:tling] *adj* häpnadsväckande
starvation [sta:'vejschən] *subst* svält
starve [sta:v] *verb* svälta; ***I'm starving*** vard. jag håller på att dö av hunger
state [stejt] **I** *subst* **1** tillstånd **2** stat; ***the States*** Staterna Förenta staterna **II** *verb* uppge; konstatera
stately ['stejtli] *adj* ståtlig
statement ['stejtmənt] *subst* uttalande
statesman ['stejtsmən] *subst* statsman
static ['stättikk] *adj* statisk
station ['stejschən] **I** *subst* station **II** *verb* stationera
stationary ['stejschnərri] *adj* stillastående
stationer ['stejschənə] *subst* pappershandlare; ***stationer's shop*** pappershandel
stationery ['stejschnərri] *subst* skrivmateriel
stationmaster ['stejschən,ma:stə] *subst* stationsföreståndare
statistics [stə'tisstikks] *subst* statistik
statue ['stättcho:] *subst* staty
status ['stejtəs] *subst* ställning, status
statute ['stättjo:t] *subst* lag; stadga
statutory ['stättjotərri] *adj* **1** lagstadgad **2** stadgeenlig
staunch [stå:ntsch] *adj* trofast
stay [stej] **I** *verb* **1** stanna; ~ ***the night*** stanna kvar över natten; ~ ***away from*** el. ~ ***out of*** hålla sig borta från; ~ ***up***

vara uppe inte lägga sig
2 tillfälligt bo **II** *subst* vistelse
stead [stedd], ***stand sb. in good ~*** komma väl till pass
steadfast ['steddfəst] *adj* ståndaktig
steady ['steddi] *adj* stadig, stabil
steak [stejk] *subst* biff
steal* [sti:l] *verb* stjäla
stealth [stellθ], ***by ~*** i smyg
steam [sti:m] *subst* ånga; ***let off ~*** vard. avreagera sig
steam engine ['sti:m,enndʒinn] *subst* ånglok
steamer ['sti:mə] *subst* 1 ångfartyg 2 ångkokare
steamship ['sti:mschipp] *subst* ångfartyg
steamy ['sti:mi] *adj* ångande het
steel [sti:l] *subst* stål
steelworks ['sti:lwö:ks] *subst* stålverk
1 steep [sti:p] *verb*, ***be steeped in*** vara genomsyrad av
2 steep [sti:p] *adj* brant
steeple ['sti:pl] *subst* spetsigt kyrktorn
1 steer [stiə] *subst* ungtjur
2 steer [stiə] *verb* styra
steering wheel ['stiəringwi:l] *subst* ratt
1 stem [stemm] **I** *subst* stam; stjälk **II** *verb*, ***~ from*** stamma från
2 stem [stemm] *verb* stämma, hejda
stench [stentsch] *subst* stank
step [stepp] **I** *subst* **1** steg **2** ***take steps*** vidta åtgärder **3** trappsteg **II** *verb* kliva, gå; ***~ aside*** (***down***) bildl. träda tillbaka; ***~ in*** ingripa
stepbrother ['stepp,braðə] *subst* styvbror
stepdaughter ['stepp,då:tə] *subst* styvdotter
stepfather ['stepp,fa:ðə] *subst* styvfar
stepladder ['stepp,läddə] *subst* trappstege
stepmother ['stepp,maðə] *subst* styvmor
stepping stone ['steppingstəon] *subst* bildl. steg
stepsister ['stepp,sisstə] *subst* styvsyster
stepson ['steppsann] *subst* styvson
stereo ['sterriəo] *subst* stereo
sterile ['sterrajl] *adj* steril
sterilize ['sterrəlajz] *verb* sterilisera
sterling ['stö:ling] *subst*

sterling benämning på brittisk valuta
1 stern [stö:n] *adj* sträng
2 stern [stö:n] *subst* akter
stew [stjo:] *subst* gryta maträtt
steward [stjoəd] *subst* steward
stewardess [ˌstjoə'dess] *subst* flygvärdinna
1 stick [stikk] *subst* pinne; käpp
2 stick [stikk] *verb* **1** sticka **2** klistra; fastna **3** ~ ***by*** förbli lojal mot; ~ ***in sb.'s mind*** fastna i ngns minne; ~ ***out*** sticka ut; falla i ögonen; ~ ***to*** (***with***) hålla sig till; ~ ***together*** hålla ihop; ~ ***up*** sätta upp; ~ ***up for*** försvara
sticker ['stikkə] *subst* klistermärke
sticking-plaster ['stikkingˌpla:stə] *subst* häftplåster
stickler ['stikklə], ***be a ~ for*** vara noga med
sticky ['stikki] *adj* klibbig
stiff [stiff] *adj* styv, stel
stiffen ['stiffn] *verb* stelna
stifle ['stajfl] *verb* kväva bildl.
stigma ['stiggmə] *subst* bildl. stämpel
stiletto [sti'lettəo] *subst* stilett
still [still] **I** *adj* stilla **II** *subst* stillbild **III** *adv* **1** tyst och stilla **2** ännu **IV** *konj* likväl, ändå
stillborn ['stillbå:n] *adj* dödfödd
still life [ˌstil'lajf] *subst* stilleben
stilt [stillt] *subst* stylta
stilted ['stilltidd] *adj* uppstyltad
stimulate ['stimmjolejt] *verb* stimulera
stimulus ['stimmjoləs] *subst* stimulans
sting [sting] **I** *subst* stick, sting **II** *verb* sticka
stingy ['stinndʒi] *adj* knusslig
stink [stingk] **I** *verb* stinka **II** *subst* stank
stinking ['stingking] *adj* vard. avskyvärd
stint [stinnt] *subst* period
stir [stö:] *verb* röra; ~ ***up*** väcka; ställa till
stirrup ['stirrəp] *subst* stigbygel
stitch [stittch] **I** *subst* stygn **II** *verb* sy
stock [ståkk] **I** *subst* **1** aktier **2** lager; ***out of ~*** slutsåld **II** *adj* kliché- **III** *verb* lagerföra

stockbroker ['ståkk,brəokə] *subst* börsmäklare
stock exchange ['ståkkikks,tchejndʒ] *subst* fondbörs
stocking ['ståkking] *subst* strumpa; ***a pair of stockings*** ett par strumpor
stockmarket ['ståkk,ma:kitt] *subst*, ***on the ~*** på börsen
stockpile ['ståkkpajl] **I** *subst* förråd **II** *verb* hamstra
stocktaking ['ståkk,tejking] *subst* inventering
stocky ['ståkki] *adj* satt
stodgy ['ståddʒi] *adj* tung, mastig
stoke [stəok] *verb*, ~ el. ***~ up*** lägga på ved; bildl. underblåsa
stole [stəol] imperf. av *steal*
stolen ['stəolən] perf. p. av *steal*
stolid ['stållidd] *adj* trög, slö
stomach ['stammək] **I** *subst* mage **II** *verb* bildl. fördra
stomach ache ['stammәkejk] *subst* magknip
stone [stəon] **I** *subst* sten; ädelsten **II** *verb* stena
stone-cold [,stəon'kəold] *adj* iskall
stone-deaf [,stəon'deff] *adj* stendöv
stood [stodd] imperf. o. perf. p. av *stand*
stool [sto:l] *subst* pall
stoop [sto:p] *verb* böja sig; bildl. nedlåta sig
stop [ståpp] **I** *verb* stoppa, stanna; hindra; sluta **II** *subst* **1** stopp; uppehåll **2** hållplats
stopgap ['ståppgäpp] *subst* tillfällig ersättning
stop-over ['ståpp,əovə] *subst* uppehåll
stoppage ['ståppidʒ] *subst* arbetsnedläggelse
stopper ['ståppə] *subst* kork
stop-press ['ståppress] *subst* presstoppnyhet
stopwatch ['ståpoåtch] *subst* stoppur
storage ['stå:riddʒ] *subst* lagring
store [stå:] **I** *subst* **1** förråd **2** varuhus **II** *verb* förvara
storeroom ['stå:ro:m] *subst* förrådsrum
storey ['stå:ri] *subst* våningsplan
stork [stå:k] *subst* stork
storm [stå:m] **I** *subst* storm **II** *verb* storma
stormy ['stå:mi] *adj* stormig
story ['stå:ri] *subst*

1 berättelse; ***it's the same old* ~** det är samma gamla visa
2 handling, story

storybook ['stå:ribokk] *subst* sagobok

stout [staot] *adj* kraftig, bastant

stove [stəov] *subst* spis; kamin

stow [stəo] *verb*, ~ el. **~ *away*** stuva undan

stowaway ['stəoəwej] *subst* fripassagerare

straddle ['sträddl] *verb* sitta grensle

straggle ['sträggl] *verb* släntra

straight [strejt] **I** *adj* **1** rak **2** ärlig **II** *adv* **1** rakt; raka vägen **2 *go* ~** vard. bli hederlig

straighten ['strejtn] *verb* räta; rätta till; **~ *out*** reda upp

straight-faced [ˌstrejt'fejst] *adj* utan att röra en min

straightforward [ˌstrejt'få:oəd] *adj* **1** uppriktig **2** enkel

1 strain [strejn] **I** *verb* **1** anstränga **2** sträcka muskel **II** *subst* **1** press, stress **2** sträckning

2 strain [strejn] *subst* inslag

strained [strejnd] *adj* spänd

strainer ['strejnə] *subst* sil; filter

strait [strejt] *subst*, ~ el. ***straits*** sund

straitjacket ['strejtˌdʒäkkitt] *subst* tvångströja

1 strand [strännd] *subst* tråd

2 strand [strännd] *verb*, ***be stranded*** stranda

strange [strejndʒ] *adj* **1** främmande **2** egendomlig

stranger ['strejndʒə] *subst* främling

strangle ['stränggl] *verb* strypa

stranglehold ['strängglhəold] *subst* bildl. järngrepp

strap [sträpp] *subst* rem

strategic [strə'ti:dʒikk] *adj* strategisk

strategy ['strättədʒi] *subst* strategi

straw [strå:] **I** *subst* strå, halmstrå **II** *adj* halm-, strå-

strawberry ['strå:bərri] *subst* jordgubbe

stray [strej] **I** *verb* förirra sig **II** *adj* **1** herrelös **2** enstaka

streak [stri:k] *subst* **1** strimma **2** drag

stream [stri:m] **I** *subst* ström **II** *verb* strömma

streamer ['stri:mə] *subst* serpentin
street [stri:t] *subst* gata; ***in the*** ~ på gatan
streetwise ['stri:toajz] *adj* som kan konsten att överleva på gatan (i storstadsdjungeln)
strength [strengθ] *subst* styrka
strengthen ['strengθən] *verb* stärka, styrka
strenuous ['strennjoəs] *adj* ansträngande
stress [stress] **I** *subst* 1 påfrestning; stress 2 betoning **II** *verb* betona
stretch [stretch] **I** *verb* spänna, sträcka **II** *subst* 1 sträcka 2 period; ***at a*** ~ i ett sträck
stretcher ['stretchə] *subst* bår
stricken ['strikkən] *adj* drabbad
strict [strikkt] *adj* sträng; strikt
stride [strajd] *verb* gå med sjumilasteg
strife [strajf] *subst* stridighet
strike [strajk] **I** *verb* 1 slå; slå till; ~ ***back*** slå tillbaka 2 träffa; drabba 3 strejka 4 ~ ***up*** inleda **II** *subst* strejk
striker ['strajkə] *subst* 1 anfallsspelare i fotboll 2 strejkare
striking ['strajking] *adj* slående
string [string] *subst* 1 snöre; ~ ***of pearls*** pärlhalsband 2 sträng 3 ***no strings attached*** utan några förbehåll
string bean [ˌstring'bi:n] *subst* skärböna
stringent ['strinndʒənt] *adj* sträng; drastisk
string tanga [ˌstring'tängga] *subst* stringtrosa
1 strip [stripp] *verb* klä av sig
2 strip [stripp] *subst* remsa
strip cartoon [ˌstrippka:'to:n] *subst* tecknad serie
stripe [strajp] *subst* 1 rand 2 streck i gradbeteckning
striped [strajpt] *adj* randig
strip lighting ['strippˌlajting] *subst* lysrörsbelysning
stripper ['strippə] *subst* vard. strippa
strive [strajv] *verb* sträva
strode [strəod] imperf. av *stride*
1 stroke [strəok] *subst* 1 klockslag 2 simsätt 3 slaganfall 4 penseldrag
2 stroke [strəok] *verb* stryka, smeka

stroll [strəol] *subst* promenad
stroller ['strəolə] *subst* flanör
strong [strång] *adj* stark
stronghold ['strånghəold] *subst* fäste
strongly ['strångli] *adv* starkt
strong room ['strångro:m] *subst* kassavalv
strove [strəov] imperf. av *strive*
struck [strakk] imperf. o. perf. p. av *strike*
structural ['strakktchərəl] *adj* strukturell
structure ['strakktchə] **I** *subst* struktur **II** *verb* strukturera
struggle ['straggl] **I** *verb* kämpa; strida **II** *subst* kamp, strid
strum [stramm] *verb* knäppa på
1 strut [stratt] *verb* svassa
2 strut [stratt] *subst* stag, tvärbjälke
stub [stabb] **I** *subst* stump; fimp **II** *verb*, **~ *out*** fimpa
stubble ['stabbl] *subst* stubb; skäggstubb
stubborn ['stabbən] *adj* envis
stuck [stakk] **I** imperf. o. perf. p. av 2 *stick* **II** *adj* fast; ***be ~*** ha fastnat; sitta fast
stuck-up [ˌstakk'app] *adj* vard. mallig
stud [stadd] *subst* **1** stuteri **2** avelshingst
student ['stjo:dənt] *subst* studerande
studio ['stjo:diəo] *subst* ateljé; studio
studious ['stjo:djəs] *adj* lärd, boklig
studiously ['stjo:djəsli] *adv* omsorgsfullt
study ['staddi] **I** *subst* **1** studie; studier **2** arbetsrum **II** *verb* studera
stuff [staff] **I** *subst* material; grejor; ***he knows his ~*** han kan sin sak **II** *verb* stoppa; fylla
stuffing ['staffing] *subst* stoppning; fyllning
stuffy ['staffi] *adj* **1** kvalmig **2** förstockad
stumble ['stammbl] *verb* **1** snubbla; **~ *across on*** stöta på **2** staka sig
stumbling block ['stammblingblåkk] *subst* stötesten
stump [stammp] *subst* stubbe; stump
stun [stann] *verb* **1** bedöva **2** chocka
stung [stang] imperf. o. perf. p. av *sting*

stunk [stangk] imperf. o. perf. p. av *stink*
stunning ['stanning] *adj* fantastisk; överväldigande
1 stunt [stannt] *subst* trick; jippo
2 stunt [stannt] *verb* hämma
stunted ['stanntidd] *adj* outvecklad
stupendous [stjo'penndəs] *adj* enorm
stupid ['stjo:pidd] *adj* dum; fånig
stupidity [stjo'piddəti] *subst* dumhet
sturdy ['stö:di] *adj* robust
stutter ['stattə] *verb* stamma
1 sty [staj] *subst* svinstia
2 sty o. **stye** [staj] *subst* vagel i ögat
style [stajl] **I** *subst* stil; ***in ~*** elegant, vräkigt **II** *verb* formge
stylish ['stajlisch] *adj* elegant
suave [soa:v] *adj* förbindlig
subconscious [ˌsabb'kånnschəs] *subst*, ***the ~*** det omedvetna
subdue [səbb'djo:] *verb* **1** kuva **2** dämpa
subject ['sabbdʒekkt] **I** *subst* **1** undersåte **2** ämne **3** subjekt **II** *adj*, ***be ~ to*** utsättas för
subjective [səbb'dʒekktivv] *adj* subjektiv
subject matter ['sabbdʒekktˌmättə] *subst* innehåll
sublet [ˌsabb'lett] *verb* hyra ut i andra hand
submarine [ˌsabbmə'ri:n] *subst* ubåt
submerge [səbb'mö:dʒ] *verb* dyka ner
submission [səbb'mischən] *subst* underkastelse
submissive [səbb'missivv] *adj* undergiven
submit [səbb'mitt] *verb* **1** lämna in **2** ge efter
subnormal [ˌsabb'nå:məl] *adj* som är under det normala
subordinate [sə'bbå:dənət] *adj* underordnad
subpoena [səbb'pi:nə] *verb* kalla inför rätta
subscribe [səbb'skrajb] *verb* **1** skriva under (på) **2** prenumerera, abonnera
subscriber [səbb'skrajbə] *subst* prenumerant, abonnent
subscription [səbb'skrippschən] *subst* prenumeration; abonnemang; medlemsavgift
subsequent ['sabbsikwənt] *adj* efterföljande

subsequently ['sabbsikwəntli] *adv* därefter
subside [səbb'sajd] *verb* avta, lägga sig
subsidiary [səbb'siddjəri] **I** *adj* hjälp-; stöd-; bi- **II** *subst* dotterbolag
subsidize ['sabbsidajz] *verb* subventionera
subsidy ['sabbsiddi] *subst* subvention
substance ['sabbstəns] *subst* substans; innehåll
substantial [səbb'stännschəl] *adj* väsentlig, ansenlig
substantially [səbb'stännschəli] *adv* huvudsakligen; väsentligt
substantiate [səbb'stännschiejt] *verb* underbygga
substitute ['sabbstitjo:t] **I** *subst* **1** vikarie; reserv; ***the substitutes' bench*** avbytarbänken **2** substitut **II** *verb* ersätta
subterranean [ˌsabbtə'rejnjən] *adj* underjordisk
subtitles ['sabbˌtajtlz] *subst* undertext
subtle ['sattl] *adj* subtil, hårfin
subtract [səbb'träkkt] *verb* subtrahera
subtraction [səbb'träkkschən] *subst* subtraktion
suburb ['sabbö:b] *subst* förort
suburban [sə'bbö:bən] *adj* **1** förorts- **2** småborgerlig
suburbia [sə'bbö:bjə] *subst* förortsliv
subway ['sabbwej] *subst* gångtunnel
succeed [səkk'si:d] *verb* **1** lyckas **2** efterträda
success [səkk'sess] *subst* framgång; succé
successful [səkk'sessfoll] *adj* framgångsrik
successfully [səkk'sessfolli] *adv* framgångsrikt
succession [səkk'seschən] *subst* serie; ***in ~*** i följd
successive [səkk'sessivv] *adj* på varandra följande
such [sattch] *adj* o. *pron* sådan; liknande; ***as ~*** som sådan, i sig; ***~ as*** såsom, som t.ex.
suck [sakk] *verb* suga
sucker ['sakkə] *subst* vard. tönt
suction ['sakkschən] *subst* sugning; ***~ fan*** utsugsfläkt
sudden ['saddn] *adj* plötslig

suddenly ['saddnli] *adv* plötsligt
suds [saddz] *subst* tvållödder
sue [sjo:] *verb* stämma, åtala
suede [soejd] *subst* mocka skinn
suffer ['saffə] *verb* lida
sufferer ['saffərə] *subst* lidande person
suffering ['saffəring] *subst* lidande
sufficient [sə'ffischənt] *adj* tillräcklig
sufficiently [sə'ffischəntli] *adv* tillräckligt
suffocate ['saffəkejt] *verb* kväva
sugar ['schoggə] **I** *subst* socker **II** *verb* sockra
sugar beet ['schoggəbi:t] *subst* sockerbeta
sugar cane ['schoggəkejn] *subst* sockerrör
suggest [sə'dʒesst] *verb* **1** föreslå **2** påstå
suggestion [sə'dʒesstchən] *subst* **1** förslag **2** antydan
suicide ['so:isajd] *subst* självmord
suicide bomber ['so:isajd,båmmə] *subst* självmordsbombare
suit [so:t] **I** *subst* **1** dräkt; kostym **2** rättegång **II** *verb* passa; ~ ***yourself!*** gör som du vill!
suitable ['so:təbbl] *adj* passande
suitably ['so:təbbli] *adv* lämpligt
suitcase ['so:tkejs] *subst* resväska
suite [swi:t] *subst* svit
sulk [sallk] *verb* tjura, sura
sulky ['sallki] *adj* sur och trumpen
sullen ['sallən] *adj* butter
sulphur ['sallfə] *subst* svavel
sultry ['salltri] *adj* kvav
sum [samm] **I** *subst* summa **II** *verb*, ~ ***up*** sammanfatta
summarize ['sammərajz] *verb* sammanfatta
summary ['sammәri] **I** *adj* summarisk **II** *subst* sammanfattning
summer ['sammə] *subst* sommar; ***last*** ~ förra sommaren, i somras
summerhouse ['samməhaos] *subst* **1** lusthus **2** sommarställe
summertime ['sammətajm] *subst*, ***in the*** ~ på (under) sommaren
summer time ['sammətajm] *subst* sommartid framflyttad tid

summit ['sammitt] *subst*
1 topp 2 toppmöte

summon ['sammən] *verb*
1 kalla 2 ~ ***up*** uppbringa

summons ['sammənz] *subst*
1 kallelse 2 stämning

sun [sann] **I** *subst* sol **II** *verb* sola

sunbathe ['sannbejð] *verb* solbada

sunburn ['sannbö:n], ***have*** ~ ha bränt sig i solen

sunburned ['sannbö:nd] o.
sunburnt ['sannbö:nt] *adj* solbränd

Sunday ['sanndej] *subst* söndag

sundial ['sanndajəl] *subst* solur

sundry ['sanndri] *adj* alla möjliga

sunflower ['sann,flaoə] *subst* solros

sung [sang] perf. p. av *sing*

sunglasses ['san,gla:siz] *subst pl* solglasögon

sunk [sangk] perf. p. av *sink*

sunlight ['sannlajt] *subst* solljus

sunlit ['sannlitt] *adj* solig

sunny ['sanni] *adj* solig; sol-

sunrise ['sannrajz] *subst* soluppgång

sunroof ['sannro:f] *subst* soltak på bil

sunset ['sannsett] *subst* solnedgång

sunshade ['sannschejd] *subst* fönstermarkis

sunshine ['sannschajn] *subst* solsken; ***hours of*** ~ soltimmar

sunstroke ['sannstrəok] *subst* solsting

suntan ['sanntänn] *subst* solbränna; ~ ***lotion*** solkräm; ~ ***oil*** sololja

super ['so:pə] *adj* vard. toppen

superannuation ['so:pər,ännjo'ejschən] *subst* pension

superb [so'pö:b] *adj* storartad, utmärkt

supercilious [,so:pə'silliəs] *adj* högdragen

superficial [,so:pə'fischəl] *adj* ytlig

superimpose [,so:pərim'pəoz] *verb* lägga ovanpå

superintendent [,so:pərinn'tenndənt] *subst* intendent; direktör

superior [so'piəriə] **I** *adj*
1 högre i rang o.d.
2 överlägsen **II** *subst* överordnad

superiority [so,piəri'årrətti] *subst* överlägsenhet
superlative [so'pö:lətivv] *subst* superlativ
superman ['so:pəmän] *subst* övermänniska; ***Superman*** Stålmannen seriefigur
supermarket ['so:pə,ma:kitt] *subst* stort snabbköp
supernatural [,so:pə'nättchrəl] *adj* övernaturlig
superpower ['so:pə,paoə] *subst* supermakt
supersede [,so:pə'si:d] *verb* ersätta
superstitious [,so:pə'stischəs] *adj* vidskeplig
supervise ['so:pəvajz] *verb* övervaka
supervision [,so:pə'viʒʒən] *subst* övervakning
supervisor ['so:pəvajzə] *subst* **1** arbetsledare **2** handledare
supine [so:'pajn] *adj* loj, slö
supper ['sappə] *subst* kvällsmat
supple ['sappl] *adj* mjuk, smidig
supplement ['sapplimənt] *subst* tillägg; bilaga
supplementary [,sappli'menntəri] *adj* tilläggs-
supplier [sə'plajjə] *subst* leverantör
supply [sə'plajj] **I** *verb* tillhandahålla **II** *subst* **1** tillgång **2** förråd; ***supplies*** förnödenheter
support [sə'på:t] **I** *verb* **1** stödja **2** försörja **II** *subst* stöd i olika bet.
supporter [sə'på:tə] *subst* supporter
suppose [sə'pəoz] *verb* anta, förmoda
supposedly [sə'pəoziddli] *adv* förmodligen
supposing [sə'pəozing] *konj* antag att
suppress [sə'press] *verb* undertrycka
supreme [so'pri:m] *adj* högst; ***the Supreme Court*** ung. högsta domstolen
sure [schoə] **I** *adj* säker; ***make ~ of*** (***that***) förvissa sig om (om att) **II** *adv*, ***as ~ as*** så säkert som
surely ['schoəli] *adv* **1** säkert **2** sannerligen
surety ['schoərətti] *subst* säkerhet, borgen
surf [sö:f] *subst* bränning
surface ['sö:fiss] **I** *subst* yta **II** *verb* dyka upp

surface mail ['sö:fissmejl] *subst* ytpost
surfboard ['sö:fbå:d] *subst* surfingbräda
surfeit ['sö:fitt] *subst* övermått
surfing ['sö:fing] *subst* surfing
surge [sö:dʒ] **I** *verb* svalla; välla **II** *subst* bildl. våg
surgeon ['sö:dʒən] *subst* kirurg
surgery ['sö:dʒəri] *subst* **1** kirurgi; ***it will need*** ~ det behöver opereras **2** patientmottagning; ~ ***hours*** mottagningstid
surgical ['sö:dʒikkəl] *adj* kirurgisk
surly ['sö:li] *adj* vresig
surname ['sö:nejm] *subst* efternamn
surplus ['sö:pləs] *subst* överskott
surprise [sə'prajz] **I** *subst* överraskning; förvåning **II** *verb* överraska; förvåna
surprising [sə'prajzing] *adj* förvånansvärd
surrender [sə'renndə] **I** *verb* överlämna sig **II** *subst* kapitulation
surreptitious [ˌsarəpp'tischəs] *adj* förstulen, i smyg
surrogate ['sarrəgətt] *subst* surrogat
surround [sə'raond] *verb* omge
surrounding [sə'raonding] *adj* omgivande
surroundings [sə'raondingz] *subst pl* omgivning
surveillance [sə'vejjləns] *subst* bevakning
surveillance camera [sə'vejjləns,kämmərə] *subst* övervakningskamera
survey I [sə'vej] *verb* överblicka **II** ['sö:vej] *subst* undersökning
survival [sə'vajvəl] *subst* överlevnad
survive [sə'vajv] *verb* överleva
survivor [sə'vajvə] *subst* överlevande
susceptible [sə'sepptəbbl] *adj* känslig, mottaglig
sushi ['soschi] *subst* sushi
suspect I [sə'spekkt] *verb* misstänka **II** ['sasspekkt] *subst* o. *adj* misstänkt
suspend [sə'spennd] *verb* **1** hänga i luften **2** suspendera
suspense [sə'spenns] *subst* spänd väntan
suspension [sə'spennschən] *subst* suspendering

suspicion [sə'spischən] *subst* misstanke
suspicious [sə'spischəs] *adj* 1 misstänksam 2 suspekt
sustain [sə'stejn] *verb* hålla i gång, hålla vid liv
sustained [sə'stejnd] *adj* ihållande
sustenance ['sasstənəns] *subst* näring
swab [soåbb] *subst* tampongpinne
swagger ['soäggə] *verb* stoltsera
1 swallow ['soållәo] *subst* svala
2 swallow ['soållәo] *verb* svälja
swam [soämm] imperf. av *swim*
swamp [soåmmp] **I** *subst* träsk **II** *verb* översvämma
swan [soånn] *subst* svan
swap [soåpp] **I** *verb* byta **II** *subst* byte
swarm [soå:m] **I** *subst* svärm; myller **II** *verb* svärma; myllra
swarthy ['soå:ði] *adj* svartmuskig
swastika ['soåsstikkə] *subst* hakkors
swat [soått] *verb* smälla till
sway [soej] **I** *verb* svänga, svaja **II** *subst*, ***hold ~*** förhärska
swear [soäə] *verb* svära; svära på
swearword ['soäəwö:d] *subst* svordom
sweat [soett] **I** *subst* svett; ***be in a cold ~*** kallsvettas **II** *verb* svettas
sweater ['soettə] *subst* tröja
sweaty ['soetti] *adj* svettig
Swede [swi:d] *subst* **1** svensk; svenska kvinna **2 *swede*** kålrot
Sweden ['swi:dn] Sverige
Swedish ['swi:disch] **I** *adj* svensk **II** *subst* svenska språket
sweep [swi:p] *verb* **1** sopa **2** svepa
sweeping ['swi:ping] *adj* svepande
sweet [swi:t] **I** *adj* **1** söt **2** ljuv, rar **II** *subst*, ***sweets*** godis
sweet corn [ˌswi:t'kå:n] *subst* majs grönsak
sweeten ['swi:tn] *verb* söta
sweetheart ['swi:tha:t] *subst* flickvän, pojkvän
sweetness ['swi:tnəs] *subst* **1** sötma **2** charm
sweet pea [ˌswi:t'pi:] *subst* luktärt

swell [soell] **I** *verb* svälla; svullna **II** *subst* dyning
swelling ['soelling] **I** *subst* svullnad **II** *adj* svällande
sweltering ['soelltəring] *adj* tryckande
swept [soeppt] imperf. o. perf. p. av *sweep*
swerve [soö:v] *verb* gira
swift [swift] **I** *adj* snabb **II** *subst* tornsvala
swill [swill] *subst* skulor
swim [swimm] **I** *verb* simma **II** *subst* simtur
swimmer ['swimmə] *subst* simmare, simmerska
swimming-pool ['swimmingpo:l] *subst* simbassäng
swimming-trunks ['swimmingtrangks] *subst* badbyxor
swimsuit ['swimmso:t] *subst* baddräkt
swindle ['swinndl] **I** *verb* svindla **II** *subst* svindel
swine [soajn] *subst* svin
swing [swing] **I** *verb* svänga **II** *subst* **1** svängning **2** gunga
swingbridge ['swingbriddʒ] *subst* svängbro
swingdoor ['swingdå:] *subst* svängdörr
swingeing ['swindʒing] *adj* skyhög
swipe [soajp] *verb* slå (klippa) till
swirl [swö:l] **I** *verb* virvla **II** *subst* virvel
Swiss [swiss] **I** *adj* schweizisk **II** *subst* schweizare; schweiziska
switch [switch] **I** *subst* **1** strömbrytare **2** omsvängning **II** *verb* ändra; byta; ~ ***off*** stänga av; släcka; ~ ***on*** sätta på; tända
switchboard ['switchbå:d] *subst* telefonväxel
Switzerland ['switsələnd] Schweiz
swollen ['soəolən] **I** perf. p. av *swell* **II** *adj* svullen
swoon [swo:n] *verb* drunkna bildl.
swoop [swo:p] **I** *verb* slå till **II** *subst* attack
sword [så:d] *subst* svärd
swordfish ['så:dfisch] *subst* svärdfisk
swore [soå:] imperf. av *swear*
sworn [soå:n] **I** perf. p. av *swear* **II** *adj* svuren
swot [soått] vard. **I** *verb* plugga **II** *subst* plugghäst
swum [soamm] perf. p. av *swim*

swung [soang] imperf. o. perf. p. av *swing*
syllable ['silləbl] *subst* stavelse
syllabus ['silləbəs] *subst* kursplan för visst ämne
symbol ['simmbəl] *subst* symbol
symmetry ['simmətri] *subst* symmetri
sympathetic [ˌsimmpə'θettikk] *adj* **1** förstående **2** sympatisk
sympathize ['simmpəθajz] *verb*, **~ *with*** känna med (för)
sympathizer ['simmpəθajzə] *subst* sympatisör
sympathy ['simmpəθi] *subst* sympati
symphony ['simmfəni] *subst* symfoni
symptom ['simmptəm] *subst* symtom
syndicate ['sinndikət] *subst* syndikat
synonym ['sinnənimm] *subst* synonym
synthetic [sinn'θettikk] *adj* syntetisk
syringe ['sirrindʒ] *subst* injektionsspruta
syrup ['sirrəpp] *subst* **1** sockerlag **2** sirap
system ['sisstəm] *subst* system
systematic [ˌsisstə'mättikk] *adj* systematisk

Tt

T, t [ti:] *subst* T,t
tab [täbb] *subst* lapp, etikett
tabby ['täbbi] *subst* spräcklig katt
table ['tejbl] *subst* **1** bord; ***clear the ~*** duka av; ***at ~*** vid matbordet **2** tabell
tablecloth ['tejblklåθθ] *subst* bordduk
table d'hôte [ˌta:bl'dəot] *subst* dagens meny
tablemat ['tejblmätt] *subst* tablett
tablespoon ['tejblspo:n] *subst* matsked
tablet ['täbblət] *subst* **1** minnestavla **2** tablett
table tennis ['tejblˌtennis] *subst* bordtennis
tabloid ['täbblåjd] *subst* sensationstidning
tack [täkk] **I** *subst* nubb, stift **II** *verb* spika, fästa
tackle ['täkkl] **I** *subst* **1** grejer **2** tackling **II** *verb* ta itu med; tackla
tacky ['täkki] *adj* klibbig
tact [täkkt] *subst* taktfullhet
tactful ['täkktfoll] *adj* taktfull
tactical ['täkktikkəl] *adj* taktisk
tactics ['täkktikks] *subst* taktik
tactless ['täkktləs] *adj* taktlös
tadpole ['täddpəol] *subst* grodyngel
1 tag [tägg] **I** *subst* lapp, märke; ***price ~*** prislapp **II** *verb*, ***~ along*** vard. följa med
2 tag [tägg] *subst* tafatt, kull
tail [tejl] *subst* **1** svans **2** ***tails*** frack **3** ***heads or tails?*** krona eller klave?
tailback ['tejlbäkk] *subst* bilkö
tail end [ˌtejl'ennd] *subst* sluttamp
tailgate ['tejlgejt] *subst* bakdörr på halvkombi
tailor ['tejlə] *subst* skräddare
tailor-made ['tejləmejd] *adj* skräddarsydd
tailwind ['tejlwind] *subst* medvind
take* [tejk] **1** ta; fatta, gripa; ta tag i **2** behövas **3** stå ut med; ***I can't ~ it any more*** äv. jag orkar inte med det längre **4** ***~ after*** brås på; ***~ along*** ta med; ***~ apart*** ta isär; ***~ away*** ta bort; ***~ down*** ta ned; skriva ner; ***~ in*** förstå; ***be taken in***

låta lura sig; ~ ***off*** ta av; starta; ~ ***a day off*** ta ledigt en dag; ~ ***on*** ta på sig; anställa; ~ ***out*** bjuda ut; ~ ***sth. out on sb.*** låta ngt gå ut över ngn; ~ ***over*** ta över; ~ ***to*** börja; tycka om; ~ ***up*** börja; ta upp

takeaway ['tejkəwej] *adj* för avhämtning

takeoff ['tejkåff] *subst* flygplans start

takeover ['tejk,əovə] *subst* övertagande

talc [tällk] *subst* talk

tale [tejl] *subst* historia, saga

talent ['tällənt] *subst* talang

talented ['tälləntidd] *adj* begåvad

talk [tå:k] **I** *verb* tala, prata; ~ ***shop*** prata jobb; ~ ***sb. into doing sth.*** övertala ngn att göra ngt; ***talking of*** på tal om; ~ ***over*** prata igenom; ~ ***to*** (***with***) prata med **II** *subst* samtal; ***talks*** förhandlingar

talkative ['tå:kətivv] *adj* pratsam

talk show ['tå:kschəo] *subst* pratshow

tall [tå:l] *adj* lång

tally ['tälli] **I** *subst*, ***keep ~ of*** hålla räkning på **II** *verb* stämma överens

talon ['tällən] *subst* klo på rovfågel

tame [tejm] **I** *adj* tam **II** *verb* tämja

tamper ['tämmpə] *verb*, ~ ***with*** fiffla med

tampon ['tämmpən] *subst* tampong

tan [tän] *subst* solbränna

tang [täng] *subst* skarp smak (lukt)

tanga briefs ['tängga,bri:fs] *subst* tangatrosor

tangerine [,tändʒə'ri:n] *subst* tangerin frukt

tangle ['tänggl] *subst* trassel

tank [tängk] *subst* **1** tank **2** stridsvagn

tanker ['tängkə] *subst* tanker

tantalizing ['tänntəlajzing] *adj* lockande

tantamount ['tänntəmaont] *adj*, ***be ~ to*** vara liktydig med

tantrum ['tänntrəm] *subst* raserianfall

1 tap [täpp] **I** *subst* kran på ledningsrör; ***on ~*** om öl o.d. på fat **II** *verb* **1** tappa **2** avlyssna telefon

2 tap [täpp] **I** *verb* slå lätt **II** *subst* knackning

tap-dancing ['täpp,da:nsing] *subst* stepp

tape [tejp] **I** *subst* **1** band; ***adhesive ~*** tejp **2** målsnöre **II** *verb* banda

tape deck ['tejpdekk] *subst* kassettdäck
tape measure ['tejpˌmeʒʒə] *subst* måttband
taper ['tejpə] *verb* smalna av
taperecorder ['tejpriˌkå:də] *subst* bandspelare
tapestry ['täppəstri] *subst* gobeläng
tar [ta:] *subst* tjära; asfalt
target ['ta:gitt] *subst* måltavla; mål; ~ ***group*** målgrupp
tariff ['tärriff] *subst* tulltaxa
tarmac® ['ta:mäkk] *subst* landningsbana; ***on the*** ~ äv. på asfalten
tarnish ['ta:nisch] *verb* 1 göra glanslös 2 bildl. skamfila
tarpaulin [ta:'på:lin] *subst* presenning
tarragon ['tärrəgən] *subst* dragon ört
1 tart [ta:t] *subst* 1 mördegstårta med frukt 2 vard. fnask
2 tart [ta:t] *adj* sträv, besk
tartan ['ta:tən] *adj* skotskrutig
1 tartar ['ta:tə] *subst*, ***steak*** ~ ung. råbiff
2 tartar ['ta:tə] *subst* tandsten
task [ta:sk] *subst* uppgift
task force ['ta:skfå:s] *subst* specialstyrka
tassel ['tässəl] *subst* tofs
taste [tejst] **I** *subst* smak, smakprov; ***it is a matter of*** ~ det är en smaksak **II** *verb* smaka, provsmaka; ~ ***good*** smaka bra
tasteful ['tejstfoll] *adj* smakfull
tasteless ['tejstləs] *adj* smaklös
tasty ['tejsti] *adj* smaklig
1 tattoo [tə'to:] *subst* militärparad
2 tattoo [tə'to:] **I** *verb* tatuera **II** *subst* tatuering
taught [tå:t] imperf. o. perf. p. av *teach*
taunt [tå:nt] **I** *verb* håna **II** *subst* gliring
Taurus ['tå:rəs] *subst* Oxen stjärntecken
taut [tå:t] *adj* spänd, styv
tax [täkks] **I** *subst* skatt; ~ ***avoidance*** skatteplanering; ~ ***evasion*** skattefusk; ~ ***exile*** skatteflykting **II** *verb* beskatta
taxable ['täkksəbl] *adj* skattepliktig
taxation [täkk'sejschən] *subst* beskattning
tax-deductible

['täkksdidakktəbl] *adj* avdragsgill
tax-free [ˌtäkks'fri:] *adj* skattefri
taxi ['täkksi] *subst* taxi
taxidriver ['täkksiˌdrajvə] *subst* taxichaufför
taxi rank ['täkksirängk] *subst* taxistolpe
taxpayer ['täkksˌpejjə] *subst* skattebetalare
tea [ti:] *subst* te; ***have ~*** dricka te
tea bag ['ti:bägg] *subst* tepåse
tea break ['ti:brejk] *subst* tepaus
teach [ti:tch] *verb* undervisa; ***~ sb. sth.*** lära ngn ngt
teacher ['ti:tchə] *subst* lärare
teaching ['ti:tching] *subst* undervisning
tea cosy ['ti:ˌkəozi] *subst* tehuv
teacup ['ti:kapp] *subst* tekopp
teak [ti:k] *subst* teak
team [ti:m] *subst* lag; team
teamwork ['ti:mwö:k] *subst* lagarbete
teapot ['ti:pått] *subst* tekanna
1 tear [tiə] *subst* tår
2 tear [täə] **I** *verb* slita, riva; ***~ apart*** splittra; plåga; ***~ open*** slita upp; ***~ up*** riva sönder **II** *subst* reva
tearful ['tiəfoll] *adj* tårfylld
tear gas ['tiəgäss] *subst* tårgas
tea room ['ti:ro:m] *subst* konditori
tease [ti:z] **I** *verb* reta, retas med **II** *subst* retsticka
teaspoon ['ti:spo:n] *subst* tesked
teat [ti:t] *subst* **1** spene **2** napp på flaska
teatime ['ti:tajm] *subst* tedags
tea towel ['ti:ˌtaoəl] *subst* torkhandduk
technical ['tekknikkəl] *adj* teknisk; ***~ college*** ung. yrkesinriktat gymnasium
technicality [ˌtekkni'källətti] *subst* teknisk detalj
technician [tekk'nischən] *subst* tekniker
technique [tekk'ni:k] *subst* teknik
technological [ˌtekknə'låddʒikkəl] *adj* teknologisk
technology [tekk'nållədʒi] *subst* teknologi
teddy ['teddi] o. **teddy bear** ['teddibäə] *subst* nallebjörn

tedious ['ti:djəs] *adj* långtråkig

tee [ti:] *subst* utslagsplats, tee i golf

teem [ti:m] *verb* vimla

teenage ['ti:nejdʒ] *adj* tonårs-

teenager ['ti:n,ejdʒə] *subst* tonåring

teens [ti:nz] *subst pl* tonår

teeter ['ti:tə] *verb* vackla

teeth [ti:θ] *subst* pl. av *tooth*

teethe [ti:ð] *verb* få tänder

teetotaller [ti:'təotlə] *subst* nykterist

telegram ['telligrämm] *subst* telegram

telegraph ['telligra:f] **I** *subst* telegraf **II** *verb* telegrafera

telephone ['tellifəon] *subst* telefon; **~ box (booth)** telefonkiosk; **~ directory** telefonkatalog; **be on the ~** sitta i telefon

telephonist [tə'leffənist] *subst* telefonist

telescope ['telliskəop] *subst* teleskop

television ['telli,viʒʒən] *subst* television, TV

tell* [tell] **1** tala 'om, säga **2** säga 'till ('åt); ***I can't ~ them apart*** jag kan inte skilja dem åt; ***~ the difference between*** skilja mellan (på)

teller ['tellə] *subst* kassör i bank

telling ['telling] *adj* talande

telltale ['telltejl] *subst* skvallerbytta

telly ['telli] *subst* vard., ***the ~*** TV

temp [temmp] *subst* ersättare från sekreterarpool o.d.

temper ['temmpə] *subst* humör; ***in a ~*** på dåligt humör

temperament ['temmpərəmənt] *subst* temperament

temperamental [,temmpərə'menntl] *adj* temperamentsfull

temperate ['temmpərət] *adj* måttlig

temperature ['temmpərətchə] *subst* temperatur; ***have a ~*** ha feber

1 temple ['templ] *subst* tempel

2 temple ['templ] *subst* tinning

temporary ['temmpərərri] *adj* tillfällig

tempt [tempt] *verb* fresta

temptation [temp'tejschən] *subst* frestelse

ten [tenn] *räkn* tio

tenacity [tə'nässətti] *subst* ihärdighet
tenant ['tennənt] *subst* hyresgäst
1 tend [tennd] *verb* vårda
2 tend [tennd] *verb* tendera
tendency ['tenndənsi] *subst* tendens
tender ['tenndə] *adj* **1** mör **2** öm
tenement ['tennəmənt] *subst* hyreshus
tenet ['tennett] *subst* grundsats
tennis ['tennis] *subst* tennis; ~ ***court*** tennisbana
tenor ['tennə] *subst* tenor
1 tense [tenns] *subst* tempus
2 tense [tenns] *adj* spänd
tension ['tennschən] *subst* spänning i olika bet.
tent [tennt] *subst* tält
tentative ['tenntətivv] *adj* försöks-
tenth [tennθ] *räkn* tionde
tent peg ['tenntpegg] *subst* tältpinne
tent pole ['tenntpəol] *subst* tältstång
tenuous ['tennjoəs] *adj* tunn, svag
tenure ['tennjoə] *subst* besittningsrätt
tepid ['teppidd] *adj* ljum
term [tö:m] *subst* **1** termin **2** term; ***terms*** äv. ordalag **3** ***terms*** villkor; ***come to terms with sth.*** acceptera ngt
terminal ['tö:minl] **I** *subst* terminal **II** *adj* obotlig; ~ ***ward*** terminalvårdsavdelning för döende patienter
terminate ['tö:minejt] *verb* avsluta
terminus ['tö:minəs] *subst* terminal
terrace ['terrəs] *subst* **1** terrass **2** radhus
terraced ['terrəst] *adj* terrasserad
terracotta [ˌterrə'kåttə] *subst* terrakotta
terrain [te'rejn] *subst* terräng
terrible ['terrəbl] *adj* förfärlig
terrier ['terriə] *subst* terrier hundras
terrific [tə'riffikk] *adj* fantastisk
terrify ['terrifaj] *verb* skrämma
territory ['territərri] *subst* territorium
terror ['terə] *subst* terror, skräck; ***act of*** ~ terrordåd
terrorism ['terrərizzəm] *subst* terrorism
terrorist ['terrərist] *subst* terrorist
terse [tö:s] *adj* koncis

test [test] **I** *subst* prov, test; ***stand the ~ of time*** stå sig genom tiderna **II** *verb* prova

Testament ['testəmənt] *subst*, ***the Old*** (***New***) ~ Gamla (Nya) testamentet

testicle ['tesstikkl] *subst* testikel

testify ['tesstifaj] *verb* vittna, vittna om

testimony ['tesstiməni] *subst* vittnesmål

test match ['testmättch] *subst* landskamp t.ex. i kricket

test tube ['testtjo:b] *subst* provrör

tetanus ['tettənəs] *subst* stelkramp

tether ['teððə] *verb* tjudra

text [tekkst] **I** *subst* text **II** *verb* vard., ~ ***sb.*** sms:a till ngn

textbook ['tekkstbokk] *subst* lärobok; ~ ***example*** skolexempel

textile ['tekkstajl] *subst* tyg, textil

text message ['tekkst,messidʒ] *subst* sms; ***send a*** ~ sms:a

texture ['tekkstchə] *subst* textur

Thames [temmz], ***the*** ~ Themsen

than [ðänn] *konj* **1** än; ***rather*** ~ hellre än att **2** förrän

thank [θängk] **I** *verb* tacka **II** *subst*, ~ ***you*** el. ***thanks*** tack

thankful ['θängkfoll] *adj* tacksam

thankless ['θängkləs] *adj* otacksam

that [ðätt] **I** *pron* **1** den där, det där; denna, detta; den, det; de där; så; ~ ***is*** el. ~ ***is to say*** det vill säga **2** som **II** *konj* att **III** *adv*, ***not*** ~ ***bad*** (***good***) inte så dålig (bra)

thaw [θå:] **I** *verb* töa **II** *subst* töväder

the [ðə] *best art* **1** motsvaras av best. slutartikel t.ex. ~ ***book*** boken; ~ ***old man*** den gamle mannen **2** utan motsvarighet t.ex. före floder, hotell, popgrupper: ***the Ritz*** Ritz; ***the Beatles*** Beatles

theatre ['θiətə] *subst* teater

theatregoer ['θiətə,gəoə] *subst* teaterbesökare

theatrical [θi'ättrikəl] *adj* **1** teater- **2** teatralisk

theft [θefft] *subst* stöld

their [ðäə] *pron* deras, dess; sin

theirs [ðäəz] *pron* deras; sin

them [ðemm] *pron* dem

theme [θi:m] *subst* tema; ~

park temapark fritidsanläggning
themselves [ðəmm'sellvz] *pron* sig, sig själva; själva
then [ðenn] *adv* då; sedan; ***since*** ~ sedan dess; ***till*** ~ till dess
theology [θi'ållədʒi] *subst* teologi
theoretical [ˌθiə'rettikkəl] *adj* teoretisk
theorize ['θiərajz] *verb* teoretisera
theory ['θiəri] *subst* teori
therapy ['θerrəpi] *subst* terapi
there [ðäə] *adv* **1** där; dit **2** det; ~ ***is*** (***are***) det finns
thereabouts ['ðäərəbaot] *adv* däromkring
thereby [ˌðäə'baj] *adv* därigenom
therefore ['ðäəfå:] *adv* därför
there's [ðäəz] = *there is* o. *there has*
thermal ['θö:məl] *adj* värme-; termo-
thermometer [θə'måmmitə] *subst* termometer
Thermos® ['θö:måss] *subst* termos
thermostat ['θö:məostätt] *subst* termostat
thesaurus [θi'så:rəs] *subst* synonymordbok
these [ði:z] *pron* de här; dessa; ~ ***days*** nuförtiden
thesis ['θi:siss] *subst* **1** tes **2** doktorsavhandling
they [ðej] *pron* de; ~ ***say*** äv. det sägs
they'd [ðejd] = *they had* o. *they would*
they'll [ðejl] = *they will* o. *they shall*
they're [ðäə] = *they are*
they've [ðejv] = *they have*
thick [θikk] *adj* **1** tjock; ***a bit too*** ~ lite väl magstarkt **2** dum
thicken ['θikkən] *verb* tjockna
thickness ['θikknəs] *subst* tjocklek
thick-skinned [ˌθikk'skinnd] *adj* tjockhudad
thief [θi:f] *subst* tjuv
thigh [θaj] *subst* lår kroppsdel
thimble ['θimmbl] *subst* fingerborg
thin [θinn] **I** *adj* tunn; mager **II** *verb*, ***his hair is thinning*** hans hår börjar glesna
thing [θing] *subst* **1** sak, grej **2** ***things*** det, läget; ***the way things are*** som det är nu
think* [θingk] *verb* **1** tänka;

tänka efter; ~ ***about*** fundera på; ~ ***of*** tänka på; tänka sig; komma på; ~ ***over*** tänka igenom **2** tro; tycka; ~ ***about*** (***of***) tycka om

think tank ['θingktängk] *subst* vard. hjärntrust

third [θö:d] **I** *räkn* tredje; ***the Third World*** tredje världen **II** *subst* tredjedel

thirdly ['θö:dli] *adv* för det tredje

third-rate [ˌθö:d'rejt] *adj* tredje klassens

thirst [θö:st] *subst* törst

thirsty ['θö:sti] *adj* törstig

thirteen [ˌθö:'ti:n] *räkn* tretton

thirty ['θö:ti] *räkn* trettio

this [ðiss] **I** *pron* den här, det här; denna, detta; ~ ***Sunday*** nu på söndag **II** *adv* så här

thistle ['θissl] *subst* tistel

thong [θång] *subst* stringtrosa

thorn [θå:n] *subst* tagg

thorough ['θarrə] *adj* grundlig

thoroughbred ['θarrəbredd] *subst* fullblod

thoroughly ['θarrəli] *adv* grundligt

those [ðəoz] *pron* **1** de; dem **2** de där; dessa; ***in ~ days*** på den tiden

though [ðəo] **I** *konj* men, fast; ***even*** ~ trots att **II** *adv* ändå

thought [θå:t] **I** *subst* tanke; tankegång **II** imperf. o. perf. p. av *think*

thoughtful ['θå:tfoll] *adj* **1** tankfull **2** omtänksam

thoughtless ['θå:tləs] *adj* tanklös

thousand ['θaozənd] *räkn* tusen; ***thousands of*** tusentals

thrash [θräsch] *verb* slå, ge stryk

thread [θredd] *subst* tråd

threadbare ['θreddbäə] *adj* luggsliten

threat [θrett] *subst* hot

threaten ['θrettn] *verb* hota

three [θri:] *räkn* tre

three-dimensional [ˌθri:daj'menschənl] *adj* tredimensionell

thresh [θresch] *verb* tröska

threshold ['θreschhəold] *subst* tröskel

threw [θro:] imperf. av *throw*

thrift [θrifft] *subst* sparsamhet

thrifty ['θriffti] *adj* sparsam

thrill [θrill] **I** *verb* rysa **II** *subst* **1** ilning **2** spänning

thriller ['θrillə] *subst* rysare

thrilling ['θrilling] *adj* nervkittlande

thrive [θrajv] *verb* frodas; blomstra
thriving ['θrajving] *adj* blomstrande
throat [θrəot] *subst* strupe, hals
throb [θråbb] **I** *verb* bulta **II** *subst* dunkande
throne [θrəon] *subst* tron
throttle ['θråttl] **I** *subst* gasspjäll **II** *verb* strypa
through [θro:] *prep* o. *adv* genom, igenom; **~ *and* ~** alltigenom; ***be* ~ *with*** ha fått nog av
throughout [θro'aot] **I** *adv* genomgående **II** *prep* över hela; under hela
throve [θrəov] imperf. av *thrive*
throw* [θrəo] **1** kasta; **~ *away*** kasta bort; **~ *out*** kasta ut; köra ut **2 ~ *up*** kräkas **3 ~ *a party*** ställa till med fest
throwaway ['θrəoəwej] *adj* engångs-
throw-in ['θrəoin] *subst* inkast i fotboll
thrush [θrasch] *subst* trast
thrust [θrasst] **I** *verb* stoppa, köra **II** *subst* stöt
thud [θadd] **I** *subst* duns **II** *verb* dunsa
thug [θagg] *subst* ligist
thumb [θamm] **I** *subst* tumme **II** *verb*, **~ *through*** bläddra igenom
thump [θammp] **I** *verb* dunka **II** *subst* smäll, duns
thunder ['θanndə] **I** *subst* åska **II** *verb* åska; dundra
thunderbolt ['θanndəbəolt] *subst* åskvigg
thunderclap ['θanndəkläpp] *subst* åskknall
thunderstorm ['θanndəstå:m] *subst* åskväder
thundery ['θanndərri] *adj* åsk-
Thursday ['θö:zdej] *subst* torsdag
thus [ðass] *adv* alltså
thwart [θoå:t] *verb* korsa, hindra
thyme [tajm] *subst* timjan
tiara [ti'a:rə] *subst* tiara
1 tick [tikk] **I** *verb* ticka **II** *subst* tickande
2 tick [tikk] *subst* fästing
ticket ['tikkitt] *subst* biljett
ticket-collector ['tikkittkə,lekktə] *subst* spärrvakt; konduktör
ticket office ['tikkitt,åffiss] *subst* förköpsställe
tickle ['tikkl] **I** *verb* kittla **II** *subst* kittling
ticklish ['tikklisch] *adj* **1** kittlig **2** kinkig

tidal ['tajdl] *adj* tidvattens-
tiddlywinks ['tiddliwingks] *subst* loppspel
tide [tajd] *subst* tidvatten
tidy ['tajdi] **I** *adj* städad, ordentlig **II** *verb*, ~ el. **~ up** städa
tie [taj] **I** *verb* knyta; knyta fast; **be tied down with** vara bunden av; **~ in with** stämma med; **tied up** upptagen **II** *subst* **1** band **2** slips
tier [tiə] *subst* rad
tiger ['tajgə] *subst* tiger
tight [tajt] **I** *adj* **1** snäv **2** tät **II** *adv* tätt
tighten ['tajtn] *verb* dra åt
tight-fisted [ˌtajt'fisstidd] *adj* vard. snål
tightrope ['tajtrəop] *subst* lina spänd
tights [tajts] *subst pl* strumpbyxor
tile [tajl] *subst* tegel; kakel
1 till [till] *prep* o. *konj* till, tills
2 till [till] *subst* kassa
tilt [tillt] *verb* luta; välta
timber ['timmbə] *subst* timmer
time [tajm] *subst* **1** tid; tiden; **any ~** när som helst; **have a good ~** ha roligt; **from ~ to ~** då och då; **on ~** i tid; **what ~ is it?** vad är klockan? **2 one more ~** en gång till
time bomb ['tajmbåmm] *subst* tidsinställd bomb
timelag ['tajmlägg] *subst* tidsintervall
timeless ['tajmləs] *adj* tidlös
timely ['tajmli] *adj* läglig
timer ['tajmə] *subst* stoppur; tidur
time scale ['tajmskejl] *subst* tidsskala
time switch ['tajmswitch] *subst* tidströmställare
timetable ['tajmˌtejbl] *subst* **1** tidtabell **2** schema
timid ['timmidd] *adj* blyg
timing ['tajming] *subst* val av tidpunkt
timpani ['timmpəni] *subst pl* pukor
tin [tinn] *subst* **1** tenn **2** konservburk
tinfoil [ˌtinn'fåjl] *subst* aluminiumfolie
tinge [tindʒ] *subst* nyans; antydan
tingle ['tinggl] **I** *verb* pirra **II** *subst* pirr
tinker ['tingkə] *verb* mixtra, meka
tinkle ['tingkl] **I** *verb* plinga **II** *subst* pling
tinned [tinnd] *adj* på burk

tin-opener ['tinn͵əopənə] *subst* konservöppnare
tinsel ['tinnsəl] *subst* glitter
tint [tinnt] **I** *subst* färgton **II** *verb* tona hår
tiny ['tajni] *adj* mycket liten
1 tip [tipp] *subst* spets, topp
2 tip [tipp] **I** *verb* tippa; tippa omkull **II** *subst* soptipp
3 tip [tipp] **I** *verb* **1** ge dricks **2** tipsa **II** *subst* **1** dricks **2** tips
tip-off ['tippåff] *subst* vard. förvarning
tipsy ['tippsi] *adj* salongsberusad
tiptoe ['tipptəo] *verb* gå på tå
tiptop [͵tipp'tåpp] *adj* perfekt
tire ['tajjə] *verb* trötta; tröttna
tired ['tajjəd] *adj* trött
tireless ['tajjələs] *adj* outtröttlig
tiresome ['tajjəsəm] *adj* tröttsam
tiring ['tajjəring] *adj* tröttande
tissue ['tischo:] *subst* **1** vävnad **2** pappersnäsduk
tissue paper ['tischo:͵pejpə] *subst* silkespapper
titbit ['tittbitt] *subst* godbit
title ['tajtl] *subst* titel
title deed ['tajtldi:d] *subst* lagfartsbevis
title role ['tajtlrəol] *subst* titelroll
titter ['tittə] *verb* fnissa
to [to] *prep* till; mot; på; hos; ***a quarter ~ six*** kvart i sex
toad [təod] *subst* padda
toadstool ['təodsto:l] *subst* giftsvamp
toast [təost] **I** *subst* **1** rostat bröd **2** någons skål **II** *verb* **1** rosta **2** skåla för
toaster ['təostə] *subst* brödrost
tobacco [tə'bäkkəo] *subst* tobak
tobacconist [tə'bäkkənist] *subst* tobakshandlare; ***tobacconist's shop*** tobaksaffär
toboggan [tə'båggən] *subst* kälke
today [tə'dej] *adv* i dag
toddler ['tåddlə] *subst* litet barn
to-do [tə'do:] *subst* vard. ståhej
toe [təo] *subst* tå
toenail ['təonejl] *subst* tånagel
toffee ['tåffi] *subst* kola
toffee apple ['tåffi͵äppl] *subst* äppelklubba äpple överdraget med knäck

together [tə'geððə] *adv* tillsammans
toil [tåjl] **I** *verb* arbeta hårt **II** *subst* slit
toilet ['tåjjlət] *subst* toalett; ***~ for the disabled*** handikapptoalett
toilet paper ['tåjjlət,pejpə] *subst* toalettpapper
toiletries ['tåjjlətriz] *subst pl* toalettsaker
toilet roll ['tåjjlətrəol] *subst* rulle toalettpapper
toilet water ['tåjjlət,wå:tə] *subst* eau-de-toilette
token ['təokən] *subst* **1** tecken **2** presentkort
told [təold] imperf. o. perf. p. av *tell*
tolerable ['tållərəbbl] *adj* dräglig
tolerant ['tållərənt] *adj* tolerant
tolerate ['tållərejt] *verb* tolerera
1 toll [təol] *subst* avgift
2 toll [təol] *verb* klämta
tomato [tə'ma:təo] *subst* tomat; ***~ paste*** tomatpuré
tomb [to:m] *subst* grav
tomboy ['tåmmbåj] *subst* pojkflicka
tombstone ['to:mstəon] *subst* gravsten
tomcat ['tåmmkätt] *subst* hankatt
tomorrow [tə'mårrəo] *adv* i morgon
ton [tann] *subst*, ***tons of*** vard. massor av
tone [təon] *subst* ton, tonfall
tone-deaf [,təon'deff] *adj* tondöv
tongs [tångz] *subst pl* tång
tongue [tang] *subst* tunga
tongue-tied ['tangtajd] *adj* som lider av tunghäfta
tongue-twister ['tang,twistə] *subst* tungvrickningsövning
tonic ['tånnikk] *subst* **1** stärkande medel **2** tonic
tonight [tə'najt] *adv* i kväll; i natt
tonsil ['tånnsl] *subst* halsmandel
tonsillitis [,tånnsi'lajtiss] *subst* halsfluss
too [to:] *adv* **1** alltför, för; ***that's ~ bad!*** vad tråkigt! **2** också, med
took [tokk] imperf. av *take*
tool [to:l] *subst* verktyg, redskap
toolbox ['to:lbåkks] *subst* verktygslåda
toot [to:t] *verb* tuta
tooth [to:θ] *subst* tand; ***have a sweet ~*** vara en gottgris

toothache ['to:θejk] *subst* tandvärk
toothbrush ['to:θbrasch] *subst* tandborste
toothpaste ['to:θpejst] *subst* tandkräm
toothpick ['to:θpikk] *subst* tandpetare
top [tåpp] **I** *subst* topp; övre del; ***at the ~*** överst; ***on ~*** ovanpå; ***on ~ of*** äv. utöver **II** *adj* **1** översta **2** främsta, topp- **III** *verb* toppa
top hat [ˌtåpp'hätt] *subst* hög hatt
top-heavy [ˌtåpp'hevvi] *adj* för tung upptill
topic ['tåppikk] *subst* samtalsämne
topical ['tåppikkəl] *adj* aktuell
top-level ['tåppˌlevvl] *adj* på toppnivå
topmost ['tåppməost] *adj* överst
topple ['tåppl] *verb* störta
top-secret [ˌtåpp'si:kritt] *adj* hemligstämplad
topsy-turvy [ˌtåppsi'tö:vi] *adv* huller om buller
torch [tå:tch] *subst* **1** fackla **2** ficklampa
tore [tå:] imperf. av 2 *tear*
torment I ['tå:ment] *subst* kval **II** [tå:'mennt] *verb* pina
torn [tå:n] perf. p. av 2 *tear*
tornado [tå:'nejdəo] *subst* tornado
torpedo [tå:'pi:dəo] *subst* torped
torrent ['tårrənt] *subst* störtflod
tortoise ['tå:təs] *subst* sköldpadda
tortoiseshell ['tå:təsschel] *subst* sköldpaddskal
torture ['tå:tchə] **I** *subst* tortyr **II** *verb* tortera
Tory ['tå:ri] *subst* tory, konservativ
toss [tåss] *verb* **1** kasta, slänga **2** singla slant
tot [tått] *subst* liten pys (tös)
total ['təotl] **I** *adj* total **II** *subst* slutsumma **III** *verb* uppgå till
totter ['tåttə] *verb* vackla
touch [tattch] **I** *verb* röra; beröra **II** *subst* **1** beröring **2** känsel **3** ***keep in ~ with*** hålla kontakt med
touch-and-go [ˌtattchən'gəo] *adj* osäker
touched [tattcht] *adj* rörd bildl.
touching ['tattching] *adj* rörande
touchline ['tattchlajn] *subst* sidlinje i fotboll

touchy ['tattchi] *adj* lättretlig
tough [taff] *adj* 1 seg 2 jobbig; tuff
toughen ['taffn] *verb* tuffa till sig
toupee ['to:pej] *subst* tupé
tour [toə] **I** *subst* 1 rundresa; ***guided*** ~ guidad tur (visning) 2 turné **II** *verb* resa runt i
tourism ['toərizəm] *subst* turism
tourist ['toərist] *subst* turist
tournament ['toənəmənt] *subst* turnering
tout [taot] *verb* vard. pracka på folk
tow [təo] *verb* bogsera
towards [tə'oå:dz] *prep* 1 mot, i riktning mot 2 gentemot 3 framemot
towel ['taoəl] *subst* handduk; ***sanitary*** ~ dambinda
towelling ['taoəling] *subst* frotté
towel rail ['taoəlrejl] *subst* handduksstång
tower ['taoə] **I** *subst* torn; ~ ***block*** höghus **II** *verb* torna upp sig
towering ['taoəring] *adj* jättehög
town [taon] *subst* stad
towrope ['təorəop] *subst* bogserlina
toy [tåj] **I** *subst* leksak **II** *verb*, ~ ***with*** leka med
trace [trejs] **I** *verb* spåra **II** *subst* spår
tracing-paper ['trejsing,pejpə] *subst* kalkerpapper
track [träkk] **I** *subst* spår; stig; sport. bana **II** *verb* spåra
tracksuit ['träkkso:t] *subst* träningsoverall
1 tract [träkkt] *subst* område
2 tract [träkkt] *subst* traktat
tractor ['träkktə] *subst* traktor
trade [trejd] **I** *subst* 1 handel 2 yrke 3 ~ ***union*** fackförening **II** *verb* 1 handla 2 ~ ***in*** lämna i byte
trademark ['trejdma:k] *subst* varumärke
trader ['trejdə] *subst* affärsman
tradesman ['trejdzmən] *subst* detaljhandlare
trade-unionist [,trejd'jo:njənist] *subst* fackföreningsman
tradition [trə'dischən] *subst* tradition
traditional [trə'dischənl] *adj* traditionell
traffic ['träffikk] *subst* trafik; ~ ***jam*** trafikstockning; ~ ***light***

trafikljus; ***one-way ~*** enkelriktad trafik

tragedy ['träddʒəddi] *subst* tragedi

tragic ['träddʒikk] *adj* tragisk

trail [trejl] **I** *subst* spår **II** *verb* släpa

trailer ['trejlə] *subst* släpvagn

train [trejn] **I** *verb* öva; lära upp; träna **II** *subst* tåg; ***go by ~*** ta tåget

trained [trejnd] *adj* utbildad

trainee [trej'ni:] *subst* praktikant

trainer ['trejnə] *subst* **1** tränare **2** ***trainers*** gymnastikskor

training ['trejning] *subst* utbildning; träning

training-college ['trejning,kållidʒ] *subst* lärarhögskola

traipse [trejps] *verb* traska

trait [trej] *subst* karaktärsdrag

traitor ['trejtə] *subst* förrädare

tram [trämm] *subst* spårvagn

tramp [trämmp] **I** *verb* traska **II** *subst* luffare

trample ['trämmpl] *verb*, ***~ on*** trampa på

tranquil ['trängkwill] *adj* lugn

tranquillizer ['trängkoəlajzə] *subst* lugnande medel

transact [tränn'zäkkt] *verb* göra upp affär

transaction [tränn'zäkkschən] *subst* transaktion

transatlantic [,trännzət'länntikk] *adj* transatlantisk

transfer I [tränns'fö:] *verb* överföra; sport. sälja spelare **II** ['trännsfə] *subst* **1** omplacering **2** överföring

transform [tränns'få:m] *verb* förvandla

transfusion [tränns'fjo:ʒən] *subst* blodtransfusion

transient ['trännziənt] *adj* förgänglig

transistor [tränn'zisstə] *subst* transistor

transit ['trännzitt] *subst* genomresa; ***~ lounge*** transithall

translate [tränns'lejt] *verb* översätta

translation [tränns'lejschən] *subst* översättning

translator [tränns'lejtə] *subst* översättare

transmission [trännz'mischən] *subst* **1** överföring **2** sändning av radio- el. TV-program

transmit [trännz'mitt] *verb* sända
transparency [tränn'spärrənsi] *subst* genomskinlighet
transparent [tränn'spärrənt] *adj* genomskinlig
transplant I [tränn'spla:nt] *verb* transplantera **II** ['trännspla:nt] *subst* transplantation
transport I [tränn'spå:t] *verb* transportera **II** ['trännspå:t] *subst* transportmedel
trap [träpp] **I** *subst* fälla **II** *verb* fånga i en fälla
trapdoor [,träpp'då:] *subst* fallucka
trapeze [trə'pi:z] *subst* trapets
trappings ['träppingz] *subst pl* symboler
trash [träsch] *subst* skräp
trauma ['trå:mə] *subst* trauma
traumatic [trå:'mättikk] *adj* traumatisk
travel ['trävvl] **I** *verb* resa **II** *subst*, ***travels*** resor
travel agency ['trävvl,ejdʒənsi] *subst* resebyrå
travel agent ['trävvl,ejdʒənt] *subst* resebyråtjänsteman
traveller ['trävvələ] *subst* resenär
travel sickness ['trävvl,sikknəs] *subst* åksjuka
travesty ['trävvəsti] *subst* travesti
trawler ['trå:lə] *subst* trålare
tray [trej] *subst* serveringsbricka
treacherous ['trettchərəs] *adj* förrädisk
treachery ['trettchərri] *subst* förräderi
treacle ['tri:kl] *subst* sirap
tread [tredd] *verb* trampa; trampa på
treason ['tri:zn] *subst* landsförräderi
treasure ['treʒʒə] *subst* skatt; ***art treasures*** konstskatter
treasurer ['treʒʒərə] *subst* kassör
Treasury ['treʒʒərri] *subst*, ***the*** ~ finansdepartementet
treat [tri:t] *verb* **1** behandla **2** bjuda
treatment ['tri:tmənt] *subst* behandling
treaty ['tri:ti] *subst* fördrag
treble ['trebbl] *verb* tredubbla
tree [tri:] *subst* träd
trek [trekk] *verb* fotvandra

tremble ['tremmbl] *verb* darra
tremendous [trə'menndəs] *adj* enorm
tremor ['tremmə] *subst* 1 skälvning 2 jordskalv
trench [trentsch] *subst* 1 dike 2 skyttegrav
trend [trend] *subst* trend; tendens
trendy ['trendi] *adj* vard. trendig
trepidation [ˌtreppi'dejschən] *subst* bävan
trespass ['tresspəs] *verb*, **~ *on*** inkräkta
trestle ['tressl] *subst* bock som stöd
trial ['trajjəl] *subst* 1 försök; ***on* ~** på prov 2 ***be on* ~** stå inför rätta
triangle ['trajjänggl] *subst* triangel
tribe [trajb] *subst* folkstam
tribesman ['trajbzmən] *subst* stammedlem
tribunal [trajj'bjo:nl] *subst* tribunal
tributary ['tribbjotərri] *subst* biflod
tribute ['tribbjo:t] *subst* tribut; ***pay* ~ *to sb.*** hylla ngn
trice [trajs], ***in a* ~** i en handvändning
trick [trikk] **I** *subst* spratt; trick **II** *verb* lura
trickery ['trikkərri] *subst* bluff
trickle ['trikkl] **I** *verb* droppa **II** *subst* droppe
tricky ['trikki] *adj* knepig
tricycle ['trajsikkl] *subst* trehjuling
trifle ['trajfl] *subst* bagatell
trifling ['trajfling] *adj*, **~ *matter*** struntsak
trigger ['triggə] **I** *subst* avtryckare på skjutvapen **II** *verb* utlösa
trim [trimm] **I** *adj* välskött **II** *verb* klippa, putsa
trinket ['tringkitt] *subst* billigt smycke
trip [tripp] **I** *verb* snava **II** *subst* resa; **~ *computer*** färddator
tripe [trajp] *subst* komage
triple ['trippl] **I** *adj* tredubbel **II** *verb* tredubbla
triplicate ['tripplikət] *subst*, ***in* ~** i tre exemplar
tripod ['trajjpådd] *subst* stativ
trite [trajt] *adj* banal
triumph ['trajjəmf] **I** *subst* triumf **II** *verb* triumfera
trivial ['trivviəl] *adj* obetydlig

trod [trådd] imperf. o. ibl. perf. p. av *tread*
trodden ['tråddn] perf. p. av *tread*
trolley ['trålli] *subst* 1 rullbord 2 kundvagn
trombone [tråmm'bəon] *subst* trombon
troop [tro:p] *subst* trupp
trophy ['trəofi] *subst* trofé
tropical ['tråppikkəl] *adj* tropisk
tropics ['tråppikks] *subst*, ***the*** ~ tropikerna
trot [trått] **I** *verb* trava **II** *subst* trav
trouble ['trabbl] **I** *verb* bekymra; besvära **II** *subst* bekymmer; besvär; problem
troubled ['trabbld] *adj* bekymrad
troublemaker ['trabbl,mejkə] *subst* bråkstake
troubleshooter ['trabbl,scho:tə] *subst* problemlösare
troublesome ['trabblsəm] *adj* besvärlig
trough [tråff] *subst* tråg
trousers ['traozəz] *subst pl* långbyxor
trout [traot] *subst* forell
truant ['tro:ənt] *subst* skolkare
truce [tro:s] *subst* vapenvila
truck [trakk] *subst* öppen godsvagn
trudge [traddʒ] *verb* gå mödosamt
true [tro:] *adj* sann; ***it is*** ~ det är sant; ***come*** ~ gå i uppfyllelse
truffle ['traffl] *subst* tryffel
truly ['tro:li] *adv* verkligen; ***Yours*** ~ Högaktningsfullt
trump [tramp] *subst* trumf
trumpet ['trampitt] *subst* trumpet
truncheon ['trantschən] *subst* batong
trundle ['trandl] *verb* rulla
trunk [trangk] *subst* 1 trädstam 2 koffert
trust [trast] **I** *subst* förtroende **II** *verb* lita på
trustee [ˌtra'sti:] *subst* förtroendeman
trustful ['trastfoll] *adj* förtroendefull
trustworthy ['trastˌwö:ði] *adj* pålitlig
truth [tro:θ] *subst* sanning
truthful ['tro:θfoll] *adj* sann
try [traj] **I** *verb* försöka; pröva; ***~ on*** prova kläder **II** *subst* försök

trying ['trajjing] *adj* påfrestande
T-shirt ['ti:schö:t] *subst* T-shirt
T-square ['ti:skoäə] *subst* vinkellinjal
tub [tabb] *subst* balja
tubby ['tabbi] *adj* knubbig
tube [tjo:b] *subst* **1** rör; tub **2** vard. tunnelbana
tuck [takk] *verb* stoppa in (ner); ~ ***away*** stoppa undan; ~ ***the children in*** stoppa om barnen
tuck shop ['takkschåpp] *subst* vard. godisaffär
Tuesday ['tjo:zdej] *subst* tisdag
tuft [tafft] *subst* tofs
tug [tagg] **I** *verb* rycka; ~ ***at*** rycka i **II** *subst* **1** ryck **2** bogserbåt
tug-of-war [,taggəv'oå:] *subst* dragkamp
tuition [tjo'ischən] *subst* handledning
tulip ['tjo:lipp] *subst* tulpan
tumble ['tambl] **I** *verb* ramla; ~ ***down*** rasa **II** *subst* **1** fall **2** ~ ***drier*** torktumlare
tumbler ['tamblə] *subst* tumlare glas
tummy ['tammi] *subst* vard. mage
tumour ['tjo:mə] *subst* tumör
tuna ['tjo:nə] *subst* tonfisk
tune [tjo:n] **I** *subst* melodi; ***out of*** ~ ostämt; falskt **II** *verb* **1** stämma instrument **2** ~ ***in to*** ställa (ta) in
tuneful ['tjo:nfoll] *adj* melodisk
tuner ['tjo:nə] *subst* tuner mottagare utan effektförstärkare
tunic ['tjo:nikk] *subst* tunika
tunnel ['tannl] *subst* tunnel
turbulence ['tö:bjoləns] *subst* oro, turbulens
tureen [tə'ri:n] *subst* soppskål
turf [tö:f] *subst* **1** grästorv **2** ***the*** ~ galoppbana
turgid ['tö:dʒidd] *adj* svulstig
turkey ['tö:ki] *subst* kalkon
turmoil ['tö:måjl] *subst* kaos
turn [tö:n] **I** *verb* **1** vrida; vända **2** ~ ***to the right*** svänga åt höger **3** dreja lergods **4** bli; ~ ***sour*** surna **5** ~ ***against*** vända sig mot; ~ ***away*** avvisa; ~ ***back*** vända om; ~ ***down*** avslå; ~ ***in*** gå och lägga sig; ~ ***into*** bli (göra) till; ~ ***off*** stänga av; svänga av; ~ ***on*** sätta på; tända; ~ ***out*** avlöpa, visa sig; ~ ***sb. out*** köra ngn på porten; ~ ***to*** vända sig till; ~ ***up*** dyka upp **II** *subst*

1 vändning 2 sväng 3 tur; ***in* ~** i tur och ordning
turning ['tö:ning] *subst* avtagsväg; **~ *area*** el. **~ *space*** vändplats, vändzon
turning-point ['tö:ningpåjnt] *subst* vändpunkt
turnip ['tö:nipp] *subst* rova; ***Swedish* ~** kålrot
turnout ['tö:naot] *subst* deltagande
turnover ['tö:n,əovə] *subst* omsättning
turnstile ['tö:nstajl] *subst* vändkors; spärr i t.ex. T-banestation
turn-up ['tö:napp] *subst* slag på t.ex. byxa
turpentine ['tö:pəntajn] *subst* terpentin
turquoise ['tö:koåjz] *subst* o. *adj* turkos
turret ['tarrət] *subst* litet torn
turtle ['tö:tl] *subst* sköldpadda
turtle neck ['tö:tlnekk] *subst* halvpolo
tusk [tassk] *subst* bete på elefant m.fl.
tussle ['tassl] **I** *subst* kamp **II** *verb* kämpa
tutor ['tjo:tə] *subst* handledare; privatlärare
tutorial [tjo'tå:riəl] *subst* seminarium i mindre grupp
TV [,ti:'vi:] *subst* TV; ***watch* ~** se på TV; ***on* ~** på TV
1 twang [toäng], ***speak with a* ~** tala i näsan
2 twang [toäng] *subst* bismak
tweed [twi:d] *subst* tweed
tweezers ['twi:zəz] *subst pl* pincett
twelfth [toelfθ] *räkn* tolfte
twelve [toelv] *räkn* tolv
twentieth ['toentiiθ] *räkn* tjugonde
twenty ['toenti] *räkn* tjugo
twice [toajjs] *adv* två gånger
twiddle ['twiddl] *verb* tvinna
twig [twigg] *subst* kvist
twilight ['toajlajt] *subst* skymning
twin [twinn] *subst* tvilling
twine [toajjn] *verb* linda, vira
twinge [twindʒ] *subst* sting
twinkle ['twingkl] **I** *verb* tindra, blinka **II** *subst* glimt i ögat
twirl [twö:l] *verb* snurra
twist [twist] **I** *subst* vridning **II** *verb* sno, vrida; snedvrida
twit [twitt] *subst* vard. dumskalle
twitch [twitch] **I** *verb* rycka **II** *subst* ryckning
two [to:] *räkn* två; båda, bägge

two-faced [ˌtoːˈfejst] *adj* bildl. falsk
twofold [ˈtoːfəold] *adj* tvåfaldig
two-piece [ˈtoːpiːs] *subst* kostym; dräkt
twosome [ˈtoːsəm] *subst* tvåspel i golf
two-way [ˈtoːwej] *adj* **1** tvåvägs- **2** dubbelriktad
tycoon [tajjˈkoːn] *subst* vard. magnat
type [tajp] **I** *subst* typ **II** *verb* skriva maskin
typeface [ˈtajpfejs] *subst* typsnitt
typewriter [ˈtajpˌrajtə] *subst* skrivmaskin
typical [ˈtippikkəl] *adj* typisk
typing [ˈtajping] *subst* maskinskrivning
typist [ˈtajpist] *subst* maskinskriverska
tyrant [ˈtajərənt] *subst* tyrann
tyre [ˈtajjə] *subst* däck till bil o.d.

Uu

U, u [jo] *subst* U, u
ubiquitous [joˈbbikkwittəs] *adj* allestädes närvarande
udder [ˈaddə] *subst* juver
UFO o. **ufo** [ˈjoːfəo] *subst* ufo
ugly [ˈaggli] *adj* ful; otäck
UK [ˌjoːˈkej] förk. för *United Kingdom*
ulcer [ˈallsə] *subst* sår; ***gastric ~*** magsår
Ulster [ˈallstə] vard. Nordirland
ulterior [allˈtiəriə] *adj*, ***~ motive*** baktanke
ultimate [ˈalltimət] **I** *adj* slutlig; yttersta **II** *subst*, ***the ~ in luxury*** höjden av lyx
ultimately [ˈalltimәttli] *adv* till sist (slut)
ultrasound [ˈalltrəsaond] *subst* ultraljud
umbrella [amˈbrellə] **I** *subst* paraply; parasoll **II** *adj* paraply-
umpire [ˈampajjə] **I** *subst* domare i t.ex. kricket el. tennis **II** *verb* sport. döma
umpteen [ˈamptiːn] *adj* vard. femtielva
umpteenth [ˈamptiːnθ] *adj* vard. femtielfte

UN [ˌjoː'en] (förk. för *United Nations*), ***the*** ~ FN

unable [ˌann'ejbl], ***be*** ~ ***to*** inte kunna

unaccompanied [ˌannə'kampənidd] *adj* **1** ensam; ~ ***minor*** obeledsagat barn **2** oackompanjerad

unaccustomed [ˌanə'kasstəmd] *adj*, ~ ***to*** ovan vid

unanimous [jo'nännimәs] *adj* enhällig

unanimously [jo'nännimәsli] *adv* enhälligt

unarmed [ˌann'aːmd] *adj* obeväpnad

unashamed [ˌannə'schejmd] *adj* ogenerad

unassuming [ˌannə'sjoːming] *adj* anspråkslös

unattached [ˌannə'tättcht] *adj* fri, oberoende

unattended [ˌannə'tenndidd] *adj* utan tillsyn; ~ ***to*** försummad

unattractive [ˌannə'träkktivv] *adj* oattraktiv

unauthorized [ˌann'åːθərajzd] *adj* inte auktoriserad

unavoidable [ˌannə'våjjdəbbl] *adj* oundviklig

unaware [ˌannə'oäə] *adj*, ~ ***of*** omedveten om

unawares [ˌannə'oäəz], ***take*** (***catch***) ***sb.*** ~ överrumpla ngn

unbalanced [ˌann'bälləns t] *adj* obalanserad

unbearable [ˌann'bäərəbbl] *adj* outhärdlig

unbeatable [ˌann'biːtəbbl] *adj* oöverträffbar

unbelievable [ˌannbə'liːvəbbl] *adj* otrolig

unbend [ˌann'bennd] *verb* bildl. släppa loss

unbiased [ˌann'bajjəst] *adj* fördomsfri; opartisk

unbreakable [ˌann'brejkəbbl] *adj* oförstörbar

unbroken [ˌann'brəokən] *adj* obruten; oavbruten

unbutton [ˌann'battn] *verb* knäppa upp

uncalled-for [ˌann'kåːldfåː] *adj* onödig; oförskämd

uncanny [ˌann'känni] *adj* kuslig

unceasing [ˌann'siːsing] *adj* oavbruten

unceremonious ['annˌserri'məonjəs] *adj* otvungen

uncertain [ˌann'sö:tn] *adj* osäker
uncertainty [ˌann'sö:tnti] *subst* osäkerhet
unchecked [ˌann'tchekkt] *adj* okontrollerad
uncivilized [ˌann'sivvəlajzd] *adj* ociviliserad
uncle ['angkl] *subst* farbror; morbror
uncomfortable [ˌann'kammfətəbbl] *adj* **1** obekväm **2** illa till mods
uncommon [ˌann'kåmmən] *adj* ovanlig
uncompromising [ˌann'kåmmprəmajzing] *adj* kompromisslös
unconditional [ˌannkən'dischənl] *adj* villkorslös
unconscious [ˌann'kånnschəs] *adj* **1** omedveten **2** medvetslös
uncontrollable [ˌannkən'trəoləbbl] *adj* omöjlig att kontrollera
unconventional [ˌannkən'venschənl] *adj* okonventionell
uncouth [ˌann'ko:θ] *adj* ohyfsad
uncover [ˌann'kavvə] *verb* blotta; bildl. avslöja
undecided [ˌanndi'sajjdidd] *adj* tveksam
under ['anndə] *prep* **1** under; ***study ~ sb.*** studera för ngn **2** enligt
under-age [ˌanndər'ejdʒ] *adj* minderårig
undercarriage ['anndəˌkärridʒ] *subst* landningsställ på flygplan
undercover ['anndəˌkavvə] *adj* hemlig; under täckmantel
undercurrent ['anndəˌkarənt] *subst* underström
undercut [ˌanndə'katt] *verb* undergräva
underdog ['anndədågg] *subst*, ***the ~*** den som är i underläge
underdone [ˌanndə'dann] *adj* för lite stekt (kokt)
underestimate [ˌanndər'esstimejt] *verb* underskatta
underfed [ˌanndə'fedd] *adj* undernärd
underfoot [ˌanndə'fott] *adv* under fötterna; på marken
undergo [ˌanndə'gəo] *verb* genomgå
undergraduate [ˌanndə'gräddjoət] *subst* student på universitet
underground ['anndəgraond]

I *adj* underjordisk **II** *subst* tunnelbana
undergrowth ['anndəgrəoθ] *subst* undervegetation
underhand ['anndəhännd] *adj* lömsk; under bordet; ***use ~ methods*** gå smygvägar
underlie [ˌanndə'laj] *verb* bildl. ligga i botten av
underline [ˌanndə'lajn] *verb* **1** stryka under **2** bildl. framhäva
underling ['anndəling] *subst* underhuggare
undermine [ˌanndə'majn] *verb* underminera
underneath [ˌanndə'niːθ] *prep* o. *adv* under, inunder; bildl. under ytan
underpants ['anndəpännts] *subst pl* kalsonger
underpass ['anndəpaːs] *subst* tunnel under väg
underprivileged [ˌanndə'privvilidʒd] *adj* sämre lottad
underrate [ˌanndə'rejt] *verb* undervärdera
underside ['anndəsajd] *subst* undersida
underskirt ['anndəsköːt] *subst* underkjol
understand [ˌanndə'stännd] *verb* förstå
understandable [ˌanndə'stänndəbbl] *adj* förståelig
understanding [ˌanndə'stännding] **I** *subst* **1** förståelse; ***on the ~ that*** på det villkoret att **2** förstående **II** *adj* förstående
understatement [ˌanndə'stejtmənt] *subst* underdrift, understatement
understood [ˌanndə'stodd] **I** imperf. o. perf. p. av *understand* **II** *adj*, ***is that ~?*** är det uppfattat?; ***it must be ~ that*** vi måste ha klart för oss att
understudy ['anndəˌstaddi] *subst* ersättare på teater
undertake [ˌanndə'tejk] *verb* åta sig
undertaker ['anndəˌtejkə] *subst* begravningsentreprenör
undertaking [ˌanndə'tejking] *subst* företag; åtagande
undertone ['anndətəon] *subst* bildl. underton
underwater ['anndəoåːtə] *adj* undervattens-
underwear ['anndəoäə] *subst* underkläder
underworld ['anndəwöːld] *subst* undre värld
undies ['anndiz] *subst pl* vard. damunderkläder

undiplomatic ['ann,diplə'mättikk] *adj* odiplomatisk
undo [,ann'do:] *verb* **1** knäppa upp **2** göra ogjord
undoing [,ann'do:ing] *subst* fördärv
undoubted [,ann'daotidd] *adj* obestridlig
undoubtedly [,ann'daotiddli] *adv* utan tvivel
undress [,ann'dress] *verb* klä av; klä av sig
undue [,ann'djo:] *adj* otillbörlig; onödig
unduly [,ann'djo:li] *adv* oskäligt
unearth [,ann'ö:θ] *verb* gräva fram
unearthly [,ann'ö:θli] *adj* överjordisk; ***at an ~ hour*** okristligt tidigt (sent)
uneasy [,ann'i:zi] *adj* olustig
uneconomic ['ann,i:kə'nåmmikk] *adj* dyr, oekonomisk
uneconomical ['ann,i:kə'nåmmikkəl] *adj* oekonomisk; odryg
uneducated [,ann'eddjokejtidd] *adj* obildad
unemployed [,annim'plåjjd] *adj* arbetslös
unemployment [,annim'plåjjmənt] *subst* arbetslöshet; ***~ benefit*** arbetslöshetsunderstöd
unending [,ann'ennding] *adj* oändlig
unerring [,ann'ö:ring] *adj* osviklig
uneven [,ann'i:vən] *adj* ojämn
unexpected [,annikk'spekktidd] *adj* oväntad
unexpectedly [,annikk'spekktiddli] *adv* oväntat
unfailing [,ann'fejling] *adj* aldrig svikande
unfair [,ann'fäə] *adj* orättvis
unfaithful [,ann'fejθfoll] *adj* otrogen
unfamiliar [,annfə'milljə] *adj* obekant
unfashionable [,ann'fäschənəbbl] *adj* omodern
unfasten [,ann'fa:sn] *verb* lossa; knäppa upp
unfavourable [,ann'fejvərəbbl] *adj* ogynnsam
unfeeling [,ann'fi:ling] *adj* okänslig
unfinished [,ann'finischt] *adj* oavslutad

unfit [ˌann'fitt] *adj* olämplig; ***medically ~*** inte vapenför
unfold [ˌann'fəold] *verb* **1** veckla ut **2** uppenbara
unforeseen [ˌannfåː'siːn] *adj* oförutsedd
unforgettable [ˌannfə'gettəbbl] *adj* oförglömlig
unfortunate [ˌann'fåːtchənət] *adj* olycklig; ***be ~*** äv. ha otur
unfortunately [ˌann'fåːtchənattli] *adv* tyvärr
unfounded [ˌann'faondidd] *adj* ogrundad
unfriendly [ˌann'frenndli] *adj* ovänlig
ungainly [ˌann'gejnli] *adj* klumpig
ungodly [ˌann'gåddli] *adj* ogudaktig
ungrateful [ˌann'grejtfoll] *adj* otacksam
unhappiness [ˌann'häppinəs] *subst* bedrövelse
unhappy [ˌann'häppi] *adj* olycklig
unhealthy [ˌann'hellθi] *adj* **1** sjuklig **2** ohälsosam
unheard-of [ˌann'höːdåvv] *adj* **1** förut okänd **2** exempellös
unidentified [ˌannaj'denntifajd] *adj* oidentifierad
uniform ['joːnifåːm] **I** *adj* likformig **II** *subst* uniform
uninhabited [ˌannin'häbbitidd] *adj* obebodd
unintentional [ˌanninn'tenschənl] *adj* oavsiktlig
union ['joːnjən] *subst* **1** förening **2** fackförening; ***students' ~*** studentkår **3** ***the Union Jack*** Storbritanniens flagga
unique [joː'niːk] *adj* unik
unison ['joːnisn], ***in ~*** unisont
unit ['joːnitt] *subst* enhet; ***~ furniture*** kombimöbler
unite [joː'najjt] *verb* förena
united [joː'najjtidd] *adj* förenad; enad; ***the United Kingdom*** Förenade kungariket Storbritannien och Nordirland; ***the United Nations*** Förenta nationerna; ***the United States of America*** Förenta staterna
unity ['joːnətti] *subst* enighet
universal [ˌjoːni'vöːsəl] *adj* **1** allmän **2** om film barntillåten
universe ['joːnivöːs] *subst* universum
university [ˌjoːni'vöːsətti] *subst* universitet; ***~ education*** akademisk utbildning

unjust [ˌann'dʒasst] *adj* orättfärdig
unkempt [ˌann'kempt] *adj* ovårdad
unkind [ˌann'kajnd] *adj* ovänlig
unknown [ˌan'nəon] *adj* okänd
unlawful [ˌann'lå:foll] *adj* olaglig
unleash [ˌann'li:sch] *verb* släppa lös (loss)
unless [ən'less] *konj* om inte; med mindre än att
unlike [ˌann'lajk] *prep* olikt; till skillnad från
unlikely [ˌann'lajkli] *adj* osannolik
unlimited [ˌann'limmitidd] *adj* obegränsad
unlisted [ˌann'lisstidd] *adj*, ~ ***telephone number*** hemligt telefonnummer
unload [ˌann'ləod] *verb* lasta av
unlock [ˌann'låkk] *verb* låsa upp
unlucky [ˌann'lakki] *adj* olycklig; ***be*** ~ ha otur
unmarried [ˌann'märridd] *adj* ogift
unmistakable [ˌannmi'stejjkəbbl] *adj* omisskännlig
unnatural [ˌan'nättchrəl] *adj* onaturlig
unnecessary [ˌan'nessəsərri] *adj* onödig
unnoticed [ˌan'nəotisst] *adj* obemärkt
UNO ['jo:nəo] (förk. för *United Nations Organization*), ***the*** ~ FN
unobtainable [ˌannəbb'tejnəbbl] *adj* oåtkomlig
unofficial [ˌannə'fischəl] *adj* inofficiell
unorthodox [ˌann'å:θədåkks] *adj* oortodox
unpack [ˌann'päkk] *verb* packa upp
unpalatable [ˌann'pällətəbbl] *adj* oaptitlig; bildl. motbjudande
unparalleled [ˌann'pärrəlelld] *adj* utan like (motstycke)
unpleasant [ˌann'plezznt] *adj* otrevlig; obehaglig
unplug [ˌann'plagg] *verb* dra ur sladden till; ~ ***the telephone*** dra ur jacket
unpopular [ˌann'påppjolə] *adj* impopulär
unprecedented [ˌann'pressidəntidd] *adj* oöverträffad
unpredictable

[ˌannpri'dikktəbbl] *adj* oförutsägbar
unprofessional [ˌannprə'feschənl] *adj* oprofessionell
unqualified [ˌann'koållifajjd] *adj* inte behörig
unravel [ˌann'rävvəl] *verb* repa upp; bildl. nysta upp
unreal [ˌann'riəl] *adj* overklig
unreasonable [ˌann'riːzənəbbl] *adj* ofömuftig, oresonlig
unrelated [ˌannri'lejjtidd] *adj* obesläktad
unrelenting [ˌannri'lennting] *adj* obeveklig
unreliable [ˌannri'lajjəbbl] *adj* opålitlig
unreservedly [ˌannri'zöːviddli] *adv* utan förbehåll
unrest [ˌann'resst] *subst* oro
unroll [ˌann'rəol] *verb* rulla (veckla) upp
unruly [ˌann'roːli] *adj* bångstyrig
unsafe [ˌann'sejf] *adj* inte säker
unsaid [ˌann'sedd] *adj* osagd
unsatisfactory ['annˌsättis'fäkktərri] *adj* otillfredsställande
unsavoury [ˌann'sejjvərri] *adj* osmaklig
unscathed [ˌann'skejðd] *adj* helskinnad
unscrupulous [ˌann'skroːpjoləs] *adj* samvetslös
unsettled [ˌann'settld] *adj* orolig, osäker
unskilled [ˌann'skilld] *adj* okvalificerad; ***~ labour*** outbildad arbetskraft
unspeakable [ˌann'spiːkəbbl] *adj* obeskrivlig
unstable [ˌann'stejbl] *adj* instabil
unsteady [ˌann'steddi] *adj* ostadig
unstuck [ˌann'stakk] *adj*, ***come ~*** lossna, vard. gå i stöpet
unsuccessful [ˌannsək'sessfoll] *adj* misslyckad; ***be ~*** äv. misslyckas
unsuitable [ˌann'sjoːtəbbl] *adj* olämplig
unsure [ˌann'schoə] *adj*, ***~ of*** (***about***) osäker
unsuspecting [ˌannsə'spekkting] *adj* intet ont anande
unsympathetic ['annˌsimpə'θettikk] *adj* oförstående
untapped [ˌann'täppt] *adj* outnyttjad

unthinkable [ˌann'θingkəbbl] *adj* otänkbar

untidy [ˌann'tajjdi] *adj* ovårdad

untie [ˌann'taj] *verb* knyta upp

until [ən'till] *prep* o. *konj* **1** till, tills **2** förrän

untimely [ˌann'tajmli] *adj* oläglig

untold [ˌann'təold] *adj* oändlig

unused *adj* **1** [ˌann'jo:zd] oanvänd **2** [ˌann'jo:st], **~ to** ovan vid

unusual [ˌann'jo:ʒoəl] *adj* ovanlig

unveil [ˌann'vejl] *verb* avtäcka; bildl. avslöja

unwanted [ˌann'oånntidd], *adj* oönskad

unwell [ˌann'oell] *adj* sjuk

unwieldy [ˌann'wi:ldi] *adj* klumpig; tungrodd

unwilling [ˌann'willing] *adj* ovillig

unwillingly [ˌann'willingli] *adv* motvilligt

unwind [ˌann'oajnd] *verb* **1** koppla av **2** vira upp

unwise [ˌann'oajz] *adj* oklok

unwitting [ˌann'witting] *adj* omedveten

unworkable [ˌann'wö:kəbbl] *adj* outförbar

unworthy [ˌann'wö:ði] *adj* ovärdig

unwrap [ˌann'räpp] *verb* öppna paket o.d.

unwritten [ˌann'rittn] *adj* oskriven

up [app] **I** *adv* o. *adj* **1** upp; uppe; ***~ and down*** fram och tillbaka; ***~ there*** däruppe; dit upp; ***~ to town*** till stan oftast London **2** över, slut; ***time's ~!*** tiden är ute! **3** ***be ~*** vara uppe; ***be ~ against*** kämpa mot; ***be ~ for*** ställa upp till; ***be ~ to sb.*** vara upp till ngn; ***be ~ to sth.*** ha ngt fuffens för sig; ***feel ~ to*** känna för; ***what's ~?*** vad står på? **4** ***~ to now*** hittills **II** *prep* uppför; uppåt **III** *subst*, ***ups and downs*** med- och motgångar

up-and-coming [ˌappən'kamming] *adj* lovande

upbringing ['appˌbringing] *subst* uppfostran

update [app'dejt] *verb* uppdatera

upgrade [app'grejd] *verb* förbättra

upheaval [app'hi:vəl] *subst* bildl. omvälvning

uphold [app'həold] *verb* upprätthålla

upholstery [app'həolstərri] *subst* möbelstoppning

upkeep ['appkiːp] *subst* underhåll

upon [ə'pånn] *prep* på; ***once ~ a time there was*** det var en gång

upper ['appə] *adj* övre; över-

upper class [ˌappə'klaːs] *subst*, ***the ~*** överklassen

uppermost ['appəməost] *adj* överst; främst

upright ['apprajt] *adj* o. *adv* upprätt

uprising ['appˌrajzing] *subst* uppror

uproar ['appråː] *subst* liv, oväsen; ***in an ~*** i uppror

uproot [app'roːt] *verb* rycka upp med rötterna

upset [app'sett] **I** *verb* rubba; göra upprörd **II** *adj* upprörd; ***have an ~ stomach*** vara magsjuk; ha magbesvär

upshot ['appschått] *subst* resultat

upside-down [ˌappsajd'daon] *adv* o. *adj* upp och ned

upstairs [ˌapp'stäəz] *adv* i övervåningen

upstart ['appstaːt] *subst* uppkomling

upstream [ˌapp'striːm] *adv* o. *adj* uppåt floden

uptight ['apptajt] *adj* vard. spänd, nervös

up-to-date [ˌapptə'dejt] *adj* à jour; fullt modern

upturn ['apptöːn] *subst* uppåtgående trend

upward ['appoəd] *adj* uppåtriktad

urban ['öːbən] *adj* stads-; ***~ area*** tätort

urbane [öː'bejn] *adj* världsvan

urge [öːdʒ] **I** *verb* försöka övertala **II** *subst* starkt behov

urgency ['öːdʒənsi] *subst* **1** yttersta vikt **2** enträgenhet

urgent ['öːdʒənt] *adj* **1** brådskande **2** enträgen

urinal [ˌjoə'rajnl] *subst* urinoar

urinary infection ['joːrinnəriinˌfekkschən] *subst* urinvägsinfektion

urine ['joərinn] *subst* urin

urn [öːn] *subst* urna

US [ˌjoː'ess] (förk. för *United States*), ***the ~*** USA

us [ass] *pron* oss

USA [ˌjoːess'ej] (förk. för *United States of America*), ***the ~*** USA

use I [joːs] *subst* användning;

nytta; ***make ~ of*** använda; ***be in ~*** vara i bruk; ***be of ~*** komma till nytta; ***be out of ~*** vara ur bruk **II** *verb* **1** [jo:z] använda **2** [jo:s], ***used to*** brukade

used *adj* **1** [jo:zd] använd **2** [jo:st], ***~ to*** van vid

useful ['jo:sfoll] *adj* nyttig; användbar

usefulness ['jo:sfollnəs] *subst* nytta

useless ['jo:sləs] *adj* värdelös; lönlös

user ['jo:zə] *subst* förbrukare, användare

user-friendly ['jo:zəˌfrenndli] *adj* användarvänlig

usher ['aschə] **I** *subst* vaktmästare på bio o.d. **II** *verb* föra, visa

usherette [ˌaschə'rett] *subst* kvinnlig vaktmästare på bio o.d.

usual ['jo:ʒoəl] *adj* vanlig; ***as ~*** som vanligt

usually ['jo:ʒoəlli] *adv* vanligtvis

utensil [jo:'tennsl] *subst*, ***household utensils*** husgeråd

uterus ['jo:tərrəs] *subst* livmoder

utility [jo:'tillətti] *subst* **1** nytta **2** samhällsservice

utmost ['attməost] **I** *adj* ytterst **II** *subst*, ***to the ~*** till det yttersta

1 utter ['attə] *adj* fullständig

2 utter ['attə] *verb* ge ifrån sig ljud

utterance ['attərəns] *subst* yttrande

utterly ['attəli] *adv* fullständigt

U-turn ['jo:tö:n] *subst* **1** U-sväng **2** bildl. helomvändning

Vv

V, v [viː] *subst* V, v
vacancy ['vejkənnsi] *subst* vakans; ledig plats
vacant ['vejkənnt] *adj* tom, ledig
vacate [və'kejjt] *verb* utrymma
vacation [və'kejjschən] *subst* ferier, lov
vaccinate ['väkksinejt] *verb* vaccinera
vacuum ['väkkjoəm] **I** *subst* **1** vakuum **2** ~ ***cleaner*** dammsugare **II** *verb* dammsuga
vacuum-packed ['väkkjoəmpäkkt] *adj* vakuumförpackad
vagina [və'dʒajjnə] *subst* vagina
vagrant ['vejgrənt] *subst* lösdrivare
vague [vejg] *adj* vag
vaguely ['vejgli] *adv* vagt
vain [vejn] *adj* fåfäng
valiant ['välljənt] *adj* tapper
valid ['vällidd] *adj* giltig; ~ ***period*** giltighetstid
valley ['välli] *subst* dal
valuable ['välljoəbbl] **I** *adj* värdefull **II** *subst*, ***valuables*** värdesaker
valuation [ˌvälljo'ejschən] *subst* värde
value ['välljoː] **I** *subst* värde; ***values*** värderingar **II** *verb* värdera
valued ['välljoːd] *adj* värderad
valve [vällv] *subst* tekn. ventil, klaff
van [vänn] *subst* skåpbil; van
vandal ['vänndəl] *subst* vandal
vandalism ['vänndəlizəm] *subst* vandalism
vandalize ['vänndəlajz] *verb* vandalisera
vanguard ['vänngaːd] *subst* förtrupp
vanilla [və'nillə] *subst* vanilj; ~ ***custard*** vaniljkräm
vanish ['vännisch] *verb* försvinna
vanity ['vännətti] *subst* fåfänga
vapour ['vejpə] *subst* ånga; imma
variable ['väəriəbbl] *adj* växlande
variance ['väəriəns] *subst* skillnad
varied ['väəridd] *adj* varierande

variety [və'rajjətti] *subst* 1 mångfald 2 varieté 3 ~ ***is the spice of life*** ombyte förnöjer
various ['väəriəs] *adj* olika; åtskilliga
varnish ['va:nisch] *subst* o. *verb* fernissa
vary ['väəri] *verb* variera
vase [va:z] *subst* vas
vast [va:st] *adj* omfattande
VAT [ˌvi:ej'ti:] *subst* moms
vat [vätt] *subst* fat; kar
1 vault [vå:lt] *subst* valv
2 vault [vå:lt] *verb* svinga sig över
VCR [ˌvi:si:'a:] *subst* video apparat
veal [vi:l] *subst* kalvkött
veer [viə] *verb* svänga
vegetable ['veddʒətəbbl] **I** *adj*, ~ ***oil*** vegetabilisk olja **II** *subst* grönsak; ~ ***garden*** köksträdgård
vegetarian [ˌveddʒi'täəriən] **I** *subst* vegetarian **II** *adj* vegetarisk
vehement ['vi:əmənt] *adj* häftig
vehicle ['vi:ikl] *subst* fordon
veil [vejl] **I** *subst* slöja **II** *verb* beslöja
vein [vejn] *subst* 1 ven 2 stämning
velvet ['vellvət] *subst* sammet
veneer [və'niə] *subst* 1 faner 2 fernissa bildl.
venereal [vi'niəriəl] *adj* venerisk
vengeance ['venndʒəns] *subst* hämnd
venison ['vennisn] *subst* vilt kött
venom ['vennəm] *subst* gift
vent [vennt] *subst* 1 ventil 2 ***give*** ~ ***to*** ge utlopp för
ventilator ['venntilejtə] *subst* fläkt
ventriloquist [venn'trilləkwist] *subst* buktalare
venture ['venntchə] **I** *subst* vågstycke; satsning **II** *verb* våga sig på
verb [vö:b] *subst* verb
verbal ['vö:bəl] *adj* språklig; verbal
verbatim [vö:'bejjtimm] *adj* ordagrann
verdict ['vö:dikkt] *subst* jurys utslag
verge [vö:dʒ] **I** *subst*, ***be on the*** ~ ***of*** stå på gränsen till **II** *verb*, ~ ***on*** vara på gränsen till
verify ['verrifaj] *verb* verifiera
vermin ['vö:minn] *subst* ohyra

vermouth ['vö:məθ] *subst* vermouth

versatile ['vö:sətajl] *adj* mångsidig

verse [vö:s] *subst* vers; ***in ~*** på vers

version ['vö:schən] *subst* version

versus ['vö:səs] *prep* mot

vertical ['vö:tikkəl] *adj* vertikal

vertigo ['vö:tigəo] *subst* svindel

verve [vö:v] *subst* schvung

very ['verri] **I** *adv* **1** mycket; ***not ~*** inte så värst (vidare) **2** allra **II** *adj*, ***in the ~ centre*** i själva centrum; ***the ~ idea of it*** blotta tanken på det; ***at that ~ moment*** just i det ögonblicket

vessel ['vessl] *subst* **1** kärl **2** båt

vest [vesst] *subst* undertröja

vet [vett] *subst* vard. veterinär

veteran ['vettərən] *subst* veteran

veto ['vi:təo] *subst* veto; vetorätt

vexed [vekkst] *adj* förargad

via ['vajjə] *prep* via, över

viable ['vajjəbbl] *adj* genomförbar

vibrate [vajj'brejt] *verb* vibrera

vicar ['vikkə] *subst* kyrkoherde

vicarage ['vikkəriddʒ] *subst* prästgård

vicarious [vi'kkäəriəs] *adj* ställföreträdande

vice [vajs] *subst* **1** last; synd **2** ***~ squad*** sedlighetsrotel

vice- [vajs] *prefix* vice-, vice

vice versa [ˌvajsi'vö:sə] *adv* vice versa

vicinity [vi'sinnətti], ***in the ~ of*** i närheten av

vicious ['vischəs] *adj* grym, brutal

victim ['vikktimm] *subst* offer

victor ['vikktə] *subst* segrare

Victorian [vikk'tå:riən] **I** *adj* viktoriansk från (karakteristisk för) drottning Viktorias tid 1837—1901 **II** *subst* viktorian

victory ['vikktərri] *subst* seger

video ['viddiəo] **I** *subst* video **II** *verb* spela in på video

videotape ['viddiəotejp] **I** *subst* videoband **II** *verb* spela in på video

view [vjo:] **I** *subst* **1** utsikt; ***in ~*** i sikte **2** åsikt; syn; ***point of ~*** synpunkt; ***in my ~*** enligt

min mening; ***in ~ of*** med tanke på **II** *verb* betrakta
viewer ['vjo:ə] *subst* TV-tittare
view-finder ['vjo:ˌfajndə] *subst* sökare i kamera
viewpoint ['vjo:påjnt] *subst* synpunkt
vigorous ['viggərəs] *adj* kraftig; energisk
vile [vajl] *adj* usel, eländig
villa ['villə] *subst* villa
village ['villidʒ] *subst* by
villager ['villidʒə] *subst* bybo
villain ['villən] *subst* bov
vindicate ['vinndikkejt] *verb* rättfärdiga
vindictive [vinn'dikktivv] *adj* hämndlysten
vine [vajn] *subst* vinranka; klängväxt
vinegar ['vinnigə] *subst* ättika; ***wine ~*** vinäger
vineyard ['vinnjəd] *subst* vingård
vintage ['vinntidʒ] *adj*, ***~ wine*** årgångsvin
viola [vi'əolə] *subst* altfiol
violate ['vajjəlejt] *verb* kränka
violence ['vajjələns] *subst* våld; våldsamhet
violent ['vajjələnt] *adj* våldsam
violet ['vajjələt] *subst* viol
violin [ˌvajjə'linn] *subst* fiol
violinist [ˌvajjə'linnist] *subst* violinist
VIP [ˌvi:aj'pi:] *subst* VIP, höjdare
virgin ['vö:dʒinn] **I** *subst* jungfru, oskuld **II** *adj* orörd
Virgo ['vö:gəo] *subst* Jungfrun stjärntecken
virile ['virrajl] *adj* viril
virtually ['vö:tchoəlli] *adv* praktiskt taget
virtue ['vö:tjo:] *subst* **1** dygd **2** fördel
virtuous ['vö:tchoəs] *adj* dygdig
virus ['vajjərəs] *subst* virus
visa ['vi:zə] *subst* visum
visibility [ˌvizzi'billəti] *subst* sikt; ***improved ~*** siktförbättring
visible ['vizzəbl] *adj* synlig
vision ['viʒʒən] *subst* syn; vision
visit ['vizzitt] **I** *verb* besöka **II** *subst* besök
visitor ['vizzittə] *subst* besökare; gäst; ***visitors*** äv. främmande
visor ['vajzə] *subst* visir
vista ['visstə] *subst* utsikt
visual ['viʒʒjoəl] *adj* syn-;

visuell; ***the ~ arts*** bildkonsten
visualize ['viʒʒjoəlajz] *verb* föreställa sig
vital ['vajtl] *adj* livsviktig, vital
vitamin ['vittəminn] *subst* vitamin
vivacious [vi'vejjschəs] *adj* livfull
vivid ['vivvidd] *adj* levande
V-neck ['vi:nekk] *subst* v-ringad tröja
vocabulary [vəo'käbbjolərri] *subst* vokabulär; ordförråd
vocal ['vəokl] **I** *adj* röst-, vokal **II** *subst*, ***vocals*** sång
vocation [vəo'kejjschən] *subst* kall
vocational [vəo'kejjschənl] *adj* yrkes-; ***~ training school*** yrkesskola
vociferous [vəo'siffərəs] *adj* högljudd
vodka ['våddkə] *subst* vodka
vogue [vəog] *subst* mode; ***in ~*** på modet
voice [våjjs] **I** *subst* **1** röst **2** talan **II** *verb* uttrycka
void [våjjd] *subst* tomrum
volatile ['vållətajl] *adj* flyktig
volcano [våll'kejnəo] *subst* vulkan
volition [vəo'lischən] *subst*, ***of one's own ~*** av fri vilja
volley ['vålli] *subst* volley i tennis o.d.
volleyball ['vållibå:l] *subst* volleyboll
volt [vəolt] *subst* volt
voltage ['vəoltiddʒ] *subst* spänning i volt
volume ['vålljo:m] *subst* volym
voluntarily ['vålləntərrəli] *adv* frivilligt
voluntary ['vålləntərri] *adj* frivillig; ***~ organization*** frivilligorganisation; ***~ worker*** volontär
volunteer [ˌvållən'tiə] **I** *subst* frivillig; volontär **II** *verb* frivilligt anmäla sig
vomit ['våmmitt] *verb* kräkas
vote [vəot] **I** *subst* röst; antal röster; ***have the ~*** ha rösträtt **II** *verb* rösta
voter ['vəotə] *subst* väljare
voucher ['vaotchə] *subst* kupong; ***gift ~*** presentkort
vow [vao] **I** *subst* löfte **II** *verb* lova
vowel ['vaoəl] *subst* vokal
voyage ['våjjiddʒ] *subst* färd
vulgar ['vallgə] *adj* vulgär

vulnerable ['vallnərəbl] *adj* sårbar
vulture ['valltchə] *subst* gam

Ww

W, w ['dabbljo:] *subst* W, w
wad [oådd] *subst* **1** tuss **2** bunt
waddle ['oåddl] *verb* gå och vagga som en anka
wade [oejd] *verb* vada
wafer ['oejfə] *subst* rån, wafer
waffle ['oåffl] *subst* våffla
waft [oa:ft] *verb* bäras av vinden
wag [oägg] *verb* vifta på (med)
wage [oejdʒ] **I** *subst*, **wages** lön veckolön för arbetare; **~ *demand*** lönekrav; **~ *drift*** löneglidning; familjeförsörjare; **~ *freeze*** lönestopp; **~ *talks*** löneförhandlingar **II** *verb*, **~ *war*** föra krig
waggle ['oäggl] *verb* vippa (vicka) med
wagon ['oäggən] *subst* **1** vagn; godsvagn **2** ***go on the water*** **~** spola kröken
wail [oejl] **I** *verb* klaga, jämra sig **II** *subst* jämmer
waist [oejst] *subst* midja
waistcoat ['oejstkəot] *subst* väst

waistline ['oejstlajn] *subst* midja
wait [oejt] *verb* **1** vänta; **~ *and see*** se tiden an; ***that can* ~** det är inte så bråttom med det **2 ~ *on*** servera, vara servitör
waiter ['oejtə] *subst* kypare
waiting ['oejting] *subst*, ***No Waiting!*** på skylt stoppförbud
waiting-list ['oejtinglist] *subst* väntelista
waiting-room ['oejtingro:m] *subst* väntrum, väntsal
waitress ['oejtrəs] *subst* servitris
waive [oejv] *verb* bortse från
1 wake* [oejk] *verb*, **~ *up*** vakna; väcka
2 wake [oejk] *subst*, ***in the ~ of*** till följd av
Wales [oejlz], ***the Prince of ~*** prinsen av Wales titel för den brittiske tronföljaren
walk [oå:k] **I** *verb* gå; promenera; **~ *away*** gå sin väg; **~ *away (off) with*** ta hem seger o.d.; **~ *out*** gå ut; gå i strejk; **~ *out on sb.*** gå ifrån ngn **II** *subst* promenad
walker ['oå:kə] *subst* fotvandrare
walking ['oå:king] *subst* sport. gång
walking-stick ['oå:kingstikk] *subst* promenadkäpp
walkout ['oå:kaot] *subst* strejk
walkover ['oå:kˌəovə] *subst* sport. walkover; promenadseger
walkway ['oå:kwej] *subst* gångbana
wall [oå:l] *subst* **1** vägg **2** mur
wallet ['oållitt] *subst* plånbok
wallflower ['oå:lˌflaoə] *subst* panelhöna
wallop ['oåləp] *verb* vard. smocka till
wallow ['oåləo] *verb*, **~ *in*** vältra sig i
wallpaper ['oå:lˌpejpə] *subst* tapet, tapeter
walnut ['oå:lnatt] *subst* valnöt
waltz [oå:ls] **I** *subst* vals dans el. musik **II** *verb* dansa vals
wan [oånn] *adj* glåmig
wand [oånd] *subst*, ***magic ~*** trollspö
wander ['oåndə] *verb* vandra
wane [oejn] **I** *verb* avta **II** *subst*, ***on the ~*** i avtagande
wangle ['oänggl] vard. **I** *verb* fiffla **II** *subst* fiffel
want [oånt] **I** *subst* **1 ~ *of*** brist på **2 *wants*** behov **II** *verb* vilja; vilja ha

wanting ['oånting] *adj* bristfällig
wanton ['oåntən] *adj* 1 godtycklig 2 lättfärdig
war [oå:] *subst* krig; ***civil ~*** inbördeskrig; ***be at ~*** vara i krig
ward [oå:d] **I** *subst* avdelning, sal på sjukhus o.d. **II** *verb*, ***~ off*** avvärja
warden ['oå:dn] *subst* föreståndare
warder ['oå:də] *subst* fångvaktare
wardrobe ['oå:drəob] *subst* garderob
warehouse ['oäəhaos] *subst* lagerlokal
warfare ['oå:fäə] *subst* krigföring
warhead ['oå:hedd] *subst* stridsspets i robot
warily ['oäərəlli] *adv* varsamt
warm [oå:m] **I** *adj* varm **II** *verb* värma; ***~ up*** värma upp
warm-hearted [ˌoå:m'ha:tidd] *adj* varmhjärtad
warmth [oå:mθ] *subst* värme
warm-up ['oå:mapp] *subst* uppvärmning; ***~ band*** förband vid popkonsert
warn [oå:n] *verb* varna
warning ['oå:ning] *subst* varning
warp [oå:p] *verb* 1 bukta sig 2 bildl. snedvrida
warrant ['oårrənt] *subst* fullmakt; häktningsorder
warranty ['oårrənti] *subst* garanti för fullgod vara
warren ['oårrən] *subst* kaningård
warrior ['oårriə] *subst* krigare; ***the Unknown Warrior*** den okände soldaten
warship ['oå:schipp] *subst* örlogsfartyg
wart [oå:t] *subst* vårta
wartime ['oå:tajm] *subst* krigstid
wary ['oäəri] *adj* på sin vakt
was [oåz], ***I*** (***he, she, it***) ***~*** jag (han, hon, det) var; jfr äv. *be*
wash [oåsch] **I** *verb* 1 tvätta; tvätta sig; ***~ the dishes*** diska; ***~ off*** gå bort i tvätten; ***~ up*** diska 2 skölja; ***~ away*** spola bort **II** *subst* 1 ***have a ~*** tvätta sig 2 tvätt
washable ['oåschəbbl] *adj* tvättbar; ***machine ~*** tål maskintvätt
washbasin ['oåschˌbejsn] *subst* tvättställ
washcloth ['oåschklåθθ] *subst* disktrasa

washer ['oåschə] *subst* packning till kran o.d.

washing ['oåsching] *subst* tvätt; ~ ***instructions*** tvättråd

washing-machine ['oåschingmə,schi:n] *subst* tvättmaskin

washing-powder ['oåsching,paodə] *subst* tvättmedel

washing-up [,oåsching'app] *subst* disk

washout ['oåschaot] *subst* vard. fiasko

wasn't ['oåznt] = *was not*

wasp [oåssp] *subst* geting; ~***'s nest*** getingbo

wastage ['oejstiddʒ] *subst* slöseri

waste [oejst] **I** *adj* **1** öde **2** avfalls-; ~ ***bin*** soptunna; ~ ***paper basket*** papperskorg **II** *verb* slösa (kasta) bort **III** *subst* **1** slöseri; ***a ~ of time*** bortkastad tid **2** avfall; sopor

wasteful ['oejstfoll] *adj* slösaktig

watch [oåtch] **I** *subst* **1** armbandsur **2** ***keep*** ~ hålla vakt **II** *verb* **1** se på **2** bevaka; passa

watchdog ['oåtchdågg] *subst* vakthund

watchful ['oåtchfoll] *adj* vaksam

watchmaker ['oåtch,mejkə] *subst* urmakare

watchman ['oåtchmən] *subst* väktare

watchstrap ['oåtchsträpp] *subst* klockarmband

water ['oå:tə] **I** *subst* vatten **II** *verb* vattna; vattnas; ***watered down*** urvattnad; utspädd

watercolour ['oå:tə,kallə] *subst* **1** vattenfärg **2** akvarell

watercress ['oå:təkress] *subst* vattenkrasse

waterfall ['oå:təfå:l] *subst* vattenfall

water-heater ['oå:tə,hi:tə] *subst* varmvattenberedare

watering-can ['oå:təringkänn] *subst* vattenkanna

water lily ['oå:tə,lilli] *subst* näckros

waterline ['oå:təlajn] *subst* vattenlinje

water main ['oå:təmejn] *subst* huvudledning för vatten

watermelon ['oå:tə,mellən] *subst* vattenmelon

waterproof ['oå:təpro:f] **I** *adj* vattentät **II** *subst* regnkappa

watershed ['oå:təschedd] *subst* bildl. brytningspunkt
water-skiing ['oå:tə,ski:ing] *subst* vattenskidåkning
watertight ['oå:tətajt] *adj* vattentät
waterway ['oå:təwej] *subst* vattenled
waterworks ['oå:təwö:ks] *subst* vattenverk
watery ['oå:təri] *adj* vattnig
watt [oått] *subst* watt
wave [wejv] **I** *subst* **1** våg i olika bet.; ***heat ~*** värmebölja **2** vinkning **II** *verb* **1** bölja **2** vinka
wavelength ['wejvlengθ] *subst* våglängd
waver ['wejvə] *verb* vackla; tveka
wavy ['wejvi] *adj* vågig
1 wax [oäkks] *verb* tillta om månen
2 wax [oäkks] **I** *subst* vax **II** *verb* vaxa
way [wej] *subst* **1** väg; ***know the ~*** hitta, känna till vägen; ***in the ~ of*** i vägen för **2** sätt; ***~ of life*** livsstil; ***that's the ~ it is*** sånt är livet; ***have one's own ~*** få sin vilja fram; ***in a ~*** på sätt och vis **3** ***by the ~*** förresten
wayward ['wejoəd] *adj* egensinnig
we [oi:] *pron* vi
weak [oi:k] *adj* svag
weaken ['oi:kən] *verb* försvaga
weakling ['oi:kling] *subst* vekling
weakness ['oi:knəs] *subst* svaghet
wealth [oellθ] *subst* rikedom
wealthy ['oellθi] *adj* rik
wean [oi:n] *verb* avvänja
weapon ['oeppən] *subst* vapen
wear* [oäə] **I** *verb* **1** vara klädd i, använda **2** nötas; ***~ away*** nötas bort; ***~ off*** gå över (bort); ***~ out*** slita ut **II** *subst* **1** användning **2** kläder; ***men's ~*** herrkläder
weary ['wiəri] *adj* trött
weasel ['wi:zl] *subst* vessla
weather ['oeððə] *subst* väder
weather-beaten ['oeððə,bi:tn] *adj* väderbiten
weathercock ['oeððəkåkk] *subst* vindflöjel
weather forecast ['oeððə,få:ka:st] *subst* väderprognos
weatherman ['oeððəmän] *subst* vard. meteorolog
weathervane ['oeððəvejn] *subst* vindflöjel

weave [oi:v] **I** *verb* väva **II** *subst* väv
web [oebb] *subst* spindelväv
we'd [wi:d] = *we had, we would* o. *we should*
wedding ['oedding] *subst* bröllop
wedding ring ['oeddingring] *subst* vigselring
wedge [oeddʒ] **I** *subst* kil **II** *verb* kila fast
Wednesday ['oenzdej] *subst* onsdag
wee [wi:] *adj* mycket liten
weed [wi:d] *subst* ogräs
weed-killer ['wi:d,killə] *subst* ogräsmedel
weedy ['wi:di] *adj* full av ogräs
week [wi:k] *subst* vecka; ***last ~*** förra veckan; ***this ~*** nu i veckan; ***by the ~*** veckovis
weekday ['wi:kdej] *subst* vardag
weekend [,wi:k'ennd] *subst* helg, veckoslut
weekly ['wi:kli] **I** *adj* vecko- **II** *adv* en gång i veckan **III** *subst* veckotidning
weep [wi:p] *verb* gråta
weigh [wej] *verb* väga; ***~ one's words*** väga sina ord; ***~ down*** tynga ned
weight [wejt] *subst* vikt; tyngd
weightlifter ['wejt,lifftə] *subst* tyngdlyftare
weighty ['wejti] *adj* tung
weir [wiə] *subst* fördämning
weird [wiəd] *adj* konstig
welcome ['oelkəmm] **I** *adj* välkommen; ***you're ~!*** svar på tack ingen orsak! **II** *subst* välkomnande **III** *verb* välkomna
weld [oelld] *verb* svetsa
welder ['oelldə] *subst* svetsare
welfare ['oellfäə] *subst* **1** välfärd; ***the ~ state*** välfärdssamhället **2** ***~ services*** socialtjänsten
we'll [wi:l] = *we will* o. *we shall*
1 well [oell] **I** *subst* brunn; ***oil ~*** oljekälla **II** *verb*, ***~ up*** välla upp (fram)
2 well [oell] **I** *adv* väl, bra, gott; ***not very ~*** inte så bra; ***as ~*** också; ***as ~ as*** såväl som **II** *adj* frisk, bra **III** *interj* nåväl!; så!; tjaa!
well-behaved [,oellbi'hejvd] *adj* väluppfostrad
well-being [,oell'bi:ing] *subst* välbefinnande
well-built ['oellbillt] *adj* välbyggd

well-heeled ['oellhi:ld] *adj* vard. tät, rik

well-known ['oellnəon] *adj* väl känd

well-mannered [ˌoell'männəd] *adj* väluppfostrad

well-meaning [ˌoell'mi:ning] *adj* välmenande

well-off ['oellåff] *adj* välbärgad

well-read ['oellredd] *adj* beläst

well-to-do [ˌoelltə'do:] *adj* förmögen

Welsh [oelsch] **I** *adj* walesisk **II** *subst* walesiska språket

Welshman ['oelschmən] *subst* walesare

Welshwoman ['oelschˌwommən] *subst* walesiska kvinna

went [oennt] imperf. av go

wept [oeppt] imperf. o. perf. p. av *weep*

were [wö:], ***you*** (***we, they***) ~ du el. ni (vi, de) var; jfr äv. *be*

we're [wiə] = *we are*

weren't [wö:nt] = *were not*

west [oesst] **I** *subst* **1** väst **2** ***the West*** västvärlden **II** *adj* västra; ***the West End*** den fashionabla västra delen av London **III** *adv* västerut

westerly ['oesstəli] *adj* västlig

western ['oesstən] **I** *adj* **1** västlig; väst- **2** ***Western*** västerländsk **II** *subst* västern

westward ['oesstwəd] o. **westwards** ['oesstwədz] *adv* mot (åt) väster

wet [oett] **I** *adj* våt, blöt **II** *verb* fukta; blöta ner; ~ ***oneself*** kissa på sig

wet blanket [ˌoett'blängkitt] *subst* vard. glädjedödare

wet suit ['oettso:t] *subst* våtdräkt

we've [wi:v] = *we have*

whack [oäkk] *verb* vard. slå till

whale [oejl] *subst* val djur

wharf [oå:f] *subst* kaj

what [oått] *pron* **1** vad, vilken, vilket, vilka; ***~ for?*** varför?; ***so ~?*** än sen då? **2** vad som, det som

whatever [oått'evvə] o. **whatsoever** [ˌoåttsəo'evvə] *pron* vad ... än, vad som ... än; i nekande sammanhang alls, överhuvudtaget; ***or*** ~ vard. eller nåt sånt

wheat [wi:t] *subst* vete

wheedle ['wi:dl] *verb* lirka med

wheel [wi:l] *subst* **1** hjul **2** ratt
wheelbarrow ['wi:l,bärrəo] *subst* skottkärra
wheelchair ['wi:ltchäə] *subst* rullstol; ***confined to a ~*** rullstolsburen
wheel clamp ['wi:lklämmp] *subst* hjullås som sätts fast på felparkerade bilar
wheeze [wi:z] *verb* väsa, rossla
when [oen] **I** *adv* när, hur dags; ***say ~!*** säg stopp! t.ex. vid påfyllning av glas **II** *konj* o. *pron* då, när; som
whenever [oen'evvə] *konj* när ... än, närhelst; ***~ you like*** när som helst
where [oäə] **I** *adv* **1** var **2** vart **II** *konj* o. *pron* **1** där; dit där **2** dit; vart
whereabouts ['oäərəbaots] *subst* uppehållsort
whereas [oäər'äz] *konj* medan
whereby [oäə'baj] *pron* varmed
whereupon [,oäərə'pånn] *konj* varpå
wherever [oäər'evvə] *adv* varhelst, var ... än; varthelst, vart ... än
whet [oett] *verb* bryna, slipa
whether ['oeððə] *konj* om, huruvida
which [witch] *pron* vilken, vilket, vilka, vem; vilkendera; som
whichever [witch'evvə] *pron* vilken ... än; vilken (vilket) ... som än
whiff [wiff] *subst* **1** pust, fläkt **2** doft
while [oajl] **I** *subst* stund; tid; ***for a ~*** en stund, ett tag; ***once in a ~*** då och då **II** *konj* medan
whim [oimm] *subst* nyck
whimper ['oimmpə] **I** *verb* gny **II** *subst* gnyende
whimsical ['oimmzikəl] *adj* nyckfull; besynnerlig
whine [oajn] **I** *verb* gnälla **II** *subst* gnällande
whip [wipp] **I** *verb* **1** piska; ***~ up*** piska upp **2** vispa **II** *subst* piska
whip-round ['wipraond] *subst* vard. insamling
whirl [wö:l] **I** *verb* virvla **II** *subst* virvel
whirlpool ['wö:lpo:l] *subst* strömvirvel; ***~ bath*** bubbelpool
whirlwind ['wö:lwind] *subst* virvelvind
whisk [wisk] **I** *subst* visp **II** *verb* vispa

whisky ['wiski] *subst* whisky
whisper ['wispə] **I** *verb* viska **II** *subst* viskning
whistle ['wissl] **I** *verb* vissla **II** *subst* **1** vissling **2** visselpipa
white [oajt] **I** *adj* vit; **~ *coffee*** kaffe med mjölk (grädde); **~ *meat*** ljust kött t.ex. kalvkött **II** *subst* **1** äggvita **2** ögonvita
whitewash ['oajtoåsch] **I** *subst* kalkfärg **II** *verb* vitmena
white-water rafting ['oajtoå:tə,ra:fting] *subst* forsränning
whiting ['oajting] *subst* vitling
Whitsun ['wittsn] *subst* pingst
whittle ['wittl] *verb*, **~ *away*** (***down***) minska
who [ho:] *pron* **1** vem, vilka **2** som
whodunit [,ho:'dannitt] *subst* vard. deckare detektivroman o.d.
whoever [ho:'evvə] *pron* vem som än, vem (vilka)... än; vem
whole [həol] **I** *adj* hel; ***the* ~ *thing*** alltsammans **II** *subst* helhet; ***the* ~ *of*** hela; alla; ***on the* ~** på det hela taget
whole-hearted [,həol'ha:tidd] *adj* helhjärtad
wholemeal ['həolmi:l] *subst* grahamsmjöl
wholesale ['həolsejl] *adj* grossist-
wholesaler ['həol,sejlə] *subst* grossist
wholesome ['həolsəm] *adj* hälsosam
wholly ['həolli] *adv* helt och hållet
whom [ho:m] *pron* vem; som; ***all of* ~** vilka alla
whooping cough ['ho:pingkåff] *subst* kikhosta
whore [hå:] *subst* hora
whose [ho:z] *pron* vems, vilkens, vilkas; vars
why [oaj] **I** *adv* varför; **~ *is it that...?*** hur kommer det sig att...? **II** *pron* varför, därför; ***so that is* ~** jaså, det är därför
wicked ['wikidd] *adj* **1** ond **2** skälmsk
wicket ['wikitt] *subst* i kricket grind; plan mellan grindarna
wide [oajd] **I** *adj* vid; bred **II** *adv*, **~ *open*** på vid gavel
wide-awake [,oajdə'oejk] *adj* klarvaken
widely ['oajdli] *adv* vitt, vida; brett
widen ['oajdn] *verb* vidga; vidga sig

widespread [ˌoajd'spredd] *adj* omfattande; vitt utbredd
widow ['widdəo] *subst* änka
widower ['widdəoə] *subst* änkling
width [widθ] *subst* bredd; vidd
wield [wi:ld] *verb* använda
wife [oajf] *subst* fru, hustru
wig [wigg] *subst* peruk
wiggle ['wiggl] **I** *verb* vicka på **II** *subst* vickande
wild [oajld] *adj* vild; ~ ***weather*** häftigt oväder
wilderness ['willdənəs] *subst* vildmark
wildlife ['oajldlajf] *subst* djurlivet
wildly ['oajldli] *adv* vilt
wilful ['willfoll] *adj* egensinnig
will [will] **I** *verb* **1** kommer att; ska, skall; ***that ~ do*** det får räcka (duga) **2** vill; ***shut that door, ~ you?*** stäng dörren är du snäll! **II** *subst* **1** vilja **2** testamente
willing ['willing] *adj* villig
willingly ['willingli] *adv* gärna, villigt
willingness ['willingnəs] *subst* beredvillighet
willow ['willəo] *subst* pil träd
willpower ['willˌpaoə] *subst* viljekraft
willy-nilly [ˌwilli'nilli] *adv* vare sig han (hon etc.) vill eller inte
wilt [willt] *verb* vissna
wily ['oajli] *adj* bakslug
win* [winn] *verb* vinna
wince [winns] *verb*, ***without wincing*** utan att röra en min
winch [wintsch] **I** *subst* vinsch **II** *verb* vinscha upp
1 wind [winnd] *subst* vind, blåst
2 wind [oajnd] *verb* **1** linda, vira **2** dra upp klocka **3** ~ ***back*** spola tillbaka; ~ ***forward*** spola fram **4** ~ ***up*** avsluta; hamna till slut
windfall ['windfå:l] *subst* bildl. skänk från ovan
winding ['oajnding] *adj* slingrande
wind instrument ['windˌinnstromənt] *subst* blåsinstrument
windmill ['windmill] *subst* väderkvarn
window ['windəo] *subst* fönster
window box ['windəobåkks] *subst* balkonglåda för växter
window-cleaner ['windəoˌkli:nə] *subst* fönsterputsare

windowpane ['windəopejn] *subst* fönsterruta
windowsill ['windəosill] *subst* fönsterbräda
windpipe ['windpajp] *subst* luftstrupe
windscreen ['windskri:n] *subst* vindruta på bil; **~ *wiper*** vindrutetorkare
windshield ['windschi:ld] *subst* vindskydd
windswept ['windsoept] *adj* vindpinad
windy ['windi] *adj* blåsig
wine [oajn] *subst* vin
wine cellar ['oajn,sellə] *subst* vinkällare
wineglass ['oajngla:s] *subst* vinglas
wing [wing] *subst* **1** vinge **2** flygel
winger ['wingə] *subst* ytter
wink [wingk] **I** *verb* blinka **II** *subst* **1** blinkning **2** ***don't sleep a ~*** inte få en blund i ögonen
winner ['winə] *subst* segrare; ***winner's stand*** prispall
winning ['wining] **I** *adj* vinnande **II** *subst*, ***winnings*** vinst
winter ['winntə] *subst* vinter
wintry ['winntri] *adj* vinter-
wipe [oajp] *verb* **1** torka; torka bort **2** radera **3 *~ out*** utplåna
wire ['oajə] **I** *subst* ståltråd; kabel; ***barbed ~*** taggtråd **II** *verb* koppla
wiry ['oajəri] *adj* **1** tagelaktig **2** senig
wisdom ['wizzdəm] *subst* visdom
wisdom tooth ['wizzdəmto:θ] *subst* visdomstand
wise [oajz] *adj* vis, klok
wisecrack ['oajzkräkk] *subst* spydighet
wish [wisch] **I** *verb* önska; vilja **II** *subst* önskan; ***best wishes*** hälsningar
wishful ['wischfoll] *adj*, ***~ thinking*** önsketänkande
wistful ['wistfoll] *adj* längtande; tankfull
wit [witt] *subst* fyndighet; ***wits*** äv. vett; ***keep one's wits*** hålla huvudet kallt
witch [witch] *subst* häxa
witchcraft ['witchkra:ft] *subst* trolldom
with [wiðð] *prep* med; tillsammans med; av; hos; ***be ~ with sb.*** äv. hålla med ngn
withdraw [wiðð'drå:] *verb* dra tillbaka; dra sig tillbaka
withdrawal [wiðð'drå:əl]

subst **1** tillbakadragande **2** uttag från bankkonto
withdrawn [wiðð'då:n] **I** perf. p. av *withdraw* **II** *adj* bildl. tillbakadragen
wither ['wiððə] *verb* vissna; ~ ***away*** tyna bort
withhold [wiðð'həold] *verb* hålla inne med
within [wi'ððin] *prep* inom, inuti, inne i, i
without [wiðð'aot] **I** *prep* utan **II** *konj* utan att
withstand [wiðð'ständ] *verb* stå emot
witness ['wittnəs] **I** *subst* vittne **II** *verb* bevittna
witness box ['wittnəsbåks] *subst* vittnesbås
witticism ['wittisizəm] *subst* kvickhet
witty ['witti] *adj* kvick
wives [oajvz] *subst* pl. av *wife*
wizard ['wizzəd] *subst* trollkarl
wobble ['oåbbl] *verb* vackla, kränga
woke [oəok] imperf. av *1 wake*
woken ['oəokən] perf. p. av *1 wake*
wolf [wollf] *subst* varg; ***a lone*** ~ en ensamvarg
woman ['wommən] *subst* kvinna; ~ ***doctor*** kvinnlig läkare; ***woman's*** el. ***women's*** ofta kvinno-; ***women's lib*** vard. kvinnorörelsen
womanly ['wommənli] *adj* kvinnlig
womb [wo:m] *subst* livmoder
women ['wimminn] *subst* pl. av *woman*
won [oann] imperf. o. perf. p. av *win*
wonder ['oandə] **I** *subst* **1** under **2** förundran **II** *verb* **1** förundra sig **2** undra
wonderful ['oandəfoll] *adj* underbar
won't [oəont] = *will not*
wood [wodd] *subst* **1** trä; ved **2** skog
wood-carving ['wodd,ka:ving] *subst* träsnideri
wooded ['woddidd] *adj* skogig
wooden ['woddn] *adj* av trä
woodpecker ['wodd,pekkə] *subst* hackspett
woodwind ['woddwind] *subst* träblåsinstrument
woodwork ['woddwö:k] *subst* snickerier
woodworm ['woddwö:m] *subst* trämask
wool [woll] *subst* ull; ylle; ***pure*** ~ helylle

woollen ['wollən] **I** *adj* ylle- **II** *subst*, ***wollens*** ylleplagg
woolly ['wolli] *adj* **1** ylle- **2** bildl. luddig
word [wö:d] *subst* ord; ***a ~ of advice*** ett litet råd; ***stand by one's ~*** stå vid sitt ord; ***~ for ~*** ord för ord; ***in other words*** med andra ord
wording ['wö:ding] *subst* formulering
word-processing ['wö:dˌprəosessing] *subst* ordbehandling
word processor ['wö:dˌprəosessə] *subst* ordbehandlare
wore [oå:] imperf. av *wear*
work [wö:k] **I** *subst* **1** arbete; ***at ~*** på arbetet; i arbete **2** verk **3** ***works*** fabrik; verk **II** *verb* **1** arbeta; ***~ at*** (***on***) arbeta på (med); ***~ for*** arbeta för **2** fungera **3** göra verkan **4** ***~ out*** utarbeta; avlöpa
workable ['wö:kəbl] *adj* genomförbar
worker ['wö:kə] *subst* arbetare
workforce ['wö:kfå:s] *subst* arbetskraft
working class [ˌwö:king'kla:s] *subst*, ***the ~*** arbetarklassen
workman ['wö:kmən] *subst* arbetare
workmanship ['wö:kmənschipp] *subst* yrkesskicklighet
work-out ['wö:kaot] *subst* träningspass
workshop ['wö:kschåpp] *subst* **1** verkstad **2** workshop
work-to-rule [ˌwö:ktə'ro:l] *subst* organiserad maskning på arbetsplats
world [wö:ld] *subst* värld; ***~ champion*** världsmästare; ***see the ~*** se sig om i världen; ***not for the ~*** inte för allt i världen; ***all the difference in the ~*** en himmelsvid skillnad
worldly ['wö:ldli] *adj* världslig
worldwide [ˌwö:ld'wajd] *adj* världsomfattande
worm [wö:m] *subst* mask; ***can of worms*** bildl. ormbo
worn [oå:n] **I** perf. p. av *wear* **II** *adj* sliten
worn-out ['oå:naot] *adj* **1** utsliten **2** slutkörd
worried ['oarridd] *adj* orolig
worry ['oarri] **I** *verb* oroa (bekymra) sig; oroa **II** *subst* bekymmer
worse [wö:s] *adj* o. *adv* värre, sämre
worsen ['wö:sn] *verb* förvärra, försämra

worship ['wö:schipp] **I** *subst* dyrkan; ***freedom of ~*** religionsfrihet **II** *verb* dyrka, tillbe
worst [wö:st] **I** *adj* o. *adv* värst, sämst **II** *subst*, ***at ~*** i värsta fall
worth [wö:θ] **I** *adj* värd **II** *subst* värde
worthless ['wö:θləs] *adj* värdelös
worthwhile ['wö:θoajl] *adj* som är mödan värd
worthy ['wö:ði] *adj* värdig
would [wodd] *verb* **1** skulle; ***how ~ I know?*** hur skulle jag kunna veta det? **2** ville; skulle vilja; ***shut the door, ~ you?*** stäng dörren är du snäll!
would-be ['woddbi:] *adj* in spe
wouldn't ['wodnt] = *would not*
1 wound [oaond] imperf. o. perf. p. av 2 *wind*
2 wound [wo:nd] **I** *subst* sår **II** *verb* såra
wove [oəov] imperf. av *weave*
woven ['oəovən] perf. p. av *weave*
wrap [räpp] *verb*, ***~ up*** slå in; avsluta
wrapping-paper ['räpping,pejpə] *subst* omslagspapper
wrath [råθ] *subst* vrede
wreak [ri:k] *verb* vålla
wreath [ri:θ] *subst* begravningskrans
wreck [rekk] **I** *subst* vrak **II** *verb* förstöra; ***be wrecked*** lida skeppsbrott
wreckage ['rekkiddʒ] *subst* vrakspillror
wren [renn] *subst* gärdsmyg
wrench [rentsch] **I** *subst* skiftnyckel **II** *verb* vrida; vricka
wrestle ['ressl] *verb*, ***~ with*** brottas med
wrestler ['resslə] *subst* brottare
wrestling ['ressling] *subst* brottning
wretched ['rettchidd] *adj* vard. förbaskad
wriggle ['riggl] *verb* slingra sig; skruva på sig
wring [ring] *verb* vrida (krama) ur
wrinkle ['ringkl] **I** *subst* rynka **II** *verb* rynka, rynka på
wrist [risst] *subst* handled
wristwatch ['risstoåtch] *subst* armbandsur
writ [ritt] *subst* skrivelse
write* [rajt] *verb* skriva;

skriva ut; ~ ***down*** anteckna; ~ ***off*** avskriva
write-off ['rajtåff] *subst* vard. värdelös tillgång
writer ['rajtə] *subst* författare
write-up ['rajtapp] *subst* fin recension
writhe [rajð] *verb* vrida sig av smärta o.d.
writing ['rajting] *subst* 1 skrift; ***in*** ~ skriftligen 2 skrivande
writing-paper ['rajting,pejpə] *subst* brevpapper
wrong [rång] **I** *adj* fel, felaktig; ***be*** ~ ha fel **II** *adv* fel; ***don't get me ~!*** missförstå mig inte!, förstå mig rätt!; ***go*** ~ gå snett; gå sönder **III** *subst* orätt; oförrätt **IV** *verb* förorätta
wrongful ['rångfoll] *adj* orättfärdig
wrongly ['rångli] *adv* 1 felaktigt 2 med orätt
wrote [rəot] imperf. av *write*
wrought [rå:t] *adj*, ~ ***iron*** smidesjärn
wrung [rang] imperf. o. perf. p. av *wring*
wry [rajj] *adj* 1 sned 2 ironisk

Xx

X, x [ekks] *subst* X, x
xenophobic [,zennəo'fəobikk] *adj* invandrarfientlig
Xmas ['ekksməs] *subst* kortform för *Christmas*
X-ray ['ekksrejj] **I** *subst* röntgen **II** *verb* röntga
xylophone ['zajləfəon] *subst* xylofon

Yy

Y, y [oai] *subst* Y, y
yacht [jått] *subst* lustjakt
yachting ['jåtting] *subst* segling
yachtsman ['jåttsmən] *subst* seglare
Yank [jängk] *subst* vard. jänkare
yank [jängk] *verb* rycka i
Yankee ['jängki] *subst* vard. jänkare
yap [jäpp] *verb* gläfsa
1 yard [ja:d] *subst* yard mått = 0, 9144 m
2 yard [ja:d] *subst* gårdsplan
yardstick ['ja:dstikk] *subst* måttstock
yarn [ja:n] *subst* **1** garn **2** ***spin a ~*** dra en rövarhistoria
yawn [jå:n] **I** *verb* gäspa **II** *subst* gäspning
yeah [jäə] *adv* vard. ja
year [jiə] *subst* år; årtal; ***~ of birth*** födelseår; ***last ~*** i fjol; ***this ~*** i år; ***years and years ago*** för många herrans år sedan
yearly ['jiəli] **I** *adj* årlig **II** *adv* årligen
yearn [jö:n] *verb* trängta
yeast [ji:st] *subst* jäst
yell [jell] **I** *verb* gallskrika **II** *subst* tjut
yellow ['jelləo] **I** *adj* **1** gul; ***get the ~ card*** i fotboll få gult kort; ***the ~ pages*** gula sidorna i telefonkatalog; ***the ~ press*** skvallertidningarna **2** vard. feg **II** *verb* gulna
yelp [jellp] *verb* gläfsa
yes [jess] *adv* o. *subst* ja
yesterday ['jesstədi] *adv* i går
yet [jett] **I** *adv* ännu; ***not just ~*** inte riktigt än **II** *konj* ändå
yew [jo:] *subst* idegran
yield [ji:ld] **I** *verb* **1** ge avkastning **2** ge efter **II** *subst* avkastning
yoghourt, yoghurt o. **yogurt** ['jåggət] *subst* yoghurt
yoke [jəok] *subst* ok
yolk [jəok] *subst* äggula
you [jo:] *pron* **1** du; ni; dig; er **2** man
you'd [jo:d] = *you had* el. *you would*
you'll [jo:l] = *you will* el. *you shall*
young [jang] **I** *adj* ung; ***in my ~ days*** i min ungdom **II** *subst pl* ungar
youngster ['jangstə] *subst* unge, ungdom
your [jå:] *pron* **1** din; er **2** sin

you're [jå:] = *you are*
yours [jå:z] *pron* din; er
yourself [jå:'sellf] *pron* dig (er) själv; själv; en själv
youth [jo:θ] *subst* ungdom; ungdomlighet; ***the ~*** ungdomen; ***~ hostel*** vandrarhem
youthful ['jo:θfoll] *adj* ungdomlig
you've [jo:v] = *you have*

Zz

Z, z [zädd] *subst* Z, z
zany ['zejni] *adj* smågalen
zap [zäpp] *verb* vard. bläddra mellan TV-kanaler; zappa
zeal [zi:l] *subst* iver, nit
zebra ['zebbrə] **I** *subst* sebra **II** *adj*, ***~ crossing*** övergångsställe med vita streck
zero ['ziərəo] **I** *subst* noll **II** *verb*, ***~ in on*** inrikta sig på
zest [zesst] *subst* entusiasm
zigzag ['ziggzägg] **I** *subst* sicksack **II** *verb* sicksacka
zinc [zingk] *subst* zink
zip [zipp] **I** *subst* blixtlås **II** *verb*, ***~ up*** dra upp (igen) blixtlåset
zipper ['zippə] *subst* blixtlås
zodiac ['zəodiäkk] *subst*, ***the ~*** zodiaken
zone [zəon] *subst* zon
zoom [zo:m] **I** *subst* zoomobjektiv **II** *verb*, ***~ in*** zooma in
zucchini [tso'ki:ni] *subst* zucchini, squash

Norstedts engelska fickordbok

Svensk-engelsk

Aa

a a-et a-n a [utt. ej]
à *prep* **1** at; ***3 kilo ~ 10 kr*** 3 kilos at 10 crowns **2** or; ***2 ~ 3*** 2 or 3
AB ung. PLC (förk. för *Public Limited Company*)
abborr|e -en -ar perch
abonnemang -et = subscription
abonnent -en -er subscriber
abonnera *verb* subscribe; ***abonnerad buss*** chartered bus
abort -en -er abortion; ***göra ~*** have* an abortion
absolut I *adj* absolute, definite **II** *adv* absolutely, certainly, definitely
absolutist -en -er teetotaller
abstrakt I *adj* abstract **II** *adv* in the abstract
absurd *adj* absurd, preposterous
acceleration -en -er acceleration
accelerera *verb* accelerate
accent -en -er accent
acceptabel *adj* acceptable
acceptera *verb* accept
accessoarer pl. accessories
aceton -et acetone
ackompanjera *verb* accompany
ackord -et = **1** musik chord **2** ***arbeta på ~*** do piecework
acne -n acne
addera *verb* add, add up
addition -en -er addition
adel -n nobility
adels|man -mannen -män nobleman
adjö *interj* goodbye!; ***säga ~ till ngn*** say* goodbye to sb.
administration -en -er administration, management
adoptera *verb* adopt
adoption -en -er adoption
adoptivbarn -et = adopted child
adress -en -er address
adressat -en -er addressee
adressera *verb* address; ***adresserad till*** addressed to
adresslapp -en -ar address label; som knyts fast tag
Adriatiska havet the Adriatic Sea
advent -et Advent; ***första ~*** Advent Sunday
advokat -en -er lawyer; juridiskt ombud solicitor
affisch -en -er bill; större poster
affär -en -er **1** business; butik shop; transaktion transaction; ***göra en bra ~*** do* a good

business deal **2** kärleksaffär affair **3** ***göra stor ~ av ngt*** make* a great fuss about sth.

affärs|man -mannen -män businessman

affärsres|a -an -or business journey (trip)

affärstid -en -er business hours

Afrika Africa

afrikan -en -er African

afrikansk *adj* African

afrikansk|a -an -or African woman

aft|on -onen -nar evening

aga I -n corporal punishment **II** *verb* beat

agent -en -er agent

agera *verb* act

aggregat -et -en unit

aggressiv *adj* aggressive

aggressivitet -en aggressiveness

agitera *verb* agitate

aids oböjl. AIDS

aj *interj* oh!, ow!, ouch!

akademi -[e]n -er academy

akademiker -n = academic

akademisk *adj* academic

akrobat -en -er acrobat

akryl -en acrylic

1 akt -en -er **1** på teater o.d. act **2** dokument document

2 akt, *ge ~ på ngt* notice sth.; ***ta tillfället i ~*** seize the opportunity

akta *verb* be* careful with; ~ ***huvudet!*** mind your head!; ~ ***sig*** take* care

akt|er -ern -rar stern

aktie -n -r share

aktiebolag -et = joint-stock company, med begränsad ansvarighet limited company; börsnoterat public limited company, ej börsnoterat private company

aktion -en -er action

aktiv *adj* active

aktivera *verb* activate

aktivitet -en -er activity

aktning -en respect

aktuell *adj* dagsfärsk current; nu rådande present

aktör -en -er skådespelare actor; t.ex. på börsen operator

akupunktur -en acupuncture

akustik -en acoustics

akut I *adj* acute; ***akuta smärtor*** acute pain **II *akuten*** emergency ward

akutmottagning -en -ar emergency ward

akvarell -en -er watercolour

akvari|um -et -er aquarium

al -en -ar alder

à la carte *adv* à la carte

aladåb -en -er aspic

alarm -et = alarm
alarmerande *adj* alarming
alban -en -er Albanian
Albanien Albania
albansk *adj* Albanian
albansk|a -an **1** pl. -or kvinna Albanian woman **2** språk Albanian
album -et = album
aldrig *adv* never; ~ ***mer*** never again; ~ ***i livet!*** no way!
alert *adj* alert
alfabet -et = alphabet
algblomning -en algal bloom
alger pl. algae
alibi -t -n alibi
alkohol -en -er alcohol
alkoholfri *adj* non-alcoholic
alkoholhalt -en -er alcoholic content
alkoholist -en -er alcoholic
alkotest -et (-en) = (-er) breathalyser test
alkov -en -er alcove
all *pron* all; varje every; ~ ***mjölk*** all the milk; ***för ~ del!*** ingen orsak! don't mention it!
alla *pron* fristående all; varenda en everybody, everyone; ~ ***böckerna*** all the books; ~ ***vet*** everyone knows
alldaglig *adj* everyday
alldeles *adv* quite; ~ ***nyss*** just now; ~ ***riktigt*** perfectly right
allé -n -er avenue
allemansrätt -en ung. legal right of access to private land (to open country)
allergi -n -er allergy
allergiker -n = allergic person
allergisk *adj* allergic; ~ ***mot ngt*** allergic to sth.
allesammans *pron* all of us, all of you
allians -en -er alliance
allierad *adj* allied
allihopa se *allesammans*
allmän *adj* vanligt förekommande common; gällande för de flesta el. alla general
allmänbildad *adj* well-informed
allmänhet **1** ***allmänheten*** the public **2** ***i*** ~ in general
allra *adv*, ***den ~ bästa eleven*** the very best pupil; ~ ***mest*** (***minst***) most (least) of all
allriskförsäkring -en -ar comprehensive insurance
alls *adv*, ***inte*** ~ not at all
allsidig *adj* all-round; comprehensive
allt *pron* all; everything
allteftersom *konj* efter hand som as
alltför *adv* too
alltid *adv* always

alltihop *pron* all, all of it
allting *pron* everything
alltsammans *pron* all, all of it, all of them
alltså *adv* följaktligen accordingly; det vill säga in other words
allvar -et seriousness; ***mena ~*** be serious; ***på fullt ~*** in all seriousness
allvarlig *adj* serious, grave
alm -en -ar elm
almanack|a -an -or almanac; fickalmanacka diary
Alperna the Alps
alpin *adj* alpine
alst|er -ret = product
alstra *verb* produce
alt -en -ar kvinnoröst contralto
altan -en -er terrace
altare -t -n altar
alternativ I -et = alternative **II** *adj* alternative
aluminium -et aluminium
aluminiumfolie -n -r aluminium foil
amatör -en -er amateur
ambassad -en -er embassy
ambassadör -en -er ambassador
ambition -en -er ambition
ambitiös *adj* ambitious
ambulans -en -er ambulance
amen *interj* amen
Amerika America
amerikan -en -er American
amerikansk *adj* American
amerikansk|a -an **1** pl. -or kvinna American woman **2** språk American English
ametist -en -er amethyst
amma *verb* breast-feed
ammoniak -en ammonia
ammunition -en ammunition
amortera *verb* pay* off; ***~ på ett lån*** pay* off a loan by instalments
amp|el -eln -lar hanging flowerpot
ampull -en -er ampoule
amputera *verb* amputate
amulett -en -er amulet
an, ***av och ~*** to and fro
ana *verb* have* a feeling
analfabet -en -er illiterate
analys -en -er analysis (pl. analyses)
analysera *verb* analyse
analöppning -en -ar anus
ananas -en -er pineapple
anatomi -n anatomy
anblick -en sight; ***vid första anblicken*** at first sight
anbud -et = offer
and -en änder duck
anda -n **1** ***tappa andan*** lose* one's breath; ***hålla andan***

hold* one's breath **2** stämning spirit
andas *verb* breathe
and|e -en -ar spirit
andedräkt -en breath; ***dålig ~*** bad breath
andel -en -ar share
andetag -et = breath
andfådd *adj* breathless
andlig *adj* spiritual
andning -en breathing
andnöd -en shortness of breath
Andorra Andorra
andra I *räkn* second (förk. *2nd*); ***för det ~*** secondly; ***hyra ut i ~ hand*** sublet **II** *pron* others, other people; ***alla ~*** all the others, everybody else
andraklassbiljett -en -er second-class ticket
andrum -met frist breathing-space
anemi -n anaemia
anemon -en -er anemone
anfall -et = attack
anfalla *verb* attack
anförande -t -n yttrande statement; tal speech
anförtro *verb* **1** överlämna entrust **2** delge confide
ange *verb* **1** uppge state **2** anmäla, ***~ ngn*** report sb.
angelägen *adj* urgent
angelägenhet -en -er affair
angenäm *adj* pleasant
angivare -n = informer
angrepp -et = attack
angripa *verb* attack
angränsande *adj* adjacent
angå *verb* concern
angående *prep* concerning
anhålla *verb* arrestera arrest; be ask
anhängare -n = supporter
anhörig en ~, pl. -a relative
aning -en -ar idea; ***ingen ~*** no idea
ank|a -an -or duck
ankare -t = (-n) anchor
ank|el -eln -lar ankle
anklaga *verb* accuse; ***~ ngn för ngt*** accuse sb. of sth.
anklagelse -n -r accusation, charge
anknyta *verb* attach; ***~ till ngt*** refer to sth.
anknytning -en -ar connection; telefonanknytning extension
ankomma *verb* arrive
ankommande *adj* om post, trafik incoming; ***~ tåg*** (***flyg*** etc.) arrivals
ankomst -en -er arrival; ***vid min ~ till London*** on my arrival in London
ankomstdag -en -ar day of arrival

ankomsthall -en -ar arrivals hall
ankomsttid -en -er time of arrival
ankra *verb* anchor
anlag -et = begåvning gift, talent
anledning -en -ar skäl reason; orsak cause
anlita *verb* engage, call in
anlägga *verb* uppföra build*; **~ skägg** grow* a beard
anläggning -en -ar establishment
anlända *verb* arrive; **~ till Irland** arrive in Ireland; **~ till banken** arrive at the bank
anmäla *verb* report; **~ sig till ngt** enter one's name for sth.
anmäl|an en ~, pl. -ningar report
anmälningsavgift -en -er entry fee
anmärka *verb* påpeka remark; **~ på ngt** criticize sth.
anmärkning -en -ar påpekande remark; klander criticism; klagomål complaint
annan *pron*, **en ~** another; **någon ~** somebody else; **det är en helt annan sak** that's quite a different matter
annanstans *adv*, **någon ~** somewhere else
annars *adv* otherwise
annat *pron*, **något ~** something else; **något annat?** till kund anything else?
annex -et = annexe
annons -en -er advertisement, vard. ad
annonsera *verb* advertise; **~ efter ngt** advertise for sth.
annorlunda I *adv* otherwise **II** *adj* different
annullera *verb* cancel
anonym *adj* anonymous
anorak -en -er anorak
anordna *verb* organize, arrange
anordning -en -ar arrangement
anpassa *verb* adapt; **~ sig till ngt** adjust oneself to sth.
anpassning -en -ar adaptation
anropa *verb* call
ansats -en -er försök attempt
anse *verb* think*, consider
ansedd *adj* respected
anseende -t -n reputation
ansenlig *adj* considerable
ansikte -t -n face
ansiktskräm -en -er face cream
ansiktsvatt|en -net = skin tonic
ansjovis -en -ar ung. tinned sprat
anslag -et = **1** affisch bill **2** pengar grant

anslagstavl|a -an -or notice board
ansluta *verb*, *~ **ngt till ngt*** connect sth. with (to) sth.; *~ **sig till*** join, t.ex. union äv. enter
anslutning -en -ar connection
anslutningsflyg -et = connecting flight
anspråk -et = claim; ***göra ~ på ngt*** claim sth.
anspråksfull *adj* pretentious
anspråkslös *adj* modest; om måltid o.d. simple
anstalt -en -er institution
anstränga *verb* strain; *~ **sig*** make* an effort
ansträngande *adj* hard
ansträngning -en -ar effort
anstå *verb*, ***det får*** ~ it will have to wait
anstånd -et = respite
anställa *verb* employ
anställd I *adj* employed **II** en ~, pl. -a employee
anställning -en -ar employment; plats position
anständig *adj* respectable
ansvar -et responsibility
ansvara *verb*, *~ **för ngt*** be responsible for sth.
ansvarig *adj* responsible
ansvarsfull *adj* responsible
ansvarslös *adj* irresponsible
ansöka *verb*, *~ **om ngt*** apply for sth.
ansök|an en ~, pl. -ningar application
ansökningsblankett -en -er application form
anta *verb* **1** förmoda suppose **2** acceptera accept
antagligen *adv* probably
antal -et = number
antasta *verb* molest
anteckna *verb* write* down; *~ **sig*** put* one's name down
anteckning -en -ar note
antecknings|bok -boken -böcker notebook
antenn -en -er **1** radioantenn aerial **2** hos djur antenna
antibiotika pl. antibiotics
antik *adj* antique
antikvariat -et = second-hand bookshop
antikvitet -en -er antique
antikvitetsaffär -en -er antique shop
antingen *konj* **1** either; *~ **bananer eller päron*** either bananas or pears **2** vare sig whether
antioxidant -en -er antioxidant
antiseptisk *adj* antiseptic
antologi -n -er anthology
anträffbar *adj* available

antyda *verb* låta förstå hint
antyd|an en ~, pl. -ningar hint
anvisa *verb* allot
anvisningar pl. instructions
använda *verb* use; pengar spend
användbar *adj* usable; nyttig useful
användning -en -ar use
apa apan apor monkey; utan svans ape
apatisk *adj* apathetic
apelsin -en -er orange
apelsinjuice -n -r orange juice
apelsinsaft -en -er orange juice
aperitif -en -er aperitif
apostrof -en -er apostrophe
apotek -et = pharmacy, chemist's
apotekare -n = pharmacist, dispensing chemist
apparat -en -er instrument apparatus; anordning device; radioapparat, tv-apparat set
applåd -en -er applause
applådera *verb* applaud
aprikos -en -er apricot
april oböjl. April; ***i*** **~** in April
apropå *prep*, **~ *det*** by the way
aptit -en appetite
aptitretare -n = appetizer
arab -en -er Arab
arabisk *adj* om t.ex. folk Arab; om t.ex. språk, siffror Arabic
arabisk|a -an **1** pl. -or kvinna Arab woman **2** språk Arabic
arbeta *verb* work; ***~ på ett företag*** work at a company; ***~ på ett problem*** work on a problem; ***~ in tid*** ung. work overtime to get time off; ***~ sig upp*** work one's way up
arbetare -n = worker
arbete -t -n work; ***söka ~*** look out for work (a job)
arbetsam *adj* hard-working
arbetsdag -en -ar working-day; ***8 timmars ~*** eight-hour day
arbetsförmedling -en -ar employment office
arbetsgivare -n = employer
arbetskamrat -en -er fellow worker
arbetskraft -en labour
arbetsliv -et working life
arbetslös *adj* unemployed, jobless
arbetslöshet -en unemployment
arbetsmarknad -en -er labour market
arbetsplats -en -er place of work, workplace
arbetstagare -n = employee

arbetstid -en -er working hours
arbetstillstånd -et = work permit
areal -en -er area
aren|a -an -or arena; för idrott ground
arg *adj* angry
argsint *adj* ill-tempered
argument -et = argument
argumentera *verb* argue
ari|a -an -or aria
ark -et = sheet
arkeolog -en -er archaeologist
arkeologi -n archaeology
arkitekt -en -er architect
arkitektur -en -er architecture
arkiv -et = archives
arkivera *verb* file
arm -en -ar arm
armband -et = bracelet; för klocka strap
armbandsur -et = wristwatch
armbrott -et = fractured arm
armbåg|e -en -ar elbow
armé -n -er army
arom -en -er aroma
arrak -en arrack
arrangemang -et = arrangement
arrangera *verb* arrange
arrangör -en -er arranger
arrendator -n -er leaseholder
arrendera *verb* lease, rent
arrest -en -er custody; ***sitta i ~*** be in custody
arrestera *verb* arrest
arrogant I *adj* arrogant **II** *adv* arrogantly
arsenik -en arsenic
art -en -er slag kind, sort
artig *adj* polite
artikel -n artiklar article
artist -en -er artist
arton *räkn* eighteen; för sammansättningar med arton jfr *femton* med sammansättningar
artonde *räkn* eighteenth
arv -et = inheritance; ***gå i ~*** be handed down; ***sjukdomen går i ~*** the disease is hereditary; ***få ngt i ~*** inherit sth.
arving|e -en -ar heir; kvinnlig heiress
arvode -t -n fee
arvsanlag -et = gene
arvtagare -n = heir
as -et = **1** djurkropp carcass **2** skällsord swine
asfalt -en -er asphalt
asfaltera *verb* asphalt
asiat -en -er Asian
asiatisk *adj* Asiatic, Asian
asiatisk|a -an -or kvinna Asian woman
Asien Asia
1 ask -en -ar träd ash

2 ask -en -ar låda box
aska -n ashes, ash
askfat -et = ashtray
askkopp -en -ar ashtray
asp -en -ar träd aspen
aspekt -en -er aspect
assiett -en -er small plate
assistera *verb* assist
association -en -er association
associera *verb* associate
assurera *verb* insure
aster -n astrar aster
astma -n asthma
astrologi -n astrology
astronaut -en -er astronaut
astronomi -n astronomy
asyl -en -er asylum; ***söka ~*** seek asylum
asylsökande -n = asylum seeker
ateist -en -er atheist
ateljé -n -er studio
Aten Athens
Atlanten the Atlantic Ocean
atlas -en -er kartbok atlas
atlet -en -er strong man
atmosfär -en -er atmosphere
atom -en -er atom
atombomb -en -er atom bomb
att I *infinitivmärke* to; ***hon lovade ~ inte göra det*** she promised not to do it **II** *konj* that; ***jag visste ~ det var sant*** I knew that it was true
attachéväsk|a -an -or attaché case
attack -en -er attack
attackera *verb* attack
attentat -et = attack
attestera *verb* certify
attityd -en -er attitude
attraktiv *adj* attractive
aubergine -n -r aubergine, egg plant
augusti oböjl. August; ***i ~*** in August
auktion -en -er auction
auktoritet -en -er authority
auktoritär *adj* authoritarian
aul|a -an -or assembly hall
au pair, ***jobba som ~*** work as an au pair; ***jag har varit ~ i London*** I've worked as an au pair in London
Australien Australia
australiensare -n = Australian
australiensisk *adj* Australian
australiensisk|a -an -or Australian woman
autentisk *adj* authentic
autograf -en -er autograph
automat -en -er varuautomat vending machine
automatisk *adj* automatic
automatväx|el -eln -lar automatic gears
av I *prep* **1** vanl. of; ***tre ~ dem*** three of them; ***gjord ~ ylle***

made of wool **2** by; ***dödad ~ ett lejon*** killed by a lion **3** orsak with; ***darra ~ rädsla*** tremble with fear **II** *adv* off; ***borsta ~ smutsen*** brush off the dirt
avancera *verb* advance
avancerad *adj* advanced
avbeställa *verb* cancel
avbeställning -en -ar cancellation
avbeställningsskydd -et = cancellation insurance
avbetalning -en -ar belopp instalment; ***köpa på ~*** buy* by instalments
avboka *verb* cancel
avbokning -en -ar cancellation
avbrott -et = break
avbryta *verb* break* off; samtal interrupt
avbytare -n = substitute
avböja *verb* avvisa decline, refuse
avdelning -en -ar department; på sjukhus ward
avdrag -et -en reduction; skatteavdrag deduction
avdunsta *verb* evaporate
avel -n breeding
aveny -n -er avenue
avfall -et rubbish
avfart -en -er exit, turn-off
avfärd -en -er departure
avfärda *verb* dismiss
avföring -en -ar excrement; ***ha ~*** pass a motion
avgaser pl. exhaust fumes
avgasrör -et -en exhaust pipe
avge *verb* **1** värme o.d. give* off **2** löfte o.d. give*
avgift -en -er charge, fee
avgiftsfri *adj* free
avgjord *adj* decided
avgränsa *verb* mark off
avguda *verb* adore
avgå *verb* **1** om tåg, flyg etc. leave*, depart **2** från t.ex. tjänst resign
avgående *adj*, ***~ tåg*** (***flyg*** etc.) departures
avgång -en -ar **1** t.ex. tågs departure **2** från t.ex. tjänst resignation
avgångshall -en -ar departure hall
avgångstid -en -er time of departure
avgöra *verb* decide
avgörande I *adj* decisive **II** -t -n decision
avhandling -en -ar dissertation, essay
avhjälpa *verb* remedy
avhållsamhet -en abstinence
avi -n -er note
avig *adj* wrong; ovänlig

unfriendly; ~ ***maska*** purl stitch
avigsid|a -an -or **1** på t.ex. tyg wrong side **2** nackdel drawback
avkastning -en yield
avkoppling -en relaxation
avlastning -en -ar unloading; bildl., lättnad relief
avleda *verb* divert
avlida *verb* die, pass away
avliva *verb* destroy; sällskapsdjur put* to sleep
avlopp -et -en drain
avlossa *verb* fire
avlyssna *verb* listen to
avlång *adj* oblong
avlägsen *adj* distant, remote
avlägsna *verb* remove; ~ ***sig*** go away
avlöning -en -ar pay*; månadslön salary; veckolön wages
avlösa *verb* relieve
avokado -n -r avocado
avpassa *verb* suit; ~ ***ngt efter ngt*** adjust sth. to sth.
avreagera *verb*, ~ ***sig*** let* off steam
avres|a I *verb* depart, start **II** -an -or departure
avresedag -en -ar day of departure
avrunda *verb* round off; ~ ***uppåt*** round up
avråda *verb*, ~ ***ngn från ngt*** warn sb. against sth.
avrätta *verb* execute
avrättning -en -ar execution
avsats -en -er på klippa ledge; i trappa landing
avse *verb* **1** syfta på refer to **2** ha för avsikt mean, intend
avseende -t -n respect
avsevärd *adj* considerable
avsides I *adv* aside; ***ligga*** ~ lie* apart **II** *adj* distant, remote
avsikt -en -er intention; ***ha för*** ~ ***att*** intend to; ***med*** ~ on purpose
avsiktlig *adj* intentional
avskaffa *verb* abolish
avsked -et = **1** ur tjänst discharge **2** farväl leave-taking; ***ta*** ~ ***av ngn*** say* goodbye to sb.
avskeda *verb* dismiss
avskild *adj* secluded
avskildhet -en seclusion
avskilja *verb* separate
avskrift -en -er copy
avskräcka *verb* deter
avsky I *verb* loathe, detest **II** -n disgust, horror
avskyvärd *adj* abominable
avslag -et = rejection; ***han fick***

~ på sin ansökan his application was turned down
avslagen *adj* om dryck flat, stale
avsluta *verb* finish, complete
avslutning -en -ar conclusion; slut end
avslå *verb* turn down
avslöja *verb* reveal
avslöjande -t -n revelation
avsmak -en dislike, distaste; ***känna ~ för ngt*** feel* disgusted by sth.
avsnitt -et = part; av tv-serie episode
avspegla *verb* reflect; ***~ sig*** be reflected
avspänd *adj* relaxed
avstavning -en -ar hyphenation
avstickare -n = detour; ***göra en ~ till en stad*** make* a little detour to a town
avstå *verb* give* up; ***~ från att göra ngt*** abstain from doing sth.
avstånd -et = distance; mellanrum space
avsäga *verb*, ***~ sig allt ansvar för*** disclaim responsibility for
avsändare -n = sender
avta *verb* decrease
avtagsväg -en -ar turning; sidoväg side road
avtal -et = agreement, settlement
avtala *verb* agree, agree on
avtryck -et = impression
avund -en envy, jealousy
avundas *verb* envy
avundsjuk *adj* envious, jealous
avundsjuka -n envy, jealousy
avvakta *verb* await, wait and see
avveckla *verb* wind up
avveckling -en -ar liquidation
avvika *verb* **1** ~ skilja sig ***från ngt*** differ from sth. **2** rymma run* away
avvikande *adj* divergent
avvikelse -n -r deviation
avvisa *verb* **1** vägra tillträde turn away **2** t.ex. förslag reject, refuse
avvisande I *adj* negative **II** *adv* negatively
avväga *verb* avpassa adjust; överväga weigh
avvägning -en -ar adjustment, balance
avvänja *verb* spädbarn wean; från drogberoende o.d. detoxify
ax -et = sädesax ear
ax|el -eln -lar **1** skuldra shoulder; ***rycka på axlarna***

shrug, shrug one's shoulders **2** hjulaxel axle
axelremsväsk|a -an -or shoulder bag
axelryckning -en -ar shrug

Bb

b b-et b-n b [utt. bi]
babbla *verb* babble
babord oböjl. port
baby -n -ar (-er) baby
bacill -en -er germ, vard. bug
1 back -en -ar ölback o.d. crate
2 back I -en **1** pl. -ar i bollspel back **2** backväxel reverse **II** *adv*, ***gå ~*** run* at a loss
backa *verb* back, reverse; ***~ upp ngn*** back sb. up
back|e -en **1** pl. -ar höjd hill; sluttning slope **2** mark ground
backhoppning -en -ar ski jumping
backspeg|el -eln -lar rear-view mirror
backväx|el -eln -lar reverse gear
bacon -en (-et) bacon
bad -et = **1** i kar bath; ***ta ett ~*** have* a bath; utomhus go* for a swim **2** badplats beach
bada *verb* swim, bathe; i kar have* a bath
badbyxor pl. bathing trunks
baddräkt -en -er swimsuit
badhandduk -en -ar bath towel
badhus -et = public baths
badhytt -en -er bathing hut

badkapp|a -an -or bathrobe
badkar -et = bath, tub
badkläder pl. beachwear
badlakan -et = large bath towel
badminton -en badminton
badmöss|a -an -or bathing cap
badort -en -er seaside resort
badrum -met = bathroom
bad|strand -stranden -stränder beach
badvakt -en -er lifeguard
bag -en -ar bag
bagage -t luggage, baggage
bagageinlämning -en -ar lokal left-luggage office
bagageluck|a -an -or boot
bagageutrymme -t -n boot
bagare -n = baker
bagatell -en -er trifle
bageri -et -er bakery
bajsa *verb* do number two
1 bak -et = bakning baking
2 bak -en -ar behind; ***~ och fram*** the wrong way round
baka *verb* bake
bakben -et = hind leg
bakdel -en -ar på ett föremål back; människas buttocks
bakdörr -en -ar back door; på bil rear door
bakelse -n -r pastry
bakfick|a -an -or på byxor hip pocket; ***ha något i bakfickan*** have* something up one's sleeve
bakfram *adv* back to front
bakfull *adj*, ***vara ~*** have* a hangover
bakgrund -en -er background
bakhjul -et = rear wheel
bakifrån *adv* from behind
bakluck|a -an -or på bil boot
baklykt|a -an -or rear light
baklås, ***dörren har gått i ~*** the lock has jammed
baklänges *adv* backwards
bakom *prep* o. *adv* behind
bakpulv|er -ret = baking powder
bakre *adj* back
bakrut|a -an -or rear window
baksid|a -an -or back
bakslag -et -en setback
baksmäll|a -an -or hangover
baksäte -t -n back seat
bakterie -n -r germ
bakverk -et = pastry
bakväg -en -ar back door; ***på bakvägar*** indirectly
bakvänd *adj* awkward
bakåt *adv* backwards
1 bal -en -er dans ball; mindre dance
2 bal -en -ar packe bale
balans -en -er balance; ***tappa balansen*** lose* one's balance
balansera *verb* balance

balett -en -er ballet
balj|a -an -or kärl tub
balkong -en -er balcony
ballad -en -er ballad
ballong -en -er balloon
balsam -en (-et) -er balsam
balsamvinäger -n balsamic vinegar
balt -en -er Balt
baltisk *adj* Baltic
bambu -n bamboo
ban|a -an -or **1** väg path; omloppsbana orbit **2** för idrott track **3** järnvägslinje line
banal *adj* commonplace
banan -en -er banana
band -et = **1** remsa band; snöre string; kassettband tape; hårband ribbon; ***löpande bandet*** conveyor belt; ***lägga ~ på sig*** check oneself **2** följe el. popband o.d. band
bandage -t = bandage
bandit -en -er bandit
bandspelare -n = tape-recorder
bandy -n bandy
banjo -n -r banjo
bank -en -er bank; ***ha pengar på banken*** have* money in the bank
banka *verb* knock
bank|bok -boken -böcker bankbook
bankfack -et -en safe-deposit box
bankgiro -t -n bank giro
bankkonto -t -n bank account
banklån -et = bank loan
bankomat® -en -er cashpoint
bannlysa *verb* ban
banta *verb* slim
1 bar *adj* bare; naked; ***på ~ gärning*** redhanded; ***under ~ himmel*** in the open
2 bar -en -er lokal bar
bara I *adv* only **II** *konj* såvida as long as
barack -en -er barracks
barbent *adj* bare-legged
bardisk -en -ar bar
barfota *adj* o. *adv* barefoot
barhuvad *adj* bare-headed
bark -en -ar på träd bark
barm -en -ar bosom, breast
barmhärtig *adj* merciful
barn -et = child, vard. kid; ***två ~*** two children; ***hon är med ~*** she is pregnant
barnarbete -t -n child labour
barnbarn -et = grandchild
barnbidrag -et = child benefit
barn|bok -boken -böcker children's book
barndom -en childhood
barndop -et = christening
barnfamilj -en -er family with children

barnflick|a -an -or nursemaid
barnförbjuden *adj* for adults only
barnhem -met = för föräldralösa orphanage
barnkammare -n = nursery
barnkläder pl. children's clothes
barnläkare -n = pediatrician
barnmisshandel -n child abuse
barnmorsk|a -an -or midwife
barnomsorg -en child care
barnsjukdom -en -ar children's disease; hos ny produkt teething problems
barnskor pl. children's shoes
barnslig *adj* childish
barnstol -en -ar high chair
barnsäker *adj* childproof
barnsäng -en -ar säng för barn cot
barntillåten *adj*, ***~ film*** universal
barnvagn -en -ar perambulator, vard. pram
barnvakt -en -er baby sitter
baromet|er -ern -rar barometer, vard. glass
barr -et = på träd needle
barrskog -en -ar pine forest
barrträd -et = conifers, vard. pines and firs
barservering -en -ar snack-bar
barsk *adj* harsh
bartend|er -ern -rar bartender
baryton -en -er baritone
1 bas -en -er grund base
2 bas -en -ar mansröst el. instrument bass
3 bas -en -ar förman foreman, vard. boss
ba-samtal -et = reverse charge call
basar -en -er bazaar
basera *verb* base; ***vara baserad på*** be based on
basfiol -en -er double bass
basilik|a -an -or växt basil
bask|er -ern -rar beret
basket -en basketball
bassäng -en -er basin; swimming-pool
bast -et bast
basta *verb* take* a sauna
bastu -n -r sauna
basun -en -er trombone
batong -en -er truncheon
batteri -et -er battery
batteridriven *adj* battery-powered
BB BB-t BB-n maternity ward
be *verb* **1** be böner pray **2** anhålla ask; ***~ ngn om ngt*** ask sb. for sth.; ***får jag ~ om notan?*** the bill, please!
bearbeta *verb* omarbeta

adapt; söka inverka på try to influence
beboelig *adj* habitable
bebyggelse -n -r houses
bedra *verb* deceive, swindle; vara otrogen mot be* unfaithful to; **~ *sig*** be* mistaken
bedragare -n = deceiver, swindler
bedrift -en -er exploit
bedriva *verb* carry on
bedrägeri -et -er brott fraud; skoj swindle
bedrövad *adj* distressed
bedrövlig *adj* deplorable; usel miserable
bedöma *verb* judge; uppskatta estimate
bedöva *verb*, **~ *ngn*** med bedövningsvätska give* an anaesthetic to sb.
bedövning -en -ar anaesthesia
bedövningsmed|el -let = anaesthetic
befalla *verb* order; kommendera command
befallning -en -ar order, command
befattning -en -ar syssla post; ämbete office
befinna *verb*, **~ *sig*** vara be*
befogad *adj* justified
befogenhet -en -er authority; ***ha ~*** be authorized
befolkning -en -ar population
befordra *verb* **1** upphöja promote **2** paket o.d. send*
befordr|an en ~, pl. -ingar **1** avancemang promotion **2** av paket o.d. transport
befria *verb*, **~ *ngn*** set sb. free; ***~ ngn från ngt*** exempt sb. from sth.; ***~ sig från ngt*** free oneself from sth.
befrielse -n -r liberation
befrukta *verb* fertilize
befruktning -en -ar fertilization; ***konstgjord ~*** artificial insemination
befäl -et = **1** kommando command **2** befälspersoner officers
begagnad *adj* used; second-hand
bege *verb*, **~ *sig*** go*
begoni|a -an -or begonia
begrava *verb* bury
begravning -en -ar burial; ceremoni funeral
begrepp -et = idea; ***reda ut begreppen*** straighten things out; ***stå i ~ att . . .*** just be going to . . .
begripa *verb* understand; inse see*; ***~ sig på ngt*** understand sth.
begriplig *adj* understandable

begränsa *verb* inskränka limit; ~ ***sig*** limit oneself
begränsning -en -ar limitation
begå *verb* ett brott commit; ett misstag make*
begåvad *adj* talented
begåvning -en -ar talent
begär -et = desire; ~ ***efter*** craving for
begära *verb* ask, ask for; anhålla om request
begäran en ~, best. form = anhållan request; ansökan application
behag -et = välbehag pleasure; tjusning charm; ***efter*** ~ as you like
behaga *verb* tilltala please
behaglig *adj* angenäm pleasant; tilltalande attractive
behandla *verb* treat; handla om deal with; ***bli illa behandlad*** be* badly treated
behandling -en -ar treatment
behov -et = need
behå -n = (-ar) brassiere, vard. bra
behålla *verb* keep*
behållare -n = container
behållning -en -ar **1** återstod remainder **2** vinst profit
behärska *verb* **1** råda över control; vara herre över be in command of; ~ ***sig*** control oneself **2** kunna master
behärskad *adj* restrained
behörig *adj* authorized; kompetent qualified; om läkare licensed; om lärare certificated
behöva *verb* need
behövas *verb* be needed; ***det behövs inte*** it is not necessary
beige *adj* beige
bekant I *adj* välkänd well-known; välbekant familiar **II** en ~, pl. -a acquaintance
beklaga *verb*, ~ ***ngt*** be sorry about sth.; ~ ***sig*** complain
beklaglig *adj* unfortunate
bekosta *verb* pay* for
bekräfta *verb* confirm
bekräftelse -n -r confirmation
bekväm *adj* comfortable; ~ ***av sig*** lazy, easy-going
bekym|mer -ret = worry, trouble
bekymra *verb*, ~ ***sig*** worry; ***det bekymrar henne*** she is worried about it
bekymrad *adj* worried
bekänna *verb* confess
bekännelse -n -r confession
belasta *verb* load, charge
belastning -en -ar load

belgare -n = Belgian
Belgien Belgium
belgisk *adj* Belgian
belgisk|a -an -or Belgian woman
belopp -et = amount, sum
belysning -en -ar lighting
belåten *adj* satisfied
belägen *adj* situated; ***vara ~*** be*, lie*
beläggning -en -ar covering
belöna *verb* reward
belöning -en -ar reward
bemärkelsedag -en -ar day of celebration
bemöta *verb* behandla treat; besvara answer; ***bli illa bemött*** be* badly treated
ben -et = **1** skelettdel bone **2** kroppsdel leg; ***vara på benen igen*** be up and about again
ben|a -an -or parting
benbrott -et = fractured leg
benfri *adj* boneless
bensin -en petrol
bensindunk -en -ar petrol can
bensinmack -en -ar petrol station
bensinmätare -n = petrol gauge
bensinstation -en -er petrol station
bensintank -en -ar petrol tank
benägen *adj* inclined
benägenhet -en -er tendency
benämning -en -ar name
beordra *verb* order, command
bereda *verb* **1** förbereda prepare; ***~ sig på ngt*** make* ready for sth. **2** förorsaka cause
beredd *adj* prepared; ***vara ~ på ngt*** be prepared for sth.
beredskap -en preparedness; ***ligga*** (***stå***) ***i ~*** stand* by
berest *adj*, ***vara mycket ~*** have* travelled a lot
berg -et = **1** mountain; mindre hill **2** berggrund rock
bergig *adj* mountainous; hilly
bergkristall -en -er rock crystal
bergskedj|a -an -or mountain chain
bergskid|a -an -or uphill ski
bergstopp -en -ar mountain peak
bergsäker *adj* dead certain
berika *verb* enrich
berlock -en -er charm
bero *verb*, ***~ på*** ha sin grund i be due to; komma an på depend on
beroende *adj* dependent
berså -n -er arbour
berusad *adj* intoxicated, drunk

beryktad *adj* notorious; ***illa ~*** with a bad reputation
beräkna *verb* calculate; uppskatta estimate
beräkning -en -ar calculation; uppskattning estimate
berätta *verb* tell*; ***~ ngt för ngn*** tell* sb. sth.
berättelse -n -r story
berättigad *adj* om person entitled; om t.ex. kritik, misstro well-founded
beröm -met lovord praise
berömd *adj* famous
berömma *verb* praise
beröra *verb* touch
beröring -en -ar contact, touch
besatt *adj* occupied; ***vara ~ av ngt*** be obsessed by sth.
besegra *verb* defeat
besiktiga *verb* inspect; ***~ bilen*** have* one's car tested
besiktning -en -ar inspection; av bil (i Storbr.) MOT test
besinning -en behärskning self-control; ***förlora besinningen*** lose* one's head
besk *adj* bitter
beskatta *verb* tax
besked -et = upplysning information; ***få ~*** be* informed; ***lämna ~ om ngt*** let* sb. know about sth.
beskriva *verb* describe
beskrivning -en -ar description
beskydd -et protection
beskydda *verb* protect
beskylla *verb*, ***~ ngn för ngt*** accuse sb. of sth.
beslag -et = **1** till skydd, prydnad mounting **2** ***lägga ~ på*** seize
beslagta *verb* confiscate
beslut -et = decision; ***fatta ett ~*** come* to a decision
besluta *verb* decide; ***~ sig för ngt*** decide on sth.
beslutsam *adj* determined
besläktad *adj*, ***~ med*** related to
besparing -en -ar saving
bespruta *verb* frukt o.d. spray with pesticide
bestick -et = knife, fork and spoon
bestiga *verb* climb
bestraffa *verb* punish
bestraffning -en -ar punishment, penalty
bestseller -n = (-s) best-seller
bestyrka *verb* confirm
bestå *verb*, ***~ av*** consist of
beståndsdel -en -ar component
beställa *verb* order; boka bord, resa, rum book; ***får jag ~?*** can I order, please?; ***~ tid hos tandläkaren*** make* an

appointment with the dentist
beställning -en -ar order
bestämd *adj* fastställd fixed; orubblig determined
bestämma *verb* determine; ~ ***sig för ngt*** decide on sth.
bestämmelse -n -r regel regulation
besvara *verb* svara på answer; hälsning return
besvikelse -n -r disappointment
besviken *adj* disappointed
besvär -et = trouble
besvära *verb* trouble; ~ ***sig*** trouble oneself
besvärlig *adj* troublesome; svår hard
besynnerlig *adj* strange
besättning -en -ar **1** manskap crew **2** rollbesättning casting
besök -et = visit; ~ ***hos*** visit to; ***få ~ av ngn*** have* a visit from sb.
besöka *verb* visit
besökare -n = visitor
besökstid -en -er visiting hours
beta *verb* äta gräs graze
betagen *adj*, ~ ***i*** charmed by
betala *verb* pay*; varor pay* for; ***får jag ~?*** can I have my bill, please?; ~ ***sig*** pay* off
betalning -en -ar payment
betalningsvillkor -et = terms of payment
1 bete -t -n betesmark pasture
2 bete -t -n vid fiske bait
3 bet|e -en -ar på t.ex. elefant tusk
4 bete *verb*, ~ ***sig*** behave; ~ ***sig som en idiot*** act like a fool
beteckning -en -ar designation
beteende -t -n behaviour
betjäna *verb* serve; ***vara betjänt av*** benefit from
betjäning -en service; personal staff
betjänt -en -er servant
betona *verb* stress
betong -en concrete
betoning -en -ar stress
betrakta *verb* **1** se på look at **2** anse consider
beträffande *prep* concerning
bets|el -let = bridle
bett -et = bite
betungande *adj* heavy
betyda *verb* mean*
betydande *adj* important; ~ ***förluster*** considerable losses
betydelse -n -r meaning
betydlig *adj* considerable
betyg -et = **1** handling certificate; terminsbetyg report **2** betygsgrad mark

betänksam *adj* thoughtful
beundra *verb* admire, idolize
beundran en ~, best. form = admiration
beundransvärd *adj* admirable
beundrare -n = admirer, vard. fan
bevaka *verb* **1** vakta guard **2** tillvarata look after
bevakning -en -ar guard
bevara *verb* bibehålla preserve
bevilja *verb* grant
bevingad *adj* winged
bevis -en = proof
bevisa *verb* prove
bevittna *verb* **1** bestyrka attest **2** vara vittne till witness
bi -et -n bee
bib|el -eln -lar bible
bibliotek -et = library
bidé -n -er bidet
bidra *verb*, ~ ***till*** contribute to
bidrag -et = **1** tillskott contribution **2** understöd allowance
bifall -et approval
biff -en -ar steak
biffstek -en -ar beefsteak, steak
bifoga *verb* enclose; ***bifogad räkning*** we are enclosing our bill
bihål|a -an -or sinus
bihåleinflammation -en -er sinusitis
bijouterier pl. jewellery
bikini -n = bikini
bikt -en -er confession
bikta *verb*, ~ ***sig*** confess
bikup|a -an -or beehive
bil -en -ar car; taxibil taxicab
bila *verb* go by car, motor
bilag|a -an -or i brev enclosure; tidningsbilaga supplement
bilbälte -t -n seat belt
bild -en **1** pl. -er picture **2** skolämne art education
bilda *verb* åstadkomma form; utgöra make*; ~ ***sig*** skaffa sig bildning educate oneself; ~ ***sig en uppfattning om*** form an opinion of
bildad *adj* cultivated
bilder|bok -boken -böcker picture book
bildlig *adj* figurative
bildning -en skolutbildning o.d. education; bildande formation
bildskärm -en -ar på dator, tv etc. screen
bilfärj|a -an -or car ferry
bilförare -n = car driver
bilförsäkring -en -ar motorcar insurance
bilism -en motoring
bilist -en -er motorist

biljard -en -er billiards
biljett -en -er ticket
biljettautomat -en -er ticket machine
biljettkontor -et = booking-office
biljettluck|a -an -or ticket window
biljettpris -et = för inträde admission; för resa fare
bilkö -n -er queue of cars
billig *adj* cheap; ej alltför dyr inexpensive
bilmekaniker -n = car mechanic
bilmärke -t -n make of car
bilolyck|a -an -or car accident
bilradio -n -r car radio
bilres|a -an -or car journey
bilsjuk *adj* car-sick
bilskol|a -an -or driving school
bilstöld -en -er car theft
biltelefon -en -er carphone
biltrafik -en traffic
biltur -en -er ride, vard. spin
biltvätt -en -ar car wash
biluthyrning -en -ar car hire service
bilverk|stad -staden -städer car repair shop
bind|a I -an -or gasbinda bandage **II** *verb* bind; knyta tie; **~ sig** el. **~ upp sig** commit oneself; **~ fast ngt** tie sth. up
bindande *adj*, **~ anmälan** binding application; **~ bevis** conclusive evidence
bindestreck -et = hyphen
bingo -n bingo
bio -n -r cinema; **gå på ~** go to the cinema
biobiljett -en -er cinema ticket
biodynamisk *adj* biodynamic; **biodynamiskt odlad mat** organic food
biograf -en -er cinema, vard. movie
biografi -n -er biography
biologi -n biology
biologisk *adj* biological
bisarr *adj* bizarre, odd
bisexuell *adj* bisexual
biskop -en -ar bishop
biskvi -n -er ung. macaroon
bismak -en -er funny taste
bister *adj* om min o.d. grim; om klimat hard
bistånd -et aid
bit -en -ar stycke piece; matbit bite; vägsträcka distance; **det är en bra ~ kvar** we have quite a long way left; **äta en ~** have* a snack; **gå i bitar** fall* to pieces
bita *verb* bite*; **~ av** bite* off
bitas *verb* bite*
biträde -t -n shop assistant
bitsock|er -ret cube sugar

bitter *adj* bitter
bittermand|el -eln -lar bitter almond
bitti *adv* o. **bittida** *adv* early; ***i morgon ~*** early tomorrow morning
bjuda *verb* **1** erbjuda offer; servera serve; ***jag bjuder!*** this is on me!; ***~ ngn på middag*** invite sb. to dinner; ***~ upp ngn*** ask sb. for a dance **2** på auktion bid
bjudning -en -ar party
bjälk|e -en -ar beam
bjällr|a -an -or little bell
bjäss|e -en -ar hefty chap
björk -en -ar birch
björn -en -ar bear
blackout -en -er blackout; ***drabbas av en ~*** have* a blackout
blad -et = **1** på växt leaf; ***några ~*** a few leaves **2** av papper sheet
bladspenat -en leaf spinach
bland *prep* among; ***~ annat*** among other things
blanda *verb* mix; spelkort shuffle; ***~ ihop*** mix up
blandad *adj* mixed
blandning -en -ar mixture; av olika kvaliteter blend; röra mess
blank *adj* bright, shining
blankett -en -er form
blaz|er -ern -rar jacket
blek *adj* pale
bleka *verb* bleach
blekna *verb* om person turn pale; om färg fade
bli *verb* be*, become*, vard. get*; ***hur mycket blir*** kostar ***det?*** how much will that be?; ***det blir regn*** it is going to rain; ***~ av med ngt*** lose* sth.; ***~ över*** be* left over
blick -en -ar look; hastig glance
blind *adj* blind
blindtarm -en -ar appendix
blindtarmsinflammation -en -er appendicitis
blinka *verb* om ljus twinkle; med ögonen blink
blink|er -ern -rar indicator
blivande *adj* future
blixt -en -ar **1** vid åska lightning **2** kamerablixt flashlight
blixtlås -et = zip
blixtra *verb* flash
block -et = **1** massivt stycke block **2** skrivblock pad
blockera *verb* blockade
blockflöjt -en -er recorder
blod -et blood
blodbrist -en anaemia
blodcirkulation -en blood circulation
blodfläck -en -ar bloodstain

blodförgiftning -en -ar blood poisoning
blodgivare -n = blood donor
blodgrupp -en -er blood group
blodig *adj* **1** blodfläckad blood-stained, covered with blood **2** om biff o.d. rare
blodpropp -en -ar blood clot; sjukdom thrombosis
blodprov -et = blood test
blodpudding -en -ar black pudding
blodsock|er -ret blood sugar
blodtransfusion -en -er blood transfusion
blodtryck -et =; ***högt ~*** high blood pressure; ***lågt ~*** low blood pressure
blodvärde -t -n blood count
blom -men ; ***stå i ~*** be in bloom
blomblad -et = petal
blombukett -en -er bunch of flowers; köpt bouquet
blomkruk|a -an -or flowerpot
blomkål -en cauliflower
blomm|a I -an -or flower **II** *verb* bloom
blommig *adj* flowery
blomsterhand|el -eln -lar flower shop
blomstra *verb* blossom; frodas prosper
blomstrande *adj* flourishing
blond *adj* fair, blond; om kvinna blonde
blondin -en -er blonde
bloss -et = **1** fackla torch **2** vid rökning puff; ***dra ett ~*** take* a puff
blott I *adj* mere; ***med blotta ögat*** with the naked eye **II** *adv* only
blottare -n = flasher
bluff -en -ar humbug; bedragare fraud
bluffa *verb* bluff
blunda *verb* shut one's eyes
blus -en -ar blouse
bly -et lead
blyad *adj*, ***~ bensin*** leaded petrol
blyertspenn|a -an -or pencil
blyfri *adj*, ***~ bensin*** unleaded petrol
blyg *adj* shy
blygsam *adj* modest
blyhaltig *adj* containing lead
blå *adj* blue
blåbär -et = bilberry
blåklint -en -ar cornflower
blåklock|a -an -or harebell
blåmes -en -ar blue tit
blåmärke -t -n bruise
1 blås|a -an -or **1** urinblåsa bladder **2** i huden blister
2 blåsa *verb* **1** blow; ***det***

blåser it is windy **2** vard., lura cheat, fool
blåsig *adj* windy
blåsinstrument -et = wind instrument
blåsipp|a -an -or hepatica
blåskatarr -en -er inflammation of the bladder, cystitis
blåsorkest|er -ern -rar brass band
blåst -en wind
blåsväd|er -ret = stormy weather
blåögd *adj* blue-eyed; godtrogen etc. naive
bläck -et ink
bläckfisk -en -ar octopus
bläckpenn|a -an -or pen
bläddra *verb*, ***~ igenom (i) en bok*** leaf through a book
blända *verb* blind; ***~ av*** dip the headlights
bländande *adj* dazzling
bländare -n = stop, setting
blänka *verb* shine
blöda *verb* bleed
blödning -en -ar bleeding
blöj|a -an -or napkin, vard. nappy
blöt I *adj* wet **II** ***lägga (ligga) i ~*** soak
blöta *verb* soak; ***~ ner*** wet; ***~ ner sig*** get* all wet
bo I *verb* permanent live; tillfälligt stay; ***~ på hotell*** stay at a hotel **II** -et -n fågels nest
boaorm -en -ar boa constrictor
bock -en -ar **1** he-goat **2** stöd trestle
bocka *verb* buga bow
bod -en -ar **1** marknadsstånd booth **2** skjul shed
bofast *adj* resident
bofink -en -ar chaffinch
bog -en -ar **1** på djur shoulder **2** del av fartyg bow
bogsera *verb* tow
bogserlin|a -an -or towline
bohag -et = household goods
bohem -en -er bohemian
boj -en -ar buoy
bojkott -en -er boycott
bojkotta *verb* boycott
1 bok -en böcker book
2 bok -en -ar träd beech
boka *verb* book
bokföring -en -ar bookkeeping
bokförlag -et = publishing house
bokhand|el -eln -lar bookshop
bokhyll|a -an -or bookcase
bokklubb -en -ar book club
bokmärke -t -n bookmark
bokning -en -ar reservation
bok|stav -staven -stäver letter
bokstavera *verb* spell

bokstavsordning -en -ar alphabetical order
bolag -et = company
boll -en -ar ball
bollspel -et = ball game
1 bom -men -mar stång bar; gymnastikredskap horizontal bar; på segelbåt boom
2 bom -men -mar felskott miss
bomb -en -er bomb
bomba *verb* bomb
bomull -en cotton; vadd cotton wool
bomullstyg -et -er cotton cloth
bona *verb* wax
bondbön|a -an -or broad bean
bonde -n bönder farmer; i schack pawn
bondgård -en -ar farm
bonus -en bonus
bord -et = table
bordduk -en -ar tablecloth
bordeaux -en -er Bordeaux; rött claret
bordell -en -er brothel
bordsbeställning -en -ar reservation
bordsdam -en -er dinner partner
bordskavaljer -en -er dinner partner
bordsvatt|en -net = table water
bordsvin -et -er table wine
bordtennis -en table tennis, vard. ping-pong
borg -en -ar castle
borgare -n = bourgeois; icke-socialist non-Socialist
borgen oböjl. security
borgens|man -mannen -män guarantor
borgerlig *adj* middle class, bourgeois; icke-socialistisk non-Socialist, right-wing; ~ ***vigsel*** civil marriage
borgmästare -n = mayor
borr -en -ar drill
borra *verb* bore; i tand drill
borrmaskin -en -er drill
borst -et (-en) = bristle
borsta *verb* brush; ~ ***tänderna*** brush one's teeth
borst|e -en -ar brush
bort *adv* away; ***dit*** ~ over there; ***vi ska*** ~ we are invited out
borta *adv* för tillfället away; försvunnen gone; som inte går att finna missing; ***där*** ~ over there; ***långt*** ~ far away; ***den är*** ~ it is gone
bortbjuden *adj* invited out
bortblåst *adj*, ***vara som*** ~ have* completely vanished
bortfall -et = decline
bortförklaring -en -ar excuse

bortkastad *adj*, ***~ tid*** a waste of time
bortkommen *adj* lost
bortom *prep* beyond
bortre *adj* further
bortrest *adj*, ***hon är ~*** she has gone away
bortskämd *adj* spoilt
bortsprungen *adj* runaway, stray
bosatt *adj* resident; ***vara ~ i*** be a resident of
boskap -en cattle
Bosnien Bosnia
bosnier -n = o. **bosnisk** *adj* Bosnian
bosnisk|a -an -or kvinna Bosnian woman
bo|stad -staden -städer hem place; hus house
bostadsadress -en -er permanent address
bostadsbidrag -et = accomodation allowance
bostadshus -et = house; större residential block
bostadslös *adj* homeless
bostadsrätt -en -er tenant ownership
bostadsrättslägenhet -en -er cooperative flat
bosätta *verb*, ***~ sig*** settle down
bot -en remedy
bota *verb* cure
botanik -en botany
botanisk *adj* botanical
botemed|el -let = remedy, cure
bott|en -nen -nar bottom
bottenvåning -en -ar ground floor
bottna *verb* touch bottom
boule -n boules
boulevard -en -er boulevard
bourgogne -n -r burgundy
bov -en -ar villain; förbrytare criminal
bowling -en bowling
bowlinghall -en -ar bowling alley
box -en -ar box
boxas *verb* box
box|er -ern -rar boxer
boxning -en -ar boxing
bra I *adj* **1** good; utmärkt excellent; ***det är ~ så*** that's enough, thank you **2** frisk well **II** *adv* well; ***tack ~*** fine, thank you
bragd -en -er exploit
brak -et = crash
braka *verb* crash
brand -en bränder fire
brandbil -en -ar fire engine
brandfara -n danger of fire
brandgul *adj* orange
brandkår -en -er fire brigade

brand|man -mannen -män fireman
brandredskap -et = firefighting equipment
brandsläckare -n = fire extinguisher
brandstation -en -er fire station
brandsteg|e -en -ar fire escape
brandvarnare -n = fire alarm
bransch -en -er line of business
brant I *adj* steep **II** -en -er precipice
bras|a -an -or fire
bravo *interj* bravo!
bre *verb*, ***~ en smörgås*** make* a sandwich; ***~ 'på*** lay* it on thick
bred *adj* broad, wide
bredband -et data. broadband
bredbar *adj* easy-to-spread
bredd -en -er breadth
bredda *verb* broaden
breddgrad -en -er latitude
bredsid|a -an -or broadside
bredvid I *prep* beside; om hus o.d. next door to **II** *adv* close by; ***hon bor i huset ~*** she lives next door
brev -et = letter
brevbärare -n = postman
brevlåd|a -an -or letterbox
brevpapper -et = stationery
brevporto -t -n postage
brevvåg -en -ar letter scales
brevvän -nen -ner pen friend, vard. pen pal
brevväxla *verb* correspond
brick|a -an -or **1** för servering tray **2** för tekniskt bruk washer **3** för identifiering badge **4** spelbricka counter
bridge -n bridge
briljant I *adj* brilliant **II** *adv* brilliantly **III** -en -er brilliant
briljera *verb* show* off
bring|a -an -or breast
brinna *verb* burn*
brinnande *adj* burning
bris -en -ar (-er) breeze
brist -en -er avsaknad lack; knapphet shortage; bristfällighet deficiency; ***det råder ~ på ngt*** there is a shortage of sth.
brista *verb* burst; ***~ ut i skratt*** burst into laughter
bristfällig *adj* defective
bristningsgräns -en -er breaking-point
brits -en -ar bunk
britt -en -er Briton, vard. Brit
brittisk *adj* British
bro -n -ar bridge
broccoli -n broccoli
brodera *verb* embroider
broderi -et -er embroidery

brokig *adj* motley
1 broms -en -ar på fordon o.d. brake
2 broms -en -ar insekt gadfly
bromsa *verb* brake
bromsljus -et = brake light
bromsolj|a -an -or brake fluid
bromspedal -en -er brake pedal
bromsvätsk|a -an -or brake fluid
bronkit -en -er bronchitis
brons -en bronze
bror brodern bröder brother
brors|dotter -dottern -döttrar niece
bror|son -sonen -söner nephew
brosch -en -er brooch
broschyr -en -er brochure
brosk -et = cartilage
brott -et = **1** förbrytelse crime; kränkning violation **2** benbrott fracture
brottas *verb* wrestle
brottning -en -ar wrestling
brottslig *adj* criminal
brottslighet -en crime
brottsling -en -ar criminal
brud -en -ar bride
brudgum -men -mar bridegroom
brudklänning -en -ar wedding dress
brudnäbb -en -ar flicka bridesmaid; pojke page
brudpar -et = bridal couple
bruk -et = **1** användning use; ***för utvärtes ~*** for external use **2** fabrik works **3** murbruk mortar
bruka *verb* **1** använda use **2** odla cultivate **3** ha för vana, ***vi brukar äta vid den tiden*** we usually have dinner at that time
bruksanvisning -en -ar instructions for use
brumma *verb* growl
brun *adj* brown
brunn -en -ar well
brunögd *adj* brown-eyed
brus -et havets roar; störning i radio o.d. noise
brusa *verb* roar; ***~ upp*** lose* one's temper
brustablett -en -er effervescent tablet, vard. fizzy tablet
brutal *adj* brutal
brutalitet -en -er brutality
brutto *adv* gross
bry *verb*, ***~ sig om ngt*** pay* attention to sth.; ***~ sig om ngn*** care about sb.; ***han bryr sig inte*** he just doesn't care
1 brygg|a -an -or bridge; för landning landing-stage
2 brygga *verb* brew

bryggeri -et -er brewery
brylépudding -en -ar caramel custard
bryna *verb* steka brown
Bryssel Brussels
brysselkål -en Brussels sprouts
bryta *verb* break*; förbindelse break* off; i uttal speak* with an accent; ***~ benet*** break* one's leg; ***samtalet bröts*** the call was cut off; ***~ sig in i ngt*** break* into sth.; ***det har brutit ut en epidemi*** an epidemic has broken out
brytning -en -ar **1** breaking; oenighet breach **2** i uttal accent
bråck -et = hernia
brådska I -n hurry **II** *verb*, ***det brådskar*** it is urgent
brådskande *adj* urgent
1 bråk -et = **1** buller noise **2** besvär trouble
2 bråk -et = matematiskt uttryck fraction
bråka *verb* **1** väsnas be* noisy **2** krångla make* a fuss
bråkdel -en -ar fraction; ***en ~ av en sekund*** a split second
bråkig *adj* bullersam noisy; besvärlig troublesome
bråkstak|e -en -ar troublemaker
brås *verb*, ***~ på ngn*** take* after sb.
bråttom *adv*, ***ha ~*** be in a hurry
bräcklig *adj* skör fragile; skröplig frail
bräd|a -an -or board
brädd -en -ar brim
bräde -t -r (-n) board
brädsegling -en -ar sailboarding
bränna *verb* burn*; ***~ sig*** burn* oneself
brännas *verb* burn*; ***det bränns!*** du är nära you're getting close!
brännblås|a -an -or blister
brännskad|a -an -or burn
brännsår -et = burn
brännvidd -en -er focal distance
brännvin -et schnaps
brännässl|a -an -or stinging nettle
bränsle -t -n fuel
bränslesnål *adj* economical
bröd -et = bread; frukostbröd roll
brödkak|a -an -or round loaf
brödkniv -en -ar breadknife
brödrost -en -ar toaster
brödskiv|a -an -or slice of bread
bröllop -et = wedding

bröllopsdag -en -ar wedding day
bröllopsres|a -an -or honeymoon
bröst -et = breast; barm bosom; bröstkorg chest
bröstcanc|er -ern -rar breast cancer
bröstfick|a -an -or breast pocket
bröstkorg -en -ar chest
bua *verb* boo; ***~ åt ngn*** boo at sb.
bubbelpool -en -er whirlpool bath
bubbl|a I -an -or bubble **II** *verb* bubble
buckl|a -an -or dent
bucklig *adj* dented
bud -et = **1** budskap message; person från budfirma messenger; ***skicka ngt med ~*** send* sth. by messenger; ***skicka ~ till ngn*** send* sb. a message **2** anbud offer; på auktion bid
buddism -en Buddhism
buddist -en -er Buddhist
budget -en -ar budget
budskap -et = message
buffé -n -er buffet
buff|el -eln -lar djur buffalo; person lout, boor
buffert -en -ar buffer
buga *verb*, ***~ sig*** bow
buk -en -ar belly
bukett -en -er bouquet; liten nosegay
bukt -en -er vik bay
bul|a -an -or bump
bulgar -en -er Bulgarian
Bulgarien Bulgaria
bulgarisk *adj* Bulgarian
bulgarisk|a -an **1** pl. -or kvinna Bulgarian woman **2** språk Bulgarian
buljong -en -er soppa clear soup; avkok stock
buljongtärning -en -ar stock cube
bulldogg -en -ar bulldog
bull|e -en -ar bun
bull|er -ret = noise
bullra *verb* make* a noise
bult -en -ar bolt
bulta *verb* dunka pound; om puls throb
bumerang -en -er boomerang
bums *adv* right away
bungalow -en -er bungalow
bunk|e -en -ar av metall pan; av porslin bowl
bunt -en -ar packet; ***hela bunten*** the whole lot
bunta *verb*, ***~ ihop ngt*** make sth. up into bundles
bur -en -ar cage; målbur goal

burk -en -ar pot; konservburk (av metall) tin; ***på ~*** tinned
burköppnare -n = tin opener
busa *verb* be up to mischief
bus|e -en -ar ruffian
busig *adj* bråkig noisy; livlig lively
busk|e -en -ar bush
buss -en -ar bus; för turism coach
busschaufför -en -er bus driver
bussförbindelse -n -r bus connection
busshållplats -en -er bus stop
bussig *adj* nice
busslinje -n -r bus service
bussres|a -an -or bus ride
bussterminal -en -er bus terminal
butelj -en -er bottle
butik -en -er shop
butter *adj* sullen
by -n -ar litet samhälle village
bygd -en -er district
byg|el -eln -lar loop
bygga *verb* **1** build*; ***~ om ett hus*** rebuild* a house **2** ***vara kraftigt byggd*** be powerfully built
bygge -t -n building project
byggnad -en -er building
byggsats -en -er do-it-yourself kit
byrå 1 -n -ar möbel chest of drawers **2** -n -er kontor office
byråkrati -n -er bureaucracy
byråläd|a -an -or drawer
byst -en -er bust
bysthållare -n = brassiere
byta *verb* change; vid byteshandel trade; ***~ om*** change; ***~ ut A mot B*** exchange A for B
byte -t -n **1** utbyte exchange **2** rov booty; vid jakt quarry
byxfick|a -an -or trouser pocket
byxkjol -en -ar culottes
byxor pl. trousers
båda *pron* both; ***de ~ flickorna*** the two girls
bådadera *pron* both
både *konj*, ***~ flugor och getingar*** both flies and wasps
båg|e -en -ar **1** kroklinje curve **2** pilbåge bow **3** vard., motorcykel bike, motorcycle
1 bål -en -ar kroppsdel trunk
2 bål -en -ar dryck punch
3 bål -et = brasa bonfire
bår -en -ar stretcher
bård -en -er border
bårhus -et = mortuary
bås -et = stall
båt -en -ar boat
båtres|a -an -or voyage
båttur -en -er trip by boat

bäck -en -ar brook
bäcken -et = **1** kroppsdel pelvis **2** potta bedpan
bädd -en -ar bed
bädda *verb*, **~ *sängen*** make* one's bed
bäddsoff|a -an -or sofa bed
bägare -n = cup
bägge *pron* both
bälte -t -n belt
bända *verb* prize; **~ *upp ngt*** prize sth. open
bänk -en -ar bench
bänkrad -en -er row
bär -et = berry
bära *verb* carry; vara klädd i wear*; **~ *sig*** löna sig pay*; **~ *in*** (***ut***) ***ngt*** carry in (out) sth.; **~ *sig dumt åt*** behave badly
bärare -n = carrier; stadsbud porter
bärga *verb* **1** rädda save; bil tow; fartyg salvage **2 ~ *sig*** contain oneself
bärgningsbil -en -ar breakdown lorry
bärkass|e -en -ar carrier bag
bärnsten -en -ar amber
bäst I *adj* best; ***det är ~ att stanna*** we had better stay **II** *adv* best
bästa, ***göra sitt ~*** do one's best
bättra *verb* improve; ***hon har bättrat sig*** she has improved; **~ *på ngt*** touch up sth.
bättre *adj* o. *adv* better
bäva *verb* tremble
bävan en ~, best. form = fear
bäv|er -ern -rar beaver
böckling -en -ar buckling
bög -en -ar gay
böja *verb* bend; **~ *sig*** bend down
böjelse -n -r inclination
böjning -en -ar **1** böjande bending **2** bukt curve
böld -en -er boil
bön -en -er **1** anhållan request **2 *be en ~*** say* a prayer
bön|a -an -or bean
bönfalla *verb* plead
böra *verb*, ***du bör*** (***borde***) ***sluta röka*** you should stop smoking; ***han borde vara här snart*** he should be here soon
börd|a -an -or burden
bördig *adj* fruktbar fertile
börja *verb* begin*, start; **~ *om*** start all over again
början en ~, best. form = beginning; ***från ~*** from the beginning
börs -en **1** pl. -er fondbörs exchange **2** pl. -ar portmonnä purse
böss|a -an -or gun

böta *verb* pay* a fine
böter pl. fine; ***få 1.000 kronor i ~*** be fined 1,000 kronor

Cc

c c-et c-n c [utt. si]
cabriolet -en -er convertible
café -et -er café
campa *verb* camp, go camping
campare -n = camper
camping -en camping
campingplats -en -er camping ground
canc|er -ern -rar cancer
cancertumör -en -er tumour
cape -n -r cape
cardigan -en -er (-s) cardigan
cd-skiv|a -an -or CD
cd-spelare -n = CD player
cell -en -er cell
cellist -en -er cellist
cello -n -r cello
Celsius, *10 grader ~* 10 degrees Celsius
cembalo -n -r harpsichord
cement -en (-et) cement
cendré *adj* ash-blond
censur -en censorship
censurera *verb* censor
cent -en = cent
Centerpartiet the Centre Party
centiliter -n = centilitre
centimeter -n = centimetre

central I -en -er centre **II** *adj* central
centralstation -en -er central station
centralvärme -n central heating
centrifug -en -er spin-drier
centrifugera *verb* spin-dry
centrum -et = centre
cerat -et = lipsalve
ceremoni -n -er ceremony
certifikat -et = certificate
champagne -n -r champagne
champinjon -en -er mushroom, champignon
chans -en -er chance
chansa *verb* take* a chance
charkuteriaffär -en -er butcher's
charkuterivaror pl. delicatessen
charm -en charm
charmig *adj* charming
charterflyg -et = flygning charter flight
charterres|a -an -or charter trip (tour)
chartra *verb* charter
chassi -t -er chassis
chaufför -en -er driver
check -en -ar (-er) cheque; ***betala med*** ~ pay* by cheque
checka *verb*, ~ ***in*** check in; ~ ***ut*** check out
checkhäfte -t -n cheque book
chef -en -er head; direktör manager, vard. boss
chic *adj* chic
chip -et -s datachip chip
chips pl. potatischips crisps
chock -en -er shock
chockad *adj* shocked
chockera *verb* shock
chok|e -en -ar choke
choklad -en -er chocolate
chokladask -en -ar box of chocolates
chokladkak|a -an -or godis bar of chocolate
chokladmousse -n -r chocolate mousse
chokladsås -en -er chocolate sauce
cider -n cider
cigarett -en -er cigarette
cigarettetui -et -er (-n) cigarette case
cigarettfimp -en -ar cigarette end, butt
cigarettpaket -et = packet of cigarettes
cigarettändare -n = lighter
cigarill -en -er cigarillo
cigarr -en -er cigar
cirka *adv* about, roughly
cirk|el -eln -lar circle
cirkulera *verb* circulate
cirkus -en -ar circus

cistern -en -er tank
citat -et = quotation
citera *verb* quote
citron -en -er lemon
citrongräs -et lemon grass
citronklyft|a -an -or lemon wedge
citronsaft -en -er lemon juice
city -t -n centre
civil *adj* civil, civilian
civilbefolkning -en -ar civilian population
civilisation -en -er civilization
civilklädd *adj* ... in civilian clothes
civilstånd -et = civil status
clementin -en -er clementine
clips -et = earclip
clown -en -er clown
c/o care of
cockerspaniel -n -ar (-s) cocker spaniel
cocktail -en -ar cocktail
collie -n -r collie
comeback -en -er comeback; *göra* ~ make* a comeback
contain|er -ern -rar container
copyright -en copyright
cornflakes pl. cornflakes
cortison -et cortisone
crème fraiche® -n crème fraiche
crêpe -n -s crepe
cup -en -er cup
curry -n krydda curry powder
cyk|el -eln -lar cycle, vard. bike
cykelban|a -an -or cycle path
cykelbyxor pl. tights
cykeldäck -et = cycle tyre
cykelhjälm -en -ar cycle helmet
cykelled -en -er cycle lane
cykelpump -en -ar cycle pump
cykelslang -en -ar cycle tube
cykeltur -en -er cycle ride
cykeluthyrning -en -ar cycle hire service
cykla *verb* cycle, vard. bike
cyklist -en -er cyclist
cyklopög|a -at -on mask
cylind|er -ern -rar cylinder
cymbal -en -er cymbal
Cypern Cyprus
cypress -en -er cypress

Dd

d d-et d-n d [utt. di]
dad|el -eln -lar date
dag -en -ar day; ***i ~*** today; ***vad är det för ~ i ~?*** what day is it today?; ***en gång om dagen*** once a day; ***på dagen*** in the daytime
dag|bok -boken -böcker diary
dagg -en dew
daggmask -en -ar earthworm
daghem -met = daycare centre
daglig *adj* daily
dagligen *adv* daily
dagmamm|a -an -or childminder
dags *adv*, ***hur ~?*** what time?; ***det är ~ att åka*** it's time to leave
dagsljus -et daylight
dagstidning -en -ar daily paper
dagtid, *på ~* in the daytime
dahli|a -an -or dahlia
dal -en -ar valley
dala *verb* sink
Dalarna Dalecarlia
dalskid|a -an -or downhill ski
dam -en -er **1** lady **2** i kortspel el. schack queen
dambind|a -an -or sanitary towel
dambyxor pl. ladies' trousers
damcyk|el -eln -lar lady's bicycle
damfrisering -en -ar ladies' hairdresser
damkläder pl. ladies' wear
damkonfektion -en -er ladies' wear
1 damm -en -ar **1** fördämning dam **2** vattensamling pond
2 damm -et stoft dust
damma *verb* **1** städa dust; ***~ av ngt*** dust sth. **2** röra upp damm raise a great deal of dust
dammig *adj* dusty
dammsuga *verb* vacuum
dammsugare -n = vacuum cleaner
dammtras|a -an -or duster
damrum -met = ladies' cloakroom
damsko -n -r lady's shoe
damtidning -en -ar ladies' magazine
damtoalett -en -er ladies' cloakroom, vard. ladies'
Danmark Denmark
dans -en -er dance
dansa *verb* dance
dansban|a -an -or dance floor
dansk I *adj* Danish **II** -en -ar Dane
dansk|a -an **1** pl. -or kvinna

Danish woman **2** språk Danish
dansmusik -en dance music
dansställe -t -n dance hall
dansör -en -er dancer
dansös -en -er dancer
darra *verb* tremble
dass -et = vard. loo
1 data -n datasystem o.d. computer; ***ligga på ~*** be* on computer
2 data pl. fakta facts
datanät -et = computer network
dataregist|er -ret = computerized data bank
dataskärm -en -ar monitor
dataspel -et = computer game
dataterminal -en -er computer terminal
datavirus -et = computer virus
dataåldern, ***i ~*** in the computer age
datera *verb* date
dator -n -er computer
datorisering -en -ar computerization
datum -et = date
datumstämp|el -eln -lar date stamp
de *pron* they; ***~ som vet*** those who know; ***~ här är bättre än ~ där*** these are better than those
debatt -en -er debate
debattera *verb* debate
debitera *verb* charge
debut -en -er debut
debutera *verb* make* one's debut
december oböjl. December; ***i ~*** in December
decenni|um -et -er decade
decibel en ~, pl. = decibel
deciliter -n = decilitre
decimal -en -er decimal
decimeter -n = decimetre
deckare -n = **1** bok el. film detective story **2** person private eye
defekt I -en -er defect **II** *adj* defective
defensiv I -en defensive **II** *adj* defensive
definiera *verb* define
definition -en -er definition
definitiv *adj* definite
defrost|er -ern -rar defroster
deg -en -ar dough; för paj pastry
deklaration -en -er declaration; självdeklaration income tax return
deklarera *verb* **1** göra sin självdeklaration make* one's tax return **2** ståndpunkt o.d. declare
dekor -en -er décor

dekoration -en -er decoration
dekorera *verb* decorate
del -en -ar 1 part 2 ***en hel ~ människor*** a lot of people; ***en hel ~ pengar*** a lot of money; ***till stor ~*** to a large extent 3 andel share 4 ***få ~ av ngt*** be informed of sth.
dela *verb* 1 divide; dela med ngn share; ***~ ngt med 5*** divide sth. by 5; ***~ på notan*** split the bill 2 ***~ sig*** divide
delaktig *adj*, ***vara ~ i*** take* part in
delaktighet -en i brott complicity
delegation -en -er delegation
delfin -en -er dolphin
delge *verb*, ***~ ngn ngt*** inform sb. of sth.
delikat *adj* om mat delicious
delikatess -en -er delicacy
delpension -en -er partial pension
dels *konj*, ***~ mor, ~ yrkeskvinna*** a mother as well as a career woman
delstat -en -er federal state
delta -t -n delta
deltaga *verb* 1 ***~ i*** take* part in 2 närvara be* present
deltagare -n = participant
deltid -en -er part-time
delvis I *adv* partly **II** *adj* partial
delägare -n = partner
dem *pron* them
dementera *verb* deny
demokrati -n -er democracy
demokratisk *adj* democratic
demon -en -er demon
demonstration -en -er demonstration
demonstrera *verb* demonstrate
den I *best art* the; ***~ blå stolen*** the blue chair **II** *pron* 1 it; ***~ ligger på golvet*** it is on the floor 2 ***jag tycker om ~ här men inte ~ där*** I like this one but not that one 3 om speciell person, ***du är ~ som känner mig bäst*** you are the one who knows me best; om alla ***~ som vill komma*** those who want to come; om sak ***köp ~ som är billigast*** buy the one that is cheapest
denna (*denne*) *pron* den här this; den där that; ***~ gång*** this time
densamma (*densamme*) *pron* the same
deodorant -en -er deodorant
departement -et = department
deponera *verb* deposit
deposition -en -er deposit

deppa *verb* feel* low
deppig *adj* depressed
depression -en -er depression
deprimerad *adj* depressed
deras *pron* their; ***den är ~*** it is theirs
desamma *pron* the same
design -en design
designer -n = (-s) designer
desinfektionsmed|el -let = disinfectant
desperat *adj* desperate
dess I *pron* its **II** *adv*, ***innan ~*** before then; ***till ~*** till then
dessa *pron* om saker these ones; ***~ människor*** these people; ***~ ord*** these words
dessert -en -er dessert
dessertsked -en -ar dessert spoon
dessertvin -et = dessert-wine
dessutom *adv* besides
desto *adv* the; ***ju förr ~ bättre*** the sooner the better
destruktiv *adj* destructive
det I *best art* the; ***~ blå huset*** the blue house **II** *pron* **1** it; ***~ ligger på bordet*** it is on the table **2** i uttryck som ***~ regnar*** it is raining **3** there när 'det' ersätter ett subst.; ***~ är en tjuv i garaget*** there is a thief in the garage **4** he, she el. they när 'det' är utbytbart mot 'han, hon el. de'; ***~ är en kollega till mig*** she is a colleague of mine **5** what när 'det som' är utbytbart mot 'vad som'; ***~ som måste göras*** what must be done
detalj -en -er detail
detaljhandel -n retail trade
detektiv -en -er detective
detektivroman -en -er detective story
detsamma *pron* the same
detta se *denna*
devalvering -en -ar devaluation
1 dia *verb* suck; ge di suckle
2 di|a -an -or slide
diabetes en ~, best. form = diabetes
diabetiker -n = diabetic
diabild -en -er slide
diagnos -en -er diagnosis
diagonal I -en -er diagonal **II** *adj* diagonal
diagram -met = diagram
dialekt -en -er dialect
dialog -en -er dialogue
diamant -en -er diamond
diamet|er -ern -rar diameter
diarré -n -er diarrhoea
dieselolj|a -an -or diesel oil
diet -en -er diet; ***hålla ~*** be on a diet
diffus *adj* diffuse

difteri -n diphtheria
dig *pron* you
digitalkamer|a -an -or digital camera
dike -t -n ditch
dikt -en -er **1** poem poem **2** diktning m.m. fiction
dikta *verb* skriva vers write* poetry
diktare -n = författare writer; poet poet
diktator -n -er dictator
diktatur -en -er dictatorship
diktsamling -en -ar collection of poems
dilemma -t -n dilemma
dill -en dill
dimension -en -er dimension
dimm|a -an -or fog; lättare mist; dis haze
din (*ditt* el. *dina*) *pron* your; ***den är ~*** it is yours
diplom -et = diploma
diplomat -en -er diplomat
diplomatisk *adj* diplomatic
direkt I *adj* direct **II** *adv* straight, directly
direktiv -et = instructions
direktsändning -en -ar live broadcast
direktör -en -er director
dirigent -en -er conductor
dirigera *verb* direct; orkester conduct
dis -et haze
disciplin -en discipline
disco -t -n disco
disig *adj* hazy
1 disk -en -ar **1** i affär counter; i bar bar **2** i dator disc, disk
2 disk -en -ar odiskad disk dishes
1 diska *verb* rengöra wash up
2 diska *verb* diskvalificera disqualify
diskbänk -en -ar sink
diskett -en -er disk
diskmaskin -en -er dishwasher
diskmed|el -let = washing-up detergent
diskotek -et = discotheque, vard. disco
diskret I *adj* discreet **II** *adv* discreetly
diskriminera *verb*, ***~ ngn*** discriminate against sb.
diskriminering -en -ar discrimination
disktras|a -an -or dishcloth
diskus -en -ar discus
diskussion -en -er discussion
diskutera *verb* discuss
diskvalificera *verb* disqualify
dispens -en -er exemption
disponera *verb*, ***~ över ngt*** have* sth. at one's disposal
dispyt -en -er dispute
distans -en -er distance

distrahera *verb* disturb
distribuera *verb* distribute
distribution -en -er distribution
distrikt -et = district
disträ *adj* absent-minded
dit *adv* there; ~ ***bort*** over there
ditt se *din*
dittills *adv* up to then
ditåt *adv* in that direction
diverse *adj* various
dividera *verb* **1** resonera argue **2** ~ ***med sex*** divide by six
division -en -er division
djung|el -eln -ler jungle
djup I *adj* deep; ~ ***tallrik*** soup plate **II** -et = depth
djupfryst *adj* frozen
djur -et = animal
djurpark -en -er zoological park
djurplågeri -et cruelty to animals
djurvän -nen -ner animal lover
djärv *adj* bold
djävla *adj* o. *adv* bloody
djävlig *adj* bloody nasty
djävul -en djävlar devil
docent -en -er senior lecturer
dock *adv* o. *konj* likväl yet; emellertid however
dock|a -an -or leksak doll
dockskåp -et = doll's house
doft -en -er scent
dofta *verb* smell
doktor -n -er doctor
dokument -et = document
dokumentärfilm -en -er documentary
dold *adj* hidden
dolk -en -ar dagger
dollar -n = dollar
1 dom *pron* them
2 dom -en -ar judgment; i brottmål sentence; jurys utslag verdict; ***fällande ~*** conviction; ***friande ~*** acquittal
domare -n = judge; i tennis m.m. umpire; i fotboll el. boxning referee
domherr|e -en -ar bullfinch
dominera *verb* dominate
domino -t spel dominoes
domkraft -en -er jack
domkyrk|a -an -or cathedral
domna *verb* go numb
domstol -en -ar court of law
Donau the Danube
donera *verb* donate
dop -et = christening
dopa *verb* dope
doping -en doping
dopp -et = ; ***ta sig ett*** ~ have* a dip
doppa *verb* dip; ~ ***sig*** have* a dip

dos -en -er dose
dos|a -an -or box
dosera *verb* dose
dotter -n döttrar daughter
dotter|dotter -dottern -döttrar granddaughter
dotter|son -sonen -söner grandson
dov *adj* dull
dra *verb* **1** draw*; kraftigare pull; ***det drar*** there's a draught; ***~ av ngt från ngt*** deduct sth. from sth.; ***~ ifrån ngt från ngt*** take* away sth. from sth. **2** förbruka use **3** ***~ sig för att göra ngt*** hesitate to do sth.
drabba *verb* hit*
drag -et = **1** ryck pull **2** i spel move **3** särdrag, anletsdrag feature **4** luftdrag draught **5** fiskredskap trolling spoon
dragkedj|a -an -or zip
dragning -en -ar **1** i lotteri draw **2** attraktion attraction
dragningskraft -en -er attraction
dragningslist|a -an -or lottery prize list
dragon -en krydda tarragon
dragspel -et = accordion
drak|e -en -ar dragon; pappersdrake kite
dram|a -at -er drama
dramatik -en drama
dramatisk *adj* dramatic
draperi -et -er drapery
drastisk *adj* drastic
dregla *verb* dribble
dreja *verb* lergods turn
dressera *verb* train
drick|a I *verb* drink* **II** -an -or soft drink
dricks -en tip
dricksglas -et = drinking-glass
drickspengar pl. tip
dricksvatt|en -net drinking-water
drift -en **1** pl. -er begär drive **2** verksamhet operation; ***billig i ~*** economical
drink -en -ar drink
driv|a I -an -or drift **II** *verb* **1** drive*; om moln, båt etc. drift **2** ***~ med ngn*** pull sb.'s leg
drivmed|el -let = fuel
drog -en -er drug
dropp -et drip
droppa *verb* drip
dropp|e -en -ar drop
drottning -en -ar queen
drummel -n drumlar lout
drunkna *verb* be drowned
druv|a -an -or grape
druvsaft -en -er grape-juice
druvsock|er -ret dextrose

dryck -en -er drink; tillagad beverage
dryg *adj* 1 högfärdig haughty 2 som räcker lasting 3 väl tilltagen liberal; ***en ~ kilometer*** a good kilometre 4 betungande heavy
dråp -et = manslaughter
dräglig *adj* tolerable
dräkt -en -er dress; jacka o. kjol suit
dräng -en -ar farmhand
dränka *verb* drown
dräpa *verb* kill
dröja *verb*, ***var god och dröj!*** hold on, please!; ***det dröjer länge innan han är färdig*** it will be a long time before he has finished
dröjsmål -et = delay
dröm -men -mar dream
drömma *verb* dream*; ***~ om*** i sömn dream* about; vaken dream* of
du *pron* you
dubb -en -ar stud
dubba *verb* film dub
dubbdäck -et = studded tyre
dubb|el I *adj* double **II** -eln -lar i t.ex. tennis doubles
dubbelknäppt *adj* double-breasted
dubbelmoral -en double standard
dubbelrum -met = double room
dubbelsäng -en -ar double bed
dubblera *verb* double
dubblett -en -er 1 extra exemplar duplicate 2 två rum two-roomed flat
Dublin Dublin
ducka *verb* duck
duell -en -er duel
duett -en -er duet
duga *verb*, ***det får ~*** that will do
dugga *verb* drizzle
duggregn -et = drizzle
duk -en -ar cloth; för segel canvas
duka *verb*, ***~ bordet*** lay* the table; ***~ av*** clear the table; ***~ fram ngt*** put* sth. on the table
duktig *adj* good, clever
dum *adj* stupid
dumhet -en -er egenskap stupidity; handling stupid thing
dun -et = down
dund|er -ret = rumble; ***med ~ och brak*** with a crash
dundra *verb* thunder
dung|e -en -ar clump of trees
1 dunk -en -ar behållare can
2 dunk -en -ar dunkande thumping

dunka *verb* thump; ~ ***ngn i ryggen*** slap sb. on the back
dunk|el I *adj* obscure **II** -let dusk
duns -en -ar thud
dunsa *verb* thud
duntäcke -t -n duvet
dur oböjl. major
durkslag -et = colander
dusch -en -ar shower
duscha *verb* have* a shower
dussin -et = dozen
dust -en -er fight
duv|a -an -or pigeon
dvala -n lethargy
dvd dvd:n dvd-skivor DVD (förk. för *digital versatile disc*)
dvärg -en -ar dwarf
dy -n mud
dygd -en -er virtue
dygn -et = 24 hours
dyka *verb* dive; ~ ***upp*** turn up
dykare -n = diver
dykning -en -ar diving
dylik *adj* ... like that
dyn|a -an -or cushion
dynamisk *adj* dynamic
dynamit -en dynamite
dynga -n dung
dyr *adj* expensive
dyrbar *adj* **1** expensive **2** värdefull valuable
dyrgrip -en -ar article of great value
1 dyrka *verb*, ~ ***upp ett lås*** pick a lock
2 dyrka *verb* tillbedja worship
dysenteri -n dysentery
dyster *adj* gloomy
då I *adv* then; ~ ***och*** ~ now and then; ~ ***så!*** well, then; ***vem ~?*** who? **II** *konj* **1** när when; ~ ***jag var barn*** when I was a child **2** eftersom as
dålig *adj* bad; krasslig poorly, ill; ***hon känner sig*** ~ she doesn't feel well
dån -et = roar
dåna *verb* roar
dår|e -en -ar fool
dåsa *verb* doze
dåsig *adj* drowsy
dåvarande *adj*, ***den ~ ägaren*** the then owner
däck -et = **1** på båt o.d. deck **2** på hjul tyre
däggdjur -et = mammal
dämpa *verb* minska reduce; ~ ***belysningen*** soften the lighting
där *adv*, ~ ***borta*** over there; ***så ~ ja!*** well, that's that; ~ ***hon sitter*** where she is sitting
därefter *adv* after that
däremot *adv* on the other hand
därför *adv* therefore; ~ ***att*** because; ***det är ~ som hon***

aldrig kom that's why she never came
däribland *adv* among them
därifrån *adv* from there
därmed *adv* with that
därutöver *adv* in addition
dö *verb* die; ***~ ut*** die out
död I *adj* dead **II** -en -ar death
döda *verb* kill
dödlig *adj* lethal
dödlighet -en mortality
dödsannons -en -er obituary notice
dödsbädd -en -ar deathbed
dödsdom -en -ar death sentence
dödsfall -et = death
dödsoff|er -ret = casualty
dödsolyck|a -an -or fatal accident
dödsstraff -et = capital punishment
dölja *verb* conceal; maskera äv. disguise; ***~ sig*** hide
döma *verb* judge; ***~ ngn till två års fängelse*** sentence sb. to two years' imprisonment
döpa *verb* baptize; ge namn christen
dörr -en -ar door
dörrhandtag -et = doorhandle
dörrnyck|el -eln -lar doorkey
dörrvakt doorman; utkastare bouncer
döv *adj* deaf
dövstum *adj* deaf and dumb

Ee

e e-et e-n e [utt. i]
eau-de-cologne -n eau-de-Cologne
eau-de-toilette -n toilet water
ebb -en ebb, low tide
ed -en -er oath
effekt -en -er effect; tekniskt o.d. power
effektfull *adj* striking
effektförvaring -en -ar left-luggage office
effektiv *adj* **1** om person efficient **2** om sak effective
effektivitet -en efficiency
efter *prep* after; ***längta ~*** long for
efterbliven *adj* backward
efterforskning -en -ar investigation, inquiry
efterfråg|an en ~, pl. -ningar demand
1 efterhand *adv* gradually
2 efterhand, *i ~* afterwards
efterhängsen *adj* persistent
efterlysa *verb* look for; ***vara efterlyst*** be wanted
efterlysning -en -ar som rubrik Wanted
efterlämna *verb* leave*
efterlängtad *adj*, ***en ~ semester*** a longed-for holiday
eftermiddag -en -ar afternoon; ***i eftermiddags*** this afternoon; ***på eftermiddagen*** in the afternoon; ***klockan 4 på eftermiddagen*** at 4 o'clock in the afternoon
efternamn -et = surname, family name
efterrätt -en -er dessert, vard. afters
efterskott, *betala i ~* pay* after delivery
efterskänka *verb* remit
eftersom *konj* since, as
eftersträva *verb* aim at
eftersända *verb* forward
eftersändes *verb* please forward
eftersökt *adj* in great demand
eftertanke -n reflection
efterträda *verb* succeed
efterträdare -n = successor
eftertänksam *adj* thoughtful
efteråt *adv* afterwards
Egeiska havet the Aegean Sea
egen *adj* **1** ***ha ett eget hus*** have* a house of one's own, have* one's own house; ***för ~ del*** for my own part; ***på ~***

hand on one's own **2** säregen peculiar
egendom -en -ar property; ***fast*** ~ real estate
egendomlig *adj* strange, odd
egendomlighet -en -er peculiarity
egenkär *adj* conceited
egenskap -en -er **1** drag quality **2** ställning, roll capacity
egentlig *adj* real
egentligen *adv* really, actually
egg -en -ar edge
egga *verb* excite
egoist -en -er egoist
egoistisk *adj* egoistic
ek -en -ar oak
1 ek|a -an -or rowing-boat
2 eka *verb* echo
EKG ECG, electrocardiogram
eko -t -n echo
ekologi -n ecology
ekologisk *adj* ecological
ekonom -en -er economist
ekonomi -n economy; vetenskap economics
ekonomiförpackning, ***i ~*** in economy-size
ekonomisk *adj* **1** economic; finansiell financial **2** sparsam economical
ekorr|e -en -ar squirrel
eksem -et = eczema
ekvatorn best. form equator
elak *adj* naughty; ond evil, wicked
elakartad *adj* malignant
elastisk *adj* elastic
eld -en -ar fire; ***fatta ~*** catch* fire; ***göra upp ~*** make* a fire; ***har du ~?*** have you got a light?
elda *verb* göra upp eld light a fire
eldfast *adj* fireproof
eldning -en -ar för att värma upp heating
eldsläckare -n = fire extinguisher
eld|stad -staden -städer fireplace
eldsvåd|a -an -or fire
elefant -en -er elephant
elegant I *adj* smart; elegant **II** *adv* smartly
elektricitet -en electricity
elektriker -n = electrician
elektrisk *adj* eldriven electric; som rör elektricitet electrical
element -et = **1** element **2** för värme radiator
elementär *adj* elementary; basic
elev -en -er pupil; vid högre läroanstalter student
elfenben -et ivory

elfte *räkn* eleventh
elgitarr -en -er electric guitar
eliminera *verb* eliminate
elit -en -er elite
eller *konj* or; ***hon vill komma, ~ hur?*** she wants to come, doesn't she?
elspis -en -ar electric cooker
elva *räkn* eleven; för sammansättningar med elva jfr *fem* o. *femton* med sammansättningar
elvisp -en -ar electric mixer
elvärme -n electric heating
elände -t -n misery
eländig *adj* miserable
emalj -en -er enamel
emballage -t = packing
emellan I *prep* mellan två between; mellan flera among **II** *adv* between
emellanåt *adv* occasionally
emellertid *adv* o. *konj* however
emigrant -en -er emigrant
emigrera *verb* emigrate
emot *adv*, ***mitt ~*** opposite
emotse *verb* look forward to
1 en -en -ar buske juniper
2 en (*ett*) **I** *räkn* one; för sammansättningar med en (ett) jfr *fem* med sammansättningar **II** *obest art* **1** a, framför vokalljud an **2** ***~ möbel*** a piece of furniture **3** i vissa tidsuttryck one; ***~ dag*** one day
1 ena *verb* unite; ***~ sig*** agree
2 ena *pron*, ***den ~ systern*** one sister
enastående I *adj* unique **II** *adv* exceptionally
enbart *adv* merely
enda (*ende*) *pron* only; ***den ~ katten utan svans*** the only cat without a tail; ***inte en ~ av dem*** not a single one of them; ***inte en ~ gång*** not once
endast *adv* only
endera (*ettdera*) *pron*, ***~ dagen*** one of these days
energi -n energy
energisk *adj* energetic
energisnål *adj* economical
enfaldig *adj* silly
enformig *adj* monotonous
engagemang -et = **1** anställning engagement **2** åtagande commitment
engagera *verb* **1** anställa engage **2** ***~ sig för ngt*** become* absorbed in sth.
engelsk *adj* English; brittisk British
engelsk|a -an **1** pl. -or kvinna Englishwoman **2** språk English

Engelska kanalen the English Channel
engels|man -mannen -män Englishman
England England; Storbritannien ofta Britain
engångsartik|el -eln -lar disposable article
enhet -en -er **1** del unit **2** endräkt unity
enhetlig *adj* uniform
enig *adj* unanimous
enighet -en samförstånd agreement; endräkt unity
enkel *adj* simple; inte dubbel single
enkelbiljett -en -er single ticket
enkelhet -en simplicity
enkelknäppt *adj* single-breasted
enkelriktad *adj* one-way
enkelrum -met = single room
enkät -en -er inquiry
enligt *prep* according to
enorm *adj* enormous
ensak, ***det är min ~*** that's my business
ensam *adj* allena alone; enstaka solitary; endast en single; som känner sig ensam lonely
ensamhet -en solitude; övergivenhet loneliness
ensamstående *adj* single
ense *adj*, ***vara ~*** agree
ensidig *adj* one-sided
enskild *adj* private; särskild separate
enslig *adj* solitary
enstaka *adj* occasional; ***någon ~ gång*** once in a while
entonig *adj* monotonous
entré -n -er **1** entrance **2** inträde admission
enträgen *adj* urgent
entusiasm -en enthusiasm
entusiastisk *adj* enthusiastic
entydig *adj* unambiguous
envis *adj* obstinate
envisas *verb* be obstinate
enväldig *adj* absolute
enäggstvillingar pl. identical twins
epidemi -n -er epidemic
epilepsi -n epilepsy
episod -en -er episode
epok -en -er epoch
e-post -en e-mail
er *pron* **1** you **2** your; ***den är ~*** it is yours
erbjuda *verb* offer
erbjudande -t -n offer
erektion -en -er erection
erfaren *adj* experienced
erfarenhet -en -er experience
erhålla *verb* receive

erkänna *verb* acknowledge; bekänna confess
erotik -en sex
erotisk *adj* sexual; erotic
ersätta *verb* **1** *~ ngn för ngt* compensate sb. for sth. **2** byta ut replace
ersättare -n = substitute
ersättning -en -ar **1** gottgörelse compensation **2** utbyte replacement
ertappa *verb* catch*
erövra *verb* conquer
espresso -n espresso
ess -et = spelkort ace
est -en -er Estonian
estet -en -er aesthete
estetisk *adj* aesthetic
Estland Estonia
estländare -n = Estonian
estnisk *adj* Estonian
estnisk|a -n **1** pl. -or kvinna Estonian woman **2** språk Estonian
estrad -en -er platform
etablera *verb* establish; *~ sig* establish oneself
etapp -en -er stage
etik -en ethics
etikett -en -er **1** regler etiquette **2** lapp label
etnisk *adj* ethnic
ett se 2 *en*
ett|a -an -or **1** one **2** lägenhet one-room flat
ettårig *adj* **1** *en ~ flicka* a one-year-old girl **2** som varar i ett år one-year
ettåring -en -ar barn one-year-old child
etui -et -er (-n) case
EU EU
euro -n = euro
Europa Europe
europamästare -n = European champion
europé -n -er European
europeisk *adj* European; *Europeiska Unionen* the European Union
evenemang -et = event
eventuell *adj* possible
evig *adj* eternal
evighet -en -er eternity; *det är evigheter sedan* it is ages since
exakt I *adj* exact **II** *adv* exactly
exam|en en ~, pl. -ina betyg degree; *ta en ~* graduate
exemp|el -let = example; fall instance; *till ~* for example
exemplar -et = copy
exil -en exile; *leva i ~* live in exile
existens -en -er existence
existera *verb* exist

exklusiv *adj* exclusive
exklusive *prep* excluding
exotisk *adj* exotic
expandera *verb* expand
expansion -en expansion
expediera *verb* **1** sända send* **2** betjäna serve **3** utföra carry out
expedit -en -er shop assistant
expedition -en -er **1** lokal office **2** resa expedition
experiment -et = experiment
experimentera *verb* experiment
expert -en -er expert
explodera *verb* explode
explosion -en -er explosion
export -en -er export; varor exports
exportera *verb* export
express *adv* express
expressbrev -et = express letter
expressionism -en expressionism
expresståg -et = express train
extas -en ecstasy
exteriör -en -er exterior
extra *adj* o. *adv* extra
extrasäng -en -ar extra bed
extrem *adj* extreme
eyeliner -n eyeliner

Ff

f f-et f f [utt. ef]
fabrik -en -er factory; för halvfabrikat mill
fabrikat -et = manufacture
facit ett ~, pl. = **1** bok key **2** lösning answer
fack -et = **1** i hylla compartment **2** yrkesgren branch **3** vard., fackförening union
fackförening -en -ar trade union
fackl|a -an -or torch
fack|man -mannen -män expert
fadd|er -ern -rar godfather, godmother
fader -n fäder father
fagott -en -er bassoon
Fahrenheit, ***32° ~*** 32° Fahrenheit motsvarar 0° Celsius
faktisk *adj* actual
faktor -n -er factor
faktum -et = (fakta) fact; ***~ är...*** the fact is...
faktur|a -an -or invoice
fakturera *verb* invoice
falk -en -ar falcon
fall -et = **1** fall **2** förhållande el. rättsfall case; ***i alla ~*** in any

case; ***i bästa*** ~ at best; ***i så*** ~ in that case; ***i värsta*** ~ at worst
falla *verb* 1 fall*; ~ ***ihop*** break* down; ~ ***omkull*** fall*; ~ ***sönder*** fall* to pieces 2 ~ ***sig*** happen; ***det föll mig in att...*** it struck me that...
fallenhet -en talent
fallfärdig *adj* ramshackle
fallgrop -en -ar pitfall
fallskärm -en -ar parachute
falsett -en -er falsetto
falsk *adj* false; ***falskt alarm*** false alarm
familj -en -er family
familjeföretag -et = family business
familjär *adj* familiar
famla *verb* grope
famn -en -ar armar arms
famntag -et = embrace
1 fan oböjl. the Devil; ***fy ~!*** hell!; ***det ger jag ~ i!*** I don't care a damn!; ***vem ~ har tagit mitt vinglas?*** who the hell took my glass of wine?
2 fan en ~, pl. fans beundrare fan
fan|a -an -or flag
fanatiker -n = fanatic
fanatisk *adj* fanatic
fanfar -en -er flourish
fantasi -n -er imagination
fantasifull *adj* imaginative
fantasilös *adj* dull
fantastisk *adj* fantastic
fantisera *verb* fantasize
far fadern fäder father, vard. dad
1 far|a -an -or danger; ***det är ingen ~ med honom*** there is no need to worry about him
2 fara *verb* 1 go*; ~ ***bort*** go* away 2 rusa rush; ~ ***fram*** carry on; ~ ***upp*** jump up 3 ~ ***illa*** be* badly treated
far|bror -brodern -bröder uncle
far|far -fadern -fäder grandfather, vard. granddad
farföräldrar pl. grandparents
farinsock|er -ret brown sugar
farled -en -er channel
farlig *adj* dangerous; ***det är väl inte så farligt?*** that's not so bad after all?
farm -en -ar (-er) farm
farmaceut -en -er pharmacist
far|mor -modern -mödrar grandmother, vard. grandma
fars -en -er farce
fars|a -an -or vard. dad
farstu -n -r hall
fart -en -er 1 hastighet speed 2 liv go
fartbegränsning -en -ar speed limit
fartyg -et = vessel

farvatten pl. waters
farväl -et = goodbye
fas -en -er skede phase
fas|a I -an -or ; ***fasor*** horrors **II** *verb*, ***~ för*** dread
fasad -en -er front, façade
fasan -en -er pheasant
fasansfull *adj* förfärlig horrible, terrible; ohygglig ghastly, vard. awful
fascinerad *adj* fascinated
fascist -en -er Fascist
fashionabel *adj* fashionable
fason -en -er **1** form shape **2** beteende manners
1 fast I *adj* firm; fastsatt fixed; ***~ anställning*** a permanent job **II** *adv* firmly; ***vara ~ besluten*** be determined
2 fast *konj* though
fast|a I -an -or fast **II** *verb* fast
fast|er -ern -rar aunt
fastighet -en -er house
fastighetsmäklare -n = estate agent
fastland -et mainland
fastna *verb* get* caught; klibba stick
fastslå *verb* establish
fastställa *verb* **1** bestämma fix **2** konstatera establish
fastän *konj* though
fat -et = **1** uppläggningsfat dish; tefat saucer; tallrik plate **2** tunna barrel
1 fatt *adj*, ***hur är det ~?*** what's the matter?
2 fatt *adv*, ***få ~ i*** get* hold of
fatta *verb* **1** begripa understand **2** gripa catch* **3** ***~ ett beslut*** come* to a decision
fattas *verb* inte finnas be lacking; saknas be missing; ***det fattades bara!*** I should think so!
fattig *adj* poor
fattigdom -en poverty
fattning -en **1** grepp grip **2** behärskning composure; ***tappa fattningen*** lose* one's head
fatöl -et (-en) = draught beer
faun|a -an -or fauna
favorit -en -er favourite
fax -et = fax
faxa *verb* fax
fe -n -er fairy
feber -n febrar fever
feberfri *adj* free from fever
febertermomet|er -ern -rar clinical thermometer
febrig *adj* feverish
febril *adj* feverish
februari oböjl. February; ***i ~*** in February
feg *adj* cowardly

feghet -en cowardice
fejd -en -er feud
fel I -et = **1** defekt fault **2** misstag mistake **3** skuld fault; ***det är mitt*** ~ I am to blame **II** *adj* wrong; ***slå ~ nummer*** dial the wrong number **III** *adv* wrong; ***ha*** ~ be wrong
felaktig *adj* wrong; med fel defective
felfri *adj* faultless
felparkering -en -ar parking offence
felstavad *adj* wrongly spelt
felsteg -et = slip
fem *räkn* five
femhundra *räkn* five hundred
feminin *adj* feminine
feminist -en -er feminist
femkamp -en -er pentathlon
femm|a -an -or five; mynt five-krona coin
femrumslägenhet -en -er five-room flat
femsidig *adj* five-sided
femsiffrig *adj* five-digit
femte *räkn* fifth
femtedel -en -ar fifth
femtiden, ***vid*** ~ at about 5 o'clock
femtilapp -en -ar fifty-krona note
femtio *räkn* fifty
femtionde *räkn* fiftieth
femtiotal -et = fifty
femtioårig *adj* fifty-year-old
femtioåring -en -ar fifty-year-old man (woman)
femtioårsdag -en -ar fiftieth anniversary
femtioårsåldern, ***i*** ~ about fifty years old
femton *räkn* fifteen
femtonde *räkn* fifteenth
femtonhundratalet, ***på*** ~ in the sixteenth century
femtonåring -en -ar fifteen-year-old
femvåningshus -et = five-storeyed house
femväxlad *adj* five-speed
femårig *adj* **1** fem år gammal five-year-old **2** som varar i fem år five-year
femåring -en -ar five-year-old child
femårsåldern, ***i*** ~ at the age of about five
fen|a -an -or fin
fenomen -et = phenomenon
fenomenal *adj* phenomenal
ferier pl. holidays
jerniss|a I -an -or varnish **II** *verb* varnish
fest -en -er party
festa *verb* party; ~ ***på*** feast on
festival -en -er festival

festlig *adj* festive; komisk comical
festspel pl. festival
fet *adj* fat; ~ ***mat*** rich food
fetma -n fatness
fett -et -er fat
fetthalt -en -er fat content
fiasko -t -n flop
fiber -n fibrer fibre
fick|a -an -or pocket
fickformat -et = pocket size
fickkniv -en -ar pocketknife
ficklamp|a -an -or torch
fickord|bok -boken -böcker pocket dictionary
fickpengar pl. pocket money
ficktjuv -en -ar pickpocket
fiende -n -r enemy
fiendskap -en hostility
fientlig *adj* hostile
fiff|el -let cheating
fiffla *verb* cheat
figur -en -er figure
fik -et = café
fika I *verb* have* some coffee (tea) **II** -t (-n) coffee, tea
fikapaus -en -er coffe break
fikon -et = fig
fikus -en -ar **1** växt india-rubber tree **2** homosexuell gay
1 fil -en -er **1** körfält lane **2** datafil file **3** rad row
2 fil -en filmjölk sour milk
3 fil -en -ar verktyg file
fila *verb* file; ~ ***på ngt*** give* the finishing touches to sth.
filé -n -er fillet
filial -en -er branch
film -en -er film
filma *verb* film
filminspelning -en -ar filming
filmjölk -en sour milk
filmkamer|a -an -or film camera
filmregissör -en -er film director
filmrull|e -en -ar roll of film
filmskådespelare -n = film actor
filmstjärn|a -an -or film star
filosof -en -er philosopher
filosofi -n -er philosophy
filt -en -ar **1** sängfilt blanket **2** tyg felt
filt|er -ret = filter
filtrera *verb* filter
fimp -en -ar cigarette butt
fimpa *verb* cigarett stub out
fin *adj* fine; ***en ~ middag*** a first-rate dinner; ***vara i ~ form*** be* in great shape
final -en -er i tävling final; ***gå till ~*** get* to the finals
finanser pl. finances
finansiera *verb* finance
finbageri -et -er fancy bakery
finess -en -er refinement

fing|er -ret -rar finger
fingeravtryck -et = fingerprint
fingerborg -en -ar thimble
fingervant|e -en -ar woollen glove
fingra *verb*, **~ på ngt** tamper with sth.
finklädd *adj* dressed up
finkänslig *adj* tactful
Finland Finland
finländare -n = Finn
finländsk *adj* Finnish
finländsk|a -an -or Finnish woman
finna *verb* find*; **~ sig i ngt** accept sth.
finnas *verb* be*; **det finns** there is (plural are)
1 finn|e -en -ar finländare Finn
2 finn|e -en -ar kvissla pimple
finsk *adj* Finnish
finsk|a -an **1** pl. -or kvinna Finnish woman **2** språk Finnish
1 fint -en -er i sport feint; bildl. trick
2 fint *adv* finely; **må ~** feel* fine
fintvätt -en -ar tvättmärkning cold wash
fiol -en -er violin
1 fira *verb*, **~ ner** sänka let* down
2 fira *verb* celebrate
firm|a -an -or firm, business
fisk -en -ar fish; ***Fisken*** stjärntecken Pisces
fiska *verb* fish
fiskaffär -en -er fishmonger's
fiskare -n = fisherman
fiske -t -n fishing
fiskebåt -en -ar fishing-boat
fiskekort -et = fishing licence
fiskeredskap -et = fishing tackle
fiskfilé -n -er fillet of fish
fiskmås -en -ar gull
fiskpinn|e -en -ar fish finger
fiskrätt -en -er fish course
fitt|a -an -or vulg. cunt
fixa *verb* fix
fixera *verb* fix
fjol, ***i*** **~** last year
fjorton *räkn* fourteen; för sammansättningar med fjorton jfr *fem* o. *femton* med sammansättningar
fjortonde *räkn* fourteenth
fjun -et = down
fjäd|er -ern -rar feather; i klocka, säng etc. spring
fjädring -en -ar spring system; på bil suspension
1 fjäll -et = berg mountain
2 fjäll -et = på fisk scale
fjälla *verb* fisk scale; om hud peel
fjärde *räkn* fourth

fjärdedel -en -ar quarter
fjäril -en -ar butterfly
fjärran I *adj* distant **II** *adv* far away **III** ***i*** **~** in the distance
fjärrkontroll -en -er remote control
fjäska *verb*, **~ *för ngn*** suck up to sb.
flacka *verb*, **~ *omkring*** roam about
fladder|mus -musen -möss bat
fladdra *verb* flutter
flag|a I -an -or flake **II** *verb* flake off
flagg|a I -an -or flag **II** *verb* fly* a flag
flagg|stång -stången -stänger flagstaff
flagna *verb* flake off
flak -et = **1** av is floe **2** för last platform
flamberad *adj* flambé
flamländsk *adj* Flemish
flamm|a I -an -or flame **II** *verb* blaze
flammig *adj* blotchy
flanell -en -er flannel
flanera *verb* stroll
flask|a -an -or bottle
flasköppnare -n = bottle-opener
flat *adj* **1** platt flat; **~ *tallrik*** flat plate **2** häpen taken aback; eftergiven weak
flaxa *verb* flutter
flera I *adj* ytterligare more **II** *pron* åtskilliga several
flertal -et ; ***flertalet människor*** most people; ***ett*** **~ *gäster*** several guests
flesta *adj*, ***de*** **~** the majority; ***de*** **~ *katter*** most cats
flexibel *adj* flexible
flextid -en -er flexitime
flick|a -an -or girl
flicknamn -et = girl's name; som ogift maiden
flickvän -nen -ner girlfriend
flik -en -ar på kuvert flap; hörn corner
flimra *verb* flicker; ***det flimrar för ögonen på mig*** everything is swimming before my eyes
flina *verb* grin
fling|a -an -or flake
flintskallig *adj* bald
flipperspel -et = pinball machine
flis|a -an -or chip
flit -en **1** arbetsamhet diligence **2** ***med*** **~** on purpose
flitig *adj* diligent
flock -en -ar flock
flod -en -er **1** vattendrag river **2** högvatten high tide
flodhäst -en -ar hippopotamus
flor|a -an -or flora
1 flott *adj* posh, fancy

2 flott -et grease
flott|a -an -or **1** ett lands marine; sjövapen navy **2** samling fartyg fleet
flott|e -en -ar raft
flug|a -an -or **1** insekt fly **2** rosett bow tie
flugsvamp -en -ar fly agaric
flundr|a -an -or flounder
fly *verb* run* away
flyg -et flygväsen aviation; ***ta flyget*** go by air; ***med ~*** by air
flyga *verb* fly*
flygbiljett -en -er air ticket
flygbolag -et = airline
flyg|el -eln -lar **1** byggnad wing **2** musikinstrument grand piano
flygförbindelse -n -r plane connection
flygning -en -ar flying; flygtur flight
flygolyck|a -an -or air crash
flygplan -et = aeroplane, aircraft
flygplats -en -er airport
flygpost -en airmail
flygres|a -an -or air journey
flygtrafik -en air traffic
flygvärdinn|a -an -or flight attendant
flykt -en -er flight; rymning escape
flykting -en -ar refugee
flyta *verb* inte sjunka float; rinna flow; ***~ ihop*** bli otydlig become* blurred; ***~ upp*** come* to the surface
flytande I *adj* **1** på ytan floating **2** i vätskeform liquid **3** ***tala ~ engelska*** speak* fluent English **II** *adv* obehindrat fluently
flytning -en -ar från underlivet discharge; ***ha flytningar*** vard. have* the whites
flytta *verb* move; ***kan ni ~ på er?*** could you move a little?; ***~ fram*** skjuta upp put* off; ***~ ihop med*** move in with; ***~ in*** move in
flyttbil -en -ar removal van
flyttning -en -ar moving
flytväst -en -ar life jacket
flå *verb* skin
flåsa *verb* puff
fläck -en -ar spot; av smuts stain
fläcka *verb*, ***~ ner ngt*** stain sth.
fläckborttagningsmed|el -let = spot remover, stain remover
fläckfri *adj* spotless, stainless
fläckig *adj* **1** smutsig spotted, stained **2** med fläckar spotted; spräcklig speckled
fläkt -en -ar **1** pust breeze **2** apparat fan

fläktrem -men -mar fan belt
flämta *verb* pant
fläsk -et färskt pork; saltat bacon
fläskfilé -n -er fillet of pork
fläskkarré -n -er loin of pork
fläskkorv -en -ar pork sausage
fläskkotlett -en -er pork chop
flät|a I -an -or plait **II** *verb* plait
flöda *verb* flow
flöjt -en -er flute
flört -en flirtation
flörta *verb* flirt
flöte -t -n float
FN (förk. för *Förenta Nationerna*) the UN (förk. för *United Nations*)
fnissa *verb* giggle
fnittra *verb* giggle
fnysa *verb* snort
fobi -n -er phobia
1 fod|er -ret = i kläder lining
2 foder -ret = för djur feedstuff
1 fodra *verb* sätta foder i line
2 fodra *verb* mata feed
fodral -et = case
fog -en -ar skarv joint
foga *verb* **1** ~ ***ihop*** join **2** ~ ***sig*** give* in; ~ ***sig i ngt*** resign oneself to sth.
fokus -en -ar focus
folie -n -r foil
folk -et = people; ***det är mycket ~ ute*** there are a lot of people in the streets
folkdans -en -er folk dance
folkdräkt -en -er folk costume
folkhögskol|a -an -or adult education college
folkmass|a -an -or crowd
folkmusik -en folk music
folkmängd -en -er population; folkmassa crowd
folkomröstning -en -ar referendum
folkpark -en -er concert park
Folkpartiet the Swedish Liberal Party
folksag|a -an -or legend
folksamling -en -ar crowd
folkskygg *adj* unsociable
folkslag -et = nation
folktom *adj* deserted
folkvis|a -an -or folk song
1 fond -en -er bakgrund background
2 fond -en -er kapital fund
fontän -en -er fountain
fordon -et = vehicle
fordra *verb* **1** om person demand **2** om sak require
fordr|an en ~, pl. -ingar demand
fordrande *adj* demanding
fordras *verb*, ***det ~ tålamod*** patience is necessary
forell -en -er trout

form 1 -en -er form; ***vara ur ~*** be out of form 2 -en -ar för gjutning mould; för mat dish; kakform o.d. baking-tin
forma *verb* form
formalitet -en -er formality
format -et = size
form|el -eln -ler formula
formell *adj* formal
formulera *verb* formulate
formulering -en -ar formulation
formulär -et = form
fornminne -t -n ancient monument
forntid -en prehistoric times
fors -en -ar rapids
forsa *verb* rush; ***~ fram*** gush out
forska *verb* research
forskare -n = research-worker
forskning -en -ar research
forsla *verb* transport; ***~ bort*** carry away
forsränning -en white-water rafting
fort *adv* snabbt tempo fast; ***det gick ~*** it didn't take long; ***så ~ jag kom in hördes ett skrik*** as soon as I came in I heard a scream
fortfarande *adv* still
fortkörning -en -ar speeding
fortplanta *verb* propagate
fortplantning -en -ar reproduction
fortsätta *verb* continue
fortsättning -en -ar continuation; ***i fortsättningen*** from now on; ***~ följer*** to be continued
fossil -en -er fossil
fost|er -ret = foetus
fosterbarn -et = foster-child
fosterhem -met = foster-home
fosterland -et = native country
fostra *verb* bring* up
fostran en ~, best. form = bringing up
fot -en fötter foot; ***stå på god ~ med ngn*** be on good terms with sb.; ***till fots*** on foot
fotboll -en -ar spel el. boll football
fotbollslag -et = football team
fotbollsmatch -en -er football match
fotbollsplan -en -er football ground
fotbollsspelare -n = footballer
fotbroms -en -ar footbrake
fotfäste -t -n ; ***få ~*** gain a foothold
fotgängare -n = pedestrian
foto -t -n photo
fotoaffär -en -er camera shop
fotoalbum -et = photo album

fotogen -en (-et) paraffin
fotograf -en -er photographer
fotografera *verb* photograph
fotografi -et -er photograph
fotospår -et = footprint
fotsteg -et = step
fotsvett -en ; ***ha*** ~ have* sweaty feet
fotvandring -en -ar hike
fotvård -en foot care
frack -en -ar tail coat, vard. tails
fradga -n froth
frakt -en -er freight
frakta *verb* carry
fraktur -en -er fracture
fram *adv*, ***rakt*** ~ straight on; ***gå ~ till ngn*** go up to sb.; ***~ på kvällen*** later on in the evening
framben -et = foreleg
framdel -en -ar front
framdörr -en -ar front door
framfusig *adj* pushing
framför *prep* before; ***~ allt*** above all
framföra *verb* **1** vidarebefordra convey; ***det ska jag ~*** I'll pass it on **2** uppföra present; musik perform
framgå *verb* be clear
framgång -en -ar success
framgångsrik *adj* successful
framhjul -et = front wheel
framhålla *verb* point out
framhäva *verb* emphasize
framifrån *adv* from the front
framkalla *verb* **1** frambringa produce; förorsaka cause **2** film develop
framkallning -en -ar av film developing
framkomlig *adj* accessible
framlänges *adv* forwards
framme *adv* in front; ***när är vi ~?*** when will we get there?; ***där ~*** over there
framsid|a -an -or front
framsteg -et = progress
framstå *verb* stand* out
framstående *adj* prominent
framställa *verb* **1** tillverka produce **2** skildra describe
framställning -en -ar **1** tillverkning production **2** beskrivning description
framsäte -t -n front seat
framtid -en -er future
framtida *adj* future
framtill *adv* in front
framträda *verb* appear
framträdande I -t -n appearance **II** *adj* prominent
framåt I *adv* ahead; ***gå ~*** make* progress **II** *prep*, ***~ kvällen*** towards evening
franc -en = franc
frankera *verb* stamp

Frankrike France
frans -en -ar fringe
fransig *adj* frayed
fransk *adj* French
franska -n French
frans|man -mannen -män Frenchman
fransysk|a -an -or **1** kvinna Frenchwoman **2** kött rumpsteak piece
fras -en -er phrase
frasig *adj* crisp
fred -en -er peace
fredag -en -ar Friday; ***i fredags*** last Friday; ***på ~*** on Friday
fredlig *adj* peaceful
frekvens -en -er frequency
fresta *verb* tempt
frestelse -n -r temptation
fri *adj* free; ***vara ~ från*** be free of; ***det står dig fritt att*** you are free to; ***i det fria*** in the open
1 fria *verb* frikänna acquit; ***~ ngn från misstankar*** clear sb. of suspicion
2 fria *verb*, ***~ till ngn*** propose to sb.
friare -n = suitor
frid -en peace
fridfull *adj* peaceful
fridlyst *adj* protected
frieri -et -er proposal
frige *verb* free
frigivning -en -ar setting free
frigjord *adj* open-minded
frigöra *verb* liberate
frigörelse -n liberation
frihandel -n free trade
frihet -en -er freedom
friidrott -en -er athletics
frikostig *adj* liberal
friktion -en -er friction
frikyrklig *adj* Free Church
frikänna *verb* acquit
friluftsliv -et outdoor life
frimärke -t -n stamp
frimärksalbum -et = stamp album
frisersalong -en -er hairdresser's
frisk *adj* well; ***~ och kry*** hale and hearty; ***~ luft*** fresh air
frispråkig *adj* outspoken
frist -en -er respite
fristående *adj* detached
frisyr -en -er hair style
frisör -en -er hairdresser
fritera *verb* deep-fry
friterad *adj* deep-fried
fritid -en spare time
fritidshem -met = ung. after-school centre
fritidskläder pl. leisure wear
fritidssysselsättning -en -ar hobby
frivillig I *adj* voluntary **II** en ~, pl. -a volunteer

frodas *verb* thrive
from *adj* pious
front -en -er front
frontalkrock -en -ar head-on collision
1 fross|a -an -or shivering
2 frossa *verb*, ***~ i*** indulge in; ***~ på*** gorge oneself on
frost -en -er frost
frotté -n -er terry cloth
frottéhandduk -en -ar terry towel
fru -n -ar gift kvinna married woman; hustru wife; ***~ Berg*** Mrs Berg (förk. för *missis Berg*)
frukost -en -ar breakfast
frukt -en -er fruit
frukta *verb* fear
fruktaffär -en -er fruit shop
fruktan en ~, best. form = fear
fruktansvärd *adj* terrible
fruktjuice -n -r fruit juice
fruktlös *adj* futile
fruktsallad -en -er fruit salad
fruktsam *adj* fertile
fruntim|mer -ret = female
frusen *adj* frozen; ***jag känner mig ~*** I feel cold
frys -en -ar freezer
frysa *verb* **1** till is freeze **2** om person be cold; ***jag fryser om fötterna*** my feet are cold
frysbox -en -ar freezer
frystorka *verb* freeze-dry
fråg|a I -an -or question; ***ställa en ~ till ngn*** ask sb. a question; ***det kommer aldrig på ~!*** that's out of the question!; ***i ~ om mat*** as to food **II** *verb* ask; ***~ efter ngn*** ask for sb.; ***~ ngn om vägen*** ask sb. the way
frågesport -en -er quiz
frågeteck|en -net = question mark
frågvis *adj* inquisitive
från I *prep* from **II** *adv* frånkopplad off
frånvarande *adj* absent
frånvaro -n absence
fräck *adj* impudent; om historia indecent
fräckhet -en -er impudence
fräknig *adj* freckled
frälsning -en salvation
främja *verb* promote
främling -en -ar stranger
främmande I *adj* strange **II** -t obekant stranger; gäst guest
främre *adj* front
främst *adv* first; huvudsakligen chiefly
frän *adj* rank
fräsa *verb* hiss; hastigt steka fry
fräsch *adj* fresh
fräta *verb*, ***~ på ngt*** eat* into sth.

frö -et -n seed
fröjd -en -er joy
frök|en en ~, pl. -nar **1** ogift kvinna unmarried woman; ~ ***Berg*** Miss (Ms) Berg **2** lärarinna teacher; ***fröken!*** Miss!
fukt -en moisture
fuktig *adj* damp
ful *adj* ugly
full *adj* **1** full **2** onykter drunk
fullbelagd *adj* full
fullbokad *adj* fully booked
fullborda *verb* complete
fullfölja *verb* complete
fullkomlig *adj* perfect
fullkornsbröd -et = wholemeal bread
fullmakt -en -er authorization
fullmån|e -en -ar full moon
fullpackad *adj* crammed
fullproppad *adj* crammed
fullsatt *adj* full; på teater o.d. full house
fullständig *adj* complete
fullträff -en -ar direct hit
fullvuxen *adj* full-grown
fumlig *adj* fumbling
fundamental *adj* fundamental
fundera *verb* think*; ~ ***på att göra ngt*** think* about doing sth.
fundersam *adj* thoughtful
fungera *verb* work; ~ ***som*** serve as
funktion -en -er function; ***ur*** ~ out of order
furst|e -en -ar prince
furu -n pine
fusk -et cheating
fuska *verb* cheat
fusklapp -en -ar crib
fux -en -ar häst bay
fy *interj* phew!; ~ ***tusan!*** hell!
fyll|a I *verb* **1** fill; ~ ***i en blankett*** fill in a form; ~ ***på glaset*** fill up the glass **2** ***när fyller du år?*** when is your birthday?; ~ ***femtio år*** turn fifty **II** -an -or ; ***i fyllan och villan*** in a drunken fit
fylleri -et drunkenness
fyllig *adj* **1** om person plump **2** detaljerad detailed
fyllning -en -ar filling
fyllo -t -n drunk
fynd -et = find
fyr -en -ar **1** fyrtorn lighthouse **2** eld fire
fyra I *räkn* four; för sammansättningar med fyra jfr *fem* med sammansättningar **II** -an -or siffra four
fyrkant -en -er square
fyrkantig *adj* square
fyrklöv|er -ern -rar four-leaf clover

fyrtio *räkn* forty; för sammansättningar med fyrtio jfr *femtio* med sammansättningar
fyrtionde *räkn* fortieth
fyrverkeri -et -er fireworks
fysik -en **1** ämne physics **2** kroppsbyggnad physique
fysisk *adj* physical
1 få *verb* **1** ***får jag?*** vanl. may I?, can I?; ***du får göra som du vill*** you can do as you like; ***jag har aldrig fått göra det*** I have never been allowed to do that; ***du får inte göra det*** you must not do that; ***får jag be om sockret?*** can I have the sugar, please?; ***får jag tala med X?*** can I speak to X?; ***du får vänta*** you'll have to wait **2** get*; ***kan jag få saltet?*** could you pass me the salt, please?; ***vad får vi till middag?*** what's for dinner?; ***~ av sig skorna*** get* one's shoes off; ***~ tillbaka växel*** get* some change back; ***inte ~ upp resväskan*** not get* one's suitcase open **3** ***~ för sig*** inbilla sig ***ngt*** imagine sth.
2 få *pron* o. *adj*, ***väldigt ~ vänner*** very few friends; ***bara några ~ dagar*** only a few days
fåfäng *adj* vain
fåfänga -n vanity
fåg|el -eln -lar bird
fågelbo -et -n bird's nest
fågelholk -en -ar nesting box
fågelinfluensa -n bird flu
fåll -en -ar hem
1 fålla *verb* klädesplagg hem
2 fåll|a -an -or inhägnad pen
fånga *verb* catch*
fång|e -en -ar prisoner
fångenskap -en captivity
fångst -en -er catch
fånig *adj* silly
får -et = sheep
får|a I -an -or furrow **II** *verb* furrow
fårkött -et mutton
fårskinn -et = sheepskin
fåtal -et minority; ***ett ~*** a few
fåtölj -en -er armchair
fäkta *verb* fence
fäktning -en -ar fencing
fälg -en -ar rim
fäll|a I -an -or trap **II** *verb* **1** t.ex. träd fell; t.ex. bomb drop; ***~ ihop*** fold up **2** förklara skyldig convict
fällkniv -en -ar clasp knife
fällstol -en -ar folding chair
fält -et = field
fälttåg -et = campaign
fängelse -t -r prison, vard. jail
fängelsestraff -et = ; ***få ~*** be sentenced to prison
fängsla *verb* **1** sätta i fängelse

imprison **2** om t.ex. bok captivate
fängslande *adj* om bok o.d. captivating
färd -en -er resa journey; till sjöss voyage; utflykt trip
färdas *verb* travel
färddator -n -er trip computer
färdhandling -en -ar travel document
färdig *adj* finished
färdiglagad *adj*, **~ mat** ready-cooked food
färdledare -n = guide
färdväg -en -ar route
färg -en -er colour; till målning paint; till färgning dye
färga *verb* colour; hår dye
färgad *adj* coloured
färgblind *adj* colour-blind
färgfilm -en -er colour film
färgglad *adj* brightly coloured
färghand|el -eln -lar paint shop
färgkrit|a -an -or crayon
färglägga *verb* colour
färglös *adj* colourless
färgpenn|a -an -or coloured pencil
färg-tv -n = colour TV
färj|a -an -or ferry
färre *adj* fewer
färs -en -er köttfärs minced meat; till fyllning forcemeat
färsk *adj* fresh
Färöarna the Faeroe Islands
fästa *verb* **1** sätta fast fasten; fastna stick **2 ~ sig vid ngn** become* attached to sb.
fäste -t -n hold; **få ~** find* a hold
fästing -en -ar tick
fäst|man -mannen -män fiancé
fästmö -n -r fiancée
fästning -en -ar fortress
föda I -n food **II** *verb* **1** sätta till världen give* birth to **2** ge föda åt feed **3 ~ upp** breed
födas *verb* be born
född *adj* born; **när är du ~?** when were you born?
födelse -n -r birth
födelsedag -en -ar birthday
födelsedatum -et = date of birth
födelsemärke -t -n birthmark
födelseort -en -er birthplace
föds|el -eln -lar birth
föga *adj* o. *adv* little
föl -et = foal
följa *verb* **1 ~ efter ngn** follow sb. **2 ~ med ngn** accompany sb.; **det är svårt att ~ med** it is difficult to keep up with things
följaktligen *adv* consequently
följande *adj* following
följas *verb*, **~ åt** go* together

följd -en -er **1** rad succession **2** konsekvens consequence; ***få till ~*** result in; ***till ~ av ngt*** as a result of sth.
följeslagare -n = o. **följeslagerska** -n = companion
följetong -en -er serial story
föna *verb* blow-wave
fönst|er -ret = window
fönsterbord -et = table by a window
fönsterplats -en -er window seat
fönsterrut|a -an -or windowpane
1 för -en -ar stem
2 för I *prep*, ***~ en vecka sedan*** a week ago; ***dag ~ dag*** day by day; ***platsen ~ brottet*** the scene of the crime; ***dölja ngt ~ ngn*** hide sth. from sb.; ***hon gick ut ~ att leta efter honom*** she went out to look for him; ***visa ngt ~ ngn*** show* sth. to sb. **II** *konj*, **~** el. ***~ att*** because **III** *adv*, ***~ lite*** too little
föra *verb* **1** carry **2** leda lead
förakt -et contempt
förakta *verb* despise
föraning -en -ar presentiment
föranleda *verb* cause; ***känna sig föranledd att göra ngt*** feel* called upon to do sth.
förare -n = av fordon driver
förargad *adj* annoyed
förarglig *adj* annoying
1 förband -et = **1** ***första ~*** first-aid bandage **2** inom krigsmakt unit
2 förband -et = musik warm-up band
förbandslåd|a -an -or first-aid kit
förbanna *verb* curse
förbannad *adj* damned
förbannelse -n -r curse
förbehåll -et = reservation
förbereda *verb* prepare
förberedelse -n -r preparation
förbi *prep* o. *adv* past; ***vara ~*** trött be done up
förbigående, ***i ~*** by the way
förbinda *verb* **1** förena join **2** ***~ sig att göra ngt*** undertake to do sth.
förbindelse -n -r **1** connection **2** kärleksförbindelse affair **3** trafikförbindelse communications
förbise *verb* overlook
förbiseende -t -n oversight
förbjuda *verb* forbid
förbjuden *adj* forbidden
förbli *verb* remain
förbluffande I *adj* amazing **II** *adv* amazingly
förblöda *verb* bleed to death

förbruka *verb* consume
förbrukning -en -ar consumption
förbrylla *verb* bewilder
förbrytare -n = criminal
förbrytelse -n -r crime
förbränning -en burning
förbud -et = prohibition
förbund -et = alliance
förbättra *verb* improve
förbättring -en -ar improvement
fördel -en -ar advantage; ***dra ~ av ngt*** benefit from sth.; ***vara till sin ~*** look one's best
fördela *verb* distribute; uppdela divide
fördelaktig *adj* advantageous
fördelardos|a -an -or distributor housing
fördelare -n = distributor
fördelning -en -ar distribution
fördelningspolitik -en policy of fair income distribution
fördjupa *verb* deepen; ***~ sig i ngt*** become* absorbed in sth.
fördom -en -ar prejudice
fördomsfri *adj* unprejudiced
fördomsfull *adj* prejudiced
fördröja *verb* delay
fördubbla *verb* double
fördärv -et ruin
fördärva *verb* ruin, destroy
fördöma *verb* condemn
1 före -t -n ; ***det är dåligt ~*** the snow is bad for skiing
2 före *prep* o. *adv* before
förebild -en -er urtyp prototype; mönster model
förebrå *verb* reproach
förebråelse -n -r reproach
förebygga *verb* prevent
förebyggande *adj* preventive
föredra *verb* prefer; ***~ te framför kaffe*** prefer tea to coffee
föredrag -et = talk
föredöme -t -n example
förefalla *verb* seem
föregå *verb* precede; ***~ med gott exempel*** set a good example
föregående *adj* previous
föregångare -n = o. **föregångerska** -n = predecessor
förekomma *verb* occur
föreläsa *verb* lecture
föreläsning -en -ar lecture
föremål -et = object
förena *verb* unite
förening -en -ar association
förenkla *verb* simplify
Förenta Nationerna the United Nations
Förenta Staterna the United States, the US

föreskrift -en -er instructions; bestämmelse regulation
föreslå *verb* propose
förestå *verb* leda, sköta be in charge of
föreståndare -n = manager
föreställa *verb* represent; ~ ***sig*** imagine
föreställning -en -ar **1** idé idea **2** teaterföreställning o.d. performance
företag -et = company, firm
företagare -n = businessman
företagsekonomi -n business economics
företräda *verb* represent
företrädare -n = predecessor
företräde -t -n priority; ***lämna*** ~ give* way
förevändning -en -ar pretext
för|fader -fadern -fäder ancestor
förfall -et decay
förfalla *verb* **1** fall* into decay **2** bli ogiltig become* invalid **3** om räkning o.d. be* due
förfallen *adj* **1** decayed **2** ogiltig invalid **3** ***vara*** ~ om räkning o.d. be due
förfalska *verb* falsify
förfalskning -en -ar förfalskande falsification
författare -n = writer
författarinn|a -an -or woman writer
förfluten *adj* past
förflytta *verb* move
förfoga *verb*, ***~ över ngt*** have* sth. at one's disposal
förfogande -t -n disposal
förfriskning -en -ar refreshment
förfrysa *verb* get* frost-bitten, get* frozen to death
förfråg|an en ~, pl. -ningar o. **förfrågning** en ~, pl. -ar inquiry
förfärlig *adj* terrible
förfölja *verb* pursue
förföljelse -n -r pursuit
förföra *verb* seduce
förgasare -n = carburettor
förgifta *verb* poison
förgiftning -en -ar poisoning
förgylla *verb* gild
förgylld *adj* gilded
förgätmigej -en -er forget-me-not
förgäves *adv* in vain
förhand, ***på*** ~ in advance
förhandla *verb* negotiate
förhandling -en -ar negotiation
förhinder, ***få*** ~ be prevented from coming
förhindra *verb* prevent
förhoppning -en -ar hope

förhoppningsfull *adj* hopeful
förhålla *verb*, ***så förhåller det sig med den saken*** that is how matters stand
förhållande -t -n **1** sakläge conditions **2** förbindelse relations; kärleksförhållande affair **3** proportion proportion
förhör -et = interrogation
förhöra *verb* interrogate
förinta *verb* destroy
förkasta *verb* reject
förklara *verb* **1** förtydliga explain; **~ *ngt för ngn*** explain sth. to sb. **2** tillkännage declare
förklaring -en -ar explanation
förkläde -t -n apron
förklädnad -en -er disguise
förknippa *verb* associate
förkorta *verb* shorten
förkortning -en -ar abbreviation
förkyld *adj*, ***vara*** **~** have* a cold
förkylning -en -ar cold
förkärlek -en predilection
förköp -et = advance booking
förlag -et = publishing firm
förlamad *adj* paralysed
förlamning -en -ar paralysis
förlopp -et = course of events
förlora *verb* lose*
förlossning -en -ar delivery
förlovad *adj* engaged
förlovning -en -ar engagement
förlust -en -er loss
förlåta *verb* forgive*
förlåtelse -n -r forgiveness
förlägen *adj* embarrassed
förlägga *verb* **1** slarva bort mislay* **2** böcker publish
förläggning -en -ar location
förlänga *verb* lengthen
förlöjliga *verb* ridicule
för|man -mannen -män foreman
förmaning -en -ar mild warning
förmedla *verb* mediate
förmedling -en -ar mediation; byrå agency
förmiddag -en -ar morning; ***i förmiddags*** this morning; ***på förmiddagen*** in the morning; ***klockan 11 på förmiddagen*** at 11 o'clock in the morning
förminska *verb* reduce
förminskning -en -ar reduction
förmoda *verb* suppose
förmodligen *adv* presumably
förmyndare -n = guardian
förmå *verb*, **~ *ngn att göra ngt*** get* sb. to do sth.
förmåg|a -an -or kraft power; läggning talent
förmån -en -er advantage, vard., löneförmån perk

förmånlig *adj* advantageous
förmögen *adj* **1** rik wealthy, rich **2** ~ ***till*** capable of
förmögenhet -en -er fortune
förnamn -et = first name
förnedring -en degradation
förneka *verb* deny
förnimma *verb* feel*
förnuft -et reason
förnuftig *adj* sensible
förnya *verb* renew
förnäm *adj* distinguished
förolyckas *verb* lose* one's life
förolämpa *verb* insult
förolämpning -en -ar insult
förord -et = preface
förorena *verb* pollute
förorening -en -ar pollution
förorsaka *verb* cause
förort -en -er suburb
förpacka *verb* pack
förpackning -en -ar package
förpliktelse -n -r obligation
förr *adv* **1** förut before **2** ~ ***i tiden*** formerly **3** tidigare sooner; ~ ***eller senare*** sooner or later
förra *adj*, ~ ***gången*** last time
förresten *adv* besides
förrgår, ***i*** ~ the day before yesterday
förråd -et = store
förråda *verb* betray
förrädare -n = traitor
förräderi -et -er treachery
förrän *konj*, ***inte ~ om en timme*** not for another hour; ***det dröjde inte länge ~ han började gråta*** it wasn't long before he began crying
förrätt -en -er starter
försaka *verb* go without
församling -en -ar **1** assembly **2** socken parish
förse *verb* provide; ***försedd med ngt*** equipped with sth.
förseelse -n -r offence
försenad *adj* delayed
försening -en -ar delay
försiggå *verb* take* place
försiktig *adj* careful
förskol|a -an -or nursery school
förskott -et = advance
förskräckelse -n -r fright
förskräcklig *adj* frightful
förskräckt *adj* frightened
förskärare -n = carving-knife
försköna *verb* embellish
förslag -et = proposal
försmak -en foretaste
försommar -en försomrar early summer
försoning -en -ar reconciliation
försova *verb*, ~ ***sig*** oversleep*

förspel -et = musik prelude; före samlag foreplay
försprång -et = lead
först *adv* **1** first; ***komma ~*** come first; ***~ och främst*** to begin with; framförallt above all **2** inte förrän not until; ***~ då insåg han*** not until then did he realize
första *räkn* o. *adj* first; ***i ~ hand*** first of all; helst preferably
för|stad -staden -städer suburb
förstaklassbiljett -en -er first-class ticket
förstoppning -en -ar constipation
förstora *verb* enlarge
förstoring -en -ar enlargement
förstoringsglas -et = magnifying glass
förströelse -n -r recreation
förstå *verb* understand*; ***göra sig förstådd*** make* oneself understood; ***~ sig på ngt*** know* about sth.
förståelse -n understanding
förstående *adj* understanding
förstånd -et intelligence
förståndig *adj* sensible
förstås *adv* of course
förstärka *verb* strengthen
förstärkare -n = amplifier
förstärkning -en -ar strengthening; militär reinforcement
förstöra *verb* destroy
förstörelse -n -r destruction
försumma *verb* neglect
försvaga *verb* weaken
försvar -et defence
försvara *verb* defend
försvarsadvokat -en -er defence counsel
försvarslös *adj* defenceless
försvinna *verb* disappear; ***försvinn!*** get* lost!
försvinnande -t -n disappearance
försvåra *verb*, ***~ ngt*** make* sth. difficult
försynt *adj* modest
försäga *verb*, ***~ sig*** give* oneself away
försäkra *verb* **1** bedyra assure; ***jag försäkrar att jag kommer*** I can assure you that I'll come **2** ta en försäkring insure
försäkrad *adj* insured
försäkr|an en ~, pl. -ingar assurance
försäkring -en -ar insurance
försäkringsbesked -et = social insurance card
försäkringsbolag -et = insurance company
försäkringskass|a -an -or social insurance office

försäljare -n = salesperson
försäljning -en -ar sale
försämra *verb* deteriorate
försämring -en -ar deterioration
försändelse -n -r consignment
försök -et = attempt
försöka *verb* try
försörja *verb* support; ***~ sig*** earn one's living
försörjning -en provision
förtal -et slander
förtala *verb* slander
förteckning -en -ar list
förtid, *i* ~ prematurely
förtjusande *adj* charming
förtjusning -en delight
förtjust *adj* delighted; ***vara ~ i*** be fond of
förtjäna *verb* deserve
förtjänst -en -er inkomst earnings
förtjänt *adj*, ***vara ~ av*** deserve
förtroende -t -n confidence
förtrogen *adj* intimate
förtrolla *verb* enchant
förtrollning -en enchantment
förtryck -et oppression
förträfflig *adj* excellent
förtröstan en ~, best. form = trust
förtulla *verb* declare; ***jag har ingenting att ~*** I haven't got anything to declare
förtur -en priority
förtvivlad *adj* heartbroken; ***vara ~*** be* in despair
förtvivlan en ~, best. form = despair
förtydligande -t -n clarification
förtäring -en food and drink
förtöja *verb* moor
förut *adv* before
förutom *prep* besides
förutsatt *adj*, ***~ att*** provided that
förutse *verb* foresee*
förutseende I *adj* foresighted **II** -t -n foresight
förutsäga *verb* predict
förutsägelse -n -r prediction
förutsätta *verb* assume
förutsättning -en -ar villkor condition
förvalta *verb* manage
förvaltare -n = administrator
förvaltning -en -ar administration
förvandla *verb* transform; ***~ ngt till ngt*** change sth. into sth.
förvandling -en -ar transformation
förvanska *verb* distort
förvar, *i säkert* ~ in safe keeping
förvara *verb* keep*
förvaring -en -ar keeping

förvaringsbox -en -ar safe-deposit box
förvarning -en -ar forewarning
förverkliga *verb* realize
förvirrad *adj* confused
förvirring -en confusion
förvisa *verb* banish
förvissa *verb*, ~ ***sig om*** make* sure of
förvånad *adj* surprised
förvåning -en surprise
förväg, ***i*** ~ in advance
förvänta *verb*, ~ ***sig*** expect
förvänt|an en ~, pl. -ningar expectation
förväntansfull *adj* expectant
förväntning -en -ar expectation
förvärra *verb*, ~ ***ngt*** make* sth. worse
förväxla *verb* mix up
förväxling -en -ar mix-up
föråldrad *adj* antiquated
föräld|er -ern -rar parent
föräldraledig *adj* ...on parental leave
förälskad *adj*, ***vara*** ~ ***i ngn*** be in love with sb.
förälskelse -n -r love
förändra *verb* change
förändring -en -ar change
förödmjuka *verb* humiliate
förödmjukelse -n -r humiliation

Gg

g g-et g-n g [utt. dji]
gadd -en -ar sting
gaff|el -eln -lar fork
1 gala *verb* crow
2 gal|a -an -or gala
galen *adj* mad
galg|e -en -ar **1** klädhängare clothes hanger **2** för avrättning gallows
gall|a -an -or bile
gall|er -ret = grating
galleri -et -er gallery
galleri|a -an -or shopping mall
gallra *verb* thin out
gallsten -en -ar gallstone
gallstensanfall -et = attack of gallstones
galna ko-sjukan best. form mad cow disease
galning -en -ar madman
galon® -en PVC-coated fabric
galopp -en -er gallop
galoppera *verb* gallop
galosch -en -er galosh
gam -en -ar vulture
gammaglobulin -et gamma globulin
gammal *adj* old
gammaldags *adj* old-fashioned

gangst|er -ern -rar (-ers) gangster
ganska *adv* fairly
gap -et = mouth; hål gap
gapa *verb* open one's mouth; skrika shout; **~!** open wide!
gaphals -en -ar loudmouth
gapskratt -et = roar of laughter
garage -t = garage
garantera *verb* guarantee
garanti -n -er guarantee
garderob -en -er wardrobe
gardin -en -er curtain
garn -et = (-er) **1** tråd yarn **2** nät net
garnera *verb* tårta decorate; maträtt garnish
garnnystan -et = ball of yarn
gas -en -er gas
gasbind|a -an -or gauze bandage
gasmask -en -er gas mask
gasol® -en bottled gas
gasolkök -et = ®Calor gas stove
gaspedal -en -er accelerator
gassa *verb* be broiling hot
gasspis -en -ar gas cooker
gastronom -en -er gourmet
gat|a -an -or street
gathörn -et = street corner
gatlykt|a -an -or streetlamp
gatukorsning -en -ar crossing
gatukök -et = hamburger and hot-dog stand
gav|el -eln -lar **1** på hus gable **2** ***stå på vid*** ~ be wide open
ge *verb* give*; **~ *sig*** surrender; **~ *sig av*** leave*; **~ *igen*** hämnas retaliate; **~ *tillbaka ngt*** return sth.; **~ *upp*** give* up
gedigen *adj* solid
gehör -et ear
gelé -n (-et) -er jelly
gem -et = paper clip
gemensam *adj* common
gemenskap -en community
genant *adj* embarrassing
genast *adv* at once
generad *adj* embarrassed
general -en -er general
generalisera *verb* generalize
generalrepetition -en -er dress rehearsal
generation -en -er generation
generator -n -er generator
generell *adj* general
generös *adj* generous
gengäld, ***i*** ~ in return
geni -et -er genius
genial *adj* o. **genialisk** *adj* brilliant
genmodifierad *adj* genetically modified
genom *prep* o. *adv* through

genombrott -et = breakthrough
genomfart -en -er passage
genomföra *verb* carry out
genomgå *verb* go through
genomgående I *adj* constant **II** *adv* throughout
genomgång -en -ar survey
genomskinlig *adj* transparent
genomskåda *verb*, **~ ngt** see* through sth.
genomslagskraft -en impact
genomsnitt -et = average; ***i ~*** on average
genomstekt *adj* well done
genomvåt *adj* soaking wet
genre -n -r genre
gensvar -et response
gentemot *prep* towards
gentle|man -mannen -män gentleman
genuin *adj* genuine
genus -et = gender
genväg -en -ar short cut
geografi -n geography
geografisk *adj* geographical
geologi -n geology
gerill|a -an -or guerrillas
gest -en -er gesture
gestalt -en -er figure
get -en getter goat
geting -en -ar wasp
getingstick -et = wasp sting
gevär -et = rifle
giff|el -eln -lar croissant
1 gift -et -er poison
2 gift *adj* married
gifta *verb*, **~ *sig med ngn*** marry sb.
giftermål -et = marriage
giftig *adj* poisonous
gigantisk *adj* gigantic
gilla *verb* like
gillande -t approval
gillra *verb*, **~ *en fälla*** set a trap
giltig *adj* valid
gin -en (-et) gin
gips -en (-et) -er plaster
gipsa *verb* plaster
giraff -en -er giraffe
girig *adj* greedy
girland -en -er festoon
gissa *verb* guess
gisslan en ~, pl. = hostage
gissning -en -ar guess
gitarr -en -er guitar
gitarrist -en -er guitarist
giva se *ge*
givakt, *stå i ~* stand* at attention
givande *adj* profitable; bildl. rewarding
givetvis *adv* of course
givmild *adj* generous
gjuta *verb* stöpa cast
glaciär -en -er glacier
glad *adj* happy
glans -en brilliance

glansig *adj* glossy
glapp *adj* loose
glappa *verb* be loose
glas -et = glass
glasbruk -et = glassworks
glaskeramikhäll -en -ar ceramic hob
glasmästare -n = glazier
glasrut|a -an -or pane
glass -en -er (-ar) ice cream
glasspinn|e -en -ar ice lolly
glasstrut -en -ar ice-cream cornet
glasyr -en -er icing
glasögon pl. spectacles, glasses
1 glatt *adv* cheerfully
2 glatt *adj* smooth
gles *adj* thin
glesbygd -en -er sparsely-populated area
glesna *verb* om hår get* thin; om trafik thin out
glida *verb* glide; ***de har glidit ifrån varandra*** they have drifted apart
glimma *verb* gleam
glimt -en -ar gleam; ***ha glimten i ögat*** have* a twinkle in one's eye
glittra *verb* glitter
glo *verb* stare
global *adj* global
glori|a -an -or halo
glos|a -an -or word
glugg -en -ar hole
glupsk *adj* greedy
glutenallergi -n -er gluten allergy
glutenfri *adj* gluten-free
glykol -en -er glycol
glädja *verb* please; ***~ sig åt ngt*** be glad about sth.
glädjande *adj*, ***~ nyheter*** good news
glädje -n joy
glänsa *verb* shine
glänt, ***stå på ~*** be ajar
glänt|a -an -or glade
glöd -en **1** pl. = glödande kol live coal **2** sken glow **3** stark känsla ardour
glöda *verb* glow
glödlamp|a -an -or light bulb
glögg -en -ar mulled wine
glömma *verb* forget*; ***~ kvar ngt*** leave* sth. behind
glömsk *adj* forgetful
glömska -n forgetfulness; ***falla i ~*** be* forgotten
gnaga *verb* gnaw
gnida *verb* rub
gniss|el -let squeaking
gnissla *verb* squeak; ***~ tänder*** grind one's teeth
gnist|a -an -or spark
gnistra *verb* sparkle
gno *verb* rub; arbeta toil

gnola *verb* hum
gnugga *verb* rub
gnutt|a -an -or tiny bit
gnägga *verb* neigh
gnäll -et jämmer whining; klagande grumbling
gnälla *verb* jämra sig whine; klaga complain
gobeläng -en -er tapestry
god *adj* good; ***~ dag!*** good morning (afternoon, evening)!; ***~ morgon!*** good morning!; ***~ natt!*** good night!; ***var så ~!*** here you are!; ***en ~ vän till mig*** a friend of mine
godartad *adj* benign
godis -et sweets
godkänd *adj* approved; ***bli ~*** vid examen o.d. pass
godkänna *verb* approve; vid examen o.d. pass
godnatt *interj* good night!
godo, ***göra upp i ~*** reach an amicable agreement; ***du får hålla till ~ med...*** you'll have to do with...; ***ha 100 kronor till ~*** have* 100 crowns owing; ***komma ngn till ~*** be* of benefit to sb.
gods -et = **1** varor goods **2** lantegendom estate
godsexpedition -en -er goods office
godta *verb* accept
godtagbar *adj* acceptable
godtrogen *adj* credulous
godtycklig *adj* arbitrary
golfban|a -an -or golf course
golfvagn -en -ar golf trolley
golv -et = floor
golvlamp|a -an -or standard lamp
gom -men -mar palate
gondol -en -er gondola
gonorré -n -er gonorrhoea
gorill|a -an -or gorilla
goss|e -en -ar boy
gott I 1 -et -er sweets **2** ***det är ~ om plats*** there is plenty of room **II** *adv* **1** well; ***sova ~*** sleep well; ***så ~ som*** practically
gottgöra *verb* compensate
gottgörelse -n -r compensation
gourmand -en -er gourmand
gourmé -n -er o. **gourmet** -en -er gourmet
graciös *adj* graceful
grad -en -er **1** degree; ***i hög ~*** to a great extent **2** ***5 grader kallt*** 5 degrees below zero; ***25 grader varmt*** 25 degrees above zero **3** rang rank, grade
gradera *verb* grade
gradvis I *adv* gradually **II** *adj* gradual

grafik -en konkret graphic works
gram -met = gram
grammatik -en -er grammar
grammofon -en -er record player
grammofonskiv|a -an -or record
gran -en -ar spruce
granat -en -er **1** sten garnet **2** vapen shell
grann *adj* brilliant
grann|e -en -ar neighbour
grann|land -landet -länder neighbouring country
granska *verb* examine
granskning -en -ar examination
grapefrukt -en -er grapefruit
gratinerad *adj* ...au gratin
gratis *adv* o. *adj* free; ~ ***inträde*** admission free
grattis *interj* congratulations!
gratulation -en -er congratulation
gratulera *verb* congratulate
gratäng -en -er gratin
1 grav *adj* serious
2 grav -en -ar grave
gravad *adj*, ~ ***lax*** marinated salmon
gravera *verb* engrave
gravid *adj* pregnant
graviditet -en -er pregnancy
grej -en -er thing
grek -en -er Greek
grekisk *adj* Greek
grekisk|a -n **1** pl. -or kvinna Greek woman **2** språk Greek
Grekland Greece
gren -en -ar branch
grensle *adv* astride
grep -en -ar pitchfork
grepp -et = grasp
grev|e -en -ar count; i England earl
grevinn|a -an -or countess
grill -en -ar **1** för matlagning grill **2** på bil grille
grilla *verb* grill
grillad *adj* grilled
grillkorv -en -ar hot dog for grilling
grillspett -et = skewer; med kött kebab
grimas -en -er grimace
grimasera *verb* make* faces
grina *verb* **1** gråta cry **2** flina grin
grind -en -ar gate
grinig *adj* **1** gnällig whining **2** knarrig grumpy
gripa *verb* **1** seize; ~ ***tag i ngt*** take* hold of sth. **2** väcka sinnesrörelse touch
gripande *adj* rörande touching
gris -en -ar pig
griskött -et pork

gro *verb* sprout
grod|a -an -or **1** djur frog **2** fel blunder
grod|man -mannen -män frogman
grogg -en -ar long drink
grop -en -ar pit
gropig *adj* bumpy
grossist -en -er wholesale dealer
grotesk *adj* grotesque
grott|a -an -or cave
grov *adj* coarse
grovlek -en -ar thickness
grubbla *verb* ponder; **~ över** brood on
grumlig *adj* muddy
1 grund -en -er foundation; **på ~ av** because of
2 grund I *adj* shallow **II** -et = ; **gå på ~** run* aground
grunda *verb* found
grundare -n = founder
grundlig *adj* thorough
grundlägga *verb* found
grundläggande *adj* fundamental
grundreg|el -eln -ler fundamental rule
grundskol|a -an -or nine-year compulsory school
grundval -en -ar foundation
grundämne -t -n element
grupp -en -er group
gruppbiljett -en -er party ticket
gruppres|a -an -or group excursion
grus -et gravel
1 gruv|a -an -or mine
2 gruva *verb*, **~ sig för ngt** dread sth.
gry *verb* dawn
grym *adj* cruel
grymhet -en -er cruelty
grymta *verb* grunt
gryn -et = grain
gryning -en -ar dawn
gryt|a -an -or pot
grå *adj* grey
gråhårig *adj* grey-haired
gråsparv -en -ar house sparrow
gråta *verb* cry
gråtfärdig *adj*, **vara ~** be on the verge of tears
grädda *verb* bake
grädde -n cream
gräddfil -en sour cream
gräddtårt|a -an -or cream cake
gräl -et = quarrel
gräla *verb* **1** quarrel **2 ~ på ngn** scold sb.
gräma *verb*, **det grämer mig att vi inte gick** I can't get over the fact that we didn't go
gränd -en -er alley

gräns -en -er boundary; för stat frontier
gränsa *verb*, ~ ***till*** border on
gränsfall -et = borderline case
gränslös *adj* boundless
gräs -et = grass
gräshopp|a -an -or grasshopper
gräsklippare -n = lawn mower
gräslig *adj* shocking, vard. awful
gräslök -en -ar chives
gräsmatt|a -an -or lawn
gräva *verb* dig; ~ ***fram*** dig up; ~ ***ned*** bury
grävmaskin -en -er excavator
gröd|a -an -or crops
grön *adj* green; ***det är grönt ljus*** the lights are green
grönkål -en kale
grönområde -t -n green open space
grönsak -en -er vegetable
grönsaksaffär -en -er greengrocer's
grönsakssopp|a -an -or vegetable soup
grönsallad -en -er växt lettuce; rätt green salad
grönska I -n greenery, foliage **II** *verb* vara grön be green
gröt -en -ar porridge
gubb|e -en -ar old man
gud -en -ar god
gud|far -fadern -fäder godfather
gudinn|a -an -or goddess
gud|mor -modern -mödrar godmother
gudomlig *adj* divine
gudskelov *interj* thank goodness!
gudstjänst -en -er service
guida *verb* guide
guide -n -r guide
guide|bok -boken -böcker guidebook
gul *adj* yellow; ***gult ljus*** amber light
gulasch -en -er goulash
guld -et gold; guldmedalj gold medal
guldarmband -et = gold bracelet
guldfisk -en -ar goldfish
guldgruv|a -an -or gold mine
guldring -en -ar gold ring
guldsmed -en -er goldsmith
guldsmedsaffär -en -er jeweller's
gullig *adj* sweet
gullviv|a -an -or cowslip
gulsot -en jaundice
gumm|a -an -or old woman
gummi -t -n rubber
gummisnodd -en -ar elastic band

gummistövlar pl. rubber boots, vard. wellies
gummisul|a -an -or rubber sole
gung|a I -an -or swing **II** *verb* swing
gungstol -en -ar rocking-chair
gupp -et = bump
guppa *verb* bob up and down
gurgla *verb*, **~ *sig*** gargle
gurk|a -an -or cucumber
gylf -en -ar fly
gyllene *adj* golden; av guld gold
gymnasi|um -et -er upper secondary school; mots. i Storbr. ung. sixth form
gymnastik -en gymnastics; skolämne physical training (förk. *PT*)
gymnastiksko -n -r gym shoe
gymnastisera *verb* do gymnastics
gynekolog -en -er gynaecologist
gynna *verb* favour
gynnsam *adj* favourable
gyttj|a -an -or mud
gå *verb* go*; promenera walk; ***hur gick det?*** how did it go?; **~ *av*** stiga av get* off; **~ *bort*** dö die; **~ *efter ngn*** walk behind sb.; **~ *förbi*** walk past; **~ *före*** go* before; **~ *igenom ngt*** go* through sth.; **~ *med ngn*** come* along with sb.; **~ *ned*** go* down; **~ *tillbaka*** återvända return; **~ *upp*** go* up; i vikt gain weight; **~ *över*** go* over
gågat|a -an -or pedestrian precinct, med affärer mall
gång -en **1** sätt att gå gait **2 *i ~*** fungerande running **3** pl. -ar väg path; i hus passage **4** pl. -er tillfälle ***en ~ till*** once more; ***på samma ~*** at the same time
gångban|a -an -or footpath; trottoar pavement
gångjärn -et = hinge
gård -en -ar **1** plan yard **2** egendom farm
gås -en gäss goose
gåstav -en -ar Nordic walking pole
gåt|a -an -or riddle
gåtfull *adj* mysterious
gåv|a -an -or gift
gädd|a -an -or pike
gäll *adj* shrill
gälla *verb* **1** vara giltig be valid **2** beröra concern; ***vad gäller saken?*** what is it about?
gällande *adj* giltig valid; rådande existing; ***göra ~*** maintain
gäng -et = gang

gängse *adj* current; vanlig usual
gärde -t -n field
gärna *adv* gladly; ***tack, ~!*** yes, please!
gärning -en -ar deed
gärnings|man -mannen -män perpetrator
gäspa *verb* yawn
gäspning -en -ar yawn
gäst -en -er guest
gästfri *adj* hospitable
gästfrihet -en hospitality
gästrum -met = spare bedroom
gästspel -et = guest performance
göda *verb* fatten
gödsel -n dung
gödsla *verb* manure
gök -en -ar cuckoo
gömma *verb* hide; förvara keep*; ~ ***sig*** hide
gömställe -t -n hiding-place
göra *verb* **1** tillverka make* **2** do*; ***det gör ingenting*** it doesn't matter; ***ha mycket att ~*** have* a lot to do; ***~ sig av med*** get* rid of; ***~ om*** upprepa repeat; ***gör inte om det!*** don't do it again!; ***~ upp med ngn*** come* to terms with sb.; ***det är inget att ~ åt*** it cannot be helped
görd|el -eln -lar girdle
gös -en -ar pike-perch
Göteborg Gothenburg

Hh

h h-et h-n h [utt. ejtch]
ha *verb* 1 have*; ***vi har varit där*** we have been there; ***har hon köpt den?*** has she bought it?; ***jag skulle vilja ~ ett glas vin*** I would like a glass of wine 2 ***~ med sig*** bring*; ***~ på sig*** vara klädd i wear* 3 ***~ det så bra!*** take* care!; ***hur har du det?*** how are things?; ***det har jag inget emot*** I don't mind; ***vad har hon för sig?*** what is she doing?
hack -et = notch
hack|a I -an -or pickaxe **II** *verb* chop
hackspett -en -ar woodpecker
hag|e -en -ar meadow
hag|el -let = **1** nederbörd hail **2** av bly shot
hagla *verb* hail
haj -en -ar shark
1 hak|a -an -or chin
2 haka *verb*, ***~ upp sig*** get* stuck
hak|e -en -ar hook
haklapp -en -ar bib
hal *adj* slippery
hala *verb* haul
halka I -n ; ***det är ~*** it is icy (slippery) **II** *verb* slip
hall -en -ar hall; i hotell ofta lounge
hallon -et = raspberry
hallucination -en -er hallucination
hallå I *interj* hallo! **II** -(e)t oväsen hullabaloo
halm -en straw
hals -en -ar neck; ***ha ont i ~en*** have* a sore throat; ***sätta ngt i halsen*** choke on sth.
halsa *verb* drink* from the bottle
halsband -et = necklace
halsbränna -n heartburn
halsduk -en -ar scarf
halsfluss -en -er tonsillitis
halshugga *verb* behead
halsont, ***ha ~*** have* a sore throat
halstablett -en -er throat lozenge
halstra *verb* grill
1 halt -en -er andel content
2 halt *adj* som haltar lame
halta *verb* limp
halv *adj* half; ***betala ~ avgift*** pay* half the price; ***i en och en ~ timme*** for an hour and a half; ***~ sju*** half past six
halv|a -an -or half

halvautomatisk *adj* semi-automatic
halv|bror -brodern -bröder half-brother
halvera *verb* halve
halvfabrikat -et = semimanufactured article
halvlek -en -ar half
halvljus -et = ; ***köra på ~*** drive* with dipped headlights
halvmån|e -en -ar half-moon
halvpension -en -er half board
halvsyst|er -ern -rar half-sister
halvtid -en -er half-time
halvtimm|e -en -ar half-hour
halvvägs *adv* half-way
halvår -et = ; ***ett ~*** six months
halvädelsten -en -ar semiprecious stone
halvö -n -ar peninsula
hamburgare -n = hamburger
hammare -n = hammer
hammock -en -ar hammock
hamn -en -ar hamnstad port; anläggning harbour
hamna *verb* end up
hamn|stad -staden -städer port
hamra *verb* hammer
hamst|er -ern -rar hamster
hamstra *verb* hoard
han *pron* he
hand -en händer hand; ***ha ~ om*** be* in charge of; ***ta ~ om*** take* care of; ***för ~*** by hand
handarbete -t -n needlework
handbagage -t hand-luggage
hand|bok -boken -böcker handbook
handboll -en handball
handbroms -en -ar handbrake
handduk -en -ar towel
handel -n trade
handfat -et = washbasin
handflat|a -an -or palm
handfull, *en ~* a pocketful of
handgjord *adj* hand-made
handikapp -et = handicap
handikappad *adj* disabled
handikapptoalett -en -er toilet for the disabled
handla *verb* **1** göra affärer trade; ***~ mat*** buy* food **2** bete sig act **3** ***det handlar om . . .*** it is about . . .
handlag -et knack; ***ha gott ~ med*** have* a good hand with
handlande -t beteende acting
handled -en -er wrist
handling -en -ar **1** agerande action **2** i bok, film etc. story **3** dokument document
handpenning -en -ar deposit; down payment
handskas *verb*, ***~ med*** handle
handsk|e -en -ar glove

handskfack -et = glove compartment
handsknumm|er -ret = size in gloves
handskriven *adj* handwritten
handstil -en -ar handwriting
handsydd *adj* hand-made
handtag -et = handle
handväsk|a -an -or handbag
han|e -en -ar o. **hann|e** -en -ar male
hans *pron* his
hantera *verb* handle
hantverk -et = handicraft
hantverkare -n = craftsman
har|e -en -ar hare
harkla *verb*, **~ *sig*** clear one's throat
harmoni -n -er harmony
harmonisk *adj* harmonious
harp|a -an -or harp
hasa *verb* slide; **~ *ned*** om strumpa o.d. slip down
hasardspel -et = gamble
hasch -en (-et) hash
hasselnöt -en -ter hazelnut
hast -en hurry; ***i all*** **~** in great haste
hastig *adj* rapid
hastighet -en -er speed
hastighetsbegränsning -en -ar speed limit
hastighetsmätare -n = speedometer
hat -et hate
hata *verb* hate
hatt -en -ar hat
hav -et = sea
haveri -et -er skeppsbrott shipwreck; om motor o.d. breakdown
havre -n oats
havregryn pl. porridge oats
havsabborr|e -en -ar bass
havskatt -en -er catfish
havskräft|a -an -or Norway lobster
hed -en -ar moor
heder -n honour
hederlig *adj* honest
hedersgäst -en -er guest of honour
hedersmord -et = honour killing
hedning -en -ar heathen
hedra *verb* honour
hej *interj* hallo!; **~ *då!*** bye-bye!
heja I *interj* come on! **II** *verb*, **~ *på*** säga hej till say* hallo to
hejda *verb* stop
hektar -et (-en) = hectare
hektisk *adj* hectic
hekto -t = o. **hektogram** -met = hectogram
hel *adj* whole
hela *verb* heal

helautomatisk *adj* fully automatic
helförsäkring -en -ar comprehensive damage insurance
helg -en -er weekend
helgdag -en -ar holiday
helgon -et = saint
helhet -en -er whole
helig *adj* holy
helikopt|er -ern -rar helicopter
heller *adv* either; ***det vill inte jag*** ~ I don't want to either
helljus -et = ; ***köra på*** ~ drive* with one's headlights on
hellre *adv* rather; ***jag skulle ~ vilja ha...*** I would prefer...
helnykterist -en -er teetotaller
helomvändning -en -ar ; ***göra en*** ~ do* a complete about turn
helpension -en -er full board and lodging
helsid|a -an -or full page
Helsingfors Helsinki
helst *adv* preferably; ***~ skulle jag vilja åka tillbaka*** I would prefer to return; ***vad som ~*** anything; ***vem som ~*** anybody
helt *adv* completely
heltid -en -er full-time
heltäckningsmatt|a -an -or wall-to-wall carpet
helvete -t -n hell
hem -met = home; ***komma ~*** come* home
hembakad *adj* home-made
hembygd -en -er ; ***i min ~*** where I come from
hemförsäkring -en -ar comprehensive household insurance
hemgjord *adj* home-made
hemifrån *adv* from home
heminredning -en -ar interior decoration
hemkomst -en -er homecoming
hemlagad *adj* home-made
hem|land -landet -länder native country
hemlig *adj* secret
hemlighet -en -er secret
hemlighetsfull *adj* förtegen secretive
hemlängtan en ~, best. form = homesickness
hemlös *adj* homeless
hemma *adv* at home; ***är John ~?*** is John at home?; ***~ hos oss*** at our place
hemmafru -n -ar housewife
hemma|man -mannen -män househusband
hemmastadd *adj* at home
hemorrojder pl. haemorrhoids

hemort -en -er place of residence
hemres|a -an -or journey home
hemsk *adj* ghastly
hemslöjd -en handicraft
hemspråk -et = home language
hemtrakt -en -er ; ***i min ~*** where I come from
hemtrevlig *adj* cosy
hemväg -en way home
hemåt *adv* homewards
henne *pron* her
hennes *pron* her; ***den är ~*** it's hers
hepatit -en -er hepatitis
Hercegovina Herzegovina
herd|e -en -ar shepherd
heroin -et heroin
herr -n -ar i tilltal el. titel Mr
herrbyxor pl. men's trousers
herrcyk|el -eln -lar man's bicycle
herr|e -en -ar gentleman; ***~ gud!*** Good Heavens!
herrfrisering -en -ar men's hairdresser
herrgård -en -ar manor
herrkläder pl. men's clothes
herrkonfektion -en -er men's clothing
herrskap -et = ; ***herrskapet Berg*** Mr and Mrs Berg
herrsko -n -r man's shoe
herrtoalett -en -er gentlemen's lavatory, vard. gents
hertig -en -ar duke
hertiginn|a -an -or duchess
hes *adj* hoarse
het *adj* hot
heta *verb* be called; ***vad heter hon?*** what is her name?
heterosexuell *adj* heterosexual
hets -en förföljelse persecution; jäkt bustle
hetsa *verb* rush
hetsig *adj* hot-tempered
hetta I -n heat **II** *verb*, ***~ till*** become* heated; ***~ upp*** heat
hibiskus -en -ar hibiscus
hicka I -an hiccup **II** *verb* hiccup
hierarki -n -er hierarchy
himm|el -len -lar sky; himmelrike heaven
hind|er -ret = obstacle
hindra *verb* prevent
hindu -n -er Hindu
hinduism -en Hinduism
hingst -en -ar stallion
hink -en -ar bucket
1 hinna *verb*, ***om jag hinner*** if I get time; ***~ fram*** arrive in time; ***~ med disken*** get* the dishes done; ***~ med tåget*** catch* the train
2 hinn|a -an -or tunt skikt film

hiss -en -ar lift
hissa *verb* hoist
histori|a -en (-an) -er history; berättelse story
historisk *adj* **1** som hör historien till historical **2** ***ett historiskt ögonblick*** a historic moment
1 hit *adv* here
2 hit -en -ar hit
hitta *verb* **1** find; ***~ på en historia*** make* up a story; ***vad ska vi ~ på att göra?*** what shall we do? **2** finna vägen find* the (my etc.) way
hittegods -et lost property
hittelön -en reward
hittills *adv* up to now
hitåt *adv* in this direction
HIV oböjl. HIV
hjort -en -ar deer
hjortron -et = cloudberry
hjul -et = wheel
hjullås -en -ar som sätts fast på felparkerade bilar wheel clamp
hjälm -en -ar helmet
hjälp -en help; ***tack för hjälpen!*** thanks for the help!
hjälpa *verb* help; ***~ till*** help out
hjälplös *adj* helpless
hjälpmed|el -let = aid
hjält|e -en -ar hero
hjältinn|a -an -or heroine
hjärn|a -an -or brain
hjärnblödning -en -ar cerebral haemorrhage
hjärnskakning -en -ar concussion
hjärntvätta *verb* brainwash
hjärta -t -n heart
hjärtattack -en -er heart attack
hjärter -n = i kortspel hearts
hjärtfel -et = heart disease
hjärtinfarkt -en -er heart attack
hjärtklappning -en -ar palpitation
hjärtlig *adj* hearty; ***hjärtliga gratulationer!*** Many Happy Returns!; ***hjärtliga hälsningar*** kindest regards
hjärtlös *adj* heartless
ho -n -ar sink
hobby -n -er hobby
hockey -n hockey
Holland Holland
holländare -n = Dutchman
holländsk *adj* Dutch
holländsk|a -n **1** pl. -or kvinna Dutchwoman **2** språk Dutch
holm|e -en -ar islet, small island
homeopat -en -er homeopath
homosexuell *adj* homosexual
hon *pron* she
hon|a -an -or female

honom *pron* him
honung -en honey
hop -en -ar crowd
hopfällbar *adj* collapsible
1 hopp -et förtröstan hope
2 hopp -et = språng jump
hoppa *verb* jump; **~ *av*** jump off; bildl. leave*; **~ *över*** bildl. skip
hoppas *verb* hope
hoppfull *adj* hopeful
hopplös *adj* hopeless
hopprep -et = skipping-rope
hor|a -an -or whore
horisont -en -er horizon
hormon -et -er hormone
horn -et = horn
hornhinn|a -an -or cornea
horoskop -et = horoscope
hos *prep*, ***hemma ~ mig*** at my place; ***sätt dig ~ mig!*** sit* by me!; ***bo ~ ngn*** stay with sb.
hosta I -n cough **II** *verb* cough
hostmedicin -en -er cough mixture
hot -et = threat
hota *verb* threaten
hotande *adj* threatening
hotell -et = hotel
hotelldirektör -en -er hotel manager
hotellrum -met = hotel room
hotelse -n -r threat
hotfull *adj* threatening
1 hov -en -ar hoof
2 hov -et = court
hovmästare -n = head waiter
hud -en -ar skin
hudkräm -en -er all-over cream
hugga *verb* **1** med verktyg cut*; **~ *ved*** chop wood; **~ *av*** cut* off; **~ *ner ett träd*** cut* down a tree **2** om hund bite* **3 ~ *tag i*** catch*
huggorm -en -ar viper
huk, ***sitta på ~*** squat
huka *verb*, **~ *sig*** crouch
huml|a -an -or bumble-bee
humle -n (-t) hops
hummer -n humrar lobster
humor -n humour
humoristisk *adj* humorous
humör -et = temper; ***vara på dåligt ~*** be in a bad mood; ***vara på gott ~*** be in a good mood
hund -en -ar dog
hundra *räkn* hundred
hundradel -en -ar hundredth
hundralapp -en -ar one-hundred-krona note
hundratal -et = ; ***ett ~ människor*** some hundred people
hundratals *adv* hundreds of
hundraårig *adj* hundred-year-old

hundraåring -en -ar centenarian
hundvalp -en -ar puppy
hunger -n hunger
hungersnöd -en famine
hungrig *adj* hungry
hunsa *verb*, ~ ***ngn*** bully sb.
hur *adv* how; ~ ***då?*** how?; ~ ***sa?*** what did you say?; ~ ***det än går*** whatever happens
hurra I *interj* hurrah! **II** *verb* cheer
hurtig *adj* hearty
hus -et = house; ***var håller han ~?*** where is he?
husdjur -et = domestic animal
husgeråd pl. household utensils
hushåll -et = household
hushålla *verb* keep* house; ~ ***med*** be* economical with
hushållsarbete -t -n housework
hushållspapper -et kitchen roll paper
huslig *adj* domestic
husläkare -n = family doctor
husmanskost -en plain food
hus|mor -modern -mödrar housewife; på internat matron
huss|e -en -ar master
hustru -n -r wife
husvagn -en -ar caravan
huttra *verb* shiver
huv -en -ar hood
huv|a -an -or hood
huvud -et -en head
huvudbonad -en -er headgear
huvudbyggnad -en -er main building
huvudgat|a -an -or main street
huvudingång -en -ar main entrance
huvudkudd|e -en -ar pillow
huvudled -en -er major road
huvudperson -en -er i roman o.d. protagonist
huvudroll -en -er leading part
huvudrätt -en -er main course
huvudsak -en -er main thing; ***huvudsaken är att hon är nöjd*** the most important thing is that she is satisfied
huvudsakligen *adv* mostly
huvud|stad -staden -städer capital
huvudvärk -en headache
huvudvärkstablett -en -er headache tablet
hy -n complexion; hud skin
hyacint -en -er hyacinth
hyckla *verb* sham
hyckleri -et -er hypocrisy
hydd|a -an -or hut
hyen|a -an -or hyena
hyfsad *adj* decent
hygglig *adj* decent
hygien -en hygiene

hygienisk *adj* hygienic
1 hyll|a -an -or shelf
2 hylla *verb* congratulate
hyllning -en -ar congratulations
hyls|a -an -or case
hypnos -en -er hypnosis
hypnotisera *verb* hypnotize
hypotes -en -er hypothesis
hyr|a I -an -or rent **II** *verb* rent; **~ *ut*** hus o.d. let*; lösöre hire out
hyrbil -en -ar rental car
hyresgäst -en -er tenant; inneboende lodger
hyreshus -et = block of flats
hyresvärd -en -ar landlord
hysa *verb* 1 inhysa house 2 känna entertain; **~ *agg mot ngn*** have* a grudge against sb.
hyss -et = ; ***ha ~ för sig*** be up to mischief
hysterisk *adj* hysterical
hytt -en -er cabin
hyttplats -en -er berth
hyvla *verb* plane
hål -et = hole; ***~ i öronen*** pierced ears
hål|a -an -or cave
håll -et = 1 riktning direction 2 avstånd distance; ***på långt ~*** in the distance; ***på nära ~*** close by, up close 3 smärta i sidan stitch
hålla *verb* 1 med handen hold* 2 bibehålla keep*; ***~ till höger*** keep* to the right; ***~ fast vid ngt*** hold* on to sth.; ***~ kvar ngn*** keep* sb.; ***~ med*** agree with; ***~ på med ngt*** be* busy with sth. 3 vara stark nog last; inte spricka not break*
hållbar *adj* durable; om t.ex. teori valid
hållfast *adj* strong
hållning -en -ar 1 kroppshållning carriage 2 inställning attitude
hållplats -en -er stop
hån -et scorn
håna *verb* make* fun of; mock
hånfull *adj* scornful
hånle *verb* sneer
hår -et = hair
hårbalsam -en (-et) -er conditioner
hårborst|e -en -ar hairbrush
hårborttagningsmed|el -let = hair remover
hård *adj* hard; ***vara ~ i magen*** be constipated
hårddisk -en -ar hard disk
hårdhet -en -er hardness
hårdhänt *adj* rough
hårdkokt *adj* hard-boiled
hårdnackad *adj* stubborn

hårdsmält *adj* indigestible
hårfrisör -en -er hairdresser
hårfrisörsk|a -an -or hairdresser
hårfön -en -ar blow-drier
hårgelé -n (-et) -er hair gel
hårig *adj* hairy
hårmousse -n -r styling mousse
hårnål -en -ar hairpin
hårschampo -t -n shampoo
hårspray -en -er o. **hårsprej** -en -er hair spray
hårspänne -t -n hairslide
hårstrå -et -n hair
hårt *adv*, ***hon tog det ~*** she took it hard
hårtork -en -ar hair drier
håv -en -ar bag net
häck -en -ar hedge
häcklöpning -en -ar hurdle race
häfta *verb* staple; ***~ ihop ngt*** fasten sth. together
häftapparat -en -er stapling-machine
häfte -t -n booklet
häftig *adj* violent
häftklam|mer -mern -rar staple
häftplåst|er -ret = sticking-plaster
häftstift -et = drawing-pin
hägg -en -ar bird cherry
hägring -en -ar mirage
häkta *verb* **1** fästa hook **2** verkställa häktning detain
häkte -t -n custody
häl -en -ar heel
häleri -et -er receiving
häll -en -ar **1** berghäll flat rock **2** på spis hob, top
hälla *verb* pour; ***~ ngt i ngt*** pour sth. into sth.; ***~ ut*** throw* away
hälleflundr|a -an -or halibut
1 hälsa -n health
2 hälsa *verb* greet; ***~ på ngn*** say* hallo to sb.; ***~ till honom från mig*** please remember me to him
hälsen|a -an -or Achilles' tendon
hälsning -en -ar greeting; ***hälsningar*** kindest regards
hälsokontroll -en -er health check-up
hälsokost -en health foods
hälsokostaffär -en -er health-food shop
hälsosam *adj* healthy
hälsoskäl, *av ~* for reasons of health
hälsovård -en hygiene
hämnas *verb* revenge; ***~ på ngn*** take* revenge on sb.
hämnd -en revenge
hämningslös *adj* uninhibited

hämta *verb* **1** fetch; avhämta collect **2** ~ ***sig*** recover
hända *verb* happen; ~ ***ngn*** happen to sb.
händels|e -en -er **1** occurrence **2** ***av en*** ~ by chance
händelselös *adj* uneventful
händelserik *adj* eventful
händig *adj* handy
hänföra *verb* fascinate
hänga *verb* **1** hang; ~ ***upp sig*** get* stuck **2** ~ ***ihop med ngt*** höra ihop med be* bound up with
hängare -n = hanger
hängiven *adj* devoted
hänglås -et = padlock
hängmatt|a -an -or hammock
hängslen pl. braces
hängsmycke -t -n pendant
hänseende -t -n respect
hänsyn -en = consideration; ***ta*** ~ ***till ngt*** take* sth. into consideration
hänsynsfull *adj* considerate
hänsynslös *adj* ruthless
hänvisa *verb*, ~ ***till*** refer to
hänvisning -en -ar reference
häpen *adj* amazed
här *adv* here
härifrån *adv* from here
härigenom *adv* in this way
härja *verb* ravage; väsnas carry on
härkomst -en origin
härlig *adj* wonderful
härma *verb* imitate
härmed *adv* with these words
häromdagen *adv* the other day
härska *verb* rule; regera reign
härskare -n = ruler
härsken *adj* rancid
härstamma *verb*, ~ ***från*** come* from
härv|a -an -or tangle
häst -en -ar horse; schackpjäs knight
hästhov -en -ar hästs hov horse's hoof
hästkapplöpning -en -ar horse-race
hästkraft -en -er horsepower
hästkött -et horse meat
hästsko -n -r horseshoe
hästsport -en -er equestrian sports
hästsvans -en -ar horse's tail; frisyr pony-tail
häva *verb* **1** stoppa annul **2** lyfta heave
hävda *verb* assert; ~ ***sig*** assert oneself
häx|a -an -or witch
hö -et hay
höft -en -er **1** hip **2** ***på en*** ~ roughly
1 hög -en -ar heap

2 hög *adj* **1** high; lång tall **2** om ljud loud
höger *adj* o. *adv* right; ***till ~*** to the right; ***på ~ sida om*** to the right of
högerhänt *adj* right-handed
högerparti -et -er Conservative party
högerregel -n right-of-way to traffic coming from the right
högertrafik -en right-hand traffic
högform, ***vara i ~*** be* in great form
högfärd -en pride
högfärdig *adj* stuck-up
höghus -et = high rise
högklackad *adj* high-heeled
högkonjunktur -en -er boom
högkvarter -et = headquarters
högljudd *adj* loud
högmod -et pride
högmäss|a -an -or morning service
högre *adj* o. *adv* higher
högröstad *adj* loud-voiced
högskol|a -an -or college; university
högsommar -en högsomrar high summer
högst *adj* highest *adv*, ***~ upp*** at the top; ***~ fem personer*** five people at most
högstadi|um -et -er upper level of compulsory school
högstbjudande *adj*, ***den ~*** the highest bidder
högsäsong -en -er peak season
högtalare -n = loudspeaker
högtid -en -er festival
högtidlig *adj* solemn
högtrafik -en peak traffic
högtryck -et = high pressure
höja *verb* raise; ***~ sig*** rise
höjd -en -er height; kulle hill; ***det är höjden av fräckhet*** it's the height of insolence; ***på sin ~*** no more than
höjdhopp -et = high jump
höjdpunkt -en -er climax
höjning -en -ar increase
hök -en -ar hawk
hön|a -an -or hen
höns -et = fowl
höra *verb* **1** hear*; ***få ~ ngt*** learn sth.; ***~ talas om ngt*** hear* of sth.; ***jag hör av mig*** I'll be in touch; ***~ sig för*** make* inquiries **2** ***~ hemma*** belong; ***det hör inte hit*** that's beside the point
hörapparat -en -er hearing aid
hörbar *adj* audible
hörhåll, ***inom ~*** within earshot
hörlurar pl. earphones
hörn -et = corner
hörn|a -an -or corner

hörsal -en -ar lecture hall
hörsel -n hearing
hörselskadad *adj* hearing-impaired
hösnuva -n hay-fever
höst -en -ar autumn; ***i ~*** this autumn; ***i höstas*** last autumn; ***på hösten*** in the autumn
höstdagjämning -en -ar autumnal equinox
hösttermin -en -er autumn term
hövlig *adj* polite

Ii

1 i i-et i-n i [utt. aj]
2 i *prep* in; ***i ett hörn*** in a corner; ***i New York*** in New York; ***i Globen*** at the Globe Arena; ***hålla ngn i handen*** hold* sb. by the hand; ***hoppa i vattnet*** jump into the water; ***professor i fysik*** professor of physics
ibland *adv* sometimes
icke-rökare -n = non-smoker
idag *adv* today
ide -t -n winter quarters; ***gå i ~*** go* into hibernation
idé -n -er idea; ***det är ingen ~*** there's no point in it
ideal -et = ideal
idealisk *adj* ideal
identifiera *verb* identify
identisk *adj* identical
identitet -en -er identity
identitetskort -et = identification card, ID card
idiot -en -er idiot
idiotisk *adj* idiotic
idissla *verb* chew the cud
ID-kort -et -en ID card, identification card
idol -en -er idol
idrott -en -er sports
idrotta *verb* go in for sports

idrottsgren -en -ar sport
idrotts|man -mannen -män sportsman; friidrottare athlete
idrottsplats -en -er sports ground
idrottstävling -en -ar sports meeting
idyll -en -er idyll
idyllisk *adj* idyllic
ifall *konj* if
ifatt *adv*, ***komma ~*** catch* up with
ifrågasätta *verb* question
ifrån I *prep*, ***vara ~ sig*** be beside oneself **II** *adv* away
igelkott -en -ar hedgehog
igen *adv* **1** en gång till again **2** tillbaka back
igenom *prep* o. *adv* through
igloo -n -r (-s) igloo
ignorera *verb* ignore
igång se i gång under *gång*
igår *adv* yesterday; ***~ morse*** yesterday morning; ***~ kväll*** last night
ihjäl *adv*, ***frysa ~*** freeze to death; ***slå ~ ngn*** kill sb.
ihop *adv* tillsammans together
ihåg *adv*, ***komma ~*** remember
ihålig *adj* hollow
ihållande *adj* continuous; ***~ regn*** a steady downpour
ikapp *adv*, ***hinna ~*** catch* up with
ikväll *adv* this evening, tonight
i-land -et i-länder developed country
illa *adv* badly; ***göra sig ~*** hurt oneself; ***må ~*** feel* sick; ***tala ~ om ngn*** speak* ill of sb.
illamående -t feeling of sickness
illegal *adj* illegal
illojal *adj* disloyal
illusion -en -er illusion
illustration -en -er illustration
illustrera *verb* illustrate
ilska -n anger
ilsken *adj* angry
imitation -en -er imitation
imitera *verb* imitate
imma -n mist
immigrant -en -er immigrant
immigrera *verb* immigrate
immun *adj* immune
imorgon *adv* tomorrow; ***~ kväll*** tomorrow night
imorse *adv* this morning
imperi|um -et -er empire
imponera *verb*, ***~ på*** impress
imponerande *adj* impressive
impopulär *adj*, ***~ bland*** unpopular with
import -en -er import; varor imports
importera *verb* import
impregnera *verb* impregnate

impressionism -en impressionism
improvisation -en -er improvisation
improvisera *verb* improvise
impuls -en -er impulse
impulsiv *adj* impulsive
in *adv* in; **~ *i*** into; **~ *genom*** through
inackordering -en -ar inhysning board and lodging
inaktuell *adj* out of date
inandas *verb* breathe in
inatt *adv* föregående last night; kommande tonight
inbegripa *verb* comprise
inbetalning -en -ar payment
inbetalningskort -et = paying-in form
inbilla *verb*, **~ *sig*** imagine
inbillning -en -ar imagination
inbjuda *verb* invite
inbjud|an en ~, pl. -ningar invitation
inblandad *adj* involved
inblick -en -ar insight
inbrott -et = burglary
inbrottstjuv -en -ar burglar
inbunden *adj* **1** om bok bound **2** om person reserved
inbördes I *adj* mutual **II** *adv* mutually
inbördeskrig -et = civil war
incest -en -er incest
incheckning -en -ar checking-in
incheckningsdisk -en -ar check-in counter
indelning -en -ar division
index -et = index
indian -en -er Indian
Indien India
indier -n = Indian
indikation -en -er indication
indisk *adj* Indian
indisk|a -an -or Indian woman
individ -en -er individual
individuell *adj* individual
industri -n -er industry
industriarbetare -n = industrial worker
industri|land -landet -länder industrialized country
ineffektiv *adj* inefficient
infall -et = idea; nyck whim
infarkt -en -er infarct
infart -en -er approach
infekterad *adj* infected
infektion -en -er infection
inflammation -en -er inflammation
inflammerad *adj* inflamed
inflation -en -er inflation
influens|a -an -or influenza, vard. the flu
inflytande -t -n influence
inflytelserik *adj* influential

information -en -er information
informell *adj* informal
informera *verb*, **~ om** inform
infödd *adj* native
inföding -en -ar native
inför *prep* before, for; **~ rätten** before the court; **förbereda sig ~ ett möte** prepare for a meeting; **plugga ~ en tenta** study for an exam
införa *verb* introduce
inga se *ingen*
ingefära -n ginger
ingen *pron* no, nobody; **det kom inget brev** there was no letter; **inga vänner** no friends; **~ kom** no one came; **jag hittade inga** I didn't find any; **~ orsak!** don't mention it!
ingenjör -en -er engineer
ingenstans *adv* nowhere
ingenting *pron* nothing
inget se *ingen* o. *ingenting*
ingrediens -en -er ingredient
ingrepp -et = ; **kirurgiskt ~** operation
ingripa *verb* intervene
ingripande -t -n intervention
ingå *verb*, **~ i** be included in
ingående I *adj* thorough **II** *adv* thoroughly
ingång -en -ar entrance
inhemsk *adj* domestic
inifrån *prep* o. *adv* from inside
initiativ -et = initiative
injektion -en -er injection
injicera *verb* inject
inklusive *prep* including
inkompetent *adj* incompetent
inkomst -en -er income; **stora inkomster** a large income
inkonsekvent *adj* inconsistent
inkontinens -en incontinence
inkräkta *verb*, **~ på** encroach on
inkräktare -n = intruder
inkvartera *verb* accommodate
inkvartering -en -ar accommodation
inköp -et = purchase
inleda *verb* begin*
inledning -en -ar beginning
innan *konj* o. *prep* before
innanför *prep* inside
inne *adv* in; inomhus indoors
innebära *verb* mean*
innebörd -en -er meaning
innehavare -n = owner
innehåll -et = contents
innehålla *verb* contain
innerst *adv*, **~ inne** deep down
innersta *adj* innermost
inner|stad -staden (-stan) -städer centre

inofficiell *adj* unofficial
inom *prep* within
inomhus *adv* indoors
inre *adj* inner; inside
inreda *verb* decorate
inredning -en -ar decoration
inres|a -an -or entry
inresetillstånd -et = entry permit
inrikes I *adj* domestic **II** *adv* within the country
inrikesflyg -et domestic aviation
insamling -en -ar collection; penninginsamling fund-raising
insats -en -er **1** lös del inset **2** i spel stake **3** prestation achievement
insatslägenhet -en -er owner-occupied flat
inse *verb* realize
insekt -en -er insect
insektsmed|el -let = insecticide
insid|a -an -or inside
insikt -en -er ; **~ *i*** knowledge of
insistera *verb* insist
insjukna *verb* fall* ill
insjö -n -ar lake
inskrivning -en -ar enrolment; vid universitet registration
inskränka *verb* restrict
inskränkning -en -ar restriction
inspektera *verb* inspect
inspektion -en -er inspection
inspelning -en -ar recording
inspiration -en -er inspiration
inspirera *verb* inspire
installera *verb* install
instinkt -en -er instinct
institut -et = institute
institution -en -er institute; samhällsinstitution institution
instruera *verb* instruct
instruktion -en -er instruction
instruktions|bok -boken -böcker manual
instruktör -en -er instructor
instrument -et = instrument
instrumentbräd|a -an -or dashboard
inställd *adj*, ***vara ~ på ngt*** be prepared for sth.
inställning -en -ar **1** av apparat o.d. adjustment **2** attityd attitude
instämma *verb*, ***~ i ngt*** agree to sth.
instängd *adj* shut up
inta *verb* **1** äta have* **2** erövra conquer
intagning -en -ar till kurs, skola etc. admission
inte *adv* not; ***~ alls*** not at all;

oroa dig ~ don't worry; ~ ***längre*** no longer
intellektuell *adj* intellectual
intelligens -en -er intelligence
intelligent *adj* intelligent
intensiv *adj* intense
intensivvård -en intensive care
interiör -en -er interior
internationell *adj* international
internatskol|a -an -or boarding school
interrailkort -et = interrail pass
intervju -n -er interview
intervjua *verb* interview
intill I *prep* next to **II** *adv*, ***i rummet ~*** in the adjoining room; ***vi bor alldeles ~*** we live next door
intim *adj* intimate
intolerant *adj* intolerant
intressant *adj* interesting
intresse -t -n interest
intressera *verb* interest
intresserad *adj*, ***~ av ngt*** interested in sth.
intrig -en -er intrigue
introducera *verb* introduce
introduktion -en -er introduction
intryck -et = impression
inträde -t -n entrance; tillträde admission
inträdesavgift -en -er entrance fee
inträdesbiljett -en -er admission ticket
inträffa *verb* happen
intuition -en -er intuition
intyg -et = certificate
intyga *verb* certify
inuti *adv* o. *prep* inside
invadera *verb* invade
invalid -en -er disabled person
invalidiserad *adj* disabled
invandrare -n = immigrant
invandrarfientlig *adj* ...hostile towards immigrants; mera generellt xenophobic
invandring -en -ar immigration
invasion -en -er invasion
inventering -en -ar inventory
inverka *verb*, ***~ på*** influence
inverkan en ~, best. form = influence
investera *verb* invest
inviga *verb* **1** t.ex. byggnad inaugurate; t.ex. utställning open **2** göra förtrogen initiate
invigning -en -ar inauguration
invånare -n = inhabitant
invända *verb*, ***~ mot ngt*** have* objections to sth.
invändig *adj* internal

invändning -en -ar objection
invärtes I *adj* internal; ***för ~ bruk*** for internal use **II** *adv* inwardly
inåt I *prep* into **II** *adv* inwards
inälvor pl. intestines
iris -en -ar iris
Irland Ireland
irländare -n = Irishman
irländsk *adj* Irish
irländsk|a -n **1** pl. -or Irishwoman **2** språk Irish
ironi -n -er irony
ironisk *adj* ironic
irra *verb*, ***~ omkring*** wander about
irritation -en -er irritation
irritera *verb* irritate
is -en -ar ice
isbit -en -ar piece of ice
isbjörn -en -ar polar bear
ischias -en sciatica
isglass -en -ar ice lolly
ishockey -n ice hockey
iskall *adj* ice-cold
islam oböjl. Islam
Island Iceland
isländsk *adj* Icelandic
isländsk|a -an **1** pl. -or kvinna Icelandic woman **2** språk Icelandic
islänning -en -ar Icelander
isolera *verb* **1** avskilja isolate **2** m. isoleringsmaterial insulate
isolering -en -ar **1** avskiljning isolation **2** m. isoleringsmaterial insulation
isvatt|en -net = iced water
isär *adv* apart; ***ta ~ ngt*** take* sth. to pieces
Italien Italy
italienare -n = Italian
italiensk *adj* Italian
italiensk|a -an **1** -or kvinna Italian woman **2** språk Italian
itu *adv* **1** in two; ***gå ~*** break* **2** ***ta ~ med ngt*** arbete o.d. set about doing sth.; problem o.d. deal with sth.
iver -n eagerness
ivrig *adj* eager
iögonfallande *adj* conspicuous

Jj

j j-et j-n j [utt. djej]
ja *interj* yes; artigare yes, Sir (resp. Madam); **~ *tack*** yes, please
1 jack -et = skåra gash
2 jack -et = telefonjack jack
jack|a -an -or jacket
jag *pron* I; ***det är*** **~** it's me
jaga *verb* hunt; **~ *bort ngn*** drive sb. away
jaguar -en -er jaguar
jaha *interj* betänksamt well; jag förstår oh, I see
1 jakt -en -er hunting; ***vara på*** **~ *efter ngt*** be hunting for sth.
2 jakt -en -er båt yacht
jama *verb* miaow
januari oböjl. January; ***i*** **~** in January
Japan Japan
japan -en -er Japanese
japansk *adj* Japanese
japansk|a -an **1** pl. -or kvinna Japanese woman **2** språk Japanese
jasmin -en -er jasmine
jaså *interj* oh!
jazz -en -er jazz
jazzband -et = jazz band
jazzklubb -en -ar jazz club
jeans -en = jeans
jeansskjort|a -an -or denim shirt
jeep -en -ar jeep
Jesus Jesus
jetplan -et = jet plane
jo *interj* yes; **~ *då*** yes, certainly
jobb -et = job
jobba *verb* work
jobbig *adj* hard; prövande trying
jod -en iodine
jogga *verb* jog
joggingsko -n -r trainer
jok|er -ern -rar joker
joll|e -en -ar dinghy
jonglera *verb* juggle
jord -en -ar **1** jordklot earth; värld world **2** mark ground; jordmån soil
jordbruk -et = **1** verksamhet farming; mer formellt agriculture **2** gård farm
jordbrukare -n = farmer
jordbävning -en -ar earthquake
jordglob -en -er globe
jordgubb|e -en -ar strawberry
jordklot -et = earth
jordnöt -en -ter peanut
jordskred -et = landslide
jordärtskock|a -an -or Jerusalem artichoke

jour -en -er ; ***ha*** **~** be on duty
jourhavande *adj*, **~ *läkare*** doctor on duty
jourläkare -n = doctor on duty
journal -en -er patientjournal case-book
journalist -en -er journalist
ju I *adv* of course; ***det var ~ det jag sa!*** that's what I said, didn't I? **II** *konj*, **~ *förr dess bättre*** the sooner the better
jub|el -let rejoicing
jubile|um -et -er anniversary
jubla *verb* högljutt shout with joy
jud|e -en -ar Jew
judendom -en Judaism
judinn|a -an -or Jewess
judisk *adj* Jewish
judo -n judo
Jugoslavien Yugoslavia
juice -n -r fruit juice
jul -en -ar Christmas (förk. *Xmas*); ***god ~!*** Merry Christmas!; ***annandag ~*** Boxing Day; ***i ~*** at Christmas; ***i julas*** last Christmas
julaft|on -onen -nar Christmas Eve
juldag -en -ar Christmas Day
julgran -en -ar Christmas tree
julhelg -en -er Christmas
juli oböjl. July; ***i ~*** in July
julklapp -en -ar Christmas present
julkort -et = Christmas card
jullov -et = Christmas holidays
julott|a -an -or early church service on Christmas Day
julskink|a -an -or baked Christmas ham
julsång -en -er Christmas carol
jultomt|e -en -ar Father Christmas
jumbojet -en -ar jumbo jet
jump|er -ern -rar jumper
jungfru -n -r oskuld virgin; ***Jungfrun*** stjärntecken Virgo
juni oböjl. June; ***i ~*** in June
juridik -en law
juridisk *adj* legal
jurist -en -er lawyer
jury -n -er jury
just *adv* just; **~ *nu*** right now; **~ *det!*** exactly!
justera *verb* adjust
justering -en -ar adjusting
juvel -en -er jewel
juvelerare -n = jeweller
juv|er -ret = udder
jägare -n = hunter
jäkt -et hurry
jäkta *verb* be in a hurry
jäktig *adj* terribly busy
jämföra *verb* compare
jämförelse -n -r comparison

jämlik *adj* equal
jämlikhet -en equality
jämmer -n groaning
jämn *adj* even; slät smooth; ***jämna pengar*** exact change; ***det är jämnt!*** till kypare keep the change!
jämna *verb*, ***~ med marken*** level with the ground; ***~ till ngt*** make* sth. level
jämnmod -et equanimity
jämnårig *adj*, ***en ~ flicka*** a girl of the same age
jämra *verb*, ***~ sig*** moan
jämsides *adv* side by side
jämställa *verb*, ***~ ngn med ngn*** place sb. on an equal footing with sb.
jämställdhet -en equality
jämt *adv* always
jämvikt -en balance
järn -et = iron
järngrepp -et = iron grip
järnhand|el -eln -lar ironmonger's
järnmalm -en -er iron ore
järnvilj|a -an -or iron will
järnväg -en -ar railway; ***resa med ~*** go by rail
järnvägskorsning -en -ar railway crossing
järnvägsstation -en -er railway station
järnvägsövergång -en -ar railway crossing
jäsa *verb* ferment
jäsning -en -ar fermentation
jäst -en yeast
jätt|e -en -ar giant
jättelik *adj* gigantic
jävla *adj* bloody

Kk

k k-et k-n k [utt. kei]
kabaré -n -er cabaret
kab|el -eln -lar cable
kabel-tv -n cable television
kabin -en -er cabin
kabinban|a -an -or cableway
kackerlack|a -an -or cockroach
kackla *verb* cackle
kafé -et -er café
kafévagn -en -ar dining-car
kaffe -t coffee; ***två ~!*** two coffees, please!; ***en kopp ~*** a cup of coffee
kaffebryggare -n = coffee machine
kaffebröd -et ung. cakes and biscuits
kaffebön|a -an -or coffee bean
kaffekann|a -an -or coffee pot
kaffekopp -en -ar coffee cup
kafferast -en -er coffee break
kaffeservis -en -er coffee service
kaffesked -en -ar coffee spoon
kaj -en -er quay
kaj|a -an -or jackdaw
kajuta -an -or cabin
kak|a -an -or cake
kakao -n dryck cocoa; ***en kopp ~*** a cup of cocoa
kakel -let = tile
kakelugn -en -ar stove
kakform -en -ar baking tin
kaki -n tyg khaki
kaktus -en -ar cactus
kal *adj* bare
kalas -et = party; ***betala kalaset*** foot the bill
kalend|er -ern -rar calendar
kalib|er -ern -rar calibre
kalk -en kemisk förening lime; i föda calcium
kalkon -en -er turkey
kalkyl -en -er calculation
kalkylera *verb* calculate
1 kall *adj* cold; ***vara ~ om händerna*** have* cold hands
2 kall -et = kallelse calling
kalla *verb* call; ***~ på hjälp*** call for help
kalldusch -en -ar cold shower; överraskning nasty surprise
kallelse -n -r till möte o.d. summons
kallfront -en -er cold front
kallna *verb* get* cold
kallsinnig *adj* indifferent
kallskänk|a -an -or cold-buffet manageress
kallsup -en -ar ; ***få en ~*** swallow water
kallsvettas *verb* be* in a cold sweat
kallvatt|en -net cold water

kalops -en ung. beef stew
kalori -n -er calorie
kalsonger pl. underpants
kalv -en -ar calf; kalvkött veal
kalvkotlett -en -er veal chop
kalvkött -et veal
kalvskinn -et = calfskin
kalvstek -en -ar roast veal
kam -men -mar för hår comb
kamé -n -er cameo
kamel -en -er camel
kamer|a -an -or camera
kameramobil -en -er camera phone
kamin -en -er stove
kamma *verb* comb
kammare -n = chamber
kamomill -en -er camomile
kamp -en -er fight
kampanj -en -er campaign
kampsport -en -er martial art
kamrat -en -er friend
kamratskap -en (-et) friendship
kamrer -en -er accountant; på bank branch manager
kan|a I -an -or slide **II** *verb* slide
Kanada Canada
kanadensare -n = Canadian
kanadensisk *adj* Canadian
kanadensisk|a -an -or Canadian woman
kanal -en -er **1** byggd canal; naturlig channel **2** tv-kanal channel
kanariefåg|el -eln -lar canary
Kanarieöarna the Canary Islands
kandelab|er -ern -rar candelabra
kandidat -en -er candidate
kanel -en cinnamon
kanelbull|e -en -ar ung. cinnamon bun
kanin -en -er rabbit
kann|a -an -or pot; större jug
kannibal -en -er cannibal
kanon -en -er vapen gun
kanot -en -er canoe
kanske *adv* perhaps
kant -en -er edge
kantarell -en -er chanterelle
kantra *verb* capsize
kanvas -en -er canvas
kanyl -en -er injection needle
kaos -et chaos
1 kapa *verb* skära av cut*
2 kapa *verb* t.ex. flygplan hijack
kapabel *adj* capable
kapacitet -en -er capacity
kapare -n = hijacker
kapell -et = **1** kyrka chapel **2** orkester orchestra **3** överdrag cover
kapital -et = capital
kapitalism -en capitalism

kapit|el -let = chapter
kapitulera *verb* surrender
kapp|a -an -or coat
kapplöpning -en -ar race
kapplöpningsban|a -an -or racetrack
kapprum -met = cloakroom
kappsegling -en -ar yacht-racing
kapris -en capers
kapsejsa *verb* capsize
kaps|el -eln -lar capsule
kapsyl -en -er cap, top
kapsylöppnare -n = bottle opener
kapten -en -er captain
kapuschong -en -er hood
kar -et = tub
karaff -en -er carafe
karakterisera *verb* characterize
karakteristisk *adj*, ***~ för*** characteristic of
karaktär -en -er character
karamell -en -er sweet
karantän -en -er quarantine
karat -en (-et) = carat; ***18 karats guld*** 18-carat gold
karate -n karate
karavan -en -er caravan
kard|a I -an -or card **II** *verb* card
kardanax|el -eln -lar drive shaft
kardemumma -n cardamom
karensdag -en -ar day of qualifying period
karg *adj* barren
karies -en caries
karikatyr -en -er caricature
karl -[e]n -ar man
karm -en -ar på stol arm; på dörr frame
karmstol -en -ar armchair
karneval -en -er carnival
kaross -en -er coach
karott -en -er deep dish
karriär -en -er career
kart|a -an -or map; sjökort chart
kart|bok -boken -böcker atlas
kartlägga *verb* map; t.ex. behov survey
kartong -en -er **1** papp cardboard **2** ask carton
karusell -en -er merry-go-round
kasino -t -n casino
kaskad -en -er cascade
kasperteat|er -ern -rar Punch and Judy show
kass|a -an -or **1** pengar money **2** kontor cashier's office; i affär cashdesk
kassaapparat -en -er cash register
kassa|bok -boken -böcker cashbook

kassakvitto -t -n receipt
kassaskåp -et = safe
kass|e -en -ar carrier bag
kassera *verb* discard
kassett -en -er cassette
kassettband -et = cassette tape
kassettbandspelare -n = cassette tape-recorder
kassör -en -er cashier; på bank teller; i förening treasurer
kassörsk|a -an -or i affär checkout assistant
kast -et = throw*
kasta *verb* throw*; ~ ***sig i en bil*** jump into a car; ~ ***bort ngt*** throw* sth. away; ~ ***ut ngn*** throw* sb. out; ~ ***upp*** kräkas vomit
kastanj -en -er chestnut
kastanjett -en -er castanet
kastrera *verb* castrate
kastrull -en -er saucepan
kastspö -et -n casting rod
katalog -en -er catalogue; telefonkatalog directory
katarr -en -er catarrh
katastrof -en -er disaster
katastrofal *adj* disastrous
kated|er -ern -rar teacher's desk
katedral -en -er cathedral
kategori -n -er category
katolicism -en Catholicism
katolik -en -er Catholic
katolsk *adj* Catholic
katt -en -er cat
kattung|e -en -ar kitten
kavaj -en -er jacket
kavaljer -en -er partner
kavalkad -en -er cavalcade
kav|el -eln -lar rolling-pin
kaviar -en caviare
kavla *verb* roll; ~ ***upp ärmarna*** roll up one's sleeves
kebab -en kebab
kedj|a *verb* chain
kejsardöme -t -n empire
kejsare -n = emperor
kejsarinn|a -an -or empress
kela *verb* cuddle; ~ ***med ngn*** fondle sb.
kelt -en -er Celt
keltisk *adj* Celt
keltiska -n språk Celtic
kemi -n chemistry
kemikalier pl. chemicals
kemisk *adj* chemical
kemtvätt -en -ar **1** inrättning dry-cleaners **2** tvättmärkning dry clean only
kenn|el -eln -lar kennels
keps -en -ar cap
keramik -en ceramics
keso® -n cottage cheese
ketchup -en ketchup
kex -et = biscuit
kidnappa *verb* kidnap

kika *verb* peep
kikare -n = binoculars
kikhosta -n whooping-cough
kil -en -ar wedge
1 kila *verb*, **~ *fast*** wedge
2 kila *verb*, ***jag måste ~ iväg nu*** I must be off now
kill|e -en -ar boy
killing -en -ar kid
kilo -t = kilo
kilogram -met = kilogram
kilometer -n = kilometre
kilowatt -en = kilowatt
Kina China
kind -en -er cheek
kines -en -er Chinese
kinesisk *adj* Chinese
kinesisk|a -an **1** pl. -or kvinna Chinese woman **2** språk Chinese
kinkig *adj* kräsen particular
kiosk -en -er kiosk, newsstand
kirurg -en -er surgeon
kisa *verb* peer
kissa *verb* pee; ***~ på sig*** wet oneself
kiss|e -en -ar o. **kissekatt** -en -er pussycat
kist|a -an -or chest; likkista coffin
kitt -et putty
kittla *verb* tickle
kittlig *adj* ticklish
kiwi -n -er o. **kiwifrukt** -en -er kiwi fruit
kjol -en -ar skirt
klack -en -ar heel
klacka *verb* heel
1 kladd -en -ar skriftligt utkast rough draft
2 kladd -et kludd daub
kladda *verb* daub; ***~ ner ngt*** soil sth.
kladdig *adj* sticky
klaff -en -ar flap; hjärtklaff valve
klaga *verb*, ***~ på*** complain about
klagomål -et = complaint
klam|mer -mern -rar vid häftning staple
klampa *verb* tramp
klamra *verb*, ***~ sig fast vid*** cling to
klang -en -er ring; musik sound
klantig *adj* clumsy
klapp -en -ar pat
klappa *verb* pat; ***~ i händerna*** clap one's hands
klar *adj* **1** tydlig clear; ***göra ngt klart för sig*** get* a clear idea about sth. **2** färdig ready; ***är du ~ med arbetet?*** have you finished your work?
klara *verb* **1** ~ el. ***~ av*** lyckas med manage; kunna hantera

handle **2 *~ sig*** reda sig manage
klarhet -en clearness
klarinett -en -er clarinet
klarna *verb* become* clear
klarsynt *adj* clear-sighted
klarvaken *adj* wide awake
klas|e -en -ar cluster
klass -en -er class; ***resa i andra ~*** travel second class; ***ett första klassens hotell*** a first-class hotel
klassiker -n = classic
klassisk *adj* classical
klasskamrat -en -er classmate
klassrum -met = classroom
klen *adj* sjuklig feeble; skral poor
klenod -en -er priceless article
kleptoman -en -er kleptomaniac
kli -et bran
klia *verb* itch; ***~ sig i huvudet*** scratch one's head
klibbig *adj* sticky
kliché -n -er cliché
klick -en -ar **1** klump lump **2** klickning click
klicka *verb* click
klickbar *adj* data. clickable
klient -en -er client
klimat -et = climate
klimax -en -ar climax
klinga *verb* ring
klinik -en -er clinic
klipp -et = hack cut
1 klipp|a *verb* cut*; ***~ sig*** have* one's hair cut
2 klipp|a -an -or rock; brant cliff
klippning -en -ar haircut
klirra *verb* jingle
klist|er -ret paste
klistra *verb* paste; ***~ fast ngt på ngt*** stick sth. on sth.
kliva *verb*, ***~ in i*** step (get*) into; ***~ på*** get* on
klo -n -r claw
kloak -en -er sewer
klock|a -an -or att ringa med bell; för arm watch; väggur clock; ***hur mycket är klockan?*** what time is it?; ***klockan är halv två*** it is half past one
klockarmband -et = watchstrap
klockradio -n -r clock radio
klok *adj* wise; ***det är ju inte klokt!*** it's crazy!
klor -en chlorine
kloss -en -ar block
klost|er -ret = monastery; nunnekloster convent
klot -et = ball; bowlingklot bowl; glob globe
klott|er -ret = på vägg graffiti

klottra *verb* scrawl; på vägg draw* graffiti
klubb -en -ar club
klubb|a -an -or club
kludda *verb* daub
klump -en -ar lump
klumpig *adj* clumsy
klung|a -an -or group
klunk -en -ar gulp; öl swig
klyft|a -an -or **1** bergsklyfta ravine **2** bit wedge, piece
klyftpotatis -en -ar potato wedges pl.
klyva *verb* split
klåda -n itch
klä *verb* dress; ***det klär dig*** it suits you; ***~ av sig*** undress; ***~ på sig*** get* dressed; ***~ om*** change; ***~ ut sig till*** dress oneself up as
kläcka *verb* hatch
klädaffär -en -er clothes shop
klädborst|e -en -ar clothes brush
kläder pl. clothes
klädhängare -n = hanger; krok peg
klädnyp|a -an -or clothes peg
klädsam *adj* becoming
kläds|el -eln -lar dress
klädskåp -et = wardrobe
klädstreck -et = clothes line
klämm|a I -an -or för papper clip **II** *verb* squeeze; ***~ fingret i...*** get* one's finger caught in...; ***~ ut ngt ur ngt*** squeeze sth. out of sth.
klänga *verb* climb
klängväxt -en -er climber
klänning -en -ar dress
klättra *verb* climb
klösa *verb* scratch
klöver -n = **1** växt clover **2** i kortspel clubs
knacka *verb* knock
knaka *verb* creak; ***~ i fogarna*** creak at the joints
knall -en -ar bang
1 knapp -en -ar button
2 knapp *adj* scanty; ***en ~ kilometer*** a little less than one kilometre; ***tiden är ~*** time is running short
knappast *adv* hardly
knapphål -et = buttonhole
knappnål -en -ar pin
knappt *adv* **1** otillräckligt scantily **2** knappast hardly
knapra *verb*, ***~ på ngt*** nibble at sth.
knaprig *adj* crisp
knark -et drugs pl.
knarka *verb* take* drugs
knarkare -n = drug addict
knarkhund -en -ar sniffer dog
knarra *verb* creak
knastra *verb* crackle
knep -et = trick

knepig *adj* tricky
knip|a I -an -or straits; ***råka i ~*** get* into a tight corner
II *verb* **1** pinch; ***~ ihop*** pinch together **2** ***om det kniper*** in an emergency
knipp|a -an -or bunch
knippe -t -n bundle
kniv -en -ar knife
knockout -en -er knock-out
knog|e -en -ar knuckle
knop -en **1** -ar knut knot **2** pl. = hastighet knot
knopp -en -ar **1** på växt bud **2** kula knob
knott -et (-en) = insekt gnat
knottrig *adj* rough
knubbig *adj* plump
knuff -en -ar push
knuffa *verb* push
knuffas *verb*, ***~ inte!*** don't push!
knulla *verb* vulg. fuck
knut -en -ar **1** knot **2** husknut corner
knutpunkt -en -er centrum centre
knycka *verb* **1** rycka jerk **2** stjäla pinch
knysta *verb*, ***utan att ~*** without complaining
knyta *verb* tie; ***~ fast*** fasten; ***~ upp*** untie
knyte -t -n bundle
knytkalas -et = Dutch treat
knytnäv|e -en -ar clenched fist
knåda *verb* knead
knä -[e]t -n knee
knäck -en **1** pl. -ar karamell toffee **2** ***det tog knäcken på mig*** it nearly killed me
knäcka *verb* **1** crack **2** om person break*
knäckebröd -et = crispbread
knäpp I -en -ar click **II** *adj* tokig nuts
knäppa *verb* med knapp button up; ***~ händerna*** clasp one's hands; ***~ av*** switch off; ***~ på*** switch on; ***~ upp*** unbutton
knäskål -en -ar kneecap
knästrump|a -an -or knee-length stocking
knäsvag *adj*, ***känna sig ~*** feel* weak at the knees
knöl -en -ar **1** bula o.d. bump **2** person bastard
ko -n -r cow
koagulera *verb* coagulate
kock -en -ar cook
kod -en -er code
koffein -et caffeine
koffeinfri *adj* caffeine-free, vard. de-caf
koffert -en -ar trunk
ko|fot -foten -fötter crowbar
koft|a -an -or cardigan

koj -en -er kojplats berth
koj|a -an -or cabin
koka *verb* boil; **~ *kaffe*** make* coffee; **~ *över*** boil over
kokain -et cocaine
kok|bok -boken -böcker cookery book
kokersk|a -an -or cook
kokhet *adj* boiling hot
kokmalen *adj*, ***kokmalet kaffe*** granulated coffee
kokosfett -et coconut butter
kokosnöt -en -ter coconut
kokplatt|a -an -or hot plate
koksalt -et common salt
kokt *adj* boiled
kol -et (-en) = **1** bränsle coal **2** grundämne carbon
kol|a -an -or toffee
koldioxid -en carbon dioxide
kolera -n cholera
kolesterolvärde -t -n cholesterol count
kolhydrat -en -er carbohydrate
kolibri -n -er hummingbird
kolik -en colic
kolj|a -an -or haddock
kollaps -en -er collapse
kolleg|a -an -or colleague
kollegieblock -et = note pad
kollegi|um -et -er staff meeting
kollekt -en -er collection
kollektiv *adj* collective
kollektivtrafik -en public transport
kolli -t -n piece of luggage
kollidera *verb* collide
kollision -en -er collision
kolon -et = colon
koloni -n -er colony
kolonisera *verb* colonize
kolonn -en -er column
kolossal *adj* colossal
koloxid -en carbon monoxide
kolsvart *adj* pitch-dark
kolsyra -n carbonic acid
kolsyrad *adj* carbonated
koltablett -en -er charcoal tablet
koltrast -en -ar blackbird
kolumn -en -er column
kolv -en -ar **1** i motor piston **2** på gevär butt
koma -t (-n) coma; ***ligga i ~*** be in a coma
kombination -en -er combination
kombinera *verb* combine
komedi -n -er comedy
komet -en -er comet
komiker -n = comedian
komisk *adj* rolig comic; löjlig comical
1 komma -t -n skiljetecken comma; i decimalbråk point
2 komma *verb* come*; ***hur kommer det sig?*** how's that?;

jag kommer att resa dit I'll be going there; ~ ***bort*** be* lost; ~ ***fram*** anlända get* there; ***hon kommer med*** she is coming along; ***jag kom på att mjölken är slut*** it struck me that there was no milk left; ~ ***tillbaka*** come* back; ***det har han kommit över*** he has got over that
kommande *adj* coming
kommando -t -n command
kommateck|en -net = comma
kommendera *verb* command
kommentar -en -er comment
kommentera *verb* comment on
kommersiell *adj* commercial
kommissarie -n -r polis inspector
kommitté -n -er committee
kommun -en -er municipality
kommunicera *verb* communicate
kommunikation -en -er communication
kommunikationsmed|el -let = means of communication
kommunism -en Communism
kommunist -en -er Communist
kommunistisk *adj* Communist
kompakt *adj* compact
kompani -et -er company
kompanjon -en -er partner
kompass -en -er compass
kompensation -en -er compensation
kompensera *verb* compensate
kompetent *adj* competent
kompis -en -ar pal
komplement -et = complement
komplett I *adj* complete
II *adv* completely
komplettera *verb* complete
komplex *adj* complex
komplicera *verb* complicate
komplikation -en -er complication
komplimang -en -er compliment
komplott -en -er plot
komponera *verb* compose
komposition -en -er composition
kompositör -en -er composer
kompott -en -er compote
kompress -en -er compress
komprimera *verb* compress
kompromiss -en -er compromise
kompromissa *verb* compromise
koncentration -en -er concentration

koncentrera *verb* concentrate; ~ ***sig*** concentrate
koncern -en -er group
koncis *adj* concise
kondensator -n -er capacitor
kondition -en -er condition
konditori -et -er café
kondom -en -er condom
konduktör -en -er ticket-collector
konfekt -en chocolates
konfektion -en -er ready-made clothing
konferencier -en -er compère
konferens -en -er conference
konferera *verb* confer
konfirmation -en -er confirmation
konflikt -en -er conflict
konfrontera *verb* confront
kongress -en -er conference
konjak -en brandy
konjunktur -en -er state of the market
konkret *adj* concrete
konkurrens -en competition
konkurrent -en -er competitor
konkurrera *verb* compete
konkurs -en -er bankruptcy; ***gå i*** ~ go bankrupt
konsekvens -en -er följd consequence
konsekvent I *adj* consistent **II** *adv* consistently
konsert -en -er **1** offentligt arrangemang concert **2** musikstycke concerto
konserthus -et = concert hall
konserv -en -er tinned food
konservativ *adj* conservative
konservburk -en -ar tin
konservöppnare -n = tin-opener
konsistens -en -er consistency
konsonant -en -er consonant
konst -en -er art
konstant *adj* constant
konstatera *verb* fastställa establish; hävda state
konstgjord *adj* artificial
konsthandlare -n = art dealer
konsthantverk -et = handicraft
konstig *adj* strange
konstläd|er -ret artificial leather
konstmuse|um -et -er art museum
konstnär -en -er artist
konstnärlig *adj* artistic
konstruera *verb* construct
konstruktion -en -er construction
konstutställning -en -ar art exhibition
konstverk -et = work of art

konståkning -en figure skating
konsul -n -er consul
konsulat -et = consulate
konsult -en -er consultant
konsultera *verb* consult
konsument -en -er consumer
konsumera *verb* consume
konsumtion -en consumption
kontakt -en -er contact; ***komma i ~ med*** get* into contact with
kontakta *verb* contact
kontaktlins -en -er contact lens
kontant *adj* cash; ***betala ~*** pay* cash
kontanter pl. ready money
kontantkort -et = cash card; till mobiltelefon prepaid phone card
kontinent -en -er continent
konto -t -n account
kontokort -et = credit card
kontor -et = office
kontorist -en -er office employee
kontrakt -et = contract
kontrast -en -er contrast
kontroll -en -er **1** check **2** behärskning control
kontrollera *verb* check
kontroversiell *adj* controversial
kontur -en -er outline
konung -en -ar king
konvalescent -en -er convalescent
konventionell *adj* conventional
konversation -en -er conversation
konversera *verb* converse
konvoj -en -er convoy
kooperativ *adj* co-operative
kopi|a -an -or copy
kopiera *verb* copy
kopieringsapparat -en -er copier
kopp -en -ar cup
koppar -n copper
kopp|el -let = leash; ***vara i ~*** be in leash
koppla *verb* couple; ***kan ni ~ mig till . . . ?*** please, connect me with . . . ; ***~ av*** relax; ***~ in ngt*** connect sth.; ***~ på*** switch on
koppling -en -ar coupling; på bil clutch
kopplingspedal -en -er clutch pedal
korall -en -er coral
koreografi -n -er choreography
korg -en -ar basket
koriander -n coriander
korint -en -er currant
kork -en -ar cork

korkmatt|a -an -or linoleum
korkskruv -en -ar corkscrew
korn -et = frö grain; sädesslag barley
korp -en -ar raven
korrekt *adj* correct
korrektur -et = proofs
korrespondens -en -er correspondence
korrespondent -en -er correspondent
korridor -en -er corridor
korrigera *verb* correct
korruption -en corruption
kors -et = cross; ***lägga ngt i ~*** cross sth.
korsa *verb* cross
korsdrag -et draught
korsett -en -er corset
korsning -en -ar crossing
korsord -et = crossword
korsstygn -et = cross-stitch
korsteck|en -net = ; ***göra korstecknet*** make* the sign of the cross
korståg -et = crusade
1 kort -et = **1** spelkort, vykort etc. card **2** foto photo
2 kort I *adj* short **II** *adv* i tidsuttryck shortly; ***för att fatta mig ~*** to be brief
korta *verb* shorten
kortautomat -en -er photo booth
kortbyxor pl. shorts
kortfattad *adj* brief
korthårig *adj* short-haired
kortklippt *adj*, ***vara ~*** wear* one's hair short
kortlek -en -ar pack of cards
kortsiktig *adj* short-term
kortslutning -en -ar short circuit
kortspel -et = card game
kortsynt *adj* short-sighted
korttelefon -en -er cardphone
kortvarig *adj* short
kortvåg -en short wave
kortärmad *adj* short-sleeved
korv -en -ar sausage
kosmetika -n cosmetics
koss|a -an -or cow
kost -en fare; ***~ och logi*** board and lodging
kosta *verb* cost*; ***hur mycket kostar det?*** how much is it?
kostnad -en -er cost
kostym -en -er suit
kot|a -an -or vertebra
kotlett -en -er chop
kott|e -en -ar **1** cone **2** ***inte en ~*** not a soul
krabb|a -an -or crab
krafsa *verb* scratch
kraft -en -er styrka force; förmåga power
kraftfull *adj* powerful

kraftig *adj* powerful; stark strong
kraftlös *adj* weak
kraftverk -et = power station
krag|e -en -ar collar
kram -en -ar hug
krama *verb* **1** omfamna hug **2** pressa squeeze
kramp -en -er cramp
kran -en -ar vattenkran o.d. tap; lyftkran crane
krans -en -ar wreath
kranvatt|en -net tap water
kras -et crack; ***gå i*** ~ go to pieces
krasch I *interj* crash! **II** -en -er crash
krasse -n cress
krat|er -ern -rar crater
kratt|a I -an -or rake **II** *verb* rake
krav -et = demand
kraxa *verb* croak
kreativ *adj* creative
kreatur -et = boskap cattle
kredit -en -er credit; ***köpa ngt på*** ~ buy* sth. on credit
kreditkort -et = credit card
kremering -en -ar cremation
Kreta Crete
krets -en -ar circle
kretsa *verb* circle; ***kretsa kring ngt*** circle around sth.
krevera *verb* explode, burst
krig -et = war
kriga *verb* make* war
krigsfartyg -et = warship
krigsmakt -en -er armed forces
krigsutbrott -et = outbreak of war
kriminalitet -en crime
kriminell *adj* criminal
kring *prep* **1** runt om round **2** angående about
kringgå *verb* evade
kringl|a -an -or pretzel
kris -en -er crisis
kristall -en -er crystal
kristallklar *adj* crystal-clear
kristallkron|a -an -or cut-glass chandelier
Kristdemokraterna pl. the Swedish Christian Democrats
krist|en I en ~, pl. -na Christian **II** *adj* Christian
kristendom -en Christianity
kristid -en -er time of crisis
Kristus Christ
krit|a -an -or chalk
kritik -en criticism
kritiker -n = critic
kritisera *verb* criticize
kritisk *adj* critical
kroat -en -er Croat
Kroatien Croatia
kroatisk *adj* Croatian

kroatisk|a -an **1** pl. -or kvinna Croatian woman **2** språk Croatian
krock -en -ar crash
krocka *verb* crash
krocket -en croquet
krockkudd|e -en -ar airbag
krocksäker *adj* crashworthy
krog -en -ar restaurant
krok -en -ar hook
krokett -en -er croquette
krokig *adj* crooked
krokodil -en -er crocodile
krokus -en -ar crocus
kromosom -en -er chromosome
kron|a -an -or crown; valuta krona
kronisk *adj* chronic
kronologisk *adj* chronological
kronprins -en -ar crown prince
kronprinsess|a -an -or crown princess
kronärtskock|a -an -or artichoke
kropp -en -ar body
kroppsarbete -t -n manual labour
kroppsbyggare -n = body builder
kroppsbyggnad -en build
kroppsdel -en -ar part of the body
kroppslig *adj* bodily
kroppsvisitera *verb* search
krossa *verb* crush
krubb|a -an -or manger
krucifix -et = crucifix
kruk|a -an -or pot
krukväxt -en -er potted plant
krullig *adj* curly
krusbär -et = gooseberry
krut -et gunpowder
krux -et crux
kry *adj* well
kryck|a -an -or crutch
krydd|a I -an -or spice **II** *verb* season
kryddpeppar -n allspice
krylla *verb*, ***stranden kryllade av folk*** the beach was swarming with people
krympa *verb* shrink*
krympfri *adj* unshrinkable
kryp -et = creepy-crawly; insekt insect
krypa *verb* crawl
kryphål -et = loophole
krypin -et = den
krysantemum -en = chrysanthemum
kryss -et = cross
kryssa *verb* **1** cruise **2** ~ ***för*** tick off
kryssning -en -ar cruise
kråk|a -an -or crow
krång|el -let trouble

krångla *verb* om person make* a fuss; 'klicka' go* wrong
krånglig *adj* difficult
kräft|a -an -or crayfish; ***Kräftan*** stjärntecken Cancer
kräftskiv|a -an -or crayfish party
kräk -et = wretch
kräkas *verb* vomit
kräla *verb* crawl
kräldjur -et = reptile
kräm -en -er cream
krämp|a -an -or ailment
kränka *verb* violate
kränkning -en -ar violation
kräsen *adj* fastidious, vard. choosy
kräva *verb* demand; ***det krävs god kondition*** you need to be in good shape
krävande *adj* exacting
krögare -n = innkeeper
krök -en -ar bend
kröka *verb* bend
krön -et = crest
kröna *verb* crown
kub -en -er cube
kubikmet|er -ern -rar cubic metre
kudd|e -en -ar cushion; huvudkudde pillow
kugga *verb* fail
kugg|e -en -ar cog
kugghjul -et = gearwheel
kuk -en -ar vulg. cock
kul *adj* fun
kul|a -an -or ball; klot äv. globe; gevärskula bullet; stenkula (leksak) marble; ***stöta ~*** put* the shot (weight); ***börja på ny ~*** start afresh
kuliss -en -er sidescene; ***bakom kulisserna*** behind the scenes
1 kull -en -ar av djur litter
2 kull oböjl. ; ***leka ~*** play tag
kulle -en -ar hill
kullerbytt|a -an -or somersault
kulmen en ~, best. form = culmination
kulminera *verb* culminate
kulspetspenn|a -an -or ball pen
kulsprut|a -an -or machine gun
kulstötning -en shot-put
kult -en -er cult
kultiverad *adj* cultivated
kultur -en -er culture; civilisation civilization
kulturell *adj* cultural
kummin -en caraway
kund -en -er customer; klient client
kung -en -ar king
kunglig *adj* royal
kunglighet -en -er royal personage
kungöra *verb* announce

kungörelse -n -r announcement
kunna *verb* **1** 'känna till' know* **2** ***kan*** can; ***kunde*** could; ***hon kan komma*** she can come; ***kan han göra det?*** can he do it?; ***nej, det kan han inte*** no, he cannot; ***vi kunde göra det*** we could do it; ***hon har inte kunnat sova*** she has not been able to sleep; ***skulle jag ~ få sockret?*** could you pass me the sugar, please?; ***han kan vara riktigt trevlig*** he can be quite nice
kunnig *adj* well-informed
kunskap -en -er knowledge
kup|a -an -or globe; bikupa hive
kupé -n -er compartment
kuperad *adj* kullig hilly
kupol -en -er dome
kupong -en -er coupon
kupp -en -er coup
kur -en -er cure
kurator -n -er welfare officer
kuriositet -en -er curiosity
kurort -en -er health resort
kurragömma oböjl. ; ***leka ~*** play hide-and-seek
kurs -en -er **1** course **2** växelkurs rate
kursiv *adj* italic; ***i ~ stil*** in italics
kurv|a -an -or curve
kusin -en -er cousin
kusk -en -ar driver
kuslig *adj* gruesome
kust -en -er coast
kuva *verb* subdue
kuvert -et = **1** för brev envelope **2** på bord cover
kuvös -en -er incubator
kvadrat -en -er square
kvadratmeter -n = square metre
1 kval -er = i sporter qualifying match, qualifying round
2 kval -et = lidande suffering
kvalificerad *adj* qualified; ***en ~ gissning*** an educated guess
kvalifikation -en -er qualification
kvalitet -en -er quality
kvalmig *adj* stuffy
kvantitet -en -er quantity
kvar *adv* still there, still here; ***det finns inga biljetter ~*** there are no tickets left; ***är det långt ~?*** is there a long way to go?
kvarglömd *adj* left behind
kvarlev|a -an -or remnant
kvarn -en -ar mill
kvarskatt -en -er tax arrears
kvarstå *verb* remain
kvart -en -er (=) quarter; ***om en ~*** in a quarter of an hour; ***i tre ~*** for three quarters of an

hour; ~ ***över tre*** at a quarter past three
kvartal -et = quarter
kvarter -et = block
kvartett -en -er quartet
kvast -en -ar broom
kvav *adj* stuffy; om väder sultry; fuktig muggy
kvick *adj* nimble, quick; vitsig witty
kvickhet -en -er **1** snabbhet quickness **2** skämt joke
kvickna *verb*, ~ ***till*** come* to
kvicksilv|er -ret mercury
kvig|a -an -or heifer
kvinn|a -an -or woman; ***två kvinnor*** two women
kvinnlig *adj* female; typisk för en kvinna feminine
kvintett -en -er quintet
kvissl|a -an -or pimple
kvist -en -ar twig
kvitt *adj* **1** ***nu är vi*** ~ now we are quits **2** ***bli*** ~ ***ngt*** get* rid of sth.
kvitta *verb*, ***det kvittar*** it doesn't matter
kvittens -en -er receipt
kvittera *verb* **1** sign; ***kvitteras*** received with thanks; ~ ***ut*** collect **2** i sport tie, score a tying goal
kvitto -t -n receipt
kvittra *verb* chirp
kvot -en -er quota
kvälja *verb* nauseate; ***det kväljer mig*** it makes me feel sick
kväljande *adj* sickening
kväljningar pl. sickness
kväll -en -ar evening; ***i*** ~ tonight; ***i går*** ~ yesterday evening; ***i morgon*** ~ tomorrow evening; ***på kvällen*** in the evening
kvällstidning -en -ar evening paper
kvällsöppen *adj* open in the evening
kväva *verb* choke
kväve -t nitrogen
kyckling -en -ar chicken
kyl -en -ar fridge
kyla I -n cold **II** *verb* cool
kylare -n = radiator
kylarvatt|en -net coolant
kylarvätska -n antifreeze
kyldisk -en -ar refrigerated display cabinet
kylig *adj* cool
kylskåp -et = refrigerator, vard. fridge
kypare -n = waiter
kyrk|a -an -or church
kyrkklock|a -an -or church bell
kyrkogård -en -ar cemetery; kring kyrka churchyard
kysk *adj* chaste

kyss -en -ar kiss
kyssa *verb* kiss
kåd|a -an -or resin
kåk -en -ar hus house
kål -en 1 cabbage 2 ***ta ~ på*** nearly kill
kåldolm|e -en -ar stuffed cabbage roll
kålhuvud -et -en cabbage
kål|rot -roten -rötter swede
kåp|a -an -or 1 för munk cowl 2 skydd cover
kår -en -er body; inom militären corps
kår|e -en -ar ; ***det gick kalla kårar efter ryggen på mig*** a cold shiver ran down my back
kåt *adj* vulg. randy
käck *adj* lively
käft -en -ar på djur jaws; ***håll käften!*** shut up!
käk -et grub
käka *verb* eat*
käkben -et = jawbone
käk|e -en -ar jaw
kälk|e -en -ar toboggan
käll|a -an -or vattenkälla spring; bildl. source
källare -n = cellar; våning basement
källarmästare -n = restaurant-keeper
kämpa *verb* fight
kämp|e -en -ar warrior
känd *adj* well known
kändis -en -ar celebrity
käng|a -an -or boot
känguru -n -r kangaroo
känn, *ha ngt på ~* feel* sth. in one's bones
känna *verb* 1 förnimma feel*; ***~ sig trött*** feel* tired; ***~ efter*** see* if 2 vara bekant med know*; ***~ igen ngt*** (***ngn***) recognize sth. (sb.); ***~ till ngt*** know* sth.
kännare -n = connoisseur
kännas *verb* feel*; ***hur känns det?*** how do you feel?
kännbar *adj* noticeable
kännedom -en knowledge; ***ha ~ om*** know* about
kännateck|en -net = characteristic
känneteckna *verb* characterize
känsel -n feeling
känsl|a -an -or feeling
känslig *adj* sensitive
känslomässig *adj* emotional
känslosam *adj* emotional
käpp -en -ar stick
kär *adj* avhållen dear; ***bli ~ i ngn*** fall* in love with sb.
käring -en -ar old woman
kärl -et = vessel
kärlek -en -ar love

kärleksaffär -en -er love affair
kärleksfull *adj* loving
kärleksliv -et love life
kärlkramp -en vascular cramp
kärn|a -an -or i frukt el. bär pip
kärnkraft -en nuclear power
kärnkraftverk -et = nuclear power station
kärnvap|en -net = nuclear weapon
kärr -et = marsh
kärr|a -an -or cart
kärv *adj* harsh
kärva *verb*, ***det har kärvat till sig*** things have become difficult
kärv|e -en -ar sheaf
kätting -en -ar chain
kö -n -er queue
köa *verb* queue
kök -et = kitchen
köksmästare -n = chef
köksträdgård -en -ar kitchen garden
köl -en -ar keel
kölapp -en -ar queue ticket
köld -en cold
köldskad|a -an -or frostbite
kön -en = sex
könsorgan -et = sexual organ
könssjukdom -en -ar venereal disease (förk. *VD*)
köp -et = purchase
köpa *verb* buy*, purchase
köpare -n = buyer
köpcentrum -et = shopping centre, mall
köpekontrakt -et = contract of sale
Köpenhamn Copenhagen
köpesumm|a -an -or price
köpkort -et = credit card
köp|man -mannen -män businessman
köpslå *verb* bargain
1 kör -en -er choir
2 kör, *i ett* ~ without stopping
köra *verb* **1** drive*; ***~ bil*** drive* a car; ***~ om en bil*** overtake* a car; ***~ på ngn*** run* sb. down; ***~ ut ngn*** turn sb. out **2** kuggas fail
körban|a -an -or road
körkort -et = driving licence
körriktningsvisare -n = indicator
körsbär -et = cherry
körskol|a -an -or driving school
körsnär -en -er furrier
kört|el -eln -lar gland
kött -et flesh; slaktat meat
köttaffär -en -er butcher's
köttbit -en -ar piece of meat
köttbull|e -en -ar meatball
köttfärs -en minced meat
köttgryt|a -an -or stew

kötträtt -en -er meat course
köttsopp|a -an -or broth

l l-et l-en l [utt. ell]
laboratori|um -et -er laboratory
labyrint -en -er labyrinth
lack -et (-en) -er sigillack sealing wax; fernissa varnish
lacka *verb* seal
lackera *verb* lacquer
lad|a -an -or barn
ladda *verb* load; ***~ ned*** download
ladugård -en -ar cowshed
1 lag -et = idrottslag, arbetslag team
2 lag -en -ar norm etc. law
laga *verb* **1** ***~ mat*** cook **2** reparera repair
lag|er -ret = **1** förråd stockroom; magasin warehouse; ***ha i ~*** have* in stock **2** skikt layer
laglig *adj* legal
lagning -en -ar repairing
lagom I *adv*, ***~ saltad*** just right salted; ***komma precis ~*** be just in time **II** *adj* adequate; ***är det här ~?*** is this enough?
lagra *verb* store
lagstiftning -en -ar legislation
lagun -en -er lagoon

lagård -en -ar cowshed
lakan -et = sheet
lak|e -en -ar fisk burbot
lakrits -en liquorice
laktosintolerans -en -er lactose intolerance, milk allergy
lam *adj* paralysed
lamm -et = lamb
lammkotlett -en -er lamb chop
lammkött -et lamb
lammstek -en -ar roast lamb
lamp|a -an -or lamp
lampskärm -en -ar lampshade
lamslå *verb* paralyse
land -et **1** pl. länder rike country **2** fastland land; ***gå i ~*** go ashore **3** ***åka ut på landet*** go into the country
landa *verb* land
landgång -en -ar **1** brygga gangway **2** smörgås long open sandwich
landning -en -ar landing
landningsban|a -an -or runway
landsbygd -en countryside
landsflykt -en exile
landskamp -en -er international match
landskap -et = **1** landsdel province **2** natur el. tavla landscape
landslag -et = international team
lands|man -mannen -män fellow countryman
landsort -en -er ; ***landsorten*** the provinces
landstiga *verb* land
landsväg -en -ar main road
langa *verb* pass; kasta chuck; ***~ knark*** push drugs
langare -n = knarklangare pusher
lansera *verb* introduce
lantbruk -et = **1** verksamhet farming **2** bondgård farm
lantbrukare -n = farmer
lantern|a -an -or light
lantgård -en -ar farm
lantlig *adj* rural
lantställe -t -n place in the country
lapa *verb* lap
lapp -en -ar patch
lappa *verb* patch; ***~ ihop*** patch up
Lappland Lapland
lapplis|a -an -or traffic warden
larm -et = alarm alarm; larmsignal alert; ***slå ~*** sound the alarm
larma *verb* alarmera call
1 larv -en -er djur grub
2 larv -et strunt rubbish

larva *verb*, **~ *sig*** be silly; prata dumheter talk rubbish
larvig *adj* silly
lasagne -n lasagne
lasarett -et = hospital
laser -n lasrar laser
lass -et = load
lasso -t -n lasso
last -en -er **1** gods cargo **2** ovana o.d. vice
lasta *verb* load
lastbil -en -ar lorry
lat *adj* lazy
lata *verb*, **~ *sig*** be lazy
latin -et Latin
Latinamerika Latin America
latinamerikan -en -er Latin American
latinamerikansk *adj* Latin American
latinamerikansk|a -an -or Latin American woman
latitud -en -er latitude
latmask -en -ar lazybones
lav|a -an -or lava
lavemang -et = enema
lavendel -n lavender
lavin -en -er avalanche
lax -en -ar salmon
laxermed|el -let = purgative
le *verb* smile; **~ *mot ngn*** smile at sb.
leasa *verb* lease
leasing -en -ar leasing
1 led -en -er väg way; rutt route
2 led -en -er **1** i kroppen el. tekniskt joint; ***vrida armen ur ~*** dislocate one's arm **2** stadium stage **3** rad av personer:, bredvid varandra rank, bakom varandra file
1 leda -n weariness
2 leda *verb* lead; styra, förestå run*
leda|mot -moten -möter member
ledande *adj* leading; ***i ~ ställning*** in a leading position
ledare -n = leader
ledd -en -er ; ***på vilken ~?*** this way or that way?
ledig *adj* free; ***hon är ~ idag*** she has today off
ledning -en -ar **1** skötsel el. inom företag management; ***ta ledningen*** take* the lead äv. i sporter **2** elledning o.d. wire
ledsam *adj* boring
ledsen *adj* sad; ***jag är ~, men jag är upptagen*** I'm sorry but I'm busy
ledsna *verb* get* tired
ledtråd -en -ar clue
leende I *adj* smiling **II** -t -n smile
legend -en -er legend
legendarisk *adj* legendary

legitimation -en -er ID-kort identity card
legitimerad *adj* authorized
leja *verb* hire
lejon -et = lion; ***Lejonet*** stjärntecken Leo
lejongap -et = snapdragon
lek -en -ar **1** game; ***på ~*** for fun **2** kortlek pack
leka *verb* play
lekfull *adj* playful
lekkamrat -en -er playmate
lek|man -mannen -män layperson
lekplats -en -er playground
leksak -en -er toy
leksaksaffär -en -er toyshop
lekskol|a -an -or nursery school
lektion -en -er lesson
lem -men -mar limb
lemlästa *verb* maim
len *adj* soft
leopard -en -er leopard
ler|a -an -or clay
lerig *adj* muddy
lesbisk *adj* lesbian
leta *verb* look; ***~ efter*** look for
lett -en -er Latvian
lettisk *adj* Latvian
lettisk|a -an **1** pl. -or Latvian woman **2** språk Latvian
Lettland Latvia
leukemi -n -er leukaemia
leva *verb* live; ***~ på ngt*** live on sth.
levande *adj* living; ***vara ~*** be alive; ***~ ljus*** candles; ***~ musik*** live music
lever -n levrar liver
leverans -en -er delivery
leverantör -en -er supplier
leverera *verb* supply
leverpastej -en -er liver paste
levnad -en life
levnadsstandard -en standard of living
lexikon -et = (lexika) dictionary
liberal *adj* liberal
libretto -t -n libretto
licens -en -er licence
lida *verb* plågas suffer
lidelse -n -r passion
lie -n liar scythe
Liechtenstein Liechtenstein
liera *verb*, ***~ sig med*** ally oneself with
lift -en -ar lift
lifta *verb* hitch-hike
liftare -n = hitchhiker
liftkort -et = lift ticket
lig|a -an -or **1** gang **2** i fotboll etc. league
ligga *verb* lie*; till sängs be* in bed; ***var ligger järnvägsstationen?*** where is

the railway station?; ***~ med ngn*** sleep* with sb.
liggande *adj* lying; vågrät horizontal
liggplats -en -er sleeping-place
liggvagn -en -ar på tåg couchette
liggvagnsplats -en -er couchette
1 lik -et = corpse
2 lik *adj* like; ***vara ~ ngn*** till sättet be like sb.; till det yttre look like sb.; ***de är mycket lika*** they are very much alike
lika I *adj* equal; ***3 plus 5 är ~ med 8*** 3 plus 5 equals 8 **II** *adv* likadant in the same way; ***hon är ~ stor som sin bror*** she is just as tall as her brother
likadan *adj* the same
likaså *adv* also
lik|e -en -ar equal
likgiltig *adj* indifferent
likhet -en -er resemblance
likhetsteck|en -net = equals sign
likkist|a -an -or coffin
likna *verb* resemble; se ut som look like
liknande *adj* similar
liknelse -n -r simile; i Bibeln parable
liksom I *konj* like; ***han är målare ~ jag*** he is a painter like me **II** *adv* så att säga sort of
likström -men -mar direct current, DC
liktorn -en -ar corn
likvid -en -er payment
likvärdig *adj*, ***~ med*** equivalent to
likör -en -er liqueur
lila *adj* lilac
lilj|a -an -or lily
liljekonvalje -n -r lily of the valley
lilla se *liten*
lillasyster -n småsystrar little sister
lillebror en ~, pl. småbröder little brother
lillfing|er -ret -rar little finger
lilltå -n -r little toe
lim -met = glue
lime -n -r lime
limma *verb* glue
limousine -n -r limousine
limp|a -an -or loaf; ***en ~ cigaretter*** a carton of cigarettes
lin -et flax
lin|a -an -or rope
linban|a -an -or cableway
lind -en -ar lime
linda *verb* wind
lindra *verb* relieve

lindrig *adj* mild
lindring -en -ar relief
lingon -et = lingonberry
linjal -en -er ruler
linje -n -r line; utbildningslinje course
linka *verb* limp
linne -t -n **1** tyg linen **2** plagg vest
linning -en -ar band
lins -en -er **1** växt lentil **2** optisk lins el. i öga lens; kontaktlins contact lens
lipa *verb* blubber; ***~ åt ngn*** stick one's tongue out at sb.
lirka *verb*, ***~ med ngn*** coax sb.
Lissabon Lisbon
1 list -en -er knep trick
2 list -en -er kantlist strip
1 list|a -an -or list
2 lista *verb*, ***~ ut*** find* out
listig *adj* cunning
lita *verb*, ***~ på ngn*** rely on sb.
Litauen Lithuania
litauer -n = Lithuanian
litauisk *adj* Lithuanian
litauisk|a -an **1** pl. -or kvinna Lithuanian woman **2** språk Lithuanian
lite I *adv* en smula a little, a bit **II** *pron* knappast inget little; få few; ***äta ~ mat*** have* some food
liten (*litet* el. *lille* el. *lilla* el. *små*) *adj* ej 'stor' small; sagt med känsla little; ***stackars ~*** poor little thing
liter -n = litre
litet se *lite*
litografi -n -er lithography
litteratur -en -er literature
liv -et **1** pl. = life **2** oväsen noise
livbåt -en -ar lifeboat
livfull *adj* vivid
livförsäkring -en -ar life insurance
livlig *adj* lively
livlös *adj* lifeless
liv|moder -modern -mödrar womb
livrem -men -mar belt
livräddning -en -ar life-saving
livsfarlig *adj* highly dangerous
livsmedel pl. provisions
livsmedelsaffär -en -er food shop
livstid -en lifetime; ***få livstids fängelse*** be sentenced to life imprisonment
livvakt -en -er bodyguard
ljud -et = sound
ljuddämpare -n = silencer
ljudlös *adj* soundless
ljudstyrka -n sound level
ljuga *verb* lie*
ljum *adj* lukewarm
ljumsk|e -en -ar groin

ljung -en heather
ljus I -et = light; ***föra ngn bakom ljuset*** deceive sb. **II** *adj* light; om hy fair
ljusglimt -en -ar bildl. ray of hope
ljushårig *adj* fair-haired
ljusna *verb* bli ljusare grow* light
ljusning -en -ar bättring improvement
ljuspunkt -en -er något glädjande bright spot
ljusstak|e -en -ar candlestick
ljuv *adj* sweet
ljuvlig *adj* lovely
1 lock -en -ar i hår curl
2 lock -et = på låda o.d. lid; ***det slår ~ för öronen på mig*** p.g.a. högt ljud the noise is deafening
1 locka *verb* hår curl
2 locka *verb*, ***~ till sig*** attract
lockig *adj* curly
lodjur -et = lynx
lodrät *adj* vertical
1 log|e -en -ar tröskplats barn
2 loge -n -r på teater dressing-room
logg|bok -boken -böcker logbook
logi -et -er accommodation
logisk *adj* logical
lojal *adj* loyal
lojalitet -en -er loyalty
lok -et = engine
lokal I -en -er premises **II** *adj* local
lokalbedövning -en -ar local anaesthesia
lokalisera *verb* locate; ***~ sig*** orientate oneself
lokalsamtal -et = local call
lokalsinne -t sense of direction
lokaltrafik -en local traffic
lokaltåg -et = suburban train
lokförare -n = engine-driver
longitud -en -er longitude
lopp -et = **1** race **2** ***inom loppet av en timme*** within an hour; ***under dagens ~*** during the day
lopp|a -an -or flea
loppmarknad -en -er flea market
lort -en -ar dirt
lortig *adj* dirty
loss *adj* o. *adv* loose; ***riva ~*** tear off; ***skruva ~*** unscrew
lossa *verb* **1** ***~ på*** loosen **2** lasta ur unload
lossna *verb* come* off
lots -en -ar pilot
lott -en -er share
lotta *verb*, ***~ ut ngt*** raffle sth.
lotteri -et -er lottery

lottsed|el -eln -lar lottery ticket
lov -et **1** pl. = ledighet holiday **2** tillåtelse permission; ***får jag ~?*** may I?; ***vad får det ~ att vara?*** what would you like?; i affär can I help you?; ***vi får ~ att ta en taxi*** we'll have to take a taxi **3** beröm praise
lova *verb* promise
LP-skiv|a -an -or LP
luck|a -an -or **1** liten dörr, t.ex. ugnslucka door **2** öppning opening **3** tomrum gap
luden *adj* hairy
luffare -n = tramp
luft -en air
luftfuktighet -en humidity
luftförorening -en -ar air pollution
luftgevär -et = air gun
luftgrop -en -ar air pocket
luftig *adj* airy
luftkonditionering -en -ar air-conditioning
luftmadrass -en -er air bed
luftrörskatarr -en -er bronchitis
luftstrup|e -en -ar windpipe
lufttryck -et = air pressure
lufttät *adj* airtight
lugg -en -ar frisyr fringe
lugn I -et peace **II** *adj* calm
lugna *verb* calm; ***~ ner sig*** calm down
lukt -en -er smell
lukta *verb* smell; ***~ på ngt*** smell sth.
luktärt -en -er sweet pea
lummig *adj* lövrik leafy
lump -en **1** rags **2** ***ligga i ~en*** do one's military service
lunch -en -er lunch
lund -en -ar grove
lung|a -an -or lung
lungcanc|er -ern -rar lung cancer
lunginflammation -en -er pneumonia
1 lur -en -ar **1** blåsinstrument horn **2** telefonlur receiver
2 lur, ***ligga på ~*** lie* in wait
lura *verb* deceive
lurvig *adj* hairy
lus -en löss louse
lust -en inclination; ***det har jag ingen ~ till*** I don't feel like it
lustgård -en -ar paradise
lustig *adj* rolig funny; roande amusing; konstig odd
1 lut|a -an -or instrument lute
2 luta *verb* lean; ***~ sig framåt*** lean forward; ***~ sig mot*** lean against
lutfisk -en -ar boiled ling
luv|a -an -or woollen cap
Luxemburg Luxembourg

ly|a -an -or 1 djurs lair 2 bostad den
lycka -n happiness; **~ till!** good luck!
lyckad *adj* successful
lyckas *verb*, **~ göra ngt** succeed in doing sth.
lycklig *adj* happy; **~ resa!** have a nice trip!
lyckligtvis *adv* fortunately
lyckträff -en -ar stroke of luck
lyckönska *verb*, **~ ngn till ngt** congratulate sb. on sth.
lyckönskning -en -ar congratulation
1 lyda *verb* hörsamma obey
2 lyda *verb* om text read*
lydig *adj* obedient
lydnad -en obedience
lyfta *verb* 1 lift; höja, t.ex. armen raise 2 om flygplan take* off
lyftkran -en -ar crane
lyhörd *adj* om person sensitive
lykt|a -an -or lantern
lyktstolp|e -en -ar lamppost
lynne -t -n temperament
lyr|a -an -or instrument lyre
lyrik -en poetry
lysa *verb* shine; **~ upp** light up
lysande *adj* shining; bildl. brilliant
lyse -t -n lighting
lysrör -et = fluorescent lamp
lyssna *verb* listen; **~ på** listen to
lyssnare -n = listener
lyte -t -n disability
lyx -en luxury
lyxig *adj* luxurious
lyxkrog -en -ar luxury restaurant
lyxkryssare -n = luxury cruiser
låd|a -an -or box; byrålåda o.d. drawer
låg *adj* low
låg|a -an -or flame
lågenergilamp|a -an -or low-energy bulb
lågkonjunktur -en -er recession
lågmäld *adj* low-key
lågpris -et = budget price
lågprisflyg -et = flygbolag budget airline
lågsko -n -r shoe
lågstadi|um -et -er junior level of the compulsory school
lågsäsong -en -er off season
lågtrafik -en ; **vid ~** at off-peak hours
lågtryck -et = low pressure
lån -et = loan; **ta ett ~** raise a loan; **tack för lånet!** thank you for the loan!
låna *verb* 1 få till låns borrow 2 låna ut lend*

lång *adj* **1** long; ***tar det ~ tid?*** will it be long? **2** reslig tall
långbyxor pl. long trousers
långfilm -en -er feature film
långfing|er -ret -rar middle finger
långfransk|a -an -or white loaf
långgrund *adj* shallow
långhårig *adj* long-haired
långpromenad -en -er long walk
långsam *adj* slow
långsiktig *adj* long-term
långsint *adj*, ***vara ~*** never forget* a wrong
långsynt *adj* long-sighted
långsökt *adj* far-fetched
långt *adv*, ***hur ~ är det dit?*** how far is it?; ***gå ~*** walk a long way; i livet go far
långtradare -n = long-distance lorry
långtråkig *adj* boring
långvarig *adj* long
långvåg -en long wave
långvård -en long-term care
långärmad *adj* long-sleeved
lår -et = kroppsdel thigh
lås -et = lock; ***gå i ~*** be successful
låsa *verb* lock; ***~ upp*** unlock
låssmed -en -er locksmith
låt -en -ar tune
1 låta *verb* ljuda, verka sound
2 låta *verb* tillåta let*; ***~ ngn göra ngt*** let* sb. do sth.; ***~ bli att göra ngt*** avoid doing sth.; ***låt bli att väsnas!*** stop making that noise!
låtsas *verb* pretend
lä oböjl. lee
läck|a I -an -or leak **II** *verb* leak
läcker *adj* delicious
läd|er -ret = leather
lädervaror pl. leather goods
läge -t -n situation; plats site
lägenhet -en -er flat
läg|er -ret = camp
lägga *verb* put*; ***~ märke till*** notice; ***gå och ~ sig*** go* to bed; ***~ fram ngt*** present sth.; ***~ sig i*** meddle with; ***~ undan*** put* away; ***~ ut pengar för ngn*** pay* for sb.
läggning -en -ar karaktär disposition
lägre *adj* o. *adv* lower
lägst *adj* o. *adv* lowest
läka *verb* heal
läkare -n = doctor
läkarintyg -et = doctor's certificate
läkarmottagning -en -ar surgery
läkarundersökning -en -ar medical examination
läkarvård -en medical care

läkas *verb* heal
läkemed|el -let = medicine
läktare -n = gallery, stand
lämna *verb* **1** bege sig ifrån leave* **2** ge give*; ***~ tillbaka ngt*** return sth.
lämplig *adj* suitable
län -et = county
längd -en -er length
längdgrad -en -er longitude
längdhopp -et = long jump
längdåkning -en cross-country skiing
länge *adv* long; ***hur ~?*** how long?; ***för ~ sedan*** a long time ago
längre I *adj* longer **II** *adv* om avstånd further; om tid longer; ***~ bort*** further off
längs *prep* o. *adv* along
längst I *adj* longest **II** *adv* om avstånd furthest; om tid longest; ***~ till höger*** furthest to the right
längta *verb*, ***~ efter*** long for
längtan en ~, best. form = longing
länk -en -ar link
länsa *verb* empty
läpp -en -ar lip
läppglans -en lip gloss
läppstift -et = lipstick
lär *verb*, ***hon ~ vara rik*** they say she is rich
lär|a I -an -or tro faith **II** *verb* undervisa teach; ***~ sig*** learn; ***~ känna ngn*** get* to know sb.
läraktig *adj* quick to learn
lärare -n = teacher
lärarinn|a -an -or teacher
lärd *adj* learned
lärk|a -an -or lark
lärling -en -ar apprentice
läro|bok -boken -böcker textbook
lärorik *adj* instructive
läsa *verb* read*
läsare -n = reader
läse|bok -boken -böcker reader
läskedryck -en -er soft drink
läskunnig *adj* able to read
läslig *adj* legible
läsning -en -ar reading
läspa *verb* lisp
läsvärd *adj* worth reading
läsår -et = school year
läte -t -n sound
lätt I *adj* **1** ej tung light **2** ej svår easy; ***ha ~ för ngt*** find* sth. easy **II** *adv* **1** ej tungt light **2** ej svårt easily
lätta *verb* lighten; bli lättare become* lighter
lätthanterlig *adj* easy to handle
lätthet -en lightness; ***med ~*** easily

lättillgänglig *adj* within easy reach
lättja -n laziness
lättklädd *adj* lightly dressed
lättlurad *adj* easily taken in
lättläst *adj* legible
lättmjölk -en low-fat milk
lättnad -en -er relief
lättskrämd *adj*, ***vara ~*** be easily scared
lättskött *adj* easy to handle
lättsmält *adj* easily digested
lättöl -et (-en) = low-alcohol beer
läx|a -an -or **1** hemläxa homework **2** tankeställare lesson
löda *verb* solder
lödd|er -ret lather
löfte -t -n promise; ***ge ngn ett ~*** promise sb. sth.
lögn -en -er lie
lögnaktig *adj* lying
lögnare -n = liar
löjlig *adj* ridiculous
löjrom -men whitefish roe
lök -en -ar onion; blomsterlök bulb
löksopp|a -an -or onion soup
lömsk *adj* sly
lön -en -er för vecka wages; för månad salary
löna *verb*, ***~ sig*** pay*; ***det lönar sig inte att klaga*** it is no use complaining
lönande *adj* profitable
löneförhöjning -en -ar rise
lönlös *adj* useless
lönn -en -ar maple
lönsam *adj* profitable
lönsamhet -en profitability
lönt *adj*, ***det är inte ~ att försöka*** it is no use trying
löpa *verb* **1** springa run* **2** om hona be* in heat
löpare -n = **1** runner **2** schackpjäs bishop
löpning -en -ar running
löpsed|el -eln -lar newsbill
lördag -en -ar Saturday; ***i lördags*** last Saturday; ***på ~*** on Saturday
lös *adj* loose; ***vara ~ i magen*** be a bit loose
lösa *verb* **1** problem solve **2** biljett buy* **3** ***~ in en check*** cash a check
löskokt *adj* lightly boiled
lösning -en -ar solution
lösnum|mer -ret = single copy
lösryckt *adj* disconnected
löständer pl. false teeth
löv -et = leaf
lövkoj|a -an -or blomma stock
lövskog -en -ar deciduous forest
lövträd -et = deciduous tree

Mm

m m-et m-en m [utt. äm]
mack -en -ar filling station
Madeira Madeira
madrass -en -er mattress
maffi|a -an -or Mafia
magasin -et = **1** förråd storehouse **2** tidskrift o. på vapen magazine
magbesvär -et = stomach trouble
mag|e -en -ar stomach
mager *adj* inte fet lean; smal thin
magi -n magic
maginfluens|a -an -or gastric influenza
magisk *adj* magic
magist|er -ern -rar schoolmaster
magkatarr -en -er gastritis
magknip -et stomach-ache
magnet -en -er magnet
magnetisk *adj* magnetic
magnifik *adj* magnificent
magont -et stomach-ache
magra *verb* become* thinner
magsår -et = gastric ulcer
magsäck -en -ar stomach
mahogny -n (-t) mahogany
maj oböjl. May; ***i ~*** in May
majonnäs -en -er mayonnaise
majoritet -en -er majority
majs -en maize
majskolv -en -ar som maträtt corn on the cob
1 mak|a -an -or wife
2 maka *verb*, ***~ på sig*** move
makalös *adj* unparalleled
makaroner pl. macaroni
mak|e -en -ar **1** äkta man husband **2** motstycke match
Makedonien Macedonia
makedonier -n = Macedonian
makedonsk *adj* Macedonian
makeup -en -er make-up
makrill -en -ar mackerel
makt -en -er power; ***sitta vid makten*** be in power
maktlös *adj* powerless
mal -en -ar moth
mala *verb* grind
malaria -n malaria
mall -en -ar pattern
Mallorca Majorca
malm -en -er ore
malt -et (-en) malt
Malta Malta
malör -en -er mishap
mamm|a -an -or mother
1 man -en -ar hästman mane
2 man -nen män **1** man; ***två män*** two men **2** make husband
3 man *pron* you; ***~ frågade***

oss aldrig we were never asked
mana *verb* call on; **~ *på ngn*** urge sb. on
manchester -n corduroy
mandarin -en -er mandarin
mand|el -eln -lar almond
mandelmassa -n almond paste
mandolin -en -er mandolin
maner -et = manner
manet -en -er jellyfish
mang|el -eln -lar mangle
mangla *verb* mangle
mango -n -r mango
mani -n -er mania
manifestation -en -er manifestation
manifestera *verb* manifest
manikyr -en manicure
maning -en -ar exhortation
manipulation -en -er manipulation
manipulera *verb* manipulate
manlig *adj* male
mannagryn pl. semolina
mannekäng -en -er model
mannekänguppvisning -en -ar fashion show
manschett -en -er cuff
manschettknapp -en -ar cuff link
manuell *adj* manual
manuskript -et = manuscript
manöv|er -ern -rar manœuvre
manövrera *verb* manœuvre
mapp -en -ar folder
maratonlopp -et = marathon
mardröm -men -mar nightmare
margarin -et -er margarine
marginal -en -er margin
marin I -en -er navy **II** *adj* naval
marinad -en -er marinade
marinblå *adj* navy blue
marinera *verb* marinate
marionett -en -er puppet
mark -en -er jordyta ground; jord soil; område land; ***på svensk*** **~** on Swedish soil
markera *verb* mark; poängtera emphasize
markis -en -er awning
marknad -en -er market; mässa fair
marknadsföring -en marketing
marmelad -en -er jam; av citrusfrukter marmalade
marmor -n marble
mars oböjl. March; ***i*** **~** in March
marsch -en -er *interj* march
marschall -en -er flare
marschera *verb* march
marsipan -en marzipan
marsvin -et = guinea pig
martyr -en -er martyr

marulk -en -ar angler fish
marxism -en Marxism
maräng -en -er meringue
mascara -n mascara
1 mask -en -ar djur worm
2 mask -en -er ansiktsmask mask
1 maska *verb* i arbete go slow
2 mask|a -an -or i nät mesh; vid stickning stitch
maskera *verb* mask
maskerad -en -er fancy-dress ball
maskin -en -er machine
maskintvätt -en -ar machine wash; ***tål ~*** machine washable
maskopi -n -er ; ***vara i ~ med ngn*** be in league with sb.
maskot -en -ar mascot
maskros -en -or dandelion
maskulin *adj* masculine
mass|a -an -or **1** material substance **2** mängd mass; ***en ~ saker*** a lot of things **3** hop crowd
massage -n massage
massak|er -ern -rer massacre
massera *verb* massage
massiv I -et = massif **II** *adj* solid
massmord -et = mass murder
massvis *adv*, ***~ med*** lots of
massör -en -er masseur
mast -en -er mast
mat -en food; ***~ och dryck*** food and drink
mata *verb* feed
mataffär -en -er food shop
matbord -et = dining-table
match -en -er match
matematik -en mathematics
material -et = material
materialist -en -er materialist
matfett -et -er cooking fat
matförgiftning -en -ar food poisoning
matiné -n -er matinée
matjessill -en -ar ung. pickled herring
matlagning -en cooking
matlust -en appetite
matolj|a -an -or cooking oil
matrester pl. left-overs
maträtt -en -er dish
matsal -en -ar dining-room; större dining-hall
matsed|el -eln -lar menu
matsked -en -ar tablespoon
matsmältning -en digestion
matsmältningsbesvär -et = indigestion
matstrup|e -en -ar gullet
matsäck -en -ar för lunch packed lunch
matt *adj* **1** kraftlös faint **2** om yta matt

matt|a -an -or carpet; mindre rug
mattas *verb* weaken
1 matt|e -en -ar för djur mistress
2 matte -n matematik maths
matvrak -et = glutton
maximal *adj* maximum
maxim|um -umet = (-a) maximum
1 med I *prep* **1** with; ***~ nöje*** with pleasure; ***ett rum ~ utsikt*** a room with a view; ***resa ~ flyg*** go by air; ***det bästa ~ det är...*** the best thing about it is...; ***fördelen ~ denna metod*** the advantage of this method **II** *adv* **1** också too
2 med -en -ar på släde o.d. runner
medalj -en -er medal
medan *konj* while
medarbetare -n = collaborator
medborgare -n = citizen
medborgarskap -et = citizenship
medbrottsling -en -ar accomplice
meddela *verb*, ***~ ngn ngt*** inform sb. of sth.
meddelande -t -n message
med|el -let = metod el. penningmedel means; läkemedel drug; preparat agent
medelhastighet -en -er average speed
Medelhavet the Mediterranean
medelklass -en -er middle class
medellivslängd -en -er average length of life
medellängd -en -er average length
medelmåttig *adj* mediocre
medelpunkt -en -er centre
medelstor *adj* medium-sized
medeltal -et = average
medeltemperatur -en -er mean temperature
medeltid -en ; ***på medeltiden*** in the Middle Ages
medelåld|er -ern -rar **1** genomsnittlig ålder average age **2** ***en kvinna i medelåldern*** a middle-aged woman
medfödd *adj* innate
medföra *verb* **1** ha med carry **2** leda till result in
medge o. **medgiva** *verb* **1** erkänna admit **2** tillåta allow
medgivande -t -n permission
medgörlig *adj* reasonable
medhjälpare -n = assistant
medhåll -et support; ***få ~ av ngn*** be supported by sb.

medicin -en -er medicine
meditation -en -er meditation
meditera *verb* meditate
medi|um -et -er medium
medkänsla -n sympathy
medla *verb* mediate; ***~ mellan två fiender*** bring* about a reconciliation between two enemies
medlem -men -mar member
medlemsavgift -en -er membership fee
medlemskort -et = membership card
medlidande -t pity
medling -en -ar mediation
medmänniskl|a -an -or fellow being
medryckande *adj* captivating
medsols *adv* clockwise
medspelare -n = partner
medtagen *adj* exhausted
medverka *verb* aktivt delta take* part; ***~ till*** contribute to
medverkan en ~, best. form = assistance
medvetande -t -n consciousness
medveten *adj* conscious
medvetslös *adj* unconscious
medvind -en -ar tailwind
medvurst -en -ar German sausage
mejeri -et -er dairy
mejram -en marjoram
mejsel -n mejslar chisel
mekaniker -n = mechanic
mekanisk *adj* mechanical
melankolisk *adj* sad
mellan *prep* om två between; om flera among
Mellaneuropa Central Europe
mellangärde -t -n diaphragm
mellanlanda *verb* make* a stop on the way
mellanlandning -en -ar ; ***göra en ~*** make* a stop; ***flyga utan ~*** fly* non-stop
mellanmål -et = snack
mellanprisklass -en -er ; ***i ~*** medium-priced
mellanrum -met = interval; rumsligt space in between
mellanskillnad -en -er difference
mellanslag -et = space
mellanstadi|um -et -er i grundskolan intermediate level of compulsory school
mellanting -et = ; ***ett ~ mellan äpple och päron*** something between an apple and a pear
mellanvåg -en medium wave
Mellanöstern the Middle East
mellersta *adj* middle

melodi -n -er melody; låt tune
melon -en -er melon
memoarer pl. memoirs
1 men *konj* but
2 men -et = skada harm
mena *verb* **1** åsyfta mean* **2** anse think*
mening -en -ar **1** åsikt opinion **2** avsikt intention; ***det var inte meningen*** I didn't mean to do it **3** betydelse meaning **4** sats sentence
meningsfull *adj* meaningful
meningslös *adj* meaningless
mens -en period
menstruation -en -er menstruation
mental *adj* mental
mentalsjukhus -et = mental hospital
menuett -en -er minuet
meny -n -er menu
mer *adj* o. *adv* more; ***finns det ~?*** is there any more?; ***ingen ~ än han*** no one besides him
merit -en -er qualification
mervärdesskatt -en -er value-added tax
1 mes -en -ar fågel titmouse
2 mes -en -ar om person wimp
mest I *adj* most; ***den mesta tiden*** most of the time **II** *adv* **1** most; ***det ~ intressanta*** the most interesting thing **2** för det mesta mostly
meta *verb* angle
metall -en -er metal
meteorolog -en -er meteorologist
meter -n = metre
metod -en -er method
metrev -en -ar fishing-line
metspö -et -n fishing-rod
mid|dag -dagen (-dan) -dagar **1** tid noon **2** måltid dinner
midj|a -an -or waist
midjeväsk|a -an -or belt bag
midnatt -en midnight
midnattssol -en midnight sun
mid|sommar -sommaren -somrar midsummer
midsommaraft|on -onen -nar Midsummer Eve
midsommardag -en -ar Midsummer Day
midsommar|stång -stången -stänger maypole
midvint|er -ern -rar midwinter
mig *pron* me
migrän -en migraine
mikra *verb* microwave, vard. nuke
mikro -n vard. kortform för *mikrovågsugn* microwave
mikrofon -en -er microphone
mikroskop -et = microscope

mikrovågsugn -en -ar microwave oven
mil -en = ; ***5 ~*** 50 kilometres; ***en engelsk ~*** a mile
mild *adj* mild
militär I -en -er soldier **II** *adj* military
miljard -en -er billion
miljon -en -er million
miljontals *adv*, ***~ människor*** millions of people
miljonär -en -er millionaire
miljö -n -er environment
miljöaktivist -en -er environmentalist
miljöfarlig *adj* ecologically harmful
miljöförstöring -en environmental pollution
miljögift -et -er ung. toxic substance
Miljöpartiet de Gröna the Swedish Green Party
miljöpolitik -en environment policy
miljövänlig *adj* environmentally friendly, green
millibar en ~, pl. = millibar
milligram -met = milligramme
milliliter -n = millilitre
millimeter -n = millimetre
mima *verb* mime
1 min *pron* my; ***den är ~*** it is mine
2 min -en -er uttryck expression
min|a -an -or mine
minderårig *adj* under age; ***minderåriga*** äv. juveniles
mindre I *adj* ej stor smaller; ***av ~ betydelse*** of less importance **II** *adv* ej mycket less; färre fewer
mineral -et = mineral
mineralvatt|en -net = mineral water
miniatyr -en -er miniature
minimal *adj* minimal
minimum -et = minimum
miniräknare -n = pocket calculator
minist|er -ern -rar minister
mink -en -ar mink
minkpäls -en -ar mink coat
minnas *verb* remember
minne -t -n **1** memory; ***lägga ngt på minnet*** remember sth. **2** minnessak souvenir
minnesmärke -t -n memorial
minoritet -en -er minority
minsann *adv* o. *interj* indeed
minska *verb* reduce; bli mindre decrease
minskning -en -ar reduction
minst I *adj* **1** ej störst smallest **2** ej mest least; motsats till 'flest'

fewest **II** *adv* least; **~ *sagt*** to say the least
minus -et = minus
minusgrad -en -er degree below zero
minusteck|en -net = minus sign
minut -en -er minute
minutvisare -n = minute hand
mirak|el -let = miracle
miss -en -ar miss
missa *verb* miss
missanpassad *adj* maladjusted
missbelåten *adj* displeased
missbildad *adj* malformed
missbruk -et = abuse
missbruka *verb* abuse; alkohol o.d. be addicted to
missbrukare -n = addict
missfall -et = miscarriage; ***få* ~** have* a miscarriage
missförstå *verb* misunderstand*
missförstånd -et = misunderstanding
missgynna *verb* be unfair to
misshandel -n assault
misshandla *verb* assault, vard. beat up
mission -en -er mission
missionär -en -er missionary
missklädsam *adj* unbecoming
missköta *verb* mismanage; **~ *sitt arbete*** not do* one's work properly
misslyckad *adj* unsuccessful
misslyckande -t -n failure
misslyckas *verb* fail
missmodig *adj* downhearted
missnöjd *adj* dissatisfied
missnöje -t dissatisfaction
missta *verb*, **~ *sig*** make* a mistake
misstag -et = mistake; ***av* ~** by mistake
misstank|e -en -ar suspicion
misstro *verb* distrust
misströsta *verb* despair
misstänka *verb* suspect
misstänksam *adj* suspicious
misstänkt I *adj* suspected; tvivelaktig suspicious **II** en ~, pl. -a suspect
missuppfatta *verb* misunderstand*
missuppfattning -en -ar misunderstanding
missvisande *adj* misleading
missöde -t -n mishap
mista *verb* lose*
miste *adv*, ***ta* ~** be mistaken; ***gå* ~ *om ngt*** miss sth.
1 mitt *pron* my; ***det är* ~** it is mine
2 mitt I -en middle **II** *adv*, **~ *emellan*** halfway between; **~**

emot just opposite; ***~ i*** in the middle; ***~ under*** in the middle of
mittersta *adj*, ***i ~ raden*** in the middle row
mittpunkt -en -er centre
mix|er -ern -rar mixer
mjuk *adj* soft
mjukglass -en -er (-ar) soft ice cream
mjäll -et = dandruff
mjält|e -en -ar spleen
mjöl -et flour
mjölk -en milk
mjölka *verb* milk
mjölk|tand -tanden -tänder milk tooth
mobba *verb* bully
mobbning -en bullying
mobilisera *verb* mobilize
mobiltelefon -en -er mobile telephone; i bil car phone
mocka -n **1** skinn suède **2** kaffe mocha
mockajack|a -an -or suède jacket
mod -et courage
mode -t -n fashion
modell -en -er model
modem -et = modem
moder -n mödrar mother
moderat *adj* **1** måttlig moderate **2** politiskt ung. Conservative
Moderaterna the Swedish Moderate Party
modern *adj* modern
modernisera *verb* modernize
modersmål -et = mother tongue
modfälld *adj* discouraged
modifiera *verb* modify
modig *adj* courageous
mogen *adj* ripe; om person mature
mogna *verb* ripen; om person mature
molekyl -en -er molecule
moll -en minor
moln -et = cloud
molnig *adj* cloudy
moment -et = stadium stage
moms -en VAT
momsfri *adj* ... exempt from VAT
Monaco Monaco
monarki -n -er monarchy
monogram -met = monogram
monolog -en -er monologue
monopol -et = monopoly
monoton *adj* monotonous
monst|er -ret = monster
monsun -en -er monsoon
mont|er -ern -rar showcase
montera *verb* mount
montör -en -er fitter
monument -et = monument
moped -en -er moped

mopp -en -ar mop
mops -en -ar pug
mor modern mödrar mother
moral -en -er etik ethics; seder morals
moralisk *adj* moral
mor|bror -brodern -bröder uncle
mord -et = murder
mordförsök -et = attempted murder
mor|far -fadern -fäder grandfather
morfin -et (-en) morphine
morföräldrar pl. grandparents
morg|on -onen -nar morning; ***i ~*** tomorrow; ***på morgnarna*** in the mornings
morgonrock -en -ar dressing gown
morgontidning -en -ar morning paper
mor|mor -modern -mödrar grandmother
mo|rot -roten -rötter carrot
morra *verb* growl
1 mors|a -an -or mamma mum
2 morsa *verb* hälsa say* hello
morse, ***i ~*** this morning
mortel -n mortlar mortar
mos -et mash; av äpplen sauce
mosa *verb* mash
mosaik -en -er mosaic
moské -n -er mosque
moskit -en -er mosquito
Moskva Moscow
moss|a -an -or moss
most|er -ern -rar aunt
mot *prep* **1** i riktning mot towards; ***~ slutet av månaden*** towards the end of the month; ***sikta ~ ngn*** aim at sb. **2** uttryckande beröring el. motstånd, fientlighet against; ***en spruta ~ gulsot*** an injection against jaundice **3** om t.ex. bemötande to; ***vara generös ~ ngn*** be generous to sb.
mota *verb*, ***~ bort ngn*** drive* sb. away
motarbeta *verb* go against
motbjudande *adj* disgusting
motell -et = motel
motgift -et -er antidote
motgång -en -ar setback
motion -en **1** rörelse exercise **2** pl. -er förslag motion
motionera *verb* röra sig exercise
motionssling|a -an -or jogging track
motiv -et = motive
motivera *verb* **1** rättfärdiga justify **2** skapa intresse för motivate
motivering -en -ar **1** berättigande justification **2** motivation motivation
motocross -en moto-cross

motor -n -er för bensin engine; för el motor
motorbåt -en -ar motorboat
motorcyk|el -eln -lar motorcycle
motorfordon -et = motor vehicle
motorgräsklippare -n = power lawn mower
motorhuv -en -ar bonnet
motorstopp -et = engine failure
motorsåg -en -ar power saw
motorväg -en -ar motorway
motsats -en -er opposite; ***i ~ till*** contrary to
motsatt *adj* opposite; ***i ~ riktning*** in the opposite direction
motsols *adv* anti-clockwise
motspelare -n = opponent
motstå *verb* resist
motstånd -et = resistance
motståndare -n = opponent
motståndskraft -en resistance
motsvara *verb* correspond to
motsvarande *adj* corresponding
motsvarighet -en -er correspondence
motsäga *verb* contradict
motsägelse -n -r contradiction
motsätta *verb*, ***~ sig ngt*** be opposed to sth.
motsättning -en -ar opposition
mottaga *verb* receive
mottagande -t -n reception
mottagare -n = receiver
mottagning -en -ar reception
mottagningsrum -met = läkares surgery
mottagningstid -en -er t.ex. lärares office hours; läkares surgery hours
motto -t -n motto
motverka *verb* counteract
motvikt -en -er counterbalance
motvind -en -ar contrary wind
mousserande *adj*, ***~ vin*** sparkling wine
MP3-spelare -n = MP3-player
1 mucka *verb*, ***~ gräl*** pick a quarrel
2 mucka *verb* om soldat be demobbed
mugg -en -ar **1** kopp mug **2** toalett loo
mulatt -en -er mulatto
mul|e -en -ar muzzle
mulen *adj* cloudy
mullra *verb* rumble
mullvad -en -ar mole
multiplicera *verb* multiply
multiplikation -en -er multiplication
mumie -n -r mummy

mumla *verb* mumble
mun -nen -nar mouth
munk -en -ar **1** monk **2** bakverk doughnut
munspel -et = mouth organ
munstycke -t -n på slang nozzle
munsår -et = cold sore
munter *adj* merry
muntlig *adj* oral
muntra *verb*, ***~ upp*** cheer up
mur -en -ar wall
mura *verb* do* bricklaying
murare -n = bricklayer
murgrön|a -an -or ivy
murken *adj* decayed
mus -en möss mouse
muse|um -et -er museum
musik -en music
musikal -en -er musical
musikalisk *adj* musical
musiker -n = musician
musikfestival -en -er music festival
musikhand|el -eln -lar music shop
musikinstrument -et = musical instrument
musk|el -eln -ler muscle
muskot -en nutmeg
muskulatur -en -er muscles
muskulös *adj* muscular
muslim -en -er Muslim
muslimsk *adj* Muslim
mussl|a -an -or mussel
must -en -er av äpplen apple juice
mustasch -en -er moustache
mut|a *verb* bribe
muttra *verb* mutter
mycket *adv*, ***~ bra*** very good; ***~ bättre*** much better; ***~ folk*** a lot of people; ***det är ~ möjligt*** it is quite possible; ***utan att så ~ som titta*** without even looking
mygg|a -an -or mosquito
myll|a -an -or mould
myll|er -ret crowd
myllra *verb* swarm
myndig *adj* **1** of age; ***bli ~*** come* of age **2** befallande authoritative
myndighet -en -er authority
mynna *verb*, ***~ ut i*** resultera i result in
mynning -en -ar mouth; på vapen muzzle
mynt -et = coin
mynt|a -an -or mint
myr -en -ar swamp
myr|a -an -or ant
myrstack -en -ar ant-hill
myrt|en en ~, pl. -nar myrtle
mysig *adj* cosy
mysteri|um -et -er mystery
mystisk *adj* mysterious
myt -en -er myth
mytologi -n -er mythology

1 må *verb*, ***hur mår du?*** how are you?; ***jag mår bra*** I feel fine; ***jag mår inte bra*** I don't feel well
2 må *verb* may; ***det ~ jag säga!*** well, I must say!
måfå, ***på ~*** at random
måg -en -ar son-in-law
1 mål -et = rättsfall case
2 mål -et = måltid meal
3 mål -et = **1** vid skjutning mark; i bollspel goal **2** syfte aim
måla *verb* paint; ***~ sig*** make* oneself up
målare -n = painter
målarfärg -en -er paint
mållös *adj* speechless
målmedveten *adj* purposeful
målning -en -ar painting
måls|man -mannen -män guardian
målsättning -en -ar aim
måltavl|a -an -or target
måltid -en -er meal
målvakt -en -er goalkeeper
1 mån oböjl. ; ***i viss ~*** to a certain degree
2 mån *adj*, ***vara ~ om*** angelägen om be* concerned about
månad -en -er month
månadskort -et = monthly season ticket
måndag -en -ar Monday; ***i måndags*** last Monday; ***på ~*** on Monday
mån|e -en -ar moon
många *pron* many; ***~ vänner*** a great many (a lot of) friends; ***hur ~?*** how many?; ***jag har inte ~ kvar*** I haven't got many left
mångsidig *adj* om person versatile
månsken -et moonlight
mård -en -ar marten
mås -en -ar gull
måste I *verb*, ***jag ~ göra det*** I must (have to) do it; ***han har måst betala*** he has had to pay **II** oböjl. ; ***ett ~*** a must
mått -et = measure
1 måtta -n ; ***med ~*** moderately
2 måtta *verb* take* aim
måttband -et = measuring-tape
måtte *verb*, ***~ hon lyckas*** may she succeed
måttlig *adj* moderate
mäklare -n = broker
mäktig *adj* **1** powerful **2** om mat heavy
mängd -en -er quantity
människ|a -an -or person, human being
mänsklig *adj* human; ***de mänskliga rättigheterna*** human rights

mänsklighet -en humanity
märg -en marrow
märka *verb* **1** förse med märke mark **2** observera notice
märkbar *adj* noticeable
märke -t -n mark; spår trace; fabrikat make
märklig *adj* remarkable
märkvärdig *adj* strange; ***det är ingenting märkvärdigt*** it's nothing special
mäss|a I -an -or **1** i kyrka mass **2** utställning fair **II** *verb* chant
mässing -en brass
mässling -en measles
mästare -n = master; i tävling champion
mästarinn|a -an -or woman champion
mästerskap -et = mastership; tävling championship
mästerverk -et = masterpiece
mäta *verb* measure
mätare -n = meter
mätning -en -ar measuring
mätt *adj* satisfied, vard. full
möbel -n möbler piece of furniture; ***de här möblerna*** this furniture
möbelaffär -en -er furniture store
möblemang -et = furniture
möblera *verb* furnish
möd|a -an -or trouble
mödosam *adj* difficult
mögel möglet mould
mögla *verb* get* mouldy
möjlig *adj* possible
möjligen *adv* possibly
möjlighet -en -er possibility
mönst|er -ret = pattern
mönstra *verb* granska inspect
mör *adj* tender
mörda *verb* murder
mördare -n = murderer
mördeg -en -ar flan pastry
mörk *adj* dark
mörk|er -ret darkness; ***efter mörkrets inbrott*** after dark
mörkhyad *adj* dark-skinned
mörkhårig *adj* dark-haired
mörkna *verb* darken
mörkrädd *adj* afraid of the dark
mört -en -ar fisk roach
möss|a -an -or cap
möta *verb* meet*
möte -t -n meeting; avtalat appointment

Nn

n n-et n-en n [utt. än]
nackdel -en -ar disadvantage
nack|e -en -ar back of the head; ***vara stel i nacken*** have* a stiff neck
nag|el -eln -lar nail
nagelfil -en -ar nail file
nagellack -et = nail varnish
nagellackborttagningsmed|el -let = nail varnish remover
naiv *adj* naive
naken *adj* naked
nalkas *verb* approach
nall|e -en -ar björn teddy bear
namn -et = name; ***hur var namnet?*** what is your name, please?
namnge *verb* name
namnteckning -en -ar signature
1 napp -en -ar tröstnapp comforter
2 napp -et = vid fiske bite; ***få ~*** have* a bite
1 nappa -n skinn nappa
2 nappa *verb*, ***det nappar*** the fish are biting; ***~ på ett erbjudande*** jump at an offer
nappflask|a -an -or feeding bottle
narciss -en -er narcissus
narkoman -en -er drug addict
narkos -en -er narcosis; ***ge ~*** give* an anaesthetic
narkosläkare -n = anaesthesiologist
narkotika -n drugs
narkotikamissbruk -et drug abuse
nation -en -er nation
nationaldag -en -ar national holiday
nationaldräkt -en -er folk costume
nationalekonomi -n economics
nationalism -en nationalism
nationalitet -en -er nationality
nationalmuse|um -et -er national museum, national gallery
nationalpark -en -er national park
nationalsång -en -er national anthem
natt -en nätter night; ***i ~*** natten till idag last night; natten till i morgon tonight; ***på nätterna*** at night
nattduksbord -et = bedside table; med skåp bedside cabinet
nattetid *adv* at night
nattklubb -en -ar nightclub

nattlinne -t -n nightdress, vard. nightie
nattliv -et night life
nattportier -en -er night porter
nattrafik -en night service
nattvakt -en -er night watchman
nattvard -en -er Holy Communion
nattåg -et = night train
nattöppen *adj* open all night
natur -en -er nature; natursceneri scenery
naturlag -en -ar law of nature
naturlig *adj* natural
naturligtvis *adv* of course
naturreservat -et = nature reserve
naturvetare -n = scientist
naturvetenskap -en -er science
naturvård -en environmental protection
nav -et = hub
nav|el -eln -lar navel
navigation -en navigation
navigera *verb* navigate
navkaps|el -eln -lar hub-cap
nazism -en Nazism
nazist -en -er Nazi
necessär -en -er toilet bag
ned *adv* down; nedåt downwards
nedanför *prep* o. *adv* below
nedanstående *adj*, ***~ berättelse*** the story mentioned below
nederbörd -en precipitation
nederlag -et = defeat
nederländare -n = Dutchman
Nederländerna the Netherlands
nederländsk *adj* Dutch
nederländsk|a -n **1** pl. -or kvinna Dutch woman **2** språk Dutch
nederst *adv* at the bottom
nedför I *prep* down; ***~ trappan*** down the stairs **II** *adv* downwards
nedförsback|e -en -ar downhill slope
nedgång -en -ar **1** till tunnelbana o.d. way down **2** sjunkande, om pris o.d. decline
nedifrån *prep* o. *adv* from below
nedisad *adj* covered with ice
nedladdning -en -ar data. download
nedlåtande *adj* condescending
nedre *adj* lower; ***på ~ botten*** on the ground floor
nedrustning -en -ar disarmament
nedräkning -en -ar countdown
nedsatt *adj*, ***till ~ pris*** at a reduced price

nedslående *adj* discouraging
nedstämd *adj* depressed
nedtill *adv* at the bottom
nedtrappning -en de-escalation
nedåt I *prep* down **II** *adv* downwards
negation -en -er negation
negativ I *adj* negative **II** -et = negative
negress -en -er black woman
nej I -et = no **II** *interj* no
nejlik|a -an -or blomma carnation
neka *verb* deny; vägra refuse
nektarin -en -er nectarine
neonljus -et = neon light
ner *adv*, **längre ~** further down; för sammansättningar med ner jfr ***ned*** med sammansättningar
nere *adv* down
nerv -en -er nerve
nervositet -en nervousness
nervsammanbrott -et = nervous breakdown
nervös *adj* nervous
netto I *adv* net **II** -t -n net yield
neuros -en -er neurosis
neutral *adj* neutral
neutralitet -en neutrality
ni *pron* you
1 ni|a *verb*, **~ ngn** adress sb. formally
2 ni|a -an -or nine
nick -en -ar **1** nod **2** i fotboll header
nicka *verb* **1** nod **2** i fotboll head
niga *verb* curtsey
nikotin -et (-en) nicotine
nio *räkn* nine; för sammansättningar med nio jfr *fem* med sammansättningar
nionde *räkn* ninth
niondel -en -ar ninth
nisch -en -er niche
1 nit -et iver zeal
2 nit -en -ar lott blank
3 nit -en -ar metallpinne rivet; på kläder stud
nita *verb*, ***~ fast ngt*** rivet sth.
nittio *räkn* ninety; för sammansättningar med nittio jfr *femtio* med sammansättningar
nittionde *räkn* ninetieth
nitton *räkn* nineteen; för sammansättningar med nitton jfr *femton* med sammansättningar
nittonde *räkn* nineteenth
nittonhundratalet, *på ~* in the twentieth century
nivå -n -er level
njur|e -en -ar kidney
njursten -en -ar stone in the kidney
njurstensanfall -et = renal colic

njuta *verb* enjoy
njutning -en -ar pleasure
nobelpris -et = ; **~ i** Nobel Prize for
nog *adv* **1** tillräckligt enough; ***ha fått ~*** have had enough **2** förmodligen probably; ***hon kommer ~*** she will probably come
noga I *adv* precis o.d. precisely; ***jag vet inte så ~*** I don't know exactly; ***akta sig ~ för ngt*** take* great care not to do sth. **II** *adj*, ***vara ~ med ngt*** be* careful about sth.
noggrann *adj* omsorgsfull careful
noll *räkn* nought; på instrument zero; i telefonnummer O [utt. ou]
noll|a -an -or nought
nominera *verb* nominate
nonchalant *adj* nonchalant
nonchalera *verb* ignore
nonsens oböjl. nonsense
nord -en the north
Nordamerika North America
nordamerikansk *adj* North American
nordanvind -en -ar north wind
Norden the Scandinavian (mer formellt Nordic) countries
Nordeuropa Northern Europe
nordeuropé -n -er North European
nordeuropeisk *adj* North European
nordeuropeisk|a -an -or North European woman
nordisk *adj* Nordic, Scandinavian
nordlig *adj* northerly
nordost *adv* north-east
Nordpolen the North Pole
Nordsjön the North Sea
nordväst *adv* north-west
Norge Norway
norm -en -er standard
normal *adj* normal
norr I oböjl. the north; ***i ~*** in the north; ***mot ~*** to the north **II** *adv*, ***~ om*** north of
norra *adj* the northern; ***~ Europa*** northern Europe
norr|man -mannen -män Norwegian
norrut *adv* northwards; i norr in the north
norsk *adj* Norwegian
norsk|a -an **1** pl. -or kvinna Norwegian woman **2** språk Norwegian
nos -en -ar nose
nosa *verb*, ***~ på*** sniff at
noshörning -en -ar rhinoceros
nostalgisk *adj* nostalgic

not -en -er för musik el. i text note
not|a -an -or bill; ***kan jag få notan?*** the bill, please!
notera *verb* make* a note of
notis -en -er notice
nougat -en -er nougat
novell -en -er short story
november oböjl. November; ***i ~*** in November
nu *adv* now; ***~ genast*** straightaway
nubb -en -ar tack
nubb|e -en -ar schnapps
nudda *verb*, ***~ vid*** touch
nud|el -eln -lar noodle
nudist -en -er nudist
nuförtiden *adv* nowadays
numera *adv* now
num|mer -ret = number; av tidning copy; storlek size; på program item
nummerordning -en -ar numerical order
nummerplåt -en -ar på motorfordon number plate
nummerupplysning -en directory enquiries
numrera *verb* number
numrerad *adj* numbered
nunn|a -an -or nun
nutida *adj* modern
nuvarande *adj* present
ny *adj* new
nyans -en -er shade
nyansera *verb* vary
Nya Zeeland New Zealand
nybakad *adj* o. **nybakt** *adj* newly baked
nybliven *adj*, ***en ~ mor*** a new mother
nybyggd *adj* recently built
nybörjare -n = beginner
nyck -en -er fancy
nyck|el -eln -lar key
nyckelben -et = collar bone
nyckelhål -et = keyhole
nyckelknipp|a -an -or bunch of keys
nyckelpig|a -an -or ladybird
nyckelring -en -ar key-ring
nyckfull *adj* capricious
nyfiken *adj* curious
nyfikenhet -en curiosity
nyfödd *adj* new-born; ***en ~*** a new-born child
nygift *adj* newly married
nyhet -en -er **1** news; ***en tråkig ~*** sad news; ***nyheterna*** i radio el. på tv the news **2** något nytt novelty
nyhetsbyrå -n -er news agency
nykomling -en -ar newcomer
nykter *adj* sober
nykterist -en -er teetotaller
nyligen *adv* recently
nylon -et nylon

nylonstrump|a -an -or nylon stocking
nymålad *adj* freshly painted
nymåne -n new moon
nynna *verb* hum
nyp|a I -an -or ; ***en*** ~ salt o.d. a pinch of; ***ha hårda nypor*** vard. be tough **II** *verb* pinch
nypon -et = rosehip
nyponsoppa -n rosehip soup
nysa *verb* sneeze
nysilv|er -ret nickel silver
nyss *adv* a moment ago; ***hon åkte*** ~ she's just left
nystan -et = ball
nytta -n use; ***vara till*** ~ be of use
nyttig *adj* useful; hälsosam good
nyutkommen *adj* recently published
nyår -et = New Year
nyårsaft|on -onen -nar New Year's Eve
nyårsdag -en -ar New Year's Day
1 nå *interj* well!
2 nå *verb* reach; ***jag kan nås på nummer...*** I can be reached at number...
nåd -en -er mercy
någon (*något några*) *pron*, ***det är*** ~ ***i rummet*** there is someone in the room; ***har du*** ~ ***penna?*** have you got a pen?; ***jag har några*** I've got some (a few); ***finns det några kvar?*** are there any left?; ***hon fick inte några*** she did not get any
någonsin *adv* ever; ***aldrig*** ~ never
någonstans *adv* somewhere; på (till) något ställe alls anywhere; ***var*** ~***?*** where?
någonting *pron* something; ***hon vet*** ~ she knows something; ***han vet inte*** ~ ***om det*** he doesn't know anything about it
någorlunda *adv* fairly
något I *pron* se *någon* **II** *adv* en smula somewhat
några se *någon*
nål -en -ar needle
näbb -en -ar bill
näckros -en -or water lily
näktergal -en -ar nightingale
nämligen *adv* **1** förklarande you see **2** framför uppräkning namely
nämna *verb* mention
nämnd -en -er committee
näpen *adj* pretty
när *konj* o. *adv* when; ~ ***som helst*** at any time
nära I *adj* near **II** *adv* **1** near **2** nästan nearly

närbild -en -er close-up
närbutik -en -er local shop
närgången *adj* påflugen obtrusive; ***vara ~ mot ngn*** make* a pass at sb.
närhet -en closeness; ***i närheten av flygplatsen*** near the airport
näring -en -ar nourishment
näringsliv -et industry
närma *verb*, ***~ sig*** approach
närmande -t -n ; ***vänskapliga närmanden*** friendly advances; ***göra närmanden mot ngn*** make* a pass at sb.
närmare I *adj* nearer; ytterligare further **II** *adv* **1** nearer; ***~ bestämt*** more exactly **2** nästan nearly
närmast I *adj* nearest; ***en av de närmaste dagarna*** within the next few days **II** *adv* **1** nearest **2** främst primarily
närsynt *adj* short-sighted
närvara *verb* be present
närvarande *adj* present; ***för ~*** at present
närvaro -n presence
näs|a -an -or nose
näsblod -et nose bleed; ***han blödde ~*** his nose was bleeding
näsdroppar pl. nose drops
näsduk -en -ar handkerchief
nässl|a -an -or nettle
nässpray -en -er nasal spray
nästa *adj* next
nästan *adv* almost
näste -t -n nest
nät -et = net
näthinn|a -an -or retina
nätspänning -en -ar mains voltage
nätt I *adj* dainty **II** *adv*, ***~ och jämnt*** only just
näv|e -en -ar fist
nöd -en nödvändighet necessity; brist need; ***lida ~*** be* in want (need)
nödbroms -en -ar emergency brake
nödfall, ***i ~*** if necessary
nödlanda *verb* make* an emergency landing
nödlandning -en -ar emergency landing
nödläge -t -n emergency; om t.ex. fartyg distress
nödlögn -en -er white lie
nödlösning -en -ar emergency solution
nödsituation -en -er emergency
nödutgång -en -ar emergency exit
nödvändig *adj* necessary
nöjd *adj* satisfied

nöje -t -n glädje pleasure; förströelse amusement
nöjesbranschen best. form show business
nöjesfält -et = amusement park
nöjesliv -et night life
nöt -en -ter nut
nöta *verb*, ***~ på ngt*** wear* sth. out
nötkreatur pl. cattle
nötkött -et beef
nött *adj* worn

Oo

o o-et o-n o [utt. ou]
oansenlig *adj* insignificant
oanständig *adj* indecent
oanträffbar *adj* unavailable
oanvänd *adj* unused
oanvändbar *adj* useless
oaptitlig *adj* unappetizing
oartig *adj* impolite
oas -en -er oasis
oavbruten *adj* continuous
oavgjord *adj* om fråga o.d. undecided; ***en ~ match*** a draw
oavsett *prep* irrespective of; ***~ om vi är välkomna eller inte*** irrespective of whether we are welcome or not
oavsiktlig *adj* unintentional
obducera *verb* perform a postmortem on
obduktion -en -er autopsy
obebodd *adj* uninhabited
obefogad *adj* unjustified
obegriplig *adj* incomprehensible
obegåvad *adj* unintelligent
obehaglig *adj* unpleasant
obehörig *adj* unauthorized
obekant I *adj* okänd unknown **II** en ~, pl -a stranger
obekväm *adj* uncomfortable;

~ ***arbetstid*** unsocial working hour
obemannad *adj* unmanned
obemärkt *adj* unnoticed
oberoende I -t independence **II** *adj*, ~ ***av*** independent of
oberäknelig *adj* unpredictable
oberörd *adj* unaffected
obeskrivlig *adj* indescribable
obeslutsam *adj* irresolute
obestridlig *adj* indisputable
obestämd *adj* indefinite, vague
obesvärad *adj* ostörd untroubled; otvungen easy
obetald *adj* unpaid
obetydlig *adj* insignificant
obetänksam *adj* thoughtless
obildad *adj* uneducated
objektiv I -et = i kamera lens **II** *adj* objective
oblekt *adj* unbleached
obligation -en -er bond
obligatorisk *adj* compulsory
oblyg *adj* shameless
oboe -n -r oboe
obotlig *adj* incurable
observation -en -er observation
observatori|um -et -er observatory
observera *verb* observe
obäddad *adj* unmade
obönhörlig *adj* inexorable
ocean -en -er ocean
ocensurerad *adj* uncensored
och *konj* and; ~ ***så vidare*** and so on
ociviliserad *adj* uncivilized
ock|er -ret usury
ockrare -n = usurer
också *adv* also
ockupation -en -er occupation
ockupera *verb* occupy
odds -et = odds
odemokratisk *adj* undemocratic
odjur -et = monster, beast
odla *verb* cultivate
odling -en -ar cultivation
odräglig *adj* unbearable
oduglig *adj* incompetent
odåg|a -an -or good-for-nothing
odödlig *adj* immortal
oekonomisk *adj* uneconomical
oemotståndlig *adj* irresistible
oemottaglig *adj* immune
oenig *adj* divided
oenighet -en disagreement
oense *adj*, ***vara ~ med ngn om ngt*** disagree with sb. about sth.
oerfaren *adj* inexperienced
oerhörd *adj* enorm enormous
ofantlig *adj* enormous, huge

ofarlig *adj* harmless
ofattbar *adj* incomprehensible
offensiv I -en -er offensive **II** *adj* offensive
offentlig *adj* public; ***den offentliga sektorn*** the public sector
off|er -ret = i olyckshändelse victim; uppoffring sacrifice
officer -en -are o. **officer|are** -en = officer
officiell *adj* official
offra *verb* sacrifice; ***~ sig*** sacrifice oneself
ofin *adj* rude
ofog -et = mischief
oframkomlig *adj* impassable
ofrankerad *adj* unstamped
ofrånkomlig *adj* inevitable, unavoidable
ofta *adv* often
ofullständig *adj* incomplete
ofärgad *adj* uncoloured
oförberedd *adj* unprepared
ofördelaktig *adj* disadvantageous
oförenlig *adj* incompatible
oföretagsam *adj* unenterprising
oförklarlig *adj* gåtfull mysterious
oförmåga -n inability
oförsiktig *adj* careless
oförskämd *adj* rude
oförståndig *adj* foolish
oförutsedd *adj* unexpected
oförändrad *adj* unchanged
ogenomförbar *adj* impracticable
ogift *adj* unmarried, single
ogilla *verb* dislike
ogillande I -t dislike **II** *adj* disapproving
ogiltig *adj* invalid
ogrundad *adj* unfounded
ogräs -et weeds
ogynnsam *adj* unfavourable
ogärna *adv* unwillingly
ogästvänlig *adj* inhospitable
ohanterlig *adj* unwieldy; om t.ex. person, problem unmanageable
ohederlig *adj* dishonest
ohyfsad *adj* ill-mannered
ohygglig *adj* dreadful; hemsk gruesome
ohygienisk *adj* unhygienic
ohyra -n vermin
ohållbar *adj* untenable; om situation intolerable
ohälsosam *adj* unhealthy
oigenkännlig *adj* unrecognizable
ointressant *adj* uninteresting
ointresserad *adj* uninterested
oj *interj* oh!

ojust I *adj* unfair; ~ ***spel*** dirty (rough) play **II** *adv* unfairly
ojämförlig *adj* incomparable
ojämn *adj* uneven
OK *interj* o. *adj* OK
ok -et = yoke
okammad *adj* uncombed
okay *interj* o. *adj* okay
oklar *adj* indistinct
oklok *adj* unwise
okomplicerad *adj* simple
okonventionell *adj* unconventional
okritisk *adj* uncritical
okryddad *adj* unseasoned
oktan -et = octane
oktav -en -er octave
oktober oböjl. October; ***i*** ~ in October
okultiverad *adj* uncultivated
okunnig *adj* ignorant
okynnig *adj* mischievous
okänd *adj* unknown
okänslig *adj* insensitive
olag, ***min mage är i*** ~ my stomach is upset
olaglig *adj* illegal
olidlig *adj* intolerable
olik *adj* unlike
olika I *adj* different **II** *adv* differently; ***de är*** ~ ***stora*** they are of different sizes
olikhet -en -er difference
oliv -en -er olive
olivolj|a -an -or olive oil
olj|a -an -or oil
oljeblandad *adj* mixed with oil
oljebyte -t -n oil change
oljeeldning -en oil-heating
oljemålning -en -ar oil painting
oljestick|a -an -or dipstick
oljud -et = noise
ollon -et = acorn
ologisk *adj* illogical
olovlig *adj* unlawful
olust -en obehag uneasiness; ovilja distaste
olyck|a -an -or ofärd misfortune; otur bad luck; olyckshändelse accident
olycklig *adj* unhappy
olycksbådande *adj* ominous
olycksfall -et = accident
olycksfallsförsäkring -en -ar accident insurance
olyckshändelse -n -r accident
olydig *adj* disobedient
olympiad -en -er Olympic games
olympisk *adj* Olympic
olåst *adj* unlocked
oläglig *adj* inconvenient
olämplig *adj* unsuitable
oläslig *adj* illegible
olöslig *adj* insoluble

1 om *konj* **1** villkorligt if; ***även ~*** even if **2** 'huruvida' whether
2 om *prep*, ***alldeles ~ hörnet*** just round the corner; ***tala ~ ngt*** speak* about sth; ***~ en stund*** in a while
omaka *adj* ill-matched
omarbetning -en -ar revision
ombord *adv* on board
ombud -et = representative; ***genom ~*** by proxy
ombyggnad -en -er renovation
omdöme -t -n **1** judgement; ***ha dåligt ~*** lack judgement **2** åsikt opinion
omedelbar *adj* immediate
omedelbart *adv* immediately
omedgörlig *adj* unreasonable
omedveten *adj* unconscious
omelett -en -er omelette
omfamna *verb* embrace
omfatta *verb* innefatta, inbegripa comprise
omfattning -en -ar extent
omfång -et **1** volym volume **2** räckvidd range
omfördela *verb* redistribute
omge *verb* surround
omgivning -en -ar surroundings
omgående I *adj*, ***~ svar*** reply by return **II** *adv* immediately
omgång -en -ar sport o.d. round
omhänderta *verb* barn take* in care; gripa take* into custody
omklädningshytt -en -er vid strand bathing hut
omklädningsrum -met = med skåp locker room
omkomma *verb* be killed
omkostnader pl. costs
omkrets -en circumference
omkring I *prep* **1** round; ***runt ~*** around **2** ***~ klockan fem*** about five o'clock **II** *adv*, ***se sig ~*** look around
omkull *adv* down, over
omkörning -en -ar overtaking
omkörningsförbud -et = på skylt o.d. no overtaking
omlopp -et = circulation
omodern *adj* out of date
omogen *adj* unripe; om person immature
omoralisk *adj* immoral
omotiverad *adj* **1** ej rättfärdigad unjustified **2** utan motivation unmotivated
omplacera *verb* transfer
omringa *verb* surround
område -t -n territory
omröstning -en -ar voting
omsider *adv*, ***sent ~*** at long last
omslag -et = **1** pärm el. för

paket cover **2** förändring change
omslagspapp|er -ret = wrapping paper
omsorg -en -er care
omsorgsfull *adj* careful
omstridd *adj* disputed; om person controversial
omständighet -en -er circumstance
omständlig *adj* detailed
omsvep, ***säga ngt utan ~*** say* sth. straight out
omsvängning -en -ar change
omsätta *verb* **1** sälja sell* **2** ***~ ngt i praktiken*** put* sth. into practice
omsättning -en -ar årlig affärsomsättning turnover
omtala *verb* mention; ***omtalad*** talked about
omtanke -n care
omtyckt *adj* popular
omtänksam *adj* considerate
omtöcknad *adj* dazed
omusikalisk *adj* unmusical
omutlig *adj* unbribable
omvandla *verb* transform
omvårdnad -en care
omväg -en -ar detour
omvänd *adj* **1** omkastad reversed **2** till tro, lära converted
omvärdering -en -ar revaluation
omväxlande I *adj* varied **II** *adv* alternately
omväxling -en -ar change; ***för omväxlings skull*** for a change
omyndig *adj* under age
omåttlig *adj* immoderate
omänsklig *adj* inhuman
omärklig *adj* imperceptible
omöjlig *adj* impossible
onanera *verb* masturbate
onaturlig *adj* unnatural
ond *adj* **1** moraliskt evil; ***en ~ cirkel*** a vicious circle **2** arg angry
ondska -n evil
ondskefull *adj* spiteful, evil
onekligen *adv* undeniably
onormal *adj* abnormal
onsdag -en -ar Wednesday; ***i onsdags*** last Wednesday; ***på ~*** on Wednesday
ont -et **1** ***jag har ~ i benet*** my leg hurts **2** ***jag har ~ om pengar*** I am short of money; ***det är ~ om potatis*** there is a shortage of potatoes
onumrerad *adj* unnumbered
onyanserad *adj* superficial
onyttig *adj* useless
onåd oböjl. disfavour; ***råka i ~*** fall* out of favour
onödan, ***i ~*** unnecessarily

onödig *adj* unnecessary
oordnad *adj* disordered
oordning -en disorder
opal -en -er opal
opassande *adj* unsuitable
oper|a -an -or opera
operasångare -n = o.
operasångersk|a -an -or opera-singer
operation -en -er operation
operera *verb*, **~ ngn** operate on sb.; **~ bort ngt** remove sth. surgically
operett -en -er operetta
opersonlig *adj* impersonal
opinion -en -er opinion; ***den allmänna opinionen*** public opinion
opium opiet opium
opponera *verb*, **~ sig** object
opposition -en -er opposition
opraktisk *adj* unpractical
optiker -n = optician
optimist -en -er optimist
optimistisk *adj* optimistic
opus -et = work
opålitlig *adj* unreliable
orange *adj* orange
ord -et = word; ***begära ordet*** ask to speak; ***hålla sitt ~*** keep* one's word
ordagrann *adj* literal
ordalag, ***i allmänna ~*** in general terms
ordbehandlare -n = word processor
ord|bok -boken -böcker dictionary
ord|en en ~, pl. -nar order
ordentlig *adj* noggrann careful; sedesam proper
order -n = order; ***ge ~ om ngt*** order sth.
ordföljd -en -er word order
ordförande -n = chairman, chairwoman; chair
ordförråd -et = vocabulary
ordinarie *adj* regular
ordination -en -er prescription
ordinera *verb* prescribe
ordinär *adj* ordinary
ordlist|a -an -or word list
ordna *verb* arrange; ***det ordnar sig nog*** it will be all right
ordning -en -ar order; ***göra sig i ~*** get* ready
ordspråk -et = proverb
oreda -n disorder
oregano -n oregano
oregelbunden *adj* irregular
oresonlig *adj* unreasonable
organ -et = organ
organisation -en -er organization
organisera *verb* organize
organism -en -er organism
orgasm -en -er orgasm

orgel -n orglar organ
orgie -n -r orgy
orientalisk *adj* oriental
Orienten the Orient
orientera *verb* **1** orientate; informera inform; ***jag kan inte ~ mig*** I don't quite know where I am **2** sport practice orienteering
orientering -en -ar **1** orientation; information information; ***tappa orienteringen*** lose* one's bearings **2** sport orienteering
original -et = original
originell *adj* original
oriktig *adj* incorrect
orimlig *adj* absurd
orka *verb*, ***jag orkar inte mer*** t.ex. mat I have had enough; ***jag orkar inte med det längre*** I cannot cope with it any longer
orkan -en -er hurricane
orkeslös *adj* feeble
orkest|er -ern -rar orchestra
orkidé -n -er orchid
orm -en -ar snake
ormbunk|e -en -ar fern
ornament -et = ornament
oro -n anxiety
oroa *verb* worry; ***~ sig för ngt*** worry about sth.
orolig *adj* worried
oroväckande *adj* alarming
orr|e -en -ar black grouse
orsak -en -er reason; ***~ till*** reason for
orsaka *verb* cause
ort -en -er place
orubblig *adj* unshakable
oråd, ***ana ~*** smell a rat
orädd *adj* fearless
oräknelig *adj* innumerable
orättvis *adj* unfair
orättvis|a -an -or injustice
orörlig *adj* immobile
os -et smell
osa *verb* smoke
osaklig *adj* irrelevant
osammanhängande *adj* incoherent
osams *adj*, ***bli ~*** quarrel; ***vara ~ med*** be at odds with
osann *adj* untrue
osannolik *adj* unlikely
osjälvisk *adj* unselfish
osjälvständig *adj* dependent
oskadd *adj* unharmed
oskadlig *adj* harmless
oskiljaktig *adj* inseparable
oskuld -en -er **1** egenskap innocence **2** person virgin
oskuldsfull *adj* innocent
oskyddad *adj* unprotected
oskyldig *adj* innocent
oskälig *adj* orimlig unreasonable

oslagbar *adj* unbeatable
osmaklig *adj* unappetizing
osockrad *adj* unsweetened
osolidarisk *adj* disloyal
oss *pron* us
1 ost oböjl. the east
2 ost -en -ar cheese
ostadig *adj* unsteady; ***ostadigt väder*** unsettled weather
ostaffär -en -er cheese shop
osthyv|el -eln -lar cheese slicer
ostlig *adj* easterly
ostron -et = oyster
ostädad *adj* untidy
osund *adj* unhealthy
osympatisk *adj* unpleasant
osynlig *adj* invisible
osäker *adj* uncertain
otacksam *adj* ungrateful
otakt, ***komma i ~*** get* out of step
otalig *adj* innumerable
otalt *adj*, ***ha ngt ~ med ngn*** have* a score to settle with sb.
otillfredsställande *adj* unsatisfactory
otillgänglig *adj* inaccessible
otillräcklig *adj* insufficient
otrevlig *adj* disagreeable
otrogen *adj* unfaithful
otrolig *adj* incredible
otrygg *adj* insecure
otränad *adj* untrained
ott|a -an -or ; ***stiga upp i ottan*** get* up early in the morning
otur -en bad luck
otydlig *adj* indistinct
otålig *adj* impatient
otäck *adj* nasty
otänkbar *adj* inconceivable
oumbärlig *adj* indispensable
oundviklig *adj* unavoidable
ouppmärksam *adj* inattentive
outhärdlig *adj* unbearable
outspädd *adj* undiluted
outtröttlig *adj* indefatigable
ouvertyr -en -er overture
oval *adj* oval
1 ovan *prep* o. *adv* above
2 ovan *adj*, ***vara ~ vid att segla*** be unaccustomed to sailing
ovan|a -an -or ful vana bad habit
ovanför *prep* o. *adv* above
ovanlig *adj* unusual
ovanstående *adj* the above-mentioned…
ovarsam *adj* careless
overall -en -er overalls
overklig *adj* unreal
overksam *adj* passive
ovidkommande *adj* irrelevant
ovilja -n **1** ovillighet unwillingness **2** fientlighet hostility

ovillig *adj* unwilling
ovillkorligen *adv* absolutely
oviss *adj* uncertain
ovårdad *adj* careless
ovädjer -ret = storm
ovän -nen -ner enemy; ***vara ~ med*** be on bad terms with
ovänlig *adj* unfriendly; fientlig hostile
oväntad *adj* unexpected
ovärderlig *adj* invaluable
oväsen -det noise; ***föra ~*** make* a lot of noise
ox|e -en -ar ox; ***Oxen*** stjärntecken Taurus
oxfilé -n -er fillet of beef
oxkött -et beef
oxstek -en -ar roast beef
ozonskikt -et ozone layer
oåterkallelig *adj* irrevocable
oåtkomlig *adj* inaccessible; ***förvaras oåtkomligt för barn*** to be kept out of children's reach
oäkta *adj* false
oändlig *adj* infinite
oärlig *adj* dishonest
oätlig *adj* inedible
oöm *adj* om sak durable; om person rugged
oöverskådlig *adj* oredig confused; om följder o.d. incalculable
oöverstiglig *adj* insurmountable
oöverträffad *adj* unsurpassed

Pp

p p-et p-n p [utt. pi]; ***sätta ~ för ngt*** put* a stop to sth.
pacifist -en -er pacifist
packa *verb* pack, pack up; ~ ***ner*** pack up; ~ ***upp*** unpack
pack|e -en -ar package
packning -en -ar **1** bagage luggage **2** tätningsanordning gasket
padd|a -an -or toad
padd|el -eln -lar paddle
paddla *verb* paddle
paj -en -er pie
pajas -en -er (-ar) clown
paket -et = parcel; litet packet
pakethållare -n = luggage carrier
paketres|a -an -or package tour
pakt -en -er pact
palats -et = palace
palett -en -er palette
pall -en -ar stool
palm -en -er palm
palsternack|a -an -or parsnip
pamp -en -ar bigwig, boss
pand|a -an -or panda
panel -en -er panel; träpanel paneling
panera *verb* coat with egg and breadcrumbs
panik -en panic
panikslagen *adj* panic-stricken
pank *adj* broke
1 pann|a -an -or **1** stekpanna o.d. pan **2** för eldning furnace
2 pann|a -an -or i ansiktet forehead
pannbiff -en -ar ung. hamburger
pannkak|a -an -or pancake
pansar -et = armour
pant -en -er pledge
pantbank -en -er pawnshop
pant|er -ern -rar panther
pantsätta *verb* pawn
papegoj|a -an -or parrot
papiljott -en -er curler
papp -en cardboard
papp|a -an -or father, vard. dad
papper -et = paper
pappershandduk -en -ar paper towel
pappershand|el -eln -lar stationer's
papperskass|e -en -ar paper carrier bag
papperskorg -en -ar wastepaper basket
papperslapp -en -ar slip of paper
pappersmugg -en -ar paper drinking-cup
pappersnäsduk -en -ar tissue

pappersservett -en -er paper napkin
papperstallrik -en -ar paper plate
paprik|a -an -or grönsak sweet pepper; krydda paprika
par -et = sammanhörande pair; ***ett gift ~*** a married couple
para *verb* **1** ***~ ihop ngt med ngt*** match sth. to sth. **2** ***~ sig*** mate
parabolantenn -en -er satellite dish
parad -en -er parade
paradis -et = paradise
paradoxal *adj* paradoxical
paragraf -en -er section
parallell I -en -er parallel **II** *adj* parallel
paralysera *verb* paralyse
paraply -et -er umbrella
parasit -en -er parasite
parasoll -et (-en) -er parasol
parentes -en -er parentheses, brackets
parera *verb* parry
parfym -en -er perfume
parfymeri -et -er perfumery
parisare -n = hamburger and egg on bread
park -en -er park
parkera *verb* park
parkering -en -ar **1** parking **2** område car park
parkeringsautomat -en -er parking meter
parkeringsböter pl. lapp parking ticket; belopp parking fine
parkeringsförbud -et = ; ***det är ~*** parking is prohibited
parkeringshus -et = multistorey car park
parkeringsplats -en -er parking place; område car park; med rutor parking bay
parkett -en -er **1** på teater o.d. stalls; ***på främre ~*** in the orchestra stalls **2** golv parquet
parlament -et = parliament
parlör -en -er phrase book
parning -en -ar mating
parodi -n -er parody
part -en -er i juridisk betydelse party
parti -et -er **1** del part **2** mängd av viss vara lot **3** politiskt party **4** i spel game
partik|el -eln -lar particle
partiledare -n = party leader
partisk *adj* partial
partner -n = (-s) partner
partnerskap -et = , ***ingå [registrerat] ~*** enter into a [registered] partnership
party -t -n party
1 pass -et = **1** passage pass **2**

legitimation passport **3** tjänstgöring duty **4** ***komma väl till*** ~ come* in handy

2 pass *interj* i kortspel pass!

passa *verb* **1** ge akt på pay* attention to; ~ ***tiden*** be* on time **2** ***byxorna passar mig inte*** är inte lagom these trousers don't fit me; klär mig inte these trousers don't suit me; ***det passar mig bra*** that suits me fine **3** i kortspel el. sporter pass **4** ~ ***på*** ta tillfället i akt seize the opportunity

passage -n -r passage

passagerare -n = passenger

passande *adj* lämplig suitable; läglig convenient

passare -n = compasses

passera *verb* pass

passfoto -t -n passport photo

passion -en -er passion

passionerad *adj* passionate

passiv *adj* passive

passkontroll -en -er passport examination; kontor passport office

passning -en -ar **1** eftersyn attention **2** i lagspel pass

past|a -an -or paste; spaghetti pasta

pastej -en -er pie

pastill -en -er pastille

pastor -n -er pastor

pastöriserad *adj* pasteurized

paté -n -er pâté

patent -et = patent

patentlösning -en -ar easy answer

patetisk *adj* pathetic

patiens -en -er ; ***lägga*** ~ play patience

patient -en -er patient

patriot -en -er patriot

patron -en -er för vapen cartridge; för penna refill

patrull -en -er patrol

paus -en -er pause; avbrott break

paviljong -en -er pavilion

pedagogik -en pedagogy

pedagogisk *adj* pedagogic

pedal -en -er pedal

pedant -en -er pedant

pedantisk *adj* pedantic

pedofil -en -er paedophile

pejla *verb* loda sound; ~ ***läget*** see how the land lies

peka *verb*, ~ ***på ngt*** point at sth.

pekfing|er -ret -rar forefinger

pekines -en -er pekinese

pekpinn|e -en -ar pointer

pelare -n = pillar

pelargon -en -er geranium

pelikan -en -er pelican

pend|el -eln -lar pendulum

pendeltåg -et = commuter train
pendla *verb* swing; om t.ex. förortsbo commute
pendlare -n = commuter
pengar pl. money; ***var är pengarna? jag kan inte hitta dem*** where is the money? I can't find it
penicillin -et penicillin
penis -en -ar penis
penn|a -an -or pen; blyertspenna pencil
pennvässare -n = pencil-sharpener
pensé -n -er pansy
pens|el -eln -lar brush
pension -en -er pension; ***gå i ~*** retire
pensionat -et = boarding house; på kontinenten ofta pension
pensionera *verb* pension off; ***~ sig*** retire
pensionär -en -er pensioner
pensla *verb* paint
pentry -t -n galley; kokvrå kitchenette
peppar -n pepper
pepparkak|a -an -or gingerbread biscuit
pepparmynta -n peppermint
pepparrot -en horseradish
peppra *verb* pepper
per *prep*, ***~ järnväg*** by rail; ***~ styck*** each
perfekt I *adj* perfect **II** *adv* perfectly
perforera *verb* perforate
period -en -er period
periodvis *adv* periodically
permanent I *adj* permanent **II** -en permanent waving, vard. perm
permanenta *verb* hår perm
permission -en -er leave*
permittera *verb* friställa lay* off
perrong -en -er platform
persienn -en -er Venetian blind
persik|a -an -or peach
persilja -n parsley
persisk *adj* Persian
person -en -er person
personal -en staff, personnel
personbil -en -ar private car
personlig *adj* personal
personligen *adv* personally
personlighet -en -er personality
personnum|mer -ret = personal identity number
persontåg -et = passenger train
perspektiv -et = perspective
peruk -en -er wig
pervers *adj* perverted

pessar -et = diaphragm
pessimist -en -er pessimist
pessimistisk *adj* pessimistic
pest -en -er plague
peta *verb* **1** pick; **~ sig i näsan** pick one's nose; **~ i maten** pick at one's food **2 ~ en spelare** drop a player
petig *adj* pedantic
P-hus -et = multistorey car park
pianist -en -er pianist
piano -t -n piano
piccolo -n -r page
picknick -en -ar picnic
piedestal -en -er pedestal
pierca *verb* vard. pierce; **~ naveln** have one's navel pierced
piffa *verb*, **~ upp** freshen up
pig|a -an -or maid
1 pigg -en -ar spike
2 pigg *adj* fit; **vara ~ på** be keen on
pigga *verb*, **~ upp sig med ngt** have* sth. that helps pick you up
piggvar -en -ar turbot
pigment -et = pigment
pik -en -ar spydighet dig
pika *verb* taunt
1 pil -en -ar träd willow
2 pil -en -ar till pilbåge arrow
pilbåg|e -en -ar bow
pilgrim -en -er pilgrim
pill|er -ret = pill
pilot -en -er pilot
pin|a I -an -or pain **II** *verb* torment
pincett -en -er tweezers
pingst -en -ar Whitsun
pingstaft|on -onen -nar Whitsun Eve
pingstdag -en -ar Whitsunday
pingstlilj|a -an -or narcissus
pingvin -en -er penguin
PIN-kod -en -er PIN code (förk. för *Personal Identification Number*)
pinn|e -en -ar peg
pinsam *adj* embarrassing
pion -en -er peony
pionjär -en -er pioneer
1 pip -et = ljud peep
2 pip -en -ar på kärl spout
1 pipa *verb* om fåglar chirp
2 pip|a -an -or pipe
pipig *adj* squeaky
pippi -n -ar birdie; **ha ~ på ngt** be obsessed by sth.
piprensare -n = pipecleaner
piptobak -en pipe tobacco
pir -en -ar pier
pirat -en -er pirate
pirog -en -er Russian pasty
piruett -en -er pirouette
pisk|a I -an -or whip **II** *verb* whip

pissa *verb* vulgärt piss
pissoar -en -er urinal
pist -en -er piste
pistol -en -er pistol
pittoresk *adj* picturesque
pizz|a -an -or pizza
pizzeri|a -an -or pizzeria
pjäs -en -er 1 teaterpjäs play 2 föremål piece
pjäx|a -an -or ski boot
placera *verb* place
placering -en -ar placing; om pengar investment
plagg -et = garment
plagiat -et = plagiarism
plakat -et = bill
1 plan -en -er 1 öppen plats open space 2 plan; ***ha planer på att göra ngt*** be planning to do sth.
2 plan -et = yta el. flygplan plane
3 plan *adj* plane
planera *verb* plan
planet -en -er planet
plank -et = 1 virke planking 2 staket fence
plank|a -an -or plank
plansch -en -er illustration
plant|a -an -or plant
plantage -n -r plantation
plantera *verb* plant
plantering -en -ar plantation; rabatt flower-bed
plaska *verb* splash
plasmaskärm -en -ar plasma screen
plast -en -er plastic
plastfolie -n -r cling film
plastkass|e -en -ar plastic carrier bag
plastpås|e -en -ar plastic bag
platina -n platinum
plats -en -er 1 place; ***få ~ med ngt*** find room for sth.; ***är den här platsen ledig?*** is this seat taken? 2 anställning job
platsbiljett -en -er seat reservation
platt I *adj* flat **II** *adv* flatly
platt|a -an -or plate; rund disc
plattform -en -ar platform
platt-tv -n -ar flat-screen television
platå -n -er plateau
plikt -en -er duty
plikttrogen *adj* dutiful
plocka *verb* pick; samla gather; ***~ bort ngt*** remove sth.; ***~ upp*** pick up
plog -en -ar plough
ploga *verb* gator clear the roads of snow
plomb -en -er 1 i tand filling 2 försegling seal
plommon -et = plum
plugg 1 -en -ar tapp plug 2 -et = vard., skola school

plugga *verb* **1** put* in a plug; ~ ***igen*** plug up **2** vard., pluggläsa swot
plundra *verb* plunder
plundring -en -ar plunder
plus I -et = tecken plus; fördel advantage **II** *adv* plus
plusgrad -en -er degree above zero
plusteck|en -net = plus sign
plym -en -er plume
plysch -en -er plush
plåg|a I -an -or pain **II** *verb* torment
plågsam *adj* painful
plån -et = friction strip
plån|bok -boken -böcker wallet
plåst|er -ret = plaster
plåt -en -ar **1** kollektivt sheet metal **2** skiva plate; bakplåt baking plate
pläd -en -ar travelling rug
plädera *verb* plead
plöja *verb* plough
plötslig *adj* sudden
pocket|bok -boken -böcker paperback
podi|um -et -er platform
poesi -n -er poetry
poet -en -er poet
poetisk *adj* poetic
pojk|e -en -ar boy
pojknamn -et = boy's name
pojkvän -nen -ner boyfriend
pokal -en -er cup
poker -n poker
pol -en -er pole
polack -en -er Pole
polcirkel -n ; ***norra polcirkeln*** the Arctic Circle; ***södra polcirkeln*** the Antarctic Circle
Polen Poland
polera *verb* polish
polio -n polio
polis -en -er **1** myndighet police; ***har polisen fångat honom?*** have the police caught him? **2** polisman police officer
polisanmäla *verb* report to the police
polisanmäl|an en ~, pl. -ningar ; ***göra en*** ~ file a complaint
polisbil -en -ar patrol car
polisman -nen polismän police officer
polisonger pl. side-whiskers
polisstation -en -er police station
polisutredning -en -ar police investigation
politik -en politics; politisk linje policy
politiker -n = politician
politisk *adj* political
pollen -et pollen
pollett -en -er token
pollettera *verb* register

polo -n polo
polotröj|a -an -or polo-neck sweater
polsk *adj* Polish
polsk|a -an **1** pl. -or kvinna Polish woman **2** språk Polish
pommes frites pl. chips, French fried potatoes
pompa -n ; ***med ~ och ståt*** with pomp and ceremony
pondus -en authority
ponny -n -er pony
pop -en pop
popartist -en -er pop artist
popcorn -et = popcorn
poplin -en (-et) -er poplin
popmusik -en pop music
poppel -n popplar poplar
populär *adj* popular
por -en -er pore
pornografi -n -er pornography
porr -en vard. porn; hårdporr hard-core porn
porrfilm -en -er porno film
porslin -et -er china; enklare crockery
porslinsfigur -en -er porcelain figure
port -en -ar front door; öppning gate
portfölj -en -er briefcase
portier -en -er receptionist
portion -en -er portion
portkod -en -er entry code
portmonnä -n -er purse
portnyck|el -eln -lar latchkey
porto -t -n postage
portofri *adj* post-free
porträtt -et = portrait
porttelefon -en -er entry phone
Portugal Portugal
portugis -en -er Portuguese
portugisisk *adj* Portuguese
portugisisk|a -an **1** pl. -or kvinna Portuguese woman **2** språk Portuguese
portvakt -en -er i hyreshus caretaker
portvin -et -er port
porös *adj* porous
posera *verb* pose
position -en -er position
1 positiv *adj* positive
2 positiv -et = bärbar orgel barrel organ
post -en **1** brev o.d. post, mail; ***har jag någon ~?*** is there any post for me?; ***skicka ngt med posten*** send* sth. by post **2** kontor post office **3** i bokföring o.d. item **4** pl. -er vaktpost sentry **5** pl. -er befattning post
posta *verb* post
postadress -en -er postal address

postanvisning -en -ar money order
postbox -en -ar post office box (förk. *POB*)
poste restante *adv* poste restante
postförskott -et = cash on delivery (förk. *COD*)
postgiro -t -n postal giro
postkontor -et = post office
postnum|mer -ret = postcode
postpaket -et = postal parcel
poststämp|el -eln -lar postmark
potatis -en -ar potato
potatisgratäng -en -er potatoes au gratin
potatismjöl -et potato flour
potatismos -et mashed potatoes
potatissallad -en -er potato salad
potatisskal -et = potato peelings
potatisskalare -n = potato peeler
potens -en -er fysiologisk potency
pott -en -er pool
pott|a -an -or chamber pot
poäng -en = point; på skrivning o.d. mark; universitetspoäng credit
poängtera *verb* emphasize
p-pill|er -ret = contraceptive pill, vard. the pill
PR oböjl. PR, public relations
Prag Prague
prakt -en splendour
praktfull *adj* splendid
praktik -en practice; yrkespraktik job training; ***i praktiken*** in practice
praktikant -en -er trainee
praktisera *verb* practise
praktisk *adj* practical
pralin -en -er chocolate
prassla *verb* rustle
prat -et talk, chat; struntprat nonsense
prata *verb* talk, chat
pratsam *adj* talkative
praxis en ~ practice
precis I *adj* precise **II** *adv* exactly; ***~ klockan 8*** at 8 o'clock sharp
precision -en precision
predika *verb* preach
predik|an en ~, pl. -ningar sermon
prejudikat -et = precedent
preliminär *adj* preliminary
premie -n -r premium
premieobligation -en -er premium bond
premiär -en -er opening night
premiärminist|er -ern -rar prime minister

prenumeration -en -er subscription
prenumerera *verb* subscribe
preparat -et = preparation
preparera *verb* prepare
presenning -en -ar tarpaulin
present -en -er present
presentation -en -er presentation
presentera *verb* **1** introduce; *~ **sig*** introduce oneself **2** framlägga present
presentkort -et = gift voucher
president -en -er president
preskribera *verb* bar by limitation
press -en **1** tidningar el. redskap o.d. press **2** tryck pressure
pressa *verb* press; ***~ fram en lösning*** force a solution; ***~ ihop ngt*** press sth. together
pressande *adj* om t.ex. arbetsförhållande trying
presskonferens -en -er press conference
prestation -en -er sportprestation o.d. performance; bedrift achievement
prestera *verb* achieve
prestige -n prestige
pretention -en -er pretension
pretentiös *adj* pretentious
preventivmed|el -let = contraceptive
prick I -en -ar dot; ***träffa mitt i ~*** hit* the mark **II** *adv*, ***~ klockan 8*** at 8 o'clock sharp
prickig *adj* spotted
prima *adj* first-class
primadonn|a -an -or prima donna
primitiv *adj* primitive
primär *adj* primary
princip -en -er principle
principiell *adj*, ***av principiella skäl*** on grounds of principle
prins -en -ar prince
prinsess|a -an -or princess
prinskorv -en -ar ung. small sausage
prioritera *verb* give* priority to
pris -et = (-er) **1** kostnad price; ***till nedsatt ~*** at a reduced price; ***till ett ~ av 100 pund*** at the price of 100 pounds; ***till varje ~*** at any price **2** belöning prize
prishöjning -en -ar rise in prices
prislapp -en -ar price tag; på matvaror price sticker
prislist|a -an -or price list
prisläge -t -n ; ***i vilket ~?*** at about what price?

prisskillnad -en -er price difference
prisstopp -et = ; ***införa ~*** freeze prices
prissänkning -en -ar price reduction
pristagare -n = prizewinner
prisutdelning -en -ar awards ceremony
privat I *adj* private **II** *adv* privately
privatisera *verb* privatize
privatliv -et private life
privatperson -en -er private person
privatägd *adj* privately-owned
privilegierad *adj* privileged
privilegi|um -et -er privilege
problem -et = problem
procedur -en -er procedure
procent -en = per cent
process -en -er **1** förlopp process **2** rättegång lawsuit
procession -en -er procession
producent -en -er producer
producera *verb* produce
produkt -en -er product
produktion -en -er production
produktiv *adj* productive
professionell *adj* professional
professor -n -er professor; ***t.f. ~*** acting professor
profet -en -er prophet
profeti|a -an -or prophecy
proffs -et = pro
proffsig *adj* professional
profil -en -er profile
prognos -en -er forecast
program -met = programme; dataprogram program
programledare -n = host
programmera *verb* omforma för dator program
progressiv *adj* progressive
projekt -et = project
projektor -n -er projector
proklamera *verb* proclaim
prolog -en -er prologue
promemori|a -an -or memorandum
promenad -en -er walk; ***ta en ~*** go for a walk
promenadsko -n -r walking-shoe
promenera *verb* take* a walk
promille -n = promillehalt percentage of alcohol
propaganda -n propaganda
propagera *verb*, ***~ för ngt*** campaign for sth.
propell|er -ern -rar propeller
proper *adj* tidy
proportion -en -er proportion
propp -en -ar plug; säkring fuse; blodpropp blood clot
proppa *verb*, ***~ i sig ngt*** stuff

oneself with sth.; ~ ***igen*** stop up
proppfull *adj* crammed
proppmätt *adj*, ***vara*** ~ be full up
prosa -n prose
prosit *interj* bless you!
prospekt -et = prospectus
prost -en -ar dean
prostata -n prostate
prostituerad en ~, pl. -e prostitute
prostitution -en prostitution
protein -et -er protein
protes -en -er arm artificial arm (öga eye etc.)
protest -en -er protest
protestant -en -er Protestant
protestera *verb* protest
protokoll -et = minutes
prov -et = **1** test **2** av vara sample
prova *verb* test; kläder try on
provhytt -en -er fitting cubicle
proviant -en provisions
provins -en -er province
provision -en -er commission
provisorisk *adj* temporary
provocera *verb* provoke
provrum -met = fitting room
provrör -et = test tube
provsmaka *verb* taste
pruta *verb* om köpare haggle; om säljare reduce the price
pryd *adj* prudish
pryda *verb* decorate
prydlig *adj* neat
prydnad -en -er decoration
prydnadssak -en -er ornament
prydnadsväxt -en -er ornamental plant
prygla *verb* flog
prålig *adj* gaudy
pråm -en -ar barge
präg|el -eln -lar impression; ***sätta sin ~ på*** leave* one's mark on
prägla *verb* mark
präktig *adj* utmärkt fine; om person stout
pränta *verb* write* carefully
prärie -n -r prairie
präst -en -er priest; i England ofta clergyman; frikyrklig minister
prästkrag|e -en -ar blomma oxeye daisy
pröva *verb* try
prövning -en -ar **1** prov test **2** lidande trial
P.S. ett ~, pl. = PS
psalm -en -er i psalmboken hymn; i Bibeln psalm
pseudonym -en -er pseudonym
p-skiv|a -an -or parking disc
psyke -t -n psyche
psykiat|er -ern -rer psychiatrist

psykiatri -n psychiatry
psykisk *adj* psychic
psykoanalys -en -er psychoanalysis
psykolog -en -er psychologist
psykologi -n psychology
psykologisk *adj* psychological
psykos -en -er psychosis
pubertet -en puberty
publicera *verb* publish
publicitet -en publicity
publik -en -er audience; åskådare spectators
puck -en -ar puck
puck|el -eln -lar hump
puckelpist -en -er moguls pl.
pudding -en -ar pudding
pud|el -eln -lar poodle
pud|er -ret = powder
pudra *verb* powder
puk|a -an -or kettle-drum
pulk|a -an -or little sledge
puls -en -ar pulse; ***ta pulsen på ngn*** take* sb.'s pulse
pulsera *verb* throb
pulsåd|er -ern -ror artery
pulv|er -ret = powder
pulverkaffe -t instant coffee
pum|a -an -or puma
pump -en -ar pump
1 pumpa *verb* pump; ***~ däcken*** inflate the tyres
2 pump|a -an -or växt pumpkin
pumps pl. court shoes
pund -et = pound
pung -en -ar **1** påse pouch **2** organ scrotum
punkt -en -er point
punktering -en -ar puncture; ***få ~*** have* a flat tyre
punktlig *adj* punctual
punsch -en ung. arrack punch
pupill -en -er pupil
puré -n -er purée
purjolök -en -ar leek
purpur -n purple
puss -en -ar kyss kiss
pussa *verb* kiss
puss|el -let = puzzle; träpussel jigsaw puzzle
pusta *verb* puff; ***~ ut*** recover one's breath
puta *verb*, ***~ ut*** stick out
putsa *verb* clean
puttra *verb* simmer
pyjamas -en -ar pyjamas
pynt -et decorations
pynta *verb* decorate
pyra *verb* smoulder
pyramid -en -er pyramid
Pyrenéerna the Pyrenees
pyroman -en -er pyromaniac
pyssla *verb*, ***vad pysslar du med?*** what are you doing?; ***~ om ngn*** look after sb.
pyts -en -ar pot
pyttipanna -n ung. hash

på *prep* on; ~ ***en bjudning*** at a party; ~ ***marken*** on the ground; ~ ***morgonen*** in the morning; ***gå*** ~ ***bio*** go to the cinema; ***sikta*** ~ ***ngn*** aim at sb.; ***vara arg*** ~ ***ngn*** be angry with sb.; ***vänta*** ~ ***ngn*** wait for sb.
påbrå -t stock; ***med svenskt*** ~ of Swedish extraction
påfallande *adj* striking
påflugen *adj* pushy
påfrestande *adj* trying
påfrestning -en -ar strain
påfyllning -en -ar refill
påfåg|el -eln -lar peacock
pågå *verb* go on; vara last
pågående *adj* present
påhitt -et = idé idea; lögn made-up story
påk -en -ar thick stick
påkalla *verb* call for; ~ ***ngns uppmärksamhet*** attract sb.'s attention
påklädd *adj* dressed
påkostad *adj* expensive
pål|e -en -ar pole
pålitlig *adj* reliable
pålägg -et = **1** på smörgås ham, cheese etc.; ***bredbart*** ~ sandwich spread **2** tillägg extra charge
påminna *verb*, ~ ***ngn om ngt*** remind sb. of sth.; ***det påminner mig om att jag ska ringa henne*** this reminds me to call her; ~ ***sig*** remember
påminnelse -n -r reminder
påpasslig *adj* attentive
påpeka *verb* point out
pås|e -en -ar bag
påseende, ***till*** ~ for inspection
påsk -en -ar Easter; ***annandag*** ~ Easter Monday; ***glad*** ~***!*** Happy Easter!; ***i*** ~ at Easter; ***i påskas*** last Easter
påskaft|on -onen -nar Easter Eve
påskdag -en -ar Easter Sunday
påsklilj|a -an -or daffodil
påsklov -et = Easter holidays
påskrift -en -er address; underskrift signature
påskynda *verb* hasten
påskägg -et = Easter egg
påslakan -et = duvet cover
påssjuka -n mumps
påstridig *adj* obstinate
påstå *verb* say*; ***han påstår sig vara...*** he claims he is...
påstående -t -n statement
påstötning -en -ar reminder
påtaglig *adj* obvious
påtryckning -en -ar pressure
påträffa *verb* come* across
påträngande *adj* **1** påflugen pushy **2** om behov urgent

påtvinga *verb*, **~ *ngn ngt*** force sth. on sb.
påtår -en ung. refill
påv|e -en -ar pope
påverka *verb* influence
påverk|an en ~, pl. -ningar influence
påvisa *verb* indicate
päls -en -ar fur
pälsjack|a -an -or fur jacket
pälskrag|e -en -ar fur collar
pälsmöss|a -an -or fur hat
pärl|a -an -or pearl
pärlemor -n mother-of-pearl
pärlhalsband -et = pearl necklace
pärm -en -ar för lösa blad binder; på bok cover
päron -et = pear
päronträd -et = pear tree
pärs -en -er ordeal
pöl -en -ar pool
pöls|a -an -or ung. haggis-like hash
pösig *adj* puffy

Qq

q q-et q-en q [utt. kjo]

Rr

r r-en r-et r [utt. ar]
rabarber -n rhubarb
1 rabatt -en -er blomsterrabatt flower bed
2 rabatt -en -er nedsättning av pris discount; ***lämna 20 % ~ på ngt*** allow a 20 % discount off sth.
rabatthäfte -t -n book of discount coupons
rabattkort -et = reduced rate ticket
rabbin -en -er rabbi
rabbla *verb* rattle off
rabies -en rabies
rackare -n = rascal
racket -en -ar racket
rad -en -er **1** räcka, led row; ***3 dagar i ~*** 3 days running **2** i skrift line; ***börja på ny ~*** start a fresh paragraph **3** på teater row; ***på första raden*** in the dress circle; ***på andra raden*** in the upper circle; ***på tredje raden*** in the gallery
rada *verb*, ***~ upp ngt*** put* sth. in a row
radar -n radar
radera *verb*, ***~ ut*** wipe out
radhus -et = terraced house
radie -n -r radius
radikal *adj* radical
radio -n -r radio
radioaktiv *adj* radioactive
radioaktivitet -en radioactivity
radioapparat -en -er radio
radioprogram -met = radio programme
radiosändare -n = transmitter
raffinerad *adj* refined
rafsa *verb*, ***~ ihop*** throw* together
ragat|a -an -or bitch
ragga *verb*, ***~ upp*** pick up
raggsock|a -an -or woollen sock
ragla *verb* stagger
ragu -n -er ragout
raid -en -er raid
rak *adj* straight; ***på ~ arm*** offhand
raka *verb* shave; ***~ sig*** shave
rakapparat -en -er shaver
rakblad -et = razor blade
raket -en -er rocket
rakhyv|el -eln -lar safety razor
rakkräm -en -er shaving cream
raksträck|a -an -or straight stretch
rakt *adv* straight; ***gå ~ fram*** walk straight on; ***gå ~ på sak*** komma till saken come* to the point
raktvål -en -ar shaving soap

rakvatt|en -net = aftershave
rally -t -n rally
ram -en -ar frame
rama *verb*, ~ ***in*** frame
ramla *verb* fall*
ramp -en -er **1** sluttande uppfart ramp **2** för uppskjutning pad
rampfeber -n stage fright
rampljus -et ; ***stå i rampljuset*** be in the limelight
rams|a -an -or barnramsa nursery rhyme
rand -en ränder **1** streck stripe **2** kant edge
randig *adj* striped
rang -en rank
rannsaka *verb* search
ranson -en -er ration
ransonera *verb* ration
ransonering -en -ar rationing
rapa *verb* burp; högljutt belch
1 rappa *verb* t.ex. vägg plaster
2 rappa *verb*, ~ ***på*** get* a move on
rapport -en -er report
rapportera *verb* report
rar *adj* nice, sweet
raritet -en -er rarity
1 ras -en -er släkte race
2 ras -et = av jord landslide
rasa *verb* **1** störta fall* down **2** härja rage
rasande *adj* ilsken furious
rasera *verb* demolish
raseri -et fury
rasism -en racism
rasist -en -er racist
rasistisk *adj* racist
1 rask *adj* snabb quick
2 rask -et ; ***hela rasket*** the whole lot
rassla *verb* rattle
rast -en -er break
rasta *verb* stop for a break
rastlös *adj* restless
rastplats -en -er lay-by
rata *verb* reject
rationalisera *verb* rationalize
rationalisering -en -ar rationalization
rationell *adj* rational
ratt -en -ar wheel; ***bakom ratten*** behind the wheel
rattfylleri -et drink-driving
rattfyllerist -en -er drink-driver
rattlås -et = steering-lock
ravin -en -er ravine
razzi|a -an -or raid
re|a I -an -or sale **II** *verb* sell* off
reagera *verb* react
reaktion -en -er reaction
reaktionsförmåga -n powers of reaction
reaktionär *adj* reactionary
reaktor -n -er reactor
realisation -en -er sale

realisera *verb* **1** varor o.d. sell* off **2** förverkliga realize
realistisk *adj* realistic
rebell -en -er rebel
rebus -en -ar picture puzzle
recensent -en -er critic
recension -en -er review
recept -et = **1** för medicin prescription **2** för mat recipe
receptbelagd *adj* available only on prescription
receptfri *adj* available without prescription
reception -en -er reception desk
reda I -n order; ***få ~ på ngt*** find* out about sth.; ***ta ~ på*** utforska find out; ta till vara make* use of **II** *verb*, ***~ upp*** sort out
redaktion -en -er editorial staff
redaktör -en -er editor
redan *adv* already; ***~ 1958 visste hon ...*** as early as 1958 she knew ...
rederi -et -er shipping company
redig *adj* klar clear
redning -en -ar thickening
redo *adj* ready
redogöra *verb*, ***~ för*** account for
redogörelse -n -r account
redovisa *verb* resultat o.d. show*
redovisning -en -ar account
redskap -et = tool
reducera *verb* reduce
reduktion -en -er reduction
reell *adj* real
referat -et = account
referera *verb*, ***~ ngt*** report a th.; ***~ till ngt*** (***ngn***) refer to sth. (sb.)
reflektera *verb* reflect
reflex -en -er reflex
reflexion -en -er reflection
reform -en -er reform
reformera *verb* reform
refräng -en -er refrain
refug -en -er island
refusera *verb* reject
1 reg|el -eln -ler bestämmelse rule; ***i ~*** as a rule
2 reg|el -eln -lar på dörr bolt
regelbunden *adj* regular
regemente -t -n regiment
regera *verb* härska rule; vara kung reign
regering -en -ar government
regi -n direction; ***i egen ~*** under private management
regim -en -er politisk regime
region -en -er region
regissera *verb* direct
regissör -en -er director

regist|er -ret = register; i bok index
registrera *verb* register
registrering -en -ar registration
registreringsbevis -et = certificate of registration
regla *verb* bolt
reglage -t = regulator, controls
reglera *verb* regulate
reglering -en -ar regulating
regn -et = rain
regna *verb* rain; ***låtsas som det regnar*** behave as if nothing has happened
regnbåg|e -en -ar rainbow
regnig *adj* rainy
regnkapp|a -an -or raincoat
regnrock -en -ar raincoat
regnskog -en -ar rain forest
regnskur -en -ar shower; häftig cloudburst
regnväd|er -ret = rainy weather
reguljär *adj* regular
rehabilitera *verb* rehabilitate
rejäl *adj* **1** pålitlig reliable **2** kraftig substantial
reklam -en -er advertising
reklamation -en -er complaint
reklamera *verb* make* a complaint about
reklamfilm -en -er commercial
reklaminslag -et = commercial
rekommendera *verb* recommend
rekonstruera *verb* reconstruct
rekord -et = record; ***sätta ~*** set a new record
rekreation -en -er recreation
rekrytera *verb* recruit
rektang|el -eln -lar rectangle
rektor -n -er head teacher
rekvirera *verb* order
rekvisita -n properties
relation -en -er relation
relativ *adj* relative
relevant *adj* relevant
relief -en -er relief; ***i ~*** in relief
religion -en -er religion
religiös *adj* religious
relik -en -er relic
reling -en -ar gunwale
rem -men -mar strap
remiss -en -er inom sjukvården referral
rems|a -an -or strip
1 ren -en -ar djur reindeer
2 ren *adj* clean; ***en ~ lögn*** a sheer lie
rengöra *verb* clean
rengöring -en -ar cleaning
rengöringsmed|el -let = detergent
renhållning -en cleaning

rening -en -ar cleaning
renlig *adj* cleanly
renodla *verb* cultivate
renovera *verb* renovate
rensa *verb* clean; ***~ ogräs*** weed; ***~ ut*** weed out
rent *adv* 1 cleanly; ***tala ~*** talk properly 2 alldeles quite; ***~ ut sagt*** to put it bluntly
rentvå *verb* clear
renässans -en -er renaissance
rep -et = rope
rep|a I -an -or scratch **II** *verb* scratch; ***~ sig*** recover
reparation -en -er repair
reparatör -en -er repairman
reparera *verb* repair
repertoar -en -er repertoire
repetera *verb* upprepa repeat; öva rehearse
repetition -en -er upprepning repetition; övning rehearsal
replik -en -er reply; på teatern line
reportage -t = report
report|er -ern -rar reporter
representant -en -er representative
representera *verb* represent
repris -en -er repeat; ***gå i ~*** be* repeated
reproduktion -en -er reproduction
reptil -en -er reptile
republik -en -er republic
1 res|a I -an -or journey, trip **II** *verb* travel; ***~ bort*** go away; ***~ igenom ett land*** travel across a country
2 resa *verb*, ***~ sig*** get* up
resande -n = traveller
resebyrå -n -er travel agency
resecheck -en -ar (-er) traveller's cheque
reseförsäkring -en -ar travel insurance
resehand|bok -boken -böcker guide
reseledare -n = guide
resenär -en -er traveller
reserv -en -er 1 ***ha ngt i ~*** have* sth. in reserve 2 ersättare reserve
reservation -en -er reservation
reservdel -en -ar spare part
reservdunk -en -ar spare tank
reservera *verb* reserve; ***~ sig mot ngt*** make* a reservation against sth.
reserverad *adj* reserved
reservhjul -et = spare wheel
reservoarpenn|a -an -or fountain pen
reservutgång -en -ar emergency exit
resevalut|a -an -or foreign currency

resfeber -n ; ***ha ~*** be nervous before a journey
resgods -et luggage
resgodsexpedition -en -er luggage office
resgodsförvaring -en -ar o. **resgodsinlämning** -en -ar left-luggage office
residens -et = residence
resignation -en resignation
resignerad *adj* resigned
resning -en -ar **1** uppror revolt **2** i domstol etc. new trial
reson oböjl. reason; ***ta ~*** listen to reason
resonans -en resonance
resonemang -et = discussion; tankegång reasoning
resonera *verb* discuss
respekt -en respect
respektera *verb* respect
respektive I *adj* respective **II** *adv* respectively; ***30 ~ 40 kronor*** 30 and 40 kronor respectively
respirator -n -er respirator
respons -en response
ressällskap -et = grupp party of tourists
rest -en -er remainder
restaurang -en -er restaurant
restaurangvagn -en -ar dining-car
restaurera *verb* restore
resterande *adj* remaining
restid -en -er travelling time
restriktion -en -er restriction
restskatt -en -er back taxes
resultat -et = result
resultatlös *adj* fruitless
resultera *verb*, ***~ i*** result in
resumé -n -er summary
resurs -en -er resource
resväsk|a -an -or suitcase
resår -en -er **1** spiralfjäder coil spring **2** resårband elastic
reta *verb* irritate; ***~ upp ngn*** irritate sb.
retas *verb* tease; ***~ med ngn*** tease sb.
retfull *adj* annoying
retlig *adj* irritable
retroaktiv *adj* retroactive
reträtt -en -er retreat
retsam *adj* irritating
retur -en -er ; ***i ~*** in return
returbiljett -en -er return ticket
returnera *verb* return
reumatism -en rheumatism
1 rev -en -ar vid fiske fishing-line
2 rev -et = grund el. på segel reef
1 rev|a -an -or rispa tear
2 reva *verb* segel reef
revalvering -en -ar revaluation
revansch -en -er revenge
revben -et = rib

revbensspjäll -et = tunna spareribs
revidera *verb* revise
revir -et = territory
revisor -n -er auditor
revolt -en -er revolt
revolution -en -er revolution
revolv|er -ern -rar revolver
revy -n -er teater variety
Rhen the Rhine
ribb|a -an -or lath
ricinolja -n castor oil
rida *verb* ride
ridbyxor pl. riding-breeches
riddare -n = knight
ridhäst -en -ar saddle horse
ridning -en riding
ridskol|a -an -or riding-school
ridsport -en riding
ridstövlar pl. riding boots
ridtur -en -er ride
ridå -n -er curtain
rigg -en -ar rigging
rik *adj* rich
rike -t -n stat state; kungadöme kingdom
rikedom -en -ar fortune
riklig *adj* abundant
riksdag -en -ar ; ***Sveriges ~*** the Swedish Parliament
riksdagshuset best. form the Parliament building
riksdags|man -mannen -män member of the Swedish Parliament
rikssamtal -et = long-distance call
riksväg -en -ar trunk road
rikta *verb* direct; ***~ sig till ngn*** address oneself to sb.
riktig *adj* rätt right; verklig, äkta true
riktigt *adv* correctly
riktning -en -ar direction; ***i ~ mot*** in the direction of
riktnum|mer -ret = dialling code
rim -met = rhyme
rimlig *adj* skälig reasonable
rimma *verb* rhyme
ring -en -ar ring; på bil tyre
ringa *verb* ring; ***~ ngn*** ring sb.; ***~ ett samtal*** make* a call; ***~ på hos ngn*** ring sb.'s doorbell
ringblomm|a -an -or marigold
ringfing|er -ret -rar ring finger
ringklock|a -an -or bell
ringtryck -et = tyre pressure
rinna *verb* run*; ***~ ut*** run* out
rip|a -an -or grouse
1 ris -et sädesslag rice
2 ris -et = kvistar twigs
risgryn pl. rice
risk -en -er risk; ***på egen ~*** at one's own risk
riskabel *adj* risky

riskera *verb* risk
risp|a I -an -or scratch **II** *verb* scratch
rista *verb* skära carve; **~ *in ngt i ngt*** carve sth. into sth.
rit -en -er rite
rita *verb* draw*
ritning -en -ar drawing
ritt -en -er ride
ritual -en -er ritual
riva *verb* **1** klösa scratch **2** ***~ av*** tear off; ***~ sönder ngt*** tear sth. to pieces **3** rasera pull down **4** med rivjärn grate
rival -en -er rival
Rivieran the Riviera
rivjärn -et = grater
1 ro -n vila rest
2 ro *verb* row
roa *verb* amuse; ***~ sig*** amuse oneself; ***vara road av ngt*** be interested in sth.
robot -en -ar maskin robot; missil missile
robust *adj* robust
1 rock -en -ar ytterplagg coat
2 rock -en musik rock, rock-'n'-roll
rockmusik -en rock music
rodd -en -er rowing
roddbåt -en -ar rowing-boat
rod|er -ret = helm
rodna *verb* turn red; bli förlägen blush
rododendron -en = rhododendron
rojalist -en -er royalist
rokoko -n rococo
rolig *adj* lustig funny; roande amusing; ***ha roligt*** have* fun; ***det var roligt att du kom*** I am glad you came; ***så roligt!*** how nice!
roll -en -er part; ***det spelar ingen ~*** it doesn't matter
Rom Rome
1 rom -men från fisk roe
2 rom -men dryck rum
roman -en -er novel
romantik -en romance
romantisk *adj* romantic
romare -n = Roman
romersk *adj* Roman
rond -en -er round
rondell -en -er roundabout
rop -et = call
ropa *verb* call; ***~ på hjälp*** call for help; ***~ upp ngns namn*** call sb.'s name
ros -en -or rose
rosa *adj* rose
rosenbusk|e -en -ar rosebush
rosett -en -er bow
rosévin -et -er rosé
rosmarin -en -er rosemary
rossla *verb* wheeze
rost -en rust
1 rosta *verb* om metall rust

2 rosta *verb* mat roast; bröd toast
rostbiff -en -ar roast beef
rostfri *adj* stainless
rostig *adj* rusty
rot -en rötter root
1 rota *verb* root; **~ i ngt** poke about in sth.; bildl. poke one's nose into sth.
2 rota *verb*, **~ sig** root
rotation -en -er rotation
rotera *verb* rotate
rotfrukt -en -er root vegetable
rotmos -et mashed potatoes with Swedish turnips
rotting -en -ar cane
roulett -en -er roulette
rov -et = prey; byte booty
rov|a -an -or turnip
rovdjur -et = predator
rubba *verb* move; **~ ngns planer** upset sb.'s plans
rubbad *adj* förryckt crazy
rubin -en -er ruby
rubricera *verb* classify
rubrik -en -er i tidning headline
ruck|el -let = hovel
rucola -n rocket
1 ruff -en -ar på båt cabin
2 ruff -et i bollsporter foul
ruffig *adj* **1** om spel el. spelare rough **2** sjaskig shabby
rufsig *adj* ruffled
rugby -n Rugby football
ruggig *adj* om väder raw and chilly
ruin -en -er ruin
ruinera *verb* ruin
rulla *verb* roll; **~ ihop** roll up; **~ ut** unroll
rullator -n -er rollator
rullbräde -t -n skateboard
rull|e -en -ar roll
rullgardin -en -er blind
rullskridsko -n -r roller-skate
rullstol -en -ar wheelchair
rullstolsbunden *adj* se *rullstolsburen*
rullstolsburen *adj* ... confined to a wheel chair
rulltrapp|a -an -or escalator
rum -met = room; **få ~ med ngt** find room for sth.
rumsförmedling -en -ar accommodation agency
rumän -en -er Romanian
Rumänien Romania
rumänsk *adj* Romanian
rumänsk|a -an **1** pl. -or kvinna Romanian woman **2** språk Romanian
rund *adj* round
rund|a I *verb* round; **~ av en summa** round off a sum **II** -an -or round
rundres|a -an -or ; **en ~ i Sverige** a tour of Sweden

rundtur -en -er sightseeing tour
runsten -en -ar rune stone
runt *adv* o. *prep* round; ***skicka ~ ngt*** pass sth. round
runtom *adv* o. *prep* round; ***~ i landet*** all over the country
rus -et = intoxication
rusa *verb* rush; ***~ fram till ngn*** rush up to sb.; ***~ ut*** rush out
ruska *verb* shake
ruskig *adj* nasty
rusning -en -ar rush
rusningstid -en -er rush hours
rusningstrafik -en rush-hour traffic
russin -et = raisin
rusta *verb* prepare
rustning -en -ar **1** för krig armament **2** dräkt armour
rut|a -an -or square
ruter -n = i kortspel diamonds
rutig *adj* checked
rutin -en -er experience; vana routine
rutinerad *adj* experienced
rutt -en -er route
rutten *adj* rotten
ruttna *verb* rot, become* rotten
ruva *verb* sit*
ryck -et = jerk
rycka *verb* pull; ***~ på axlarna åt ngt*** shrug one's shoulders at sth.; ***~ upp sig*** pull oneself together
ryckig *adj* jerky
rygg -en -ar back
rygga *verb*, ***~ tillbaka*** flinch
ryggmärg -en spinal marrow
ryggrad -en -er spine
ryggskott -et = lumbago
ryggsäck -en -ar rucksack
ryka *verb* smoke
rykta *verb* dress
ryktas *verb*, ***det ~ att…*** it's rumoured that…
ryktbar *adj* famous
rykte -t -n **1** som sprids rumour **2** anseende reputation; ***ha gott ~*** have* a good reputation
rymd -en -er **1** världsrymd space; ***yttre rymden*** outer space **2** innehåll capacity
rymdfärd -en -er spaceflight
rymlig *adj* spacious
rymling -en -ar fugitive
rymma *verb* **1** fly run* away **2** innehålla hold*
rymmas *verb*, ***det ryms 10 personer i bilen*** there is room for 10 people in the car
rymning -en -ar escape
rynk|a I -an -or wrinkle **II** *verb* wrinkle
rynkig *adj* om hud wrinkled; om kläder äv. creased
rysa *verb* shiver

rysare -n = thriller
rysk *adj* Russian
rysk|a -an 1 pl. -or kvinna Russian woman 2 språk Russian
ryslig *adj* dreadful
rysning -en -ar shiver
ryss -en -ar Russian
Ryssland Russia
ryta *verb* roar
rytm -en -er rhythm
ryttare -n = rider
1 rå *adj* okokt el. obearbetad raw
2 rå *verb* 1 ***det rår jag inte för*** it's not my fault 2 ***~ om*** own
råbiff -en -ar ung. steak tartare
råd -et 1 pl. = advice; ***de här råden är värdelösa*** this advice is useless; ***fråga ngn om ~*** ask sb.'s advice 2 ***jag har inte ~ med det*** I cannot afford it
råda *verb* 1 ge råd advise; ***~ ngn till ngt*** advise sb. to do sth. 2 ***det råder inget tvivel om det*** there is no doubt about it
rådfråga *verb* consult
rådgivare -n = counsellor
rådgivning -en counselling
rådgöra *verb*, ***~ med ngn*** consult sb.
rådhus -et = town hall; större city hall
rådjur -et = roe deer
råg -en rye
rågad *adj*, ***en ~ tesked*** a heaping teaspoon full
rågbröd -et = rye bread
råge -n ; ***vara fylld med ~*** be piled up
rågmjöl -et rye flour
råka *verb*, ***~ göra ngt*** happen to do sth.; ***~ ut för*** meet* with; ***~ illa ut*** get* into trouble
råkost -en raw vegetables
råma *verb* moo
1 rån -et = bakverk wafer
2 rån -et = stöld robbery
råna *verb* rob
rånare -n = robber
råris -et unpolished rice
rått|a -an -or rat; liten mouse
råttfäll|a -an -or mousetrap
råttgift -et -er rat poison
råvar|a -an -or raw material
räck|a *verb* 1 hand; ***~ fram*** hold* out 2 förslå be* enough
räcke -t -n rail
räckhåll, ***inom*** ~ within reach; ***utom*** ~ beyond reach
räckvidd -en -er reach; t.ex. signals, vapens range
räd -en -er raid
rädd *adj*, ***vara ~ för ngt*** to be

afraid of sth.; ***vara ~ om ngt*** be careful about sth.
rädda *verb* save
räddning -en -ar rescue
rädis|a -an -or radish
rädsl|a -an -or fear
räffl|a I -an -or groove **II** *verb* groove
räfs|a I -an -or rake **II** *verb* rake
räk|a -an -or shrimp; större prawn
räkenskap -en -er account
räkna *verb* count; ***~ med ngt*** count on sth.; ***~ ihop*** add up; ***~ ut*** work out
räknemaskin -en -er calculator
räkning -en **1** räknande counting; ***tappa räkningen*** lose* count **2** pl. -ar nota bill; faktura invoice **3** ***för ngns ~*** on sb.'s account
räls -en -ar rail
rälsbuss -en -ar railbus
rämn|a *verb* crack, split
1 ränn|a -an -or groove
2 ränna *verb* run*
rännsten -en -ar gutter
ränt|a -an -or interest
räntefri *adj* interest-free
rät *adj* straight
räta *verb*, ***~ ut ngt*** straighten sth.
rätsid|a -an -or right side; ***få ~ på ngt*** put* sth. right
1 rätt -en -er mat dish
2 rätt -en -er **1** det rätta right; ***du har ~*** you are right; ***ha ~ till ngt*** have* a right to sth. **2** domstol court
3 rätt I *adj* right; ***det är ~ åt honom*** it serves him right **II** *adv*, ***hörde jag ~?*** did I hear right?
rätta I oböjl. **1** ***komma till ~*** be* found **2** ***ställa ngn inför ~*** bring* sb. to trial **II** *verb* **1** korrigera correct; ***~ sig efter*** obey
rättegång -en -ar trial
rättelse -n -r correction
rättfärdig *adj* just
rättighet -en -er right
rättning -en -ar correcting
rättslig *adj* legal
rättslös *adj* without legal rights
rättstavning -en spelling
rättsväsen -det judicial system
rättvis *adj* just
rättvisa -n justice
räv -en -ar fox
röd *adj* red; ***röda hund*** German measles
rödbet|a -an -or beetroot
rödbrun *adj* reddish-brown

rödhårig *adj* red-haired
röding -en -ar fisk char
rödkål -en red cabbage
rödlök -en -ar red onion
rödsprit -en methylated spirits
rödspätt|a -an -or plaice
rödtung|a -an -or fisk witch
rödvin -et -er red wine; bordeaux claret; bourgogne burgundy
rödögd *adj* red-eyed
1 röja *verb* förråda betray
2 röja *verb*, ***~ undan*** clear away
röjning -en -ar clearing
rök -en -ar smoke
röka *verb* smoke
rökare -n = smoker
rökelse -n -r incense
rökfri *adj* smokeless; ***~ avdelning*** no-smoking section
rökförbud -et = ban on smoking
rökig *adj* smoky
rökkupé -n -er smoking-compartment
rökning -en smoking; ***~ förbjuden*** no smoking
rökrum -met = smoking-room
rökt *adj* smoked
rön -et = observation; ***vetenskapliga ~*** scientific discoveries
röna *verb* meet* with
rönn -en -ar mountain ash
rönnbär -et = rowanberry
röntga *verb* x-ray
röntgen en ~, best. form = x-ray; behandling x-ray therapy
rör -et = pipe
röra I -n mess; ***allt är en enda ~*** everything is in a mess **II** *verb* **1** touch; ***~ om i*** stir; ***~ sig*** move; ***~ på sig*** move **2** ***det rör sig om…*** it is about…
rörande I *adj* touching **II** *prep* concerning
rörd *adj* gripen moved
rörelse -n -r **1** motion **2** grupp movement **3** företag business
rörelsehindrad *adj* disabled
rörig *adj* messy
rörlig *adj* mobile; flyttbar movable
rörmokare -n = plumber
röst -en -er voice
rösta *verb* vote
rösträtt -en right to vote
röta -n rot
rött, ***köra mot ~*** drive* through a red light
röva *verb*, ***~ bort*** kidnap
rövare, ***leva ~*** be* on the rampage

Ss

s s-et s-en s [utt. äss]
sabbat -en -er Sabbath
sabbatsår -et = year off
sabotage -t = sabotage
sabotera *verb* sabotage
sacka *verb*, **~ *efter*** lag behind
sad|el -eln -lar saddle
sadist -en -er sadist
sadla *verb* saddle; **~ *om*** byta yrke change one's profession
safari -n -er safari
saffran -en (-et) saffron
safir -en -er sapphire
saft -en -er juice
saftig *adj* juicy
sag|a -an -or fairy tale
sagolik *adj* fantastic
sak -en -er thing; ***till saken!*** to the point!
sakkunnig en ~, pl. -a expert
saklig *adj* matter-of-fact
sakna *verb* **1** vara utan lack **2** känna saknad efter miss
saknad I *adj* missed; borta missing **II** -en brist want
saknas *verb* be missing
sakta I *adj* slow **II** *adv* slowly **III** *verb*, **~ *in*** slow down
sal -en -ar hall
salami -n salami
saldo -t -n balance
salig *adj* blessed
saliv -en saliva
sallad -en -er **1** grönsak lettuce **2** maträtt salad
salladsdressing -en -ar salad dressing
salladssås -en -er salad dressing
salmonella -n salmonella
salong -en -er i hem drawing-room; utställning exhibition
salt I -et -er salt **II** *adj* salt
salta *verb* salt
saltgurk|a -an -or pickled gherkin
saltkar -et = salt cellar
saltvatt|en -net salt water
salu, ***till*** **~** for sale
saluhall -en -ar covered market
salut -en -er salute
1 salv|a -an -or av skott volley
2 salv|a -an -or till smörjning ointment
salvia -n sage
samarbeta *verb* co-operate
samarbete -t co-operation
samband -et = connection
sambo I -n -r ung. boyfriend, girlfriend; mer formellt cohabitant **II** *verb* live together
same -n -r Laplander

samfund -et = society
samfärdsel -n communications
samförstånd -et understanding
samhälle -t -n **1** society **2** ort place
samhällsklass -en -er social class
samhällskunskap -en civics
samhällsskick -et = social structure
samhörighet -en solidarity
samkväm -et = social gathering
samla *verb* gather; **~ *frimärken*** collect stamps; **~ *in*** collect
samlad *adj* collected
samlag -et = sexual intercourse
samlare -n = collector
samlas *verb* gather
samlevnad -en life together
samling -en -ar **1** gathering; **~ *klockan nio*** assembly at 9 o'clock **2** av t.ex. mynt collection
samlingslokal -en -er assembly hall
samlingsplats -en -er meeting-place
samliv -et life together
samma *adj* the same; ***på ~ gång*** at the same time
sammanbiten *adj* resolute
sammanblandning -en -ar confusion
sammanbo *verb* live together
sammanbrott -et = collapse
sammandrag -et = summary
sammanfalla *verb* coincide
sammanfatta *verb* sum up
sammanfattning -en -ar summary
sammanföra *verb*, **~ *ngt*** bring* sth. together
sammanhang -et = samband connection
sammanhållning -en solidarity
sammanhängande *adj* connected; utan avbrott continuous
sammankalla *verb* call together; mer formellt convene
sammankomst -en -er meeting
sammanlagd *adj* total
sammansatt *adj* composite; komplex complex
sammanslagning -en -ar union
sammanslutning -en -ar association
sammanställning -en -ar combination

sammanstötning -en -ar collision
sammansvärjning -en -ar plot
sammansättning -en -ar **1** det sätt varpå något är sammansatt composition **2** ord compound
sammanträde -t -n meeting
sammanträffande -t -n **1** möte meeting **2** slump coincidence
sammet -en velvet
samordna *verb* co-ordinate
samråd -et = ; ***i ~ med*** in consultation with
sams *adj*, ***bli*** ~ make* up; ***vara*** ~ be* good friends
samsas *verb*, ***~ om ngt*** enas agree on sth.
samspel -et interaction
samt *konj* and
samtal -et = conversation
samtala *verb* talk
samtalsämne -t -n topic
samtid -en ; ***hennes*** ~ her age
samtida *adj* contemporary
samtidig *adj* simultaneous
samtliga *adj* all
samtycka *verb* agree
samtycke -t -n consent
samvaro -n time together
samverka *verb* co-operate
samverkan en ~, best. form = co-operation
samvete -t -n conscience; ***ha dåligt*** ~ have* a bad conscience
samvetsgrann *adj* conscientious
samvetskval pl. remorse
sand -en sand
sanda *verb* sand
sandal -en -er sandal
sandlåd|a -an -or sandpit
sandpapper -et = sandpaper
sand|strand -stranden -stränder sandy beach
sandwich -en -ar sandwich
sanera *verb* **1** fastighet renovate **2** avlägsna decontaminate
sanitetsbind|a -an -or sanitary towel
sank *adj* swampy
sanktion -en -er sanction
sann *adj* true
sannerligen *adv* indeed
sanning -en -ar truth
sanningsenlig *adj* truthful
sannolik *adj* probable
sannolikhet -en -er probability
sansad *adj* collected
sardell -en -er anchovy
sardin -en -er sardine
Sardinien Sardinia
sarkastisk *adj* sarcastic
satan en ~, best. form = the Devil, satan; ***~!*** damn!

satellit -en -er satellite
satellit-tv -tv:n satellite TV
satin -en -er satin
satir -en -er satire
satirisk *adj* satirical
sats -en -er **1** grammatisk enhet sentence **2** ***ta ~*** make* an effort **3** i musikverk movement **4** uppsättning set
satsa *verb* stake; investera invest; ***~ på ngt*** go* in for sth.
satsning -en -ar i spel staking; ***en djärv ~*** a bold venture
sav -en sap
sax -en -ar scissors
saxofon -en -er saxophone
scampi pl. ; ***~ fritti*** scampi fritti
scarf -en -ar scarf
scen -en -er stage
schablon -en -er pattern
schablonavdrag -et = standard deduction
schack -et **1** spel chess **2** ***~ och matt!*** checkmate!
schackbräde -t -n chessboard
schackpjäs -en -er chessman
schakt -et = shaft
schampo -t -n shampoo
schamponera *verb* shampoo
scharlakansfeber -n scarlet fever
schema -t -n schedule; i skolan timetable
schimpans -en -er chimpanzee
schizofreni -n schizophrenia
schlag|er -ern -rar hit
schnitz|el -eln -lar schnitzel
Schweiz Switzerland
schweizare -n = Swiss; ***några ~*** a few Swiss
schweizerost -en -ar Swiss cheese
schweizisk *adj* Swiss
schweizisk|a -an -or Swiss woman
schäf|er -ern -rar Alsatian
scout -en -er scout
se *verb* see*; titta look; märka notice; ***~ efter*** look after; ***~ sig om*** look around; ***~ 'på*** iaktta watch; ***~ på ngt*** look at sth.; ***~ till att ngt blir gjort*** see* that sth. is done; ***~ upp*** look out; ***det ser ut som om det blir regn*** it looks like rain; ***hur ser han ut?*** what does he look like?; ***~ över ngt*** revise sth.
seans -en -er seance
sebr|a -an -or zebra
sed -en -er custom
sedan I *adv* därpå then; senare later; ***för tio år ~*** ten years ago **II** *prep*, ***~ 1994*** since 1994; ***jag känner henne ~ många år*** I have known her

for many years **III** *konj* alltsedan since
sed|el -eln -lar banknote
sedelautomat -en -er cash-operated fuel pump
sedvänj|a -an -or custom
seg *adj* tough; envis stubborn
seg|el -let = sail
segelbåt -en -ar sailing boat; större yacht
segelflygning -en -ar gliding
segelflygplan -et = glider
seg|er -ern -rar victory
segla *verb* sail
seglare -n = yachtsman
segling -en -ar sailing
seglivad *adj* tough
segra *verb* win*
segrare -n = winner
sejd|el -eln -lar tankard; utan lock mug
sek|el -let = century
sekelskifte -t -n ; ***vid sekelskiftet*** at the turn of the century
sekreterare -n = secretary
sekretess -en secrecy
sekretär -en -er bureau
sekt -en -er sect
sektion -en -er section
sektor -n -er sector
sekund -en -er second
sekunda *adj* second-rate; **~ *varor*** seconds
sekundvisare -n = second-hand
sekundär *adj* secondary
sekvens -en -er sequence
sel|e -en -ar harness; för barn baby carrier
selleri -t (-n) blekselleri celery; rotselleri celeriac
semest|er -ern -rar holidays
semesterby -n -ar holiday camp
semesterort -en -er holiday resort
semesterres|a -an -or holiday trip
semestra *verb* be on holiday
semifinal -en -er semifinal
seminari|um -et -er seminar
seml|a -an -or cream bun with marzipan
1 sen se *sedan*
2 sen *adj* late
sen|a -an -or sinew
senap -en mustard
senare I *adj* motsats tidigare later; motsats förra latter; nyare recent **II** *adv* later, later on
senast I *adj* latest; i ordning last **II** *adv* motsats tidigast latest; motsats först last; **~ *i morgon*** tomorrow at the latest
senat -en -er senate

senil *adj* senile
sensation -en -er sensation
sensuell *adj* sensual
sent *adv* late; ***komma för ~*** be late
sentimental *adj* sentimental
separat I *adj* separate **II** *adv* separately
separation -en -er separation
separera *verb* separate
september oböjl. September; ***i ~*** in September
serb -en -er Serb
Serbien Serbia
serbisk *adj* Serbian
serbisk|a -an **1** -or kvinna Serbian woman **2** dialekt Serbian
serbokroatiska -n Serbo-Croatian
serie -n -r **1** series; ***en ~ bilder*** a series of pictures **2** ***tecknad ~*** comic strip
seriefigur -en -er comic strip character
serietidning -en -ar comic
seriös *adj* serious
serum -et = serum
serva *verb* serve
serv|e -en -ar serve
servera *verb* serve
servering -en -ar **1** betjäning service **2** lokal buffet; cafeteria
serveringsavgift -en -er service charge
servett -en -er napkin
service -n service
servicehus -et = block of service flats for the elderly and disabled
servis -en -er set
servitris -en -er waitress
servitör -en -er waiter
ses *verb* meet*; ***vi ~!*** see you!
set -et = set
sevärd *adj* worth seeing
sevärdhet -en -er ; ***stadens sevärdheter*** the sights of the city
1 sex *räkn* six; för sammansättningar med sex jfr *fem* med sammansättningar
2 sex -et sex; ***ha ~ med ngn*** have* sex with sb.
sex|a -an -or six
sexig *adj* sexy
sexklubb -en -ar sex club
sexshop -en -ar sex shop
sextio *räkn* sixty
sextionde *räkn* sixtieth
sexton *räkn* sixteen; för sammansättningar med sexton jfr *femton* med sammansättningar
sextonde *räkn* sixteenth
sextrakasserier pl. sexual harassment sing.
sexualitet -en sexuality

sexuell *adj* sexual; ***sexuellt umgänge*** sexual intercourse
sfär -en -er sphere
sherry -n sherry
shoppa *verb* shop
shopping -en shopping
shoppingcent|er -ret -ra shopping centre, mall
shoppingväsk|a -an -or shopping bag
shorts pl. shorts
show -en -er show*
sia *verb*, ***~ om ngt*** prophesy of sth.
siamesisk *adj* Siamese
Sicilien Sicily
sicksack oböjl. zigzag
sid|a -an -or **1** side; ***å ena sidan är det kul, å andra sidan är det jobbigt*** on the one hand it is fun, on the other it is tough **2** i bok page
siden -et silk
sidfläsk -et bacon
sidled, ***i ~*** sideways
sidospår -et = sidetrack
siest|a -an -or siesta
siffr|a -an -or figure
sig *pron* **1** ***han skadade ~*** he hurt himself; ***hon skadade ~*** she hurt herself; ***man måste försvara ~*** one must defend oneself; ***de roar ~*** they amuse themselves **2** ***hon ställde den bakom ~*** she put it behind her; ***de hade inga pengar på ~*** they had no money on them
sightseeing -en -ar sightseeing
sigill -et = seal
signal -en -er signal
signalement -et = description
signalera *verb* signal
signalhorn -et = horn
signatur -en -er signature
signera *verb* sign
sik -en -ar whitefish
1 sikt -en -ar såll sieve
2 sikt -en möjlighet att se visibility; ***på ~*** in the long run
sikta *verb*, ***~ på*** (***mot***) aim at
sikte -t -n sight
sil -en -ar **1** redskap strainer **2** injektion shot
sila *verb* strain
silhuett -en -er silhouette
silke -t -n silk
silkespapper -et = tissue paper
sill -en -ar herring
silv|er -ret silver
silverarmband -et = silver bracelet
silverring -en -ar silver ring
silversmed -en -er silversmith
simbassäng -en -er swimming pool

simhall -en -ar swimming baths
simma *verb* swim
simning -en -ar swimming
simpel *adj* **1** enkel simple **2** tarvlig vulgar
simulera *verb* simulate
sin (*sitt, sina*) *pron*, ***han*** (***hon***) ***tog ~ bok*** he (she) took his (her) book; ***de tog sina böcker*** they took their books; ***har han*** (***hon***) ***hittat ~?*** has he (she) found his (hers); ***har de hittat sina?*** have they found theirs?
1 sina *verb* run* short
2 sina *pron* se *sin*
sing|el -eln -lar **1** i t.ex. tennis singles **2** ensamstående single **3** grammofonskiva single
singla *verb*, ***~ slant om ngt*** toss for sth.
sinnad *adj* minded; ***fientligt ~*** hostile
sinne -t **1** pl. -n syn, hörsel etc. sense **2** håg mind; ***ha ~ för ngt*** have* a talent for sth.
sinnessjuk *adj* mentally ill
sinom *pron*, ***i ~ tid*** in due course
sinsemellan *adv* between (om flera among) themselves
sipp|a -an -or anemone
sippra *verb* trickle; ***~ ut*** ooze out
sirap -en treacle
siren -en -er siren
sist *adv* **1** last; ***komma ~*** come* last; ***till ~*** at last **2** förra gången last time
sista (*siste*) *adj* last; senaste latest; ***på ~ tiden*** lately
sits -en -ar seat
sitt *pron* se *sin*
sitta *verb* **1** sit*; ha sin plats be* placed; ***var så god och sitt!*** sit down, please!; ***~ fast*** be* stuck **2** passa fit; ***~ åt*** be* tight
sittplats -en -er seat
sittplatsbiljett -en -er seat reservation
sittvagn -en -ar **1** på tåg, ung. non-sleeper **2** för barn pushchair
situation -en -er situation
sjal -en -ar shawl
sjalett -en -er head-scarf
sjaskig *adj* shabby
sju *räkn* seven; för sammansättningar med sju jfr *fem* med sammansättningar
sju|a -an -or seven
sjuda *verb* seethe; småkoka simmer
sjuk *adj* ill; illamående el. osund sick; ***bli ~*** fall* ill
sjukanmäla *verb*, ***~ sig*** report sick

sjukanmäl|an en ~, pl. -ningar notification; ***göra ~*** report sick
sjukdom -en -ar illness; svårare disease
sjukersättning -en -ar sickness benefit
sjukförsäkring -en -ar health insurance
sjukgymnast -en -er physiotherapist
sjukgymnastik -en physiotherapy
sjukhem -met = nursing home
sjukhus -et = hospital
sjukintyg -et = doctor's certificate
sjuklig *adj* sickly
sjukpenning -en sickness benefit
sjukskriven *adj*, ***vara ~*** be* on the sick list
sjuksköterska|a -an -or nurse; ***legitimerad ~*** registered nurse
sjukvård -en medical care, nursing
sjukvårdsartiklar pl. sanitary articles
sjunde *räkn* seventh
sjundedel -en -ar seventh
sjunga *verb* sing*
sjunka *verb* sink
sjuttio *räkn* seventy
sjuttionde *räkn* seventieth
sjutton *räkn* **1** seventeen **2** ***för ~!*** you bet!; ***det var som ~!*** well, I'll be blowed!
sjuttonde *räkn* seventeenth
sjå -et ; ***ett fasligt ~*** a tough job
själ -en -ar soul
själv *pron* jag själv myself; du själv yourself; han själv himself; hon själv herself; den (det) själv itself; vi själva ourselves; ni själva yourselves; de själva themselves
självbedrägeri -et -er self-deception
självbehärskning -en self-control
självbelåten *adj* self-satisfied, smug
självbetjäning -en self-service
självbevarelsedrift -en instinct of self-preservation
självbiografi -n -er autobiography
självförsvar -et self-defence
självförsörjande *adj* self-supporting
självförtroende -t self-confidence
självgod *adj* self-righteous
självhushåll -et ; ***ha ~*** do one's own cooking

självhäftande *adj* adhesive
självisk *adj* selfish
självklar *adj* obvious
självkostnadspris -et ; ***till ~*** at cost
självkänsla -n self-esteem
självlysande *adj* luminous, fluorescent
självlärd *adj* self-taught
självmant *adv* of one's own accord
självmedveten *adj* self-assured
självmord -et = suicide
självmordsbombare -n = suicide bomber
självporträtt -et = self-portrait
självrisk -en -er excess
självservering -en -ar self-service
självständig *adj* independent
självsäker *adj* self-assured
sjätte *räkn* sixth
sjättedel -en -ar sixth
sjö -n -ar insjö lake; hav sea
sjöfart -en navigation; verksamhet shipping
sjökort -et = chart
sjö|man -mannen -män sailor
sjömil -en = nautical mile
sjörapport -en -er weather forecast for sea areas
sjöres|a -an -or voyage; överresa crossing
sjösjuk *adj* seasick
sjösjuka -n seasickness
sjösätta *verb* launch
sjösättning -en -ar launching
sjötung|a -an -or sole
ska *verb* **1** uttrycker framtid, ***jag ~ göra mitt bästa*** I will do my best; ***de ~ gifta sig*** they are going to get married; ***jag ~ gå nu*** I'm leaving now **2** rådfrågande, ***~ jag öppna fönstret?*** shall I open the window? **3** ***hon ~*** lär ***vara väldigt rik*** she is said to be extremely rich
skabb -en scabies
skad|a I -an -or persons injury; saks damage; ***ta ~ av*** bli lidande suffer from **II** *verb* person injure; sak damage; ***~ sig*** hurt oneself
skadad *adj* om person injured; om sak damaged
skadeanmäl|an en ~, pl. -ningar damage report
skadegörelse -n -r damage
skadestånd -et = damages
skadlig *adj* harmful
skaffa *verb* get*; ***~ ngt åt ngn*** get* sb. sth.; ***~ sig*** köpa ***ngt*** buy* oneself sth.; ***~ barn*** have* children
skafferi -et -er larder
skaft -et = handle

skaka *verb* shake; ~ ***hand med ngn*** shake hands with sb.
skakad *adj* upprörd shaken
skakning -en -ar shaking
skal -et = hårt shell; mjukt skin
1 skal|a -an -or scale
2 skala *verb* peel
skalbagg|e -en -ar beetle
skald -en -er poet
skaldjur -et = shellfish
1 skall *verb* se *ska*
2 skall -et = barking
skall|e -en -ar kranium skull; huvud head
skallgång -en -ar ; ***gå*** ~ send* out a search party
skallig *adj* bald
skallr|a I -an -or rattle **II** *verb* rattle
skalm -en -ar på glasögon sidepiece
skam -men shame
skamlig *adj* shameful
skamsen *adj* ashamed
skandal -en -er scandal
skandalös *adj* scandalous
skandinav -en -er Scandinavian
Skandinavien Scandinavia
skandinavisk *adj* Scandinavian
skandinavisk|a -an -or Scandinavian woman
skap|a *verb* create
skapare -n = creator
skapelse -n -r creation
skaplig *adj* tolerable
skar|a -an -or crowd
skare -n frozen crust
skarp *adj* sharp
skarpsynt *adj* sharp-sighted
skarv -en -ar fog joint
skarva *verb*, ~ ***ihop två bitar*** join two pieces together
skarvsladd -en -ar extension flex
skat|a -an -or magpie
skateboard -et = skateboard
skatt -en -er **1** rikedom treasure **2** avgift tax
skatta *verb* betala skatt pay* taxes
skattefri *adj* tax-free
skattepliktig *adj* . . . liable to tax; ~ ***inkomst*** taxable income
skattkammare -n = treasury
skava *verb* chafe; ***skorna skaver*** the shoes chafe my feet; ~ ***hål på ngt*** wear* a hole in sth.
skavank -en -er defect
skavsår -et = sore
ske *verb* happen
sked -en -ar spoon
skede -t -n period
skeende -t -n course of events
skelett -et = skeleton

sken -et **1** pl. = light **2** falskt show
1 skena *verb* bolt
2 sken|a -an -or rail
skenbar *adj* apparent
skenhelig *adj* hypocritical
skepnad -en -er figure
skepp -et = **1** ship **2** i kyrka nave
skeppsbrott -et = shipwreck; ***lida ~*** be shipwrecked
skeptisk *adj* sceptical
sketch -en -er sketch
skev *adj* crooked
skick -et tillstånd condition; ***i gott ~*** in good condition
skicka *verb* send*; ***~ efter*** send* for; ***~ med ngt*** i brev enclose sth.; ***~ tillbaka*** return; ***~ ngt vidare*** pass sth. on
skicklig *adj* clever
skicklighet -en skill
skid|a -an -or ski
skidback|e -en -ar ski slope
skidföre -t -n ; ***det är bra ~*** the snow is good for skiing
skidglasögon pl. ski goggles
skidlift -en -ar skilift
skidort -en -er ski resort
skidskol|a -an -or ski school
skidspår -et = sport. ski track, ski run
skidstav -en -ar ski stick
skiduthyrning -en -ar ski rental
skidvall|a -an -or ski wax
skidåkare -n = skier
skidåkning -en skiing
skiff|er -ern -rar shale
skift -et = shift; ***arbeta i ~*** work in shifts
skifta *verb* change
skiftning -en -ar change
skiftnyck|el -eln -lar adjustable spanner
skikt -et = layer
skild *adj* åtskild separated; frånskild divorced
skildra *verb* describe
skildring -en -ar description
skilja *verb* **1** avskilja separate **2** särskilja distinguish; ***de har skilt sig*** they have divorced; ***~ mellan privatliv och yrkesliv*** make* a distinction between one's private life and one's job; ***~ sig åt*** differ
skiljas *verb*, ***~ från ngn*** divorce sb.
skillnad -en -er difference
skilsmäss|a -an -or divorce
skim|mer -ret shimmer
skimra *verb* shimmer
skina *verb* shine
skingra *verb* disperse
skink|a -an -or **1** mat ham **2** kroppsdel buttock

skinn -et = skin; läder leather
skinnjack|a -an -or leather jacket
skipa *verb*, ***~ rättvisa*** administer justice
skiss -en -er sketch
skit -en (-et) -ar vard. shit; ***prata ~*** talk rubbish
skita *verb* vard. take* a crap; ***det skiter jag i*** I don't care a damn about that
skitig *adj* vard. filthy
skiv|a I -an -or **1** platta plate; grammofonskiva record **2** uppskuren slice **3** kalas party **II** *verb* slice
skivspelare -n = record-player
skjort|a -an -or shirt
skjul -et = shed
skjuta *verb* **1** med vapen shoot **2** flytta push; ***~ upp ngt*** uppskjuta ngt postpone sth.; ***~ 'på*** push from behind
skjutsa *verb* drive*
sko -n -r shoe
skoaffär -en -er shoe shop
skoborst|e -en -ar shoebrush
skock -en -ar crowd
skog -en -ar större forest; mindre wood
skogsbruk -et forestry
skohorn -et = shoehorn
skoj -et = **1** skämt joke; ***på ~*** for fun **2** bedrägeri swindle
skoja *verb* **1** skämta joke; ***~ med ngn*** kid sb. **2** bedra cheat
skojare -n = **1** bedragare swindler, trickster **2** skämtare joker; rackare rascal
skokräm -en -er shoe polish
1 skola *verb* se *ska*
2 skol|a -an -or school
skolbarn -et = school child
skolgård -en -ar playground
skolka *verb* play truant
skolkamrat -en -er schoolfellow
skolklass -en -er school class
skollov -et = holidays
skolres|a -an -or school journey
skolväsk|a -an -or school bag
skomakare -n = shoemaker
skomakeri -et -er shoemaker's shop
skona *verb* spare
skoningslös *adj* merciless
skonsam *adj* gentle
skop|a -an -or scoop
skorp|a -an -or **1** mat rusk **2** hårdnad yta crust
skorpion -en -er scorpion; ***Skorpionen*** stjärntecken Scorpio
skorsten -en -ar chimney
skosnöre -t -n shoelace
skosul|a -an -or sole
skot|er -ern -rar scooter

skotsk *adj* Scottish
skotsk|a -an 1 pl. -or kvinna Scotswoman 2 språk Scots
skott -et = 1 shot 2 på växt shoot
skotta *verb* shovel
skott|e -en -ar 1 Scot 2 hund Scottish terrier
skottkärr|a -an -or wheelbarrow
Skottland Scotland
skottår -et = leap year
skral *adj* poor
skramla *verb* rattle
skranglig *adj* rickety
skrap|a I -an -or tillrättavisning scolding **II** *verb* scrape; ***~ sig på knäet*** graze one's knees
skratt -et = laughter; enstaka laugh; ***jag kan inte hålla mig för ~*** I cannot help laughing
skratta *verb* laugh; ***~ åt*** laugh at
skrev -et = crotch
skrev|a -an -or cleft
skri -et -n scream
skribent -en -er writer
skrida *verb* walk slowly; ***~ fram*** advance
skridsko -n -r skate
skridskoban|a -an -or skating-rink
skridskoåkning -en skating
skrift -en -er 1 writing 2 tryckalster publication
skriftlig *adj* written
skriftspråk -et = written language
skrik -et = cry
skrika *verb* cry
skrin -et = box
skriva *verb* write*; ***~ av ngt*** copy sth.; ***skriva in sig*** enrol; vid universitet register; ***~ 'på*** (***under***) ***ngt*** sign sth.
skriv|bok -boken -böcker exercise book
skrivbord -et = desk
skrivelse -n -r letter
skrivmaskin -en -er typewriter
skrivning -en -ar prov written test
skrivstil -en -ar handwriting
skrock -et superstition
skrockfull *adj* superstitious
skrot -et scrap
skrota *verb* scrap
skrovlig *adj* rough
skrubb -en -ar cubbyhole
skrubba *verb* scrub
skrumpen *adj* shrivelled
skrumpna *verb* shrivel
skrup|el -eln -ler scruple
skruv -en -ar screw
skruva *verb* screw; ***~ av*** t.ex. lock unscrew; ***~ 'på*** t.ex. lock

screw ... on; t.ex. radio turn on; ~ ***upp*** volym turn up
skruvmejs|el -eln -lar screwdriver
skrymmande *adj* bulky
skrynklig *adj* creased
skryt -et boasting
skryta *verb*, ~ ***med*** boast about; ***skryt lagom!*** don't talk so big!
skrytsam *adj* boastful
skråla *verb* bawl drunkenly
skråm|a -an -or scratch
skräck -en terror
skräckinjagande *adj* terrifying
skräckslagen *adj* terror-stricken
skräddare -n = tailor
skrädderi -et -er tailor's shop
skräll -en -ar crash
skrälla *verb* blare
skrämma *verb* frighten
skrämsel -n fright
skräna *verb* yell
skräp -et rubbish; avfall litter
skräpig *adj* untidy
skröplig *adj* frail
skugg|a I -an -or shade; av något shadow **II** *verb* **1** ge skugga åt shade **2** följa efter tail
skuggig *adj* shady
skuld -en -er **1** penningskuld debt **2** moralisk guilt; fel fault
skuldkänsl|a -an -or feeling of guilt
skuldmedveten *adj* guilty
skuldr|a -an -or shoulder
skull, ***för hennes ~*** for her sake; ***för din egen ~*** in your own interest
skulle *verb* **1** uttrycker framtid, ***doktorn sa att jag snart ~ bli frisk*** the doctor said that I would soon recover; ***vad ~ han göra med det?*** what was he going to do with it? **2** i indirekt fråga, ***hon frågade om hon ~ laga te*** she asked if she should make some tea **3** konditionalis, ***jag ~ kunna göra det*** I could do it; ***~ det smaka med en kopp te?*** would you like a cup of tea?
skulptur -en -er sculpture
skulptör -en -er sculptor
1 skum *adj* **1** mörk dark **2** suspekt shady
2 skum -met foam
skumgummi -t foam rubber
skumma *verb* foam
skummjölk -en skimmed milk
skunk -en -ar skunk
skur -en -ar shower
skura *verb* scrub
skurk -en -ar scoundrel
skurtras|a -an -or floorcloth
skut|a -an -or small cargo boat

skutt -et = leap
skutta *verb* leap
skvala *verb* pour
skvall|er -ret gossip
skvallerbytt|a -an -or gossipmonger
skvallra *verb* gossip
skvalpa *verb* lap
skvätt -en -ar drop
skvätta *verb* splash
1 sky -n -ar moln cloud; himmel sky
2 sky -n köttsky juice; ***kött med ~*** meat au jus
skydd -et = protection
skydda *verb* protect; ***~ sig*** protect oneself
skyddshjälm -en -ar protective helmet
skyddsling -en -ar ward
skyddsrum -met = shelter
skyfall -et = cloudburst
skyff|el -eln -lar shovel
skyffla *verb* shovel
skygg *adj* shy
skyhög *adj* sky-high
skyldig *adj* **1** till något guilty **2** ***vara ~ ngn pengar*** owe sb. money; ***vad är jag ~?*** how much do I owe you?
skyldighet -en -er duty
skylla *verb*, ***~ ngt på ngn*** blame sb. for sth.
skylt -en -ar sign
skyltfönst|er -ret = shopwindow
skymf -en -er insult
skymma *verb*, ***~ sikten för ngn*** block sb's view; ***det börjar ~*** it is getting dark
skymning -en -ar twilight
skymt -en -ar glimpse; ***se en ~ av ngt*** catch* a glimpse of sth.
skymta *verb* få se catch* a glimpse of; vara synlig loom
skymundan, ***hålla sig i ~*** keep* out of the way
skynda *verb* hasten; ***~ sig*** hurry; ***~ dig!*** hurry up!
skynke -t -n cover
skyskrap|a -an -or skyscraper
skytt -en -ar shot; ***Skytten*** stjärntecken Sagittarius
skåda *verb* see*
skådespel -et = play
skådespelare -n = actor
skådespelersk|a -an -or actress
skål I -en -ar bowl **II** *interj* cheers!
skåla *verb* toast; ***~ för ngn*** drink* a toast to sb.
skålla *verb* scald
Skåne Scania
skåp -et = cupboard
skåpbil -en -ar van
skår|a -an -or cut

skägg -et = beard
skäggig *adj* bearded
skäggstubb -en stubble
skäl -et = reason
skäll -et vard., ovett telling-off
skälla *verb* **1** om hund bark **2** *~ på ngn* scold sb.
skälva *verb* shake
skämd *adj* rotten
skämma *verb*, *~ bort ngn* spoil sb.; *~ ut ngn* disgrace sb.; *~ ut sig* make* a fool of oneself
skämmas *verb* be ashamed
skämt -et = joke; *på ~* for a joke
skämta *verb* joke
skämtsam *adj* humorous
skända *verb* desecrate
skänka *verb* give
1 skär -et = holme rocky islet
2 skär *adj* pink
skära *verb* cut*; *~ sig* cut* oneself; *~ av* cut* off
skärbräde -t -n chopping-board
skärbön|a -an -or French bean
skärgård -en -ar archipelago
skärm -en -ar screen
skärmflygning -en paragliding
skärp -et = belt
skärpa I -n **1** sharpness **2** *ställa in skärpan* focus **II** *verb* sharpen; *~ sig* pull oneself together
skärv|a -an -or piece
sköld -en -ar shield
sköldpadd|a -an -or på land tortoise; i havet turtle
skölja *verb* rinse
skön *adj* **1** vacker beautiful **2** behaglig nice
skönhet -en -er beauty
skönhetsmed|el -let = cosmetic
skönhetssalong -en -er beauty parlour
skönja *verb* discern
skönlitteratur -en literature
skör *adj* brittle
skörd -en -ar harvest
skörda *verb* reap
sköta *verb* **1** vårda nurse; *~ om ngn (ngt)* take* care of sb. (sth.); *sköt om dig!* take* care! **2** leda manage; *~ sig* look after oneself; uppföra sig behave
sköte -t -n lap
skötersk|a -an -or nurse
skötsam *adj* steady
skötsel -n care
sladd -en -ar flex
sladda *verb* slira skid
1 slag -et = sort kind; *ett slags bröd* some kind of bread
2 slag -et = **1** utdelat blow

2 rytmisk rörelse beat 3 ***på slaget 11*** on the stroke of 11 4 i krig battle 5 på kavaj lapel
slaganfall -et = stroke
slagfält -et = battlefield
slagord -et = catchword
slagsida -n 1 om fartyg list 2 övervikt preponderance
slagskämp|e -en -ar fighter
slagsmål -et = fight
slak *adj* slack
slakt -en -er slaughter
slakta *verb* butcher
slaktare -n = butcher
slakteri -et -er slaughterhouse; affär butcher's
slalom -en slalom; ***åka ~*** slalom
slalomback|e -en -ar slalom slope
slalompjäx|a -an -or slalom boot
slalomskid|a -an -or slalom ski
slam -met fällning ooze
slamp|a -an -or slut
slamra *verb* clatter
1 slang -en språk slang
2 slang -en -ar rör tube
slank *adj* slender
slant -en -ar coin; ***singla ~*** toss a coin
slapp *adj* slack
slappna *verb* slacken; ***~ av*** relax
slarv -et carelessness
slarva *verb* be careless; ***~ bort ngt*** lose* sth.
slarvig *adj* careless
1 slask -et gatsmuts slush
2 slask -en -ar vask sink
slaskig *adj* slushy
1 slav -en -er folkslag Slav
2 slav -en -ar träl slave
slaveri -et slavery
slem -met phlegm
slemhinn|a -an -or mucous membrane
slentrian -en routine
slev -en -ar ladle
slicka *verb* lick; ***~ på ngt*** lick sth.
slid|a -an -or 1 för kniv etc. sheath 2 hos kvinna vagina
sling|a -an -or 1 coil 2 för motion jogging track
slingra *verb* wind; ***~ sig*** wind
slinka *verb* slip; ***~ igenom*** slip through; ***~ in*** på t.ex. en bar slip into
slipa *verb* grind
slippa *verb* be* let off; ***låt mig ~ göra det*** I'd rather not if you don't mind; ***~ undan*** get* away; ***~ ut*** get* out
slips -en -ar tie
slira *verb* skid
slit -et hårt arbete toil
slita *verb* 1 nöta, ***~ på*** wear*;

*~ **ut*** wear* out **2** riva tear; *~ **av*** tear off **3** knoga toil
slitage -t wear*
sliten *adj* worn
slitstark *adj* hard-wearing
slockna *verb* go* out; somna fall* asleep
sloka *verb* droop
slopa *verb* avskaffa abolish; ge upp give* up
slott -et = palace; befäst castle
slovak -en -er Slovak
Slovakien Slovakia
slovakisk *adj* Slovakian
slovakisk|a -an **1** pl. -or kvinna Slovakian woman **2** språk Slovak
sloven -en -er Slovene
Slovenien Slovenia
slovensk *adj* Slovenian
slovensk|a -an **1** pl. -or Slovenian woman **2** språk Slovene
sluddra *verb* slur one's words
slug *adj* shrewd
sluka *verb* swallow
slum -men slum
slump -en -ar chance
slumra *verb* slumber
slunga *verb* sling
sluss -en -ar lock
slut I -et = end; ***göra ~ med ngn*** break* off with sb.; ***göra ~ på ngt*** finish sth.; ***ta ~*** end; ***till ~*** at last **II** *adj* over
sluta *verb* **1** end; ***~ röka*** stop smoking; ***~ med ngt*** give* up sth. **2** ***~ fred*** make* peace
slutföra *verb* complete
slutgiltig *adj* final
slutlig *adj* final
slutligen *adv* finally
slutresultat -et = final result
slutsats -en -er conclusion
slutsignal -en -er final whistle
slutsumm|a -an -or total
slutsåld *adj*, ***vara ~*** be sold out
slutta *verb* slope
sluttning -en -ar slope
slå *verb* beat*; ett slag hit*; ***~ ned*** knock down; ***~ sig*** hurt oneself; ***~ sig ned*** sit* down
slående *adj* striking
slåss *verb* fight
släcka *verb* put* out
släd|e -en -ar sleigh; hundsläde dogsled
slägg|a -an -or **1** sledgehammer **2** i sport hammer
släkt I -en -er **1** ätt family **2** släktingar relatives **II** *adj* related
släkte -t -n art species; ras race
släkting -en -ar relative
släng -en -ar **1** knyck toss

2 lindrigt anfall, ***få en ~ av...*** get* a touch of...
slänga *verb* throw*; kasta bort throw* away
slänt -en -er slope
släp -et = **1** på klänning train **2** släpvagn trailer
släpa *verb* **1** dra drag **2** ***~ sig fram*** drag oneself along
släplift -en -ar (-er) ski-tow
släppa *verb* **1** inte hålla fast let* go of **2** lossna come* off; ***~ igenom*** let* through; ***~ ut*** let* out **3** ***~ sig*** break* wind
släpvagn -en -ar trailer
slät *adj* smooth
slätrakad *adj* clean-shaven
slätt -en -er plain
slö *adj* dull
slöa *verb* idle
slödd|er -ret riff-raff
slöfock -en -ar lazybones
slöj|a -an -or veil
slöjd -en -er handicraft
slösa *verb* waste; ***~ med*** slösa bort waste
slösaktig *adj* wasteful
slöseri -et waste, wastefulness
smacka *verb* smack one's lips
smak -en -er taste
smaka *verb* taste; ***~ bra*** taste nice; ***~ på ngt*** taste sth.
smakfull *adj* tasteful
smaklös *adj* tasteless
smakprov -et = **1** bit mat o.d. taste **2** utdrag sample
smaksak oböjl. matter of taste
smaksätta *verb* flavour
smal *adj* narrow; tunn thin
smalna *verb*, ***~ av*** narrow
smaragd -en -er emerald
smart *adj* smart
smattra *verb* clatter
smed -en -er smith
smeka *verb* caress
smekmånad -en -er honeymoon
smeknamn -et = pet name
smekning -en -ar caress
smet -en -er mixture; pannkakssmet o.d. batter
smeta *verb* daub; ***~ ned ngt*** smear sth.
smick|er -ret flattery
smickra *verb* flatter
smickrande *adj* flattering
smida *verb* forge
smide -t -n wrought iron
smidig *adj* flexible
smink -et -er make-up
sminka *verb* make* up; ***~ sig*** make* oneself up
smita *verb* run* away
smitt|a I -an -or infection **II** *verb* vara smittsam be

infectious; **~ *ner ngn*** infect sb.
smittkoppor pl. smallpox
smittsam *adj* infectious
smoking -en -ar dinner jacket
sms sms:et = text message
sms:a *vb itr*, **~ *[till] ngn*** send a text message to sb, vard. text sb
smuggla *verb* smuggle
smuggling -en -ar smuggling
smul|a I -an -or crumb **II** *verb* crumble
smultron -et = wild strawberry
smussla *verb* practise underhand tricks; **~ *undan*** hide away
smuts -en dirt
smutsa *verb*, **~ *ner*** soil; **~ *ner sig*** get* dirty
smutsig *adj* dirty
smutstvätt -en dirty washing
smutta *verb* sip; **~ *på en drink*** sip a drink
smycka *verb* adorn
smycke -t -n piece of jewellery
smyg, ***i* ~** on the sly
smyga *verb* sneak; **~ *sig bort*** sneak (slip) away
små *adj* small
småaktig *adj* petty
småbarn pl. young children
småbildskamer|a -an -or minicamera
småbitar pl. small pieces
småfransk|a -an -or roll
småföretag -et = small business
småföretagare -n = small businessman
småkak|a -an -or biscuit
småle *verb* smile
småningom *adv*, ***så* ~** gradually
småpengar pl. small change
småprata *verb* chat
småsak -en -er little thing
små|stad -staden -städer small town
småsyskon pl. younger sister (sisters) and brother (brothers)
smått I *adj* small **II** oböjl. ; ***lite* ~ *och gott*** a little of everything **III** *adv* en smula a little
småvägar pl. bypaths
smäll -en -ar **1** knall bang **2** slag smack
smälla *verb* bang; **~ *igen en dörr*** slam a door
smälta *verb* melt; **~ *in i . . .*** go well with . . .
smärre *adj* minor
smärt *adj* slender
smärt|a -an -or pain

smärtfri *adj* painless
smärtsam *adj* painful
smärtstillande *adj*, ***~ medel*** painkiller
smör -et butter
smördeg -en -ar puff pastry
smörgås -en -ar open sandwich
smörgåsbord -et = smorgasbord
smörgåsmat -en se *pålägg*
smörja I -n **1** fett grease **2** skräp rubbish **II** *verb*, ***~ in ngt med ngt*** rub sth. with sth.
smörjning -en -ar av bromsar o.d. lubrication
smörkräm -en butter cream
snabb *adj* rapid
snabba *verb*, ***~ på!*** hurry up!
snabbkaffe -t instant coffee
snabbköp -et = self-service shop
snab|el -eln -lar trunk
snabel-a -a:et -a:n at sign
snacka *verb* talk
snaps -en -ar glass of schnapps
snar|a -an -or snare
snarare *adv* rather
snarast *adv*, ***~ möjligt*** as soon as possible
snarka *verb* snore
snarkning -en -ar snore
snart *adv* soon; ***så ~ som möjligt*** as soon as possible
snask -et sweets
snatta *verb* pilfer, shoplift
snatteri -et -er shoplifting
snava *verb* stumble; ***~ på ngt*** stumble over sth.
sned *adj* crooked
snedsprång -et = affair
snegla *verb*, ***~ på*** glance furtively at
snett *adv* obliquely
snibb -en -ar corner; blöja tie pants
snickare -n = joiner
snickra *verb* do woodwork
snida *verb* carve
snig|el -eln -lar slug; med snäcka snail
sniken *adj* greedy
snille -t -n genius
snilleblixt -en -ar ; ***få en ~*** have* a brainwave
snillrik *adj* brilliant
snitt -et = **1** cut **2** ***i ~*** genomsnitt on the average
sno *verb* **1** tvinna twist **2** vard., stjäla pinch **3** ***~ sig*** hurry up
snobb -en -ar snob
snobbig *adj* snobbish
snodd -en -ar cord
snok -en -ar grass snake
snoka *verb* pry
snopen *adj* disappointed

snopp -en -ar vard., penis willy
snor -en (-et) snot
snorig *adj* snotty
snork|el -eln -lar snorkel
snorung|e -en -ar brat
snowboard -et = snowboard
snubbla *verb* stumble
snudda *verb*, ***~ vid ngt*** touch sth. lightly
snurr|a I -an -or top **II** *verb* spin
snurrig *adj* yr giddy
snus -et -er snuff
snusa *verb* använda snus take* snuff
snusdos|a -an -or snuffbox
snusk -et dirt
snuskig *adj* dirty
snuv|a -an -or cold
snuvig *adj*, ***vara ~*** have* a cold
snyfta *verb* sob
snygg *adj* prydlig neat; vacker pretty
snyta *verb*, ***~ sig*** blow one's nose
snål *adj* stingy
snåla *verb* be stingy
snåljåp -en -ar miser
snår -et = thicket
snäck|a -an -or skal shell; snäckdjur mollusc
snäll *adj* kind; ***det var snällt av dig!*** how kind of you!; ***var ~ och hämta mjölken*** fetch the milk, please
snärja *verb* ensnare
snäv *adj* **1** stramande tight **2** kort abrupt
snö -n snow
snöa *verb* snow
snöboll -en -ar snowball
snödjup -et = depth of snow
snödriv|a -an -or snowdrift
snöfall -et = snowfall
snögubb|e -en -ar snowman
snöig *adj* snowy
snöplig *adj* disappointing
snöplog -en -ar snowplough
snöra *verb* lace
snöre -t -n string
snöskot|er -ern -rar snowmobile
snöskottning -en clearing away snow
snöskred -et = avalanche
snöstorm -en -ar snowstorm
sob|el -eln -lar sable
sober *adj* sober
social *adj* social
socialbidrag -et = social benefit
Socialdemokraterna the Social Democrats
socialgrupp -en -er social class
socialism -en socialism
socialist -en -er socialist
socialistisk *adj* socialist

societet -en -er society
sociolog -en -er sociologist
socionom -en -er trained social worker
sock|a -an -or sock
sock|el -eln -lar base
sock|er -ret sugar
sockerbit -en -ar sugar cube
sockerdrick|a -an -or lemonade
sockerfri *adj* sugar-free
sockerkak|a -an -or sponge cake
sockersjuka -n diabetes
sockra *verb* sugar
soda -n soda
sodavatt|en -net = soda
soff|a -an -or sofa
sofistikerad *adj* sophisticated
soja -n soya sauce
sojabön|a -an -or soya bean
sol -en -ar sun
sola *verb*, **~ sig** bask in the sun; solbada sunbathe
solari|um -et -er solarium
solbada *verb* sunbathe
solbränd *adj* brun tanned
solbränn|a -an -or tan
soldat -en -er soldier
soleksem -et = sunrash
solfjäd|er -ern -rar fan
solglasögon pl. sunglasses
solhatt -en -ar sunhat
solidarisk *adj* loyal
solig *adj* sunny
solist -en -er soloist
solkräm -en -er sun lotion
solnedgång -en -ar sunset
solo I *adj* o. *adv* solo **II** -t -n solo
sololj|a -an -or suntan oil
solros -en -or sunflower
solsken -et sunshine
solskyddsfaktor -n -er sun factor
solskyddsmed|el -let = sun lotion
solsting -et sunstroke
solstrål|e -en -ar sunbeam
soltimmar pl. hours of sunshine
soluppgång -en -ar sunrise
solur -et = sundial
som I *pron*, ***jag har en vän ~ heter Derek*** I have a friend who is called Derek; ***Jill kom inte, något ~ förvånade mig*** Jill didn't come, which surprised me; ***allt ~ glittrar är inte guld*** all that glitters is not gold **II** *konj*, ***~ sagt*** as I said; ***en ~ hon*** a woman like her
sommar -en somrar summer; ***i ~*** this summer; ***i somras*** last summer; ***på sommaren*** in the summer

sommargäst -en -er summer visitor
sommarlov -et = summer holidays
sommarsolstånd -et summer solstice
sommarstug|a -an -or summer cottage
sommartid -en ändrad tid summer time
somna *verb* fall* asleep; ~ ***om*** go* back to sleep
son -en söner son
sondera *verb* probe; ~ ***terrängen*** see how the land lies
son|dotter -dottern -döttrar granddaughter
sonhustru -n -r daughter-in-law
son|son -sonen -söner grandson
sopa *verb* sweep
sopbil -en -ar refuse lorry
sopborst|e -en -ar brush
sophink -en -ar refuse bucket
sophämtning -en refuse collection
sopkvast -en -ar broom
sopnedkast -et = refuse chute
sopor pl. refuse
sopp|a -an -or **1** soup **2** röra mess
sopptallrik -en -ar soup plate
soppås|e -en -ar bin-liner
sopran -en -er soprano
sopskyff|el -eln -lar dustpan
soptipp -en -ar dump
soptunn|a -an -or dustbin
sopåtervinning -en waste reclamation
sorbet -en sorbet
sorg -en -er **1** bedrövelse sorrow **2** efter avliden mourning
sorglig *adj* sad
sorglös *adj* unconcerned
sorgsen *adj* sad
sork -en -ar vole
sorl -et murmur
sort -en -er sort, kind
sortera *verb* sort; ~ ***ut*** sort out
sortiment -et = assortment
SOS SOS-et = ; ***ett*** ~ an SOS
sot -et soot
sota *verb* sweep; alstra sot smoke
sotare -n = chimney-sweep
souvenir -en -er souvenir
souvenirbutik -en -er souvenir shop
sova *verb* sleep*; ***sov gott!*** sleep well!; ~ ***middag*** have* an afternoon nap; ~ ***ut*** sova länge have* a good sleep
sovkupé -n -er sleeping-compartment

sovmorg|on -onen -nar late morning
sovplats -en -er sleeping-place
sovrum -met = bedroom
sovsäck -en -ar sleeping-bag
sovvagn -en -ar sleeping-car
sovvagnsbiljett -en -er sleeping-berth ticket
spack|el 1 -let kitt putty 2 -eln -lar verktyg putty knife
spackla *verb* putty
spad -et liquid; köttspad juice
spad|e -en -ar spade
spader -n = i kortspel spades
spaghetti -n spaghetti
spak -en -ar lever
spalt -en -er column
spana *verb* watch; ***~ efter ngt*** watch out for sth.
Spanien Spain
spaning -en -ar search; av polis investigation; militär reconnaissance
spanjor -en -er Spaniard
spanjorsk|a -an -or Spanish woman
1 spann -en (-et) -ar på bro span
2 spann -en (-et) -ar hink bucket
spansk *adj* Spanish
spanska -n Spanish
spara *verb* save*; ***~ på ngt*** keep* sth.; ***~ ihop pengar*** put* by money
sparbank -en -er savings bank
sparböss|a -an -or money box
spark -en -ar kick
sparka *verb* kick
sparris -en -ar asparagus
sparsam *adj* 1 ekonomisk economical 2 gles sparse
sparsamhet -en economy
sparv -en -ar sparrow
specerier pl. groceries
specialerbjudande -t -n special offer
specialisera *verb*, ***~ sig*** specialize
specialist -en -er specialist
specialitet -en -er speciality
speciell *adj* special
specificera *verb* specify
specifikation -en -er specification
speg|el -eln -lar mirror
spegelbild -en -er reflection
spegelvänd *adj* reversed
spegla *verb* reflect; ***~ sig*** be reflected; om person look in a mirror
speja *verb* spy; ***~ efter ngt*** look out for sth.
spektrum -et = spectrum
spekulant -en -er 1 på hus o.d. prospective buyer 2 på börs speculator
spekulera *verb* speculate
spel -et = 1 play; ***sätta ngt på***

~ risk sth. **2** kortspel el. idrott game; hasardspel gambling
spela *verb* play; ~ ***teater*** act; ~ ***in ngt*** record sth.
spelare -n = player; hasardspelare gambler
spelautomat -en -er slot machine
spelkort -et = playing-card
spel|man -mannen -män musician
spelrum -met scope; ***ge ngn fritt*** ~ give* sb. a free hand
spenat -en spinach
spendera *verb* spend*
sperma -n (-t) sperm
spermie -n -r sperm
1 spets -en -ar udd point
2 spets -en -ar trådarbete lace
3 spets -en -ar hund spitz
spetsig *adj* pointed
spett -et = **1** för stekning spit; för grillning skewer **2** av järn iron-bar lever
spex -et = student farce
spik -en -ar nail
spika *verb* nail; ~ ***fast*** nail down
spiksko -n -r spiked shoe
spill -et waste
spilla *verb* spill; ~ ***ut ngt*** spill sth.
spillr|a -an -or skärva splinter; spillror, av t.ex. flygplan wreckage
spind|el -eln -lar djur spider
spinkig *adj* spindly
spinna *verb* **1** spin **2** om katt purr
spion -en -er spy
spionera *verb* spy
spir|a I -an -or **1** topp spire **2** härskarstav sceptre **II** *verb* sprout
spiral -en -er **1** spiral **2** preventivmedel coil
spis -en -ar stove
spiskummin -en cumin
spjut -et = spear; i sport javelin
spjutkastning -en javelin
spjäll -et = i eldstad damper; på motor throttle
spjärna *verb*, ~ ***emot*** resist
splitt|er -ret = splinter
splittra *verb* shatter
splittring -en -ar oenighet division
1 spola *verb* **1** med vatten flush **2** vard., förkasta scrap
2 spola *verb* vinda upp wind
spolarvätsk|a -an -or windscreen washer fluid
spol|e -en -ar för sytråd bobbin; för film o.d. spool; rulle reel; för hår curler
spoliera *verb* spoil
sponsor -n -er sponsor

sponsra *verb* sponsor
spontan *adj* spontaneous
sporadisk *adj* sporadic
sporra *verb* spur
sporr|e -en -ar spur
sport -en -er sport; flera slags sporter sports
sporta *verb* go in for sports
sportaffär -en -er sports shop
sportbil -en -ar sports car
sportdykning -en scuba diving
sportfiske -t angling
sportig *adj* sporty
sportlov -et = winter sports holidays
sportnyheter pl. sports news
spotta *verb* spit
spraka *verb* crackle
spratt -et = trick; ***spela ngn ett ~*** play a joke on sb.
sprattla *verb* flounder
sprej -en -er spray
sprejflask|a -an -or spray
sprick|a I -an -or crack **II** *verb* crack
sprida *verb* spread; ***~ sig*** spread; ***~ ut*** spread out
spridning -en -ar distribution; av tidning circulation
1 spring|a -an -or slit; för mynt slot
2 springa *verb* run*; ***~ bort*** run* away
springpojk|e -en -ar errand boy
sprit -en alcohol; dryck spirits
spritdryck -en -er alcoholic drink
spritkök -et = spirit stove
spriträttigheter pl. license to sell alcohol
spritta *verb*, ***~ till*** give* a start
sprund -et = slit
sprut|a I -an -or injektion injection; instrument syringe **II** *verb* spurt
språk -et = language; ***ut med språket!*** out with it!
språkkurs -en -er language course
språkkänsla -n feeling for language
språklärare -n = language teacher
språkundervisning -en language teaching
språng -et = jump
spräcka *verb* crack; t.ex. kostnadsramar exceed
spräcklig *adj* speckled
spränga *verb* **1** burst; med sprängämne blast **2** värka ache
sprätta *verb* **1** stänka spatter **2** ***~ upp*** rip open
spröd *adj* brittle; om sallad, bröd crisp

spröt -et = hos djur antenna
spurt -en -er spurt
spurta *verb* spurt
spy *verb* throw* up
spydig *adj* sarcastic
spå *verb* **1** ~ ***ngn*** tell* sb.'s fortune **2** förutsäga predict
spådom -en -ar prediction
spår -et = **1** som lämnats trace; som kan följas track; ***vara på rätt*** ~ be on the right track **2** ledtråd clue **3** för tåg track **4** aning trace
spåra *verb* track; ~ ***upp ngn*** track sb. down; ~ ***ur*** om tåg be* derailed; om person, fest o.d. get* out of hand
spårvagn -en -ar tram
späd *adj* tender
späda *verb*, ~ ***ut*** dilute
spädbarn -et = infant
spänd *adj* taut; ***vara*** ~ ***på ngt*** be* eager to know sth.
spänna *verb* kännas trång be* tight; ~ ***fast säkerhetsbältet*** fasten the seat belt
spännande *adj* exciting
spänne -t -n clasp
spänning -en -ar tension
spänstig *adj* fit
spärr -en -ar barrier
spärra *verb* block; ~ ***ett konto*** block an account; ~ ***av*** close off
spö -et -n metspö rod; hästspö horsewhip
spöka *verb*, ***det spökar i huset*** the house is haunted
spöke -t -n ghost
spökhistori|a -en -er ghost story
1 squash -en spel squash
2 squash -en -er grönsak squash
stab -en -er staff
stabil *adj* stable
stabilisera *verb*, ~ ***sig*** stabilize
stabilitet -en stability
stackare -n = poor creature
stackars *adj*, ~ ***honom!*** poor thing!
stad -en (stan) städer town; större city; ***lämna stan*** leave* town
stadg|a I -an **1** stadighet stability **2** pl. -or förordning rule **II** *verb* **1** göra stadig steady **2** förordna prescribe
stadig *adj* steady
stadion en ~, pl. = stadium
stadi|um -et -er stage
stadsbud -et = porter
stadsdel -en -ar district
stadshus -et = town hall; större city hall
stadsmur -en -ar town wall
stadsrundtur -en -er city tour

stafett -en -er tävling relay race; ***4x100 m*** **~** 4x100 m relays
staffli -et -er easel
stagnation -en -er stagnation
stagnera *verb* stagnate
staka *verb* båt punt; **~ *sig*** stumble; **~ *ut*** mark out
stak|e -en -ar **1** stör stake **2** ljusstake candlestick **3** vard., framåtanda guts
staket -et = fence
stall -et = stable
stam -men -mar **1** på växt stem; trädstam trunk **2** ätt family
stamgäst -en -er regular
stamkund -en -er regular customer
stamma *verb* stammer
stamning -en stammering
stampa *verb* stamp; **~ *takten*** beat time with one's foot
stamtavl|a -an -or pedigree
standard -en -er standard
stank -en -er stench
stanna *verb* **1** bli kvar stay **2** bli stående, stoppa stop
stanniol -en tinfoil
stap|el -eln -lar **1** hög pile **2** i diagram column **3** ***gå av stapeln*** take* place
stapla *verb* pile up
stappla *verb* stumble
star|e -en -ar starling
stark *adj* strong; ***det är hans starka sida*** that is his strong point
starksprit -en spirits
starkvin -et -er dessert wine
starköl -et (-en) = beer, export beer; ***tre stora*** **~** three pints of beer
start -en -er start; flygplans takeoff
starta *verb* start; om flygplan take* off
startban|a -an -or runway
startkab|el -eln -lar jump lead
startkapital -et = initial capital
startmotor -n -er starter
startnyck|el -eln -lar ignition key
startskott -et = starting shot
stat -en -er state
station -en -er station
statisk *adj* static
statistik -en -er statistics
statistisk *adj* statistical
stativ -et = stand
statlig *adj* state
statsbesök -et = state visit
statschef -en -er head of state
statskyrk|a -an -or state church
statsminist|er -ern -rar prime minister
statsråd -et = cabinet minister

statuera *verb*, ~ ***ett exempel*** set an example
status -en status
staty -n -er statue
statyett -en -er statuette
stav -en -ar staff
stava *verb* spell; ***hur stavas det?*** how is it spelt?
stavelse -n -r syllable
stavgång -en Nordic walking
stavhopp -et = pole vault
stavning -en -ar spelling
stearinljus -et = candle
steg -et = step
steg|e -en -ar ladder
1 stegra *verb* öka increase
2 stegra *verb*, ~ ***sig*** rear
stegring -en -ar ökning increase
stek -en -ar maträtt roast
steka *verb* i ugn roast; i stekpanna fry; halstra grill
stekpann|a -an -or frying pan
stekspad|e -en -ar spatula
stekspett -et = spit
stekt *adj* fried
stel *adj* stiff
stelkramp -en tetanus
stelna *verb* **1** om kroppsdel o.d. stiffen **2** om vätska congeal
sten -en -ar stone
Stenbocken best. form Capricorn
stencil -en -er stencil; som delas ut handout
stengods -et stoneware
stenhus -et = stone house
stenig *adj* stony
stenografi -n shorthand
stenskott -et = ; ***få ett*** ~ be* hit by a flying stone
steppa *verb* tap-dance
stereo -n -r stereo
stereoanläggning -en -ar stereo
stereotyp *adj* stereotyped
steril *adj* sterile
sterilisera *verb* sterilize
stetoskop -et = stethoscope
steward -en -ar (-er) steward
stick -et = **1** styng sting **2** i spel trick **3** ***lämna ngn i sticket*** leave* sb. in the lurch
stick|a I -an -or **1** flisa splinter **2** för stickning needle **II** *verb* **1** ge ett stick prick; om t.ex. bi sting **2** med stickor knit **3** kila push off; smita run— away **4** ~ ***fram*** stick out; ~ ***in ngt i ngt*** put* sth. in sth.
stickprov -et = spot check
stift -et = **1** att fästa med pin **2** att skriva med lead
stifta *verb* **1** grunda found **2** ~ ***bekantskap med ngn*** make* sb.'s acquaintance
stiftelse -n -r foundation
stift|tand -tanden -tänder pivot tooth

stig -en -ar path
stiga *verb* **1** stiga uppåt rise **2** ~ ***av bussen*** get* off the bus; ***stig in!*** come* in!; ~ ***på bussen*** get* on the bus; ~ ***upp*** get* up
stigbyg|el -eln -lar stirrup
stil -en -ar **1** style; ***något i den stilen*** something like that **2** handstil writing
stilett -en -er stiletto
stilig *adj* elegant
stilla I *adj* o. *adv* calm; ***stå*** ~ inte flytta sig stand* still **II** *verb* t.ex. begär satisfy
Stilla havet the Pacific
stillastående *adj* orörlig immobile
stillbild -en -er still
stilleben -et = still life
stillestånd -et = **1** stagnation standstill **2** vapenvila truce
stillsam *adj* quiet
stiltje -n period of calm
stim -met = **1** av fisk shoal **2** oväsen noise
stimulans -en -er stimulation
stimulera *verb* stimulate
sting -et = sting
stinka *verb* stink
stipendi|um -et -er scholarship
stirra *verb* stare; ~ ***på*** stare at
stjäla *verb* steal*
stjälk -en -ar stem
stjälpa *verb* overturn
stjärn|a -an -or star
stjärnbild -en -er constellation
stjärnteck|en -net = sign
stjärt -en -ar tail
sto -et -n mare
stock -en -ar stam log
stockning -en -ar standstill; trafikstockning traffic jam
stoff -et = material
stoft -et **1** damm powder **2** pl. = avlidens ashes
stoj -et noise
stoja *verb* make* a noise
stol -en -ar chair
stolp|e -en -ar post
stolpill|er -ret = suppository
stolt *adj* proud
stolthet -en pride
stomm|e -en -ar frame
stopp I -et = stoppage **II** *interj* stop!
1 stoppa *verb* stanna stop
2 stoppa *verb* **1** laga darn **2** fylla fill; ~ ***i sig*** stuff oneself **3** ~ ***in ngt i ngt*** put* sth. into sth.
stoppförbud -et på skylt no waiting
stopplikt -en obligation to stop
stoppnål -en -ar darning-needle
stoppsignal -en -er stop signal

stor *adj* **1** large; ledigare big; känslobetonat great **2** vuxen grown-up
storartad *adj* grand
storasyst|er -ern -rar big sister
Storbritannien Great Britain
store|bror -brodern -bröder big brother
storföretag -et = large enterprise
storhet -en -er greatness
stork -en -ar stork
storlek -en -ar size
storm -en -ar hård vind gale; oväder storm
storma *verb*, ***det stormar*** a storm is raging; ~ ***fram*** rush forward
stormakt -en -er great power
stormarknad -en -er hypermarket, superstore
stormig *adj* stormy
stormsteg, ***med*** ~ by leaps and bounds
stormvarning -en -ar gale warning
storsint *adj* magnanimous
storslagen *adj* grand
stor|stad -staden (-stan) -städer big city
storstädning -en -ar thorough cleaning
stortå -n -r big toe
straff 1 -et = punishment; dom sentence **2** -en -ar i sport penalty
straffa *verb* punish
stram *adj* tight
strama *verb* be tight
strand -en stränder shore; för bad beach; av flod bank
strapats -en -er hardship
strategi -n -er strategy
strategisk *adj* strategic
strax *adv* soon
streb|er -ern -rar climber
streck -et = **1** drag stroke, line **2** spratt trick
strejk -en -er strike
strejka *verb* go on strike
stress -en stress
stressad *adj* suffering from stress
stressig *adj* stressful
streta *verb* knoga work hard; ~ ***emot*** resist
strid -en -er fight; ***det står i strid med...*** it conflicts with...
strida *verb* fight; ***det strider mot reglerna*** it goes against the rules
stridsvagn -en -ar tank
strikt I *adj* strict **II** *adv* strictly
strila *verb* sprinkle
striml|a I -an -or shred **II** *verb* shred
strimm|a -an -or streak

stringtros|a -an -or thong, string tanga
stripp|a vard. **I** -an -or stripper **II** *verb* strip
struktur -en -er structure
struma -n goitre
strump|a -an -or stocking; socka sock
strumpbyxor pl. tights
strunt -et (-en) rubbish
strunta *verb*, ***~ i ngt*** not bother about sth.
struntsak -en -er trifle
struntsumm|a -an -or trifle; ***köpa ngt för en ~*** buy* sth. for a song
strup|e -en -ar throat
struptag, ***ta ~ på ngn*** seize sb. by the throat
strut -en -ar cone
struts -en -ar ostrich
stryk -et beating; ***få ~*** take* a beating
stryka *verb* **1** smeka stroke **2** med strykjärn iron **3** bestryka coat; med färg paint; ***~ på salva*** smear salve **4** utesluta cancel **5** ***~ för ngt*** mark sth.
strykbräde -t -n ironing board
strykfri *adj* drip-dry
strykjärn -et = iron
strypa *verb* strangle
strå -et -n straw
stråk|e -en -ar bow
stråkinstrument -et = string instrument
stråla *verb* beam
strålande *adj* brilliant
strål|e -en -ar **1** ray **2** av vätska jet
strålkastare -n = på teater o.d. spotlight; på bil o.d. headlight
strålning -en -ar radiation
sträck, ***i ett ~*** at a stretch
sträck|a I -an -or stretch; avstånd, vägsträcka distance **II** *verb* stretch; ***~ sig*** stretch; ***~ fram handen*** hold* out one's hand; ***~ på benen*** stretch one's legs
sträckning -en -ar riktning direction
1 sträng *adj* severe
2 sträng -en -ar string
stränginstrument -et = string instrument
sträv *adj* rough
sträva *verb*, ***~ efter*** strive for
strävan en ~, pl. -den ambition
strö *verb* sprinkle; ***~ ut ngt*** strew sth.
ströbröd -et breadcrumbs
ström -men -mar **1** vattendrag stream **2** elektrisk current
strömavbrott -et = power failure
strömbrytare -n = switch

strömma *verb* stream; **~ *in*** pour in
strömming -en -ar Baltic herring
strömning -en -ar current
strösock|er -ret granulated sugar
ströva *verb*, **~ *omkring*** roam
strövtåg -et = ramble
stubb|e -en -ar stump
stubin -en -er fuse
student -en -er student
studera *verb* study
studerande -n = schoolboy, schoolgirl; vid universitet student
studie -n -r study
studiebesök -et = study visit
studiecirk|el -eln -lar study circle
studieres|a -an -or study tour
studio -n -r studio
studi|um -et -er study
studsa *verb* bounce
stug|a -an -or cottage
stugby -n -ar ung. holiday village
stuka *verb* skada sprain
stum *adj* dumb
stumfilm -en -er silent film
stump -en -ar **1** rest stump **2** melodi tune
stund -en -er while; ***om en*** **~** in a moment; ***för en*** **~ *sedan*** a few minutes ago
stup -et = precipice
stupa *verb* **1** luta fall* steeply **2** falla fall* **3** dö be* killed
stuprör -et = drainpipe
1 stuva *verb* packa stow; **~ *undan*** stow away
2 stuva *verb* mat cook in white sauce
stuvning -en -ar köttstuvning stew; svampstuvning creamed mushrooms
styck, ***två pund per*** **~** two pounds each
stycka *verb* cut up
styck|e -et -en piece; ***några stycken*** a few; ***vi var fem stycken*** there were five of us
stygg *adj* naughty, bad
stygn -et = stitch
stympa *verb* mutilate
styra *verb* **1** steer **2** regera govern **3** behärska control
styrbord oböjl. starboard
styrelse -n -r bolagsstyrelse board of directors
styrk|a I -an -or **1** fysisk strength; kraft power **2** trupp force **II** *verb* **1** göra starkare strengthen **2** bevisa prove
styrsel -n stability
styv *adj* **1** stiff **2** duktig clever
styvbarn -et = stepchild

styv|far -fadern -fäder stepfather
styv|mor -modern -mödrar stepmother
styvna *verb* stiffen
stå *verb* **1** stand*; ***det står i tidningen*** it says in the paper; ***~ för ngt*** be* responsible for sth.; ***~ kvar*** remain standing; ***vad står på?*** what's the matter?; ***hur står det till?*** how are you?; ***~ ut med ngt*** stand* sth. **2** ha stannat have* stopped
stående *adj* standing
stål -et steel
stånd -et = **1** salustånd stall **2** växt plant **3** vard., erektion hard-on **4** skick condition; ***vara i ~ till*** be* capable of; ***få till ~*** bring* about
ståndaktig *adj* firm
ståndpunkt -en -er standpoint
stång -en stänger pole
stånka *verb* puff and blow
ståplats -en -er standing ticket
ståt -en pomp
ståtlig *adj* grand
ståuppkomiker -n = stand-up comedian
städa *verb* clean
städare -n = cleaner
städersk|a -an -or cleaner; på hotell chambermaid
ställ -et = stand*
ställa *verb* put*; t.ex. frågor ask; ***~ fram*** put* out; ***~ ifrån sig*** put* down
ställbar *adj* adjustable
ställe -t -n place; ***i stället för ngn*** in sb.'s place
ställföreträdare -n = deputy
ställning -en -ar **1** position; poängställning score **2** ställ stand
stämband -et = vocal cord
1 stämm|a I -an -or röst voice **II** *verb* **1** tune **2** ***det stämmer*** that's right
2 stämm|a I -an -or sammanträde meeting **II** *verb* **1** ***~ ngn för ngt*** sue sb. for sth. **2** ***~ möte med ngn*** arrange to meet sb.
1 stämning -en -ar sinnesstämning mood
2 stämning -en -ar inför rätta summons
stämp|el -eln -lar stamp
stämpla *verb* stamp
ständig *adj* constant
stänga *verb* shut; med lås lock; ***det är stängt*** om affär o.d. it's closed; ***~ av*** shut off; ***~ in*** lock up
stängs|el -let = fence
stänk -et = splash

stänka *verb* splash; ~ ***ner*** spatter
stänkskydd -et = mudflap
stänkskärm -en -ar wing
stäpp -en -er steppe
stärka *verb* göra starkare strengthen
stärkande *adj* strengthening
stärkelse -n starch
stöd -et = support
stöddig *adj* självsäker cocksure
stödja *verb* support; ~ ***sig mot ngn*** lean against sb.
stöka *verb* be busy
stökig *adj* messy
stöld -en -er theft
stöldförsäkring -en -ar theft insurance
stöldgods -et stolen goods
stöna *verb* groan
stöpa *verb* cast
störa *verb* disturb; avbryta interrupt
störning -en -ar disturbance; avbrott interruption
större *adj* larger
störst *adj* largest
störta *verb* **1** beröva makten overthrow* **2** om flygplan crash; ~ ***ner*** fall* down
störtdykning -en -ar nose dive
störthjälm -en -ar crash helmet
störtlopp -et = downhill skiing
störtregn -et = downpour
störtregna *verb* pour down
stöt -en -ar thrust; elektrisk shock
stöta *verb* **1** strike, thrust; ~ ***ihop med ngn*** run into sb. **2** krossa pound **3** väcka anstöt offend
stötdämpare -n = shock absorber
stötfångare -n = bumper
stött|a -an -or o. *verb* prop, support
stöv|el -eln -lar boot
subjektiv *adj* subjective
substans -en -er substance
subtrahera *verb* subtract
subtraktion -en -er subtraction
subvention -en -er subsidy
subventionera *verb* subsidize
succé -n -er success
successiv *adj* gradual
suck -en -ar sigh
sucka *verb* sigh
sudd -en -ar stet; tavelsudd duster
sudda *verb*, ~ ***bort*** rub out
suddgummi -t -n rubber
suddig *adj* blurred
sufflé -n -er soufflé
sufflett -en -er hood

suga *verb* suck; **~ på ngt** suck sth.; **~ upp** absorb
sugen *adj*, **vara ~ på ngt** feel* like sth.
sugrör -et = straw
sul|a I -an -or sole **II** *verb* sole
summ|a -an -or sum
summera *verb* sum up
sumpmark -en -er swamp
1 sund -et = sound, straits
2 sund *adj* healthy
sunnanvind -en -ar south wind
sup -en -ar snifter
supa *verb* booze; **~ sig full** get* drunk
supé -n -er supper
supplement -et = supplement
support|er -ern -rar supporter, vard. fan
sur *adj* **1** motsats till söt sour **2** butter surly; **han är ~ på mig** he is cross with me **3** blöt wet
surdeg -en -ar leaven
surfa *verb* surf
surfing -en surfing
surfingbräd|a -an -or surfboard
surkål -en sauerkraut
surr -et hum
1 surra *verb* hum
2 surra *verb* med rep lash
surrogat -et = substitute
surströmming -en -ar fermented Baltic herring
sus -et whistling
susa *verb* whistle
susen, **göra ~** do the trick
sushi -n sushi
suspekt *adj* suspicious
suverän *adj* sovereign
svack|a -an -or hollow; formsvacka slump; ekonomisk downturn
svag *adj* weak; **det är hans svaga punkt** that is his weak point; **vara ~ för** be fond of
svaghet -en -er weakness
sval *adj* cool
sval|a -an -or swallow
svalg -et = **1** throat **2** avgrund gulf
svalk|a I -n coolness **II** *verb* cool
svall -et = surge
svalla *verb* surge
svallvåg -en -or surge
svalna *verb* become* cool
svamla *verb* ramble
svam|mel -let drivel
svamp -en -ar **1** växt fungus; ätlig mushroom **2** tvättsvamp sponge
svan -en -ar swan
svans -en -ar tail
svar -et = answer
svara *verb* answer
svarslös *adj*, **vara ~** be at a loss for an answer
svart I *adj* black **II** *adv* olagligt

illegally; ***arbeta ~*** work off the books
svartlista *verb* blacklist
svartmåla *verb*, **~ *ngn* (*ngt*)** paint sb. (sth.) black
svartpeppar -n black pepper
svartsjuk *adj* jealous
svartsjuka -n jealousy
svartvit *adj* black and white
svarv -en -ar lathe
svarva *verb* turn
svav|el -let sulphur
sveda -n smarting pain
svek -et = treachery
svekfull *adj* treacherous
svensk I *adj* Swedish **II** -en -ar Swede
svensk|a -an **1** pl. -or kvinna Swedish woman **2** språk Swedish
svep -et = sweep
svepa *verb* **1** wrap; ***~ in ngt i ngt*** wrap sth. up in sth. **2** dricka down
svepskäl -et = pretext
Sverige Sweden
svetsa *verb* weld
svett -en sweat
svettas *verb* sweat
svettig *adj* sweaty
svida *verb* smart
svika *verb* fail; ***~ sitt löfte*** break* one's promise
svikt -en spänst elasticity
svikta *verb* sag
svimma *verb* faint
svimning -en -ar faint
svin -et = pig
svindel -n **1** yrsel dizziness **2** bedrägeri swindle
svindlande *adj* dizzy; om pris o.d. enormous
svinga *verb* swing
svinläd|er -ret pigskin
svinsti|a -an -or pigsty
svit -en -er **1** av rum suite **2 *sviterna efter en sjukdom*** the effects of an illness
svordom -en -ar swearword
svullen *adj* swollen
svullna *verb* swell
svullnad -en -er swelling
svulst -en -er swelling
svulstig *adj* inflated, pompous
svåg|er -ern -rar brother-in-law
svångrem -men -mar belt
svår *adj* difficult; farlig, allvarlig grave; ***ha svårt för ngt*** find* sth. difficult
svårfattlig *adj* difficult to understand
svårhanterlig *adj* difficult to handle
svårighet -en -er difficulty
svårmod -et melancholy

svårsmält *adj* difficult to digest
svårtillgänglig *adj* remote, difficult of access
svägersk|a -an -or sister-in-law
svälja *verb* swallow
svälla *verb* swell
svält -en starvation
svälta *verb* starve
svämma *verb*, **~ över** spill over
sväng -en -ar turn; kurva curve
svänga *verb* swing; **~ till höger** turn to the right
svängning -en -ar pendling oscillation
svängrum -met space
svära *verb* swear
svärd -et = sword
svär|dotter -dottern -döttrar daughter-in-law
svär|far -fadern -fäder father-in-law
svärföräldrar pl. parents-in-law
svärm -en -ar swarm
svärma *verb* swarm; **~ för ngn** have* a crush on sb.
svärmeri -et -er infatuation
svär|mor -modern -mödrar mother-in-law
svärord -et = swearword
svär|son -sonen -söner son-in-law
svärt|a I -an -or blackness **II** *verb* blacken
sväva *verb* float; **~ i fara** be in danger
sy *verb* sew
sybehör pl. sewing materials
sybehörsaffär -en -er haberdasher's
syd -en *adv* south
Sydamerika South America
sydamerikansk *adj* South American
Sydeuropa Southern Europe
sydeuropé -n -er Southern European
sydeuropeisk *adj* Southern European
sydeuropeisk|a -an -or Southern European woman
sydlig *adj* southerly
sydländsk *adj* southern
sydost *adv* south-east
Sydpolen the South Pole
sydväst *adv* south-west
syfilis -en syphilis
syfta *verb*, **~ på** refer to; mena mean*
syfte -t -n purpose
syl -en -ar awl
sylt -en -er jam
sylt|a -an -or mat brawn
syltlök -en -ar pickled onions

symaskin -en -er sewing-machine
symbol -en -er symbol
symbolisera *verb* symbolize
symbolisk *adj* symbolic
symfoni -[e]n -er symphony
symfoniorkest|er -ern -rar symphony orchestra
symmetrisk *adj* symmetrical
sympati -n -er sympathy
sympatisera *verb* sympathize
sympatisk *adj* nice
symtom -et = symptom
syn -en 1 synsinne sight; ***få ~ på*** catch* sight of 2 synsätt view 3 pl. -er anblick sight
syna *verb* inspect; ***~ i sömmarna*** check carefully
synagog|a -an -or synagogue
synas *verb* 1 vara synlig be* seen 2 framgå appear; ***det syns att hon mår bra*** you can tell she is all right
synd -en 1 pl. -er sin 2 skada, ***det är ~ att du inte kan komma*** it is a pity you cannot come; ***det är ~ om henne*** I feel sorry for her
synda *verb* sin
syndabock -en -ar scapegoat
syndig *adj* sinful
synfel -et = visual defect
synhåll, ***inom ~*** within sight
synkronisera *verb* synchronize
synlig *adj* visible
synnerhet, ***i ~*** particularly
synnerligen *adv* extremely
synonym -en -er synonym
synpunkt -en -er point of view
synskadad *adj* visually handicapped, partly sighted
syntes -en -er synthesis
syntetisk *adj* synthetic
synvill|a -an -or optical illusion
synvink|el -eln -lar point of view
synål -en -ar needle
syr|a -an -or acid; syrlig smak acidity
syre -t oxygen
syren -en -er lilac
syrlig *adj* acid
syrs|a -an -or cricket
syskon -et = sibling; ***de är ~*** they are brother and sister (brothers and sisters)
syskonbarn -et = pojke nephew; flicka niece
sysselsatt *adj* anställd employed; upptagen busy
sysselsätta *verb* ge arbete åt employ; ***~ sig med*** busy oneself with
sysselsättning -en -ar 1 arbete o.d. employment 2 friare something to do

syssl|a I -an -or work **II** *verb*, ***vad sysslar du med?*** just nu what are you doing?
sysslolös *adj* idle
system -et = system
systematisk *adj* systematic
systembolag -et = **1** bolag state-controlled company for the sale of wines and spirits **2** butik state liquor shop
syster -n systrar sister
syster|dotter -dottern -döttrar niece
syster|son -sonen -söner nephew
syträd -en -ar sewing-thread
1 så *verb* sow
2 så I *adv* **1** för att uttrycka sätt so; ***~ här*** like this; ***hur ~?*** why? **2** för att uttrycka grad so, such, that; ***~ gammal*** so old; ***~ bra böcker*** such good books; ***~ mycket pengar har jag inte*** I haven't got that much money **3** i utrop ofta how, what; ***~ dumt!*** how silly! **4** sedan then **II** *konj* so; ***~ att*** so that; ***han var inte där, ~ vi gick*** he was not there, so we left
sådan (vard. *sån*) *pron* such; i utrop what; ***sådana vänner*** such friends; ***ett sådant väder!*** what weather!
sådd -en -er sowing
såg -en -ar saw
såga *verb* saw
sågspån -et = sawdust
såll -et = sieve
sålla *verb* sift; ***~ bort*** sift out
sån se *sådan*
sång -en -er **1** sjungande singing **2** stycke song
sångare -n = singer
sångersk|a -an -or singer
sångröst -en -er singing-voice
såp|a -an -or soap
sår -et = wound
såra *verb* wound; kränka hurt
sårbar *adj* vulnerable
sårsalv|a -an -or ointment
sås -en -er sauce
såsom *konj* as; ***~ barn*** as a child; ***ett klimat ~ vårt*** a climate like ours
såvida *konj* if; ***~ han inte...*** unless he...
såvitt *adv*, ***~ jag vet*** as far as I know
såväl *konj*, ***~ A som B*** A as well as B
säck -en -ar sack
säckig *adj* baggy
säckpip|a -an -or bagpipe
säd -en corn; utsäde seed
sädesslag -et = cereal
sädesärl|a -an -or wagtail
säga *verb* say*; ***det vill ~*** that

is to say; *~ emot ngn* contradict sb.; *~ till ngn att göra ngt* tell* sb. to do sth.
säg|en -nen -ner legend
säker *adj* sure
säkerhet -en -er **1** visshet certainty; trygghet safety, security; i uppträdande assurance **2** för lån security
säkerhetsbälte -t -n seat belt
säkerhetskontroll -en -er security control
säkerhetsnål -en -ar safety pin
säkerhetsrisk -en -er security risk
säkerligen *adv* certainly
säkert *adv* med visshet certainly; tryggt safely
säkra *verb* secure
säkring -en -ar **1** elektrisk fuse **2** på vapen safety catch
säl -en -ar seal
sälg -en -ar sallow
sälja *verb* sell*
säljare -n = seller
sällan *adv* **1** seldom **2** vard., visst inte certainly not!
sällsam *adj* strange
sällskap -et = umgänge company; grupp party; förening society
sällskaplig *adj* sociable
sällskapsliv -et social life
sällskapsres|a -an -or conducted tour
sällsynt *adj* rare
sämja -n harmony
sämre *adj* o. *adv* worse
sämst *adj* o. *adv* worst
sända *verb* **1** send* **2** i radio broadcast; i tv televise
sändare -n = sender
sändebud -et = **1** ambassadör ambassador **2** budbärare messenger
sändning -en -ar **1** parti consignment **2** i radio el. tv broadcast
säng -en -ar bed
sängkammare -n = bedroom
sängkläder pl. bedclothes
sängliggande *adj*, ***vara ~*** be ill in bed
sängöverkast -et = bedspread
sänk|a I -an -or **1** dal valley **2** medicinsk sedimentation rate **II** *verb* minska lower
sänkning -en -ar minskning reduction, cut
sära *verb*, ***~ på*** separate
särdeles *adv* extremely
särklass, ***den i ~ bästa filmen*** the most outstanding film
särskild *adj* special
särskilt *adv* particularly
säsong -en -er season
säte -t -n seat

sätt -et = **1** vis way **2** uppträdande manner

sätta *verb* put*; ~ ***sig*** sit* down; ***sätt av mig här!*** set me down here, please; ~ ***fast ngn*** put* sb. away; ~ ***igång*** start; ~ ***in pengar på ett konto*** pay* money into an account; ~ ***på*** t.ex. tv el. radio turn on; t.ex. skiva el. kassett put* on; ~ ***på sig ngt*** put* on sth.

söder I -n the south; ***i*** ~ in the south; ***mot*** ~ towards the south **II** *adv*, ~ ***om*** south of

söderut *adv* southwards

södra *adj* the southern; ~ ***Europa*** southern Europe

söka *verb* **1** seek **2** vilja träffa want to see **3** ansöka om apply for

sökande I *adj* searching **II** en ~, pl. = candidate

sökare -n = i kamera view-finder

söla *verb* vara långsam dawdle

sölig *adj* långsam dawdling

söm -men -mar seam

sömmersk|a -an -or dressmaker

sömn -en sleep*

sömnad -en -er sewing

sömngångare -n = sleepwalker

sömnig *adj* sleepy

sömnlös *adj* sleepless

sömnlöshet -en sleeplessness

sömnmed|el -let = sleeping pill

sömntablett -en -er sleeping pill

söndag -en -ar Sunday; ***i söndags*** last Sunday; ***på*** ~ on Sunday

sönder *adj* o. *adv* **1** sönderslagen o.d. broken; ***gå*** ~ break* **2** i olag out of order

sönderfall -et disintegration

söndra *verb* divide

sörja *verb* **1** en avliden mourn **2** ~ ***för ngt*** take* care of sth.

sörjande *adj* mourning

sörpla *verb* slurp

söt *adj* **1** som smakar sött sweet **2** vacker pretty, sweet

sötmand|el -eln -lar sweet almond

sötningsmed|el -let = sweetener

sötnos -en -ar sweetie

sötsaker pl. sweets

sötsur *adj* sweet and sour

sötvatt|en -net fresh water

söva *verb* put* to sleep

Tt

t t-et t-en t [utt. ti]
ta *verb* take*; komma med bring*; ***hur lång tid tar det?*** how long does it take?; ***~ av*** take* off; ***~ av sig ngt*** take* off sth.; ***~ ngt ifrån ngn*** take* sth. away from sb.; ***~ fram ngt*** take* out sth.; ***~ med sig*** bring*; ***~ på sig ngt*** put* on sth.
tabell -en -er table
tablett -en -er **1** läkemedel tablet **2** liten duk table mat
tabu -t -n taboo
tack I -et = thanks **II** ***ja ~!*** yes, please!; ***nej ~!*** no, thank you!; ***~ så mycket!*** thank you very much!
1 tacka *verb* thank; ***~ ja*** accept; ***~ nej*** decline
2 tack|a -an -or fårhona ewe
3 tack|a -an -or av guld, silver bar
tackla *verb* tackle; ***~ av*** fall* away
tacksam *adj* grateful
tacksamhet -en gratitude
1 tafatt, ***leka ~*** play tag
2 tafatt *adj* awkward
tafsa *verb*, ***~ på ngn*** paw sb.
tag -et **1** pl. = grip; ***få ~ i*** get* hold of **2** ***ett litet ~*** a little while; ***två i taget*** two at a time
1 tagg -en -ar törntagg thorn; på taggtråd o.d. barb
2 tagg -en -ar på bagage tag
taggtråd -en -ar barbed wire
tajma *verb* time
tak -et = yttre roof; inre ceiling
takbox -en -ar på bil roof box
taklamp|a -an -or ceiling lamp
takluck|a -an -or roof hatch
takräcke -t -n roofrack
takt -en -er **1** tempo time; fart pace; ***öka takten*** increase the pace **2** finkänslighet tact
taktfast *adj* om steg measured
taktik -en -er tactics
taktisk *adj* tactical
tal -et = **1** antal number **2** anförande speech; ***hålla ~*** make* a speech
tala *verb* speak*; prata, konversera talk; ***~ om ngt för ngn*** tell* sb. sth.
talang -en -er talent
talare -n = speaker
talarstol -en -ar rostrum
talförmåg|a -an -or faculty of speech
talg -en tallow
talgox|e -en -ar great tit
talk -en talc
tall -en -ar pine

tallrik -en -ar plate
talrik *adj* numerous
talspråk -et = spoken language
tam *adj* tame
tambur -en -er hall
tampong -en -er tampon
tand -en tänder tooth; ***visa tänderna*** bare one's teeth
tandborst|e -en -ar toothbrush
tandemcyk|el -eln -lar tandem
tandkräm -en -er toothpaste
tandkött -et gums
tandlossning -en loosening of the teeth
tandläkare -n = dentist
tandlös *adj* toothless
tandpetare -n = toothpick
tandprotes -en -er denture
tandvård -en dental care
tandvärk -en toothache
tangatrosor pl. tanga briefs
tangent -en -er key
tango -n -r tango
tank -en -ar tank
tanka *verb* fill up
tank|e -en -ar thought
tankeläsare -n = mind-reader
tank|er -ern -rar tanker
tankfartyg -et = tanker
tankfull *adj* thoughtful
tanklös *adj* thoughtless
tankspridd *adj* absent-minded
tant -en -er aunt; obekant lady
tapet -en -er wallpaper
tapetsera *verb* paper
tapp -en -ar i tunna tap; i badkar plug
1 tappa *verb* hälla tap off; ***~ vatten i badkaret*** run* a bath; ***~ upp*** draw* off
2 tappa *verb* **1** låta falla drop **2** förlora lose*; ***~ en tand*** (***en plomb***) lose* a tooth (a filling)
tapper *adj* brave
tarm -en -ar intestine
tarvlig *adj* vulgar; lumpen shabby
tass -en -ar paw
tassa *verb* pad
tatuera *verb* tattoo
tatuering -en -ar ; ***en ~*** a tattoo
tavelgalleri -et -er picture gallery
tavl|a -an -or **1** picture; målning painting; grafiskt blad print **2** för anslag board
tax -en -ar dachshund
tax|a -an -or rate; för t.ex. körning fare; ***till nedsatt ~*** at reduced rates
taxera *verb* **1** för skatt assess **2** uppskatta estimate
taxi -n = taxi
taxichaufför -en -er taxi driver
taxistation -en -er taxi rank

T-ban|a -an -or underground, vard. tube
te -et -er tea; ***en kopp ~*** a cup of tea
teak -en teak
teat|er -ern -rar theatre; ***gå på ~*** go* to the theatre
teaterbiljett -en -er theatre ticket
teaterföreställning -en -ar performance
teaterkikare -n = opera glasses
teaterpjäs -en -er play
teck|en -net = sign
teckenspråk -et = sign language
teckna *verb* **1** avbilda draw* **2** skriva sign **3** ge tecken make* a sign; använda teckenspråk sign
tecknare -n = draughtsman; i tidning o.d. cartoonist
teckning -en -ar **1** drawing **2** av aktier subscription
tefat -et = saucer
teg|el -let = brick
tegelpann|a -an -or tile
tegelsten -en -ar brick
tejp -en -er tape
tejpa *verb* tape
tekann|a -an -or teapot
teknik -en -er metod technique; vetenskap technology
tekniker -n = technician; ingenjör engineer
teknisk *adj* technical
teknologi -n -er technology
tekopp -en -ar teacup
telefax 1 -et = meddelande fax **2** -en -ar apparat fax
telefon -en -er telephone; ***det är ~ till dig*** you are wanted on the phone; ***tala i ~*** talk on the phone
telefonautomat -en -er payphone
telefonhytt -en -er callbox
telefonist -en -er operator
telefonkatalog -en -er telephone directory
telefonkiosk -en -er callbox
telefonkort -et = phonecard
telefonlur -en -ar receiver
telefonnum|mer -ret = telephone number
telefonsamtal -et = telephone call
telefonsvarare -n = answering machine
telefontid -en -er telephone hours
telefonväckning -en -ar alarm call
telefonväx|el -eln -lar telephone exchange
telegraf -en -er telegraph
telegram -met = telegram

teleobjektiv -et = telephoto lens
telepati -n telepathy
teleskop -et = telescope
television -en television
tema -t -n theme
temp|el -let = temple
temperament -et = temperament
temperatur -en -er temperature; ***ta temperaturen på ngn*** take* sb.'s temperature
tempo -t -n fart pace; takt tempo
tendens -en -er tendency
tenn -et tin
tennis -en tennis
tennisban|a -an -or tennis court
tennisboll -en -ar tennis ball
tennisracket -en -ar tennis racket
tenor -en -er tenor
tent|a I -an -or exam **II** *verb* be examined
tentam|en en ~, pl. -ina examination
tentera *verb* be examined; ~ ***av ett ämne*** pass a subject
teologi -n theology
teoretisk *adj* theoretical
teori -n -er theory
tepås|e -en -ar tea bag
terapeut -en -er therapist
terapi -n -er therapy
term -en -er term
termin -en -er i skola term
terminal -en -er terminal
termomet|er -ern -rar thermometer
termos -en -ar thermos®
termostat -en -er thermostat
terrakotta -n terracotta
terrass -en -er terrace
terrier -n = terrier
territori|um -et -er territory
terror -n terror
terrordåd -et = act of terror
terrorisera *verb* terrorize
terrorism -en terrorism
terrorist -en -er terrorist
terräng -en -er ground
terränglöpning -en cross-country running
tes -en -er thesis
tesil -en -ar tea-strainer
tesked -en -ar teaspoon; mått teaspoonful
1 test -et (-en) = (-er) prov test
2 test -en -ar av hår wisp
testa *verb* test
testamente -t -n will
testamentera *verb* will
testik|el -eln -lar testicle
tevatt|en -net water for the tea
teve -n -ar (=) television, TV;

titta på ~ watch television, watch TV
text -en -er text
texta *verb* write* in block letters
textad *adj*, ***filmen är ~*** the film has subtitles
textil *adj* textile
textilier pl. textiles
textilslöjd -en textile handicraft
thinner -n thinner
thriller -n = (-s) thriller
tia tian tior ten; mynt ten-krona piece
ticka *verb* tick
tid -en -er time; ***hur lång ~ tar det?*** how long does it take?; ***beställa ~ hos tandläkaren*** make* an appointment with the dentist; ***under tiden*** meanwhile
tidig *adj* early
tidning -en -ar newspaper
tidningsartik|el -eln -lar newspaper article
tidningsförsäljare -n = newsvendor
tidningskiosk -en -er newsstand
tidpunkt -en -er point of time
tidsbrist -en lack of time
tidsenlig *adj* contemporary
tidsfördriv -et = pastime
tidskrift -en -er periodical; vetenskaplig journal
tidskrävande *adj* time-consuming
tidsskillnad -en -er difference in time
tidtabell -en -er timetable
tidtagarur -et = stopwatch
tidvatt|en -net tide
tidvis *adv* at times
tiga *verb* keep* silent
tig|er -ern -rar tiger
tigga *verb* beg
tiggare -n = beggar
tik -en -ar bitch
till I *prep* to; ***gå ~ arbetet*** go* to work; ***sitta ~ bords*** be* at table; ***avresa ~ Lissabon*** leave* for Lisbon; ***fem ~ antalet*** five in number; ***dörren ~ huset*** the door of the house; ***inget tecken ~ liv*** no sign of life; ***gå ~ fots*** go* on foot **II** *adv*, ***två ~*** two more
tillaga *verb* cook
tillbaka *adv* back
tillbakadragen *adj* reserverad reserved
tillbakagång -en decline
tillbehör pl. accessories
tillbringa *verb* spend*
tillbringare -n = jug

tilldela *verb*, **~ ngn ngt** allot sth. to sb.
tilldelning -en -ar allowance
tilldra *verb*, **~ sig** hända happen
tilldragande *adj* attractive
tillfalla *verb* go to
tillflykt -en refuge
tillfoga *verb* **1** tillägga add **2 ~ ngn skada** do harm to sb.
tillfreds *adv* satisfied
tillfredsställa *verb* satisfy
tillfredsställande *adj* satisfactory
tillfriskna *verb* recover
tillfrisknande -t recovery
tillfångata *verb* capture
tillfälle -t -n när ngt inträffar occasion; lägligt opportunity; **för tillfället** at the moment
tillfällig *adj* occasional
tillfällighet -en -er chance
tillföra *verb* bring*
tillförlitlig *adj* reliable
tillförsikt -en confidence
tillgiven *adj* affectionate
tillgjord *adj* affected
tillgodo se till godo under *godo*
tillgodogöra *verb*, **~ sig** profit by
tillgodose *verb* meet*
tillgång -en **1** tillträde access; **ha ~ till** have* access to **2** förråd supply; **~ och efterfrågan** supply and demand **3** pl. -ar resurs asset
tillgänglig *adj* accessible; om t.ex. resurser available
tillhandahålla *verb* supply
tillhåll -et = haunt
tillhöra *verb* belong to; **hon tillhör den gruppen** she is a member of that group
tillhörighet -en -er possession
tillintetgöra *verb* annihilate
tillit -en trust
tillkalla *verb* send* for
tillkomma *verb* be added
tillkomst -en creation
tillkännage *verb* announce
tillmötesgå *verb* oblige
tillreda *verb* prepare
tillräcklig *adj* sufficient
tillrätta *adv*, **sätta sig ~** settle down
tillrättavisa *verb* rebuke
tillrättavisning -en -ar rebuke
tills *konj* o. *prep* till
tillsammans *adv* together; **~ med ngn** together with sb.
tillsats -en -er addition
tillskott -et = bidrag contribution
tillströmning -en inflow
tillstymmelse -n -r suggestion; **inte en ~ till** not a shred of
tillstyrka *verb* support

1 tillstånd -et = tillåtelse permission
2 tillstånd -et = skick state
tillställning -en -ar fest party
tillstöta *verb* hända occur
tillsyn -en supervision
tillsägelse -n -r **1** befallning order **2** tillrättavisning reprimand
tillsätta *verb* **1** blanda i add **2** utnämna appoint
tillta *verb* increase
tilltag -et = trick
tilltagande *adj* increasing
tilltala *verb* **1** tala till speak* to **2** behaga appeal to
tilltro -n credit
tillträda *verb* take* over
tillträde -t -n **1** ~ ***förbjudet*** no admittance **2** tillträdande taking over
tilltänkt *adj*, ***hans tilltänkta*** his wife to be
tillvarata *verb* ta hand om take* care of
tillvaro -n existence
tillverka *verb* manufacture
tillverkare -n = manufacturer
tillverkning -en -ar manufacture
tillväga *adv*, ***gå*** ~ go about it
tillväxt -en growth
tillåta *verb* allow
tillåtelse -n permission
tillåten *adj* allowed
tillägg -et = addition
tillägga *verb* add
tillägna *verb*, ~ ***sig*** kunskaper o.d. acquire
tillämpa *verb* apply
tillämpning -en -ar application
tillönska *verb*, ~ ***ngn ngt*** wish sb. sth.
timjan -en thyme
timlön -en -er hourly wage
timm|e -en -ar hour; lektion lesson; ***50 km i timmen*** 50 km an hour; ***om en*** ~ in an hour
tim|mer -ret = timber
timotej -en timothy
timvisare -n = hour hand
tina *verb* thaw
tindra *verb* twinkle
1 ting -et = domstol district court
2 ting -et = sak thing
tinning -en -ar temple
tio *räkn* ten; för sammansättningar med tio jfr *fem* med sammansättningar
tiokamp -en -er decathlon
tionde *räkn* tenth
tiondel -en -ar tenth
tiotal -et = ten
1 tippa *verb* stjälpa tip
2 tippa *verb* **1** förutsäga tip **2** på tips do the pools

tips -et = **1** upplysning tip; ***få ett ~*** get* a tip **2** ***vinna på tipset*** win* on the pools
tipskupong -en -er pools coupon
tisdag -en -ar Tuesday; ***i tisdags*** last Tuesday; ***på ~*** on Tuesday
tist|el -eln -lar thistle
titel -n titlar title
titt -en -ar look; ***ta sig en ~ på ngt*** take* a look at sth.
titta *verb* look; ***~ fram*** peep out
tittare -n = viewer
tivoli -t -n amusement park
tjafs -et drivel
tjafsa *verb* fuss
tjalla *verb* tell* tales, vard. squeal
tjat -et nagging
tjata *verb* nag
tjatig *adj* **1** gnatig nagging **2** tråkig boring
tjeck -en -er Czech
Tjeckien the Czech Republic
tjeckisk *adj* Czech
tjeckisk|a -an **1** pl. -or kvinna Czech woman **2** språk Czech
tjej -en -er girl
tjock *adj* thick
tjocklek -en -ar thickness
tjog -et = score
tjugo *räkn* twenty; för sammansättningar med tjugo jfr *fem* med sammansättningar
tjugohundratalet, ***på ~*** in the twenty-first century
tjugonde *räkn* twentieth
tjur -en -ar bull
tjura *verb* sulk
tjurig *adj* sulky
tjusig *adj* charming
tjusning -en charm
tjut -et = howling
tjuta *verb* howl
tjuv -en -ar thief; ***de båda tjuvarna*** the two thieves
tjuvlarm -et = burglar alarm
tjuvlyssna *verb* eavesdrop
tjuvstart -en -er false start
tjuvtitta *verb* peep
tjäd|er -ern -rar capercaillie
tjäle -n ground frost
tjäna *verb* **1** förtjäna earn **2** göra tjänst serve; ***det tjänar inget till att göra det*** it's no use doing it
tjänare **I** -n = servant **II** *interj* hallo!
tjänst -en -er service; anställning place; ***göra ngn en ~*** do sb. a favour; ***vad kan jag stå till ~ med?*** what can I do for you?
tjänstefolk -et servants
tjänste|man -mannen -män

statlig civil servant; kontorist clerk
tjänstgöra *verb* serve
tjänstledig *adj*, ***vara*** ~ be* on leave
tjära -n tar
toa -n loo
toalett -en -er wc toilet
toalettartik|el -eln -lar toilet requisite
toalettbord -et = dressing table
toalettpapper -et = toilet paper
tobak -en tobacco
tobaksaffär -en -er tobacconist's
toff|el -eln -lor slipper
toffelhjält|e -en -ar hen-pecked husband
tofs -en -ar tuft
tok -en **1** pl. -ar person fool **2** ***gå på*** ~ go wrong
tokig *adj* mad
tolerant *adj* tolerant
tolerera *verb* tolerate
tolfte *räkn* twelfth
tolk -en -ar interpreter
tolka *verb* interpret
tolkning -en -ar interpretation
tolv *räkn* twelve; för sammansättningar med tolv jfr *fem* med sammansättningar
tom *adj* empty
tomat -en -er tomato
tomatketchup -en tomato ketchup
tomatpuré -n -er tomato paste
tomatsallad -en -er tomato salad
tomglas pl. empty bottle
tomgång -en bils idling; ***gå på*** ~ idle
tomhänt *adj* empty-handed
tomrum -met = empty space; bildl. void
tomt -en -er obebyggd building site; kring villa garden
tomt|e -en -ar hustomte brownie; jultomte father Christmas
1 ton -net = vikt tonne; engelskt ton ton (= 1016 kg)
2 ton -en -er i musik tone
tona *verb* **1** ljuda sound; ~ ***bort*** fade out **2** ge färgton åt tone; håret tint
tonart -en -er key
tonfall -et = intonation; som uttryck för viss sinnesstämning tone of voice
tonfisk -en -ar tuna fish
tonic -en tonic water
tonvikt -en stress; ***lägga ~ på ngt*** stress sth.
tonåring -en -ar teenager
topas -en -er topaz
topp -en -ar top

toppa *verb* top
toppen *interj* great!
toppform -en top form
tordas *verb* våga dare
torde *verb* förmodan ***det ~ finnas många som tycker om det*** there are probably quite a few people who like it
torftig *adj* plain
torg -et = **1** salutorg market place **2** öppen plats square
tork -en -ar drier; ***hänga på ~*** hang up to dry
torka I -n drought **II** *verb* dry; ***torka upp ngt*** wipe up sth.
torkning -en drying
torn -et = byggnad tower; i schack rook
tornado -n -r (-s) tornado
torp -et = **1** i historisk betydelse croft **2** sommarstuga summer cottage
torpare -n = crofter
torped -en -er torpedo
torr *adj* dry
torrdass -et = privy
torsdag -en -ar Thursday; ***i torsdags*** last Thursday; ***på ~*** on Thursday
torsk -en -ar cod
tortera *verb* torture
tortyr -en -er torture
torv -en peat
torv|a -an -or turf
total *adj* total
tovig *adj* tangled
tradition -en -er tradition
traditionell *adj* traditional
trafik -en traffic; ***vara i ~*** run*
trafikant -en -er road-user; passagerare passenger
trafikera *verb* om resande use; om trafikföretag work
trafikflyg -et civil aviation; flygtrafik air services
trafikflygplan -et = passenger plane; större airliner
trafikförsäkring -en -ar third party insurance
trafikljus -et = traffic lights
trafikmärke -t -n road sign
trafikolyck|a -an -or traffic accident
trafiksignal -en -er traffic signal
trafikskol|a -an -or driving school
trafikstockning -en -ar traffic jam
tragedi -n -er tragedy
tragisk *adj* tragic
trail|er -ern -rar (-ers) trailer
trakassera *verb* harass
trakasserier pl. harassment
trakt -en -er district; ***här i trakten*** in this area
traktamente -t -n allowance for expenses

traktor -n -er tractor
tramp|a I *verb* trample **II** -an -or pedal
trampolin -en -er springboard
trams -et nonsense
tran|a -an -or crane
trans -en trance
transaktion -en -er transaction
transformator -n -er transformer
transistorradio -n -r transistor radio
transithall -en -ar transit hall
transplantation -en -er transplantation
transplantera *verb* transplant
transport -en -er transport
transportera *verb* transport
transportmed|el -let = means of transport
transvestit -en -er transvestite
trapp|a I -an -or stairs; utomhus steps; ***bo tre trappor upp*** live on the third floor **II** *verb*, ~ ***upp*** escalate
trappsteg -et = step
trappuppgång -en -ar staircase
tras|a I -an -or rag **II** *verb*, ~ ***sönder*** tear to pieces
trasig *adj* **1** söndertrasad ragged **2** bruten broken **3** ur funktion out of order
trasmatt|a -an -or rag-rug
trass|el -let oreda tangle; besvär trouble
trasslig *adj* tangled
trast -en -ar thrush
tratt -en -ar funnel
trav -et trot; ***hjälpa ngn på traven*** help sb. to get started
1 trava *verb* stapla pile up
2 trava *verb* om häst trot
travban|a -an -or trotting track
trav|e -en -ar pile
travhäst -en -ar trotter
tre *räkn* three; för sammansättningar med tre jfr *fem* med sammansättningar
tre|a -an -or three; lägenhet three-room flat
tredje *räkn* third
tredjedel -en -ar third
trehjuling -en -ar cykel tricycle
trekant -en -er triangle
trekantig *adj* triangular
trekvart oböjl. 45 minuter three quarters
trend -en -er trend
trestjärnig *adj* three-star
trettio *räkn* thirty
trettionde *räkn* thirtieth
tretton *räkn* thirteen; för sammansättningar med tretton jfr *femton* med sammansättningar
trettondag|en best. form, pl. -ar Twelfth Day

trettonde *räkn* thirteenth
treva *verb* grope
trevande *adj*, *~ försök* tentative effort
trevlig *adj* nice; ***det var trevligt att träffas!*** it's been nice meeting you!; ***vi hade mycket trevligt*** we had a very nice time
trevnad -en comfort
triang|el -eln -lar triangle
1 trick -et = i kort odd trick
2 trick -et = knep trick
trikå -n -er tyg tricot; ***trikåer*** tights
trilla *verb* fall*
trilling -en -ar triplet
trimma *verb* trim
trio -n -r trio
tripp -en -ar trip; ***ta en ~ till Paris*** go for a trip to Paris
trist *adj* dyster gloomy; sorglig sad
tristess -en gloominess
triumf -en -er triumph
triumfbåg|e -en -ar triumphal arch
triumfera *verb* triumph
trivas *verb* be happy
trivial *adj* trivial
trivsam *adj* pleasant
trivsel -n cosy atmosphere
tro I -n belief **II** *verb* believe; ***jag tror inte på henne*** I don't believe her
troende *adj* believing; ***en ~ kristen*** a practising Christian
trofast *adj* faithful
trogen *adj* faithful
trohet -en fidelity
trolig *adj* probable
troligen *adv* probably
troll -et = troll; elakt goblin
trolla *verb* do magic; ***~ fram*** conjure up
trolleri -et -er magic
trollkarl -en -ar magician
trolös *adj* unfaithful
tron -en -er throne
tronföljare -n = successor to the throne
tropikerna pl. the tropics
tropisk *adj* tropical
tros|a -an -or ; ***en ~*** a pair of briefs
trots I -et defiance **II** *prep* in spite of; ***~ att*** although
trotsa *verb* defy
trotsig *adj* defiant
trottoar -en -er pavement
trottoarservering -en -ar pavement restaurant
trovärdig *adj* credible
trovärdighet -en credibility
trubadur -en -er troubadour
trubbig *adj* blunt

truck -en -ar truck; gaffeltruck fork-lift
truga *verb*, ~ ***på ngn ngt*** force sth. on sb.
trumf -en = (-ar) trump
trumhinn|a -an -or eardrum
trumm|a I -an -or drum **II** *verb* drum
trumpen *adj* sullen
trumpet -en -er trumpet
trupp -en -er troop; i sport team
1 trut -en -ar fågel gull
2 trut -en -ar mun mouth; ***håll truten!*** shut up!
tryck -et = **1** pressure **2** av böcker o.d. print
trycka *verb* **1** press; ~ ***av*** fire **2** böcker o.d. print
tryckeri -et -er printing works
tryckfel -et = misprint
tryckfrihet -en freedom of the press
tryckknapp -en -ar **1** för knäppning press stud **2** strömbrytare push button
tryckning -en -ar **1** pressure **2** av bok o.d. printing
tryff|el -eln -lar truffle
trygg *adj* säker secure; utom fara safe
trygghet -en security; utom fara safety
tryta *verb* give* out
tråckla *verb* tack
tråd -en -ar thread
trådrull|e -en -ar med tråd reel of cotton; tom cotton reel
tråka *verb* trakassera annoy; ~ ***ut ngn*** bore sb.
tråkig *adj* långtråkig boring; sorglig sad
tråkmåns -en -ar bore
trång *adj* narrow; om t.ex. skor tight
trångsynt *adj* narrow-minded
1 trä *verb* nål thread
2 trä -et -n wood; virke timber
träd -et = tree
träda *verb* step; ~ ***fram*** step forward; ~ ***i kraft*** take* effect; ~ ***tillbaka*** step down
trädgård -en -ar garden
trädgårdsmästare -n = gardener
trädstam -men -mar tree trunk
träff -en -ar **1** målträff hit **2** meeting; med pojk- el. flickvän date
träffa *verb* **1** möta meet* **2** mål hit*
träffande *adj* välfunnen apt
träffas *verb* meet*
trähus -et = wooden house
träna *verb* train
tränare -n = trainer; lagledare coach
tränga *verb*, ~ ***sig fram*** push

forward; ~ ***sig före i kön*** jump the queue; ~ ***in i*** penetrate; ~ ***undan*** push aside

trängas *verb* crowd

trängsel -n crowd

träning -en -ar training

träningsoverall -en -er track suit

träsk -et = marsh

träsko -n -r clog

träslöjd -en woodwork

träsnitt -et = woodcut

träta *verb* quarrel

trög *adj* långsam slow; om t.ex. lås stiff; ***vara ~ i magen*** be constipated

tröj|a -an -or sweater; kortärmad T-shirt

trösk|a I *verb* thresh **II** -an -or thresher

trösk|el -eln -lar threshold

tröst -en comfort

trösta *verb* comfort

trött *adj* tired

trötta *verb* tire; ~ ***ut ngn*** tire sb. out

tröttna *verb* become* tired

tröttsam *adj* tiring

T-shirt -en -ar (-s) T-shirt

tub -en -er tube

tuberkulos -en tuberculosis (förk. *TB*)

tuff *adj* tough; häftig brill

tuffing -en -ar vard. tough customer

tugg|a I -an -or munfull bite **II** *verb* chew

tuggummi -t -n chewing-gum

tull -en -ar **1** avgift duty; ***betala ~ på ngt*** pay* duty on sth. **2** myndighet Customs

tulla *verb*, ~ ***för ngt*** pay* duty on sth.

tullavgift -en -er duty

tullfri *adj* duty-free

tullkontroll -en -er customs check

tullpliktig *adj* dutiable

tulltax|a -an -or customs tariff

tulpan -en -er tulip

tum -men = inch

tumlare -[e]n = djur porpoise

tumma *verb*, ~ ***på ngt*** finger sth.; regler o.d. ease sth., modify sth.

tumm|e -en -ar thumb

tumstock -en -ar folding rule

tumult -et = tumult

tumvant|e -en -ar mitten

tumör -en -er tumour

tung *adj* heavy

tung|a -an -or **1** tongue **2** fisk sole

tungsint *adj* melancholy

tunik|a -an -or tunic

tunn *adj* thin

1 tunn|a -an -or barrel

2 tunna *verb*, **~ *av*** glesna thin; **~ *ut*** thin down; bildl. water down
tunn|el -eln -lar tunnel
tunnelban|a -an -or underground
tunnklädd *adj* thinly dressed
tunnland -et = ung. acre
tupp -en -ar cock
1 tur -en lycka luck; ***ha tur*** be lucky
2 tur -en **1** ordning turn; ***det är min ~*** it is my turn; ***i ~ och ordning*** in turn **2** pl. -er resa trip; ***~ och retur*** return ticket
turas *verb*, ***~ om med ngt*** take* turns at sth.
turban -en -er turban
turism -en tourism
turist -en -er tourist
turista *verb*, ***~ i ett land*** go touring in a country
turistbroschyr -en -er travel brochure
turistbuss -en -ar touring coach
turistbyrå -n -er tourist office
turistguide -n -r bok guidebook
turistinformation -en -er lokal tourist office
turistklass -en -er tourist class
turistort -en -er tourist resort
turk -en -ar Turk
Turkiet Turkey
turkisk *adj* Turkish
turkisk|a -an **1** pl. -or kvinna Turkish woman **2** språk Turkish
turkos I -en -er sten turquoise **II** *adj* turquoise
turlist|a -an -or timetable
turné -n -er tour
tur och retur-biljett -en -er return ticket
turtäthet -en frequency of train (bus etc.) services
tusch -et (-en) Indian ink
tuschpenn|a -an -or felt pen
tusen *räkn* thousand
tusendel -en -ar thousandth
tusenlapp -en -ar one-thousand-krona note
tusental -et = ; ***ett ~ människor*** about a thousand people
tusentals *adv* thousands of
tuss -en -ar wad
tussilago -n -r coltsfoot
tut|a I *verb* med signalhorn o.d. hoot **II** -an -or horn
tuv|a -an -or tuft
tv tv:n television, TV; ***titta på ~*** watch television, watch TV
tv-apparat -en -er television set
tveka *verb* hesitate

tvekan en ~, best. form = hesitation
tveksam *adj* hesitant
tveksamhet -en -er hesitation
tvestjärt -en -ar earwig
tvetydig *adj* ambiguous
tvilling -en -ar twin; ***Tvillingarna*** stjärntecken Gemini
tvinga *verb* force
tvinna *verb* twine
tvist -en -er dispute
tvista *verb* dispute
tviv|el -let = doubt
tvivelaktig *adj* doubtful; skum shady
tvivla *verb* doubt; ***~ på ngt*** doubt sth.
tv-kanal -en -er television channel
tv-program -met = television programme
tv-tittare -n = televiewer
tvungen *adj*, ***bli*** (***vara***) ***~ att...*** be* forced to...; 'måste' have* to...
två *räkn* two; för sammansättningar med två jfr *fem* med sammansättningar
två|a -an -or two; lägenhet two-room flat
tvål -en -ar soap
tvång -et compulsion
tvåspråkig *adj* bilingual
tvär *adj* abrupt; brysk curt; om kurva sharp
tvärbromsa *verb* brake suddenly
tvärgat|a -an -or crossroad
tvärs *adv*, ***~ över gatan*** just across the street
tvärstanna *verb* stop dead
tvärsäker *adj* absolutely sure
tvärtemot I *prep* quite contrary to **II** *adv* just the opposite
tvärtom *adv* on the contrary
tvätt -en -ar washing
tvätta *verb* wash; ***~ sig*** wash; ***gå och ~ händerna!*** go wash your hands!
tvättbar *adj* washable
tvättbräde -t -n washboard
tvättlapp -en -ar face cloth
tvättmaskin -en -er washing machine
tvättmed|el -let = detergent
tvättning -en -ar washing
tvättomat -en -er launderette®
tvättråd -et = washing instructions pl.
tvättstug|a -an -or laundry room
tvättställ -et = washbasin
tvättäkta *adj* washproof
1 ty *konj* because

2 ty *verb*, **~ *sig till ngn*** turn to sb.

tycka *verb* anse think*; **~ *om*** gilla like; **~ *illa om*** dislike; ***vad tycker du om maten?*** how do you like the food?; ***jag tyckte jag hörde något*** I thought I heard something

tyckas *verb* seem; ***det tycks som om han inte kommer*** it seems to me that he is not coming

tycke -t -n **1** åsikt opinion; ***i mitt ~*** in my opinion **2** smak fancy; ***fatta ~ för*** take* a fancy to

tyda *verb* **1** tolka interpret **2 ~ *på ngt*** point to sth.

tydlig *adj* distinct

tydligen *adv* obviously

tyfus -en typhoid fever

tyg -et -er material

tyg|el -eln -lar rein

tygla *verb* rein in

tyna *verb*, **~ *bort*** fade away

tynga *verb* **1** vara tung weigh **2** belasta burden

tyngd -en -er weight

tyngdlyftning -en weightlifting

tyngdpunkt -en -er centre of gravity

typ -en -er type

typisk *adj*, **~ *för*** typical of

tyrann -en -er tyrant

tysk I *adj* German **II** -en -ar German

tysk|a -an **1** pl. -or kvinna German woman **2** språk German

Tyskland Germany

tyst I *adj* silent; lugn quiet **II** *adv*, ***tala ~*** speak* softly **III** *interj* hush!; **~ *med dig!*** be quiet!

tysta *verb* silence; **~ *ner ngn*** silence sb.; **~ *ner ngt*** hush sth. up

tystlåten *adj* silent, taciturn

tystna *verb* fall* silent

tystnad -en silence

tyvärr *adv* unfortunately

tå -n -r toe

1 tåg -et = train

2 tåg -et = rep rope

tåga *verb* march

tågbyte -t -n change of trains

tågförbindelse -n -r train service

tågluffa *verb* interrail

tågluffare -n = interrailer

tågluffarkort -et = Interrail card

tågolyck|a -an -or railway accident

tågres|a -an -or train journey

tågtidtabell -en -er railway timetable

tåla *verb* bear; ***jag tål honom inte*** I cannot stand him
tålamod -et patience
tålig *adj* patient
tåls, ***ge sig till*** ~ be patient
tånag|el -eln -lar toenail
1 tång -en tänger verktyg tongs
2 tång -en växt seaweed
tår -en -ar tear
tårt|a -an -or cake
tårögd *adj* with tears in one's eyes
täcka *verb* cover
täcke -t -n sängtäcke quilt
täckjack|a -an -or quilted jacket
täcknamn -et = cover name
täckning -en -ar covering
täckt *adj* covered
tälja *verb* whittle
tält -et = tent
tälta *verb* camp out
tältsäng -en -ar camp bed
tämja *verb* tame
tämligen *adv* fairly
tända *verb* light; ***~ eld på ngt*** set fire to sth.
tändare -n = lighter
tändning -en i motor ignition
tändstick|a -an -or match
tändsticksask -en -ar matchbox
tändstift -et = spark plug
tänja *verb* stretch; ***~ på*** stretch
tänka *verb* **1** think*; ***~ efter*** think* carefully; ***~ sig*** imagine **2** ämna be* going to; ***i morgon tänker jag ta ledigt*** I am going to take a day off tomorrow
tänkbar *adj* conceivable
tänkvärd *adj* worth considering
täpp|a I -an -or patch **II** *verb*, ***~ till ngt*** stop up sth.; ***jag är täppt i näsan*** my nose is stopped up
tära *verb* consume; ***~ på ngn*** tax sb.
tärningar pl. dice
1 tät -en -er head; ***täten*** i tävling the leaders
2 tät *adj* **1** om t.ex. skog, dimma thick **2** ofta förekommande frequent **3** förmögen well-to-do
täta *verb* täppa till stop up
tätt *adv* closely; ***~ efter*** close behind
tävla *verb* compete
tävling -en -ar competition
tö -et -n thaw
töa *verb* thaw
töja *verb*, ***~ sig*** stretch
tölp -en -ar boor
töm -men -mar rein

tömma *verb* empty
tönt -en -ar drip
töntig *adj* corny
törna *verb*, ***~ emot*** bump into
törs *verb*, ***jag ~ inte*** I don't dare to
törst -en thirst
törsta *verb* thirst; ***~ efter*** thirst for
törstig *adj* thirsty
töväd|er -ret thaw

Uu

u u-et u-en u [utt. jo]
ubåt -en -ar submarine
udd -en -ar point
udda *adj* odd
udd|e -en -ar hög headland; låg el. smal point
uggl|a -an -or owl
ugn -en -ar oven
ugnseldfast *adj* ovenproof
ugnsstekt *adj* roasted
u-land -et u-länder developing country
ull -en wool
ullgarn -et wool
ultimatum -et = ultimatum
ultraljud -et = ultrasound
umgås *verb*, ***~ med ngn*** see* sb.
umgänge -t -n vänner friends; ***dåligt ~*** bad company
undan I *adv* **1** bort away; ***gå ~*** get* out of the way **2** fort, ***arbeta ~*** get* things done **II** *prep*, ***söka skydd ~ regnet*** take* shelter from the rain
undanbe *verb*, ***~ sig ngt*** decline sth.
undandra *verb*, ***~ sig ngt*** shirk sth.
undanflykt -en -er evasion;

komma med undanflykter make* excuses
undanhålla *verb*, ***~ ngn ngt*** keep* sth. from sb.
undanröja *verb* person, hinder remove
undanta *verb* make* an exception for, exempt
undantag -et = exception
undantagsfall -et = ; ***i ~*** in exceptional cases
1 und|er -ret = wonder
2 under I *prep* **1** i rumsbetydelse under; ***~ samma tak*** under the same roof **2** i tidsbetydelse during; ***~ dagen*** during the day **3** mindre än under; ***~ 10 pund*** under 10 pounds **4** ***~ tystnad*** in silence; ***~ pausen*** in the break; ***~ resan*** on the journey **II** *adv* underneath; nedanför below
underbar *adj* wonderful
underbygga *verb* support
underbyxor pl. för herrar underpants, pants; för damer briefs
underdel -en -ar lower part
underdånig *adj* humble
underfund *adv*, ***komma ~ med*** find* out
underförstådd *adj* implicit
undergiven *adj* submissive
undergång -en -ar fall ruin
underhåll -et = maintenance
underhålla *verb* **1** försörja support **2** sköta maintain **3** roa entertain
underhållande *adj* entertaining
underhållning -en -ar entertainment
underifrån *adv* from below
underkasta *verb*, ***~ ngn ngt*** subject sb. to sth.; ***~ sig ngt*** submit to sth.
underkjol -en -ar slip, underskirt
underkläder pl. underwear
underklänning -en -ar slip
underkropp -en -ar lower part of the body
underkuva *verb* subdue
underkyld *adj*, ***underkylt regn*** rain turning to ice
underkäk|e -en -ar lower jaw
underkänd *adj*, ***bli ~*** fail; ***bli ~ i ett prov*** fail a test
underkänna *verb* reject; i skola fail
underlag -et = grund foundation
underlig *adj* strange
underliv -et = lower abdomen; könsorgan genitals
underläge -t ; ***vara i ~*** be at a disadvantage
underlägg -et = mat

underlägsen *adj* inferior
underläpp -en -ar lower lip
underlätta *verb* facilitate
undermedvetet *adv* subconsciously
undernärd *adj* undernourished
underrätta *verb*, *~ **ngn om ngt*** inform sb. of sth.
underrättelse -n -r information
undersid|a -an -or underside
underskatta *verb* underestimate
underskott -et = deficit
underskrift -en -er signature
undersköterskl|a -an -or assistant nurse
underst *adv* at the bottom
understiga *verb* be* (fall*) below
understryka *verb* emphasize
understöd -et = support
understödja *verb* support
undersöka *verb* examine
undersökning -en -ar examination
underteckna *verb* sign; ***undertecknad*** I the undersigned
undertröja -an -or vest
underutvecklad *adj* underdeveloped
underverk -et = miracle
undervisa *verb* teach; ***~ i svenska*** teach Swedish
undervisning -en teaching
undervärdera *verb* underestimate
undgå *verb* escape
undkomma *verb* escape
undra *verb* wonder; ***jag undrar vart hon har tagit vägen*** I wonder where she has gone
undran en ~, best. form = wonder
undre *adj* lower
undsätta *verb* relieve
undsättning -en rescue; ***komma till ngns ~*** come* to sb's rescue
undulat -en -er budgerigar
undvara *verb* do without
undvika *verb* avoid
ung *adj* young
ungdom -en -ar ungdomstid youth; ***ungdomar*** teenagers
ungdomlig *adj* youthful
ung|e -en -ar **1** av djur young one **2** vard., barn kid
ungefär *adv* about
ungefärlig *adj* approximate
Ungern Hungary
ungersk *adj* Hungarian
ungersk|a -an **1** pl. -or kvinna Hungarian woman **2** språk Hungarian
ungkarl -en -ar bachelor

ungmö -n -r ; ***en gammal ~*** an old maid
ungrare -n = Hungarian
uniform -en -er uniform
unik *adj* unique
union -en -er union
universitet -et = university
universum -et (=) universe
unken *adj* musty
unna *verb*, ***~ ngn ngt*** not begrudge sb. sth.; ***~ sig ngt*** allow oneself sth.
upp *adv* up; ***längre ~*** further up; ***vara ~ och ner*** be upside-down
uppassare -n = waiter
uppassning -en waiting
uppbjuda *verb*, ***~ alla krafter*** summon all one's strength
uppbringa *verb* skaffa raise
uppbrott -et = breaking up
uppdelning -en -ar division
uppdrag -et = commission; militärt mission
uppdriven *adj* intense
uppe *adv* up; ***sitta ~*** stay up
uppehåll -et = **1** avbrott break **2** vistelse stay
uppehålla *verb* **1** hindra hinder **2** underhålla maintain **3** ***~ sig*** be*
uppehållstillstånd -et = residence permit
uppehälle -t living; ***fritt ~*** free board and lodging
uppenbar *adj* obvious
uppenbara *verb* reveal; ***~ sig*** appear
uppfatta *verb* understand*
uppfattning -en -ar åsikt opinion
uppfinna *verb* invent
uppfinnare -n = inventor
uppfinning -en -ar invention
uppfinningsrik *adj* inventive
uppfostra *verb* bring* up
uppfostran en ~, best. form = upbringing
uppfriskande *adj* refreshing
uppfylla *verb* fulfil
uppfyllelse -n ; ***gå i ~*** come* true
uppfödning -en breeding
uppför *prep* up; ***~ trappan*** upstairs
uppföra *verb* **1** bygga build* **2** framföra perform **3** ***~ sig*** behave; ***~ sig illa*** behave badly; ***~ sig väl*** behave well
uppförande -t -n **1** framförande performance **2** beteende behaviour
uppförsback|e -en -ar hill
uppge *verb* state
uppgift -en -er **1** upplysning information **2** åliggande task; militär mission

uppgång -en -ar **1** väg upp way up **2** ökning rise
uppgörelse -n -r agreement
upphetsad *adj* excited
upphetsande *adj* exciting
upphetsning -en excitement
upphittad *adj* found
upphov -et = origin
upphovs|man -mannen -män originator
upphäva *verb* abolish
upphöja *verb* raise
upphöra *verb* stop
uppifrån *adv* from above
uppiggande *adj* stimulating
uppkomma *verb* arise
uppkomst -en origin
uppkäftig *adj* vard. cheeky
uppköp -et = purchase
upplag|a -an -or edition; tidnings circulation
uppleva *verb* experience
upplevelse -n -r experience
upplopp -et = tumult riot
upplysa *verb* inform; ***kan ni ~ mig om när nästa buss går?*** can you tell me when the next bus leaves?
upplysning -en -ar **1** belysning lighting **2** underrättelse information
upplyst *adj* **1** lit up **2** fördomsfri enlightened
uppläggning -en -ar bildl. arrangement, strategi
upplösa *verb* dissolve
upplösning -en -ar dissolution; slut end
uppmana *verb* tell*
uppmaning -en -ar request
uppmjukning -en -ar softening
uppmuntra *verb* encourage
uppmunt|ran en ~, pl. -ringar encouragement
uppmärksam *adj* attentive; ***göra ngn ~ på ngt*** call sb.'s attention to sth.
uppmärksamhet -en attention
uppmärksamma *verb* observe
uppnå *verb* reach; mer formellt obtain
uppochnedvänd *adj* turned upside-down
uppoffra *verb* sacrifice; ***~ sig*** sacrifice oneself
uppoffring -en -ar sacrifice
upprepa *verb* repeat
upprepning -en -ar repetition
uppriktig *adj* sincere
uppriktighet -en sincerity
upprop -et = **1** namnupprop rollcall **2** vädjan appeal
uppror -et = rebellion; ***göra ~*** rebel
upprustning -en -ar militär rearmament; reparation repair

upprymd *adj* elated
upprätt *adj* o. *adv* upright
upprätta *verb* **1** inrätta establish **2** avfatta draw* up
upprättelse -n -r rehabilitation
upprätthålla *verb* maintain
upprörande *adj* shocking
upprörd *adj* upset; harmsen indignant
uppsagd *adj*, ***bli ~*** be* given notice
uppsats -en -er essay
uppsatt *adj*, ***en högt ~ person*** a high-ranking person
uppseende -t sensation; ***väcka ~*** attract attention
uppseendeväckande *adj* sensational
uppsikt -en supervision; ***ha ~ över ngt*** supervise sth.
uppskatta *verb* **1** beräkna estimate **2** sätta värde på appreciate
uppskattning -en -ar **1** beräkning estimate **2** gillande appreciation
uppskov -et = postponement; ***få ~ med betalningen*** be* allowed to postpone the payment
uppslag -et = **1** på byxa turn-up **2** i tidning spread **3** idé idea
uppslags|bok -boken -böcker reference book
uppsluppen *adj* exhilarated
uppstoppad *adj* stuffed
uppstå *verb* uppkomma arise
uppståndelse -n **1** oro excitement **2** ***Jesu ~*** the Resurrection
uppställning -en -ar **1** anordning arrangement **2** i sporter line-up
uppstötning -en -ar belch; ***sura uppstötningar*** heartburn
uppsving -et = rise; ekonomiskt boom
uppsvälld *adj* swollen
uppsyn -en -er ansiktsuttryck expression
uppsåt -et = intention
uppsägning -en -ar notice; ***ha tre månaders ~*** have* three months' notice
uppsättning -en -ar **1** av pjäs production **2** sats set
uppta *verb* ta i anspråk take* up
upptagen *adj* sysselsatt busy; om sittplats o.d. taken; om toalett occupied
upptakt -en -er **1** i musik upbeat **2** början beginning
upptill *adv* at the top
uppträda *verb* **1** framträda appear **2** uppföra sig behave

uppträdande -t -n
1 framträdande appearance
2 beteende behaviour
upptåg -et = prank
upptäcka *verb* discover
upptäckt -en -er discovery
upptäcktsfärd -en -er expedition
upptäcktsresande -n = explorer
uppvaknande -t -n awakening
uppvakta *verb* gratulera congratulate
uppvaktning -en -ar **1** vid högtidsdag congratulatory call **2** följe attendants
uppvigla *verb* stir up
uppvisa *verb* show*
uppvisning -en -ar exhibition
uppväcka *verb* framkalla awaken
uppväga *verb* outweight, compensate for
uppvärmning -en heating
uppväxt -en adolescence
uppåt I *prep* up to **II** *adv* upwards
1 ur -et = armbandsur watch
2 ur *prep* out of; ***~ bruk*** out of use
uran -et (-en) uranium
urarta *verb* degenerate
urin -en urine
urinprov -et = specimen of urine
urinvånare -n = aborigine
urinvägsinfektion -en -er urinary infection
urklipp -et = cutting
urladdning -en -ar discharge
urmakare -n = watchmaker
urn|a -an -or urn
urringad *adj* low-cut
urringning -en -ar décolletage; djup plunging neckline
ursinnig *adj* furious
urskilja *verb* distinguish
urskillning -en discrimination
urskog -en -ar primeval forest
ursprung -et = origin
ursprunglig *adj* original
ursprungligen *adv* originally
ursäkt -en -er excuse
ursäkta *verb* excuse; ***~ mig!*** excuse me!; ***~ att jag är sen*** excuse me for being late
urusel *adj* lousy
urval -et = choice
urverk -et = clockwork
uråldrig *adj* ancient
USA the US
usel *adj* miserable
ut *adv* out; ***vara ~ och in*** be turned inside out
utan I *prep* without **II** *konj* but
utanför *prep* o. *adv* outside

utanpå *prep* o. *adv* outside
utantill *adv* by heart
utarbeta *verb* work out
utbetalning -en -ar payment
utbetalningskort -et = giro payment order
utbilda *verb* educate; ***~ sig till ngt*** train to become sth.
utbildning -en -ar education; för yrke training
utbreda *verb* spread; ***~ sig*** spread
utbredning -en t.ex. åsikts, seds prevalence
utbringa *verb*, ***~ en skål för ngn*** propose a toast to sb.
utbrista *verb* exclaim
utbrott -et = av t.ex. krig outbreak
utbud -et = supply
utbyta *verb* exchange
utbyte -t **1** utväxling exchange; ***i ~ mot*** in exchange for **2** benefit; ***ha ~ av ngt*** profit by sth.
utdelning -en -ar **1** distribution; av post delivery **2** på aktie dividend
utdrag -et = extract
utdragen *adj* drawn out
ute *adv* **1** i rumsbetydelse out **2** i tidsbetydelse, ***tiden är ~*** your (his etc.) time is up
utebli *verb* om person fail to come
uteliggare -n = bag lady, bag man
utelämna *verb* leave* out
uteservering -en -ar open-air café
utesluta *verb* exclude; ***det är inte uteslutet*** it is not impossible
uteslutande *adv* exclusively
utfall -et = resultat result
utfalla *verb* turn out; ***~ väl*** turn out well
utfart -en -er exit
utflykt -en -er excursion
utforma *verb* design
utformning -en -ar design
utforska *verb* ta reda på find* out; undersöka investigate
utfärda *verb* issue
utför *prep* o. *adv* down; ***det går ~ med honom*** he is going downhill
utföra *verb* verkställa carry out
utförande -t -n **1** verkställande performance **2** modell, stil design
utförlig *adj* detailed
utförsback|e -en -ar downhill slope
utförsåkning -en downhill skiing
utförsäljning -en -ar clearance

utge *verb* **1** publicera publish **2** ~ ***sig för att vara...*** pass oneself off as...
utgift -en -er expense
utgå *verb* **1** om buss, tåg o.d. start out **2** uteslutas be excluded **3** ***jag utgår från att alla kommer*** I assume that everybody is coming
utgång -en -ar **1** väg ut exit **2** slut end **3** resultat result
utgångspunkt -en -er starting-point
utgåv|a -an -or edition
utgöra *verb* constitute
uthyrning -en -ar ; ***till*** ~ om rum o.d. to let; om lösöre for hire
uthållig *adj* persevering
uthållighet -en perseverance
utifrån I *prep* from **II** *adv* from outside
utjämna *verb* level out
utjämning -en equalization
utkant -en -er ; ***i utkanten av staden*** on the outskirts of the town
utkast -et = koncept draft
utkik -en -ar lookout; ***hålla ~ efter*** look out for
utklädd *adj* förklädd disguised
utkämpa *verb* fight
utlandet best. form foreign countries; ***från*** ~ from abroad
utlandssamtal -et = overseas call
utlopp -et = discharge; bildl. outlet
utlova *verb* promise
utlysa *verb*, ~ ***en tjänst*** advertise a post; ~ ***en tävling*** announce a competition
utlåtande -t -n report
utlägg pl. expenses
utlämna *verb* överlämna give* up; till annan stat extradite
utländsk *adj* foreign
utlänning -en -ar foreigner; juridiskt alien
utlösa *verb* release
utmana *verb* challenge
utmanande *adj* provocative
utmaning -en -ar challenge
utmattad *adj* exhausted
utmattning -en fatigue
utmed *prep* along
utmynna *verb*, ~ ***i ngt*** end in sth.
utmärglad *adj* emaciated
utmärka *verb* **1** känneteckna distinguish **2** ~ ***sig*** distinguish oneself
utmärkande *adj* characteristic
utmärkelse -n -r distinction
utmärkt I *adj* excellent **II** *adv* excellently
utnyttja *verb* tillgodogöra sig

make* use of; ***du utnyttjade mig!*** you used me!
utnämna *verb* appoint
utnött *adj* worn out
utochinvänd *adj* turned inside out
utom *prep* **1** utanför outside; ***vara ~ sig*** be beside oneself **2** med undantag av except
utomhus *adv* outdoors
utomlands *adv* abroad
utomordentlig *adj* extraordinary
utomstående I en ~, pl. = outsider **II** *adj*, ***en ~ betraktare*** an outside observer
utplåna *verb* obliterate
utpressning -en -ar blackmail
utpräglad *adj* pronounced, marked
utreda *verb* investigate
utredning -en -ar undersökning investigation
utrensning -en -ar purge
utres|a -an -or outward journey
utrikes I *adj* foreign **II** *adv* abroad
utrikesflyg -et på skylt international flights
utrop -et = cry
utropsteck|en -net = exclamation mark
utrota *verb* root out
utrotningshotad *adj* endangered
utrusta *verb* equip
utrustning -en -ar equipment
utryckning -en -ar efter alarm turn-out
utrymma *verb* evacuate
utrymme -t -n space
utrymning -en evacuation
uträtta *verb* do*; ***jag måste ~ ett ärende*** there is something I need to do
utsatt *adj* **1** blottställd exposed; ***vara ~ för ngt*** be subjected to sth. **2** bestämd fixed
utse *verb* choose*; ***~ ngn till ordförande*** appoint sb. chairman (chairwoman)
utseende -t -n appearance
utsid|a -an -or outside
utsikt -en -er **1** view; ***ha ~ över ngt*** om rum o.d. look on sth. **2** chans prospect
utskällning -en -ar telling-off
utslagen *adj* **1** om blomma full-blown **2** från tävling eliminated **3** ***de utslagna*** the down-and-outs
utsliten *adj* worn out
utsläpp -et = **1** avlopp outlet **2** från bil exhaust; från industri discharge, waste

utsmyckning -en -ar adornment
utspelas *verb* take* place
utspädd *adj* diluted
utstakad *adj* fixed
utstrålning -en -ar persons charisma
utsträckning -en -ar extension; ***i stor ~*** to a large extent
utstuderad *adj* studied
utstå *verb* endure
utstående *adj* protruding
utställning -en -ar exhibition
utsugning -en exploitation
utsvulten *adj* starved
utsvävande *adj* debauched
utsåld *adj* sold out
utsändning -en -ar transmission
utsätta *verb* expose; ***~ ngn för ngt*** expose sb. to sth.
utsökt *adj* exquisite
utsövd *adj* thoroughly rested
uttag -et = **1** för el socket **2** av pengar withdrawal
uttagning -en -ar i sport selection
uttagsautomat -en -er cashpoint
uttal -et = pronunciation
uttala *verb* **1** ord pronounce **2** uttrycka express
uttalande -t -n statement
uttryck -et = expression; ***ge ~ åt ngt*** express sth.
uttrycka *verb* express
uttrycklig *adj* tydlig explicit
uttrycksfull *adj* expressive
uttryckslös *adj* expressionless
uttråkad *adj* bored
uttröttad *adj* weary
uttömma *verb* exhaust
uttömmande *adj* exhaustive
utvald *adj* chosen
utvandrare -n = emigrant
utvandring -en emigration
utveckla *verb* develop; ***utveckla sig*** develop
utveckling -en -ar development
utvecklingsstörd *adj* mentally handicapped
utvidga *verb* widen
utvidgning -en extension
utvilad *adj* rested
utvinna *verb* extract
utvisa *verb* **1** visa ut send* out; utlänning expel **2** visa show*
utvisning -en -ar **1** förvisning expulsion **2** i ishockey penalty
utväg -en -ar way out
utvändig *adj* external
utvärdera *verb* evaluate
utvärdering -en -ar evaluation

utvärtes *adj* external; ***för ~ bruk*** for external use
utåt I *prep* towards **II** *adv* outwards
utåtriktad *adj* om person extrovert
utöka *verb* increase
utöva *verb* exercise
utöver *prep* besides
uv -en -ar eagle owl

Vv

v v-et v-en v [utt. vi]
vaccin -et (-en) -er (=) vaccine
vaccination -en -er vaccination
vaccinera *verb* vaccinate
vacker *adj* skön beautiful; förtjusande lovely
vackla *verb* totter
1 vad -en -er på ben calf
2 vad -et = vadhållning bet
3 vad I *pron* what; ***~ är klockan?*** what time is it? **II** *adv* how; ***~ du är lycklig!*** how happy you are!
vada *verb* wade
vadd -en -ar cotton wool
vadhållning -en -ar betting
vag *adj* vague
vag|el -eln -lar sty
vagg|a I -an -or cradle **II** *verb* rock
vagn -en -ar carriage
vaja *verb* sway
vaj|er -ern -rar cable; tunn wire
1 vak -en -ar isvak hole in the ice
2 vak -et ; ***ha ~*** be* on night duty
vak|a I -an -or vigil **II** *verb*, ***~ hos ngn*** sit* up with sb.; ***~ över ngt*** watch over sth.

vaken *adj* **1** ej sovande awake **2** pigg bright
vakna *verb* wake* up
vaksam *adj* vigilant
vakt -en -er **1** vakthållning watch; ***hålla ~*** keep* watch **2** person guard
vakta *verb* watch
vaktmästare -n = caretaker; dörrvakt doorman
vakuum -et = vacuum
1 val -en -ar djur whale
2 val -et = **1** choice **2** omröstning election
valfri *adj* optional
valfrihet -en freedom of choice
valk -en -ar callus
vall -en -ar **1** jordvall o.d. bank **2** för bete grazing-ground
1 valla *verb* djur graze
2 vall|a I -an -or skidvalla wax **II** *verb* skidor wax
vallfärda *verb* go on a pilgrimage
vallgrav -en -ar moat
vallmo -n -r poppy
valnöt -en -ter walnut
valp -en -ar puppy
1 vals -en -er dans waltz
2 vals -en -ar i valsverk roll
valut|a -an -or myntslag currency
valutakurs -en -er exchange rate
valutaväxling -en -ar exchange
valv -et = vault; båge arch
valör -en -er value
van *adj* experienced; ***vara ~ vid att göra ngt*** be used to doing sth.
van|a -an -or habit; sed custom; ***ha för ~ att äta sent*** usually eat* late
vandalisera *verb* vandalize
vandra *verb* walk; ***~ i fjällen*** hike in the mountains
vandrare -n = wanderer
vandrarhem -met = youth hostel
vandring -en -ar hike
vanebildande *adj* addictive
vanilj -en vanilla
vaniljsock|er -ret vanilla-flavoured sugar
vaniljsås -en -er custard sauce
vanka *verb*, ***~ av och an*** pace up and down
vanlig *adj* bruklig usual; vardaglig ordinary; gemensam för många common
vanligen *adv* generally
vanmakt -en powerlessness
vanpryda *verb* disfigure
vansinne -t insanity
vansinnig *adj* mad
vanskapt *adj* deformed

vansklig *adj* difficult
vant|e -en -ar mitten
vantrivas *verb* be uncomfortable
vanär|a I -n disgrace **II** *verb* disgrace
vap|en -net = **1** redskap weapon **2** ätts coat of arms
vapenvil|a -an -or truce
vapenvägrare -n = conscientious objector
1 var -et i sår pus
2 var *pron* **1** each; ***vi fick 10 pund*** ~ we got £10 each; ~ ***och en av de nya gästerna*** each of the new guests **2** ~ ***femte dag*** every fifth day
3 var *adv* where; ~ ***som helst*** anywhere
1 vara *verb* be*; finnas till exist; ***det är Eva*** i telefon Eva speaking; ***hur är det med dig då?*** how are you?; ***jag är hungrig*** I'm hungry; ~ ***med om ngt*** experience sth.
2 vara *verb* räcka last
3 var|a -an -or artikel article
4 vara, ***ta*** ~ ***på*** take* care of; tid o.d. make* the most of
5 vara *verb*, ~ ***sig*** fester
varaktig *adj* lasting
varandra *pron* each other
varannan *räkn*, ~ ***vecka*** every other (second) week
varbildning -en -ar suppuration
vardag -en -ar weekday; ***på vardagar*** on weekdays
vardaglig *adj* ordinary
vardagsliv -et everyday life
vardagsrum -met = living room
vardera *pron* each
varefter *adv* after which
varelse -n -r being
varenda *pron* every
vare sig *konj*, ~ ***han vill eller inte*** whether he wants to or not
varför *adv* frågande why
varg -en -ar wolf
variant -en -er variant
variation -en -er variation
variera *verb* vary
varieté -n -er variety
varifrån *adv* from where
varje *pron* varje särskild each; varenda every; vardera av endast två either
varken *konj*, ~ ***A eller B*** neither A nor B
varm *adj* warm; het hot
varmbad -et = hot bath
varmfront -en -er warm front
varmhjärtad *adj* warm-hearted
varmrätt -en -er main dish
varmvatt|en -net hot water

varna *verb* warn; **~ *ngn för ngt*** warn sb. of sth.
varning -en -ar warning
varningslamp|a -an -or warning lamp
varningsmärke -t -n warning sign
varningstriang|el -eln -lar warning triangle
varpå *adv* after which
vars *pron* whose
varsam *adj* careful
varse *adj*, ***bli* ~** notice
varsko *verb* warn
varsågod *interj* här har ni here you are!; ta för er help yourself, please!
1 vart *adv* where
2 vart, ***jag kommer ingen ~*** I'm not getting anywhere
3 vart *pron*, **~ *femte år*** every fifth year
vartannat *räkn*, **~ *år*** every other (second) year
vartill *adv* to which
varudeklaration -en -er informative label
varuhus -et = department store
varumärke -t -n trademark
1 varv -et = **1** omgång turn; i sport lap **2** lager layer
2 varv -et = skeppsvarv shipyard
varva *verb* **1 ~ *ngt*** put* sth. in layers **2** i sport lap
varvtal -et = revolutions per minute (förk. *RPM*)
vas -en -er vase
vaselin -et (-en) vaseline
vask -en -ar sink
1 vass *adj* sharp
2 vass -en -ar växt reed
Vatikanen the Vatican
vatt|en -net = water
vattendrag -et = watercourse
vattenfall -et = waterfall
vattenfärg -en -er watercolour
vattenkann|a -an -or watering can
vattenklosett -en -er water closet, WC
vattenkokare -n = electric kettle
vattenkraft -en water power, hydroelectric power
vattenkran -en -ar tap
vattenledning -en -ar water pipe
vattenmelon -en -er watermelon
vattenpolo -n water polo
vattenpöl -en -ar puddle
vattenskid|a -an -or water-ski
vattenslang -en -ar hose
vattenstämp|el -eln -lar watermark
vattentät *adj* waterproof

vattenyt|a -an -or surface of water
vattenång|a -an -or steam
vattkoppor pl. chicken pox
vattna *verb* water
Vattumannen best. form Aquarius
vax -et -er wax
vaxa *verb* wax
vaxbön|a -an -or wax bean
vaxkabinett -et = waxworks
vaxljus -et = wax candle
veck -et = fold
1 veck|a *verb* fold
2 veck|a -an -or week; ***för tre veckor sedan*** three weeks ago; ***om en*** ~ in a week
veckig *adj* creased
veckla *verb*, ~ ***ihop*** fold up; ~ ***ut*** unfold
veckodag -en -ar day of the week
veckoslut -et = weekend
veckotidning -en -ar weekly
ved -en wood
vederbörande I *adj* proper **II** oböjl. the person concerned
vedertagen *adj* accepted
vedervärdig *adj* repulsive
vegetarian -en -er vegetarian
vegetarisk *adj* vegetarian
vegetation -en -er vegetation
vek *adj* weak
vek|e -en -ar wick
vekling -en -ar weakling
velig *adj* irresolute
vem *pron* who; efter preposition whom; vilkendera which
vemodig *adj* sad
ven -en -er vein
venerisk *adj*, ~ ***sjukdom*** venereal disease (förk. *VD*)
ventil -en -er **1** till luftväxling ventilator **2** i maskin valve
ventilation -en -er ventilation
ventilera *verb* ventilate
verand|a -an -or veranda
verk -et = **1** arbete, alster work **2** ämbetsverk department **3** fabrik works
verka *verb* **1** göra verkan work **2** förefalla seem; ***han verkar tycka om sitt arbete*** he seems to like his work
verk|an en ~, pl. -ningar effect; ***göra*** ~ have* an effect
verklig *adj* real
verkligen *adv* really
verklighet -en -er reality; ***i verkligheten*** in real life; i själva verket actually
verksam *adj* active
verksamhet -en -er aktivitet activity; rörelse action
verk|stad -staden -städer workshop; för bil garage

verkställa *verb* carry out; t.ex. order execute
verktyg -et = tool
verktygslåd|a -an -or toolbox
vermouth -en vermouth
vernissage -n -r opening of an (the) exhibition
vers -en -er verse
version -en -er version
vessl|a -an -or **1** djur weasel **2** fordon snowmobile
vestibul -en -er entrance hall
veta *verb* know*; ***få ~ ngt*** get* to know sth.; ***inte vilja ~ av ngn*** not want to have anything to do with sb.
vete -t wheat
vetebröd -et = kaffebröd ung. buns and cakes
vetemjöl -et flour
vetenskap -en -er science
vetenskaplig *adj* scientific
vetenskaps|man -mannen -män scientist, researcher; humanist scholar
veteran -en -er veteran
veteranbil -en -ar antique car
veterinär -en -er veterinary surgeon
vetgirig *adj* eager to learn
vett -et sense; ***han är från vettet*** he is out of his mind
vetta *verb*, ***~ mot ngt*** face sth.
vettig *adj* sensible
vettskrämd *adj* scared stiff
vev -en -ar crank
veva *verb*, ***~ i gång*** motor o.d. start
vi *pron* we
via *prep* via
viadukt -en -er viaduct
vibration -en -er vibration
vibrera *verb* vibrate
vice *adj* vice
vicka *verb* wobble; ***~ på höfterna*** sway one's hips
1 vid *adj* wide
2 vid *prep* **1** i rumsbetydelse at; bredvid by; ***stå ~ fönstret*** stand* at the window; ***sida ~ sida*** side by side; ***London ligger ~ Temsen*** London stands on the Thames **2** i tidsbetydelse at; ***~ jul*** at Christmas **3** ***~ dåligt väder*** in bad weather; ***hålla fast ~ ngt*** stick to sth.
vida *adv* **1** ***~ omkring*** far and wide **2** i hög grad far
vidare *adj* o. *adv* further; ***och så ~*** and so on; ***tills ~*** until futher notice
vidarebefordra *verb* forward
vidbränd *adj*, ***den är ~*** it has got burnt
vidd -en **1** omfång width **2** omfattning extent
vide -t -n willow

video -n -r video
videoband -et = video tape
videobandspelare -n = videocasette recorder, vard. VCR
videofilma *verb* videotape
videokamer|a -an -or video camera
videokassett -en -er videocassette
vidga *verb* widen; **~ *sig*** widen
vidhålla *verb* maintain
vidimera *verb* certify, attest
vidlyftig *adj* 1 utförlig detailed 2 tvivelaktig shady
vidmakthålla *verb* maintain
vidrig *adj* disgusting
vidröra *verb* touch
vidskepelse -n -r superstition
vidskeplig *adj* superstitious
vidsträckt *adj* extensive; ***i ~ betydelse*** in a broad sense
vidsynt *adj* broad-minded
vidta *verb*, ***~ åtgärder mot*** take* measures against
vidund|er -ret = monster
vidvinkelobjektiv -et = wide-angle lens
vidöppen *adj* wide open
vifta *verb* wave; ***~ med ngt*** wave sth.
vig *adj* lithe
viga *verb* brudpar marry
vigs|el -eln -lar marriage
vigselring -en -ar wedding ring
vigör -en vigour; ***vara vid god ~*** be in good health
vik -en -ar bay; mindre cove; större gulf
1 vika *verb* fold; ***~ ihop*** fold up; ***~ av till höger*** turn right
2 vika *adv*, ***ge ~*** give* way
vikarie -n -r substitute; lärare supply teacher
vikariera *verb*, ***~ för*** stand* in for
viking -en -ar Viking
vikt -en -er 1 weight; ***gå ner i ~*** lose* weight; ***gå upp i ~*** gain weight 2 betydelse importance
viktig *adj* 1 betydelsefull important 2 högfärdig self-important
vila I -n rest II *verb* rest; ***~ sig*** rest
vild *adj* wild
vilddjur -et = wild beast
vild|e -en -ar savage
vildmark -en -er wilderness
vildsvin -et = wild boar
vilj|a I -an -or will II *verb* 1 önska want; ha lust like; ***jag vill att du ska komma*** I want you to come; ***jag skulle ~ ha en pepparstek*** I would like a pepper steak, please; ***skulle du ~ ta ner min väska?*** would you please take down my

suitcase? **2** i fråga och svar ibland will; ***vill du låna mig lite pengar?*** will you lend me some money?; ***klart att jag vill!*** of course I will! **3** ***det vill säga*** that is
viljestark *adj* strong-willed
viljesvag *adj* weak-willed
vilken (*vilket, vilka*) *pron*
1 frågeord, 'vad för en?' ***vilka städer har du varit i?*** what cities have you been to?; ***vilka är de där flickorna?*** who are those girls? **2** frågeord vid urval, ***vilken köpte du?*** which did you buy?; ***vilka av er kan komma?*** which of you can come? **3** i utrop, ***~ vacker dag!*** what a lovely day!; ***vilket uselt väder!*** what miserable weather!
vill|a -an -or house
villebråd -et = game
villervalla -n confusion
villfarelse -n -r error
villig *adj* willing
villkor -et = condition
villospår -et = ; ***vara på ~*** be on the wrong track
villoväg -en -ar ; ***råka på villovägar*** go astray
villrådig *adj* irresolute
vilohem -met = rest home
vilse *adv*, ***gå ~*** get* lost
vilseledande *adj* misleading
vilsen *adj* lost
vilstol -en -ar lounge chair
vimla *verb* swarm; ***det vimlar av människor på torget*** the square is teeming with people
vim|mel -let crowd
vimp|el -eln -lar streamer
vimsig *adj* scatterbrained
vin -et -er wine; växt vine
vinbutik -en -er wine shop
vinbär -et = currant; ***röda ~*** redcurrants; ***svarta ~*** blackcurrants
1 vind -en -ar blåst wind
2 vind -en -ar i byggnad attic
3 vind *adj* sned warped
vindistrikt -et = wine district
vindrut|a -an -or windscreen
vindrutespolare -n = windscreen washer
vindrutetorkare -n = windscreen wiper
vindruv|a -an -or grape
vindstilla *adj* calm
vindsurfa *verb* windsurf
vindsurfing -en windsurfing
vindtät *adj* windproof
vindögd *adj* squint-eyed
vinflask|a -an -or tom wine bottle; flaska vin bottle of wine
ving|e -en -ar wing
vingla *verb* stagger

vinglas -et = wineglass
vinglig *adj* reeling, unsteady
vingård -en -ar vineyard
vink -en -ar wave; antydan hint
vinka *verb* wave
vink|el -eln -lar angle
vinkelrät *adj* perpendicular
vinkällare -n = wine cellar
vinlista -an -or winelist
vinna *verb* win*; förskaffa sig gain
vinnare -n = winner
vinranka -an -or grapevine
vinröd *adj* wine-red
vinst -en -er gain; förtjänst profit; ***på ~ och förlust*** on speculation
vinstlott -en -er winning ticket
vint|er -ern -rar winter; ***i ~*** this winter; ***i vintras*** last winter; ***på vintern*** in the winter
vinterdäck -et = snow tyre
vintersolstånd -et winter solstice
vintersport -en -er winter sport
vintertid -en -er på vintern in the winter
vinäger -n vinegar
viol -en -er violet
violett *adj* violet
violin -en -er violin
violinist -en -er violinist
vira *verb* wind; ***~ in ngt i ngt*** wrap up sth. in sth.
virka *verb* crochet
virke -t wood
virrig *adj* confused
virrvarr -et confusion
virus -et = virus
virv|el -eln -lar whirl
virvla *verb* whirl
1 vis -et = way
2 vis *adj* wise
1 vis|a -an -or song, tune
2 visa *verb* show*; ***~ sig*** show* up; ***~ sig vara en bluff*** turn out to be a fraud; ***~ fram (upp)*** show*
visare -n = på klocka hand
visdom -en wisdom
vishet -en wisdom
vision -en -er vision
visit -en -er call
visitera *verb* search
visitkort -et = card
viska *verb* whisper
viskning -en -ar whisper
visning -en -ar demonstration demonstration; ***det är två visningar om dagen på slottet*** visitors are shown over the castle twice a day
visp -en -ar whisk; elektrisk mixer
vispa *verb* whip
vispgrädde -n whipped cream

viss *adj* certain; ***i ~ mån*** to a certain extent
visselpip|a -an -or whistle
vissen *adj* faded; ***känna sig ~*** feel* out of sorts
visserligen *adv* certainly
visshet -en certainty
vissla *verb* whistle
vissling -en -ar whistle
vissna *verb* fade
visst *adv* säkert certainly; ***ja ~!*** of course!
vistas *verb* stay
vistelse -n -r stay
visum -et = (visa) visa
visumtvång -et = visa requirement
vit *adj* white
vital *adj* vital
vitamin -et -er vitamin
vitaminbrist -en vitamin deficiency
vitkål -en cabbage
vitlök -en -ar garlic
vitlöksklyft|a -an -or clove of garlic
vitlökspress -en -ar garlic press
vitpeppar -n white pepper
vits -en -ar joke; ordlek pun
vitsig *adj* witty
vitsipp|a -an -or wood anemone
vitt *adv* widely; ***~ och brett*** far and wide
vittna *verb* testify; ***~ om ngt*** bildl. indicate sth.
vittne -t -n witness
vittnesbörd -et = evidence
vittnesmål -et = testimony
vittra *verb* crumble
vodka -n vodka
vokal -en -er vowel
volang -en -er flounce
volleyboll -en volleyball
1 volt -en = elektrisk spänning volt
2 volt -en -er i vissa sporter somersault; ***slå en ~*** do a somersault
volym -en -er volume
vrak -et = wreck
vrede -n anger
vredesmod, *i ~* in anger
vresig *adj* surly
vricka *verb* sprain; ***~ foten*** sprain one's ankle
vrickning -en -ar sprain
vrida *verb* turn; ***~ sig*** turn; ***~ om ngt*** twist sth.
vriden *adj* **1** snodd twisted **2** tokig crazy
vrist -en -er fotled ankle
vrå -n -r corner
vrål -et = roar
vråla *verb* roar
vräka *verb* **1** ***regnet vräker ner***

the rain is pouring down; ~ ***bort*** varor sell* off; ~ ***ur sig*** blurt out **2** avhysa evict
vulgär *adj* vulgar
vulkan -en -er vulcano
vuxen *adj* adult
vy -n -er view
vykort -et = postcard
våffl|a -an -or waffle
1 våg -en -ar för vägning scale; ***Vågen*** stjärntecken Libra
2 våg -en -or bölja o.d. wave
våga *verb* dare
vågad *adj* daring
våghalsig *adj* reckless
våglängd -en -er wavelength
vågrät *adj* horizontal
våld -et violence; ***med*** ~ by force
våldföra *verb*, ~ ***sig på ngn*** rape sb.
våldsam *adj* violent
våldta *verb* rape
våldtäkt -en -er rape
vålla *verb* cause; ~ ***ngn besvär*** cause sb. trouble
vålnad -en -er ghost
vånd|a -an -or agony
våndas *verb* be in agony
våning -en -ar **1** lägenhet flat **2** etage floor
1 vår *pron* our; ***den är*** ~ it is ours
2 vår -en -ar spring; ***i*** ~ this spring; ***i våras*** last spring; ***på våren*** in the spring
vård -en omvårdnad care
vårda *verb* take* care of
vårdad *adj* well-kept
vårdagjämning -en -ar vernal equinox
vårdare -n = keeper
vårdcentral -en -er medical centre
vårdhem -met = nursing home
vårdslös *adj* careless
vårdslöshet -en -er carelessness
vårflod -en -er spring flood
vårt *pron* our; ***det är*** ~ it's ours
vårt|a -an -or wart
vårtermin -en -er spring term
våt *adj* wet
våtservett -en -er wet wipe
väcka *verb* **1** göra vaken wake* **2** framkalla arouse; ~ ***uppmärksamhet*** attract attention
väckarklock|a -an -or alarm clock
väckning -en -ar ; ***beställa*** ~ book an alarm call
väd|er -ret = weather; ***det är vackert*** ~ the weather is fine
väderkvarn -en -ar windmill
väderlek -en weather

väderleksrapport -en -er weather report
väderprognos -en -er weather forecast
väderstreck -et = direction, point of the compass
vädja *verb* appeal; ***~ till ngn*** appeal to sb.
vädjan en ~, best. form = appeal
vädra *verb* **1** lufta air **2** få väderkorn på scent
Väduren best. form Aries
väg -en -ar anlagd road; sträcka way; ***ge sig i ~*** leave*; ***gå sin ~*** go* away; ***vart har plånboken tagit vägen?*** where on earth is my wallet?; ***vara på ~ att göra ngt*** be* on the point of doing sth.
väga *verb* weigh; ***~ upp ngt*** weigh out sth.
vägarbete -t -n road works
vägban|a -an -or roadway
vägg -en -ar wall
vägguttag -et = socket
vägkant -en -er roadside
vägkart|a -an -or road map
vägkorsning -en -ar crossroads
väglag -et state of the road; ***dåligt ~*** poor roads; ***halt ~*** icy roads
vägleda *verb* guide
vägledning -en -ar guidance
vägmärke -t -n road sign
vägnar, *å hans ~* on his behalf
vägra *verb* refuse
vägran en ~, best. form = refusal
vägren -en -ar verge
vägskäl -et = fork
vägsträcka -an -or distance
vägtrafikant -en -er road-user
vägvisare -n = **1** person guide **2** skylt signpost
väja *verb*, ***~ för ngt*** give* way to sth.
väl *adv* **1** bra well; ***det var ~ att inget har hänt henne*** it is a good thing she came to no harm **2** ***när han ~ har kommit ut*** once he is out **3** ***du kommer ~?*** you are coming, aren't you?
välartad *adj* well-behaved
välbefinnande -t well-being
välbehag -et pleasure
välbehållen *adj* om person safe and sound
välbehövlig *adj* badly needed
välbekant *adj* well-known
välbärgad *adj* well-to-do
väldig *adj* huge
välfärd -en welfare
välförsedd *adj* well-stocked
välförtjänt *adj* well-deserved

välgjord *adj* well-made
välgrundad *adj* well-founded
välgång -en success
välgärning -en -ar kind deed
välgörande *adj* barmhärtig charitable; hälsosam salutary
välgörenhet -en charity
välja *verb* choose*; genom röstning elect
väljare -n = voter
välklädd *adj* well-dressed
välkommen *adj* welcome; ***mycket ~ till...*** it's a pleasure to welcome you to...
välkänd *adj* well-known
välla *verb*, ***~ fram*** well out
välling -en -ar gruel
vällust -en voluptuousness
välmenande *adj* well-meaning
välment *adj* well-meant
välmående *adj* healthy
välsigna *verb* bless
välsignelse -n -r blessing
välskött *adj* well-managed
välsmakande *adj* tasty
välsorterad *adj* well-stocked
välstånd -et prosperity
välta *verb* overturn; ***~ omkull ngt*** overturn sth.
vältalig *adj* eloquent
välunderrättad *adj* well-informed
väluppfostrad *adj* well-bred
välvd *adj* arched
välvilja -n benevolence
välvillig *adj* benevolent
välväxt *adj* well-built
vän -nen -ner friend
vända *verb* turn; ***~ sig till ngn*** turn to sb.; ***~ sig om*** turn back; ***~ upp och ner på ngt*** turn sth. upside-down; ***~ ut och in på ngt*** turn sth. inside out
vändning -en -ar turn
vändpunkt -en -er turning-point
vändzon -en -er turning area
väninn|a -an -or girlfriend
vänja *verb* accustom; ***~ sig vid*** get* used to
vänlig *adj* kind; ***med ~ hälsning*** Yours sincerely
vänlighet -en -er kindness
vänort -en -er twin town
vänskap -en -er friendship
vänster *adj* o. *adv* left; ***till ~*** to the left; ***på ~ sida om...*** to the left...; ***vänstern*** politiskt the left
vänsterhänt *adj* left-handed
vänsterparti -et -er left-wing party
Vänsterpartiet the Swedish Left

vänsterprass|el -let an affair on the side
vänstertrafik -en left-hand traffic
vänta *verb* wait; **~ *på ngn*** wait for sb.; **~ *sig ngt*** expect sth.; **~ *med ngt*** put* off doing sth.
väntan en ~, best. form = waiting
väntetid -en -er wait
väntrum -met = waiting room
väntsal -en -ar waiting room
1 värd -en -ar host
2 värd *adj* worth; ***vara ~ mycket pengar*** be worth a lot of money
värde -t -n value; ***sätta ~ på ngt*** appreciate sth.
värdefull *adj* valuable
värdeförsändelse -n -r brev registered letter; paket registered parcel
värdehandling -en -ar valuable document
värdelös *adj* worthless
värdera *verb* beräkna etc. value; på uppdrag appraise
värdering -en -ar **1** beräkning etc. valuation; av hus, föremål appraisal **2** ***värderingar*** normer values
värdesak -en -er article of value
värdesätta *verb* appreciate
värdfolk -et = host and hostess
värdig *adj* dignified
värdinn|a -an -or hostess
värd|land -landet -länder host country
värdshus -et = inn
värj|a *verb*, **~ *sig mot ngt*** defend oneself against sth.
värk -en -ar ache
värka *verb* ache
värktablett -en -er painkiller
värld -en -ar world
världsberömd *adj* world-famous
världsdel -en -ar part of the world
världshav -et = ocean
världskart|a -an -or map of the world
världskrig -et = world war; ***andra världskriget*** the Second World War, WW II
världslig *adj* worldly
världsmästare -n = world champion
världsmästarinn|a -an -or world champion
världsmästerskap -et = world championship
världsrekord -et = world record
värma *verb* warm; **~ *upp*** inför

match o.d. warm up; *~ **upp ngt*** warm sth.
värme -n warmth; eldning heating
värmebölj|a -an -or heatwave
värmefilt -en -ar electric blanket
värmeflask|a -an -or hot-water bottle
värmeledning -en -ar central heating
värmepann|a -an -or boiler
värmeutslag -et = heat rash
värna *verb*, ***~ om ngt*** protect sth.
värnlös *adj* defenceless
värnplikt -en national service
värpa *verb* lay* eggs
värre *adj* o. *adv* worse
värst *adj* o. *adv* worst
värva *verb* recruit
väsa *verb* hiss
väsen -det **1** natur essence **2** pl. = varelse being **3** oväsen noise; ***göra mycket ~ av ngt*** make* a lot of fuss about sth.
väsentlig *adj* essential
väsk|a -an -or bag; resväska case
väsnas *verb* make* a noise; ***sluta ~!*** stop making that noise!
vässa *verb* sharpen
1 väst -en -ar plagg waistcoat
2 väst oböjl. the west; västvärlden the West
västanvind -en -ar west wind
väster I -n the west; ***i ~*** in the west; ***mot ~*** towards the west **II** *adv*, ***~ om…*** to the west of…
västerländsk *adj* western
västerlänning -en -ar Westerner
västerut *adv* westwards
Västeuropa Western Europe
västeuropé -n -er West European
västeuropeisk *adj* West European
Västindien the West Indies
västlig *adj* westerly
västra *adj* the west; ***~ Kina*** western China
väta I -n wet **II** *verb* wet
väte -t hydrogen
vätsk|a -an -or liquid
väv -en -ar fabric, cloth
väva *verb* weave
vävstol -en -ar loom
växa *verb* grow*; ***~ bort*** disappear; ***~ upp*** grow* up
väx|el -eln -lar **1** pengar change **2** på bil gear; ***lägga i ettans ~*** put* the car in first gear **3** för telefon switchboard
växelkontor -et = exchange office

växelkurs -en -er exchange rate
växellåd|a -an -or gear box
växelpengar pl. change
växelspak -en -ar gear lever
växelström -men alternating current (förk. *AC*)
växla *verb* change; ***kan ni ~ 100 kronor?*** can you change 100 crowns?
växlande *adj* varying, variable
växt -en -er planta plant
växthus -et = greenhouse
växthusgas -en -er greenhouse gas
vördnad -en respect

Ww

Wales Wales
walesare -n = Welshman
walesisk *adj* Welsh
walesisk|a -an **1** pl. -or kvinna Welshwoman **2** språk Welsh
watt -en = watt
wc wc-t wc-n WC
whisky -n whisky; irländsk whiskey
Wien Vienna
wienerbröd -et = Danish pastry
wienerschnitz|el -eln -lar Wiener schnitzel
wok -en wok
woka *verb* wok
wokpann|a -an, -or kok. wok

Yy

y y-et y-en y [utt. oaj]
yacht -en -er yacht
yla *verb* howl
ylle -t wool
ylletröj|a -an -or jersey
ylletyg -et -er woollen cloth
yng|el -let = fry; grodyngel tadpoles
yngling -en -ar youth
yngre *adj* younger; senare later
yngst *adj* youngest
ynklig *adj* miserable; ömklig pitiful
yoga -n yoga
yoghurt -en yoghurt
yr *adj* i huvudet dizzy
yra I -n vild framfart frenzy **II** *verb* **1** om febersjuk be delirious **2** om snö whirl; om damm swirl
yrka *verb*, ***~ på ngt*** demand; i parlament o.d. move
yrkande -t -n demand; i parlament o.d. motion
yrke -t -n lärt profession; hantverk trade; sysselsättning occupation
yrkesarbetare -n = skilled worker; kollektivt skilled labour
yrkeskvinn|a -an -or career woman
yrkes|man -mannen -män professional
yrsel -n svindel dizziness
yrvaken *adj* drowsy with sleep
yrväd|er -ret = snowstorm
yt|a -an -or surface; ***på ytan*** on the surface
ytlig *adj* superficial
ytterdörr -en -ar outer door
ytterkläder pl. outdoor clothes
ytterligare *adj* o. *adv* further
ytterlighet -en -er extreme
ytterområde -t -n periphery
ytterrock -en -ar overcoat
yttersid|a -an -or outer side
ytterst *adv* **1** längst ut farthest out **2** i högsta grad extremely
yttersta *adj* **1** längst bort belägen farthest; ***den ~ delen*** the extremity **2** störst, högst utmost; ***jag ska göra mitt ~*** I will do my utmost
yttertak -et = roof
yttra *verb* utter; ***~ sig om ngt*** comment on sth.
yttrande -t -n remark; utlåtande expert report
yttrandefrihet -en freedom of speech

yttre I *adj* external **II** oböjl. exterior; ***till det ~*** externally
yvig *adj* tät bushy; om gest sweeping
yx|a -an -or axe

Zz

z z-at z-an z [utt. zed]
zappa *verb* vard. zap
zigenare -n = gypsy
zink -en zinc
zon -en -er zone
zoo -t -n zoo
zoolog -en -er zoologist
zoologi -n zoology
zoologisk *adj* zoological
zooma *verb*, ***~ in ngt*** zoom in sth.
zucchini -n -er courgette

Åå

1 å å-et å-n bokstav the letter å, the letter a with a circle over it
2 å -n -ar vattendrag small river
3 å *interj* oh!
åberopa *verb*, ***~ ngt*** refer to sth.
åd|er -ern -ror vein
åderförkalkad *adj*, ***han börjar bli ~*** he is getting senile
ådr|a -an -or vein
åhörare -n = listener
åka *verb* go*; ***~ bil*** drive*, go* by car; ***~ skidor*** ski; ***~ tåg*** go* by train; ***~ bort*** go* away
åk|er -ern -rar field
åklagare -n = prosecutor
åkomm|a -an -or complaint
åksjuka -n travel sickness
åksjuketablett -en -er tablet against travel sickness
åktur -en -er drive
ål -en -ar eel
åla *verb*, ***~ sig*** crawl
åld|er -ern -rar age; ***vid 20 års ~*** at 20
ålderdom -en old age
ålderdomlig *adj* old-fashioned
ålderdomshem -met = old people's home
åldersgräns -en -er age limit
åldersskillnad -en -er difference in age
åldras *verb* age
åldring -en -ar man old man; kvinna old woman
åldringsvård -en geriatric care
åliggande -t -n duty
ålägga *verb*, ***~ ngn ngt*** impose sth. on sb.
ång|a I -an -or steam **II** *verb* steam
ångbåt -en -ar steamboat
ånger -n regret
ångerfull *adj* regretful, repentant
ångest -en anxiety
ångmaskin -en -er steam engine
ångpann|a -an -or boiler
ångra *verb* regret; ***~ sig*** regret it; ändra sig change one's mind
ångstrykjärn -et = steam iron
år -et = year; ***~ 1997*** in 1997; ***gott nytt ~!*** A Happy New Year!; ***i ~*** this year; ***han är tjugo ~*** he is twenty years old, he is twenty
år|a -an -or oar
åratal, ***i ~*** for years; ***på ~*** for years

årgång -en -ar **1** av tidskrift volume **2** av vin vintage
årgångsvin -et -er vintage wine
århundrade -t -n century
årlig *adj* annual
årsavgift -en -er annual charge; i förening annual dues
årsinkomst -en -er annual income
årskort -et = annual season ticket
årskurs -en -er form
årslön -en -er annual salary
årsmodell -en -er model
årsmöte -t -n annual meeting
årsskifte -t -n turn of the year
årstid -en -er season
årtal -et = date
årtionde -t -n decade
årtusende -t -n millennium
ås -en -ar ridge
åsidosätta *verb* disregard
åsikt -en -er view, opinion
ask|a I -an -or thunder **II** *verb* thunder
åskväd|er -ret = thunderstorm
åskådare -n = spectator
åskådlig *adj* clear
åsn|a -an -or donkey
åstadkomma *verb* få till stånd bring* about
åsyn -en sight; ***i ngns ~*** in front of sb.
åt *prep* **1** to; ***ge ngt åt ngn*** give* sth. to sb. **2** at; ***blinka åt ngn*** wink at sb.
åtagande -t -n undertaking
åtal -et = prosecution; ***väcka ~ mot ngn för ngt*** prosecute sb. for sth.
åtala *verb* prosecute; mer formellt indict
åtanke, ***ha ngt i ~*** bear sth. in mind
åter *adv* **1** tillbaka back **2** igen again
återanvändning -en re-use
återbesök -et = next visit
återbud -et = excuse; ***lämna ~*** cancel one's appointment
återbäring -en -ar refund
återfall -et = relapse; ***få ~*** have* a relapse
återfinna *verb* recover
återfå *verb*, ***~ ngt*** get* back sth.
återförena *verb* reunite
återförening -en -ar reunion
återge *verb* tolka render
återgå *verb* **1** återvända go back **2** upphävas be cancelled
återhållsam *adj* restrained
återkalla *verb* **1** ***~ ngn*** call sb. back **2** ställa in cancel
återkomma *verb* return
återkomst -en return
återlämna *verb* return

återse *verb*, **~ ngn** see* sb. again
återseende -t reunion; ***på ~!*** I'll be seeing you!
återstod -en -er rest
återstå *verb* remain
återställa *verb* restore
återställare -n = ; ***ta sig en ~*** have* a pick-me-up
återställd *adj*, ***bli ~*** recover
återta *verb* ta tillbaka take* back; återuppta resume
återuppliva *verb* revive
återuppringning -en -ar callback
återupprätta *verb* re-establish
återuppta *verb* resume
återvinna *verb* **1** win* back **2** ur avfall o.d. recycle
återvinningsbar *adj* recyclable
återvända *verb* return
återvändo, ***det finns ingen ~*** there is no turning back
återvändsgat|a -an -or dead end street
åtfölja *verb* accompany
åtgång -en consumption
åtgärd -en -er measure
åtgärda *verb* attend to
åtkomlig *adj* within reach
åtlöje -t ridicule; ***göra sig till ~*** make* a fool of oneself
åtminstone *adv* at least
åtnjuta *verb* enjoy
åtnjutande -t enjoyment
åtrå I -n desire **II** *verb* desire
åtråvärd *adj* desirable
åtsittande *adj* tight-fitting
åtskilliga *adj* several
åtskilligt *adv* a good deal
åtstramning -en -ar politisk belt-tightening, measures; ekonomisk credit squeeze
ått|a I *räkn* eight **II** -an -or eight; för sammansättningar med åtta jfr *fem* med sammansättningar
åttio *räkn* eighty
åttionde *räkn* eightieth
åttonde *räkn* eighth
åttondel -en -ar eighth
åverkan en ~, best. form = damage

Ää

ä ä-et ä-n the letter a with two dots
äcklig *adj* disgusting
ädel *adj* noble
ädelost -en -ar blue cheese
ädelsten -en -ar precious stone
äga *verb* **1** possess **2** ***~ rum*** take* place
ägare -n = owner
ägg -et = egg; ***hårdkokt ~*** hard-boiled egg; ***löskokt ~*** soft-boiled egg
äggkopp -en -ar egg cup
äggledare -n = Fallopian tube
äggröra -n scrambled eggs
äggstock -en -ar ovary
äggul|a -an -or yolk
äggvit|a -an -or egg white
ägna *verb* devote; ***~ sig åt ngt*** devote oneself to sth.
ägo oböjl. ; ***vara i ngns ~*** be in sb.'s possession
ägodelar pl. property
äkta *adj* genuine; ***~ par*** married couple
äktenskap -et = marriage
äkthet -en genuineness
äldre *adj* older
äldst *adj* oldest
älg -en -ar elk; nordamerikansk moose
älska *verb* love; ***~ med ngn*** make* love to sb.
älskad *adj* beloved
älskare -n = lover
älskarinn|a -an -or mistress
älskling -en -ar darling
älsklingsrätt -en -er favourite dish
älskvärd *adj* kind
älv -en -ar river
älv|a -an -or fairy
ämbete -t -n office
ämna *verb* intend; ***~ göra ngt*** intend to do sth.
ämne -t -n **1** material **2** i skola subject
ämneslärare -n = subject teacher
ämneslärarinn|a -an -or subject teacher
ämnesomsättning -en metabolism
än I *adv* **1** se *ännu* **2** ***hur jag ~ gör*** whatever I do; ***vad som ~ händer*** whatever happens **II** *prep* o. *konj* than; ***äldre ~*** older than; ***mer ~*** more than
änd|a I -an **1** pl. -ar end **2** pl. -or vard., bakdel behind **II** *verb* end **III** *adv*, ***~ från början*** from the very beginning; ***~ sedan dess*** ever since then

ändamål -et = purpose
ändamålsenlig *adj* suitable
änd|e -en -ar end
ändelse -n -r ending
ändhållplats -en -er terminus, vard. last stop
ändra *verb* change; ***~ på*** change; ***~ sig*** förändras change; ändra beslut change one's mind
ändring -en -ar change
ändå *adv* **1** likväl yet **2** ***~ bättre*** even better
äng -en -ar meadow
äng|el -eln -lar angel
ängslas *verb* worry
ängslig *adj* anxious
änk|a -an -or widow
änkling -en -ar widower
ännu *adv* **1** om ngt ej inträffat yet; fortfarande still; ***jag har ~ inte sett filmen*** I haven't seen the film yet **2** ytterligare more; ***~ en gång*** once more **3** ***~ större*** even larger
äntligen *adv* at last
äppelmos -et apple sauce
äppelpaj -en -er apple pie
äppelträd -et = apple tree
äpple -t -n apple
ära -n honour; ***har den ~ på födelsedagen!*** happy birthday!; ***till ngns ~*** in sb.'s honour
ärende -t -n **1** errand; ***ha ett ~ till stan*** have* some business in town **2** fråga matter
ärftlig *adj* hereditary
ärg -en verdigris
ärkebiskop -en -ar archbishop
ärlig *adj* honest
ärlighet -en honesty; ***i ärlighetens namn*** to be honest
ärm -en -ar sleeve
ärr -et = scar; ***ett fult ~*** an ugly scar
ärt|a -an -or pea
ärtsoppa -n pea soup
ärva *verb* inherit
äss -et = ace
äta *verb* eat*; ***~ frukost (lunch, middag)*** have* breakfast (lunch, dinner); ***~ ute*** eat* out
ätlig *adj* edible
ätt -en -er family
ättika -n vinegar
ättiksgurk|a -an -or pickled gherkin
ättling -en -ar descendant
även *adv* also
äventyr -et = adventure
äventyrare -n = adventurer
äventyrlig *adj* adventurous

Öö

1 ö ö-et ö-n bokstav the letter o with two dots
2 ö -n -ar island
1 öde -t -n fate
2 öde *adj* deserted; ***~ ö*** desert island
ödelägga *verb* devastate
ödemark -en -er wilderness
ödesdiger *adj* fateful
ödl|a -an -or lizard
ödmjuk *adj* humble
ödmjukhet -en humility
ödslig *adj* deserted
ög|a -at -on eye
ögl|a -an -or loop
ögna *verb*, ***~ igenom ngt*** glance through sth.
ögonblick -et = moment; ***ett ~!*** one moment, please!
ögonbryn -et = eyebrow
ögondroppar pl. eye drops
ögonfrans -en -ar eyelash
ögonkast -et = glance
ögonlock -et = eyelid
ögonläkare -n = eye specialist
ögonskugga -n eyeshadow
ögontjänare -n = timeserver
ögonvatt|en -net eye lotion
ögonvittne -t -n eyewitness
ögonvrå -n -r corner of one's eye
ögrupp -en -er group of islands
öka *verb* increase
ök|en -nen -nar desert
öknamn -et = nickname
ökning -en -ar increase
ökänd *adj* notorious
öl -et (-en) = beer
ölflask|a -an -or tom beer bottle; full bottle of beer
ölglas -et = beer glass
öm *adj* tender
ömhet -en tenderness
ömma *verb* feel* tender
ömse *adj*, ***på ~ sidor*** on both sides
ömsesidig *adj* mutual
ömtålig *adj* som lätt tar skada easily damaged; känslig sensitive
önska *verb* wish; ***vad önskar hon sig i present?*** what would she like to have as a present?
önsk|an en ~, pl. -ningar wish
önskemål -et = wish
önskvärd *adj* desirable
öppen *adj* open; ***på öppet köp*** on approval
öppenhet -en openness
öppethållande -t opening hours
öppettider pl. opening hours
öppna *verb* open; ***affärerna***

öppnar klockan 9 the shops open at 9 o'clock
öppning -en -ar opening
ör|a -at -on **1** hörselorgan ear **2** handtag handle
öre -t -n (=) öre
Öresund the Sound
örfil -en -ar box on the ear
örhänge -t -n earring
örn -en -ar eagle
örngott -et = pillow case
öroninflammation -en -er inflammation of the ears
öronläkare -n = ear specialist
öronpropp -en -ar **1** vaxpropp plug of wax **2** skyddspropp earplug
öronvärk -en earache
örsprång -et earache
ört -en -er herb
örtte -et -er herbal tea
ösa *verb* scoop; ***det öser ner*** it's pouring down
ösregna *verb* pour
öst oböjl. the east
östanvind -en -ar east wind
öster I -n the east; ***i ~*** in the east; ***mot ~*** to the east **II** *adv* east
österrikare -n = Austrian
Österrike Austria
österrikisk *adj* Austrian
österrikisk|a -an -or Austrian woman
Östersjön the Baltic
österut *adv* eastwards
Östeuropa Eastern Europe
östeuropeisk *adj* East European
östlig *adj* easterly
östra *adj* the east; ***~ Tibet*** eastern Tibet
öva *verb* train; ***~ sig i ngt*** practise sth.
över I *prep* **1** i rumsbetydelse over; ***ha tak ~ huvudet*** have* a roof over one's head **2** högre än above; ***~ havsytan*** above sea level **3** ***en karta ~ London*** a map of London **4** mer än over **5** angående about, at; ***vara ledsen ~ ngt*** be* sorry about sth.; ***vara förvånad ~ ngt*** be* surprised at sth. **II** *adv* over
överallt *adv* everywhere
överanstränga *verb* overexert; ***~ sig*** overexert oneself
överansträngd *adj* om muskel overstrained; utarbetad overworked
överansträngning -en overexertion
överbefolkning -en overpopulation
överbevisa *verb* convict
överblick -en -ar survey
överblicka *verb* survey

överbliven *adj* remaining; **~ *mat*** rester leftovers
överbokning -en -ar overbooking
överdel -en -ar top
överdos -en -er overdose, vard. OD
överdrift -en -er exaggeration; ***gå till* ~** go too far
överdriva *verb* exaggerate
överens *adv*, ***komma bra ~ med ngn*** get* on well with sb.; ***komma ~ med ngn om ngt*** agree with sb. on sth.
överenskommelse -n -r agreement; ***enligt* ~** as agreed
överensstämma *verb* agree
överensstämmelse -n -r agreement
överfalla *verb* assault
överflöd -et abundance
överflödig *adj* superfluous
överfull *adj* overfull
överföra *verb* t.ex. pengar transfer
överföring -en -ar av t.ex. pengar transfer
överge *verb* abandon
övergiven *adj* abandoned
övergrepp -et = wrong, injustice; **~ *mot barn*** child abuse
övergående *adj* passing
övergång -en -ar **1** bildl. transition **2** vid järnväg o.d. el. för fotgängare crossing
övergångsställe -t -n crossing
överhand, ***få överhanden*** get* the upper hand
överhuvud -et = head
överhuvudtaget *adv* on the whole; ***om han ~ kommer*** if he comes at all
överhängande *adj* urgent; fara imminent
överinseende -t supervision
överkast -et = bedspread
överklaga *verb* appeal
överklass -en -er upper class
överkomlig *adj* om hinder o.d. surmountable; om pris o.d. reasonable
överkropp -en -ar upper part of the body
överkäk|e -en -ar upper jaw
överkänslig *adj* hypersensitive
överkörd *adj*, ***bli* ~** be* run over
överleva *verb* survive
överlevande en ~, pl. = survivor
överlista *verb* outwit
överlåta *verb* **1** överföra transfer **2 *~ ngt åt ngn*** leave* sth. in sb.'s hands
överläge -t advantage

överlägga *verb* confer, discuss
överläggning -en -ar discussion
överlägsen *adj* superior
överläkare -n = chief physician
överlämna *verb* deliver
överläpp -en -ar upper lip
över|man -mannen -män superior; ***finna sin ~*** meet* one's match
övermogen *adj* overripe
övermorgon, ***i ~*** the day after tomorrow
övermänsklig *adj* superhuman
övernatta *verb* stay overnight
övernaturlig *adj* supernatural
överordnad I en ~, pl. -e superior **II** *adj* superior
överraska *verb* surprise
överraskning -en -ar surprise
överres|a -an -or crossing
överrock -en -ar overcoat
överrumpla *verb* surprise
överräcka *verb* hand over
överrösta *verb*, ***musiken överröstade henne*** the music drowned her voice
överse *verb*, ***~ med ngt*** overlook sth.
överseende I -t indulgence **II** *adj* indulgent
översid|a -an -or top side
översikt -en -er survey
överskatta *verb* overrate
överskott -et = surplus
överskrida *verb* t.ex. gräns cross; ***~ sina befogenheter*** exceed one's authority
överskrift -en -er heading
överskådlig *adj* clear
överslag -et = estimate
överspänd *adj* overexcited
överst *adv* uppermost
överst|e -en -ar colonel
överstiga *verb* exceed
överstånden *adj*, ***vara ~*** be over
översvallande *adj* exuberant
översvämma *verb* flood
översvämning -en -ar flood
översyn -en -er overhaul
översätta *verb* translate
översättare -n = translator
översättning -en -ar translation
överta *verb* take* over
övertag -et = advantage; ***få övertaget över ngn*** get* the upper hand of sb.
övertala *verb* persuade
övertalning -en -ar persuasion
övertid -en overtime; ***arbeta ~*** work overtime
överträda *verb* transgress
överträdelse -n -r

transgression; kränkning violation

överträffa *verb* surpass; ***~ ngn i ngt*** be better than sb. in sth.

övertyga *verb*, ***~ ngn om ngt*** convince sb. of sth.

övertygande *adj* convincing

övertygelse -n -r conviction

övervakare -n = probation officer

övervakning -en supervision

övervakningskamer|a -an -or surveillance camera; system med övervakningskameror CCTV (förk. för *closed-circuit TV*)

övervikt -en overweight; ***betala för ~*** pay* for excess luggage

övervinna *verb* overcome*

övervintra *verb* winter

överväga *verb* betänka consider

1 övervägande -t -n consideration; ***ta ngt under ~*** take* sth. into consideration

2 övervägande I *adj* predominant **II** *adv* huvudsakligen mainly

överväldigad *adj* overwhelmed

överväldigande *adj* overwhelming

övervärdera *verb* overestimate

övning -en -ar **1** träning training **2** uppgift exercise

övningsbil -en -ar learner car

övre *adj* upper

övrig *adj* återstående remaining; ***det övriga*** the rest; ***de övriga*** the others; ***för övrigt*** by the way

Engelsk minigrammatik
Swedish Grammar in Brief
Swedish Pronunciation

Engelsk minigrammatik

Substantiv

Den obestämda artikeln är **a** framför ord som börjar på en konsonant, och **an** framför ord som börjar på en vokal. Den bestämda artikeln är i bägge fallen **the**.

a car – the car
an eye – the eye

Plural av de flesta engelska substantiven bildas genom att man lägger till -s på slutet av ordet:

car*s*
eye*s*

Adjektiv

De engelska adjektiven är oböjliga:

a **blue** car
the **blue** car
blue cars

Verb

Engelskans regelbundna verb böjs enligt följande mönster:

Infinitiv

walk

Presens

I walk
you walk
he/she/it walks
we walk
you walk
they walk

Imperfekt

walked (i alla personer)

Perfekt

I have walked
you have walked
he/she/it has walked
we have walked
you have walked
they have walked

I engelska språket finns också ett antal oregelbundna verb. Här nedan följer en uppställning över temaformer till de vanligaste. I ordboken är verben i denna lista markerade med en asterisk *.

Infinitiv	*Presens*	*Imperfekt*	*Perfekt particip*
be	I am, you are he/she/it is we/they are	was	been
become		became	become
begin		began	begun
bite		bit	bitten
break		broke	broken
bring		brought	brought
build		built	built
burn		burnt	burnt
buy		bought	bought
catch		caught	caught
choose		chose	chosen
come		came	come
cost		cost	cost
cut		cut	cut
do	he/she/it does	did	done
draw		drew	drawn
dream		dreamt, dreamed	dreamt, dreamed

Infinitiv	*Presens*	*Imperfekt*	*Perfekt particip*
drink		drank	drunk
drive		drove	driven
eat		ate	eaten
fall		fell	fallen
feel		felt	felt
find		found	found
fly		flew	flown
forget		forgot	forgotten
forgive		forgave	forgiven
get		got	got, gotten
give		gave	given
go		went	gone
grow		grew	grown
have		had	had
hear		heard	heard
hit		hit	hit
hold		held	held
keep		kept	kept
know		knew	known
lay		laid	laid
leave		left	left
lend		lent	lent
let		let	let
lie		lay	lain

Infinitiv	*Presens*	*Imperfekt*	*Perfekt particip*
lose		lost	lost
make		made	made
mean		meant	meant
meet		met	met
pay		paid	paid
put		put	put
read		read	read
run		ran	run
say		said	said
see		saw	seen
sell		sold	sold
send		sent	sent
show		showed	shown
shrink		shrank	shrunk
sing		sang	sung
sit		sat	sat
sleep		slept	slept
speak		spoke	spoken
spend		spent	spent
stand		stood	stood
steal		stole	stolen
take		took	taken
tell		told	told
think		thought	thought

Infinitiv	*Imperfekt*	*Perfekt particip*
throw	threw	thrown
wake	woke	woken
wear	wore	worn
win	won	won
write	wrote	written

Adverb

Adverb bildas vanligen genom att ändelsen -ly läggs till adjektivet:

normal*ly*

Personliga pronomen

som subjekt		*som objekt*	
I	jag	me	mig
you	du	you	dig
he	han	him	honom
she	hon	her	henne
it	den/det	it	den/det
we	vi	us	oss
you	ni	you	er
they	de	them	dem

Possessiva pronomen

my book	min bok
your book	din bok
his book	hans bok
her book	hennes bok
our book	vår bok
your book	er bok
their book	deras bok

Swedish Grammar in Brief

Nouns

As a help to non-Swedish users, inflections of Swedish nouns are given in the Swedish-English part. In English the definite form is a separate word – *the* – but in Swedish it is a word ending.

Swedish has two genders: non-neuter and neuter:
* Non-neuter words end in **-n** in the definite form and take the indefinite article **en.**

Example: **väg / vägen / en väg**
(road / the road / a road)

* Neuter words end in **-t** in the definite form and take the indefinite article **ett.**

Example: **bord / bordet / ett bord**
(table / the table / a table)

Inflections

The first inflected form given is the definite form singular, and the second is the indefinite form plural (if the word can occur in the plural):

dörr -en -ar
(door / the door / doors)

Some words have no ending in the definite form singular. In such cases only the indefinite form is given:

början en ~, best. form =

If only one form is given, this means that the word does not exist in the plural:

bly -et

In some cases, the first ending is followed by a numeral. This indicates that only one or some of the senses can occur in the plural, or that different senses have different plural forms. In these cases the respective plural forms are shown after the numeral:

amerikansk|a -an **1** pl. -or... **2**...

Variant singular or plural forms are shown in round brackets:

1 test -et (-en) = (-er)

The sign = indicates that the indefinite form singular and plural are the same:

besök -et =

Some headwords are given in the plural, and are marked *pl.* This means that the word usually occcurs in the plural:

antibiotika pl.

A small number of nouns are indeclinable. They are marked *oböjl.*:

april oböjl.

Adjectives

The inflection of a Swedish adjective always follows the noun it qualifies. There are the following forms:

- *no ending* in the non-neuter: **en stor båt / båten är stor** *(a big boat / the boat is big)*
- ends in **-t** in the neuter: **ett stort hus / huset är stort** *(a big house / the house is big)*
- ends in **-a** in the plural: **stora båtar / stora hus / båtarna är stora / husen är stora** *(big boats / big houses / the boats are big / the houses are big)*
- after the definite article *den/det/de* all adjectives end in *-a*: **den stora båten / det stora huset / de stora båtarna / de stora husen** *(the big boat / the big house / the big boats / the big houses)*

Some common adjectives with irregular comparison

bra, bättre, bäst *(good, better, best)*
dålig, sämre, sämst *(bad, worse, worst)*
gammal, äldre, äldst *(old, older, oldest)*
liten, mindre, minst *(small, smaller, smallest)*
många, fler, flest *(many, more, most)*
stor, större, störst *(big, bigger, biggest)*

Pronouns

Singular	jag *I*	mig *me*
	du *you*	dig *you*
	han *he* hon *she* den/det *it*	honom *him* henne *her* den/det *it*
Plural	vi *we*	oss *us*
	ni *you*	er *you*
	de *they*	dem *them*

min, pl. mina	*my (mine)*
din, pl. dina	*your (yours)*
hans, sin, pl. sina hennes, sin, pl. sina sin, pl. sina	*his* *her (hers)* *its*
vår, pl. våra	*our (ours)*
er, pl. era	*your (yours)*
deras, sin, pl. sina	*their (theirs)*

Verbs

Swedish verbs have the same ending in the 1st, 2nd and 3rd person.

Examples in the present tense:

jag simmar, du simmar, han/hon/den/det simmar, vi simmar, ni simmar, de simmar

(Compare English: I swim, you swim, he/she/it swims, we swim, you swim, they swim)

Some common irregular verbs

Infinitive	*Present tense*	*Past tense*	*Perfect*
be	ber	bad	har bett
binda	binder	band	har bundit
bita	biter	bet	har bitit
bjuda	bjuder	bjöd	har bjudit
brinna	brinner	brann	har brunnit
bryta	bryter	bröt	har brutit
bära	bär	bar	har burit
dra	drar	drog	har dragit
dricka	dricker	drack	har druckit
driva	driver	drev	har drivit
dö	dör	dog	har dött
falla	faller	föll	har fallit

Infinitive	*Present tense*	*Past tense*	*Perfect*
finna	finner	fann	har funnit
flyga	flyger	flög	har flugit
flyta	flyter	flöt	har flutit
frysa	fryser	frös	har frusit
försvinna	försvinner	försvann	har försvunnit
ge	ger	gav	har gett
glädja	gläder	gladde	har glatt
gripa	griper	grep	har gripit
gråta	gråter	grät	har gråtit
gå	går	gick	har gått
göra	gör	gjorde	har gjort
heta	heter	hette	har hetat
hugga	hugger	högg	har huggit
hålla	håller	höll	har hållit
kliva	kliver	klev	har klivit
knyta	knyter	knöt	har knutit
komma	kommer	kom	har kommit
le	ler	log	har lett
lida	lider	led	har lidit
ligga	ligger	låg	har legat
ljuga	ljuger	ljög	har ljugit
låta	låter	lät	har låtit
lägga	lägger	lade	har lagt
njuta	njuter	njöt	har njutit

Infinitive	*Present tense*	*Past tense*	*Perfect*
nysa	nyser	nös	har nyst
rida	rider	red	har ridit
riva	river	rev	har rivit
se	ser	såg	har sett
sitta	sitter	satt	har suttit
sjunga	sjunger	sjöng	har sjungit
sjunka	sjunker	sjönk	har sjunkit
skilja	skiljer	skilde	har skilt
skina	skiner	sken	har skinit
skjuta	skjuter	sköt	har skjutit
skrika	skriker	skrek	har skrikit
skriva	skriver	skrev	har skrivit
skära	skär	skar	har skurit
slita	sliter	slet	har slitit
slå	slår	slog	har slagit
snyta	snyter	snöt	har snutit
sova	sover	sov	har sovit
spricka	spricker	sprack	har spruckit
sprida	sprider	spred/ spridde	har spridit/spritt
springa	springer	sprang	har sprungit
stiga	stiger	steg	har stigit
stjäla	stjäl	stal	har stulit
stryka	stryker	strök	har strukit

Infinitive	*Present tense*	*Past tense*	*Perfect*
stå	står	stod	har stått
säga	säger	sa/sade	har sagt
sälja	säljer	sålde	har sålt
sätta	sätter	satte	har satt
ta	tar	tog	har tagit
tiga	tiger	teg	har tigit
veta	vet	visste	har vetat
vika	viker	vek	har vikit
vinna	vinner	vann	har vunnit
välja	väljer	valde	har valt
vänja	vänjer	vande	har vant
växa	växer	växte	har vuxit/växt
äta	äter	åt	har ätit

Swedish Pronunciation

The Swedish alphabet

The Swedish alphabet has 28 letters. The last three, *å, ä* and *ö*, are special for Swedish. The letter *w* (called "double v" in Swedish) is treated as a variant of *v*, mostly used in names. Similarly the letter *q* corresponds in most cases with *k* (*qu* = *kv*) and is only found in names or foreign words.

Pronunciation

Vowels

The nine Swedish vowels *a, e, i, o, u, y, å, ä, ö* may be pronounced long or short. A vowel is long when it is stressed and is followed by one consonant only, or no consonants. A vowel is short when followed by two or more consonants or when it is unstressed. For some vowels – see below – the difference between the long and short pronunciation changes the character of the sound, while others have more or less the same sound quality, whether pronounced long or short. There are no diphthongs in standard Swedish.

Swedish letter	*Example*	*Pronounced like*
a (short)	*hatt*	cut, but more open
a (long)	*hat*	father
e (short)	*penna*	bed
e (long)	*ben*	French thé
i (short)	*vinna*	bid, but longer
i (long)	*vin*	teen
o (short)	*bonde*	put
o (long)	*ros*	moon

Note that in some words **o** is pronounced like the letter **å** (see below).

Swedish letter	*Example*	*Pronounced like*
u (short)	*hund*	French lui
u (long)	*hus*	brew, but with rounded lips
y (short)	*nytt*	French tu
y (long)	*ny*	see, but with rounded lips
å (short)	*rått*	hot
å (long)	*rå*	raw, but shorter
ä (short)	*sätt*	bed
ä (long)	*säte*	men, but longer
ö (short)	*rött*	French peu, but short
ö (long)	*röd*	French peu, but long

Consonants and consonant combinations

Many of the Swedish consonants are pronounced more or less the same as in English: **b, c, d, f, h, l, m, n, p, q, t, v, x.**

ch is pronounced **sh** (*charm*)

g is pronounced **g** before *a, o, u, å* (*gata, god, gud, gå*), and **y** before *e, i, y, ä, ö* and in words ending in *lg, rg* (*ge, gift, gylf, göra, älg, arg*)

gn is pronounced with a **g** (*gnaga*); after a vowel it is pronounced **ngn** (*ugn*)

dj, gj, hj, j are pronounced **y** (*djup, gjort, hjul, jul*)

k is pronounced **k** before *a, o, u, å* (*kan, ko, kul, kår*), and **sh** before *e, i, y, ä, ö* (*kemi, kilo, kyrka, kär, köpa*)

kj is pronounced **ch** like in **check** but without the t sound (*kjol, tjugo*)

kn is pronounced with a **k** (*knä*)

lj is pronounced **y** (*ljus*)

r is pronounced like a Scottish **r** (*röd*)

rs at the end of words is pronounced **sh** (*fors*)

s, z are always pronounced as in so, never as in rose

sj is pronounced **sh** (*sju*)

sk is pronounced **sk** before *a, o, u, å* (*ska, sko, skum, skåda*), and **sh** before *e, i, y, ä, ö* (*ske, skida, skydda, skära, skön*)

skj, stj are pronounced **sh** (*skjuta, stjärna*)

sch is pronounced **sh** (*dusch*)

si and **ti** in the endings *-sion, -tion* are pronounced **sh** (*diskussion, station*), or sometimes **tsh** (*nation*)

tj is pronounced **sh** (*tjugo*)

Engelsk reseparlör

Artighetsfraser m.m.

Adjö!
Good-bye!
Får jag presentera ...
I'd like you to meet ...
God afton!
Good evening!
God dag!
se God morgon (middag, afton)
God middag!
Good afternoon!
God morgon!
Good morning!
God natt!
Good night!
Hej!
Hello!
Hej då!
Bye-bye!
Hör av er (dig)!
Stay in touch!
Kör försiktigt!
Drive carefully!
Lycka till!
Good luck!
Trevlig resa!
Have a nice trip!
Trevligt att träffas!
Nice meeting you!
På återseende!
I'll be seeing you!
Vad heter ni (du)? Jag heter ...
What's your name?
My name's ...
Vi ses i morgon (nästa vecka, etc.)!
See you tomorrow (next week, etc.)!
Välkomna (Välkommen)!
Welcome!

Vanliga ord och fraser

När man ber om något tilläggs först eller sist: please
Det finns ...
There's ...
Det gör ingenting!
Never mind!
Ett ögonblick.
One moment.
Får jag komma in?
May I come in?
Förlåt!
Sorry!
Förlåt, jag hörde inte?
Sorry, I didn't catch that.
Förlåt, kan jag få komma förbi?
Excuse me, can I get through?
Förlåt, var ligger ...?
Excuse me, where is ...?
Gärna.:
ja tack, gärna
yes, please!
det gör jag gärna
I'd love to!
det vill jag gärna
with pleasure!
Hjälp!
Help!

Hjälp mig att ...
Can you help me ...
Hur?
How?
Hur dags?
At what time?
Hur mycket?
How much?
Hur mycket kostar det?
How much is it?
Hur mår ni (du)?
How are you?
Hur sa?
I beg your pardon?
Ingen orsak!
Not at all!
Inte alls.
Not at all.
Ja.
Yes.
Ja tack.
Yes, please.
Jag behöver ...
I need ...
Jag fryser.
I'm cold.
Jag förstår.
I understand.
Jag förstår inte.
I don't understand.
Jag är hungrig (trött, törstig).
I'm hungry (tired, thirsty).
Jag skulle vilja ha ...
I'd like ...
Jaså.
Oh!
Javisst.
Certainly.
Kan jag få ...
Could I have ...
Kan ni (du) säga mig ...?
Could you tell me ...?
Kan ni (du) visa mig ...?
Can you show me ...?
Kom in!
Come in!
Lite.
A little.
Med nöje.
With pleasure.
Nej.
No.
Nej tack.
No, thank you.
När?
When?
Skål!
Cheers!
Smaklig måltid!
Enjoy your meal!
Stör jag?
Am I disturbing you?
Tack.
Thank you!
Tack, detsamma!
You, too!
Tack för hjälpen!
Thanks for the help!
Tack så mycket!
Thank you very much!
Tusen tack!
Thanks so very much!

Tyvärr, ...
I'm sorry but ...
Ursäkta!
Excuse me!
Vad sa du?
What did you say?
Var?
Where?
Var finns (ligger) ...?
Where's ...?
Var ligger närmaste post (bank)?
Where's the nearest post office (bank)?
Var så god
när man överräcker något:
Here you are!
då man bjuder:
Help yourself!
vid artig uppmaning:
Would you please ...
vid tillåtelse:
Certainly!
Varför?
Why?

Övriga uttryck (skyltar o.d.)

höger – vänster
right – left
till höger – till vänster
to the right – to the left
damer – herrar
ladies – gentlemen
ingång – utgång
entrance – exit
kallt – varmt
cold – hot
ledigt – upptaget
free – occupied
rökning förbjuden
no smoking
rökning tillåten
smoking allowed
stängt – öppet
closed – open
toalett
damtoalett
ladies'
herrtoalett
men's

Språk och nationalitet

Varifrån är ni (du)?
Where do you come from?
Jag är från Sverige.
I'm from Sweden.
Jag är svensk (svenska).
I'm Swedish.
Talar ni (du) engelska?
Do you speak English?
Jag pratar inte så bra engelska, men jag förstår lite.
I don't speak much English, but I understand a little.
Jag förstår inte vad ni (du) säger.
I don't understand you.

Finns det någon här som talar engelska?
Is there anyone here who speaks English?
Jag talar inte engelska.
I don't speak English.
Jag talar bara lite engelska.
I only speak a little English.
Jag talar inte engelska så bra.
I don't speak English very well.
Kan ni (du) tala lite långsammare?
Could you speak more slowly, please?
Var snäll och säg om det!
Would you repeat that, please?
Vad betyder det här?
What does this mean?
Vad heter det på engelska?
What is it called in English?
Hur stavas det?
How do you spell it?
Kan ni (du) bokstavera det?
Could you spell it, please?
Vad sa ni (du)?
What did you say?
Kan ni (du) översätta det här till engelska?
Could you translate this into English?

Klockan

Hur mycket är klockan?
What time is it?
Vi ses klockan två.
I'll see you at two o'clock.
Klockan är ...
It's ...
två
two o'clock
fem över två
five past two
tio över två
ten past two
kvart över två
a quarter past two
tjugo över två
twenty past two
fem i halv tre
twenty-five past two
halv tre
two thirty
fem över halv tre
twenty-five to three
tjugo i tre
twenty to three
kvart i tre
a quarter to three
tio i tre
ten to three
fem i tre
five to three

Räkneord

1 one	**16** sixteen
2 two	**17** seventeen
3 three	**18** eighteen
4 four	**19** nineteen
5 five	**20** twenty
6 six	**30** thirty
7 seven	**40** forty
8 eight	**50** fifty
9 nine	**60** sixty
10 ten	**70** seventy
11 eleven	**80** eighty
12 twelve	**90** ninety
13 thirteen	**100** a hundred
14 fourteen	**1000** a thousand
15 fifteen	

Vid gränsen

Kan jag få se på ert pass?
May I have your passport?
Hur länge har ni tänkt stanna?
How long are you planning to stay?
Vill ni vara snäll och fylla i den här blanketten.
Fill in this form, please.
Har ni något att förtulla?
Do you have anything to declare?
Jag har inget att förtulla.
I have nothing to declare.
Var snäll och öppna den här resväskan.
Open this suitcase, please.
Alltsammans är saker för eget bruk.
This is all for personal use.
Har ni cigaretter eller sprit?
Do you have cigarettes or spirits?
Var finns växelkontoret?
Where is the currency exchange?

På resa

Var ligger närmaste resebyrå?
Where is the nearest travel agency?
Var ligger Svenska ambassaden (konsulatet)?
Where is the Swedish embassy (consulate)?

Hur lång tid tar resan?
How long does the trip take?
Hur dags är vi i ...?
When do we arrive in ...?
Kan jag få en tidtabell?
Can I have a timetable?
Jag skulle vilja avbeställa den här biljetten.
I'd like to cancel this ticket.
När går bussen (båten, flyget, tåget) till ...?
When does the bus (boat, flight, train) for ... leave?

Lokala transportmedel m.m.

Med vilken buss kommer jag till ...?
I want to go to ... Which bus should I take?
Måste man byta?
Do I (we) have to change buses (trains)?
Var är närmaste busshållplats (tunnelbanestation)?
Where is the nearest bus stop (underground station)?
Jag ska till ...
I'm going to ...
Kan ni säga till var jag ska stiga av?
Can you tell me which stop to get off at?
Rakt fram och sedan till vänster (höger).
Straight ahead and then to the left (right).
Kan ni ringa efter en taxi, tack.
Would you call a taxi, please?
Var snäll och kör till flygplatsen.
The airport, please.

Tågresa, bussresa

Var köper man biljetter?
Where can I (we) buy a ticket?
Hur mycket kostar en biljett till ...?
How much is a ticket to ...?
En enkel (tur och retur) andra klass till ...
A one-way (return) second class to ..., please.
Jag skulle vilja ha en platsbiljett (liggplatsbiljett sovplatsbiljett) till ...
I'd like a seat reservation (couchette, sleeping-berth ticket to ...
När går tåget (bussen) till ...?
When does the train (bus) for ... leave?
Måste man byta?
Do I (we) have to change trains (buses)?
Vilken tid är vi framme?
When will we arrive in ...?
Från vilket spår?
From which track?
Är tåget försenat?
Is the train late?

Tåget till ... går från spår 10.
The train to ... departs from track 10.
Är det här tåget (bussen) till ...?
Is this the train (bus) to ...?
Är den här platsen ledig?
Is this seat taken?
Ja, den är ledig.
No, it's free.
Nej, den är upptagen.
Yes, it's taken.
Ursäkta, jag har platsbiljett till den här platsen.
Excuse me, I have a reservation for this seat.
Biljetterna tack!
Tickets, please!
Det är för varmt (kallt) i vagnen.
It's too hot (cold) in this car.
Får jag öppna (stänga) fönstret?
Can I open (close) the window?
Det drar.
There's a draft.
Var är restaurangvagnen?
Where is the dining-car?.
Var är sovvagnen till ...?
Where is the sleeping-car to ...?
Ursäkta, har ni något emot att jag röker?
Excuse me, do you mind if I smoke?

Flygresa

Kan jag få en biljett till ...?
I'd like a ticket to ..., please.
Kan jag få boka om min biljett?
Can I change my booking?
När går planet till ...?
When does the flight for ... leave?
Går det direkt till ...?
Is it a non-stop flight to ...?
Det mellanlandar i ...
It makes an intermediate landing in ...
När avgår bussen till (från) flygplatsen?
When does the the airport bus leave?
Varifrån avgår bussen till (från) flygplatsen?
Where does the airport bus leave from?
Hur lång tid i förväg måste man checka in?
How early do I (we) have to check in?
Kan jag ta den här väskan som handbagage?
Can I take this bag as hand-luggage?
Måste jag checka in det här (den här väskan)?
Do I have to check this (this bag)?
Väger den här väskan för mycket?
Does this bag weigh too much?

När kan jag gå ombord?
When can I go on board?
Gå till gate nummer ...
Go to gate number ...
Vill ni ha något att dricka?
Would you like something to drink?
Vi landar om tio minuter.
We'll be landing in ten minutes.

Bilresa

Går den här vägen till ...?
Is this the way to ...?
Hur långt är det till (Var ligger) närmaste bensinstation (bilverkstad)?
How far is it to (Where is) the nearest petrol station (garage)?
Jag har fått fel på bilen. Kan ni (du) hjälpa mig?
There's something wrong with my car. Could you help me, please?
Kan ni (du) bogsera mig?
Could you tow me, please?
Stanna! Stopp!
Stop!
Vilken är den kortaste vägen till ...?
Which is the shortest way (route) to ...?
Kan ni (du) visa mig vägen på kartan?
Can you show me the way on the map?
Finns det något matställe (motell) i närheten?
Is there a restaurant (motel) nearby?

På bensinstationen, på bilverkstaden

Full tank, tack.
Fill her up, please!
Jag skulle vilja tvätta bilen.
I'd like to wash my car.
Jag vill byta olja.
I want to change the oil.
Kan ni kolla luften i framhjulen (bakhjulen)?
Could you check the air pressure in the front tires (rear tires)?
Min bil startar inte.
My car won't start.
Kan ni kolla tändstiften?
Could you check the spark plugs?
Jag skulle vilja ha ...
I'd like ...
en fläktrem
a fan belt
k-sprit
some carburettor spirit
kylarvatten
some coolant
motorolja
some motor oil

spolarvätska
some windscreen washer fluid
en säkring
a fuse
ett tändstift
a spark plug
en vindrutetorkare
a windscreen wiper
Var kan man hyra en bil?
Where can I (we) rent a car?
Det är något fel på motorn.
There's something wrong with the motor.
När tror ni att bilen är klar?
When do you think you'll have it ready?
Hur mycket kommer reparationen att kosta?
How much will the repairs cost?

På hotellet

Har ni några rum lediga?
Do you have a room?
Jag har beställt (skulle vilja ha) rum för en natt (tre nätter, en vecka, fjorton dagar).
I have booked (I'd like) a room for one night (three nights, a week, two weeks).
Kan jag få ett tyst enkelrum (dubbelrum) med dusch eller bad?
Can I have a quiet single room (double room) with a shower or a bath?
Ett rum med dubbelsäng (extrabädd).
A room with a double bed (spare bed).
Vad kostar rummet per dygn (vecka)?
How much is it a day (a week)?
Finns det ett större (mindre, billigare) rum?
Do you have a larger (smaller, cheaper) room?
Finns det Internet på rummet?
Does the room have Internet access?
Hur länge stannar ni?
How long will you be staying?
Jag reser i morgon.
I'm leaving tomorrow.
Kan jag få se på rummet?
Could I see the room, please?
Jag tar det här rummet.
I'll take this room.
Får jag be om ert pass?
Could I have your passport, please?
Ni har rum nummer …
You have room number …
Vilken tid serveras frukosten (lunchen, middagen)?
At what time is breakfast (lunch, dinner) served?
Ingår frukost i rumspriset?
Is breakfast included?

Kan jag få frukosten på rummet?
Can I have breakfast served in my room?
Var finns frukostmatsalen?
Where is breakfast served?
Var kan jag parkera bilen?
Where can I park?
Finns det garage?
Is there a garage?
Kan jag lämna bilen på gatan över natten?
Can I leave my car on the street overnight?
Kan ni beställa en taxi åt mig?
Would you order a taxi for me, please?
Jag skulle vilja ringa (skicka e-post, ett fax).
I'd like to make a phone call (send an e-mail, a fax).
Har det kommit någon post till mig?
Is there any post for me?
Var finns toaletten?
Where is the lavatory?
Får jag be om nyckeln till rum nummer ..., tack.
The key to room number ...-, please.
Gör i ordning räkningen till i morgon bitti.
Could you have the bill ready by tomorrow morning, please.
Jag vill beställa väckning till i morgon bitti klockan sju.
Please call me at 7 tomorrow morning.
Vill ni vara snäll och bära ner mina väskor.
Please carry my bags downstairs.

På restaurangen

Kan ni rekommendera en trevlig restaurang?
Can you recommend a nice restaurant?
Kan jag få beställa ett bord för en person (två personer) till lunch (middag) klockan ...
I'd like to book a table for one person (two persons) for lunch (dinner) at ... o'clock
Kan vi få ett bord för två?
Could we have a table for two?
Är det ledigt här?
Is this seat taken?
Får jag slå mig ner?
May I sit down?
Får jag be om matsedeln (vinlistan)!
The menu (wine list), please!
Kan jag få beställa?
May I order?
Jag tar dagens rätt.
I'll have today's special.
Har ni någon vegetarisk rätt?
Do you have a vegetarian dish?
Vi vill hellre äta à la carte.
We'd rather have à la carte.

Har ni någon barnmeny?
Do you have a children's menu?
Har ni någon specialitet?
Is there a speciality of the house?
Jag vill ha ...
I'd like ...
Jag vill bara ha litet ...
I only want a little ...
Jag vill bara ha något lätt.
I only want something light.
Jag vill ha en typisk engelsk rätt.
I'd like a typical English dish.
Vilket vin rekommenderar ni?
What wine do you recommend?
En karaff vin, tack.
One carafe of wine, please.
Ge mig en flaska ... (en halvflaska ... , ett glas ...)
Give me a bottle of ... (half a bottle of ... , a glass of ...), please.
Skål!
Cheers!
Kan vi få mineralvatten, tack.
Could we have mineral some water, please?
Får jag be om saltet.
Could you pass me the salt, please?
Kan jag få smör och bröd till salladen?
Could I have bread and butter with my salad?
Jag skulle vilja ha några smörgåsar.
I'd like a couple of sandwiches.
Det räcker, tack.
That's fine, thank you.
Kan jag få lite mer, tack.
Could I have some more, please?
Kan jag få tala med hovmästaren?
Could I speak to the head waiter?
Kan vi få två kaffe.
Two coffees, please!
Får jag be om notan.
The bill, please!
Jag betalar för oss alla.
I'll pay for all of us.
Vi betalar var för sig.
Separate bills, please.
Är serverings-avgiften inräknad?
Is a tip included?
Det är jämnt!
Keep the change!
Var ligger damtoaletten (herrtoaletten)?
Where is the ladies' room (men's lavatory)?

Svensk-engelska ordlistor

à la carte
à la carte
aperitif
aperitif
askfat
ash tray
assiett
side plate
bar
bar
barnmeny
children's menu
barnportion
small portion, portion for children
bestick
silverware
betala
pay
blodig
rare
bord
table
bröd
bread
bär
berry
dagens rätt
today's special
damtoalett
ladies' room
dans
dancing
dessert
dessert
dricksglas
glass
dricks
tip
drink
drink
drycker
drinks
duk
table cloth
efterrätt
dessert
fisk
fish
fisk- och skaldjur
seafood
flamberad
flambé
flaska
bottle
frukost
breakfast
äta frukost
have breakfast
frukt
fruit
fågel
poultry
färsk
fresh, new
förrätt
first course, starter
gaffel
fork
garderob
cloakroom
genomstekt
well done
glas
glass
grill
grill
grillad
grilled
grönsak
vegetable
halstrad
grilled
herrtoalett
men's room
hovmästare
head waiter
huvudrätt
main course
is
ice
isbit
ice cube
kafé
café
kaffe
coffee
kall
cold
karaff
carafe

kassa
cash-desk
kniv
knife
kokt
boiled
kopp
cup
kryddor
spices
kvällsmat
supper
äta kvällsmat
have supper
kypare
waiter
kött
meat
kötträtt
meat dish
ledigt
free
lunch
lunch
äta lunch
have lunch
mat
food
maträtt
dish
matsedel
menu
medium
medium rare
meny
menu
middag
dinner
äta middag
have dinner
nota
bill
portion
portion, helping
pub
pub
rekommendera
recommend
restaurang
restaurant
rå
raw
rökt
smoked
sallad
salad
salt
salt
saltad
salted
servett
napkin
servitris
waitress
servitör
waiter
självservering
self-service
skaldjur
shellfish
sked
spoon
soppa
soup
specialitet
speciality of the house
stekt
fried
stol
chair
sås
sauce
söt
sweet
tallrik
plate
tandpetare
toothpick
varm
hot
varmrätt
main course
vatten
water
vegetarian
vegetarian
vin
wine
vinglas
wine glass
vinlista
winelist

Bröd och bakverk

bakverk
pastry
bakelse
pastry
bröd
bread
grovt
brown, whole-wheat
ljust
white
mörkt
brown
vitt
white
bulle
bun
franskbröd
white bread
giffel
croissant
kex
biscuit
rostat bröd
toast
rågbröd
rye bread
småfranska
roll
tårta
cake
vetebröd
buns

Kryddor m.m.

ketchup
ketchup
kryddor
spices
majonnäs
mayonnaise
olivolja
olive oil
olja
oil
peppar
pepper
salladsdressing
salad dressing
salt
salt
senap
mustard
socker
sugar
svartpeppar
black pepper
sås
sauce
vinäger
vinegar
vitpeppar
white pepper
örtkryddor
herbs

Förrätter m.m.

grönsallad
lettuce
kallskuret
cold cuts
korv
sausage
omelett
omelet
ost
cheese
pannkaka
crêpe
råkost
raw vegetables
sardiner
sardines
skinka
ham
kokt
boiled
rökt
smoked
smör
butter
smörgås
open sandwich
ägg
egg
hårdkokt
hard-boiled
kokt
boiled
löskokt
soft-boiled

stekt
fried
äggröra
scrambled eggs

Soppor

blomkålssoppa
cauliflower soup
buljong
clear soup
champinjonsoppa
mushroom soup
fisksoppa
fish soup
grönsakssoppa
vegetable soup
löksoppa
onion soup
puré
purée
soppa
soup
sparrissoppa
asparagus soup
spenatsoppa
spinach soup
tomatsoppa
tomato soup

Fisk

fisk
fish
kokt
boiled
grillad
grilled
rökt
smoked
stekt
fried
fiskfilé
fillet of fish
forell
trout
lax
salmon
marulk
angler fish
piggvar
turbot
rödspätta
plaice
sjötunga
sole
tonfisk
tuna
torsk
cod

Skaldjur m.m.

bläckfisk
octopus
mindre: squid
havskräfta
Norway lobster,
Dublin Bay Prawn
hummer
lobster
krabba
crab
kräftor
crayfish
musslor
mussels,
clams
ostron
oyster
pilgrimsmusslor
scallops
räkor
shrimps
större: prawns
skaldjur
shellfish

Kötträtter

bacon
bacon
biff
steak
utskuren
sirloin steak
blodig
rare
chateaubriand
chateaubriand
entrecôte
entrecôte
fläsk
pork
fläskfilé
fillet of pork
fläskkotlett
pork chop
genomstekt
well done
hamburgare
hamburger
hare
hare
hjort
venison
kalvkotlett
veal cutlet
kalvstek
roast veal
kanin
rabbit
kotlett
chop, cutlet
kött
meat
köttbullar
meat balls
köttfärs
mince
lamm
lamb
lammkotlett
lamb chop
lammstek
roast lamb,
leg of lamb
lever
liver
njure
kidney
oxfilé
fillet of beef
oxkött
beef
pannbiff
hamburger
rostbiff
roast beef
rådjur
venison
schnitzel
schnitzel
skinka
ham
stek
roast
tunga
tongue
wienerschnitzel
Wiener schnitzel

Fågel

anka
duck
fasan
pheasant
fågel
tam
poultry
vild
game birds
gås
goose
höns
chicken
kalkon
turkey
kyckling
chicken
grillad
grilled
kokt
boiled
ugnsstekt
roast

Grönsaker m.m.

aubergine
eggplant
blomkål
cauliflower
bondbönor
broad beans
broccoli
broccoli

bönor
beans
gröna
green
röda
red
vita
white
champinjoner
mushrooms
endive
chicory
fänkål
fennel
grönsak
vegetable
grönsallad
lettuce
gurka
cucumber
saltgurka
dill pickles
jordärtskocka
Jerusalem artichoke
kastanjer
chestnuts
kikärter
chickpeas
kronärtskocka
artichoke
kål
cabbage
linser
lentils
lök
onion
majs
sweet corn
majskolv
corn on the cob
morötter
carrots
oliver
olives
paprika
sweet pepper
pommes frites
chips
potatis
potatoes
potatisgratäng
potatoes au gratin
potatismos
mashed potatoes
rotfrukt
root vegetable
rädisa
radish
rödbeta
beet
sallad
lettuce
selleri
blekselleri
celery
rotselleri
celeriac
sparris
asparagus
spenat
spinach
squash
squash
svamp
mushrooms
tomat
tomato
vitkål
cabbage
vitlök
garlic
ärter
peas

Efterrätter

bakelse
pastry
brylépudding
crème caramel
chokladsås
chocolate sauce
chokladmousse
chocolate mousse
chokladtårta
chocolate gâteau
efterrätt
dessert
frukt
fruit
konserverad
canned
fruktsallad
fruit salad
gelé
jelly
glass
ice cream
chokladglass
chocolate ice cream

vanljiglass
vanilla ice cream
grädde
cream
kompott
stewed fruit
mousse
mousse
ost
cheese
pudding
pudding
rulltårta
Swiss roll
vaniljkräm
custard
vispgrädde
whipped cream
äppelkaka
apple cake

Frukt och bär m.m.

ananas
pineapple
apelsin
orange
aprikos
apricot
banan
banana
bär
berry
citron
lemon
clementin
clementine
dadel
date
druvor
grapes
fikon
fig
frukt
fruit
grapefrukt
grapefruit
hallon
raspberry
hasselnötter
hazelnuts
jordgubbar
strawberries
jordnötter
peanuts
kiwifrukt
kiwi
körsbär
cherry
mandarin
mandarine
mandlar
almonds
mango
mango
melon
melon
nektarin
nectarine
papaya
papaya
persika
peach
plommon
plum
päron
pear
russin
raisins
smultron
wild strawberries
valnötter
walnuts
vattenmelon
water melon
vinbär
currant
röda
red currants
svarta
black currants
vindruvor
grapes
äpple
apple

Drycker

alkoholfri dryck
soft drink
apelsinjuice
orange juice
aperitif
aperitif
bordeaux
Bordeaux
röd
även: claret
bourgogne
Burgundy
brännvin
schnapps
champagne
champagne
choklad
cocoa, hot chocolate
cider
cider
cocktail
cocktail
drink
drink
druvjuice
grape juice
dryck
drink, beverage
espresso
espresso
fatöl
draft beer
flaska
bottle
flasköl
bottled beer
gin
gin
glas
glass
isvatten
ice water
juice
fruit juice
kaffe
coffee
med mjölk
with milk
med socker
with sugar
koffeinfritt
decaffeinated
konjak
brandy
finare: cognac
likör
liqueur
läsk
soft drink
mineralvatten
mineral water
mjölk
milk
mousserande
sparkling
portvin
port
saft
fruit drink, fruit juice
sherry
sherry
sodavatten
soda
spritdrycker
spirits
te
tea
vatten
water
med kolsyra
carbonated
utan kolsyra
not carbonated
vermut
vermouth
whisky
whisky
vin
wine
rött (vitt) vin
red (white) wine
torrt (sött) vin
dry (sweet) wine
ortens (traktens) vin
the local wine
husets vin
the wine of the house
vodka
vodka
öl
beer

Att läsa matsedeln. Engelsk-svenska ordlistor

Allmänt

afternoon tea
te med tillbehör (smörgåsar och kakor)
bar
bar
bill
nota
bottle
flaska
breakfast
frukost
café
kafé
carafe
karaff
carvery
stekhus
cash desk
kassa
cashier
1. kassa
2. kassörska
chair
stol
children's menu
barnmeny
cloakroom
garderob
coffee shop
kafé
cover charge
kuvertavgift
cream tea
te med scones, sylt och grädde
cup
kopp
dessert
dessert
dinner
middag
dish
1. maträtt 2. fat
fork
gaffel
free
ledig
glass
glas
grill
grill, grillrestaurang
high tea
temåltid med smårätter
hot meal
varm mat, lagad mat
inn
värdshus
knife
kniv
lavatory
toalett
lunch, luncheon
lunch
main course
huvudrätt, varmrätt
maitre d'hotel
hovmästare
meal
måltid
menu
meny, matsedel
napkin
servett
pay
betala
plate
tallrik
pub
pub
recommend
rekommendera
reserved
reserverad
restaurant
restaurang
salad bar
salladsbuffé
self-service
självservering
serviette
servett
speciality
specialitet
starter
förrätt
spoon
sked

sweet
efterätt
table
bord
tablecloth
duk
teacup
tekopp
teaspoon
tesked
tip
dricks
today's special
dagens rätt
toilet
toalett
toothpick
tandpetare
vegetarian
vegetarisk
waiter
kypare,
hovmästare
waitress
servitris
winelist
vinlista

Mat

allspice
kryddpeppar
almond
mandel
anchovies
sardeller
apple crumble
smulpaj med äpple
apple fritters
friterade
äppelskivor
apple pie
äppelpaj
apple sauce
äppelmos
artichoke
kronärtskocka
asparagus
sparris
bacon
bacon
back bacon
kotlettbacon
baked Alaska
glace au four
baked beans
vita bönor i
tomatsås
bangers and mash
korv och
potatismos
bap
slags kuvertbröd
basil
basilika
beans
bönor
beef
nötkött
beef Wellington
inbakad oxfilé
beetroot
rödbeta
biscuit
kex
blackberry
björnbär
black currants
svarta vinbär
boiled
kokt
boiled beef and carrots
grytstek, *ungefär*
pepparrotskött
Bolton hot pot
sjömansbiff med
lamm, lök och
njure
bran
kli
brandy snaps
rullade flarn med
gräddfyllning
Brazil nut
paranöt
bread
bröd
bread and butter pudding
brödpudding
breadsticks
grissini
bream
braxen
broad beans
bondbönor

brown bread
grahamsbröd
Brussels sprouts
brysselkål
bun
bulle
butter
smör
cabbage
kål
carrot
morot
cauliflower
blomkål
cauliflower cheese
ostgratinerad blomkål
Cheddar cheese
cheddarost
cheese
ost
cheese straws
oststänger
cherry
körsbär
chestnut
kastanj
chicken
kyckling
chicken curry
kycklinggryta med curry
chipped potatoes
pommes frites
chips
pommes frites
chives
gräslök
chocolate
choklad
chop
kotlett
chowder
slags soppa med musslor, fisk och grönsaker
Christmas pudding
ångkokt julpudding med russin och nötter
clams
musslor
clarified butter
skirat smör
clotted cream
slags tjock grädde
cod
torsk
corned beef hash
lappskojs med corned beef
Cornish pasties
piroger med nötkött, purjolök och potatis
corn on the cob
majskolv
cottage cheese
färskost, keso®
cottage pie
köttpudding med potatismos
crab
krabba
cream
grädde
creamed spinach
stuvad spenat
creamed potatoes
potatispuré
cream tea
te med scones, sylt och grädde
crisps
chips
croquettes
kroketter
crumble
smulpaj
crumpet
slags porös tekaka som äts rostad med smör
cucumber
gurka
cullen skink
soppa på rökt kolja
cup cake
muffin
curried chicken
kyckling i currysås
curry
1. curry 2. maträtt kryddad med curry
custard
vaniljsås

cutlet
kotlett
Danish pastry
wienerbröd
dates
dadlar
deep-fried
friterad
devilled kidneys
stekta njurar med stark kryddning
Devonshire splits
slags bullar med grädde och sylt
duck
and, anka
duckling
unganka
Dundee cake
fruktkaka
Eccles cake
halvmjuk kaka med korinter och citronskal
eel
ål
egg
ägg
fairy cake
muffin
fig
fikon
fillet
filé
fillet of beef
oxfilé
fillet of lamb
lammfilé
fillet of pork
fläskfilé
fish
fisk
fish and chips
friterad fisk med pommes frites
fishcake
fiskkrokett
fish fingers
fiskpinnar
flambé
flamberad
fried
stekt
fritter
friterad bit av frukt eller grönsak
fruit
frukt
fruit salad
fruktsallad
game
vilt
game pie
paj på viltkött
gammon
rökt och saltad skinka
garlic
vitlök
gâteau
tårta
ginger
ingefära
gingerbread
pepparkaka
ginger nut
pepparnöt, hård pepparkaka
goose
gås
gooseberry
krusbär
gooseberry fool
krusbärsmousse
grapes
vindruvor
gravy
redd sås
haddock
kolja
haggis
slags pölsa på får
hake
kummel
halibut
hälleflundra
ham
skinka
hardboiled egg
hårdkokt ägg
hare
hare
hazelnut
hasselnöt
herbs
örtkryddor
herring
sill
horseradish
pepparrot

hot cross bun
bulle med korinter, suckat och glasyr
ice cream
glass
icing
glasyr
jam
1. sylt 2. marmelad *på bär*
jam tart
mördegsbakelse med sylt
jelly
1. gelé 2. gelédessert
Jerusalem artichoke
jordärtskocka
jugged hare
ragu på hare
kedgeree
risotto med ägg och rökt fisk
kidney
njure
kidney beans
1. skärbönor 2. kidneybönor
kipper
saltad, rökt och torkad fisk
lamb
lamm
lamb chop
lammkotlett
leek
purjolök
leg of lamb
lammstek
lemon
citron
lemon curd
citronkräm som ofta äts på rostat bröd
lentils
linser
lettuce
grönsallat
liver
lever
lobster
hummer
macaroni cheese
ostgratinerade makaroner
mackerel
makrill
madeira cake
sockerkaka med syltat apelsinskal
marmalade
citrusmarmelad
mashed potatoes
potatismos
meat
kött
medium rare
medium, rosastekt
mince, minced meat
köttfärs
mincemeat
kakfyllning med russin, nötter och konjak
mince pie
mördegspastej med *mincemeat* som äts vid jul
mint sauce
kall myntasås
mixed grill
grilltallrik
muffin
porös tekaka som gräddas i stekpanna och äts varm
mulligatawny
currysoppa med höns
mushroom
svamp
mussels
musslor
mustard
senap
mutton
fårkött
nectarine
nektarin
nuts
nötter
oil
olja
olives
oliver

olive oil
olivolja
onion
lök
orange
apelsin
oxtail
oxsvans
oyster
ostron
pancake
pannkaka
parsley
persilja
partan bree
skotsk krabbsoppa
partridge
rapphöns
pastry
1. bakverk 2. deg
peach
persika
peanuts
jordnötter
pear
päron
perch
abborre
peas
ärtor
pepper
1. peppar 2. paprika
pheasant
fasan
pickle
tjock, smakrik grönsaks- eller fruktinläggning
pickled eggs
hårdkokta ägg inlagda i maltvinäger
pickled onions
slags syltlök
pickles
pickles, ättiksinlagda grönsaker
pig´s trotters
grisfötter
pike
gädda
pike-perch
abborre
pilaf, pilau
pilaff, risrätt
pineapple
ananas
plaice
rödspätta
ploughman´s lunch
liten pubmåltid med ost, bröd och pickle
plum
plommon
poach
pochera
poached eggs
förlorade ägg
pork
fläsk, griskkött
pork chop
fläskkotlett
pork pie
portionspaj med fläskfyllning
potato
potatis
poultry
fågel
prawns
räkor
prune
katrinplommon
pudding
1. pudding 2. dessert
puff pastry
smördeg
quail
vaktel
queen cake
muffin
rabbit
kanin
radish
rädisa
raisins
russin
rare
blodig
raspberry
hallon
raw
rå

red currants
röda vinbär
rhubarb
rabarber
rice
ris
rice pudding
1. risgrynsgröt 2. risgrynskaka
roast
1. stek 2. ungsbakad
roast beef
rostbiff
roll
småfranska
rosemary
rosmarin
sage
salvia
salad
sallad
salad cream
majonnäsbaserad salladsdressing
salmon
lax
salmon trout
laxöring
sandwich
dubbelsmörgås
sausage
korv
scallops
pilgrimsmusslor, kammusslor
Scotch broth
köttsoppa med korngryn
Scotch eggs
hårdkokta ägg inbakade i färs
scrambled eggs
äggröra
seafood
skaldjur och fisk
shortbread, shortcake
mördegskaka
shortcrust pastry
mördeg
shrimps
små räkor
sirloin steak
utskuren biff
smoked
rökt
softboiled egg
löskokt ägg
sole
sjötunga
soup
soppa
spare ribs
revbensspjäll
spatchcock
hel kyckling som klyvts och fläkts upp före grillning
spice
krydda
spinach
spenat
sponge cake
sockerkaka
Spotted dick
ångkokt russinpudding
sprats
ansjovis
spring onions
salladslök
steak
biff
steak and kidney pie
kött- och njurpaj
Stilton cheese
stilton, *slags* ädelost
stuffing
fyllning (i kyckling, kalkon etc.)
sucking pig
spädgris
swede
kålrot
sweetbread
bräss
sweet corn
majs
Swiss roll
rulltårta
tarragon
dragon
tart
mördegspaj
thyme
timjan

toad in the hole
slags ugnspannkaka med korv
toast
rostat bröd
tomato
tomat
tongue
tunga
treacle
sirap
trifle
dessert med sockerkaka, vaniljkräm, gelé och frukt
tripe
komage
trout
forell
tuna
tonfisk
turbot
piggvar
turkey
kalkon
turnip
kålrot
veal
kalvkött
vegetable
grönsak
venison
viltkött
vinegar
vinäger
walnuts
valnötter
watercress
vattenkrasse
watermelon
vattenmelon
well done
genomstekt
Welsh rarebit
rostat bröd med smält ost
whipped cream
vispad grädde
wholewheat
fullkorn
yorkshire pudding
slags ugnspannkaka som äts till kött
zander
gös

Drycker

Babycham®
slags mousserande päroncider
beer
öl
bitter
öl med kraftig humlesmak
black coffee
kaffe utan mjölk
bottled beer
flasköl
bourbon
amerikansk whiskytyp
brandy
konjak
Burgundy
bourgogne
chocolate
choklad
cider
äppeljuice
cocoa
choklad
decaf
koffeinfritt kaffe
decaffeinated coffee
koffeinfritt kaffe
coffee
kaffe
draught beer
fatöl
fruit juice
juice
Guiness®
slags porter
half a pint
en liten öl (ca 0,25 l)
ice water
isvatten
lager
ljust öl
latte
kaffe m. mjölk
lemonade
sockerdricka

liqueur
likör
milk
mjölk
mineral water
mineralvatten
pale ale
ljust öl
pint
stor öl (ca 0,5 l)
port
portvin
scrumpy
slags alkoholstark cider
shandy
blandning av *lemonade* och *lager*
soft drink
läskedryck
sparkling wine
mousserande vin
spirits
sprit
stout
porter
tea
te
water
vatten
white coffe
kaffe med mjölk
wine
vin

Telefon

Var finns närmaste telefon?
Where's the nearest telephone?
Finns det någon mynttelefon (korttelefon) i närheten?
Is there a coin phone (card phone) nearby?
Var kan man köpa telefonkort?
Where can I buy a phonecard?
Får jag beställa ett samtal till ...
I'd like to make a phone call to ...
Ett ögonblick.
One moment.
Var god och dröj.
Hold on, please.
De svarar inte.
There is no answer.
Ni har slagit fel nummer.
You have dialled the wrong number.
Lägg inte på!
Don't hang up!
På vilket nummer kan jag nå er?
At what number can I reach you?
Kan ni ta emot ett meddelande?
Can you take a message?
Säg att ... har ringt.
Please tell him (her) that ... has called.
Kan jag få tala med ...?
May I speak to ...?
Vem får jag hälsa från?
What name, please?
Ursäkta om jag stör, men ...
I'm sorry if I'm interrupting, but ...
Jag skulle vilja ringa.
I'd like to make a phone call.
Jag skulle vilja beställa ett samtal där mottagaren betalar.
I'd like to make a reversed call.
Har ni en telefonkatalog?
Have you got a telephone book?

Det är upptaget.
It's busy.
Jag ringer igen (senare, i morgon).
I'll call back (later, tomorrow).

Post, bank, valuta, växling

Var finns en brevlåda?
Where is there a postbox?
Var ligger närmaste postkontor?
Where is the nearest post office?
Jag vill skicka ...
I'd like to send ...
Hur mycket är portot för det här brevet?
How much does it cost to send this letter?
Kan jag få tio frimärken till Sverige?
Could I have ten stamps for Sweden?
Hur mycket kostar det att rekommendera det här brevet?
How much does it cost register this letter?
Skriv under här.
Sign here, please.
Har ni växel på 100 ...?
can you change one hundred ...?
Vet ni var man kan växla pengar?
Do you know where I can change money?
Jag skulle vilja växla ...
I'd like to change ...
Hur mycket tar ni i växlingsavgift?
How much do you charge for changing money?
Jag skulle vilja lösa in de här resecheckarna.
I'd like to cash these traveler's checks.
Hur många ... får jag för hundra svenska kronor?
How many ... do I get for one hundred Swedish Crowns?
Jag ska be att få små sedlar, tack.
I'd like notes, please.
Jag har inga småpengar.
I have no change.

På polisstationen

Var ligger närmaste polisstation?
Where is the nearest police station?
Jag skulle vilja anmäla en stöld.
I want to report a theft.
Jag har tappat ...
I've lost ...
Jag har blivit rånad.
I've been robbed.
Jag har blivit bestulen på ...
I've had ... stolen.
Det har varit inbrott i min bil.
My car has been broken into.
Min bil har blivit påkörd.
My car has been hit.

Bilen stod parkerad på ...
The car was parked in ...
Jag behöver ett intyg till mitt försäkringsbolag.
I need a certificate for my insurance company.

Shopping

När är affärerna öppna?
When are the shops open?
Jag vill bara titta lite.
I'm just looking around.
Jag skulle vilja se på (köpa) ...
I'd like to have a look at (to buy) ...
Finns det ...?
Is there ...?
Var finns ...?
Where is (are) ...?
Visa mig ... som ni har i skyltfönstret.
Would you show me ... that is in the window, please.
Det är för dyrt.
It's too expensive.
Finns det inget billigare?
Have you got something cheaper?
Jag tar den.
I'll take it.
Kan jag få ... också?
Could I also have ...?
Går det att få den inslagen?
Could I have it gift-wrapped, please?
Var betalar man?
Where do I pay?
Får jag be om ett kvitto.
I'd like a receipt, please.

Smycken, souvenirer m.m.

Jag skulle vilja ha någon souvenir som är typisk för den här trakten.
I'd like a souvenir that is typical of this area.
Jag skulle vilja ha något typiskt engelskt.
I'd like something typically English.

I skoaffären

Jag skulle vilja titta på ett par skor, tack.
I'd like to have a look at a pair of shoes, please.
Med höga (låga) klackar.
With high (low) heels.
Kan jag få prova det här paret?
Can I try this pair?
Vad har ni för skonummer?
What size shoes do you take?
De är lite för stora (trånga).
They are a bit too large (tight).
Kan jag få prova ett nummer (ett halvnummer) större (mindre).
Could I have a larger (smaller) number (half-number), please.
Vad kostar de?
How much do they cost?

Kläder

Jag skulle vilja se på (köpa) ...
I'd like to have a look at (to buy) ...
Kan jag få prova den?
Can I try it on?
Vilken storlek?
What size?
Vilket nummer?
What number?
Jag har storlek (nummer) ...
I take size (number) ...
Den passar inte.
It doesn't fit.
Den är för stor (liten).
It's too big (small)
Har ni en storlek (ett nummer) större (mindre)?
Do you have a larger (smaller) size (number)?
Den är för dyr.
It's too expensive.
Har ni något billigare?
Have you got something cheaper?
Färgen klär mig inte.
The colour doesn't suit me.
Finns den i någon annan färg?
Do you have this in another color?
Är det bra kvalitet?
Is the quality good?

Människokroppen, sjukdomar m.m.

Kan ni ringa efter en läkare?
Could you send for a doctor, please?
Ring efter en ambulans!
Call an ambulance!
När har läkaren mottagning?
What are the doctor's surgery hours?
När kan jag få komma?
When can I come?
Jag är sjuk.
I'm ill.
Jag mår inte bra.
I'm not feeling well.
Jag har ont i halsen (i huvudet, i magen).
I have a sore throat (a headache, a stomachache).
Jag har magbesvär (magsmärtor).
I have an upset stomach (pain in my stomach).
Jag mår illa.
I feel sick.
Jag har feber.
I have a temperature.
hög feber I've got a fever.
Jag är förkyld.
I've got a cold.
Jag är allergisk mot ...
I'm allergic to ...
Jag är diabetiker.
I'm a diabetic.

Jag har glömt min medicin hemma.
I left my medicine at home.
Jag har vrickat foten.
I have sprained my ankle.
Det gör ont här.
It hurts here.
Kan jag få ett recept på ...?
Could I have a prescription for ...?
Kan ni ge mig något smärtstillande?
Could you give me a painkiller?
Tre gånger dagligen.
Three times a day.
En kapsel till natten.
One capsule before going to bed.
Är det receptbelagt?
Is it on prescription?
Kan jag få ett intyg till försäkringskassan.
Could I have a certificate of illness for my socila insurance office?
Måste jag ligga till sängs?
Do I have to stay in bed?
Hur länge bör jag stanna i sängen?
How long do I have to stay in bed?
Är det smittsamt?
Is it infectious?
När kan jag resa hem?
When can I go home?

Hos tandläkaren

Var kan jag hitta en tandläkare?
Where can I find a dentist?
Jag har tandvärk.
I have a toothache.
Det värker i den här tanden.
This tooth hurts.
Jag har tappat en plomb.
I've lost a filling.
Jag är allergisk mot bedövningsmedel.
I'm allergic to anaesthetics.

På apoteket

Var ligger närmaste apotek?
Where is the nearest chemist's?
Kan jag få något bra medel mot ...?
Could I have something for ...?
Har ni något som hjälper mot solsveda (insektsbett)?
Do you have something for sunburn (insect bites)?
Jag skall be att få en förpackning huvudvärkstabletter.
I'd like a box of headache tablets.

Kan ni rekommendera någon värktablett?
Could you recommend a painkiller?

Är det receptbelagt?
Is it on prescription?

Har ni något receptfritt mot ...?
Have you got something for ... that is available without a prescription?

För invärtes (utvärtes) bruk.
For internal (external) use.

Kan jag få det här receptet expedierat?
Could I have this prescription filled, please?

När kan jag hämta medicinen?
When can I pick up my medicine?

BERÄTTA OM SVERIGE

När du är turist, eller när du har utländska besökare i Sverige, kommer du kanske att få frågor om våra seder, maträtter och annat typiskt. Även om namnen på sådant ofta inte kan översättas kanske följande kan vara till hjälp när du ska berätta.

Sverige

Sweden is a **constitutional monarchy** (konstitutionell monarki), which means that there is a king and/or queen whose power is defined by the constitution (grundlagen). The Swedish parliament is called the **Riksdag**. The main political parties are **Moderaterna** (the Moderates, conservative), **Kristdemokraterna** (the Christian Democrats), **Centerpartiet** (the Centre Party), **Folkpartiet** (the Liberals), **Miljöpartiet** (the Green Party), **Socialdemokraterna** (the Social Democrats) and **Vänstern** (the Left).

Sweden has a surface of approximately 450 000 square kilometres, which is about twice as large as Great Britain, but the population is only about 9 million. The biggest cities are **Stockholm** (the capital), **Gothenburg** (Göteborg), and **Malmö**.

Dagligt liv i Sverige

allemansrätt	right of access to private land or open country
bandy	bandy
barnbidrag	child benefit
bastu	sauna
bostadsrätt	cooperative flat
daghem	daycare centre
Dalarna	Dalecarlia
fjällstuga	mountain cabin
fjällvandring	mountain hiking
flugfiske	fly-fishing
fritidshem	after-school centre
fritidsfiske	angling
föräldra-ledighet	parental leave
hyreslägenhet	rented flat
idrottsrörelsen	the sports movement
ishockey	ice hockey
korpidrott	inter-company sports
Lappland	Lapland

längdåkning	cross-country skiing	**skärgården**	the archipelago
midnattssol	midnight sun	**social trygghet**	social security
Norden	the Scandinavian countries	**sommarstuga**	summer cottage
norrsken	northern lights	**studentexamen**	higher school certificate
personnummer	personal identity number	**studielån**	study loan
polcirkeln	the Arctic Circle	**systembolaget**	state liquor shop
samer	Laplanders	**utförsåkning**	downhill skiing
Skåne	Scania	**Vasaloppet**	the Vasa ski race

Helger och högtider

Fastan och påsk (Lent and Easter)

The first sign of Easter approaching is the special buns called **semlor** appearing in the bakeries. They are eaten either as they are, or served on deep plates with hot milk. Birch twigs are brought into the homes and decorated with coloured feathers. On Maundy Thursday (skärtorsdag) children dress up as **påskkäringar** (Easter witches). They walk around knocking on people's doors handing out little Easter drawings, and expecting sweets in return. Nowadays, Easter is seen by most people as a welcome holiday break, rather than a religious holiday.

Valborg (Walpurgis Night)

This day always falls on 30 April, and is celebrated as the beginning of Spring. Bonfires are lit in many places, and traditional songs are sung. The following day is a holiday, traditionally a day of Labour manifestations.

Nationaldagen (Swedish National Day)

Sweden's national day, 6 June, is the anniversary of Gustavus Vasa's coronation as king of Sweden in 1523. He led the country's rebellion against Danish rule and united the country. It is a holiday, and many ceremonies are held on this day.

Midsommar (Midsummer)

Midsummer's Eve always falls on a Friday. Maypoles with flowers and leaves are raised, traditional dances and games are held around it. The traditional food is new potatoes and many kinds of herring, washed down with aquavit – and strawberries for dessert.

Kräftor och surströmming (Crayfish and fermented herring)

August is the month of crayfish and **surströmming** (fermented herring). Crayfish is eaten with toast and strong cheese, and the herring with soft, thin bread, onion and boiled potatoes. As at Midsummer, **aquavit** is drunk and special songs are sung with each glass.

Mårten gås (Martinmas)

This is celebrated mainly in the South of Sweden. Roast goose and a black soup made of goose blood and giblets is served.

Advent, jul och nyårsafton (Advent, Christmas and New Year's Eve)

Children are given Advent calendars with a window to open on each day up to Christmas Eve. Advent is the season of drinking **glögg**, mulled red wine served with almonds and raisins.

Lucia is celebrated on 13 December, with singing processions of girls and boys dressed in white and carrying candles. The Lucia herself also wears a crown with candles.

Christmas presents are handed out on **Christmas Eve**. The traditional **julbord** (Christmas buffet) offers various kinds of sill, paté, **kalvsylta** (veal brawn), a Christmas ham cured in a special way, and hot dishes such as **Janssons frestelse** ("Jansson's Temptation", sprats and potato sticks baked with cream), meatballs, spareribs and **lutfisk** (ling which has been soaked in lye and dried before being boiled).

New Year's Eve is celebrated as all over the world with parties, plenty of food and drink, and promises for the New Year.

Mat och dryck

blåbär	bilberry
brännvin	aquavit
filmjölk	sour milk
glögg	mulled wine
gravlax	spiced pickled salmon
gräddfil	sour cream
hjortron	cloudberry
inlagd sill	pickled herring with red onion
karljohans-svamp	cep
kanelbulle	cinnamon bun
kantarell	chanterelle
knäckebröd	crispbread
kräftor	crayfish
kåldolmar	stuffed cabbage rolls
köttbullar	meatballs
lingondricka	lingonberry syrup [with water]
lättöl	low-alcohol beer
löjrom	whitefish roe
matjessill	pickled herring with sandalwood
mellanöl	medium-strong beer
nubbe	schnapps
nyponsoppa	rosehip soup
pepparkakor	gingerbread biscuits
punsch	arrack punch
pyttipanna	meat and potato hash
rökt renstek	smoked reindeer meat
semlor	marzipan-stuffed buns with cream
skogshallon	wild raspberry
smultron	wild strawberry
smörgåsbord	smorgasbord, Swedish buffet
sockerkaka	sponge cake
spettekaka	egg cake [baked on a spit]
starköl	export beer
surströmming	fermented herring
tunnbröd	thin unleavened bread
ärtsoppa	yellow pea soup

Räkneord

0	zero, nought	15	fifteen
1	one	16	sixteen
2	two	17	seventeen
3	three	18	eighteen
4	four	19	nineteen
5	five	20	twenty
6	six	21	twenty-one
7	seven	30	thirty
8	eight	40	forty
9	nine	50	fifty
10	ten	60	sixty
11	eleven	70	seventy
12	twelve	80	eighty
13	thirteen	90	ninety
14	fourteen	100	one hundred

101	one hundred and one
200	two hundred
1000	one thousand
1100	one thousand one hundred
2000	two thousand
1000 000	one million